突厥可汗

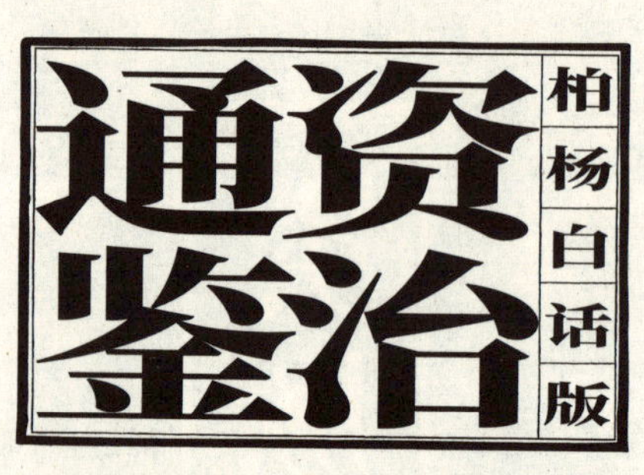

柏杨 著

第十一部

突厥可汗

南北统一

官逼民反

江都政变

人民东方出版传媒
東方出版社

司馬溫公
資治通鑑

导读

六世纪进入末期的两个年代——七〇年代、八〇年代，中国大分裂已接近尾声。统一天下的观念，不仅中国人有，欧洲人也同样有，查理曼大帝就曾日夜都梦见罗马帝国再现雄风。中国的分裂局面一旦到了“一国治”而另“一国乱”时，那个治的一国就油然而生“拯救同胞”之心。如果统一是可庆幸的话，我们就必须感谢层出不穷的昏君暴君，由于他们的昏暴，才产生“拯救同胞”和国土复合的后果。

而也就在同时，突厥汗国像一个巨人一样，在北方崛起。中国外患永远来自北方，匈奴汗国是个可怕的强敌，中国终于把它击败。继起的柔然汗国就相形见绌，在边境造成一些骚扰，不能造成威胁。造成威胁的是新兴的突厥，但在六世纪末期，它的影响还不过刚刚开始。

柏杨　一九八七·八·一五

目录

六世纪

七〇年代

五七六—五七九年

南北朝

◎ 北齐帝国亡。

◎ 北周帝宇文赟诬杀宇文宪、王轨。

◎ 北周禁妇女使用脂粉。

◎ 东罗马帝国皇帝查士丁二世，任命禁卫军统帅提比留当凯撒，共管帝国。

五七六年 丙申

南梁	天保	十五年
陈	太建	八年
北齐	武平	七年
	隆化	元年
北周	建德	五年

（齐帝高延宗德昌元年）

1 春季，正月四日，北周帝国（首都长安〔陕西省西安市〕）皇帝（三任武帝）宇文邕（本年三十四岁），前往同州（州政府设武乡〔陕西省大荔县〕）。

正月十二日，再前往河东（山西省）涑川（涑水河，源出山西省绛县东南，在永济市注入黄河）。

正月十五日，再返同州（武乡）。

2 正月甲寅日（正月庚辰朔，没有甲寅），北齐帝国（首都邺城〔河北省临漳县西南邺城镇〕）大赦。

正月乙卯日（正月庚辰朔，没有乙卯），北齐帝（五任）高纬（本年二十岁），返首都邺城（高纬去年〔五七五〕六月前往晋阳〔山西省太原市〕）。

3 二月十二日，北周帝宇文邕，派太子宇文赟，巡视西部疆土，顺便向吐谷浑汗国（青海省）发动攻击。上开府仪同大将军（勋官五级）王轨、太子宫总管（宫正）宇文孝伯随从同行；军事调度指挥，由二人全权负责，宇文赟只在事情决定时，听取报告。

4 北齐政府强行搜刮杂户（被北魏帝国掳掠的北凉王国臣民）二十岁以下、十四岁以上还没有结婚的女子，全部集中待命；胆敢藏匿拒绝献出的，家长一律处死。

5 二月二十三日，陈帝国（首都建康〔江苏省南京市〕）任命开府仪同三司（宰相级）吴明彻当最高监察长（司空）。

6 三月二十四日，北周帝宇文邕返首都长安（陕西省西安市）。

夏季，四月七日，宇文邕再往同州（州政府设武乡〔陕西省大荔县〕）。

7 四月十一日，陈帝（四任宣帝）陈顼（本年四十九岁。顼，音xū〔虚〕），前往皇家祖庙，祭祀祖先。

国务院左执行长（尚书左仆射）王玚逝世（年五十四岁）。

8 五月十五日，北周帝宇文邕，返首都长安（陕西省西安市）。

9 六月一日，日蚀。

10 六月四日，北周帝宇文邕，前往皇家祖庙，祭祀祖先。

11 最初，陈帝国太子陈叔宝，打算请国务院民政部长（左民尚书）江总当太子宫总管（詹事），命机要记录官（管记）陆瑜，告诉国务院文官部长（吏部尚书）孔奂。孔奂反对，回答陆瑜说："江总有潘岳、陆机那种才华（晋王朝二任帝司马衷当太子时，潘岳、陆机都是太子宫官员），却没有东园公、绮里季那种厚重的定力（参考六四二年九月注），由他辅佐太子，恐怕会有困难。"陈叔宝大为愤恨，乃亲自向老爹陈顼请求，陈顼打算同意，但孔奂却奏称："江总是一个文学家，如今皇太子（陈叔宝）在文学方面上的素养，并不缺少，怎么会需要江总？如果准许我提出个人的意见，我认为应该遴选敦厚稳重之士，负起辅佐的重任。"陈顼说："如果按照你的意见，谁是最合适的人选？"孔奂说："国务院法务部长（都官尚书）王廓，家族中每代都有人显示美德，知识见解深刻敏捷，可以担当这个职务。"陈叔宝当时正在一旁，大为不高兴，便用诡计反对说："王廓，是王泰的儿子，不适合当太子宫总管（太子詹事）。"（无聊的"避讳"游戏，在此呈现它的困扰，老爹名"泰"，儿子就不能在太子宫做事，如果老爹名"仁"，儿子就不能当人，只好当猪去了。）孔奂说："南宋帝国有个范晔，是范泰的儿子，范晔也当太子宫总管（太子詹事。参考四四五年十一月），前代王朝并没有这种疑问！"但陈叔宝坚持一定要任用江总，陈顼终于接受儿子的请求，任命江总当太子宫总管（太子詹事）。江总，是江敩的曾孙（江敩事，参考四八九年十二月）。

六月七日，陈顼任命国务院右执行长（尚书右仆射）陆缮，当国务院左执行长（尚书左仆射）。陈顼打算用孔奂接替陆缮，诏书已经发出，太子陈叔宝报复孔奂，竭力阻挠。于是，另行发布人事命令，擢升晋陵郡（江苏省常州市）郡长王克当国务院右执行长（右仆射）。

不久，江总跟陈叔宝通宵达旦饮酒；而江总又收太子陈叔宝的良娣（小老婆群第一级）陈女士当义女；陈叔宝常常穿平民衣服，私自外出，去江总家游宴。陈顼得到报告，大怒，免除江总官职。

12 北周帝国利州（州政府设晋寿〔四川省广元市〕）州长（刺史）、纪王宇文康，骄傲奢侈，毫无节制，修理武器，阴谋叛变。审理官（司录）裴融劝他不可发动，宇文康斩裴融。

六月九日，北周帝宇文邕命宇文康自杀。

六月十日，宇文邕前往云阳（陕西省泾阳县西北）。

13 六月十三日，北齐帝国宜阳王、宰相（司徒）赵彦深逝世（年七十岁）。赵彦深事奉数代君王，经常参与机要（高欢掌权时，赵彦深已主管机要，参考五三六年二月），以温和谨慎受人称誉。赵彦深死后，主管政府机要的权贵，只剩下总监督长（侍中）、开府仪同三司（宰相级）斛律孝卿一个人，其余的全是一些受北齐帝高纬宠爱的弄臣家奴。斛律孝卿，是斛律羌举的儿子（斛律羌举事，参考五三七年十月），比起其他人，斛律孝卿勉强可以说不太贪赃枉法。

14 秋季，八月九日，北周帝宇文邕，返首都长安（陕西省西安市）。

皇太子宇文赟西征吐谷浑汗国（青海省），到达首都伏俟城（青海省都兰县），即行班师。

太子宫总事务官（宫尹）郑译、王端等，都受太子宇文赟的宠爱。宇文赟在率军出征时，有很多败德的行为，郑译等都参与在内。班师之后，王轨等报告北周帝宇文邕，宇文邕大怒，用军棍责打宇文赟及郑译等，并且免除郑译等官职；太子宫官员以及亲信弄臣家奴，都受到处罚。可是不久，宇文赟又把郑译找回来，狗皮倒灶，一如往昔。郑译因而对宇文赟说："殿下，你什么时候统治这个帝国？"宇文赟大为高兴，对郑译越发亲近信任。郑译，是郑俨的侄孙（郑俨是北魏帝国胡太后的情夫，参考五二八年二月）。

宇文邕对太子宇文赟的管教，十分严厉，每次金銮宝殿上朝见，在仪式上，太子跟其他官员完全一样，即令严寒的冬天，或燠热的夏季，也不准宇文赟休息。宇文赟喜爱饮酒，宇文邕下令一滴酒都不准进入太子宫。宇文赟犯了过失，老爹就对他鞭抽棍打，宇文邕警告他："自古迄今，太子被罢黜的，有多少人？其他儿子难道都不配当太子？"训令东宫官员：把太子一言一语，一举一动，都记录下来，每月奏报。宇文赟畏惧老爹威严，竭力抑制自己的凶恶本性，假装谨言慎行，因此，他的过失，老爹宇文邕不再知道。

上开府仪同大将军（勋官五级）王轨，曾经告诉教育部秘书官员（春官小内史）贺若弼说："我看，太子（宇文赟）无法承担重任。"贺若弼深有同感，建议王轨奏报北周帝宇文邕。有一天，王轨借着一个奉陪在座的机会，向宇文邕陈述说："皇太子（宇文赟）在仁慈、孝顺方面，没有好的名声，恐怕不能胜任陛下的家事。我见识愚昧，眼光短浅，说的话陛下或许不太相信，但陛下一直认为贺若弼是文武奇才，他也一直为这件事忧虑。"宇文邕就问贺若弼，贺若弼回答说："皇太子（宇文赟）在东宫修养品德，我从来没有听说他有什么过失。"二人退出后，王轨责备贺若弼说："我们之间无所不谈，今天面对皇上，你怎么可以如此反复？"贺若弼说："这就是你的不对了，皇太子是帝国储君，怎么可以轻率讨论！事情万一有变，全族都会受到屠杀。本来，我认为你会秘密提出，怎么竟会当着这么多人，公开启奏！”王轨沉默不语，很久之后，才说：“我一心一意尽忠帝国，竟没有为自己打算。刚才在大家面前发言，实在不太适宜。”

后来，王轨参加北周帝宇文邕在皇宫中举行的宴会，举杯向宇文邕敬酒的时候，拉住宇文邕的胡须，说：“可爱的老爷子，遗憾的是接班人太弱！”在此之前，宇文邕问宫廷部右宫廷司长（天官右宫伯）宇文孝伯说：“我儿子近来怎么样？”宇文孝伯说：“太子（宇文赟）畏惧陛下天威，不再犯错。”宴会结束后，宇文邕责备宇文孝伯说：“你经常告诉我：‘太子不再犯错。’而今，王轨说这些话，岂不是你在撒谎！”宇文孝伯再次叩头说：“我曾经听说，父子之间的事情，外人最难建议。我知道陛下不能忍痛割爱，所以不敢开口。”宇文邕知道他的意思，沉默很久，最后说：“我已全都委托给你，你要勉励自己。”

有一天，王轨突然警告宇文邕，说：“皇太子（宇文赟）不是帝国的好君王，普六茹坚（杨坚）有反叛的迹象。”宇文邕大不高兴，说：“上天如果另有指令，我们也无可奈何！”杨坚听到，大为恐惧，小心翼翼的隐藏自己的才干。

事实上，宇文邕也十分同意王轨等的观察，可是他的次子、汉王宇文赞，年纪比宇文赟更幼，而又庸碌无能，其余的儿子年纪都小，宇文赟因此没有被罢黜。

15 八月二十一日，陈政府任命最高监察长（司空）吴明彻，当南兖州（州政府设广陵〔江苏省扬州市〕）州长（刺史）。

16 北齐帝高纬，前往晋阳（山西省太原市）；另行在邯郸（河北省邯郸市）兴筑邯郸宫。

17 九月二十三日，陈帝国封皇子陈叔彪当淮南王。

18 北周帝国再向北齐帝国发动灭国性的总攻。北周帝宇文邕对文武官员说："去年（五七五）东征，我正巧害病，因此不能扫荡贼寇（北齐帝国）。上次进入齐国（北齐）本土，亲眼看到他们的内情，他们的军事行动，简直如同儿童游戏。更何况他们的政治昏暴错乱，政令由一群卑劣的小人把持，人民哀号，早上不知道能不能活到晚上。上天赏赐的礼物，如果拒绝接受，将来一定后悔。上次出兵河外（黄河以南），只不过攻击敌人背后，并没有扼住敌人咽喉。晋州（州政府设平阳〔山西省临汾市〕）本是高欢聚众起兵的发祥地（高欢当晋州州长，参考五三〇年十一月），是他们的军事重镇。我们如果进攻晋州（平阳），他们一定增援，我们严阵以待，在反击中就可取胜。然后乘破竹之势，擂起战鼓，继续向东进军，包管一直追到他们的巢穴（北齐首都邺城），统一天下。"大多数将领都不愿出发，宇文邕说："机会不可丧失，如果有人阻挠我的军事计划，我会用军法惩处！"

冬季，十月四日，宇文邕亲自率军，对北齐帝国展开军事行动。任命越王宇文盛、杞公爵宇文亮、随公爵杨坚，统率右翼三军；谯王宇文俭、大将军（勋官四级）窦泰、广化公爵丘崇，率领左翼三军；齐王宇文宪、陈王宇文纯，担任前锋。宇文亮，是宇文导的儿子（宇文导事，参考五五四年十二月）。

十月十一日，北齐帝高纬，到祁连池（天池，山西省宁武县南管涔山上）打猎。

十月十八日，高纬自祁连池返抵晋阳（山西省太原市）。从前，中央驻晋州（平阳）特遣政府政务秘书长（晋州行台左丞）张延隽，公正率直，勤劳敏捷，军事上所有供应品，他都有储备，人民安居乐业，边疆得以相安无事；可是一些受高纬宠爱的家奴弄臣，对他却十分讨厌，终于把张延隽免职，而由家奴弄臣接替，从此公私一片混乱。

北周帝宇文邕，进抵晋州（州政府设平阳〔山西省临汾市〕），驻军汾曲（汾水弯曲处，山西省侯马市），派齐王宇文宪率军二万人封锁雀鼠谷（山西省灵石县西南汾水河谷），陈王宇文纯率步骑兵二万人封锁千里径（山西省霍州市东五公里），郑公爵达奚震率步骑兵一万人封锁统军川（山西省石楼县西），大将军（勋官四级）韩明率步骑五千人封锁齐子岭（河南省济源市西），焉氏公爵尹升率步骑兵五千人封锁鼓钟镇（山西省垣曲县东），凉城公爵辛韶率步骑兵五千人封锁蒲津关（山西省永济市西黄河渡口），赵王宇文招率步骑兵一万人，由华谷（山西省稷山县西北）北上，进攻北齐汾州（南汾州，州政府设定阳〔山西省吉县〕）各城，柱国（勋官二级）宇文盛率步骑兵一万人封锁汾水关（山西省灵石县西南）。

北周帝宇文邕派教育部秘书司长（春官内史）王谊当总监军官，监督各军进攻平阳（山西省临汾市）；北齐中央特遣政府执行长（行台仆射）海昌王尉相贵，登城固守。

十月十九日，北齐各路兵马在晋祠（山西省太原市南）集结完成。

十月二十五日，北齐帝高纬自晋阳（山西省太原市）率大军南下向晋州（平阳）进发。北周帝宇文邕每天从汾曲（山西省侯马市）到平阳城下，亲自督战，平阳（山西省临汾市）守军无法抵御，窘困紧急，当天（十月二十五日），北齐中央特遣政府政务秘书长（行台左丞）侯子钦，出城向北周军投降。

十月二十七日，北齐晋州（平阳）州长（刺史）崔景嵩镇守北城，当夜，派出使节到北周军投降，北周上开府仪同大将军（勋官五级）王轨率军接受；天还没有亮，北周将领、北海郡（山东省昌乐县东南）人段文振，手持铁槊，率领数十人首先爬上城墙，跟崔景嵩会合，一同冲往尉相贵住所，拔出佩刀架到尉相贵脖子上。随后登城的北周军官兵，在城上擂动战鼓，厉声呐喊，北齐军完全崩溃，北周遂攻克晋州（平阳），俘虏尉相贵及武装部队八千人。

当初，北齐帝高纬在祁连池（山西省宁武县南管涔山上）跟淑妃（小老婆群第一级）冯小怜打猎时，晋州（州政府平阳）被围，请求援军的告急奏章，从早晨到中午，前后有三趟驿马车抵达祁连池。右丞相高阿那肱说：“皇上正在快乐，边境军队小小接触，乃是常事，何必紧急启奏！”晚上，晋州（平阳）派的使节又到，报告说：“平阳（山西省临汾市）已经陷落。”高阿那肱这才奏报高纬。高纬就要南返，冯小怜却要求再杀一围，高纬同意，于是再杀一围。

北周齐王宇文宪攻克洪洞（山西省洪洞县）、永安（山西省霍州市），打算更向北进攻。北齐军纵火烧毁桥梁，把守险要，北周军不能前进，只好驻守永安（山西省霍州市）。宇文宪命永昌公爵宇文椿进驻鸡栖原（霍州市东北），砍伐柏树，搭盖半永久性圆形篷帐，建立大营。宇文椿，是宇文广的老弟（宇文广，参考五五九年九月）。

十月二十八日，北齐帝高纬分出军队一万人增援千里径（山西省霍州市东），再派军增援汾水关（山西省灵石县西南），而亲率主力军攻击鸡栖原（山西省霍州市东北）。驻守汾水关的北周柱国（勋官二级）宇文盛，派人向大营紧急求救，齐王宇文宪率军赴援。北齐军一经接触，即行后退，宇文盛追击，击破北齐军。一会工夫，驻守鸡栖原（山西省霍州市东北）的永昌公爵宇文椿，报告北齐军已逐渐逼近，宇文宪再

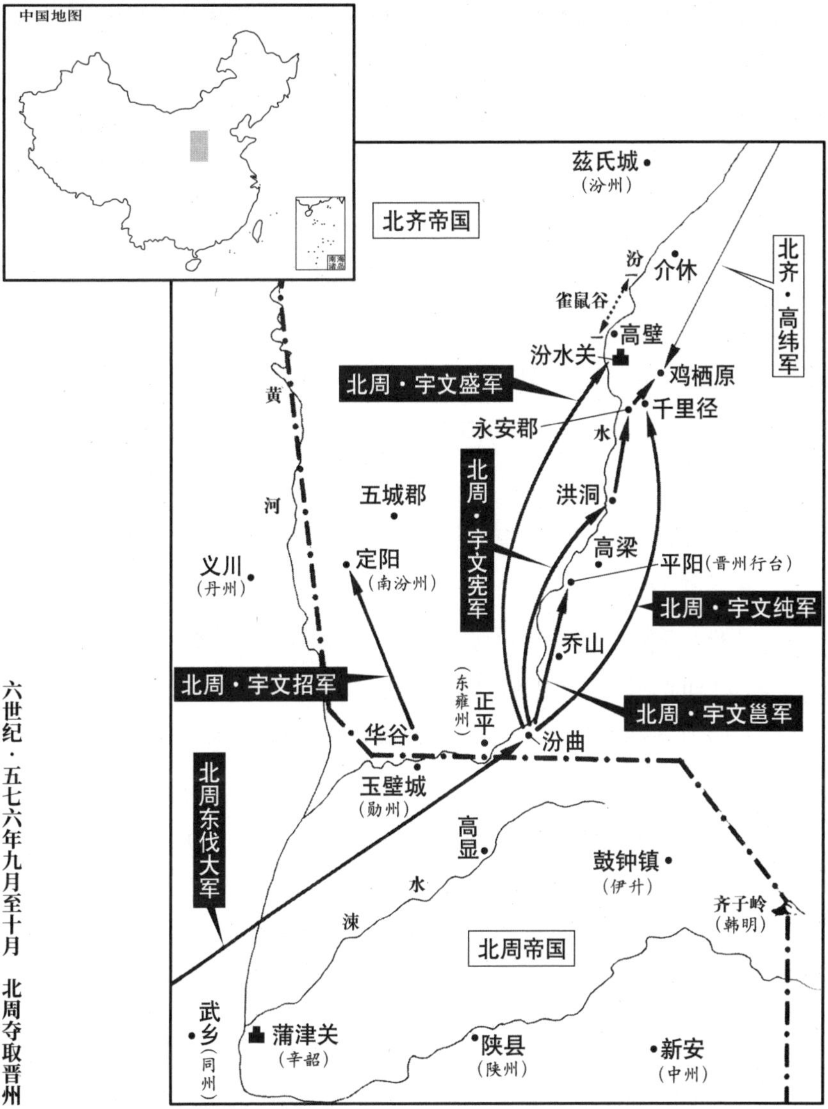

六世纪·五七六年九月至十月　北周夺取晋州

中国地图

北齐帝国

兹氏城（汾州）

北齐·高纬军

介休

汾水

雀鼠谷

高壁

汾水关

鸡栖原

千里径

北周·宇文盛军

永安郡

北周·宇文宪军

洪洞

高梁

平阳（晋州行台）

北周·宇文纯军

乔山

北周·宇文邕军

五城郡

定阳（南汾州）

义川（丹州）

黄河

北周·宇文招军

华谷

正平（东雍州）

汾曲

玉壁城（勋州）

北周东伐大军

高显

鼓钟镇（伊升）

齐子岭（韩明）

涑水

北周帝国

武乡（同州）

蒲津关（辛韶）

陕县（陕州）

新安（中州）

率军赴援，在战地跟北齐军对峙，直到夜晚，不肯出战。正巧，北周帝宇文邕命宇文宪回军，宇文宪遂率军连夜撤退。北齐军看到柏木建立的半永久性圆形篷帐仍在那里，没有拆除，所以没有发觉北周军行动，到了第二天，才知道面前不过一座空营。北齐帝高纬派右丞相高阿那肱率前锋军，先行进发，自己仍指挥主力各军。

十月二十九日，北周任命上开府仪同大将军（勋官五级）、安定（甘肃省泾川县）人梁士彦当晋州（州政府设平阳〔山西省临汾市〕）州长，交给他精锐部队一万人，镇守刚刚攻克的州城平阳（山西省临汾市）。

十一月四日，北齐帝高纬抵达平阳（山西省临汾市）。北周帝宇文邕因北齐的兵力新近集结，声势强大，打算班师西返，暂时躲开北齐军的锐气。开府仪同大将军（勋官六级）宇文忻劝阻说：“以陛下圣明英武，趁敌人荒淫放纵，何必担心不能攻克！万一齐国（北齐帝国）出现一位贤君，全国上下团结一致，恐怕即令有子天乙（成汤）、姬发（武王）的声势，也不容易把他们平定（晋王朝王濬也有类似言论，参考二七九年八月）。而今他们君王昏庸，官员愚昧，官兵没有斗志，虽然拥有百万大军，只不过是奉献给陛下的礼品。”大营总教练官（军正）京兆（首都长安）人王纮说：“齐国（北齐帝国）法纪荡然，已历两代（高湛及高纬），上天奖赏周国（北周帝国），所以只一次战役，便扼住他们的咽喉。活捉昏乱的君王，夺取被暴政蹂躏的土地，就在今天。放弃这个机会，突然班师，我实在无法理解。”宇文邕虽然欣赏他们的见解，但仍下令撤退。宇文忻，是宇文贵的儿子（宇文贵，参考五三三年十一月。宇文贵是夏州〔州政府设统万城，陕西省靖边县北白城则村〕人，不是宇文皇族）。

宇文邕命齐王宇文宪当大军后卫；北齐军追击，宇文宪与宇文忻，各率一百人骑兵反击，斩北齐勇将贺兰豹子等，北齐军才被逼退。宇文宪率军渡过汾水，在玉壁（山西省稷山县）追到北周帝宇文邕。

于是，北齐主力大军包围平阳（山西省临汾市），日夜不停进攻。城中北周守军十分危急，城楼墙垛全被摧毁铲平，残存的城墙，不过只高六七尺，有时短兵器肉搏，有时骑兵拉锯交战，而援军不来，官兵都震动恐惧。北周守将梁士彦神色镇定，一如平日，对将士们说："我们的死期定在今天，我会死在你们之前。"将士们勇猛悲壮，激烈奋战，以一当百，呐喊声震动天地。北齐军攻势稍稍顿挫，梁士彦动员他的妻子、小老婆、军人眷属、城中居民，以及所有妇女，日夜不停的整修城墙，三天时间修成。宇文邕命齐王宇文宪率军六万人，进驻涑水（涑水河，源出山西省绛县西南，在永济市注入黄河），遥遥作平阳的声援。北齐军挖掘地道，再对平阳猛攻，城墙崩塌十余步，北齐军乘势打算攻入，想不到高纬却忽然下令阻止，召唤淑妃冯小怜前来观赏这项攻克巨城的壮烈场面；可是冯小怜对镜化妆，不能马上赶到，而北周军就利用这短暂时间，用木材筑起第二道防御工事，平阳遂无法攻破。民间传说：晋州（平阳）城西山石上有神仙脚迹，冯小怜打算前往参观，偏偏一座必需经过的桥梁，正在北周军飞石流箭的射程之内。高纬恐怕伤害到冯小怜，命抽取攻城用的木材，在远处射程外另建一座新桥；新桥建成后，高纬与冯小怜过桥，而新桥忽然毁坏，由工兵加紧抢修，直到夜晚，高纬、冯小怜才回御营。

十一月十八日，北周帝宇文邕返抵长安（北周首都，陕西省西安市）。

十一月十九日，宇文邕下诏，因北齐军围攻晋州（州政府设平阳〔山西省临汾市〕），再率各军出征。

十一月二十一日，对于投降过来的北齐军民，宇文邕释放他们回国。

十一月二十二日，宇文邕从长安出发。

十一月二十七日，宇文邕渡过黄河，跟前方大军会合。

十二月三日，宇文邕抵达高显（应在山西省闻喜县南），派齐王宇文宪率他的军队，向平阳（山西省临汾市）推进。

十二月四日，宇文邕主力抵达平阳。

十二月六日，北周各路兵马在平阳城外集结完成，共八万人，逐渐进逼，紧接城池构筑营垒阵地，东西长达二十余华里。

之前，北齐军恐怕北周援军发动突击，所以在平阳（山西省临汾市）城南，挖掘一条深沟，东自乔山（山西省襄汾县南），西到汾水。北齐帝高纬派出大军在壕沟以北筑阵。北周帝宇文邕命宇文宪飞奔前往侦察，宇文宪回来报告说："容易得很！等我击破他们，然后进餐！"宇文邕十分高兴，说："果真像你所说的，我就不再忧虑。"宇文邕骑一匹平时常骑的马，带着几个随从，到阵地巡视，所到之处，都能叫出主帅的姓名，安慰勉励。将士们很感动皇帝对自己竟有如此深刻印象，人人都奋勇效命。会战快开始时，主管官员请宇文邕换马（平日所骑，求其温顺；战场所骑，求其快捷），宇文邕说："我一个人骑千里良驹，要跑到哪里！"宇文邕打算对北齐军施加压力，可是无法越过壕沟，只好停住，从早上到傍晚，双方对峙，没有接触。

北齐帝高纬问右丞相高阿那肱说："是决战好？还是不决战好？"高阿那肱说："我们的军队在数量上虽然很多，可是能战斗的不过十万，而害病、受伤，以及到附近砍伐木柴及负责煮饭的，占十万人的三分之一。从前，进攻玉壁（山西省稷山县），敌人援军抵达，我们即行撤退（参考五四六年九月），今天的将士，难道比神武皇帝（高欢）时更强！我的建议是：不要出战，退守高梁桥（山西省临汾市东北)。”武卫将军安吐根说:“一小撮毛贼,等我马上刺死,掷进汾水!”高纬不能决定,一群宦官插嘴说:“他们主帅是天子,我们主帅也是天子,他们能够远来,我们为什么躲在壕沟这一边,显示是个孬种。”高纬兴奋说:“这话有道理!”下令填平壕沟,率军南下。宇文邕大喜过望,指挥各军攻击。

北齐帝高纬跟淑妃冯小怜,并肩骑马,在一个小山丘上观战。两大帝国野战军刚刚接触,北齐军东翼稍向后退,冯小怜立即吓得要死,尖叫说:“已经败了!”主管政府机要(录尚书事)城阳王穆提婆(骆提婆)紧张说:“皇上快走,皇上快走!”高纬立即带着冯小怜,奔向高梁桥(山西省临汾市东北),开府仪同三司(宰相级)奚长劝阻说:“一会前进,一会后退,是战场上的常事。现在大军仍然完整,没有受到伤害,陛下离开大军,准备跑到什么地方?马蹄只要一动,人心立即惊骇散乱,以后就再不能振作,请陛下迅速回马,安慰军心!”武卫将军张常山从后赶来,也说:“军队已经集结,完整无缺,围城部队仍在原地驻扎,没有受到影响,陛下应该回去!如果不信我的话,请派宦官前去侦察。”高纬打算采纳他们的意见,穆提婆(骆提婆)拉一下高纬的手肘,警告说:“这种话难以相信!”高纬遂带着冯小怜,向北逃走。北齐大军于是彻底崩溃,被杀一万余人,军用物资武器等,全部抛弃,数百华里间,堆积如山。只有安德王高延宗全军而归。

高纬抵达洪洞(山西省洪洞县),稍事休息,冯小怜正对镜擦粉,搔首弄姿;忽然间,后面人声嘈杂,有人高喊:“周军追到!”于是高纬带着冯小怜,再向北逃亡。之前,高纬计划,一旦击败北周军,攻克平阳(山西省临汾市),就宣称是冯小怜的功勋,封她当左皇后,所以先派宦官前往晋阳(山西省太原市)取皇后正式服装——祎衣

（祭祀衣）、翟衣（朝见衣）等；现在，在中途与宦官相遇，高纬为此特别松下缰绳，停住马蹄，命冯小怜穿上，然后继续向北逃走。

十二月七日，北周帝宇文邕进入平阳（山西省临汾市），守将梁士彦晋见宇文邕，拉住宇文邕的胡须，流泪哭泣，说："我几乎看不到陛下！"宇文邕也为之落泪。

宇文邕因将士疲惫，打算班师。梁士彦拦住马头劝阻说："如今齐军四散逃走，民心已经动摇，趁他们正在恐惧，乘胜进攻，一定可以把他们摧毁。"宇文邕同意，握住他的手说："我得到晋州（平阳），作为铲平齐国（北齐帝国）的根据地，如果不能固守，大事就不可能成功。我对面前的事，没有忧虑；唯一的忧虑是后方发生变化，你用心为我镇守。"遂率各军追击向北逃走的北齐军。将领们一再请求西返，宇文邕说："放纵敌人，会招来后患，你们如果怀疑不能消灭齐国（北齐帝国），我就单独一个人前往。"将领们才不敢再反对。

十二月九日，宇文邕抵达汾水关（山西省灵石县西南）。

北齐帝高纬回到晋阳（山西省太原市）后，忧愁恐惧，手足失措，不知道如何是好。

十二月十日，北齐政府大赦。高纬征求文武百官的意见，文武百官一致说："唯一的办法是减收田赋捐税，免除民间苦差劳役，用以安慰民心。集结残兵败将，就在城下死战，才能拯救帝国。"高纬打算留安德王高延宗、广宁王高孝珩（二人均为高澄子）镇守晋阳（山西省太原市），而自己逃奔北朔州（州政府设招远〔山西省朔州市〕）；如果晋阳也不能守，则投奔突厥汗国（瀚海沙漠群）。文武官员一致反对，但高纬主意已定。

北齐开府仪同三司（宰相级）贺拔伏恩等，和担任皇宫警卫的亲信官员三十余人，投降北周军，北周帝宇文邕依照各人的等级，封爵任官。

北齐右丞相高阿那肱的部队，还有一万人，驻守高壁（山西省灵石县南），其他部队据守洛女寨（灵石县北）。宇文邕率军进逼高壁，高阿那肱望风而逃。宇文宪攻击洛女寨，攻克。北齐军中有人告发高阿那肱投降北周、带领北周军进击。北齐帝高纬命总监督长（侍中）斛律孝卿调查，斛律孝卿认为诬陷。高纬回到晋阳（山西省太原市），高阿那肱的心腹亲信，再告发高阿那肱叛变，高纬认为又是诬陷，斩告发人。

十二月十一日，高纬下诏，命安德王高延宗、广宁王高孝珩招兵买马。高延宗入宫晋见高纬，高纬告诉他打算撤退到北朔州（州政府设招远〔山西省朔州市〕）。高延宗哭泣劝阻，高纬不理，秘密派左右亲信先把娘亲胡太后、太子高恒，送到北朔州（招远）。

十二月十二日，北周帝宇文邕，跟齐王宇文宪，在介休（山西省介休市）会师。北齐开府仪同三司（宰相级）韩建业献出介休城，投降北周。北周政府任命韩建业当上柱国（勋官一级。去年〔五七五〕，北周勋官，在柱国之上，再增上柱国，等级改变），封郇公爵。当天（十二月十二日）夜晚，北齐帝高纬打算逃走，可是将领们拒绝。

十二月十三日，北周大军抵达晋阳（山西省太原市）；北齐帝高纬再下诏大赦，改年号为隆化（之前是武平七年，之后是隆化元年）。高纬命安德王高延宗当相国、并州（州政府设晋阳〔山西省太原市〕）州长（刺史），统率山西（太行山以西）各军，告诉高延宗说：“并州（州政府晋阳）交给老哥经营，孩儿今天远走高飞！”高延宗说：“为帝国着想，陛下一动都不要动，我愿为陛下出力死战，一定可以破敌！”穆提婆（骆提婆）说：“皇上的心意已定，大王不可阻挠！”高纬遂在夜晚砍开五龙门（晋阳宫东门）出城，打算投奔突厥汗国（瀚海沙漠群），很多随从官员四散逃命。中央禁军总监（领军将军）梅胜郎拦住马头劝阻，高纬这才改变主意，逃回邺城（北齐首都，河北省临漳县西南邺城镇）。当时，只有高阿那肱等十余人骑马跟随；广宁王高孝珩、襄城王高彦道，陆续从后赶到，约有数十人一起东奔。

然而，穆提婆（骆提婆）却突然向西逃走，投降北周帝国，娘亲陆令萱得到消息，自杀；家属被处死或被罚当奴工。北周帝宇文邕任命穆提婆（骆提婆）当柱国（勋官二级）、宜州（州政府设泥阳〔陕西省铜川市耀州区东南〕）州长（刺史）。下诏向北齐官员昭示："如果你们已经竭尽全力，仍无法挽救大局，而又深刻了解上天意旨，起义归附，无论官职或爵位，都会擢升。至于，原来是帝国（北周帝国）的将领士卒，逃亡到齐国（北齐帝国）的，不管是贵是贱，完全赦免。"自此，北齐官员士卒，不断有人向北周军投降。

最初，高欢当东魏帝国的丞相时，命唐邕当丞相府地方军事管理官（丞相外兵曹），而由太原（山西省太原市）人白建当丞相府骑兵管理官（丞相骑兵曹），二人都因精通文书、会计，而受信任。等北齐帝国建立，丞相府各军事单位都划归国务院（尚书），只这二司既不划归国务院（尚书），也不撤销，而改名为"省"。唐邕升到主管政府机要（录尚书事），白建升到最高立法长（中书令），但仍主管二"省"，世人称"唐白"。唐邕兼国务院财政部长（兼领度支），跟高阿那肱结怨。高阿那肱在高纬面前挑拨诬陷，高纬遂下令总监督长（侍中）斛律孝卿，总管财政部（度支）及骑兵司（骑兵）。斛律孝卿办事专断独行，不再向唐邕等询问或请示意见。唐邕因自己最熟悉旧日典章制度，一旦被斛律孝卿轻视，心情落寞，不能平衡（唐邕在一任帝高洋时，便是政府要员，参考五五二年正月）。等高纬逃回邺城（河北省临漳县西南邺城镇），唐邕遂留在晋阳（山西省太原市）。并州（州政府晋阳）各将领向安德王高延宗请求：“大王不当天子，我们实在不能为大王死战。”高延宗不得已。

十二月十四日，高延宗登极称帝，下诏说：“皇上软弱，政令由宦官弄臣把持，砍开城门，连夜逃走，不知道逃往何方。王爵公爵以及高官贵族，对我逼迫推举，我只好接受皇帝宝座。”大赦，改年号德昌。任命晋昌王唐邕当宰相；齐昌王莫多娄敬显（莫多娄，三字姓）、沭阳王和阿干子、右卫大将军段畅、开府仪同三司（宰相级）韩骨胡等，分别统率武装部队。莫多娄敬显，是莫多娄贷文的儿子（莫多娄贷文战死事，参考五三八年八月）。各地军民听到这个消息，没有接到征召，而闻风前来投效的，前后相继。高延宗把库藏金银财宝，以及行宫美女，赏赐给将士，没收十几家宦官的财产。高纬接到报告，对亲信人员说：“我宁可使并州（晋阳）落到周国（北周帝国）之手，也不要高延宗得到。”左右都说：“理应如此！”高延宗接见士卒，一一握手，口称自己名字，流泪哭泣，大家争愿为他效死；儿童妇女都登上屋顶，卷起衣袖，投掷石头砖瓦，抵御敌军。

十二月十五日，北周帝宇文邕抵达晋阳（山西省太原市）。

十二月十六日，北齐帝高纬进入首都邺城（河北省临漳县西南邺城镇）。北周军把晋阳团团包围，四面八方像一片无尽头的黑云（北周军旗和军服，都是黑色；形容北周军之多，而且已经合围。早在东魏帝国的预言〔参考五五七年十二月〕，如今应验），高延宗命莫多娄敬显、韩骨胡拒守南城；和阿干子、段畅拒守东城；而自己率军抵抗攻击北城的北周军齐王宇文宪。高延宗一向肥胖，大肚子下垂，后面看起来像有人驮着他，人们常常对他讥笑。而现在，高延宗舞动铁矟督战，来往如飞，没有人可以抵挡。可是，和阿干子、段畅，率一千余骑兵出城后，却立即投降北周军；宇文邕遂亲自进攻已无北齐军防守的东门；傍晚时分，攻入，纵火焚烧佛寺。高延宗、莫多娄敬显，从东门尾追而至，前后夹击，北周军大乱，纷纷争夺城门，打算逃命，以致互相挤撞；一旦跌倒，立即被踏成肉酱，道路遂被塞死，寸步难进。北齐军队从背后砍杀而前，北周士卒阵亡二千余人。宇文邕左右卫士几乎全被杀光，急急逃走，却找不到出路。禁卫官（承御上士）张寿，手牵马头，不久前才投降的贺拔伏恩，用马鞭抽打马屁股，历尽危险，才得以逃出；北齐军奋勇截击，几乎击中宇文邕。晋阳（山西省太原市）东城街巷狭小弯曲，幸亏贺拔伏恩及另外一位降人皮子信，充当向导，最后才算出城，逃过一死。当时已是第二天（十二月十六日）凌晨三四点。高延宗认为宇文邕一定被乱兵诛杀，派人在堆积如山的尸体中，寻找长胡子尸体，始终没有找到。此时，北齐获得空前大捷，无论官兵，纷纷到酒店饮酒，全都酩酊大醉，躺卧不起，高延宗不能再行集结。

宇文邕出城后，饿火中烧，准备撤退，很多将领也劝他班师。只开府仪同大将军（勋官六级）宇文忻强烈反对，说：“陛下自从攻克晋州（州政府设平阳〔山西省临汾市〕），乘战胜余威，北伐晋阳（山西省太原市）。而今，伪主高纬已经逃亡，关东（函谷关以东）人民，震撼响应；自古以来，进军作战，从没有像今天这种绝对有利的形势。昨天破城，是将士们对敌人太过轻视，以致稍微不利，怎么可以挂在心上？大丈夫应该死中求生，败中取胜。而今，像劈竹竿一样，胜利形势已经完成，陛下为什么舍弃而去！”齐王宇文宪、柱国（勋官二级）王谊，也认为如果撤退，一定不能幸免覆灭；段畅等又强调城中防务空虚。宇文邕遂停住马蹄，下令吹起号角，集结部队；不久，军心重新振奋。

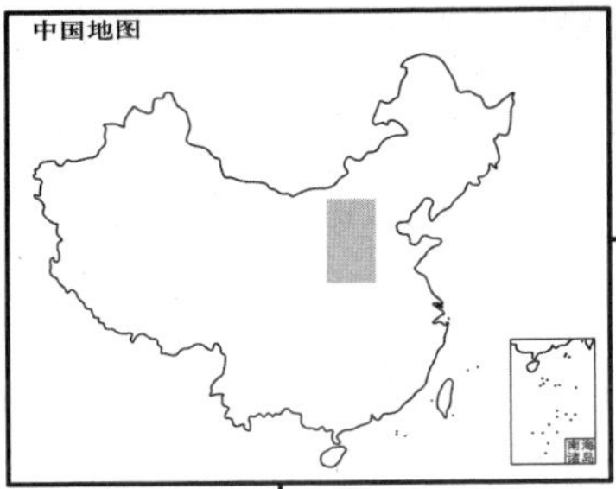

六世纪·五七六年十一月至十二月　北周解晋州围，继而夺取并州

中国地图

北齐太子高恒、胡太后逃亡北朔州

招远
（北朔州行台）

管涔山

祁连池

乞银城
（银州）

统万城
（夏州）

离石
（西汾州）

晋阳
（并州尚书省）
(12.13)

汾

水

太行山脉

北齐帝国

介休(12.12)

高壁(12.10)

汾水关
(12.9)

高纬逃走路线

广武
（延州）

高梁桥

洪洞

邺城

北周梁士彦守平阳

平阳（晋州）(12.7)

壕沟(12.4)

河

黄

古

高显
(12.3)

武乡
（同州）

涑

水

(11.27)

今黄河

洛阳
（洛州）

长安
(11.22)

北周·宇文邕军

临颍
（郑州）

北周帝国

十二月十七日，凌晨，宇文邕回军再攻击晋阳东门，攻克。高延宗竭力抵抗，筋疲力尽，向城北逃走，北周军追上擒获。宇文邕下马握住高延宗的手，高延宗推辞说：“死人的手，怎么可以碰至尊？”宇文邕说：“两大帝国的皇帝，并没有私人仇怨，只不过为了人民幸福，不得不动干戈。无论如何，我都不会害你，请不要担心！”命他改穿文官衣服，对他十分尊重。唐邕等全都投降，只莫多娄敬显逃往邺城（北齐首都，河北省临漳县西南邺城镇），北齐帝高纬任命他当宰相（司徒）。

高延宗刚登极称帝时，派使节送信给瀛州（州政府设赵都军城〔河北省河间市〕）州长（刺史）、任城王高湝，说：“至尊出奔，皇家祖庙事体重大，我受到大家的逼迫，暂时发号施令，等战事平定，最后仍将把帝王宝座，归还叔父（高湝是高欢第十子。高欢十五个儿子中，只高湝仍然在世）。”高湝说：“我是人臣，怎么能够接受这种信件。”逮捕使节，送到首都邺城（河北省临漳县西南邺城镇）。

十二月十八日，北周帝宇文邕下诏大赦；所有北齐帝国一切法令制度，完全废除。物色贤能的文武人才，优厚录用。

最初，北周政府派开府仪同三司（勋官六级）伊娄谦，前往北齐探听虚实，收集情报（参考去年〔五七五〕三月）。伊娄谦的军事参议官（参军）高遵，把这项秘密任务透露给北齐政府。北齐政府遂把伊娄谦囚禁晋阳（山西省太原市）。北周既攻克晋阳，北周帝宇文邕召见伊娄谦，安抚慰劳，然后逮捕高遵，交给伊娄谦，要他随意报复。伊娄谦叩头，请求赦免高遵。宇文邕说：“你可以集合大家，在众人面前，唾他的脸，使他知道惭愧！”伊娄谦说：“高遵犯的那种罪，仅仅唾他的脸，实在太轻！”宇文邕欣赏他的话，遂不再追究。伊娄谦待高遵跟当初一样。

对功劳奖赏，对犯罪惩罚，是君王的责任。高遵担任使节，前往外国，而竟泄漏国家重大密谋，乃是叛徒！宇文邕自己不直接诛杀，竟然交给伊娄谦，由他报仇报怨，已使法律失去尊严。孔丘曾经说过：“如果用恩德回报仇怨，那么，用什么回报恩德！”为伊娄谦设想，他最好是拒绝接受，而把高遵送给有关单位，公布他的罪状，予以公平处罚。他不这样做，却竟然请求赦免，借以博取私人宽厚的美名。美名虽是美名，但违反公义。

凡“以德报怨”的人，多少都心怀诡诈，希望博得宽厚美名；再不然，就是过度愚昧，想不到自己还有尊严；再不然，就是患有神经质恐惧，唯恐怕恶棍一旦翻身，对自己更为不利；再不然，就是企图换取更大的现实利益。

对恶棍有能力报复而报复，是一种神圣权利；有能力报复而不报复，是一种广阔高贵的胸襟；没有能力报复而誓言不报复，是一条可怜虫；没有能力报复而誓言报复，徒招反击；有能力报复反而施给对方倾盆大雨般的恩惠，一定是一个大奸大慝。

伊娄谦已在电脑上计算出答案，他在对高遵这场“以德报怨”斗智中，收获的丰富，远超过孔丘的“以直报怨”。

19 北齐帝高纬命有关单位悬出重赏，招募勇士从军，但他自己却不肯拿出金银财宝。广宁王高孝珩请求：“命任城王高湝，率幽州（州政府设蓟城〔北京市〕）军区各军，从土门关（井陉关，河北省井陉县北）西进，声称进攻并州（州政府设晋阳〔山西省太原市〕）；独孤永业率洛州（州政府设洛阳〔河南省洛阳市东白马寺东〕）军区各军，攻击潼关（陕西省潼关县)，声称直取长安(陕西省西安市)；请准许我率京畿各军，擂动战鼓，从滏口(河北省武安市西南)迎击追来的周军(北周军)。他们听到南北两路大军出动的消息，自会逃走溃散！”高孝珩又请高纬释放宫中美女和取出珍贵宝物，赏赐将士，高纬大不高兴。斛律孝卿请高纬出宫亲自慰劳官兵，替高纬撰写讲稿，嘱咐说：“致辞时一定要慷慨激昂，痛哭流涕，这样才能感动激励军心。”高纬既出宫劳军，面对各将领，将要发表演讲，可是却记不起讲稿上的话，看到各将领等待他训诫的严肃表情，自己也忍俊不住，忽然之间，纵声大笑，左右侍从也跟着大笑。将领们悲痛愤怒，说：“他自己还这个样子，我们何必着急！”于是三军毫无斗志。高纬只好用官爵收买人心，自大丞相以下，太宰(上公)、三师(太师、太傅、太保)、最高指挥官(大司马)、最高统帅(大将军)、三公(全国武装部队总司令〔太尉〕、宰相〔司徒〕、最高监察长〔司空〕)等官职，一律增加名额，有的三人，有的四人，无法数得清楚。

北齐中央派驻朔州(州政府设招远〔山西省朔州市〕)特遣政府执行长(朔州行台仆射)高励，率军护送胡太后和太子高恒，从土门(井陉关，河北省井陉县北)大道，返首都邺城(河北省临漳县西南邺城镇)；当时，宦官、仪同三司(文散官，正二品)苟子溢，仍仗恃宠爱，放纵凶暴，甚至对农家养的鸡、猪，都撒出猎鹰、猎狗，擒拿吞噬。高励逮捕苟子溢，游街示众，打算斩首。胡太后竭力营救，才饶他不死。有人警告高励说：“苟子溢这种人，一句话就能造成大祸，你难道不怕后患无穷？”高励卷起袖子说：“而今，西方贼寇(北周帝国)已占领并州(州政府晋阳)，达官贵人纷纷叛变，都是因为这种人败坏政局。如果今天把他斩首，即令明天被杀，也没有遗憾！”高励，是高岳的儿子

（清河王高岳被毒死，参考五五五年十一月）。

十二月二十日，胡太后等返抵首都邺城（河北省临漳县西南邺城镇）。

十二月二十二日，北周帝宇文邕，拿出晋阳宫中金银财宝、衣服珍玩，并释放宫女二千人，赏赐将士；所有建立功勋的人，都依照等级，分别升官晋爵。宇文邕向高延宗请教夺取邺城的策略。高延宗推辞说："这不是亡国之臣所能想得出来的！"宇文邕强迫他回答，高延宗说："如果任城王高湝增援邺城，我不敢预料。如果当今皇上（高纬）亲自守卫，陛下部属的刀枪，恐怕沾不到血！"

十二月二十九日，北周东征军向邺城进发。宇文邕命齐王宇文宪当前锋，上柱国（勋官一级）陈王宇文纯当并州军区（总部设晋阳〔山西省太原市〕）总司令（并州总管）。

20 北齐帝高纬，在朱雀门内召集高阶层官员，用酒宴招待，征求大家应变意见，议论纷纷，每人的看法都不一样，高纬不知道如何才好。当时人心惊恐，已无人愿意战斗，政府官员出城迎降的，日夜不断。高励对高纬说："背弃帝国的叛徒，都是尊贵的高官，至于低微卑贱的士卒，仍然拥护政府。我建议把五品以上官员的家属，集中三台（高洋所修建的金凤台、圣应台、崇光台，参考五五六年六月），胁迫他们出城作战，如果不能战胜，就纵火烧台。他们顾念妻子儿女，定会以死相拼。而且，我们不断被击败，匪徒（北周帝国）对我们一定轻视，而今背靠城池，决一胜负，如果还有天理，一定把他们击破。"高纬不能接受。望气巫法师警告说：帝国当有人事变动。高纬召唤国务院总理（尚书令）高元海等讨论，决定效法老爹高湛当年禅让前例（参考五六五年四月），把帝位传给皇太子高恒。

五七七年 丁酉

南梁　天保　十六年
陈　太建　九年
北齐　承光　元年
北周　建德　六年
（齐帝高绍义武平元年）
（圣武皇帝刘没铎石平元年）

1 春季，正月一日，北齐帝国（首都邺城〔河北省临漳县西南邺城镇〕）皇帝（五任）高纬（本年二十一岁），传位给八岁的皇太子高恒，改年号承光；大赦。尊高纬为太上皇帝（高纬跟北魏帝国六任帝拓跋弘〔参考四七一年八月〕，恐怕是世界上最年轻的两个太上皇）、胡太后改称太皇太后、皇后穆黄花改称太上皇后。任命广宁王高孝珩当太宰（上公）。

宰相（司徒）莫多娄敬显、中央禁军总监（领军大将军）尉相愿，暗中在千秋门（宫城西门）设下埋伏，打算击斩右丞相高阿那肱，拥护广宁王高孝珩当皇帝；可是，高阿那肱那天偏偏由另外一条路入朝，密谋不能实现。高孝珩请求出军抵抗，对高阿那肱等说：“政府不交给我军队攻打贼寇（北周帝国），不过是为了怕我造反！如果能够击破宇文邕，我将追到长安（北周首都，陕西省西安市），造反，对政府有什么伤害！今天，国家已危急到这种程度，怎么还如此猜疑嫉妒！”高阿那肱、韩长鸾恐怕高孝珩发动政变，遂放逐高孝珩出去当沧州（州政府设饶安〔河北省盐山县西南〕）州长（刺史），尉相愿悲愤绝望，拔刀砍柱，叹息说：“大势已去，有什么可说。”

北齐太上皇高纬命长乐王尉世辩，率一千余骑兵，侦察北周军行动；尉世辩穿过滏口（河北省武安市西南），登上高丘向西眺望，看见一群乌鸦飞起，认为是北周军旗招展（北周军服、军旗全是黑色，所以有此误会），立即掉头逃回，一直逃到紫陌桥（首都邺城西），不敢回头（北齐已陷入恐怖状态，人人心胆俱裂）。尉世辩，是尉粲的儿子（尉粲曾任宰相〔司徒〕，参考五五四年八月）。宫廷监督官（黄门侍郎）颜之推、立法院主任立法官（中书侍郎）薛道衡、总监督长（侍中）陈德信等，一致建议高纬到河外（黄河以南）招募新军，从头做起；如果不能支持，就投降陈帝国（首都建康〔江苏省南京市〕）；高纬同意。薛道衡，是薛孝通的儿子（薛孝通事，参考五三一年二月）。

正月三日，胡太皇太后、太上皇后穆黄花，从邺城（河北省临漳县西南邺城镇）出发，先去济州（州政府设碻磝〔山东省聊城市茌平区西南〕）。

正月九日，北齐帝（六任）高恒也离开邺城东下。

正月十五日，北周大军抵达紫陌桥（邺城西）。

2 正月十七日，陈帝国（首都建康〔江苏省南京市〕）皇帝（四任宣帝）陈顼（本年五十岁），前往首都建康北郊，祭祀地神。

3 正月十八日，北周帝国（首都长安〔陕西省西安市〕）大军抵达邺城（北齐首都，河北省临漳县西南邺城镇）城下。

正月十九日，北周军包围邺城，纵火焚烧西门。北齐军出战，北周军迎击，大破北齐军。

北齐太上皇高纬率一百名骑兵，放弃邺城，向东逃走，而命武卫大将军慕容三藏，保卫邺城皇宫。北周军遂进入邺城。北齐王爵、三公以下官员，全部投降。慕容三藏仍准备拒战，北周帝（三任武帝）宇文邕（本年三十五岁）接见他，对他十分礼遇，任命他当仪同大将军（勋官八级）。慕容三藏，是慕容绍宗的儿子（慕容绍宗是侯景的克星，参考五四八年正月）。中央禁军总监（领军大将军）渔阳（北京市通州区）人鲜于世荣，是高欢旧日的部将，北周帝宇文邕从前曾派间谍贿赂他玛瑙酒杯，鲜于世荣接到后立刻把它击碎。现在，北周大军占领邺城，鲜于世荣在三台（金凤台等）前擂动战鼓，不肯停止，北周军把他生擒，鲜于世荣拒绝投降，北周军遂把他诛杀。宇文邕逮捕莫多娄敬显，斥责说："你有三项死罪：去年（五七六），从晋阳（山西省太原市）逃往邺城（河北省临漳县西南邺城镇），带着小老婆，却抛弃娘亲，不孝。表面上为齐国（北齐帝国）效力，暗中却写信给我，不忠。既然投降，就应死心塌地，却脚踏两条船，不信。不孝、不忠、不信，如此心肠，不死还等什么！"于是斩首。

宇文邕派大将军（勋官四级）尉迟勤，追捕北齐太上皇高纬。

正月二十日，宇文邕进入邺城（河北省临漳县西南邺城镇）。北齐国立贵族大学教授（国子博士）、长乐（河北省衡水市冀州区）人熊安生，精通儒家学派《五经》，听到宇文邕进入邺城消息，命家人洒扫门户，家人感到奇怪，问他干什么。熊安生说："周国（北周帝国）皇帝重视儒家学派，尊敬儒家学派知识分子，一定会来见我！"一会工夫，宇文邕亲自到他家拜会，不准熊安生叩头，握住熊安生的手，引导他到座位上落座，赏赐十分优厚，拨付给他安车（有座位的车）及四匹拉车的马，跟随在皇帝之后。宇文邕又派国防部副部长（小司马）唐道和，前往北齐立法院主任立法官（中书侍郎）李德林家里，宣读诏书，安慰说："我征服齐国（北齐帝国）最大的收获，是得到你。"引导李德林进宫，派教育部秘书司长（春官内史）宇文昂，向李德林询问北齐风俗习惯和政治教育，以及人物的好坏善恶情形；把李德林留在监督院（北齐邺城的监督院〔内省〕），一连住宿三天才送回家。

正月二十一日，北齐太上皇高纬渡过黄河，进入济州（州政府设碻磝〔山东省聊城市茌平区西南〕）。当天，北齐帝（六任）高恒把皇帝宝座再禅让给大丞相、任城王高湝（瀛州〔州政府赵都军城〕州长）；又用高湝名义发布诏书：尊太上皇高纬为无上皇、皇帝高恒称宋国天王（胡三省注："此时不应改国号称'宋国'，当是'宗国'。"《北齐书·后主本纪》则作"守国天王"），命总监督长（侍中）斛律孝卿，把禅让诏书及玉玺送往瀛州（州政府设赵都军城〔河北省河间市〕）。斛律孝卿出了济州城（碻磝），就一直奔往邺城（河北省临漳县西南邺城镇），向北周投降。

宇文邕下诏："去年（五七六）大赦令没有到达的地方（指太行山以东），今年纳入大赦范围。"

北齐洛州（州政府设洛阳〔河南省洛阳市东白马寺东〕）州长（刺史）独孤永业，有武装部队三万人，听到晋州（州政府设平阳〔山西省临汾市〕）陷落消息，向中央请求出兵攻击北周，奏章呈上，被搁置没有消息，独孤永业十分愤慨。不久又听到并州（州政府设晋阳〔山西省太原市〕）跟着陷落，于是派他的儿子独孤须达，前往北周请求投降。北周政府任命独孤永业当上柱国（勋官一级），封应公爵。

正月二十二日，北周帝宇文邕任命越王宇文盛当相州军区（总部设邺城〔河北省临漳县西南邺城镇〕。北齐原称司州）总司令（相州总管）。

北齐太上皇高纬，把娘亲胡太后留在济州（州政府设碻磝〔山东省聊城市茌平区西南〕），派右丞相高阿那肱驻守济州关（碻磝城北黄河渡口），侦察北周军行踪，而自己却跟太上皇后穆黄花、淑妃冯小怜、娃娃皇帝高恒、韩长鸾、邓长颙等数十人，向东再逃奔青州（州政府设东阳〔山东省青州市〕）。派宦官田鹏鸾西上侦察北周军动静，被北周的追击部队擒获，问他高纬在什么地方，田鹏鸾撒谎说："主上早就出发，计算时间，已逃出国境。"北周军疑心他欺骗，用苦刑拷打，每打断一只手脚，田鹏鸾的声音和脸色更为严厉，最后四只手脚全被打断，惨死。

高纬一逃到青州（州政府东阳），就打算南下进入陈帝国（首都建康）国境，可是右丞相高阿那肱秘密催促北周军急速前进，承诺生擒高纬；所以不断向高纬报告："周军（北周军）还相当远，我已下令烧掉桥梁，挖断道路。"高纬大为放心，遂逗留不动。北周军抵达济州关，高阿那肱立即开关出降。北周军遂突袭青州（东阳），高纬大吃一惊，仓皇间把一袋袋黄金拴到马鞍上，跟穆黄花、冯小怜、高恒等十余骑，狼狈向南逃走。

正月二十五日，高纬等逃到南邓村（山东省临朐县西南），北周大将军（勋官四级）尉迟勤率军追到，全部捕获，连同早在济州（州政府设碻磝〔山东省聊城市茌平区西南〕）捕获的胡太后，一并押送邺城（北齐帝国自五五〇年建立，至五七七年灭亡，共六帝，立国二十八年，至此灭亡）。

正月二十六日，北周帝宇文邕下诏："已去世的斛律光（参考五七二年五月）、崔季舒等（参考五七三年十月），应该追赠官位及绰号，并另行安葬，他们仍活在世间的子孙，各按照'门荫'大小等差，分别派任官职（"荫户"，参考三六八年九月注，及四八五年八月），家人以及财产

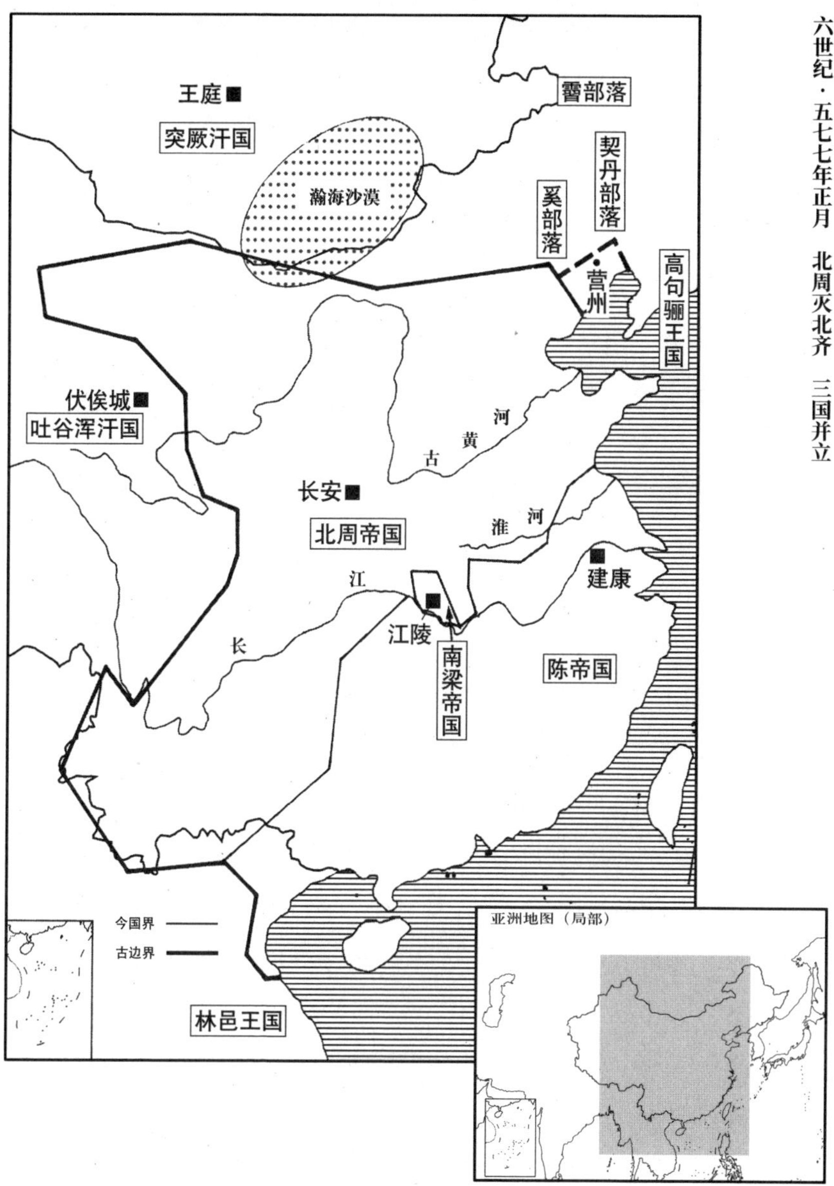

六世纪·五七七年正月　北周灭北齐　三国并立

被没收入官的，一律发还。”宇文邕指着斛律光的名字，说：“如果这个人还在，我怎么能到邺城（北齐故都，河北省临漳县西南邺城镇）！”

正月二十七日，宇文邕下诏：“齐国（北齐帝国）的东山、南园、三台，同时拆除（三地都是高姓皇家游乐之地），砖瓦木材等物，仍可以使用的，赏赐给居民；山川园林，归还旧主。”

4 二月九日（原文“壬午”，据《南史》改），陈帝陈顼，主持亲自耕田典礼。

5 二月三日，北周帝（三任武帝）宇文邕，在邺城（河北省临漳县西南邺城镇）故北齐皇宫太极殿，大宴出征将士与随从官员，依照等级颁发赏赐。

二月四日，被生擒的北齐五任帝高纬，被押解回邺城，宇文邕从台阶走下来，亲自迎接，用宾客的礼仪跟他相见。

北齐广宁王高孝珩，抵达沧州（州政府设饶安〔河北省盐山县西南〕），率五千人跟任城王高湝，在信都（北齐冀州州政府所在县，河北省衡水市冀州区）会师，共同策划中兴大业，开始招募勇士，前来应征的有四万余人。宇文邕派齐王宇文宪、柱国（勋官二级）杨坚攻击。又命高纬亲笔写下诏书，促使高湝投降，高湝拒绝。宇文宪大军抵达赵州（州政府设广阿〔河北省隆尧县〕），高湝派两个间谍刺探北周军情，北周斥候把二人生擒，报告宇文宪；宇文宪集合北齐所有投降的将领，一一指示给二人观看，对二人说：“我要夺取的目标很大，不是你们二人，现在释放你们回去，同时也担任我的使节。”于是写信给高湝说：“阁下的间谍被斥候拘捕，我们的军事实际情形，两位间谍当向你报告。用不着占卜，就可知道，战斗绝不是上策，据守更是下

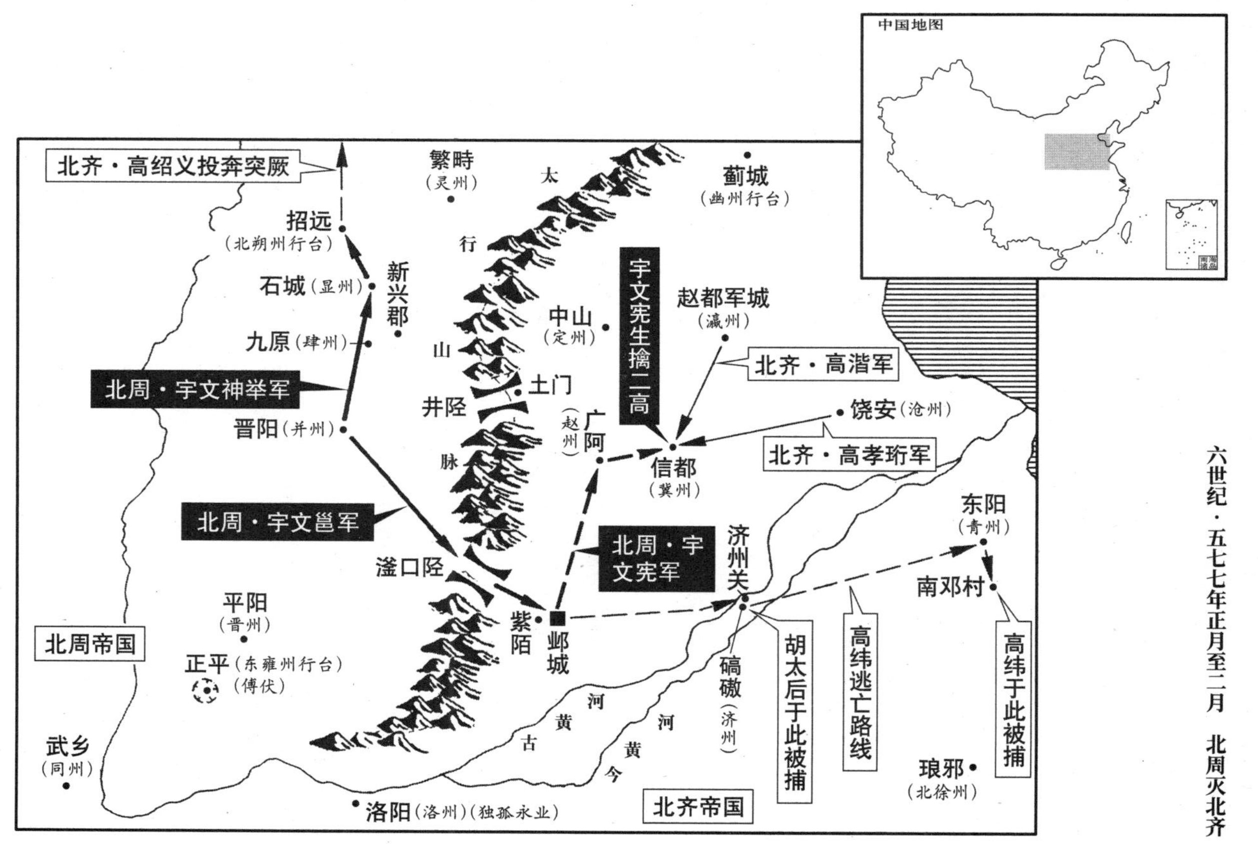

六世纪・五七七年正月至二月　北周灭北齐

计，因为我们不会允许。我已下令各军分道并进，相见的时间并不遥远，对阵答礼，更指日可待。《易经》说：‘当机立断，不必等到日落！’（《大传》）希望你当机立断！”

宇文宪推进到信都（河北省衡水市冀州区），高湝在城南列阵抵抗。高湝所任命的中央禁军总监（领军）尉相愿声称：他要外出视察阵地。可是当他率军出去之后，却向宇文宪投降。尉相愿是高湝的心腹，于是军心震恐。高湝遂屠杀尉相愿的妻子儿女。明天，两军再战，宇文宪挥军奋击，大破北齐军，俘虏及斩杀三万人，生擒高湝及广宁王高孝珩。宇文宪问高湝说：“你何苦弄成这个样子！”高湝说：“我是神武皇帝（高欢）的儿子，兄弟十五人，侥幸的只剩下我仍在人间，偏偏遇到帝国倾覆，我所作所为，只希望不使祖先坟墓蒙羞。”宇文宪敬佩他的壮志，下令把他的妻子儿女送还给他。宇文宪又亲自给高孝珩洗伤敷药，十分礼遇。高孝珩叹息说：“自神武皇帝（高欢）以来，所有的叔父（高孝珩是高澄的儿子，一任帝高洋以下，都是他的叔父），没有一个人寿命超过四十岁，岂不是上天注定。继位的君王没有独到的远见，宰相也都不是栋梁之材。自恨我不能手握军权，使用皇帝诛杀时专用的铜斧，施展我的心志。”

北齐帝国的覆亡，是因为君王昏暴，高孝珩却认为是他的那些畜牲叔父，寿命太短。他根本弄不清症结所在，如果担当大任，不过又一个高洋、高湛。感谢上帝，使他们早就翘辫子，如果再活二十年，人民何堪！

不要同情这些反扑失败的高家班残余，他们现在被驱入屠场，才驯顺得楚楚可怜。高姓家族中，无一善类，我们没有理由相信这些残余，在当权后，不更昏暴。

北周齐王宇文宪是一员名将，善于指挥大兵团作战，富于谋略，将领士卒对他十分崇拜。北齐军畏惧他的威名；听到他的风声，都会绝望沮丧，崩溃逃走。宇文宪大军所到之处，纪律森严，樵夫牧童照常工作，毫不惊扰，宇文宪部属将士，从不私自夺取人民财产。

北周帝宇文邕任命故北齐帝国降将封辅相（封，姓），当北朔州军区（总部设招远〔山西省朔州市〕）总司令（北朔州总管）。北朔州（招远），是北齐帝国的重要军事基地，当地士卒无不骁勇善战。北齐时代北朔州秘书长（长史）赵穆等，密谋生擒封辅相，前往瀛州（州政府设赵都军城〔河北省河间市〕）迎接任城王高湝，计划没有实现，于是改为迎接定州（州政府设中山〔河北省定州市〕）州长（刺史）范阳王高绍义（高洋第三子）。高绍义抵达马邑（即招远，北朔州州政府所在城肆），肆州（州政府设九原〔山西省忻州市〕）以北凡二百八十余城，都起兵响应（这说明一种现象：再坏的政权都有人向它效忠），高绍义与灵州（州政府设繁畤〔山西省应县东〕）州长（刺史）袁洪猛，率军南下，打算夺取并州（州政府设晋阳〔山西省太原市〕）；进抵新兴（山西省定襄县），肆州（州政府九原）已沦入北周帝国之手，固守抵抗；北齐军前锋司令、两位高居仪同（文散官，正二品）官位的将领，当时就向北周军投降。北周军进攻显州（州政府设石城〔山西省原平市北崞阳镇〕），生擒州长（刺史）陆琼，于是叛离各城，全部平定。高绍义退守北朔州（州政府设招远〔山西省朔州市〕）。北周东平公爵宇文神举，率军进逼马邑（招远，山西省朔州市），高绍义战败，向北投奔突厥汗国（瀚海沙漠群），部属仍有三千人。高绍义下令说：“打算回去的，随你们的意去做！”于是辞别离开的有一大半。突厥佗钵可汗（四任）一直推崇高洋是“英雄天子”（再卑劣邪恶的人，都有人崇拜，因为恶棍崇拜恶棍，瘪三崇拜瘪三），而高绍义也跟高洋一样，有一个特别巨大的脚踝，所以对高绍义十分喜爱敬重。凡突厥境内的北齐居民，全划归高绍义管辖（我们为这些北齐人痛心，想不到在可怕的祖国覆亡后，仍难逃暴君后裔的控制）。

于是，北齐帝国所有中央特遣政府（行台）、州、镇，除了中央驻东雍州（州政府设正平〔山西省新绛县〕）特遣政府总监（行台）傅伏（傅伏因中潬城之功〔参考五七五年八月〕擢升）、营州（州政府设和龙〔辽宁省朝阳市〕）州长（刺史）高宝宁，拒不屈服外，其余全部投降，北周帝国共征服五十州、一百六十二郡、三百八十县、三百零三万二千五百户（《周书·武帝纪》：二千万零六千八百八十六人）。高宝宁跟高欢同姓，但血缘疏远，勇敢而有谋略，长期镇守和龙（辽宁省朝阳市），很得到汉人和蛮夷的爱戴。北周帝宇文邕，在河阳（河南省孟州市）、幽州（州政府设蓟城〔北京市〕）、青州（州政府设东阳〔山东省青州市〕）、南兖州（州政府设谯城〔安徽省亳州市〕）、豫州（州政府设悬瓠〔河南省汝南县〕）、徐州（州政府设彭城〔江苏省徐州市〕）、北朔州（州政府设招远〔山西省朔州市〕）、定州（州政府设中山〔河北省定州市〕）各设军官总司令部（总管府），在相州（州政府邺城）、并州（州政府设晋阳〔山西省太原市〕）各设别宫及中央政府六部分部（六府）。

北周军攻克晋阳（山西省太原市）时（参考去年〔五七六〕十二月），北齐政府派开府仪同三司（宰相级）纥奚永安（纥奚，复姓），出使突厥汗国（瀚海沙漠群）求救，等到抵达突厥，北齐帝国已经覆亡。突厥佗钵可汗把纥奚永安的座位，排在吐谷浑汗国（青海省）使节之下，纥奚永安对佗钵可汗说：“而今，齐国（北齐帝国）已亡，我对残生有什么珍惜，打算闭气自杀，又恐怕天下人认为伟大的齐国（北齐帝国），竟没有一个尽节而死的忠臣，请求给我一把刀，用以公告远近四方！”佗钵可汗嘉许他的壮志，赠送给他七十匹马，送他南返。

6 南梁帝国（首都江陵〔湖北省江陵县〕）皇帝（八任孝明帝）萧岿（本

六世纪·五七七年二月　故北齐帝国国土，设置两中央政府分部及八军区

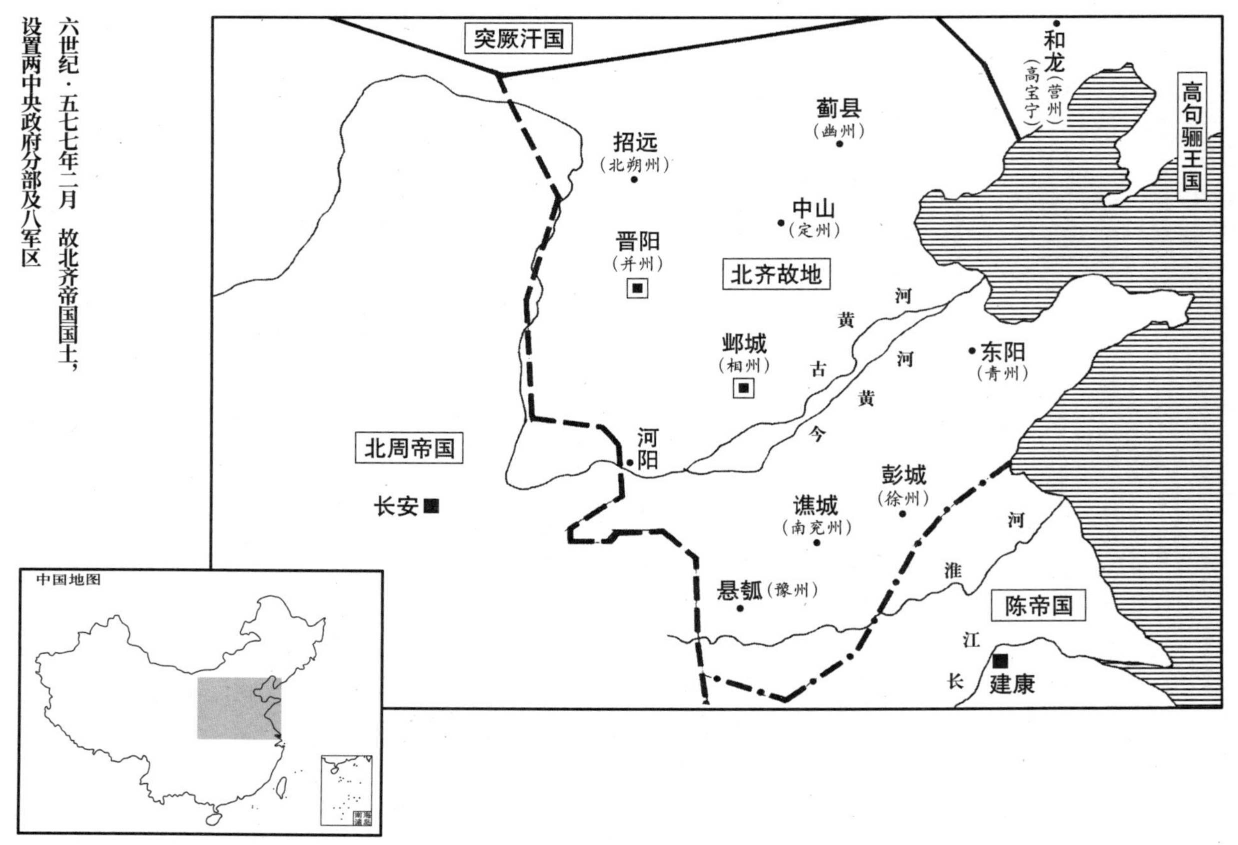

年三十六岁），前往邺城（河北省临漳县西南邺城镇）朝见北周帝宇文邕。

自从秦王朝吞并六国，统一天下（参考前二二一年。迄今七百九十八年），封国国君（诸侯）朝见天子的仪式（指儒家学派那种繁琐冗长的仪式），就废置在一旁，再没有用过；直到现在，宇文邕才命有关单位拟定章程。计有：赠送木柴米菜（致积）、赠送祭肉（致饩），设中央礼宾官九人（九傧）、封国礼宾官九人（九介），到皇家祖庙祭拜及接受宴会；三公（太师、太傅、太保）、三孤（少师、少傅、少保）、六部部长向封国国君呈献食物（致食）、慰劳国君（劳宾）、奉还礼品（还贽）、设宴招待（致享），完全依照古代礼仪。

宇文邕设宴款待萧岿，酒饮得半醉，宇文邕亲自弹琵琶。萧岿离座，随节奏跳舞，说："陛下既然亲弹五弦琴，我怎么敢不像一匹巨兽！"宇文邕大为高兴，赏赐十分丰厚。

《书经·舜典》上说："姚重华（舜）弹五弦琴，说：'咦，敲着石头，拍着石头，百种野兽，争相跳舞！'"两国因强弱不同，萧岿说几句奉承的话，把宇文邕比作儒家系统中的圣君姚重华，使宇文邕喜上眉梢，一切都在情理之中，但何至卑鄙到把自己比作野兽！

中国人在居于优势时，往往用作贱别人的手段，抬高自己的身价；在居于劣势时，又往往用作贱自己的方法，以取悦对方。这是一个丧失尊严的病态文化，使人与人之间的平等基石，难以建立。

7 二月十二日，北周帝宇文邕，自邺城（河北省临漳县西南邺城镇）出发西返。

三月九日，宇文邕下诏："山东（崤山以东）每个军区，都要推荐'明经'(明白儒家学派经典)、'干治'(有政治才干)各一人;如果确有特别才能,奇异技术,行为卓越,跟常人不同的人,应一并推荐,不限二人。"

宇文邕俘虏尉相贵(尉相贵守平阳,参考去年〔五七六〕十月)的同时,派人去向东雍州(州政府设正平〔山西省新绛县〕)州长(刺史)傅伏招降,傅伏不接受。故北齐政府任命傅伏当中央特遣政府右执行长(行台右仆射)。后来,宇文邕攻克并州(州政府设晋阳〔山西省太原市〕),再派勋州(州政府设玉壁〔山西省稷山县〕)州长(刺史)韦孝宽负责招降,韦孝宽派傅伏的儿子,把"上大将军"(勋官三级)委任状,及"武乡公爵"封爵证书,连同两个镶金的玛瑙酒杯,送给傅伏,作为信誓;傅伏拒不接受,对韦孝宽说:"事奉君王,除了一死之外,没有二心,我这个儿子当臣属不能尽忠,当子女不能尽孝,不忠不孝,人人痛恨,希望你把他诛杀,告诫天下。"宇文邕自邺城(河北省临漳县西南邺城镇)回来,抵达晋州(州政府设平阳〔山西省临汾市〕),派降将高阿那肱等百余人,到汾水河畔,召唤傅伏。傅伏率军出城,隔汾水相见,问说:"皇上(高纬)在哪里?"高阿那肱说:"已被擒获!"傅伏仰天大哭,率军入城,在公堂前面向北方哀号,很久之后,投降。宇文邕召见他,问说:"为什么不早投降?"傅伏流泪哭泣,回答说:"我家三世当齐国(北齐帝国)臣属,接受齐国俸禄,不能自杀,实在愧对天地。"宇文邕握住他的手说:"做一个人臣,应该如此。"把自己吃的羊排骨赏赐给傅伏,说:"骨头永远相亲,骨头上的肉却会疏远脱落,所以把骨头交付给你。"命他担任皇宫警卫,加授:上仪同大将军(勋官七级),告诉他:"如果马上赐给你高官,恐怕归降的人有非分之想,努力为我做事,不要忧愁富贵不到你身上!"过了几天,宇文邕又问傅伏,说:"上次你救河阴(河南省洛阳市孟津区北),得到什么赏赐(事实傅伏救的是中潬城,参考前年〔五七五〕八月)?"傅伏说:"擢升一级，加授‘特进’（文散官，正二品），封永昌郡公爵。”宇文邕对高纬说：“我三年之久的军事准备，决心夺取河阴（河南省洛阳市孟津区北）；因为傅伏擅长守卫，我无法攻破，只好收军撤退。你当时论功行赏，为什么这么微薄！”

夏季，四月三日，宇文邕回首都长安（陕西省西安市），把俘虏的北齐帝高纬，放在凯旋游行队伍的最前面，高纬之后紧随的有北齐帝国的亲王、藩王、三公，以及车轿、旗帜、器具，依照顺序排列。宇文邕乘坐皇帝专用的“大驾”（大驾是最壮观的皇帝出巡行列〔法驾则是次壮观〕，参考前一八〇年闰九月注），排列六军，高奏凯歌，把高纬等俘虏，带到皇家祖庙，呈献给祖先，参观的人都高呼万岁。

四月六日，宇文邕封高纬当温公爵，北齐帝国亲王三十余人，都授爵位。宇文邕跟高纬君臣欢宴饮酒，命高纬跳舞。高延宗悲痛不能自制，屡次想服毒自杀，被他的侍从婢女苦苦劝阻。

宇文邕任命李德林当教育部秘书司秘书官（春官小内史上士），自此，一切诏书、文告格式，以及遴选山东（崤山以东，北齐帝国故土）人士任官工作，全交付李德林办理。宇文邕曾经在清闲的时候，对文武百官说：“我先前只听说过李德林的大名，后来又看到他给齐国（北齐帝国）撰写的诏书和文告，真是把他当作天上的人，怎么会想到今天竟能够把他当作部属！”神武公爵纥豆陵毅回答说（纥豆陵，三字姓。《周书·窦炽传》：纥豆陵家祖先本姓窦，因窦武之祸〔参考一六八年九月〕，逃亡到鲜卑族拓跋部落；北魏进军中原时改姓）：“我曾经听说：麒麟、凤凰，都是圣君的祥瑞，圣君对人民有巨大的恩德，他们才会主动来临；纯靠人力，无法办到。可是，得到他们，并没有用处，怎么能像李德林，既是祥瑞，又有用处！”宇文邕大笑说：“确实跟你说的一样。”

四月二十七日，宇文邕到皇家祭庙，祭祀祖先。

五月五日，宇文邕改组政府，命谯王宇文俭当宫廷部长（大冢宰。无“五府总于天官”附加令）。

五月八日，命杞公爵宇文亮当内政部长（大司徒）、郑公爵达奚震当教育部长（大宗伯）、梁公爵侯莫陈芮当国防部长（大司马）、应公爵独孤永业当司法部长（大司寇）、郧公爵韦孝宽当农工部长（大司空）。

五月十七日，宇文邕到方形神坛祭祀，下诏说：“供皇帝休息的会义、崇信、含仁、云和、思齐各殿，都是晋公爵宇文护执政时兴筑，奢侈豪华，超过祭祀圣贤时所用的庙宇，应全部拆除，拆下来的砖瓦木材等，赏赐给贫穷民众。以后，任何建筑装潢，都要朴实简单。（宇文护刚掌权时，便大肆扩建私宅，参考五五九年六月；但加建皇宫各殿，则没有记载）”

五月二十六日，又下诏说：“晋阳宫（即并州宫，在晋阳〔山西省太原市〕）、邺城宫（在邺城〔河北省临漳县西南邺城镇〕）各殿，及高台楼阁，如有特别壮丽的，依照此例办理。”

宇文邕可以说知道怎么保持胜利！别人胜利后总是挥金如土，宇文邕胜利却越发节俭。

宇文邕的节俭，使人感动。问题是为什么中国人只会用这种摧毁旧建筑的方法，表达他的节俭？金碧辉煌的宫殿，一旦拆卸，能剩下几砖几瓦？他为什么不想到仍保留它，作其他用途。诸如，满可以用这些殿堂陈列胜利者的战利品！项羽也曾用同一理由，烧光阿房宫（参考前二〇六年十二月）。自认为这才算是仁君，结果他比谁都凶恶。

李重美曾提醒要纵火焚烧皇宫的刘皇后说："新皇帝绝不可能露天睡觉，以后一定会再驱使人民出力建盖，我们临死还要使人民怨恨，有什么意义！"（参考九三六年闰十一月。）拆宫焚宫，只是把人民卖儿卖女的钱，拿来作一场奢侈的政治表演。

六月二十六日，宇文邕到东方巡视。

秋季，七月十五日，宇文邕抵达洛州（州政府设洛阳〔河南省洛阳市东白马寺东〕）。

八月二日，颁布新的度量衡制度，全国施行。

最初，北魏帝国俘虏北凉王国人民，设立"奴隶户"（北魏消灭北凉后，把北凉官员和居民三万户人家，强行迁到首都平城，参考四三九年十月），北齐帝国继续保持，仍教他们充当苦差贱役。宇文邕既消灭北齐，打算广施仁政，于是下诏："对罪恶的处罚，不涉及到他的后代，自古就有明文规定。（《书经 · 大禹谟》：皋陶说："罚不及嗣。"）奴隶户民众所受的待遇，跟这项明文规定，恰恰相反，只因祖先被当作罚犯处分，一百代子孙都不能宽免。刑罚的威力既永无止境的发挥，法律就难以公平！从今天起，凡是奴隶户民众，全部恢复自由，成为平民。"从此，世间再无奴隶户。

八月二十四日，郑州（州政府设临颍〔河南省临颍县西北〕）捕获九尾狐；九尾狐已死，州政府把它的骨骼呈献宇文邕。宇文邕说："祥瑞降临，是对至高品德的一种褒扬。必须人伦关系正常（人伦：君臣、父子、兄弟、夫妇、朋友），四海之内升平安定，才有招来祥瑞的可能。现在还不是时候，恐怕不是真实的祥瑞。"下令把九尾狐的骨骼焚毁。

九月八日，宇文邕下令规定："平民以上，准予他们穿绸缎、棉布、丝帛、圆绫、麻纱、绢、丝、葛、布等九种质料制成的衣服，其他质料的衣服，一律禁止。朝会或祭祀时穿的衣服，不限制质料。”

冬季，十月九日，宇文邕前往邺城（河北省临漳县西南邺城镇）。

8 陈帝陈顼，得到北周帝国消灭北齐帝国消息，打算夺取徐州（州政府设彭城〔江苏省徐州市〕）、兖州（州政府设瑕丘〔山东省济宁市兖州区〕），下诏命南兖州（州政府设广陵〔江苏省扬州市〕）州长（刺史）、最高监察长（司空）吴明彻，率大军北伐。命吴明彻的世子吴戎昭、将军惠觉，摄理州总部执行官（摄行州事）。吴明彻率军进抵吕梁（江苏省徐州市东南二十公里），北周徐州军区（总部设彭城〔江苏省徐州市〕）总司令（徐州总管）梁士彦，率军拒战。

十月十九日，吴明彻击破北周军，梁士彦登城固守，吴明彻包围州城（彭城）。

陈顼对吴明彻这次北伐，充满信心，认为黄河以南地区，在预见的日子里，可以完全平定。立法院立法官（中书通事舍人）蔡景历警告说：“军队疲惫，将领骄傲，不应该过度的经营远方！”陈顼正兴致勃勃，对这项逆耳之言，怒不可遏，认为他扰乱军心，打击士气，贬他出任豫章郡（江西省南昌市）郡长（内史）。蔡景历还没有出发，有匿名奏章弹劾蔡景历任职立法院（中书省）时，贪赃累累，蔡景历遂被免除官职，削除爵位，剥夺采邑。

9 北周帝宇文邕，把祖父（德皇帝）宇文肱改葬冀州（州政府设信都〔河北省衡水市冀州区〕），宇文邕身穿“斩衰”丧服（粗生麻布不缝边丧服，为时一年，参考五七四年五月），在太极殿哭祭：文武百官都穿素色丧服（宇文肱追随鲜于修礼攻定州〔中山〕时，唐河一役，宇文肱战死〔参考五二八年七月〕；因地在北齐帝国境，不能改葬）。

宇文邕决定消灭高欢后裔，遂诬称：温公爵高纬（本年二十一岁）勾结宜州（州政府设泥阳〔陕西省铜川市耀州区东北〕）州长（刺史）穆提婆（骆提婆）武装叛乱。于是，宇文邕下令逮捕高纬，连同其他高姓家族，命他们一齐自杀（十八年前，高家屠灭元家，参考五五九年五月及七月）。高姓家族很多人同声呼冤，竭力证明没有这回事，只有高延宗卷起衣袖，泪流满面，不发一语。最后，行刑队用毒椒塞到他口中，毙命（距十个月前，宇文邕对高延宗下马握手，誓言不杀，参考去年〔五七六〕十二月）。只有高纬的老弟高仁英，天生白痴；另一老弟高仁雅，是一个哑巴，得免一死，但仍放逐巴蜀（四川省）；其他皇亲国戚，没有被诛杀的，北周政府把他们拆散，发配到西疆（甘肃省），后来都死在边陲。

宇文邕把高湝的正妻卢女士赏赐给部将斛斯徵。卢女士蓬头垢面，长斋吃素，不进荤腥，不言不笑。斛斯徵兴趣索然，放她自由，卢女士遂当尼姑。北齐帝国的一些皇后、嫔妃，后来很多人穷困到贩卖蜡烛为生。

史书上有关高欢神迹的记载，多如驴毛。他阁下老爹高树住的地方，就曾经冒出过红光紫气，引起邻居轰动。有一次，尚是穷苦佣工的高欢，出去打猎，走到一个独立家屋，两个年轻人攻击高欢，一位瞎老太婆用手杖敲打两个年轻人，说：“为什么冒犯皇上！”然后设宴招待，高欢饭毕告辞，走了数华里之后，再回来寻找，一片荒野，人屋全都不见。又有一次，他寄住在朋友庞苍鹰家。每天，高欢回来时，主人就听到巨大的声音由远而近，而又看到高欢居住的房子，一股赤气，上冲霄汉。

某一个晚上，庞苍鹰去探望高欢，一个身穿平民服装的勇士，从黑暗中现身，拔出佩刀喝阻说："你为什么打扰君主！"说罢，忽然无影无踪。庞苍鹰大惊之余，暗中窥探，只见床上躺的不是高欢，而是一条赤炼蛇。后来，高欢当晋州（州政府设平阳〔山西省临汾市〕）州长（刺史）时，仓库中的号角，无缘无故自动发出声音。

根据这些记载，显示天神对高欢是如何眷顾，所以才派出无数小神，作全天候的严密保护，并不断显露一些小动作，使人人相信：高欢将大富大贵。再也想不到，集玉皇大帝、耶和华宠爱于一身的高欢，却生了一窝蛇蝎。其中只有高延宗似乎差强人意，诸如太原反击、临死不语，塑造出一个英雄末路形象。事实上当他任定州（州政府设中山〔河北省定州市〕）州长时，就在楼上大便，而命人在楼下张口承接；又把猪肝之类的东西羼和人粪，做成食物，命左右官员吞食，脸上稍微有点困难的颜色，立刻鞭打；高延宗并且常用活人试验他的刀剑是不是锋利！他如果保卫政权成功，人民面对的将是另一个暴君。

高姓家族的屠灭，使人忍不住欢呼，而高家妇女的下场，则充满警世的哀伤。高洋的正妻文宣皇后李祖娥，亡国后被掳往长安（陕西省西安市），而在北周亡国后，返回故乡赵郡（河北省赵县），下落不明。高演的正妻孝昭皇后元女士被北周掳到皇宫为奴，杨坚当宰相时，才释放出来，返回山东（崤山以东），下落也不明。最精彩的则是高湛的正妻武成皇后胡太后，北齐亡国时，不过四十余岁，跟她的媳妇、高纬的正妻、年才二十余岁的后主皇后穆黄花，就在北周首都长安闹市，悬挂绿灯，公开卖淫。由妓女而当皇后，古今中外都有，由皇后而当妓女，世界上可能仅此一家，生意自然兴隆。胡太后曾对穆黄花说："为后不如为娼，更有乐趣！"人类渣滓，竟全集高家一门！至于淑妃冯小怜，被发配给代王宇文达当小老婆，也受到宠爱，但排场架势，自不如当初，冯小怜在一次弹琵琶时，忽然一弦崩断，吟诗说：“虽蒙今日宠 / 犹忆昔时怜 / 欲知心断绝 / 应看胶上弦。”宇文达因冯小怜之故，对正妻李妃大大开罪。后来，杨坚当权，斩宇文达；隋帝国建立，又把冯小怜赏赐给李询，而李询正是李妃的老哥，李询的娘亲为女报仇，命冯小怜改穿粗布衣服，每天捣米，再加复仇性的凌辱虐待，冯小怜只好自杀。

10 十一月三日，北周帝国封皇子宇文衍当道王、宇文兑当蔡王。

十一月四日，北周政府派上大将军（勋官三级）王轨，率军增援被陈军包围的徐州（州政府设彭城〔江苏省徐州市〕）。

最初，北周在晋州（州政府设平阳〔山西省临汾市〕）击败北齐军（高纬带冯小怜北奔事，参考去年〔五七六〕十二月），乘胜追击，北齐军抛弃的铠甲武器，北周军还没有来得及收集，稽胡部落（山西省西部匈奴人）不断溜出山区搬运，陆陆续续，终于全部运走。于是拥护刘蠡升的孙儿刘没铎当天子（变民首领刘蠡升，参考五三五年三月），称圣武皇帝，年号石平。

北周既平定关东（北齐帝国），打算讨伐稽胡部落（山西省西部），计划深入扫荡他们的根据地。齐王宇文宪说：“步落稽（稽胡部落）的种类很多，根据地山高谷深，跟外界隔绝，即令政府军大举出动，也未必能够彻底铲除。我的意见是，只诛杀头目，而安抚残留部众。”宇文邕批准，命宇文宪当大军元帅，率各军讨伐。推进到马邑（招远，山西省朔州市），分兵数路，同时进攻。刘没铎派他的将领天柱镇守河东（离石水东），穆支镇守河西（离石水西），分据险要抵抗。宇文宪命谯王宇文俭攻击天柱，滕王宇文逌（音yóu〔由〕）攻击穆支，全都把他们击破，杀一万余人；赵王宇文招生擒刘没铎，其他稽胡部众投降。

宇文邕下诏："自五三四年以来（迄今四十四年），关东（函谷关以东）平民被掳掠，充当奴婢（五三四年，北魏帝国十五任帝元修西奔宇文泰，国土分裂，宇文家与高家攻战不休，互相掳掠对方平民为奴）；以及攻克江陵（湖北省江陵县）时，掳掠充当奴婢的良家子女（之前曾下诏释放，参考五七二年十月），一律释放，恢复自由。"又下诏："后宫只设'妃'二人、'世妇'三人、'御妻'三人，此外全部裁减。"（宇文邕应是小老婆最少〔只八人〕的皇帝，而清王朝皇帝的小老婆更少。）

宇文邕生性节俭，平常总是身穿布袍，床盖布被，后宫美女不过十余人。每次作战，都亲自走在行伍之中，徒步爬山越谷，普通人都不能忍受那种艰苦。宇文邕对将士有恩德，明察细微，决断迅速，执法严厉。将士们畏惧他的威严，却愿为他效死。

11 十二月一日，日蚀。

12 北周帝国实施新制刑法，名《刑书要制》，条文规定："手持武器结伙抢劫，赃物一匹布以上，处死。没有武器，结伙徒手抢劫，赃物五匹布以上，处死。征兵征役，族长（京畿内一百家谓"族"）、党长（京畿外一百家谓"党"），隐瞒五家或十个青年的，处死。征收赋税，隐瞒三百亩以上的，处死。"（北周旧有《大律》，参考五六三年二月。）

13 十二月十日，陈帝国新建东宫（太子宫）落成，太子陈叔宝迁入居住。

14 十二月二十二日，北周帝宇文邕前往并州（州政府设晋阳〔山西省太原市〕），把并州（晋阳）军民四万户人家，强迫迁移到关中（陕西省中部）。

十二月三十日，撤销并州宫（即晋阳宫）及中央六部分部（自五三二年七月，北魏丞相高欢在晋阳〔山西省太原市〕建立大丞相府，晋阳便形同东魏〔及以后的北齐〕的第二首都。以后改为特遣政府〔行台〕、国务院并州分院〔并省〕，重要性依旧。如今北齐覆亡，晋阳的特殊地位遂告结束）。

仍据守营州（州政府设和龙〔辽宁省朝阳市〕）的北齐帝国州长（刺史）高宝宁，从黄龙（和龙，辽宁省朝阳市）上疏给流亡突厥汗国（瀚海沙漠群）的范阳王高绍义，请求早登大位；高绍义遂自称北齐帝国皇帝，改年号武平；任命高宝宁当丞相；突厥佗钵可汗派军助战。

五七八年 戊戌

南梁 天保 十七年
陈 太建 十年
北周 建德 七年
宣政 元年
（齐帝高绍义武平二年）

1 春季，正月十四日，北周帝国（首都长安〔陕西省西安市〕）皇帝（三任武帝）宇文邕（本年三十六岁），前往邺城（河北省临漳县西南邺城镇）。

正月二十三日，宇文邕抵达怀州（州政府设野王〔河南省沁阳市〕）。

正月二十五日，抵达洛州（州政府设洛阳〔河南省洛阳市东白马寺东〕）。设置怀州宫。

二月七日，谯王（孝王）宇文俭（宇文邕的老弟）逝世。

二月二十日，宇文邕返首都长安（陕西省西安市）。

2 陈帝国（首都建康〔江苏省南京市〕）北伐军总司令吴明彻，包围彭城（江苏省徐州市），把船舰绕城停泊（吴明彻北伐，参考去年〔五七七〕十月），猛烈攻城。北周上大将军（勋官三级）王轨，率领增援部队轻装备前进，入据淮口（即泗口，泗水注入淮河处），在淮口用木栅拒马，筑成长墙，又把数百个用铁链拴在一起的车轮，沉入清水（泗水），切断陈军撤退道路，陈军恐惧不安；谯州（州政府设顿丘〔侨县，安徽省滁州市〕）州长（刺史）萧摩诃，警告吴明彻说：“我得到的消息是，王轨刚开始封锁我们的退路，夹泗水两岸筑城，现在还没有完成，大帅如果派我前去攻击，他一定不敢抵抗。只要水上交通不被切断，盗贼（指北周军）的力量还不太强大。一旦两城筑成，我们势必被俘虏。”吴明彻胡子都翘起来，严厉的说：“夺旗陷阵，是将军的事；运算谋略，是我老夫的事。”萧摩诃脸色大变，踉跄退出。只十天时间，下游水路全被王轨截断。

北周增援军更大批涌到，陈军各将领建议拆毁水坝，乘奔泻水势，拔营撤退；两船相并，运送战马。骑兵司令（马主）裴子烈说：“如果拆毁水坝，使船舰顺流而下，船舰一定翻覆，不如先命骑兵出动。”当时，吴明彻脊背患病沉重，萧摩诃再度建议说：“而今，求战不能战，进退无路。如果能暗中撤退，突围而出，也并不算是耻辱。希望大帅率领步兵，乘‘马轿’（两马共负一轿）缓缓前进，我率精锐骑兵数千人，前后奔驰，作为掩护，一定使大帅平安返回京师（首都建康）。”吴明彻说：“你说的是最佳策略，然而步兵人数太多，我既身为元帅，自当身居后卫，与主力同行。你的骑兵应迅速行动，在前开道，不可延误。”萧摩诃遂率骑兵趁夜出发。

二月二十七日，吴明彻下令决开水坝，乘万马奔腾的水势，乘船舰而下，全军撤退，希望能冲入淮河。可是，抵达清口（即淮口、泗口，泗水注入淮河处）时，水势渐渐缓慢，船舰触上沉入水底的车轮，全都壅塞在那里，不能通过。北周王轨率大军围攻，陈军遂全部崩溃。吴明彻被北周军生擒，所率步兵三万人，以及所有武器和军用物资，全遭北周军俘获。萧摩诃率精锐骑兵八十人，领先突围，其他骑兵继进，等到天亮，到达淮南（淮河南岸）；另外还有将军任忠、周罗睺等二人，也把部队完整带回。

最初，陈帝（四任宣帝）陈顼，策划夺取彭城（江苏省徐州市）及汴水一带疆土，询问国务院国防部长（五兵尚书）毛喜的意见，毛喜回答说："淮左（淮河以南）新近纳入版图，边界人民还不能完全同心。周国（北周帝国）刚刚吞并齐国（北齐帝国），气势正盛，难以跟他们较量。而且，放弃我们水上行舟的专长，进入全靠车辆马匹的广大平原，离开我们熟悉的地方，到我们陌生的境域，对帝国臣民来说，会是一项困难。我愚昧的认为，不如安抚民众，保护边疆，将士复员，跟周国（北周帝国）互结盟好，才是长程谋略。"后来，吴明彻失败，陈顼（本年五十一岁）对毛喜说："你的话今天应验！"当天，征召蔡景历回京（首都建康），再任命他当征南将军府（陈伯山）首席军事参议官（征南咨议参军）。

北周帝宇文邕，封吴明彻当怀德公爵、大将军（勋官四级）。吴明彻忧虑愤懑而死（年六十七岁）。

3 二月二十八日，北周帝宇文邕，任命越王宇文盛当宫廷部长（大冢宰。没有"五府总于天官"附加令）。

三月一日，宇文邕在蒲州（州政府设蒲阪〔山西省永济市〕）设立行宫，撤除同州（州政府设武乡〔陕西省大荔县〕）行宫及长春（陕西省大荔县东）行宫（西魏帝国丞相宇文泰在沙苑战役后，把基地设于武乡〔当时华州州政府所在县〕，参考

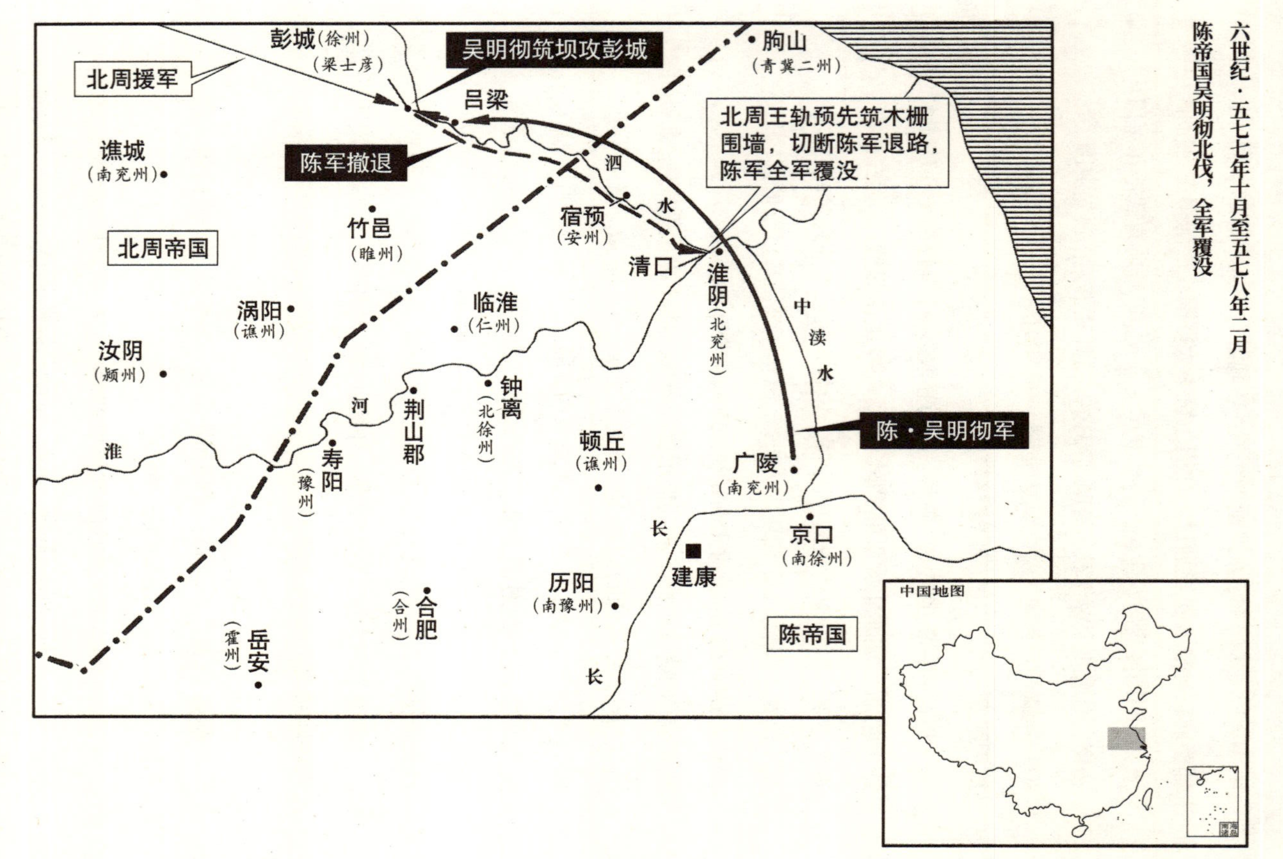
六世纪·五七七年十月至五七八年二月
陈帝国吴明彻北伐，全军覆没
彭城（徐州）
（梁士彦）
北周援军
吴明彻筑坝攻彭城
吕梁
陈军撤退
胸山
（青冀二州）
北周王轨预先筑木栅围墙，切断陈军退路，陈军全军覆没
谯城
（南兖州）
竹邑
（睢州）
泗
水
宿预
（安州）
北周帝国
清口
淮阴
（北兖州）
涡阳
（谯州）
临淮
（仁州）
中
渎
水
汝阴
（颍州）
钟离
（北徐州）
荆山郡
河
淮
寿阳
（豫州）
顿丘
（谯州）
陈·吴明彻军
广陵
（南兖州）
长
京口
（南徐州）
建康
历阳
（南豫州）
合肥
（合州）
岳安
（霍州）
陈帝国
长
中国地图

五三八年三月；北周帝国把官邸改建为行宫）。

三月七日，宇文邕开始戴新款式的休闲帽（幞头），用一幅四角有布条的黑色纱布，把后脑的头发扎住。

4 三月九日，陈帝（四任宣帝）陈顼，命中军大将军、开府仪同三司（宰相级）淳于量，当总司令官（大都督），指挥全国水陆大军；镇西将军孙玚指挥荆州（州政府设公安〔湖北省公安县〕）及郢州（州政府设夏口〔湖北省武汉市〕）各军，平北将军樊毅指挥清口（泗水注入淮河处，江苏省淮安市淮阴区）至荆山（安徽省蚌埠市西马城镇）之间沿淮河各军，宁远将军任忠指挥寿阳（豫州州政府所在县，安徽省寿县）、新蔡（南新蔡，湖北省黄梅县西南）、霍州（州政府设岳安〔安徽省霍山县〕）各军，备战警戒，防御北周反攻。

三月十八日，陈帝国大赦。

5 三月二十五日，北周帝国改年号宣政（之前是建德七年，之后是宣政元年）。

6 夏季，四月二十三日，突厥汗国（瀚海沙漠群）攻击北周帝国幽州（州政府设蓟城〔北京市〕），斩杀及俘虏北周官员跟平民。

7 四月二十一日，陈帝国平北将军樊毅，派军横渡淮河北上，正对清口（泗水注入淮河处，江苏省淮安市淮阴区）筑城。

四月二十五日，新筑的清口城陷落。

8 五月二十三日，北周帝宇文邕，率全国大军讨伐突厥汗国（瀚海沙漠群）；派柱国（勋官二级）原公爵宇文姬愿、东平公爵宇文神举等，率各路兵马，分五路同时攻入突厥国土。

五月二十七日，宇文邕身体不适，留在云阳宫（陕西省泾阳县西北）。

五月三十日，宇文邕下诏，命北伐大军停止前进，派驿马车回首都长安（陕西省西安市），召唤宫廷部皇族事务司长（天官宗师）宇文孝伯前来行宫，宇文邕握住他的手，嘱咐说："我自知不可能痊愈，后事全托付给你。"当天夜晚，加授宇文孝伯当太子宫卫队司令官（司卫上大夫），指挥所有禁卫军。命宇文孝伯乘政府驿马车返京（首都长安）坐镇，防备事变。

闰五月一日（原文本月及下月均以北周历记载，今以陈历还原），宇文邕病势沉重，返首都长安（陕西省西安市）；当天夜晚，逝世，年三十六岁。

在后嗣的不肖上，宇文邕很像晋王朝一任帝司马炎，只不过，司马衷是个白痴，宇文赟是个无赖；白痴如有妥善的辅导，仍可能成为圣君；而无赖登场，连老天爷都束手无策。司马炎当时有弟可传而不传，宇文邕既知长子不才，又知余子也不才，却也不肯传弟，北周帝国建国之初，一直是兄终弟及，而宇文邕自己的宝座，就是老哥传给他的，既有前例，为什么不援用？私心越重，盲点越大。

我们说宇文邕愚不可及，似乎与史实不符，看他东征西讨，战无不胜，固有知人之明，可是，管教儿子，竟全靠体罚，认为体罚可以使一个人改过向善，这是一种错到了底的观念，宇文赟以后的种种暴行，可以说就是对他老爹这种凶恶的体罚教育，所作的反弹。

闰五月二日（陈历），北周太子宇文赟（本年二十岁）继承帝位（四任宣帝）；尊嫡母阿史那皇后为皇太后。宇文赟刚坐上皇帝宝座，邪恶本性就像火山一样突然爆发，大肆奢侈，淫欲横流；老爹的棺木还在灵堂，宇文赟脸上却没有丝毫悲哀颜色，一面用手摸弄被打伤的疤痕，一面诟骂说："老家伙，你死得太晚！"然后巡视老爹的后宫美女，命她们上床供他娱乐。把国防部考核副司长（夏官吏部下大夫）郑译，超等越级，擢升当开府仪同大将军（勋官六级）、教育部秘书副司长（春官内史中大夫），全权主持政府（郑译受宇文赟宠爱，参考前年〔五七六〕八月）。

闰五月二十三日（陈历），把宇文邕安葬孝陵（今地不详），绰号武皇帝，庙号高祖。安葬既毕，宇文赟下诏，命全国所有官员，以及宇文赟自己和皇宫男女，全都脱下丧服，改穿常服。首都长安市政府主任秘书（京兆郡丞）乐运，上疏劝阻，说："葬期既很短促（自死至葬共二十三日），安葬后又立即脱下丧服，太过急迫。"宇文赟不理。

宇文赟因齐王（炀王）宇文宪，辈尊望重，心中十分忌恨，对宇文孝伯说："你能为我干掉齐王（宇文宪），你就继任他的官位。"宇文孝伯叩头说："先帝（宇文邕）遗命，不准滥杀至亲骨肉，齐王（宇文宪）是陛下的叔父，功劳大、威望高，是帝国的重要栋梁。陛下如果无缘无故把他害死，我又顺应陛下的意思完成谋杀，则我就是不忠，陛下就是不孝。"宇文赟大不高兴，从此跟宇文孝伯疏远，于是改跟开府仪同大将军（勋官六级）于智、郑译等，暗中策划。命于智前往宇文宪家请安问候，而就利用这次会面，指控宇文宪领导叛乱。

闰五月二十八日（陈历），宇文赟派宇文孝伯告诉宇文宪说：皇上打算任命宇文宪当太师（三公级）；宇文宪推辞谦让。宇文赟再命宇文孝伯前去召唤宇文宪，吩咐说："晚上，请跟其他亲王，一起进宫！"大家既到殿门，宇文赟单独接见宇文宪。事先，宇文赟在其他房间埋伏勇士。宇文宪进殿，埋伏发动，立即被捕。宇文宪申辩他一身清白，宇文赟命于智当面证实，宇文宪悲愤交集，目光如同火炬，跟于智对质。有人告诉宇文宪说："以大王今天的情势来看，多说有什么用！"宇文宪说："生死都是命运安排，我岂是为了要活！只因娘亲在堂，恐怕受到牵连！"最后，把笏版投到地上，遂被绞死（年三十五岁）。

宇文宪之死，历史上再一次出现千古奇冤。于智在一次会面之中，就能制造出一个贵为亲王的叛乱证据，而且对质时气不发喘、脸不改色，可谓栽赃奇才。

宇文赟召集宇文宪的部属，命他们出面证实宇文宪的罪状。军事参议官（参军）勃海（河北省东光县）人李纲，宁愿被杀，也不肯有一句诬陷。主管单位用无篷车把宇文宪的尸体拉出皇宫，部属全都逃散，只李纲抱棺哀号，亲自把灵柩安葬，痛哭祭拜而去。

宇文赟又下令，斩上大将军（勋官三级）王兴、上开府仪同大将军（勋官五级）独孤熊、开府仪同大将军（勋官六级）豆卢绍（本姓慕容），都是宇文宪平日好友。宇文赟既诛杀宇文宪，而又无法使人信服加到宇文宪头上的罪名，为了加强论据，于是宣称宇文宪参与王兴等的叛乱集团，当时的人称之为"伴死"（陪伴主角而死）。

宇文赟擢升于智当柱国（勋官二级），封齐公爵，作为奖赏（奖赏他在"诬以谋反"冤案中充当杀手）。

六月十日（陈历），宇文赟封王妃杨丽华当皇后（杨丽华是随公爵杨坚的女儿)。

六月十六日(陈历),宇文赟任命赵王宇文招当太师(三公级)、陈王宇文纯当太傅(三公级)。

9 设于突厥汗国(瀚海沙漠群)的北齐帝国流亡政府皇帝高绍义,听到北周帝宇文邕逝世消息,认为是上天帮助他复国的大好良机。幽州(州政府设蓟城〔北京市〕)变民首领卢昌期,聚众起兵,占领范阳(河北省涿州市),派人迎接高绍义,高绍义率突厥军前往增援。北周政府派柱国(勋官二级)东平公爵宇文神举,率军讨伐卢昌期(时宇文神举在并州〔州政府晋阳〕)。高绍义听到北周幽州军区(总部设蓟城〔北京市〕)总司令(幽州总管)领兵在外,打算乘虚袭击蓟城(北京市),宇文神举派大将军(勋官四级)宇文恩率四千人救援,一半士卒被高绍义击斩。但就在这时候,宇文神举攻克范阳(河北省涿州市),擒获卢昌期。高绍义听到消息,穿上丧服,哀悼致祭,然后率军退回突厥汗国。丞相高宝宁(营州〔州政府和龙〕州长)率汉人及蛮夷组成的混合骑兵数万人,增援范阳(河北省涿州市),抵达潞水(北京市通州区北运河),得到卢昌期死讯,班师,仍退守和龙(辽宁省朝阳市)。

10 秋季,七月,北周帝宇文赟,前往皇家祖庙,祭祀祖先。

七月十一日,前往圆形神坛,祭祀地神。

七月十五日,擢升教育部副部长(小宗伯)斛斯徵当教育部长(大宗伯)。

七月二十七日,擢升亳州军区(即南兖州军区,总部设谯城〔安徽省亳州市〕)总司令(亳州总管)杨坚当上柱国(勋官一级)、国防部长(大司马)。

七月二十八日,宇文赟尊娘亲李娥姿称号:帝太后(区别嫡母阿

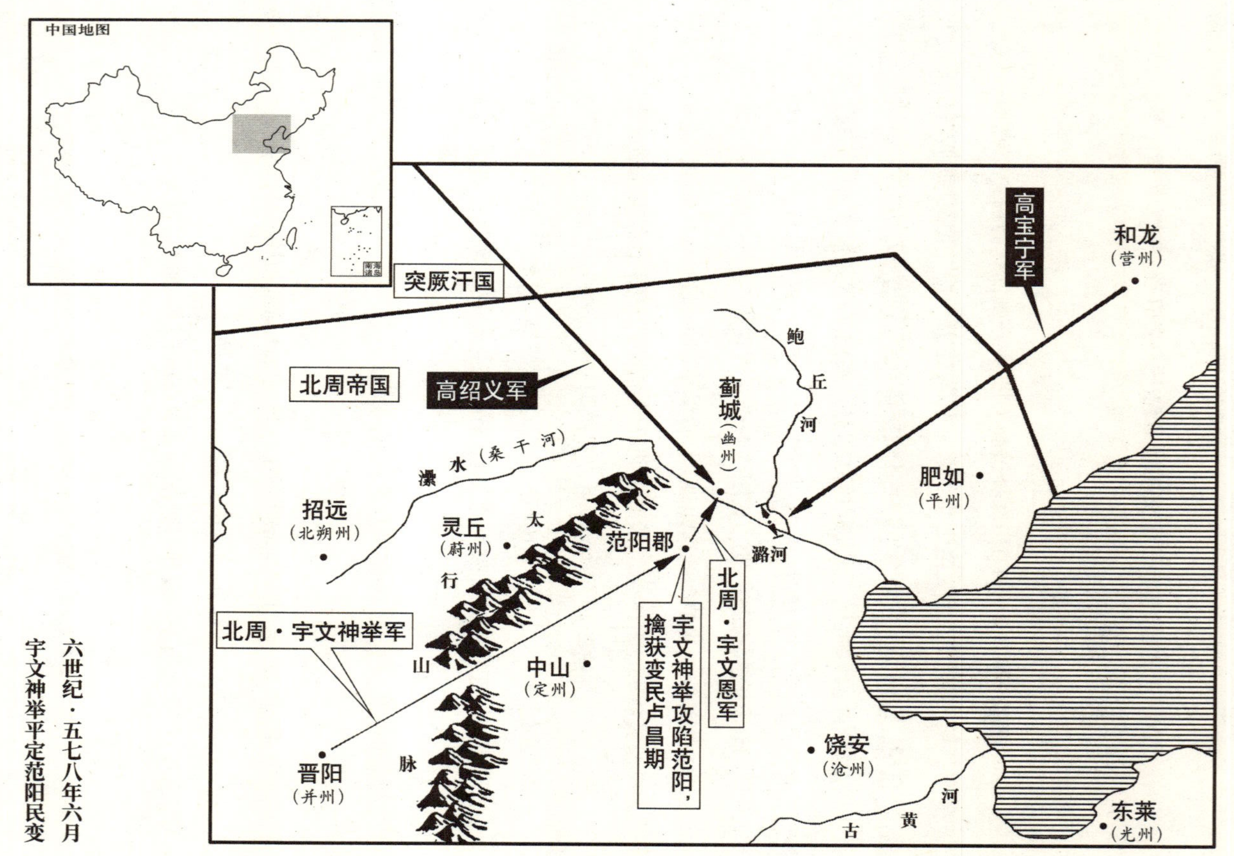

六世纪・五七八年六月
宇文神举平定范阳民变

史那皇后的“皇太后”称号）。

八月二日，宇文赟前往首都长安（陕西省西安市）西郊祭祀。

八月八日，宇文赟前往同州（州政府设武乡〔陕西省大荔县〕）。任命内政部长（大司徒）杞公爵宇文亮，当安州军区（总部设安陆〔湖北省安陆市〕）总司令（安州总管）；上柱国（勋官一级）长孙览当内政部长（大司徒），杨公王谊当农工部长（大司空）。

八月二十二日，任命柱国（勋官二级）永昌公爵宇文椿当司法部长（大司寇）。

11 九月十一日，陈帝陈顼在娄湖（江苏省南京市江宁区南）兴建盟誓高台——方明坛（上下四方神明之坛）。

九月十四日，陈顼命次子、京畿总卫戍司令（扬州刺史）、始兴王陈叔陵，当文武百官盟约长（王官伯），主持文武百官向帝国宣誓效忠大典（彭城之役，元帅吴明彻以下三万人全军覆没，上下动摇，陈顼乞灵于这项古代仪式，团结人心）。

12 九月十六日，北周帝宇文赟封皇弟宇文元当荆王。宇文赟下诏：“叩头礼节，叩三次头作为一个完整仪式。”

13 九月二十日，陈帝陈顼前往娄湖（江苏省南京市江宁区南）听取文武百官宣誓。

九月二十一日，派钦差大臣分别前往全国各地，送达盟约副本，加强团结，互相勉励。

14 冬季，十月十日，北周帝宇文赟返首都长安（陕西省西安市）。命农工部长（大司空）王谊当襄州军区（总部设襄阳〔湖北省襄阳市〕）总司令（襄州总管）。

15 十月二十五日，陈政府任命国务院左执行长（尚书左仆射）陆缮，当国务院执行长（尚书仆射）。

16 十一月，突厥汗国（瀚海沙漠群）攻击北周帝国边界，包围酒泉（甘肃省酒泉市），屠杀掳掠官员及平民。

17 十二月二日，北周政府命毕王宇文贤当农工部长（大司空）。

十二月二十七日，命河阳军区（总部设河阳〔河南省孟州市〕）总司令（河阳总管）滕王宇文逌当大军元帅，攻击陈帝国。

五七九年 己亥

南梁 天保 十八年
陈 太建 十一年
北周 大成 元年
大象 元年
（齐帝高绍义武平三年）

1 春季，正月一日，北周帝国（首都长安〔陕西省西安市〕）皇帝（四任宣帝）宇文赟（本年二十一岁），在宫城正门，接受文武百官朝贺；与群臣开始改穿两汉王朝及曹魏帝国时代的官服；大赦；改年号大成。设置四辅官：命宫廷部长（大冢宰）越王宇文盛当大前疑（四辅之一），相州军区（总部设邺城〔河北省临漳县西南邺城镇〕）总司令（相州总管）蜀公爵尉迟迥当大右弼（四辅之二）、申公爵李穆当大左辅（四辅之三）、国防部长（大司马）随公爵杨坚当大后承（四辅之四）。

宇文赟刚坐上皇帝宝座时，认为老爹（三任武帝）宇文邕所制定的《刑书要制》（参考前年〔五七七〕十二月），刑罚太重，下诏废止，而且不断颁布大赦。首都长安市政府主任秘书（京兆郡丞）乐运，上疏劝阻，认为：“《尚书·虞书》说：‘无心犯错，最好赦免。’（“眚灾肆赦”）是对并非故意犯罪，而误蹈法网的人，应该宽大处理。《吕刑》说：‘判处五项重刑的囚犯，对他们的犯罪，无法十分肯定时，就应轻罚，甚至赦免。’（“五刑之疑，有赦。”五刑：墨刑、劓刑、刖刑、宫刑、斩刑。）是把重刑改作轻刑，把轻刑改作赦免。谨查所有经典，从来没有不管罪刑轻重，一律赦免的记载。陛下怎么可以不断颁布大赦诏书，帮助邪恶之徒，肆意犯罪！”宇文赟不理。可是，不久，人民不停犯法，而宇文赟自己奢侈淫乱，过失日多，也痛恨别人进言劝告，打算用凶暴的手段，镇压文武百官。于是，另行制定《刑经圣制》，执法越发严酷。宇文赟在正武殿设立道教祭坛，焚香供果，奏报天神，然后颁布全国实施。宇文赟密令左右侦察文武百官，只要小小犯错，即行谴责、诛杀。

宇文赟为他老爹（三任武帝）宇文邕穿丧服，才过了一个新年，就放纵在声色欢乐之中，各式各样的杂耍游戏，不停的在金銮宝殿演出，日夜相继，从没有休息。集合大量美女，充实后宫，增设很多位号，名称繁多得无法详细记载。宇文赟沉湎于游乐饮酒宴会，有时十天半月不出宫上朝，政府官员有事请示时，都恳求宦官代为转奏。乐运用车装载棺材，前往宫门，指摘宇文赟八项过失，其一：“陛下最近裁决若干大事，大多独断独行，不咨询辅佐官员，听取大家意见。”其二：“搜罗天下美女，塞满后宫，下令仪同（勋官八级）以上官员的女儿，不准出嫁，无论贵族或平民，同声怨恨。”其三：“陛下一入后宫，几天都不出来上朝，政府所有奏章，只好请托宦官。”其四：“陛下下诏，命刑罚宽大，可是实施不到半年，重订法条，比从前更为严酷。”其五：“高祖（三任帝宇文邕）摧毁豪华的雕梁画栋，使生活归于朴实。可是他逝世不满一年，新宫殿更富丽豪华。”其六：“奴役平民，征收苛捐杂税，却用来奉养唱戏、歌舞、角力、杂耍之辈。”其七：“臣属上书陛下，一个字写错，就受到惩罚，是封闭臣属进言的管道。”其八：“天上日月星辰变异，正是对下界的一种警告，陛下却不能听取建议，改革内政。”最后，乐运警告说：“如果不在这八件事上作切实的改进，我已经看到：周国（北周帝国）皇家祖庙，将不再有子孙祭祀。”宇文赟勃然大怒，就要诛杀乐运。政府官员恐惧成一团，没有人敢出面营救。教育部秘书副司长（春官内史中大夫）洛阳（河南省洛阳市东白马寺东）人元岩，叹息说：“跟臧洪同死，还有人愿意（陈容与臧洪同死事，参考一九五年十二月），何况跟子干（比干）同死！如果乐运不能免，我就跟他同死。”遂到宫门请求晋见，告诉宇文赟说：“乐运不顾死活，只不过企图千秋留名，陛下何必成全他的志愿！不如安慰一番，打发他走得远远的，显示陛下宽宏的气度。”宇文赟有点感动醒悟。明天，宇文赟召见乐运，对他说：“我昨晚思索你的奏章，实在是一个忠臣。”留乐运在宫内进餐，再教他回去。

正月十一日，宇文赟封皇子宇文阐当鲁王。

正月十二日，宇文赟往东方巡视；任命许公爵宇文善当教育部长（大宗伯）。

正月二十六日，宇文赟抵达洛阳（河南省洛阳市东白马寺东），封鲁王宇文阐当皇太子。

2 二月二日，陈帝国（首都建康〔江苏省南京市〕）皇帝（四任宣帝）

陈顼（本年五十二岁），主持亲自耕田典礼。

3 北周帝宇文赟下诏：把洛阳升格为东京，征集山东（崤山以东）各州民夫修筑洛阳宫，每天保持四万人。把中央驻相州（州政府设邺城〔河北省临漳县西南邺城镇〕）六部分部（六府），迁到洛阳（在相州设中央分部事，参考前年〔五七七〕二月）。

北周徐州军区（总部设彭城〔江苏省徐州市〕）总司令（徐州总管）王轨，得到郑译掌握权柄的消息，知道大祸已经临头，对他的亲信说："我在先帝（宇文邕）在世时，为了帝国前途，确实提出罢黜储君的意见（参考五七六年八月），今天事情如此，下一步可以预料。徐州（彭城）遥控淮河以南广大形势，紧接强大的盗匪（陈帝国），如果只为自己的身家性命着想，简直比把手掌翻过来还要容易。但是，忠义大节，不允许亏损违背，何况我受先帝（宇文邕）厚恩，怎么可以因为得罪了他的后裔，而竟遗忘？我只有待在这里，等候诛杀，希望千年万世之后，有人了解我的忠心！"

有一天，宇文赟无意中问郑译说："我脚上的伤疤，是谁说的坏话？"郑译说："乌丸轨！"（宇文泰命"王"改"乌丸"）宇文孝伯遂说出王轨拉宇文邕胡须的事（参考五七六年八月）。宇文赟大怒，派教育部秘书司长（内史）杜庆信，前往徐州（州政府彭城），就在州政府诛杀王轨。秘书副司长（内史中大夫）元岩，不肯撰写诏书；宫廷部立法副司长（御正中大夫）颜之仪，也恳切劝阻，宇文赟不理，元岩继续进言，脱下头巾，用头叩地，三次拜倒，三次前进，宇文赟暴跳说："你包庇乌丸轨，是不是！"元岩说："我不是包庇乌丸轨，只是怕陛下完全依靠情绪滥杀，会使天下人失望。"宇文赟大怒，命宦官用力打元岩耳光。于是，王轨被诛杀，元岩也被罢黜官职回家，不再担任公职。无论远近，不管认识不认识王轨，都为他的冤死，痛哭流涕。颜之仪，是颜之推的老弟（颜之推，参考五七三年二月）。

宇文赟当太子时，上柱国（勋官一级）尉迟运当太子宫总管（宫正），不断进言规劝，宇文赟拒不接受。而尉迟运又跟王轨、宇文孝伯、宇文神举，都受宇文邕的亲近及重用，宇文赟一直疑心他们都在老爹面前陷害自己。等到王轨被诛杀，尉迟运大为恐惧，私下对宇文孝伯说："我们终于要身罹大祸，怎么办？"宇文孝伯说："上有高堂娘亲，下有先帝（宇文邕），我们既是儿子，又是臣属，如果想逃，又往哪里逃？而且向人效忠，本来就应为名分大义死节，进言规劝而对方如同耳边风，我们怎能不死？你如果为自己生命打算，最好是远离京师（首都长安）。"于是尉迟运请求出任秦州军区（总部设上封〔甘肃省天水市〕）总司令（秦州总管）。

于是，有一天，宇文赟忽然提出齐王宇文宪的事（诬杀宇文宪，参考去年〔五七八〕六月），质问宇文孝伯说："你明明知道宇文宪叛变，为什么不报告？"宇文孝伯说："我明明知道宇文宪对帝国忠心耿耿，被一群卑劣的小人物陷害；而且也明明知道就是提出报告，也没有用，所以没有报告。先帝（宇文邕）曾经嘱咐我，命我辅助陛下，我规劝陛下而陛下并不接受，我实在辜负先帝（宇文邕）的托付。如果用这一点定我的罪，我死也甘心。"宇文赟大为羞惭，低下头不再说话，命宇文孝伯退出；但他仍怀恨在心，于是命宇文孝伯在家自杀（年三十六岁）。

当时，宇文神举当并州（州政府设晋阳〔山西省太原市〕）州长（刺史），宇文赟派人前往并州（晋阳），把他毒死（年四十八岁）。尉迟运抵达秦州（州政府设上封〔甘肃省天水市〕），忧惧过度，逝世（年四十一岁）。

北周政府撤回南征各军（命滕王宇文逌攻击陈帝国事，参考去年〔五七八〕

十二月）。

4 突厥汗国（瀚海沙漠群）佗钵可汗（四任）向北周请求和解。北周帝宇文赟封赵王宇文招的女儿当千金公主，嫁给佗钵可汗；交换条件是：交出北齐流亡皇帝高绍义，佗钵可汗不接受。

5 二月二十日，北周帝宇文赟（本年二十一岁），把帝位传给太子宇文阐（本年七岁），大赦，改年号大象（之前是大成元年，之后是大象元年）。宇文赟自称天元皇帝，所住宫殿称“天台”，帽上有二十四条珠穗（从前只有十二条），车辆、轿舆、服装、旗帜、铜鼓的数量，都比从前君王多出两倍。小娃皇帝宇文阐所住的宫，称正阳宫；在正阳宫设置侍从官（纳言）、立法官（御正），及各禁卫官（左右宫伯等），跟宇文赟的太上皇宫（天台）一样。宇文阐尊称嫡母杨丽华为天元皇太后。

宇文赟既把皇帝宝座让给儿子，骄傲奢侈的心态，越发严重，越来越认为自己伟大，更毫无顾虑和肆无忌惮（一个人，无论什么时候，只要他自认为可以“毫无顾虑，肆无忌惮”，他就要糟）；国家的典礼仪式，随自己的意思改变。面对臣属时，自称为“天”（称“朕”已不过瘾）；餐饮时，使用“樽”（古代铸花酒壶）、“彝”（古代大肚小口酒瓶）、“珪瓒”（古代玉柄酒杯），作为器具。宇文赟又下令文武百官，凡是前往太上皇宫（天台）朝见他的，都要在三天前吃素，一天前沐浴，使身心清洁。不久宇文赟又发现：他自己既跟上帝同值，就不允许文武百官跟自己同值，于是经常身系腰带（类似女性束腰带），头戴通天冠（古代君王专用冠帽），上面加插金花，悬挂蝉尾（宫廷高级官员打扮，参考三〇一年正月）。看见侍从们头上有金花、蝉尾，或看见亲王三公束有腰带的，一律命他们解下。不准任何人被称为“天”“高”“上”“大”，官名有这几个字的，一律改正。姓“高”的一律改姓“姜”，高祖一律改称长祖。又命全国都用完整的木材制造车轮，不准加以拼接（为什么有此奇异规定，原因不明）。又禁止天下妇女使用胭脂，不准擦粉画眉，除非宫女，任何妇女不可以化妆。

宇文赟每次召集御前会议，讨论事项，只谈如何改变制度或如何兴筑宫殿，从来不谈政治。游戏玩乐，毫无节制；仪仗和卫队，早上出宫，晚上才回来，在身旁陪伴侍奉的官员，一个个都不能忍受。自三公部长级以下官员，经常受宇文赟毒打。每次毒打，以一百二十棍为一个单位，称为“天杖”。后来，更增加到二百四十棍为一个单位。宫女和宦官，一样对待，甚至连皇后、嫔妃、御女，虽然宇文赟平常对她们十分宠爱，但很多人的脊背，都受过毒打。于是内外恐怖成一团，人人担心，遇事只求不受刑罚，谁也不肯再有担当，大家像呆子一样站在那里，连呼吸都不敢出声，这样直到宇文赟死亡。

二月二十七日，北周政府任命：越王宇文盛当太保（三公级），尉迟迥（音jiǒng〔窘〕）当大前疑（四辅之一），代王宇文达当大右弼（四辅之二）。

二月三十日，北周把邺城的“石经”，迁回洛阳（高澄把石经由洛阳迁邺城，参考五四六年七月）。下诏（不知道是太上皇宇文赟下诏，还是小娃皇帝宇文阐下诏）：河阳军区（总部设河阳〔河南省孟州市〕）、幽州军区（总部设蓟城〔北京市〕）、相州军区（总部设邺城〔河北省临漳县西南邺城镇〕）、豫州军区（总部设悬瓠〔河南省汝南县〕）、亳州军区（总部设谯城〔安徽省亳州市〕）、青州军区（总部设东阳〔山东省青州市〕）、徐州军区（总部设彭城〔江苏省徐州市〕），七军区总司令（总管），都归东京洛阳中央六部分部（东京六府）管辖指挥。

三月二十九日，太上皇宇文赟返首都长安（陕西省西安市），夸大炫耀武装部队威力，他身穿铠甲，亲自率领，自青门（长安东城南数第三门）入城，小娃皇帝宇文阐，乘坐法驾，在后随从。

夏季，四月二日，宇文赟封朱满月当天元帝后。朱满月，吴郡（江苏省苏州市）人，出身贫寒，生下宇文阐，她比宇文赟年长十余岁（本年三十三岁），因身份低贱，而跟宇文赟感情又很疏远；但因她的儿子是现任皇帝，所以特别给她一个尊贵绰号。

四月九日（原文“乙巳”，据《周书》改），宇文赟前往皇家祖庙，祭祀祖先。

四月二十二日，在正武殿设道教祭坛，祭祀道教神祇。

五月，指定襄国郡（河北省邢台市）作赵国采邑，济南郡（山东省济南市）作陈国采邑，武当（湖北省丹江口市西北）、安福（湖北省十堰市郧阳区东南）二郡作越国采邑，上党郡（山西省长治市）作代国采邑，新野郡（河南省新野县）作滕国采邑，每个采邑一万户人家。命赵王宇文招、陈王宇文纯、越王宇文盛、代王宇文达、滕王宇文逌，分别前往他们的封国。

随公爵杨坚（皇后杨丽华的老爹）暗中对大将军（勋官四级）汝南公爵宇文庆说：“天元（宇文赟）对人没有一点恩德，看他的长相，也不是一个长寿之人。而且，宇文皇家的当权人，本来不多，现在又派他们各往自己的封国，没有加强中央维护根本的想法。羽毛翅膀已经翦除，怎么可能长久？”宇文庆，是宇文神举的老弟。

6 突厥汗国攻击北周帝国并州（州政府设晋阳〔山西省太原市〕）。

六月，北周政府征调山东（崤山以东）各州平民，修筑长城（整修北齐帝国时代的长城，以抵御突厥汗国南下。北齐筑长城事，参考五五六年十二月）。

7 秋季，七月一日，北周政府任命杨坚当大前疑（四辅之一）、

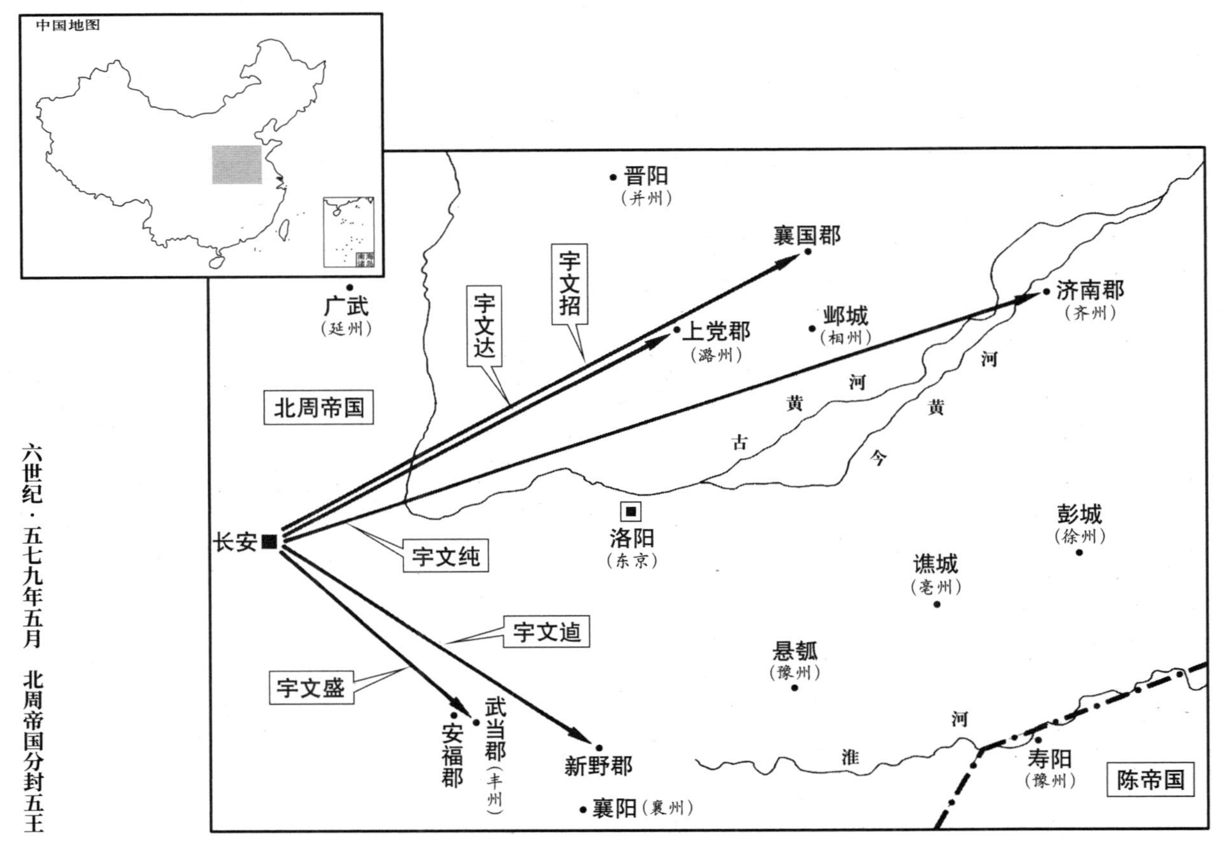

六世纪·五七九年五月 北周帝国分封五王

柱国（勋官二级）司马消难当大后承（四辅之四）。

8 七月二日，陈帝国开始发行大钞——六铢钱（陈帝国一直使用五铢钱，参考五六二年闰二月。如今两钱同时流通）。

9 七月七日，北周帝宇文阐，娶司马消难的女儿司马令姬当皇后，称正阳皇后（本年，宇文阐七岁，小学一年级学生，不知司马令姬又有几岁，如何成婚）。

七月二十日，北周尊太上皇（天元皇帝）宇文赟的娘亲天元帝太后李娥姿当天皇太后。

七月二十三日，宇文赟把小老婆群：原天元皇后朱满月改称天皇后，另封贵妃元乐尚当天右皇后、德妃陈月仪当天左皇后，共四个皇后。元乐尚，是开府仪同大将军（勋官六级）元晟的女儿。陈月仪，是大将军（勋官四级）陈山提的女儿（陈山提是尔朱兆的仆役，参考五三三年正月）。

八月一日，宇文赟前往同州（州政府设武乡〔陕西省大荔县〕）。

10 八月八日，陈帝陈顼，在大壮观检阅三军。命司令官（都督）任忠率步骑兵十万人混合兵团，在玄武湖（建康城北）集结；命另一司令官（都督）陈景，率主力船舰五百艘，横渡长江，在瓜步（江苏省南京市六合区南长江渡口）作威力展示，然后班师。

11 八月十三日，北周太上皇（天元皇帝）宇文赟，返首都长安（陕西省西安市）。

八月十五日，擢升陈山提、元晟，同时当上柱国（勋官一级。二人都是皇后的老爹）。

12 八月十九日，陈帝陈顼返宫。

豫章郡（江西省南昌市）郡长（内史）、南康王陈方泰，任期届满，派人到街上纵火焚烧民间住宅，趁燎天火势，大肆抢劫；并逮捕有钱的人，下狱拷打，索取贿赂。陈帝陈顼阅兵时，陈方泰应该陪同（陈方泰是陈昙朗的儿子、陈顼的堂侄），陈方泰声称娘亲患病，要在家侍候，不肯随驾，却改穿平民衣服，到民间奸淫别人的妻子，被京畿总卫戍司令部（扬州州政府）逮捕，陈方泰命他的武装卫士拒抗，杀伤治安人员；有关单位奏报，陈顼大怒，逮捕陈方泰，投入监狱，免除官职，撤销爵位采邑。但不久又全部恢复。

常有人高叫“中国是文明国家，王子犯法，与庶民同罪！”用以证明传统文化的优越性。而陈方泰正是“王子犯法”的榜样！其实，陈方泰并不十分突出，在他之前，我们看过太多的“王子犯法”，在他之后，也看过太多的“王子犯法”。

“王子犯法型”的特质，就是对凶手根本不作处罚，或者，在处罚了之后，不久就旱地拔葱，东山再起，比处罚前更凶！

13 八月二十三日，北周政府任命上柱国（勋官一级）毕王宇文贤当太师（三公级）、郇公爵韩建业当大左辅（四辅之三）。

九月二十七日，任命酆王宇文贞当宫廷部长（大冢宰），又任命郧公爵韦孝宽（时任徐州〔州政府设彭城，江苏省徐州市〕军区总司令〔总管〕）当大军元帅（行军元帅），率大军作战司令官（行军总管）杞公爵宇文亮、郕公爵梁士彦，进攻陈帝国淮南（淮河以南）领土（陈帝国得自北齐帝国者〔参考五七三年三月至十二月〕，北周打算收回）。但在大军出动之前，仍派宫廷部立法司长（天官御正）杜杲、教育部法令司长（春官礼部）薛舒，前往陈帝国作友好聘问。

冬季，十月四日，北周太上皇（天元皇帝）宇文赟，前往道会苑（当时道教聚会所），举行道教神灵祭祀大典；使老爹宇文邕陪同接受香火。恢复塑造佛教释迦及道教天尊神像（宇文邕摧毁二教神像事，参考五七四年五月）。宇文赟跟两座神像，面向南方，并肩而坐；上演各种杂耍戏剧，让首都长安（陕西省西安市）人民随意观赏。

14 十月十六日，陈政府命国务院执行长（尚书仆射）陆缮，当国务院左执行长（尚书左仆射）。

十一月四日，陈帝国大赦。

15 北周大军元帅韦孝宽，分别派杞公爵宇文亮，自安陆（湖北省安陆市）攻击黄城（陈帝国司州，湖北省武汉市黄陂区东），郕公爵梁士彦攻击广陵（陈帝国南兖州，江苏省扬州市）。

十一月七日，梁士彦军抵达淝口（淝水〔东淝河〕注入淮河处，安徽省寿县北）。

十一月八日，太上皇（天元皇帝）宇文赟前往骊山温泉（陕西省西安市临潼区东南）。

十一月十一日，北周大军包围陈帝国寿阳（陈帝国豫州，安徽省寿县）。

宇文赟前往同州（州政府设武乡〔陕西省大荔县〕）。

16 陈帝陈顼下诏，任命开府仪同三司（宰相级）南兖州（州政府设广陵〔江苏省扬州市〕）州长（刺史）淳于量，当长江上游水军司令官（上流水军都督）；中央禁军总监（中领军）樊毅，当北伐司令官（都督北讨诸军事）；首都东区卫戍司令（左卫将军）任忠，当北伐前锋司令官（都督北讨前军事）；前丰州（州政府设晋安〔福建省福州市〕）州长（刺史）皋文奏，率步骑兵三千人，攻击阳平郡（侨郡，江苏省淮安市洪泽区）。

17 十一月十五日，北周太上皇（天元皇帝）宇文赟，返首都长安（陕西省西安市）。

18 十一月十六日，陈帝国北伐前锋司令官任忠，率步骑兵七千人，前往秦郡（江苏省南京市六合区）。

十一月十九日，仁威将军鲁广达（时任合州〔州政府设合肥，安徽省合肥市〕州长）率军推进到淮河；当天，北伐司令官樊毅率水军二万人，从东关（安徽省含山县西南）进入巢湖，武毅将军萧摩诃率步骑兵前往历阳（南豫州，安徽省和县）。

十一月二十一日，北周大军元帅韦孝宽攻克陈帝国寿阳（安徽省寿县），杞公爵宇文亮攻克黄城（湖北省武汉市黄陂区），梁士彦攻克广陵（江苏省扬州市）。

十一月二十四日，北周军继续攻克霍州（州政府设岳安〔安徽省霍山县〕）。

十一月二十六日，陈政府任命京畿总卫戍司令（扬州刺史）始兴王陈叔陵，当总司令（大都督），统率全国水陆各军。

19 十一月三十日，北周政府铸造“永通万国钱”，新钱一钱折算旧钱千钱，跟“五行大布钱”（参考五七四年六月）同时流通。

十二月一日，太上皇（天元皇帝）宇文赟因天象不断变异，灾祸屡起，为了向天神赎罪，于是，不带卫士仪队，自己到天兴宫住下。文武百官纷纷上疏，乞求恢复正常睡眠和饮食。

十二月七日，宇文赟回宫，登正武殿，集合文武百官、宫中美女、“五命”（命，官阶）以上官员的妻子，观赏歌舞戏剧；上演“乞寒胡戏”（“乞寒胡戏”，又名“泼寒胡戏”，由西域〔新疆及中亚东部〕传到中原。跟其他当时人人皆知的赌博一样，早已失传。依文献推测，大概是天气严寒之际，少年脱光衣服，赤身露体，结队跳舞，观众对勇敢雄壮者，用水泼他，表示欣敬。乐器有“大鼓”“小鼓”“琵琶”“五弦”“箜篌”“横笛”之类）。

20 十二月八日，陈帝国所属南兖州（州政府设广陵〔江苏省扬州市〕）、北兖州（州政府设淮阴〔江苏省淮安市淮阴区〕）、晋州（州政府设晋熙〔安徽省潜山市〕）等三州，以及盱眙（江苏省盱眙县）、山阳（江苏省淮安市）、阳平（江苏省淮安市洪泽区）、马头（安徽省蚌埠市西马城镇）、秦郡（江苏省南京市六合区）、历阳（南豫州，安徽省和县）、沛郡（安徽省天长市西）、北谯郡（安徽省全椒县）、南梁郡（安徽省全椒县东南）等九郡居民，自行逃离乡土，返回江南（长江以南，即陈帝国。这是一项难民逃亡潮，“返回”江南，因江南是他们不久前的祖国）。北周大军乘势占领谯州（州政府设顿丘〔安徽省滁州市〕）、北徐州（州政府设钟离〔安徽省凤阳县东北临淮关镇〕）。从此，陈帝国长江以北土地，全部并入北周版图。

21 北周太上皇（天元皇帝）宇文赟，前往东京洛阳（河南省洛阳市东白马寺东），途中亲自驾驶驿马车，奔驰如飞，每天跑三百华里；四位皇后及文武侍从官员数百人，都坐驿马车随从。宇文赟命四位皇后的马车，并驾齐驱，偶尔有前有后，宇文赟就立刻大发雷霆斥责。于是人马疲惫，栽倒在地的，沿途都是。

22 十二月十六日，陈帝国派平北将军沈恪、电威将军裴子烈镇守南徐州（州政府设京口〔江苏省镇江市〕），开远将军徐道奴镇守栅口（栅水注入长江处，安徽省无为市东），前信州（州政府设安蜀城〔湖北省宜昌市长江南岸〕）州长（刺史）杨宝安镇守白下（建康城北）。

十二月二十一日，任命中央禁军总监（中领军）樊毅当荆郢巴武军区水陆司令长官（都督荆郢巴武四州水陆诸军事。陈帝国荆州州政府设公安〔湖北省公安县〕，郢州州政府仍设夏口〔湖北省武汉市〕，巴州州政府设巴陵〔湖南省岳阳市〕，武州州政府设武陵〔湖南省常德市〕）。

23 十二月二十二日，北周太上皇（天元皇帝）宇文赟，返首都长安（陕西省西安市）。

24 陈帝国贞毅将军、汝南郡（侨郡）人周法尚，跟长沙王陈叔坚互不相让。陈叔坚向老爹皇帝陈顼，打小报告说：周法尚阴谋叛变（用“诬以谋反”来报私恨）；陈顼逮捕周法尚的老哥、定州（州政府设蒙笼城〔湖北省麻城市北〕）州长（刺史）周法僧，动员军队，准备攻击周法尚。周法尚投降北周帝国，北周太上皇（天元皇帝）宇文赟任命周法尚当开府仪同大将军（勋官六级）、顺州（州政府设厉城〔湖北省随州市北〕）州长（刺史）。陈顼派将军樊猛渡江（不知何江）进攻。周法尚命部将（部曲督）韩朗向樊猛诈降，说：“周法尚的部众，都不愿归降北方，人心不稳，议论纷纷，打算背叛逃回，如果祖国（陈帝国）大军能够前来接应，我们的枪头当可倒转。”樊猛相信，率军急行前进。周法尚假装表示恐惧，向后撤军，退保江曲（江水弯曲处），一会工夫，又假装惊魂不定，拔营逃走，把樊猛诱入埋伏，包围痛击，樊猛仅逃出一命，被俘将近八千人。

六世纪·五七九年十一月至十二月
北周夺取淮南领土

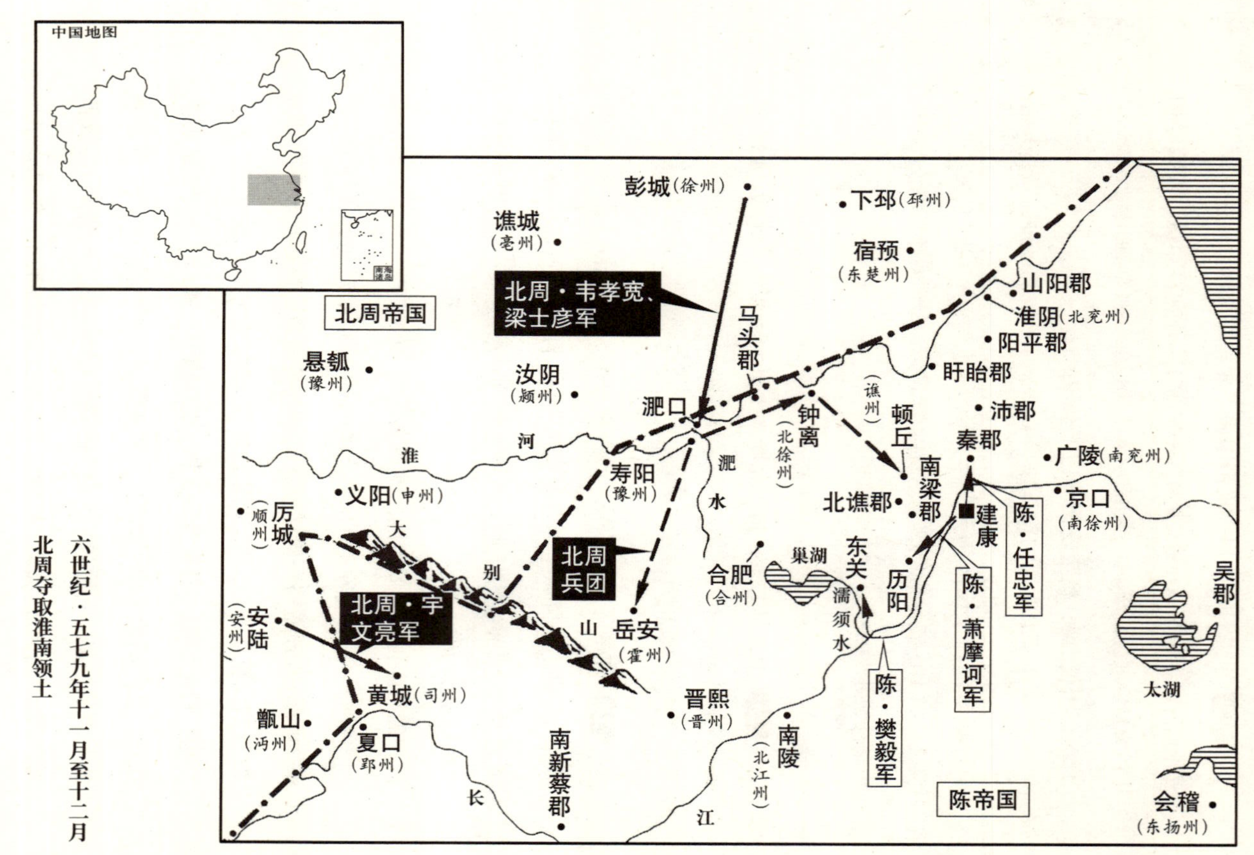

六世纪

八〇年代

五八〇—五八八年

- 北周帝国亡。
- 隋帝国兴起。
- 突厥大掠河西。
- 南梁帝国亡。

- 东罗马皇帝提比留卒，毛利斯继位。
- 法兰克王契尔培利克被刺死，幼儿克罗特尔二世继位，生母敷累得贡达摄政，斩契尔培利克前妻所生诸子。
- 日本用明天皇卒，崇竣天皇继位。
- 波斯王荷米斯达斯被杀，其子科斯洛埃斯二世继位，为波斯名王。

五八〇年 庚子

南梁	天保	十九年
陈	太建	十二年
北周	大象	二年

1 春季，正月七日，北周帝国（首都长安〔陕西省西安市〕）太上皇（天元皇帝）宇文赟（本年二十二岁），前往皇家祖庙，祭祀祖先。

2 正月十二日，陈帝国（首都建康〔江苏省南京市〕）任命首都东区卫戍司令（左卫将军）任忠，当南豫州（姑孰，安徽省当涂县。原州政府设历阳〔安徽省和县〕，已沦陷北周帝国）州长，监督长江防卫军事。

3 正月二十九日，北周政府规定，人民进入市场，每人缴纳进城税一钱（称“市门税”，北周建国时取消，参考五五七年正月四日；如今恢复）。

二月一日，太上皇（天元皇帝）宇文赟前往“露门贵族学校”（“露门学”，设于宫城露门，学生七十二人，专门研究儒家学派经典），在古圣人牌位前，献酒致祭。

4 二月二日，突厥汗国（瀚海沙漠群）向北周帝国进贡，并迎接千金公主（千金公主和亲事，参考去年〔五七九〕二月）。

5 二月九日，北周太上皇（天元皇帝）宇文赟下诏：“制”（文告）改称“天制”，“敕”（训令）改称“天敕”。

二月二十六日，尊嫡母天元皇太后阿史那女士尊贵绰号天元上皇太后、娘亲天皇太后李娥姿尊贵绰号天元圣皇太后。

二月二十七日，宇文赟再下诏，命正妻杨丽华（本年二十岁），跟其他三皇后：朱满月、陈月仪、元乐尚，一律称太皇后。皇帝（五任静帝）宇文阐（本年八岁）的正妻司马令姬称皇后。

大军作战司令（行军总管）杞公爵宇文亮，跟宇文赟同一个曾祖父，是宇文赟的堂兄（宇文肱生宇文颢、宇文泰；宇文颢生宇文导，宇文导生宇文亮），宇文亮的儿子西阳公爵宇文温，娶妻尉迟繁炽，是蜀公爵尉迟迥（音jiǒng〔窘〕）的孙女，美艳夺人，以皇族身份入宫朝拜，宇文赟惊为天仙，把她灌醉强奸。宇文亮得到消息，大为恐惧。

三月，远征陈帝国的大军班师，抵达豫州（悬瓠，河南省汝南县），宇文亮暗中策划袭击大军元帅韦孝宽，吞并他手下部队，然后拥护皇家血缘最近的叔父辈（如赵王宇文招等）登极称帝，进军西上。宇文亮封国（杞国）官员茹宽（茹，姓），听到这项阴谋，先行报告韦孝宽，韦孝宽秘密准备应变。宇文亮于夜晚率数百骑兵，向韦孝宽大营袭击，不能攻克，退却。

三月三日，韦孝宽追击，斩宇文亮；宇文温也被指控叛变，诛杀。宇文赟立刻就把美丽的尉迟繁炽召到皇宫，封为长贵妃。

三月六日，命宇文亮的老弟永昌公爵宇文椿继位杞公爵。

宇文赟前往同州（武乡，陕西省大荔县），增加皇家出巡卫队的侦察官（候正）、前导官（前驱）、开道官（式道候）等数目，使警卫圈多达三百六十重，从应门（皇宫南门）直到赤岸泽（陕西省大荔县南，在沙苑附近），数十华里之间（航空距离一百公里），旌旗蔽天，音乐震地。宇文赟又命虎贲武士骑在马上，手拿铁戟，厉声高喝："圣驾到！"用以驱逐路上行人商旅。

三月十日，把同州宫（陕西省大荔县）改名成天宫。

三月十五日，宇文赟返首都长安（陕西省西安市），下诏：太上皇宫（天台）侍卫官员都穿红色、紫色、绿色衣服，而用其他颜色作为衣边，称"品色衣"；遇有大典时，与官服轮流换穿。

三月十七日，下诏命"内命妇"（皇宫及太子宫有官位的妇女）、"外命妇"（亲王府及公主府有官位的妇女），都手拿笏版，无论到皇家祖庙祭祀，或朝见太上皇（宇文赟）时，跪拜叩头，都跟男性官员一样。

宇文赟打算封五个皇后，征求教育部副部长（小宗伯）狄道（甘肃省临洮县）人辛彦之的意见，辛彦之回答说："皇后跟皇帝地位相等，互相匹配，不应该有五个。"教育部音乐司咨询官（太学博士）西城（陕西省安康市）人何妥说："从前，姬夋（黄帝王朝四任帝喾帝）有四个老婆，姚重华（黄帝王朝七任帝舜帝）有两个老婆。君王老婆的数目，哪有限额（姬夋四妻：姜嫄、简狄、庆都、常义。姚重华二妻：娥皇、女英）？"宇文赟大为高兴，免除辛彦之官职。

三月十九日，宇文赟下诏，说："妇女有四项品德，加上'土'才完成五行（金木水火土）；四位太皇后之外，再增设天中太皇后一人。"于是，封陈月仪当天中太皇后、尉迟繁炽当天左太皇后。制造五位年轻皇太后专用床帐，命她们分别进住。把皇家祖庙的祭器陈列在前面，宇文赟亲自向冥冥中的祖先宣读祷词，焚香祭拜。又把皇家专用的五辆御车（五辂），交给五位皇后乘坐；宇文赟却率领左右侍卫，步行跟随。宇文赟还有一种嗜好：把鸡倒挂在车上，听它们的哀鸣，或把碎瓦片悬起来，听它们互相撞击时发出的声音，认为是人生一大乐事。

五　辂

名称	特质
玄辂	车身黑色，马匹青黑色。
夏篆	车轮上雕花纹，画五色野鸡。
夏缦	车轮上无雕刻，但涂五种颜色。
墨车	车轮黑色，雕有花纹。
钱车	卧车。

6 夏季，四月八日，陈帝国国务院左执行长（尚书左仆射）陆缮逝世（年六十三岁）。

7 四月十四日，北周太上皇（天元皇帝）宇文赟，祭祀皇家祖庙。

四月二十四日，宇文赟主持求雨大祭。

四月二十七日，宇文赟登仲山（位于陕西省泾阳县西北）求雨。

四月二十九日，宇文赟回宫，下令京城（首都长安）男女居民到大街小巷歌舞奏乐，迎接他的圣驾。

8 五月九日，陈政府任命国务院右执行长（尚书右仆射）、晋安王陈伯恭当国务院执行长（仆射）。

9 北周太上皇（天元皇帝）宇文赟正妻（天元皇后）杨丽华，性情温柔婉约，从不嫉妒，四位皇后和小老婆群，对她都十分敬爱。而宇文赟昏庸凶暴，喜怒无常，越发严重；有一次对杨丽华大发雷霆，打算加她一个罪名；杨丽华举止安详，从容不迫，没有因为大祸临头而惊恐屈服，宇文赟更怒不可遏，下令杨丽华自杀，逼她自己动手。杨丽华的娘亲独孤女士得到消息，亲自到皇宫承认自己错误，乞求宽恕，用头撞地叩拜，以至前额流血，宇文赟才勉强赦免。

杨丽华的老爹、大前疑（四辅之一）杨坚，官位显贵，声望隆重，宇文赟对他猜忌。曾经有一次，宇文赟大怒中，警告杨丽华说："我一定屠灭你们杨家！"遂召见杨坚，吩咐左右侍卫说："如果他脸色跟平常不一样，立刻诛杀！"杨坚到后，神色自在，宇文赟才没有动手。教育部秘书司长（春官内史上大夫）郑译，跟杨坚自幼同学，因杨坚相貌堂堂，所以用心结交。杨坚既被皇帝猜忌，内心惶恐。有一天，在宫中长巷（永巷），跟郑译相遇，四下无人，杨坚悄悄请托郑译，说："我一直想出京（首都长安）当一个地方政府首长，此心你所深知，有机会时请稍加留意。"郑译说："以你的德行和声望，天下人心，一致依归，我正要仰仗你的赐福，所吩咐的事，怎么敢忘，一有机会，就会奏报。"

宇文赟打算命郑译统军讨伐陈帝国（首都建康），郑译请指派元帅，宇文赟说："你意下如何？"郑译说："平定江东（陈帝国）之后，自然，除非是皇亲国戚、帝国重臣，其他人都无法镇守安抚。我建议任命随公爵（杨坚）前往，并且当寿阳军区（总部设寿阳〔安徽省寿县〕）

总司令（寿阳总管），总领大军。”宇文赟批准。

五月五日，任命杨坚当扬州军区（即寿阳军区）总司令（扬州总管），命郑译征调各路兵马，在寿阳（安徽省寿县）会师。正要出发，杨坚忽然得了脚病，不能成行。

五月十日，夜晚，宇文赟在盛大法驾前呼后拥下，前往天兴宫。

五月十一日，宇文赟身体忽然不适，返回。宫廷部立法司主任立法官（小御正下大夫）博陵郡（河北省安平县）人刘昉，平常一向以狡狯谄媚，深受宇文赟宠爱，跟立法司副司长（御正中大夫）颜之仪，一同得到信任。宇文赟知道自己病危，召唤刘昉、颜之仪进入卧室，打算嘱咐他们后事；可是等二人抵达，宇文赟喉咙已哑，不能说话。刘昉看到小娃皇帝宇文阐年纪实在太幼（本年八岁），认为皇后杨丽华的老爹杨坚，声望很高，遂跟教育部秘书司长（内史上大夫）兼总秘书官（领内史）郑译、皇家珠宝总管理官（御饰大夫，不知所属何部）柳裘、教育部秘书副司长（内史〔中〕大夫）杜陵（陕西省西安市东南）人韦谟、宫廷部立法司立法助理员（御正下士）朝那（宁夏彭阳县西古城镇）人皇甫绩，共同商议，打算把杨坚引进宫廷，当辅政大臣。杨坚一再辞让，坚决不敢接受。刘昉说：“你如果干，就马上干；如果真的坚决不干，我可要自己干了。”杨坚这才答应，声称接到诏书，入居皇宫，侍候皇帝医药。柳裘，是柳惔的孙儿（柳惔最先响应萧衍起兵，参考五〇〇年十二月）。

当晚（五月十一日），宇文赟逝世（年二十二岁），郑译等保守秘密，不对外发布死讯。刘昉、郑译仍以宇文赟名义下达诏书，任命杨坚当全国兵马总司令（总知中外兵马事）。颜之仪知道圣旨不是宇文赟所发，不肯同意。刘昉拟妥诏书草稿，签名已毕，逼颜之仪连署，颜之仪厉声拒绝，说：“主上（太上皇宇文赟）去世，继任人（皇帝宇文阐）年幼，辅佐大臣应该由皇家精英担任。而今，赵王（宇文招）年纪最长，无论就亲属关系（宇文赟的叔父），或就德行声望，都应该承担这项重托。你们全受政府大恩，应当尽忠报国，为什么突然之间，把中央政府权柄，交给外人？我宁愿一死，也不愿做出违背先帝（宇文赟）意思的事。”刘昉等知道不能使颜之仪屈服，就代他签名连署。京师（首都长安）各禁卫军既接到诏书，就完全被杨坚控制。

杨坚恐怕各亲王在外地起兵反抗，借口护送千金公主出嫁突厥汗国（瀚海沙漠群），征召赵王宇文招、陈王宇文纯、越王宇文盛、代王宇文达、滕王宇文逌等五位亲王进京（首都长安）朝见（五王被宇文赟逐返封国，参考去年〔五七九〕五月）。杨坚向颜之仪索取皇帝符节玉玺，颜之仪严肃的说：“这是天子的东西，自有主人，宰相要它干什么？”杨坚大怒，命拉出去斩首；但因颜之仪很受人民推崇，于是把他贬出当西边郡郡长（北周帝国没有西边郡，《周书·颜之仪传》作西疆郡，位于今甘肃省迭部县西北）。

五月二十三日，杨坚正式发布太上皇宇文赟死亡消息。皇帝（五任静帝）宇文阐（本年八岁），入居太上皇宫（天台），撤销正阳宫（参考去年〔五七九〕二月）。大赦。停止洛阳宫（河南省洛阳市东白马寺东）土木工程。

五月二十六日，宇文阐尊嫡祖母阿史那太后为太皇太后、亲祖母李娥姿为太帝太后、嫡母杨丽华为皇太后、娘亲朱满月为帝太后。其他三皇后：陈月仪、元乐尚、尉迟繁炽，一律出家当尼姑。任命汉王宇文赞（宇文阐的叔父）当上柱国（勋官一级）、右大丞相（丞相出现），但仅是一个虚名，并没有实权；赐给杨坚皇帝诛杀时专用的铜斧（假黄钺），任命他当左大丞相；秦王宇文贽当上柱国（勋官一级）。文武百官全归左大丞相（杨坚）节制。

杨坚最初接受辅佐大臣任务时，派邗国公爵杨惠（邗，音hán〔寒〕）

告诉宫廷部立法司主任立法官（天官御正下大夫）李德林说：“政府命我总揽全局，治理国家，责任重大，打算请你协助，一定不要推辞。”李德林说：“我愿为你献出生命。”杨坚大喜。最初，刘昉、郑译商议，打算任命杨坚当国务院总理（大冢宰），郑译当国防部长（大司马），刘昉则希望当国务院副总理（小冢宰）。杨坚私下问李德林说：“打算给我什么官职？”李德林说：“应该当大丞相、持有皇帝诛杀时专用的铜斧（假黄钺）、全国各军区总司令长官（都督中外诸军事）。不然的话，不足以镇压民心。”（刘昉、郑译之意，杨坚不过六部之长，但仍是高官之一，大家并肩。李德林设计，则是一人之下，万人之上，成为篡夺列车最后一站。）等到发布宇文赟死亡消息，就照这项建议实施，并把正阳宫（宇文阐原住所）改为丞相府。

当时，人心浮动，一面倒的现象，还没有造成。杨坚结纳禁卫官（司武上士）卢贲，留在左右，充当贴身侍从。杨坚被任命为大丞相后，将往丞相府（正阳宫）就职，文武百官面对变局，惊慌困惑，不知道如何是好。杨坚密令卢贲集合禁卫军，然后召集文武百官，告诉他们：“想追求财富权势的，跟着我来。”大家交头接耳，有的愿往，有的不愿往，意见并不一致，而卢贲率军适时赶到，气氛凝重，文武百官没有人敢表示反对，只好出崇阳门（宫城东门），前往正阳宫，可是，正阳宫卫士拒绝他们进入，卢贲解释政府改组情形，卫士仍不让开，卢贲怒目相视，厉声呵责，卫士不得不向后退，杨坚遂入正阳宫，设置丞相府。任命卢贲负责丞相府安全工作；卢贲，是卢辩的侄儿（卢辩与苏绰，共同制定北周帝国现行复古制度，参考五五五年十二月）。再任命郑译当丞相府秘书长（丞相府长史）、刘昉当丞相府军政官（司马）、李德林当丞相府助理秘书（府属）。郑译、刘昉因此对李德林怨恨。

教育部秘书司总秘书官（春官小内史下大夫）勃海郡（河北省东光县）

人高颎（音jiǒng〔窘〕），聪明敏捷，胸襟开阔，了解军事，足智多谋，杨坚打算引他进丞相府工作，派族侄杨惠传达这项盼愿，高颎兴奋的说："我愿接受驱使，即令杨公（杨坚）大事不成，我高颎全族屠灭，也在所不辞。"杨坚遂任命高颎当丞相府审理官（相府司录）。

当时，右大丞相、汉王宇文赞仍住皇宫，常跟小娃皇帝宇文阐，同坐在御帐之中。刘昉特别挑选美艳舞女歌女，呈献给他，宇文赞大为高兴，把刘昉当作好友，刘昉遂提醒说："大王是先帝（宇文赟）的亲弟，天下人都对你归心，小娃（宇文阐）年幼，怎么能够承担帝国大业！现在，先帝（宇文赟）刚刚逝世，人心不稳。我的意见是，大王不妨先回王府，等到事情安定，再进宫当天子，才是万全的谋略。"宇文赞年纪还轻（他既是宇文赟的亲弟，则最大不会超过二十一岁），而又平庸没有见识，对刘昉的话，信以为真，遂搬出皇宫。

杨坚革除宇文赟时代的暴政，一切宽大，删改旧日刑法（指《刑经圣制》，参考去年〔五七九〕正月），另行制定《刑书要制》，奏请宇文阐批准，公布实施。杨坚亲行节约勤俭，中央地方一致称赞。

杨坚于夜晚召见教育部天文司长（春官太史中大夫）庾季才，问道："我一无所长，而接受先帝（宇文赟）顾命，当辅佐大臣。天心民意，你认为怎么样？"庾季才说："天道神秘，难以猜测。仅就民意观察，预兆已十分明显，即令我坚决反对，你又怎么能像许由一样，逃到箕山、颍水？"（许由事，参考一一年注）杨坚沉默，很久不说一句话，最后说："诚如你的看法！"（庾季才自南梁帝国到北周帝国，都有出人意表的预言。参考五五四年五月。）杨坚的正妻独孤女士也告诉杨坚："大势如此，既骑到猛虎背上，就下不来，你要全力以赴。"

杨坚认为相州军区（总部设邺城〔河北省临漳县西南邺城镇〕）总司令（相州总管）尉迟迥（音jiǒng〔窘〕），地位尊贵，声望隆重，恐怕他另有打算，于是派尉迟迥的儿子、魏安公爵尉迟惇，带着北周帝宇文阐诏书，前往征召尉迟迥回京（首都长安）参加葬礼。

五月二十八日，任命上柱国（勋官一级）韦孝宽当相州军区（总部邺城）总司令（相州总管），又任命内政部副部长（小司徒）叱列长义（叱列，复姓）当相州（邺城）州长，派他先去邺城，而韦孝宽随后续进。

陈王宇文纯当时镇守齐州（历城，山东省济南市），杨坚派城门官（门正上士）崔彭前往召他返京（首都长安）。崔彭携带两名骑兵卫士，下榻宾馆，派人传唤宇文纯。宇文纯到宾馆后，崔彭声称有机密相告，请遣开左右侍从，于是，逮捕宇文纯，加上脚镣手铐，出门高声宣布说："陈王（宇文纯）犯了国法，皇上（宇文阐）命他进京（首都长安），任何人不可以乱动！"宇文纯侍从人员大吃一惊，逐渐散去。崔彭，是崔楷的孙儿（崔楷死难事，参考五二七年正月）。

六月，五位亲王前后抵达首都长安（陕西省西安市）。

六月六日，北周撤销对佛、道二教的禁令，恢复人民信教自由（北周禁二教，参考五七四年五月）。旧日和尚、道士，在禁制期间而仍信仰不衰的，加以调查，分别送入寺庙道观安顿。

相州军区（总部设邺城〔河北省临漳县西南邺城镇〕）总司令（相州总管）尉迟迥，知道左大丞相杨坚对宇文皇族，将有不利行动，计划兴兵讨伐。正巧，接替尉迟迥的韦孝宽，抵达朝歌（河南省淇县），尉迟迥派他的部属大都督（勋官九级）贺兰贵，携带书信，问候韦孝宽。韦孝宽款待贺兰贵，在谈话中试探尉迟迥的反应，发现迹象可疑，遂声称患病，前进速度减慢；一面派人飞马前往相州（邺城）请医生、配药方，暗中侦察动静。韦孝宽的侄儿韦艺，当魏郡（郡政府邺城）郡长，尉迟迥派韦艺前往迎接韦孝宽，韦孝宽查询尉迟迥有什么意图，韦艺是尉迟迥的死党，所以不肯把实情告诉老叔。韦孝宽大怒，要斩韦艺，韦艺恐惧，把密谋全盘托出。韦孝宽带着韦艺，急向西撤退，每经过一个驿站，都把所有马匹驱走，吩咐站长（驿司）说："蜀公爵（尉迟迥）随后就来，请火速准备酒菜食物。"不久，尉迟迥派仪同大将军（勋官八级）梁子康，率数百骑兵追赶韦孝宽，追到驿站，全都碰上盛大筵席，而且又没有可以替换的马，延迟稽留，不能迅速进发。韦孝宽、韦艺因此得以逃脱。

杨坚又派侦察官（候正）破六韩裒（音póu〔抔〕），再去晋见尉迟迥，传达中央意旨，一面秘密写信给军区司令部秘书长（总管府长史）晋昶等，命他们暗中准备。尉迟迥得到报告，斩晋昶及破六韩裒，集合文武官员及各界人士，尉迟迥登上北门城楼，发表讲演，说："杨坚借着他是皇太后（杨丽华）老爹的权势，挟持幼主（宇文阐），作威作福，篡夺行迹，连行路的人都看得清楚。我跟宇文皇族，有外甥与舅父之情（尉迟迥是宇文泰的外甥，参考五五三年三月），身兼将相，先帝（宇文赟）把我安置在这里，本来就要我负起安定国家、扶持倾危的重责大任，我今天特别集结忠义勇敢之士，救国救民，各位意下如何？"大家齐声响应。尉迟迥乃自称全国各军区最高总司令（大总管），行使皇帝职权，设立临时中央政府。当时，赵王宇文招已去京师（首都长安），留小儿子在封国（赵国在襄国〔河北省邢台市〕，归相州军区〔总部邺城〕管辖），尉迟迥尊奉他当皇帝（名字及年号不详），用他的名义发号施令。

六月十日，杨坚动员关中（函谷关以西）军队，命韦孝宽当大军元帅（行军元帅），郕公爵梁士彦、乐安公爵元谐、化政公爵宇文忻、濮阳公爵武川（内蒙古武川县）人宇文述、武乡公爵崔弘度、清河公爵杨素、陇西公爵李询等，都当大军作战司令官（行军总管），讨伐尉迟迥。崔弘度，是崔楷的孙儿。李询，是李穆的侄儿（李穆时任并州〔晋阳，山西省太原市〕州长）。

最初，四任帝宇文赟派宫廷部会计司长（天官计部中大夫）杨尚希，前往山东（崤山以东）宣慰安抚官民，抵达相州（邺城，河北省临漳县西南邺城镇），得到宇文赟逝世消息，遂跟尉迟迥联合发布死讯，主持祭悼大典。杨尚希出来后，对左右亲信说："蜀公爵（尉迟迥）哭声中没有哀伤，眼神转动不定，心里一定另有计谋，我如果不走，恐怕大祸临头。"遂乘夜抄小路逃走；第二天天亮，尉迟迥接到报告，派人追赶已来不及，杨尚希遂返回长安（陕西省西安市）。杨坚派杨尚希率杨家军（宗兵）三千人，镇守潼关（陕西省潼关县）。

京畿总卫戍司令（雍州牧）、毕王（剌王）宇文贤，跟刚进京（首都长安）的五位亲王，阴谋诛杀左大丞相杨坚，消息泄漏，杨坚把宇文贤以及他的三个儿子，一并斩首；但对五位亲王打算发动政变的消息，严密封锁，不对外泄漏（因相州〔邺城〕大战即将爆发，内部要求安定）。杨坚任命秦王宇文贽当宫廷部长（大冢宰）、杞公爵宇文椿当内政部长（大司徒）。

六月二十六日（原文"庚子"，据《周书》改），任命柱国（勋官二级）梁睿当益州军区（总部设成都〔四川省成都市〕）总司令（益州总管）。梁睿，是梁御的儿子（梁御事，参考五三四年四月）。

10 北周帝国派汝南公爵宇文神庆、警备官（司卫上士）长孙晟，护送千金公主前往突厥汗国（瀚海沙漠群）结婚（周突联婚，参考去年〔五七九〕二月）。长孙晟，是长孙稚的五世孙（长孙稚事，参考五二一年七月）。

北周政府再派建威侯贺若谊，前往突厥汗国，贿赂佗钵可汗（四任），游说他交出北齐流亡皇帝高绍义。佗钵可汗应许，于是陪同高绍义到汗国南境打猎，而命贺若谊生擒高绍义。贺若谊，是贺若敦的老弟（贺若敦被逼自杀，参考五六五年十月）。

秋季，七月一日，高绍义被押解到长安（北周首都，陕西省西安市），贬逐巴蜀（四川省）；很久之后，就在巴蜀（四川省）病死。

柏杨曰

当高绍义投奔突厥汗国时，阿史那佗钵可汗对他既敬又爱，允许他组流亡政府，出任流亡皇帝，又配给他军队作战（参考五七七年二月），可谓义薄云天；曾几何时，又亲自把他交给世仇之手。高绍义的妻子封女士从突厥汗国逃回她的故乡勃海（河北省东光县），高绍义在巴蜀（四川省）写信给她，说："蛮夷没有信义，送我到这里。"噢，这就是政治，既现实而又无情。

蛮夷如果没有信义，高绍义恰恰正是蛮夷！他对酒的爱好，几可媲美他的老爹高洋，而他的凶暴，在幼年时就已养成，曾乱棍打死大学教授（博士）任方成。高欢家可谓禽兽世家，最后一只蛇蝎，根断巴蜀（四川省），应是人间大庆。

11 北周帝国青州军区（总部设东阳〔山东省青州市〕）总司令（青州总管）尉迟勤，是反抗军首领、蜀公爵尉迟迥的侄儿。最初接到尉迟迥的信时，立即奏报中央，但不久仍响应伯父的号召。尉迟迥管辖（相州军区）的相州（邺城）、卫州（枋头城，河南省淇县东南淇门渡）、黎州（黎阳，河南省浚县）、洺州（广平，河北省邯郸市永年区东南广府镇）、贝州（武成，河北省清河县西北）、赵州（广阿，河北省隆尧县）、冀州（信都，河北省衡水市冀州区）、瀛州（赵都军城，河北省河间市）、沧州（饶安，河北省盐山县西南），以及尉迟勤管辖（青州军区）的青州（东阳）、齐州（历城，山东省济南市）、胶州（东武，山东省诸城市）、光州（东莱，山东省莱州市）、莒州（团城，山东省沂水县）等十四州，全都响应，部众数十万人；声势所及，荥州（虎牢，河南省荥阳市西北汜水镇）州长郜公爵宇文胄、申州（义阳，河南省信阳市）州长李惠、东楚州（宿预，江苏省宿迁市）州长费也利进（费也，复姓）、潼州（临潼，安徽省泗县）州长曹孝远，各在本州起兵响应。徐州军区（总部设彭城〔江苏省徐州市〕）审理官（司录）席毗罗，据守兖州（瑕丘，山东省济宁市兖州区），前东平郡郡长毕义绪据守兰陵（山东省枣庄市东南峄城区），也都起兵响应。怀县（河南省武陟县）永桥防卫司令（镇将）纥豆陵惠（纥豆陵，三字姓），献出城池，投降尉迟迥。尉迟迥命大将军（勋官四级）石逊，攻击建州（高都，山西省晋城市），建州州长宇文弁献出州城（高都）投降。尉迟迥又派中央驻西部特遣政府总监（西道行台）韩长业，攻克潞州（上党，山西省长治市），生擒州长赵威，命本城人郭子胜继任州长。纥豆陵惠袭击钜鹿（河北省石家庄市藁城区），攻克，进围恒州（真定，河北省正定县）。上大将军（勋官三级）宇文威攻击汴州（大梁，河南省开封市）；莒州（团城，山东省沂水县）州长乌丸尼等，率青（东阳）、齐（历城）等州部众，进围沂州（琅邪，山东省临沂市）；大将军（勋官四级）檀让，攻克曹（左城，山东省菏泽市定陶区西）、亳（谯城，安徽省亳州市）二州，进驻梁郡（河南省商丘市睢阳区）。席毗罗声称率军八万人，进驻蕃城（山东省滕州市），攻克昌虑（滕州市东南）、下邑（河南省夏邑县）。李惠从申州（义阳，河南省信阳市）攻击永州（楚王城，河南省信阳市北），攻克。

尉迟迥派人约请大左辅（四辅之三）、并州（晋阳，山西省太原市）州长李穆支持反抗军，李穆逮捕使节，并把尉迟迥的信件，呈报中央。李穆的儿子李士荣，看出老爹控制的地区，集结天下精兵，暗中劝老爹支持尉迟迥，李穆坚决拒绝。杨坚派教育部秘书司长（春官内史上大夫）柳裘，晋见李穆，分析利害；更命在中央任职的李穆的儿子、宫廷部左宫廷司凤刀侍从官（天官左侍上士）李浑，回并州（晋阳，山西省太原市）转达深愿结交的诚心。李穆命李浑带一把熨斗呈送杨坚，说：“愿你手执权威，熨平天下。”另外又呈送杨坚“十三环金带”，系有十三个金环的腰带，乃是皇帝服装；杨坚大为高兴，立即命李浑往前方大营晋见韦孝宽，陈述李穆的决定（用以坚定韦孝宽的意志）。李穆的侄儿李崇，当怀州（野王，河南省沁阳市）州长，起初，打算响应尉迟迥；后来得到李穆支持杨坚的消息，感慨叹息说：“家门之内，享受荣华富贵的有数十人，可是遇到国家有难，竟不能拯救，还有什么面目，活在天地之间？”不得已，也归附杨坚。尉迟迥的儿子尉迟谊，当朔州（招远，山西省朔州市）州长，李穆把他扣押，送到中央；又派军攻击潞州（上党，山西省长治市），生擒反抗军任命的州长郭子胜。

尉迟迥邀约徐州军区（总部设彭城〔江苏省徐州市〕）总司令（徐州总管）源雄、东郡（河南省滑县）郡长于仲文参与反抗阵营，二人拒绝。源雄，是源贺的曾孙（源贺，参考四一四年七月）。于仲文，是于谨的孙儿（于谨事，参考五六八年三月）。尉迟迥派将领宇文胄从石济（河南省卫辉市东古黄河渡口）出发，宇文威从白马（河南省滑县东古黄河渡口）出发，渡过黄河，夹攻东郡（河南省滑县），于仲文抛弃郡城，逃回长安（北周首都，陕西省西安市），尉迟迥诛杀于仲文的妻子儿女。尉迟迥再派檀让前往河南（黄河以南）夺取城池；丞相杨坚任命于仲文当河南方面作战总司令（河南道行军总管），命他前往洛阳征调军队攻击檀让（时在梁郡〔河南省商丘市睢阳区〕），另命杨素攻击宇文胄（荥州〔虎牢，河南省荥阳市西北汜水镇〕州长）。

七月二十四日，北周政府加授丞相杨坚：全国各军区总司令长官（都督中外诸军事）。

郧州军区（总部设安陆〔湖北省安陆市〕）总司令（郧州总管）司马消难，也起兵响应尉迟迥。

七月二十六日，北周政府任命柱国（勋官二级）王谊当大军元帅，讨伐司马消难。东广州（广陵，江苏省扬州市）州长于颢，是于仲文的老哥，跟吴州军区（总部与东广州州政府同设广陵）总司令（总管）赵文表，感情不和，有一天，于颢诈称心脏病突发，赵文表不得不作官式拜访慰问，就在床前，于颢亲手击斩赵文表，对外宣称赵文表跟尉迟迥勾结。杨坚因尉迟迥还没有平定，不敢深入追究，顺势对他安慰嘉勉，立即任命他当吴州军区（总部广陵）总司令（吴州总管）。

赵王（僭王）宇文招，密谋诛杀杨坚，邀请杨坚到自己家里饮宴，杨坚自己携带酒菜前往赴宴，宇文招把杨坚邀请到卧室，宇文招的儿子宇文员、宇文贯，以及王妃的老弟鲁封等，身带佩刀，站在左右，帷帐坐席之间，都暗藏兵器，后院更埋伏勇士。杨坚左右都不准跟随，只有同一个曾祖父的族弟、开府仪同大将军（勋官六级）杨弘，大将军（勋官四级）元胄，坐在门口。元胄，是元顺的孙儿（元顺事，参考五三四年闰十二月）。杨弘、元胄，都勇敢而力大无穷，是杨坚的心腹亲信。宴会进行到半醉，宇文招用佩刀插起瓜果，连续不断的送给杨坚吃，打算乘势刺杀。元胄发现情势紧急，闯进来报告说：“丞相府有事，不可停留太久。”宇文招大喝说：“我跟丞相（杨坚）谈话，你来干什么？”命他退下，元胄眼如铜铃，情绪激动，手握刀柄，冲到杨坚身旁。宇文招命他饮酒，说：“我怎么会有恶意，你竟然如此猜疑！”宇文招假装呕吐，准备到后面休息，元胄恐怕他进去后发生变化，扶住他逼他上坐，这样反复两三次。宇文招再假装口干舌燥，命元胄到厨房取饮料，元胄不理。正巧，滕王宇文逌稍后赶到，杨坚走下台阶迎接。元胄附耳密语说：“情势不对劲，我们要快走！”杨坚说：“他们手中没有兵马，有什么作为？”元胄说：“兵马本都是他们家的，如果抢先发动，大事就完，我不在

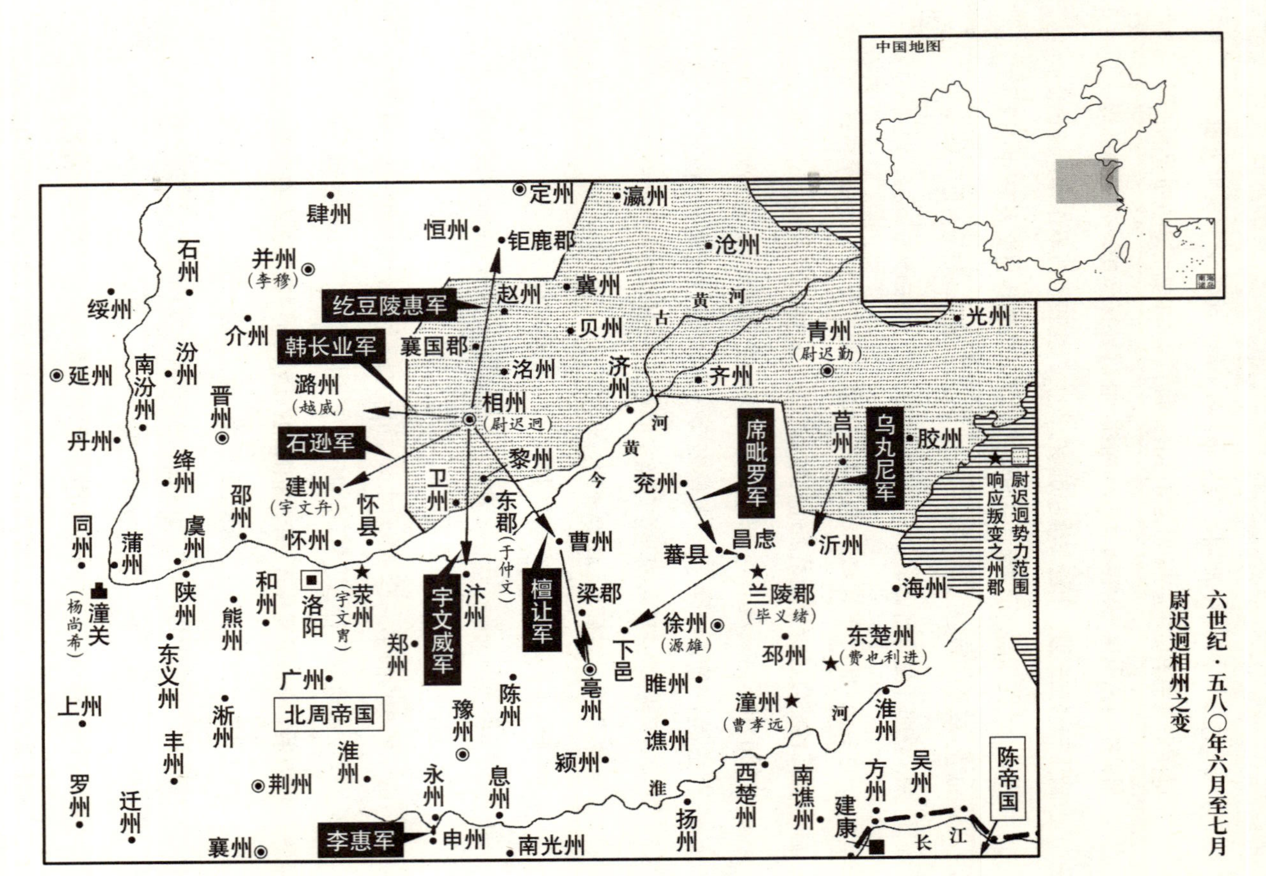
六世纪·五八〇年六月至七月
尉迟迥相州之变
中国地图
尉迟迥势力范围
响应叛变之州郡
纥豆陵惠军
韩长业军
石逊军
宇文威军
檀让军
席毗罗军
乌丸尼军
李惠军
北周帝国
陈帝国
相州
(尉迟迥)
青州
(尉迟勤)
并州
(李穆)
潞州
(越威)
建州
(宇文弁)
东郡
(于仲文)
荥州
(宇文胄)
潼关
(杨尚希)
兰陵郡
(毕义绪)
徐州
(源雄)
东楚州
(费也利进)
潼州
(曹孝远)
定州
瀛州
沧州
肆州
恒州
钜鹿郡
石州
赵州
冀州
贝州
绥州
介州
汾州
南汾州
延州
襄国郡
洛州
济州
齐州
光州
晋州
丹州
绛州
黎州
卫州
邵州
怀县
怀州
同州
蒲州
虞州
陕州
和州
洛阳
汴州
曹州
梁郡
亳州
下邑
兖州
蕃县
昌虑
莒州
沂州
胶州
海州
邳州
熊州
郑州
东义州
广州
陈州
睢州
上州
浙州
豫州
谯州
淮州
丰州
颍州
罗州
迁州
荆州
永州
息州
西楚州
南谯州
方州
吴州
建康
扬州
襄州
申州
南光州
古黄河
黄河
今
河
淮
长江

乎一死，但恐怕没有裨益。”杨坚再度入席，元胄听到房后传出穿铠甲的声音，立即直前报告：“丞相府事情太忙，丞相怎么还逗留在这里不走！”挟持杨坚离开座位，直出屋门，宇文招要追出去，元胄用身躯堵住门口，宇文招无法出来。杨坚走到大门，元胄从后面赶上。宇文招懊恨没有及时发动，用手指掐出鲜血。

七月二十九日，杨坚报复，诬陷宇文招及越王（野王）宇文盛阴谋叛变，连同他们所有的儿子，一起诛杀。杨坚对元胄的赏赐，难以计数。

北周宇文皇族各亲王，不断想利用机会诛杀杨坚，杨坚部将都督（勋官十一级）临泾（甘肃省镇原县东南屯字镇）人李圆通，对杨坚的保护至为严密，因此每次都能逃脱。

七月三十日，北周帝宇文阐封他的老弟宇文衍当叶王，宇文术当郢王。

北周豫州（悬瓠，河南省汝南县）、荆州（穰城，河南省邓州市）、襄州（襄阳，湖北省襄阳市）三州蛮夷叛变，攻破郡县。

大军元帅韦孝宽率军抵达永桥城（河南省武陟县西），将领们要求立即攻击，韦孝宽说：“永桥城既小而又坚固，如果不能攻克，就伤害我们声威。只要击破他们的主力，一个小城，能出什么花样？”率军进逼武陟（河南省武陟县）。反抗军首领尉迟迥派他的儿子魏安公爵尉迟惇，率军十万人，进入武德（河南省武陟县东），在沁水东岸列阵，正碰上沁水暴涨，政府军与反抗军隔河僵持，都不能前进。

韦孝宽的秘书长（长史）李询，秘密警告杨坚，说：“梁士彦、宇文忻、崔弘度，都接受尉迟迥赠送的金银财宝，军心浮动，情势紧张。”杨坚十分忧虑，跟教育部秘书司长（春官内史上大夫）郑译商议派谁前往代替三人，李德林说：“你说各位将领，原都是帝国的权贵，互相之间，谁都不肯服谁，今天他们所以接受指挥，只因你用皇帝名义发令，才能控制。前一次派出的将领，疑心他们不忠，后一次派出的将领，又怎么能知道他们就忠？至于收受尉迟迥贿赂之事，是真是假，难以查明，如果忽然把他们免职，派人接替，或许有人害怕受到惩罚，因而逃走；如果全都逮捕下狱，则自郧公爵（韦孝宽）以下，恐怕人人惊疑。而且，大敌之前更换将领，燕王国和赵王国，都是因此失败（燕王国命骑劫接替乐毅，参考前二七九年；赵王国命赵括接替廉颇，参考前二六〇年）。依我愚昧的看法，只需要派一位你的心腹亲信，有智慧谋略，素来受各将领尊敬的，迅速赶到前方大营，使他谨慎观察内情。即令有什么阴谋，也一定不敢发动，即令发动，也可以克制。”杨坚恍然大悟，说：“要不是你一番话，几乎破坏大事。”乃命教育部秘书司总秘书官（少内史下大夫）崔仲方，前往监视各军，并调度指挥。崔仲方，是崔猷的儿子（崔猷事，参考五四九年六月）；崔仲方说他老爹身在山东（崤山以东），推辞。杨坚又派刘昉、郑译，刘昉说他从没有当过武官，郑译说他娘亲已老，也都推辞；杨坚大不高兴。丞相府审理官（府司录）高颎（音jiǒng〔窘〕）自告奋勇，杨坚大喜，命他前往。高颎接到命令，立即出发，仅只派人回家向娘亲报告一声而已。自此之后，杨坚军事措施，都跟李德林商议。当时，仅军事文书，每天都以“百”为单位计算，李德林所作决定，都用口头吩咐，手下好几个人分别书写，内容互不相同，但文句都不用涂改，自然成章。

12 北周帝国反抗军郧州军区（总部设安陆〔湖北省安陆市〕）总司令（郧州总管）司马消难，献出他所管辖的郧州（安陆）、随州（随县，湖北省随州市)、温州(角陵,湖北省京山市)、应州(永阳,湖北省广水市)、土州(左阳,随州市东北)、顺州(厉城,随州市北)、沔州(甑山,湖北省汉川市)、環州(澴泊川,湖北省孝昌县西北)、岳州(孝昌,湖北省孝昌县)等九州,以及鲁山(湖北省武汉市汉水南岸)等八镇,向陈帝国(首都建康)投降,并派他的儿子司马永,前往建康(陈首都,江苏省南京市)充当人质,请求陈帝国派军接应。

八月六日,陈帝(四任宣帝)陈顼,下诏任命司马消难当总司令官(大都督)、九州八镇军区司令长官(总督九州八镇诸军事)、最高监察长(司空),封随公爵。

八月七日,陈顼命镇西将军樊毅当沔汉(汉水流域)军区司令官(督沔汉诸军事),南豫州(姑孰,安徽省当涂县)州长任忠率军攻击历阳(安徽省和县),超武将军陈慧纪当前锋司令官(前军都督),攻击南兖州(广陵,江苏省扬州市。北周称吴州、东广州)。

13 北周帝国益州军区(总部设成都〔四川省成都市〕)总司令(益州总管)王谦,也反抗丞相杨坚,集结巴蜀(四川省)所有军队,攻击始州(普安,四川省剑阁县)。新任军区总司令梁睿进抵汉川(汉川就是汉中〔陕西省汉中市〕,因杨坚的老爹名杨忠,"中""忠"同音,所以改名:这种"避讳"文化,至为有趣,世有杨忠,就再不准有忠臣),不能前进,杨坚即命梁睿当大军元帅,讨伐王谦。

14 八月十五日,陈帝陈顼,下诏任命司马消难当水陆两军总司令官(大都督水陆诸军事)。

八月十七日,顾问院副总顾问长(通直散骑常侍)淳于陵,攻克北周的临江郡(安徽省和县东北乌江镇)。

15 南梁帝国（首都江陵〔湖北省江陵县〕）皇帝（八任孝明帝）萧岿，派立法院立法官（中书舍人）柳庄，携带奏章，前往北周帝国首都长安（陕西省西安市）朝见。北周丞相杨坚紧握柳庄的手，诚恳说："我从前带兵时，曾派到江陵协防，受到贵国皇帝特殊礼遇，永生难忘（杨坚镇守江陵事，《资治通鉴》及《隋书》《北史》的本纪，都没有记载，可能是在西魏帝国消灭南梁四任帝萧绎时〔参考五五四年九月至十二月〕，随从老爹杨忠大军，驻扎江陵）。而今，主上（宇文阐）年幼，时局艰难，承先帝（宇文赟）托付后事，深感责任重大。贵国皇帝累世效忠中央，当此残冬严寒之际，我们应互相保证：此心不变。"当时，南梁各将领纷纷劝萧岿集结全国部队，跟尉迟迥结盟，认为：如果胜利，等于向宇文皇家尽忠，如果失败，也可收回山南（秦岭以南）。萧岿踌躇犹豫，不敢决定。正巧柳庄由长安（北周首都，陕西省西安市）回来，详细转述杨坚愿意结交的话；柳庄强调："从前，袁绍、刘表、王淩、诸葛诞，都是一代豪杰，据守要地，手握强兵，可是到了后来，大业不能成就，而大祸却霎时临头，原因在于曹操、司马家，都挟持皇帝，保有京师（首都），名正言顺（袁绍事参考二〇五年，刘表事参考二〇八年，王淩事参考二四九年，诸葛诞事参考二五八年）。而今，尉迟迥虽是一员名将，但年纪太老，神智昏聩。司马消难（郧州军区总司令）、王谦（益州军区总司令），乃庸碌之辈，不是救国救民之才。周国（北周帝国）将相，大多数明哲保身，效忠杨家。以我的判断，尉迟迥最后一定覆灭，随公爵（杨坚）一定篡夺政权，我们不如保境安民，坐在这里，静观变化。"萧岿深表同意，大家的议论才算停止。

16 北周帝国丞相府审理官（相府司录）高颎，抵达前方军营，在沁水上搭建浮桥；反抗军尉迟惇从上游放下火船，高颎则在水中兴筑“土狗”抵御（土狗，在水中积土成堆，前尖后宽，前高后低，形状好像一只坐在那里的狗；功用是阻拦火船下逼浮桥）。尉迟惇阵地广达二十余华里，下令部队稍稍后退，打算等韦孝宽军渡过一半时攻击。而韦孝宽就利用尉迟惇后退机会，战鼓一齐擂动，全军渡河。渡河后，高颎下令焚烧浮桥，断绝士卒逃走的念头。于是会战，尉迟惇军大败，单人匹马逃走。韦孝宽乘胜前进，逼近邺城（河北省临漳县西南邺城镇）。

八月十七日，尉迟迥、尉迟惇父子，以及尉迟惇的老弟西都公尉爵迟祐，动员所有武装部长十三万人，在城南列阵。尉迟迥另率一万精锐勇士，都头裹绿巾，身穿锦袄，号“黄龙兵”。尉迟迥的老弟尉迟勤，率军五万人，自青州（东阳，山东省青州市）前来增援，而自己率三千骑兵，先行抵达。尉迟迥是沙场老将，深知军情，年纪虽老，仍身披铠甲，亲自出战；他的部属都是关中（陕西省中部）人，愿为尉迟迥死战。政府各军情势开始不利，被逼后退。此时邺城居民出来观战者有数万人，政府军作战司令（行军总管）宇文忻说：“事情紧急，我当用诡计破敌！”于是乱箭射向观众，观众大惊，四散逃走，互相践踏，惨号声奔腾声，如同巨雷。宇文忻命大家一齐呐喊：“贼寇（反抗军）已败！”政府军士气大振，抓住反抗军正陷困扰的机会，发动反攻，尉迟迥溃败，逃回邺城（河北省临漳县西南邺城镇）。韦孝宽伸展大军密密包围，大军作战司令官（行军总管）李询，和思安伯爵、鲜卑人（代人）贺娄子干（贺娄，复姓），首先攀登上城。

武乡公爵崔弘度的妹妹，早先曾嫁给尉迟迥的儿子。等邺城（河北省临漳县西南邺城镇）陷落，尉迟迥走投无路，奔向碉楼，崔弘度直上斜坡追赶；尉迟迥拉起弓弦，打算射击崔弘度，崔弘度脱下头盔，对尉迟迥说：“不知道还认识不认识我？今天的事，各人都是为了效忠帝国，不能再存私心，只因我们有亲戚之情，我当制止乱兵，不准对你家骚扰凌辱。形势已到如今，你应该早一点为自己打算，还等什么？”尉迟迥只好抛下弓箭，大骂杨坚，然后自杀。崔弘度对他的老弟崔弘升说：“你可以取下尉迟迥的人头！”崔弘升遂斩尉迟迥。凡是在小城中的反抗军官兵，韦孝宽下令全体坑杀。尉迟勤、尉迟惇、尉迟祐，向东逃往青州（东阳，山东省青州市），还没有逃到，开府仪同大将军（勋官六级）郭衍追上，一起擒获。丞相杨坚认为尉迟勤开始时并不附和叛变（尉迟勤把尉迟迥书信奏报中央），特别赦免。申州（义阳，河南省信阳市）州长李惠，在尉迟迥失败前，就先向政府归降，杨坚恢复他的官爵。

尉迟迥晚年，老迈昏庸（尉迟迥年纪多大，史无记载，但不断用“耄”字形容，当是八十岁或九十岁左右），起兵反抗中央之后，任命宫廷部立法司官员（小御正）崔达拏当秘书长（长史）。崔达拏，是崔暹的儿子（崔暹是高澄亲信，参考五四四年七月），一个纯粹的文化人，没有计划谋略，很多措施都不恰当，反抗军前后共计六十八日，终于失败。

政府军河南方面作战总司令（河南道行军总管）于仲文，率军抵达蓼堤（汴河河堤），距梁郡（河南省商丘市）只有七华里。反抗军将领檀让，拥有武装部队数万人，于仲文出动老弱残兵挑战，假装败退，檀让遂不再戒备；于仲文反击，大破反抗军，生擒五千余人，斩杀七百人，进攻梁郡（河南省商丘市），反抗军守将刘子宽放弃城池逃走。于仲文再攻曹州（左城，山东省菏泽市定陶区西），俘虏反抗军州长李仲康。檀让率剩下来的军队，驻扎成武（山东省成武县），于仲文袭击，大破檀让，攻克成武。反抗军将领席毗罗，有部众十万人，驻扎沛县（江苏省沛县），打算进攻徐州（彭城，江苏省徐州市）；他的妻子当时留在金乡（山东省金乡县），于仲文派人冒充席毗罗的信差，告诉金乡城防司令

（城主）徐善净说："檀让明天中午会到贵城，公布蜀公爵（尉迟迥）命令，赏赐全体将士。"金乡军人大为欢喜。于仲文遴选精兵，改换反抗军旌旗，加倍速度前进。徐善净望见，认为檀让驾到，出城迎接。于仲文立即把他生擒，遂占领金乡。很多将领建议屠城，于仲文说："此城是席毗罗起兵的根据地，如果宽恕他的妻子，他的士卒自会逃回，军队也就溃散。如果马上屠城，他们的希望就全都断绝。"大家认为有理。席毗罗仗恃军队压倒性多数，前进紧迫政府军，于仲文设下埋伏反击，席毗罗军队四散，争相逃命，落入洙水（泗水支流，流经山东省济宁市）的士卒，尸体堆积，水都不流。于仲文于是生擒檀让，装入囚车，押送京师（首都长安）；斩席毗罗，把人头送到长安。

政府大军元帅韦孝宽派军队讨伐关东（函谷关以东）各地反抗军，完全消灭，社会秩序又告恢复。丞相杨坚把相州州政府迁到安阳（河南省安阳市），拆毁邺城（河北省临漳县西南邺城镇）城墙和所有公私房舍（自一九一年东汉王朝袁绍扩建邺城以来，邺城重要性逐渐提高，东汉末年，丞相曹操便坐镇邺城，遥控首都许县〔河南省许昌市东〕。晋帝国时，虽有汲桑纵火焚烧宫殿〔参考三〇七年五月〕，但之后又有后赵帝国〔参考三二六年十月、三三六年十一月〕、前燕帝国〔参考三五七年十二月〕重建，并且定都于此。北魏帝国夺取邺城后，设置特遣政府〔行台，参考三九八年正月七日〕，重要性不减。北魏分裂后，东魏政府便从洛阳迁至此〔参考五三四年十月〕，邺城再度成为首都。如今杨坚毁邺城，一个历时三百九十年的城池，就此消失）；从相州划出一部分郡县，成立毛州（馆陶，河北省馆陶县）、魏州（贵乡，河北省大名县）。

17 南梁帝（首都江陵）萧岿，得到尉迟迥失败消息，对立法院立法官（中书舍人）柳庄说："如果听大家的话，国家早已覆亡！"

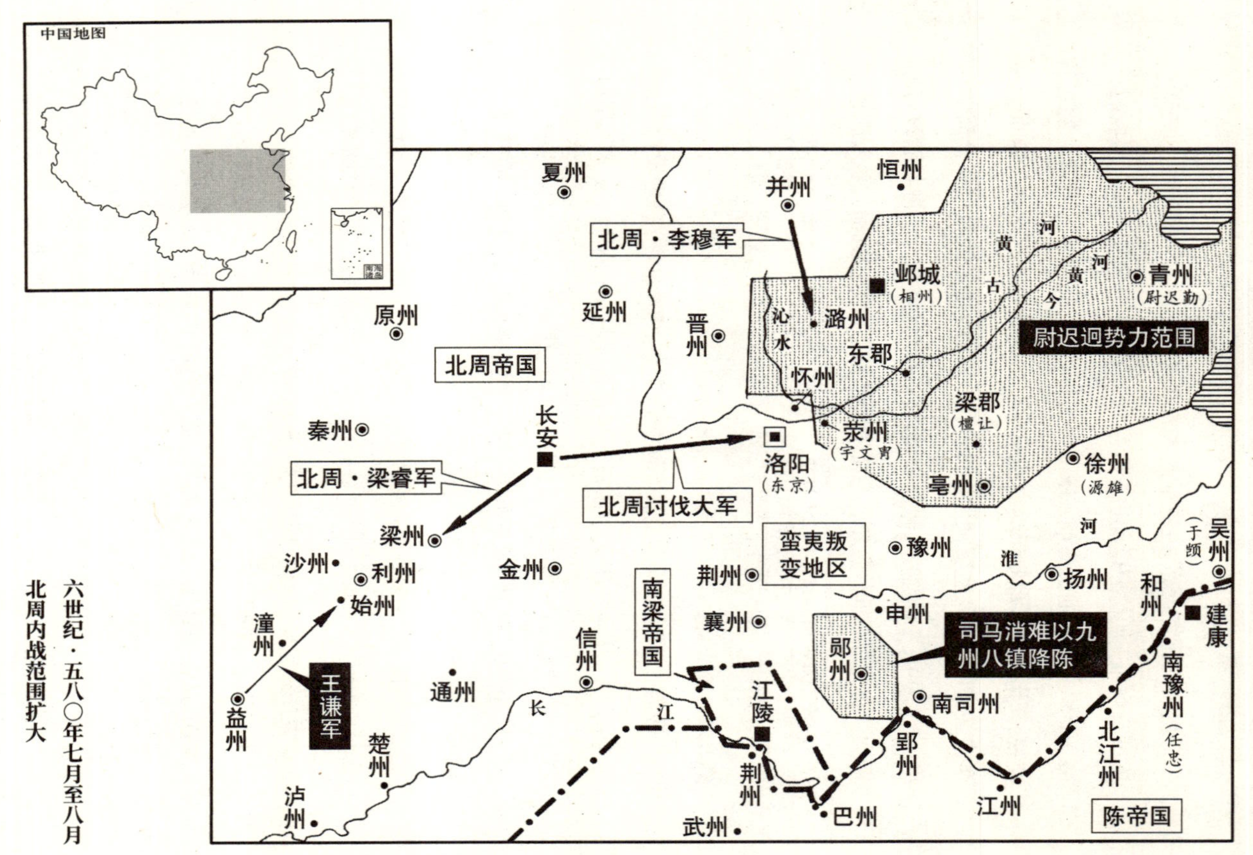

六世纪·五八〇年七月至八月
北周内战范围扩大

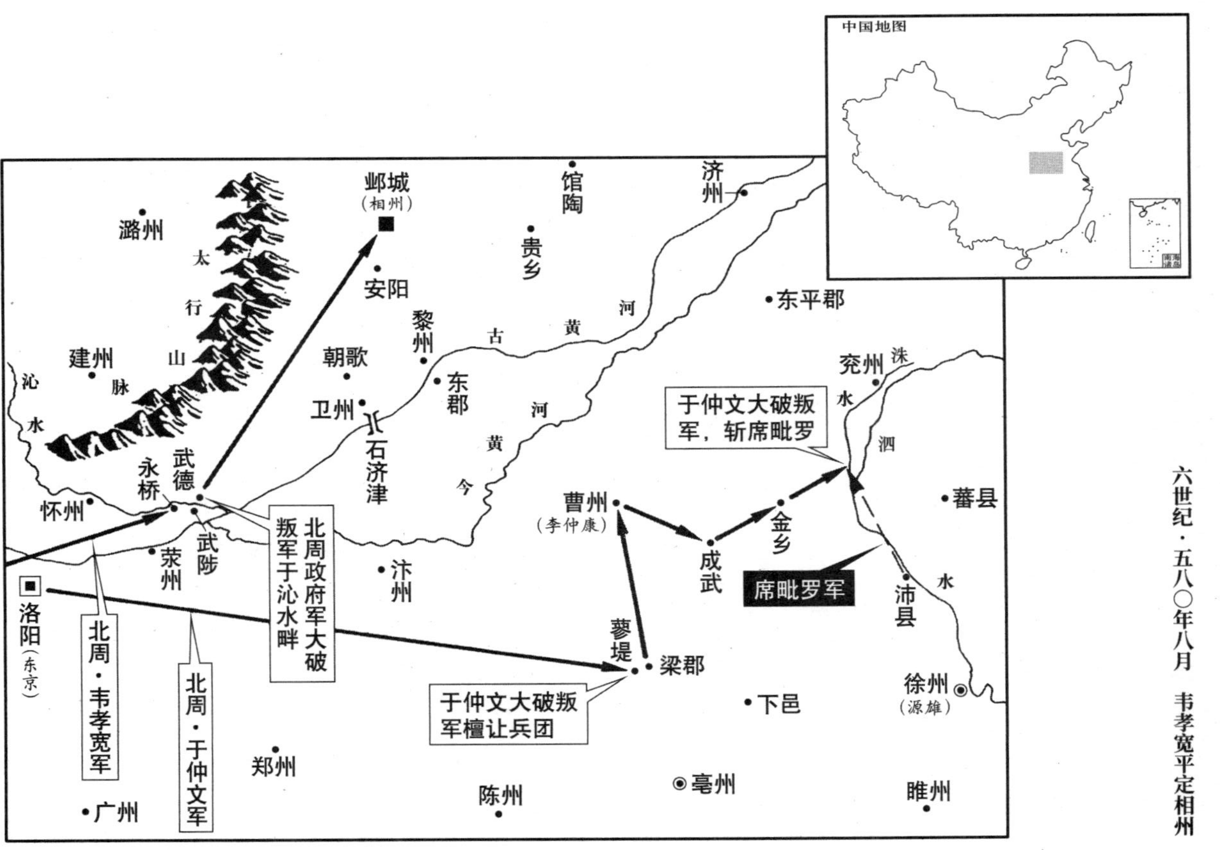

六世纪・五八〇年八月　韦孝宽平定相州

18 北周丞相杨坚刚掌权时，对黄公爵刘昉、沛公爵郑译，十分优厚，赏赐多得无法计算，杨坚把二人当作心腹亲信，言无不听，计无不从，政府上下，对他们纷纷依附，官场称之为“刘郑”（黄沛）。可是二人仗恃自己的功劳，骄傲放纵，一味追求财富，对职务上的工作，从不处理。等到后来，二人拒绝担任总监军官（监军。参考本年〔五八〇〕七月三十日），杨坚对他们才开始疏远，恩情和礼遇，也渐渐降低层次。而高颎的遭遇却恰恰相反，自前方回京（首都长安），杨坚对他的宠爱信任，每天都在上升。当时，王谦（益州军区〔成都〕总司令）、司马消难（郧州军区〔安陆〕总司令）两支反抗军还没有消灭，杨坚十分忧虑，睡不安眠，食不知味。而刘昉却毫不关心，照样玩乐酗酒，丞相府军国大事，很多耽误，于是杨坚命高颎接替刘昉的职务——军政官（司马）；但仍不愿公开把郑译撤差，而只秘密吩咐官属，无论公私都不再向郑译请示。郑译并不知道这项变化，仍到大厅办公，发现再没有人理他，才知道完全陷于孤立，不禁向杨坚惶恐叩头，请求解除官职，杨坚仍念及往事旧情，对郑译的恩德礼节，丝毫不变，安慰勉励。

19 八月二十日，陈帝国智武将军鲁广达，攻克北周帝国占领的郭默城（湖北省黄梅县南）。

八月二十三日，副总顾问长（通直散骑常侍）淳于陵攻克祐州城（今地不详）。

20 北周政府任命汉王宇文赞当太师（三公级）、申公爵李穆当太傅（三公级）、宋王宇文实当大前疑（四辅之一）、秦王宇文贽当大右弼（四辅之二）、燕公爵于寔当大左辅（四辅之三）。于寔，是于仲文的老爹。

八月二十六日(原文“乙卯”，据《周书》改)，北周政府大赦。

柱国(勋官二级)、大军元帅王谊，率领四个军区总司令，进抵郧州(安陆，湖北省安陆市)。反抗军郧州军区总司令(郧州总管)司马消难，率领他的部众，连同鲁山(湖北省武汉市汉水南岸)、甑山(湖北省汉川市)二镇，投降陈帝国(首都建康)。

最初(七月)，司马消难派上开府仪同大将军(勋官五级)段珣，率军包围陈帝国顺州(厉城，湖北省随州市北)，顺州州长周法尚不能抵抗，放弃城池，逃走，司马消难擒获周法尚的胞弟一同南下。后来(八月)，陈帝国镇西将军樊毅奉派增援司马消难，等援军抵达郧州(安陆)时，司马消难已经离城。北周亳州军区(总部设谯城〔安徽省亳州市〕)总司令(亳州总管)元景山攻击樊毅军，樊毅裹挟居民撤退；元景山与南司州(黄城，湖北省武汉市黄陂区东)州长宇文弼追击，跟樊毅在漳口(漳水注入涢水处，湖北省汉川市北)会战，一日之内，北周军三战三胜。樊毅退保甑山镇(湖北省汉川市)，司马消难所献出的城市村落，元景山全都收复。

郧州(安陆，湖北省安陆市)辖区里的巴蛮(即湖北省安陆市东西千余公里的蛮夷。南北朝初期称荆雍蛮)，很多叛变，推举大酋长兰洛州当首领，拥护司马消难。柱国(勋官二级)、大军元帅王谊，派各将领分别出发讨伐，只一个月时间，全都平定。陈帝国超武将军陈慧纪、骠骑将军萧摩诃，攻击广陵(江苏省扬州市)，北周吴州军区(总部广陵)总司令(吴州总管)于颢，击败二人攻势。

沙州(白水，四川省青川县东沙州镇)氐民族部落酋长杨永安，聚众起兵，响应反抗军益州军区(总部设成都〔四川省成都市〕)总司令(益州总管)王谦；北周大将军(勋官四级)乐宁公爵达奚长儒，率军讨伐。

六世纪·五八〇年八月至九月
周陈淮南一带混战

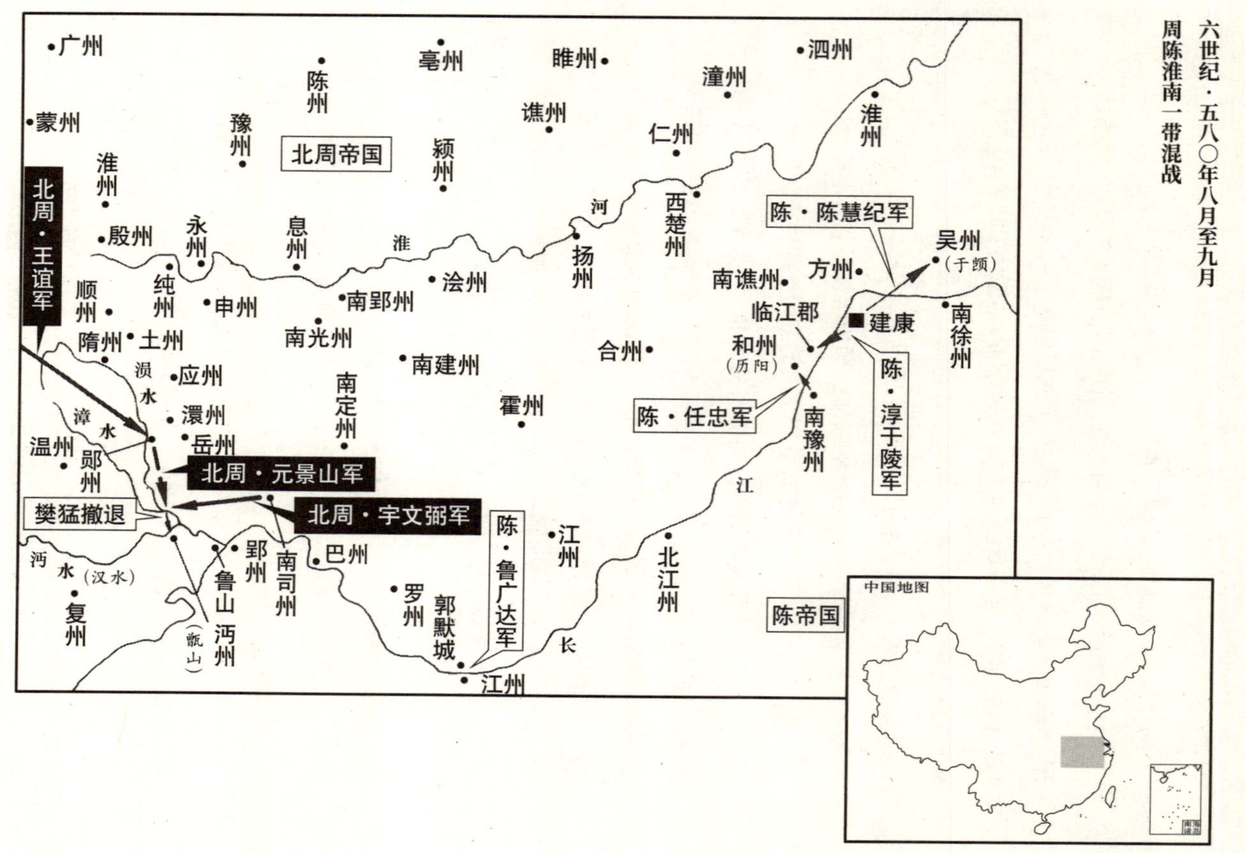

清河公爵杨素，在石济（河南省卫辉市东古黄河渡口）击破反抗军荥州（虎牢，河南省荥阳市西北汜水镇）州长宇文胄，斩首。

北周政府任命神武公爵窦毅（纥豆陵毅）当国防部长（大司马）、齐公爵于智当农工部长（大司空）。

九月，擢升教育部副部长（小宗伯）竟陵公爵杨惠当教育部长（大宗伯）。

九月五日，北周将领王延贵，率军增援被陈帝国包围已久的历阳（安徽省和县），陈帝国江防司令官（督缘江军防事）任忠迎战，击破北周军，生擒王延贵。

九月十日，北周政府罢黜皇后司马令姬，贬作平民（司马令姬是司马消难的女儿）。

九月二十八日，任命随公爵（杨坚）的世子杨勇，当洛州军区（总部洛阳）总司令（洛州总管）、东京（洛阳）国务院副总理（小冢宰），统辖故北齐帝国全土。

九月三十日，北周取消左、右丞相，改命杨坚当大丞相。

21 冬季，十月二日，日蚀。

22 北周帝国丞相杨坚，诛杀陈王（惑王）宇文纯跟宇文纯所有儿子（杨坚要用宇文皇族的血，洗涤通往皇宫的路）。

北周大军元帅梁睿，率步骑兵二十万人，讨伐反抗军首领、益州军区（总部设成都〔四川省成都市〕）总司令（益州总管）王谦。王谦分别命各将领据守险要抵抗；梁睿奋勇进攻，不断击败反抗军，巴蜀（四川省）人心惊骇。王谦派他的将领达奚惎（音įì〔季〕）、高阿那肱、乙弗虔等，率军十万人，进攻利州（晋寿，四川省广元市），在嘉陵江上筑坝，企图利用江水倒灌（嘉陵江流经利州城西）；坚守城池的政府军不过两千人，利州军区（总部晋寿）总司令（利州总管）昌黎郡（辽宁省朝阳市）人豆卢勣（豆卢，复姓；慕容后裔），日夜拒抗，历时四十天，不断出奇兵反击达奚惎等，击破反抗军。最后，梁睿抵达，达奚惎逃走。梁睿自剑阁（四川省剑阁县北剑门关镇）南下，进逼成都。王谦命达奚惎、乙弗虔守城，亲率精兵五万人，背靠城墙，集结成阵。梁睿发动攻击，王谦战败，打算进城，可是达奚惎、乙弗虔已献出成都，向政府军投降。王谦率亲信部队三十人，骑马逃走，投奔新都（四川省成都市新都区）；新都县长王宝，逮捕王谦。

十月二十六日，梁睿斩王谦及高阿那肱（这位高阿那肱，就是北齐帝国右丞相高阿那肱，卖国求荣的结果，北周政府任命他当隆州〔阆中，四川省阆中市〕州长，而最后卷入脓包王谦的反抗战争，以叛徒名义被处决，北齐帝国君臣，几乎每人都是一个肮脏传奇），剑南（剑门关镇以南）秩序，完全恢复。

十一月二十二日，大将军（勋官四级）达奚长儒击破氐部落首领杨永安，沙州（白水，四川省青川县东沙州镇）平定。

十一月二十五日，郧公爵（襄公）韦孝宽逝世（年七十二岁）。韦孝宽长期驻军边疆，屡次抵抗强敌，军事谋略及作战布置，其他的人最初往往不能了解，要等到大功告成，众人才感到意外，十分佩服。韦孝宽虽然一生都在军旅之中，但喜爱文学史学，对韦家族人十分优厚，所得到的薪俸，不拿回家，而跟族人分享，人们因此对他称道。

23 十二月十二日，北周帝宇文阐下诏（杨坚诏）：凡是改姓的，一律恢复原姓。（宇文泰改将领九十九姓事，参考五五四年正月。）

十二月十三日，擢升随公爵、大丞相杨坚当相国，总管全国

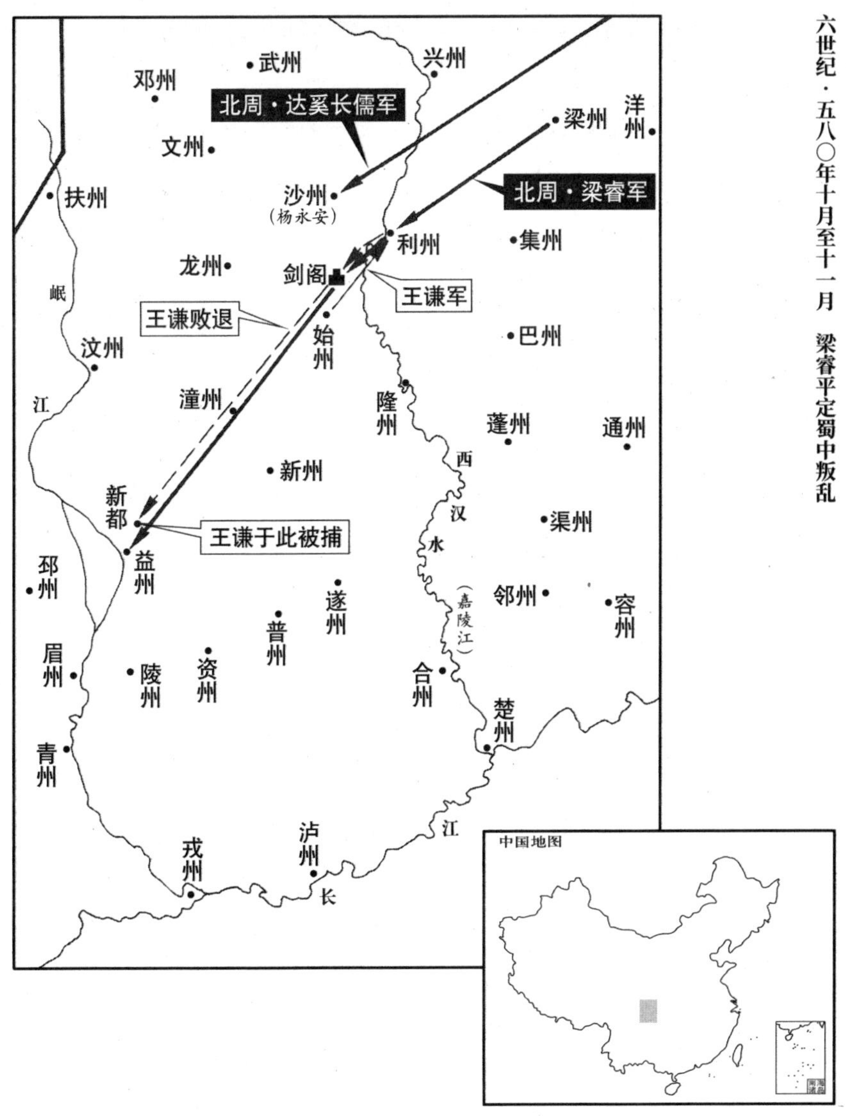

六世纪·五八〇年十月至十一月　梁睿平定蜀中叛乱

文武百官；取消全国各军区总司令长官（都督中外）、国务院总理（大冢宰）称号，晋封随王，划出安陆（湖北省安陆市）等二十郡，作随国采邑，启奏时不再称名字，接受九锡（九锡，参考四年）。杨坚仅接受王爵及十个郡采邑，其他全都婉转拒绝。

十二月二十日，杨坚诛杀代王（奰王。奰，音bì〔币〕）宇文达、滕王（闻王）宇文逌和他们的儿子（逌，音yóu〔由〕）。

十二月二十一日，任命国务院副总理（小冢宰）元孝规当内政部长（大司徒）。

24 十二月二十九日，陈帝国河东王（康简王）陈叔献逝世。

25 本年（五八〇），北周帝国共有二百一十一州，五百零八郡。

五八一年 辛丑

南梁	天保	二十年
陈	太建	十三年
北周	大定	元年
隋	开皇	元年

1 春季，正月一日，陈帝国（首都建康〔江苏省南京市〕）任命晋安王陈伯恭当国务院左执行长（尚书左仆射）、文官部长（吏部尚书）袁宪当国务院右执行长（右仆射）。袁宪，是袁枢的老弟（袁枢事，参考五六七年正月）。

2 北周帝国（首都长安〔陕西省西安市〕）改年号大定。

二月四日，隋王杨坚接受相国、总管全国文武百官、九锡（参考四年）等官；建立隋国政府，设置隋国文武百官。

二月六日，北周帝（五任静帝）宇文阐（本年九岁）下诏（杨坚诏）：封杨坚的正妻独孤女士当王后，杨坚的世子杨勇当太子。

开府仪同大将军（勋官六级）庾季才，鼓励隋王杨坚：应于本月（二月）十四日，顺应人心，接受天命，篡夺北周帝国政权，登极称帝（二月十四日，在干支排列上是"甲子"，大概因为甲是干之首，子是支之首，所以吉祥）。太傅（三公级）李穆、开府仪同大将军（勋官六级）卢贲，也劝杨坚行动。于是，宇文阐下诏（杨坚诏）：让出帝位，移居其他宫殿。

二月十四日，宇文阐命兼任太傅（兼太傅，三公级）杞公爵宇文椿，携带文告，教育部长（大宗伯）赵煚（音jiǒng〔窘〕）携带皇帝玉玺，把政权正式移交给杨坚（北周帝国自五五七年建立，至本年〔五八一〕覆灭，立国二十五年，比禽兽集团的北齐帝国，还要少三年）。杨坚（本年四十一岁）头戴"远游冠"（样式与"通天冠"相同，而没有帽前竖梁，接受宇文阐的让位文告和皇帝玉玺；然后改戴白纱帽，身穿黄纱袍，后来又改戴黑纱帽，改穿红纱袍），登上临光殿，再改戴冕帽，改穿衮袍，仪式跟元旦朝会大典（元会）一样。杨坚下诏大赦，改年号开皇（之前是北周大定元年，之后是隋开皇元年）；命有关单位携带奏章，到南郊祭告上天（《资治通鉴》上，永看不到旧帝国灭亡，也永看不到新帝国兴起。杨坚篡夺政权后，依照传统习惯，用原封号当作新国号，杨坚既封随王，应称随帝国，但杨坚对文字幽灵有崇拜狂，认为随字有个辶，有随时开步走的危险，遂去掉辶，显示永远不动。于是，一个崭新的隋帝国兴起，大分裂以及南北朝时代，进入尾声）。杨坚派宫廷部副部长（小冢宰）元孝矩，前往接替太子杨勇镇守东京洛阳（河南省洛阳市东白马寺东）。元孝矩，本名元矩，但以别名元孝矩行世，是拓跋天赐的曾孙（拓跋天赐事，参考四七一年四月），元孝矩的女儿嫁给杨勇。

教育部总秘书官（小内史）崔仲方，建议杨坚撤销北周帝国复古的“六官”政治制度，恢复两汉王朝和曹魏帝国所实行的传统政治制度，杨坚批准。于是政府大规模改组，设立三师（太师、太傅、太保）、三公（太尉、司徒、司空），及国务院（尚书省）、监督院（门下省）、立法院（内史省）、皇家图书院（秘书省）、宦官署（内侍省）共五院署，监察（御史台）、水利（都水台）二署，祭祀（太常）等十一部（寺），左右翼禁军等十二司令部，分别主持各种事务。又设立勋官“上柱国”到“都督”十一级，用以酬庸有功将领，散官“特进”到“朝散大夫”七级，用以加授给有德望的文武官员，把“侍中”改作“纳言”（因侍中的中字，跟杨坚的老爹杨忠的忠字同音）。任命相国府军政官（相国司马）高颎当国务院左执行长（尚书左仆射），兼最高监督长（兼纳言）；相国府审理官（相国司录）京兆郡（首都长安）人虞庆则当立法院总立法长（内史监），兼国务院文官部长（兼吏部尚书）；相国府参谋指挥官（相国内郎）李德林当最高立法长（内史令）。

二月十五日，杨坚追尊老爹杨忠绰号武元皇帝，祭庙称太祖；娘亲吕女士绰号元明皇后。

二月十六日，修建皇家祖庙及农神祭坛，封王后独孤女士当皇后、王太子杨勇当皇太子。

二月十七日，任命大将军（勋官四级，正三品）赵煚当国务院右执行长（尚书右仆射）。

二月十九日，封北周帝国亡国之君宇文阐当介公爵，原北周各亲王一律降封公爵。

最初，刘昉、郑译假传圣旨，命杨坚辅佐朝政。皇太后杨丽华虽然没有参与机密，但是因宇文阐年纪太小，恐怕政权落到别人之手，听说由老爹接管，心里也十分高兴。可是后来看出老爹另有野心，企图篡夺政权，愤愤不平，神色言谈之间，常透露强烈反感。等到杨坚登极，杨丽华更悲痛惋惜。杨坚对他这位女儿，内心也感惭愧，改封杨丽华当乐平公主。过了一段时间，杨坚命她改嫁，杨丽华誓死拒绝，老爹只好作罢。

杨坚跟北周帝国内政部地政副司长（地官载师下大夫）北平郡（河北省卢龙县）人荣建绪，是多年老友。杨坚在篡夺前夕，中央任命荣建绪当息州（新息，河南省息县）州长，荣建绪准备前往到职，杨坚暗示他："你最好稍稍逗留，我们当一同取得富贵。"荣建绪严肃说："你说的这种话，我不愿听。"等杨坚登极称帝，荣建绪进京（首都长安）朝见，杨坚说："不要你走你偏要走，现在后悔不后悔？"荣建绪叩头说："我的官位不是徐广，但心情类似杨彪（刘裕篡晋，徐广痛哭，参考四二〇年六月。杨彪叩见曹丕，参考二二一年八月）！"杨坚恼怒，说："虽然我不晓得书上典故，但我晓得你口出恶言。"

上柱国（勋官一级，从一品）窦毅的女儿，听到杨坚篡夺政权消息，跳到堂下，抚胸叹息，说："恨我不是男子，不能拯救舅父家灾难！"窦毅和他的妻子襄阳公主宇文女士，急忙捂住她的嘴，惊恐说："你不要胡说，会使我们灭族！"但窦毅对这位女儿，大为惊奇。窦女士长大后，嫁给唐公爵李渊。李渊，是李昺的儿子（李昺，参考五六四年九月）。

立法院总立法长（内史监）虞庆则，建议杨坚把宇文家皇族，全部灭绝，一人不留；高颎、杨惠心里不以为然，但不敢反对；只李德林一再直言规劝，杨坚对他变脸说："你只是书生之见，没有资格讨论这件事。"于是宇文泰的孙儿：谯公爵宇文乾恽、冀公爵宇文绚；一任帝宇文觉的儿子：纪公爵宇文湜；二任帝宇文毓的儿子：酆公爵宇文贞、宋公爵宇文实；三任帝宇文邕的儿子：汉公爵宇文赞、秦公爵宇文贽、曹公爵宇文允、道公爵宇文充、蔡公爵宇文兑、荆公爵宇文元；四任帝宇文赟的儿子：莱公爵宇文衍、郢公爵宇文术；全都处死。（仅只四年前，宇文家屠灭高家〔参考五七七年十月〕。三十八年后，杨家也被屠灭〔参考六一九年五月及八月〕，咦！）而李德林因不能迎合杨坚旨意，官职爵位从此不能擢升。

3 二月二十五日，陈帝（四任宣帝）陈顼（本年五十四岁），主持亲自耕田典礼。

4 隋帝杨坚，封他的老弟邵公爵杨慧当滕王、安公爵杨爽当卫王，皇子雁门公爵杨广当晋王、杨俊当秦王、杨秀当越王、杨谅当汉王。

杨坚下诏给并州（晋阳，山西省太原市）州长李穆，说："你既有恩德声望，又是我父亲（杨忠）的老友。曾经接到过你的信件，对各项指教（暗示篡夺政权，参考去年〔五八〇〕七月），我不敢违背，已于本月（二）十三日，接受天命。"（北周末任帝宇文阐，于十三日下诏表示让位，杨坚于十四日登上宝座。）不久，李穆进京（首都长安）朝见，杨坚任命李穆当太师（三师之一），只称他官衔，不再称他名字；李穆的子孙，虽然还在吃奶，一律加授"仪同"（勋官八级，正五品上），一门之内，手拿象牙笏版的有一百余人（《隋书·礼仪志》：自西魏帝国以来，五品以上用象牙笏版，六品以下用木或竹笏版），富贵荣华，无人可比。杨坚再任命上柱国（勋官一级）窦炽当太傅（三师之二），幽州军区（总部设蓟县〔北京市〕）总司令（幽州总管）于翼当太尉（三公之一）。李穆上疏请求退休，杨坚下诏拒绝，说："姜子牙（吕尚）以八十岁的高龄，辅佐姬昌（文王）；张苍白发满头，而仍当西汉王朝宰相（参考前一七六年正月）。盖世英才，不受常规限制。"但仍因李穆年老（本年七十二岁），特别免除参加朝会，国家有大事时，派

使节前往李家咨询意见。 118

美阳公爵苏威，是苏绰的儿子（苏绰厘定官制，参考五五五年十二月），从小就有很好名声，北周帝国晋公爵宇文护强行把女儿嫁给他。苏威看到宇文护专权，恐怕大祸牵连自己，就远离世事，逃到山上寺庙中居住，吟诗读书，打发时间。北周三任帝（武帝）宇文邕听说他有才能，命他当车骑大将军（从九命）、仪同三司（勋官八级），又任命他当内政部户籍司远畿副总管理官（地官稍伯下大夫）；苏威都声称有病在身，不肯接受。四任帝宇文赟时，任命他当开府仪同大将军（勋官六级）。杨坚当丞相，高颎推荐苏威，杨坚召见他，一番谈话后，对他十分欣赏。过了一个多月，苏威听到将有政变消息，逃回故乡（武功，陕西省武功县西），高颎请派人追他回来，杨坚说："他不想参与我的事，暂时不要管他。"等登极后，征召苏威当太子少保（太子三少之三），追封他的老爹苏绰为邳公爵，命苏威继承爵位。

二月二十七日，杨坚任命晋王杨广当并州军区（总部设晋阳〔山西省太原市〕）总司令（并州总管）。

三月八日（隋历；陈历闰二月八日），任命上开府仪同三司（勋官五级，从三品）贺若弼当吴州军区（总部设广陵〔江苏省扬州市〕）总司令（吴州总管），镇守广陵；擢升和州（历阳，安徽省和县）州长、河东（山西省永济市）人韩擒虎当庐州军区（总部设合肥〔安徽省合肥市〕）总司令（庐州总管），镇守庐江（安徽省庐江县）。杨坚有并吞江南（陈帝国）、统一中国的大志，请高颎推荐大军元帅，高颎推荐贺若弼与韩擒虎；因之把二人派到南方边疆任职，暗中准备。

三月十八日（隋历；陈历闰二月十八日），杨坚任命太子少保（太子三少之三）苏威兼任监督院最高监督长（兼纳言，正三品）及国务院财政部长（度支尚书，正三品）。

当初，苏绰在西魏帝国时，因国库空虚，财政困难，人民负担的税捐田赋，十分沉重，叹息说："现在如此征收，好像拉开弓弦，是应付紧急情况，不是正常制度。后世正人君子，有谁能使弓弦放松！"（苏绰在制定改革大业中，就有"均赋役"，参考五四一年九月）苏威小时候听到老爹这些话，便把它当作自己的责任。现在，奏准减少田赋差役，一切要求简单明晰，杨坚全都批准，而对苏威渐渐倚重，命他跟高颎一同参与决策。杨坚曾经痛恨某一个人，打算下令处死，苏威进去劝阻，杨坚不接受，并且大怒若狂，打算出来亲自动手，苏威挡住去路，不肯让开，杨坚绕过去，苏威又上前遮住去路，杨坚一摔袍袖，回宫。过了很久，召唤苏威晋见，道歉说："你能如此，我就再没有忧虑！"赏赐马两匹、钱十余万。不久，又命苏威兼最高法院院长（兼大理卿，正三品）、首都长安市长（京兆尹，正三品）、总监察官（御史大夫，从三品），原官仍然保留。

诉讼监察官（治书侍御史，从五品下）安定（甘肃省泾川县）人梁毗，认为苏威身兼五项要职，贪恋工作繁重的高位，竟无意推举贤能人才接替自己，上疏弹劾苏威。杨坚说："苏威早晚不停的努力，志向远大，为什么逼他！"对官员们说："苏威不遇到我，他的才能不能施展；我不遇到苏威，就没有办法推行政令。杨素的口才很好，当今无双，可是斟酌古今制度事理，帮助推广教化，就不如苏威。如果生逢乱世，苏威就是南山四皓（参考六四二年九月注），我岂能委屈他！"（苏威在北周帝国时曾逃入山寺隐居，故杨坚如此认定。）苏威曾经对杨坚说："我老爹（苏绰）常告诫我：'只要读《孝经》中的一卷，就足以立身治国，用不着再多读别的书！'"杨坚十分同意。

国务院左执行长（尚书左仆射，从二品）高颎，竭力躲避权势，上疏请求辞职，而把官位让给苏威，杨坚打算成全这项美德，批准。几天后，杨坚说：“苏威在前朝（北周帝国）曾经隐居深山，不出任官吏，高颎认识贤才，特别推荐。我曾经听说：推荐贤能人才的，应受上等赏赐，怎么可以使他失去官职！”命高颎恢复原职。高颎、苏威同心合力辅佐杨坚，无论政令刑案，无论事情大小，杨坚没有一件事不跟他们商量，然后施行。所以，夺取政权之后几年工夫，社会升平。

太子宫总管（太子左庶子，正四品上）卢贲，因高颎、苏威当权，心里愤愤不平；当时，柱国（勋官二级，正二品）刘昉也正被杨坚猜忌疏远。卢贲遂暗中鼓励刘昉，以及上柱国（勋官一级，从一品）元谐、李询、华州（郑县，陕西省渭南市华州区）州长张宾等，共同商议罢黜高颎、苏威，而由五人共同执政。又因杨坚特别宠爱晋王杨广，卢贲私下报告太子杨勇，说：“我很想常常晋见殿下，只恐被皇上斥责，请垂鉴区区一点忠心。”不久，这项密谋泄漏，杨坚下令追根究底彻查，刘昉等把责任全推给卢贲、张宾。高级官员奏称：二人应该处死。杨坚因他们是老友旧部，不忍下手，只削除官爵，贬作平民（卢贲裹挟百官去丞相府，参考去年〔五八〇〕五月，张宾是个道士，杨坚当辅佐大臣时，张宾就指出兴亡的预兆十分明显，并说杨坚有帝王相貌；杨坚因而对他十分宠信）。

三月二十日（隋历；陈历闰二月二十日），杨坚下诏：“前朝（北周帝国）所有的官阶爵位，本朝（隋帝国）一律承认，不作贬降。”

5 三月二十七日（隋历；陈历闰二月二十七日），南梁帝国（首都江陵〔湖北省江陵县〕）皇帝（八任孝明帝）萧岿（本年四十岁），派皇弟、太宰（上三公之一）萧岩，前往长安（隋首都，陕西省西安市）祝贺隋帝国建国。

6 夏季，四月二日，隋帝国大赦。

四月十九日，解散祭祀部（太常）热门乐队（散乐），乐师一律遣送回乡重作平民（北齐帝国末期，盛行热门音乐〔散乐〕，北周帝国四任帝宇文赟把乐师们征召到首都长安）。政府仍继续禁止杂耍、戏剧。

隋政府取缔热门音乐，显示中国人的心灵生活，最晚在六世纪末期，已被封杀；北齐帝国还有"破阵乐"。以后在酱缸文化强大的腐蚀下，中国人遂进入无声状态。

7 陈帝国总顾问长（散骑常侍）韦鼎、兼副总顾问长（兼通直散骑常侍）王瑳，奉派出使北周帝国。

四月二十二日，二人抵达首都长安（陕西省西安市），而北周帝国已亡，隋帝国代兴。隋帝杨坚把使节团转送到介国（北周末任帝宇文阐的采邑〔宇文阐封介公爵〕。纪元前十二世纪周王朝时有介国，在今山东省胶州市。宇文阐的介国在何处，史无记载。即令是古介国，宇文阐此时似仍身留长安，当系引导到介公爵府）。

8 隋帝杨坚，召见汾州（隰城，山西省隰县）州长韦冲，命他兼任副监督长（兼散骑常侍，从三品）。当时，政府征调稽胡部落（山西省西部匈奴人）修筑长城，汾州匈奴一千余人，途中四散逃亡。杨坚向韦冲询问对策，韦冲说："蛮夷所以反复无常，都是由于州长、郡长不能称职造成。我建议跟他们谈判，相信用不着出动军队，就可以解决。"杨坚同意，派韦冲负责跟变民沟通安抚。一个多月后，大家都重新回来，再往指定地点，参与长城修建工程。韦冲，是韦敻的儿子（韦敻事，参考五五九年六月）。

五月十日，杨坚封邗公爵杨雄当广平王、永康公爵杨弘当河间王。杨雄，是杨坚的族侄。

杨坚派人暗中害死介公爵宇文阐（本年九岁），然后表示大为震惊，发布死讯，隆重祭悼；尸体埋葬恭陵（今地不详）；另找一位血缘疏远的族人宇文洛，继承爵位。

六月五日，杨坚下诏：无论皇家祖庙的祭祀，或南北郊天地祭祀，皇帝冠帽及衣服，都要遵照《礼经》规定：朝会时的服装、旗帜，和祭祀时用的牲畜，都用红色；军服都用黄色；日常穿的休闲便服，都用杂色。

秋季，七月八日，杨坚开始改穿黄色，文武百官集合金殿向他祝贺。于是文武百官平常衣服，跟平民一样，都改穿黄袍。杨坚主持朝会也穿黄袍；只有十三个金环的腰带，跟普通人不一样（这一段叙述不清，皇帝朝会衣服，既然规定红色，军服既然规定黄色，杨坚却忽然改穿黄色，什么缘故？文武百官衣服也穿黄色，跟平民无别，则是平民与皇帝无别）。

八月五日，撤销东京（洛阳）中央六部分部（宇文赟于洛阳设六部，参考前年〔五七九〕年二月）。

9 吐谷浑汗国（青海省）攻击隋帝国的凉州（姑臧，甘肃省武威市），隋帝杨坚派大军元帅、乐安公爵元谐等，率步骑兵数万人迎战，在丰利山（青海湖东）大破吐谷浑军；又在青海湖大破吐谷浑太子慕容可博汗，斩杀及俘虏以万为单位计算，吐谷浑全国震骇，王爵侯爵三十人，各率他们的部落向隋军投降，大可汗（十五任）慕容夸吕率亲信部队向远方逃走。杨坚封吐谷浑汗国小可汗、高宁王慕容移兹裒当河南王，命他统治投降过来的部众。任命元谐当宁州（定安，甘肃省宁县）州长；大军作战司令（行军总管）贺娄子干镇守凉州（姑臧）。

10 九月二十四日，陈帝国将军周罗睺，攻击隋帝国胡墅（江苏省南京市六合区东），攻克；首都东区卫戍司令（左卫将军）萧摩诃进军江北（长江以北）。

11 隋帝国御车总监（奉车都尉，从五品上）于宣敏，前往巴蜀（四川省）视察，回京（首都长安）后，向隋帝杨坚建议："巴蜀（四川省）土地肥沃，人才辈出，周国（北周帝国）末年，中央控制衰退，遂爆发军事叛变（指王谦事）。现在应该分封子孙，为皇家立藩篱屏障。"杨坚对这项建议十分欣赏。

九月二十五日，任命皇子、越王杨秀当益州军区（总部设成都〔四川省成都市〕）总司令（益州总管），改封蜀王。于宣敏，是于谨的孙儿（于谨，参考五二五年六月）。

九月二十六日，任命上柱国（勋官一级，从一品）长孙览、元景山，同时当大军统帅，出兵攻击陈帝国；命国务院左执行长（尚书左仆射）高颎，指挥各军。

自从纪元前二世纪西汉王朝七任帝刘彻，攻击朝鲜王国以来，历代王朝遣将出征时，几乎都采用双头马车制，同时设置两个地位权柄完全相等的统帅。检查《资治通鉴》记载，稍微大规模的军事行动，都是如此，但以本年（五八一）隋帝国此次出兵，更为具体，两位统帅连官衔都一模一样。这种现象，以后层出不穷。封建君王的不安全感，是多么严重，日夜都怕被猛喊万岁的忠贞分子，砍下脑袋。

12 最初，北周、北齐两帝国政府铸造的钱币，共有四等；

而民间私自铸造的钱币，名称更多，轻重也不一样（北齐发行“常平五铢”〔参考五五三年正月〕，北周发行“布泉”〔参考五六一年七月〕、“五行大布钱”〔参考五七四年六月〕、“永通万国钱”〔参考前年〔五七九〕十一月〕）。隋帝杨坚十分忧虑，于是，重新铸造五铢钱，阴面、阳面、钱体、钱孔，都有凸起的周边，一千钱重四斤二两。古钱和私钱，一律禁止；把样品放到关卡要道，凡跟样品不同的钱，由政府没收销毁。自此，钱币全国统一，人民十分方便。 124

上柱国（勋官一级，从一品）郑译被免除官职，强迫退休，杨坚对他的赏赐，仍很丰厚。郑译认为他受到杨坚的疏远冷落，如果天上神仙肯赐帮助的话，当可使杨坚回心转意，于是召请道士筑坛作法，焚烧表章，上奏天庭，祈求降福；他的婢女向有关单位检举，认为他在用巫蛊陷害皇帝。正巧，郑译又跟娘亲分住两处，被有关官员弹劾。于是，杨坚削除郑译所有官阶，下诏说：“如果让郑译仍活在世上，人间将多一个不忠之臣；如果把郑译诛杀在朝堂，地下将多一个不孝之鬼。贻害世上地下，实在不知道把他安置在什么地方才对，只好赐给他《孝经》一部，命他好好诵读。”把郑译送到他娘亲那里同住。

13 最初，北周帝国法律，比起北齐帝国法律，繁复而不精密（北周刑法，参考五六三年二月，及五七七年十二月；北齐刑法，参考五六四年二月）。隋帝杨坚命高颎、郑译，及上柱国（勋官一级，从一品）杨素、太子宫康乐管理官（率更令，从四品上）裴政等，重新修订。裴政对过去的文物制度，十分熟悉，对政治运作，也都了解；于是上自曹魏帝国、晋王朝，下到北齐帝国、南梁帝国，研究参考它们的演变沿革和量刑轻重，采取适当的调整。同时参与实际修改刑法的有十余人，凡是遇到疑难问题，不能解决，都请裴政裁定。最后，废除前世枭刑（斩首悬挂高竿）、轘刑（车裂，五马分尸）、鞭刑（都是北周的刑法），除非犯谋反叛乱以上的罪，都不没收家产及屠杀全族。开始简化为：死刑两种：绞死、斩首；流刑三等：二千华里、二千五百华里、三千华里；徒刑五等：一至三年；棍刑（杖刑）五等：六十棍到一百棍；笞刑（竹板刑）五等：十竹板至五十竹板。又拟定《八议法》（专制时代庇护权贵的八项条件：①皇帝的亲戚〔议亲〕、②皇帝的老友〔议故〕、③为人贤德〔议贤〕、④有特别才能〔议能〕、⑤对国家有很大贡献〔议功〕、⑥官高权大〔议贵〕、⑦勤劳工作〔议勤〕、⑧做人诚实〔议实〕。符合上列八项条件之一的被告，就有资格免刑或减刑）、《八议实行细则》《减刑法》《赎刑法》《官员犯罪法》，用以优待士大夫（高级知识分子以及在职官员和退休士绅）。废除前代对被告所用的酷刑，拷打时不准超过二百竹板。枷的大小、棍的粗细，都有一定格式。人民受到冤枉，县政府不能给他平反时，准许他依照等级顺序，上诉郡政府及州政府，郡州政府仍不能给他平反时，准予他上诉中央。

冬季，十月十二日，隋帝国开始实施新制法律，杨坚下诏，说："绞刑使人毙命，斩刑更使人身首分离。铲除罪恶的方法，至此已到极点。诸如把人头悬挂高竿（枭首）、五马分尸（轘身），在义理上实在不值得称许，对于惩罚目的，并没有任何裨益，只不过暴露官员内心的残忍。皮鞭抽打，剥落肌肤，痛入骨髓，肉体如同块块割裂。虽然是古代传下的刑罚，却不是仁慈的刑罚。从现在起，枭刑（人头悬挂高竿）、轘刑（五马分尸）、鞭刑，一律废除。对功臣尊崇礼遇，信誓如同黄河泰山，不再考虑把刑罚加到他们的头上，更要扩大高级官员所受的优待，甚至延伸到远亲。流刑时间原定六年，减为五年（五年期满，就可返乡）；徒刑五年，减为三年。其他各刑，都把较重的改为较轻的，死刑改为有期徒刑。条款项目，十分繁多，全部记载在法律书上。其他辅佐性的条例和判例，一并删除。”中国刑法自此奠定基础，后世各王朝政府，大致沿袭遵循。

杨坚曾对一位国务院助理官（郎）大发雷霆，就在金銮宝殿上，用竹板拷打，议论国务官（谏议大夫，从四品下）刘行本劝解说：“这个人一向清廉，所犯过失又小，请求宽恕。”杨坚不理。刘行本挡住杨坚的去路，说：“陛下不认为我不成才，把我安置在陛下左右，我的话如果正确，陛下怎么可以不听？我的话如果错误，陛下自应对我处罚！怎么看不起我，理都不理！”遂把笏版放到地上，准备退出。杨坚收回满脸怒容，向刘行本道歉，并且原谅那位国务院助理官。刘行本，是刘璠的侄儿（刘璠自南梁帝国到西魏帝国，参考五五二年四月）。

独孤皇后家世烜赫（老爹独孤信，是北周帝国元勋，独孤皇后的姐姐是北周二任帝宇文毓的皇后，独孤皇后的女儿又是北周四任帝宇文赟的皇后），但她待人却十分谦卑恭敬，非常喜爱读书，谈论政事，很多地方跟杨坚的意见相合，杨坚对她宠爱敬畏；宦官宫女称他们夫妇为“二圣”。杨坚每次登殿主持朝会，独孤皇后就跟杨坚并车而行，一直送到前阁才停。还不断派宦官探听杨坚的言行，发现政治措施有错误时，当时就规劝纠正；一直等到杨坚退朝，再同返寝宫。有关单位奏称：“《周礼》：文武百官的妻子，统由皇后聘定，请依照古时制度。”独孤皇后说：“妇女参与政治，或许就从这件事开始，不可以开此灾祸之门。”大都督（勋官九级，正六品上）崔长仁，是独孤皇后的表兄弟，犯法，应当斩首；杨坚因独孤皇后的缘故，打算赦免。独孤皇后说：“国有国法，怎么可以顾及私情！”崔长仁竟被处死。独孤皇后生性节俭，杨坚曾经配止泻药，需要用女人化妆粉一两，可是宫中从来不用，竟找不到。杨坚又打算赏赐给柱国（勋官二级，正二品）刘嵩的妻子一件金丝彩纹衣领，宫中竟也没有。

然而，杨坚对于北周帝国所以覆亡的原因，十分警觉，所以绝不相信亲戚之情，不交给他们大权；独孤皇后的兄弟，武官不超过将军，文官不超过州长。杨坚的娘亲姓吕，是济南（山东省济南市）人；吕家世代贫贱，北齐帝国覆亡后，杨坚曾派人前往寻找，没有人知道吕家下落。杨坚登极称帝，才找到舅父的儿子吕永吉。杨坚下诏追赠外祖父吕双周赠官：太尉（三公之一），追封齐郡公爵，命孙儿吕永吉继承。吕永吉的叔叔吕道贵，冥顽不灵，言语粗俗浅陋，杨坚供给他丰厚的物资享受，但不许他跟政府官员来往。后来命他当上仪同三司（勋官七级，从四品上），出任济南郡郡长。后来济南郡撤除，吕道贵在家逝世。

十月十六日，杨坚前往岐州（雍城，陕西省宝鸡市凤翔区）。

岐州（雍城）州长、安定（甘肃省泾川县）人梁彦光，爱护人民，很有政绩。杨坚下诏褒扬赞美，特别赏赐他一束绸缎和一把御用的遮阳伞，用以激励全国官员。几年后，调任相州（邺城，河北省临漳县西南邺城镇）州长。岐州（雍城）风俗朴实敦厚，梁彦光从不干扰人民生活，考绩一直保持全国第一。等调到相州，仍然如此。可是相州不是岐州，相州州政府所在地邺城（北齐帝国故都，河北省临漳县西南邺城镇）自北齐帝国亡后，知识分子，豪族高门，多数都迁往关中（陕西省中部），剩下的只不过一些工人、商贩和娱乐界分子，填补空出来的位置，定居城郭；风俗险诈，喜欢造谣生事，兴讼告状，给梁彦光起了一个绰号：“戴帽子的软面团（着帽饩饧）。”杨坚得到报告，免除梁彦光官职。过了一年多，再任命梁彦光当赵州（广阿，河北省隆尧县）州长。梁彦光请求改派相州（邺城），杨坚批准。相州一些流氓恶霸之流，听到梁彦光再来消息，都嗤之以鼻。梁彦光到任后，穷查罪案，揭发黑幕，如同神明，跟上次比较，简直是另外一人，流氓恶霸之流纷纷逃窜，全州治理。于是，聘请著名的儒家学派学者，在每乡设立学校，亲自主持考试，对勤奋的学生褒奖，对惰怠的学生责罚。等保荐他们当“秀才”进京（首都长安）做官时，还在郊外为他们饯行，资助他们旅费。风气大变，官民感动喜悦，再没有人兴讼告状。

除了梁彦光，相州（邺城）还有一位州长、陈留（河南省开封市）人樊叔略，有特别的政绩，隋帝杨坚下诏褒奖赞扬，通告天下；召回中央担任农林部长（司农）。

新丰（陕西省西安市临潼区东北新丰街道）县长房恭懿，政绩居三辅（大长安地区）第一，杨坚赏赐给他粟米及绸缎，京畿（雍州）各县县长每次朝见皇帝，杨坚看到房恭懿，一定唤到坐榻之前，询问有关治理人民的方法。后来，房恭懿不断升迁，当德州（安德，山东省德州市陵城区）军政官（司马）。杨坚对各州祝贺元旦特使说：“房恭懿忠心政府，爱护人民，这是神灵和祖先对我们的保佑，我如果不奖赏他，神灵祖先一定会责罚我，你们应该向他学习。”再擢升房恭懿当海州（朐山，江苏省连云港市）州长。从此州县官员，多半都能尽责称职，人民逐渐富裕。

十一月二十二日，隋帝国派兼任中级监督官（兼散骑侍郎，正五品上）郑捴，前往陈帝国聘问。

十二月二十五日，杨坚返首都长安（陕西省西安市），恢复郑译的官职爵位。

14 陈帝国广州（番禺，广东省广州市）州长马靖，非常受岭南（南岭以南）人民爱戴，军势强盛，兵器锋利，有很多战功。陈帝陈顼对他开始猜疑，派国务院文官部考选司司长（吏部侍郎）萧引，前往观察马靖心意，暗示马靖遣送人质。萧引对外宣称他的任务是督促蛮夷缴纳赎罪的财物，抵达番禺（广东省广州市）后，马靖立即送他的子弟到首都建康（江苏省南京市）充当人质。

15 本年（五八一），隋帝杨坚，下诏准许人民随意出家当和尚或尼姑，仍命按照户口人数，缴纳捐税，用来印刷佛经，塑造佛像（北周政府于去年〔五八〇〕六月已下诏解禁，如今隋政府新建，重新下诏）。风气所及，大家一窝蜂信佛，佛书充斥，多于儒家学派的“六经”数十百倍。

16 突厥汗国（瀚海沙漠群）佗钵可汗（四任），病情沉重，临死之前，对他的儿子阿史那菴逻说：“我的哥哥（三任可汗阿史那俟斤）不传位给他的儿子，而传位给我（参考五七二年十二月）；我死之后，你们也应该把可汗让给阿史那大逻便（阿史那俟斤的儿子）。”佗钵可汗逝世后，当权贵族准备拥护阿史那大逻便；可是因他的娘亲出身贫贱，大家心里不服。而阿史那菴逻的娘亲，出身高贵。娘亲的门第，突厥人最是看重。二任可汗阿史那科罗的儿子、小可汗阿史那摄图，最后抵达，警告当权贵族说：“如果阿史那菴逻登位，我自会率领兄弟们服从领导。如果大家拥护阿史那大逻便，我一定宣布脱离中央，利刀长矛，战场相见。”阿史那摄图年纪最大，而且雄健英勇，当权贵族不敢拒绝，遂由阿史那菴逻，继承可汗（五任）。阿史那大逻便落空，但他却不服阿史那菴逻，于是常常派人到牙帐（王庭，蒙古国哈拉和林市）诟骂。阿史那菴逻无法制止，遂把可汗宝座让给阿史那摄图。汗国最高酋长会议商议的结果，认为：“四位可汗的儿子中，阿史那摄图最为贤能。”遂共同迎他登位（四位可汗：二任可汗阿史那科罗、三任可汗阿史那俟斤、四任可汗佗钵可汗、小可汗阿史那玷厥），称沙钵略可汗，住都斤山（蒙古国杭爱山）；阿史那菴逻则迁到独洛水（蒙古国土拉河），称第二可汗。阿史那大逻便质问阿史那摄图，说：“我跟你一样，都是可汗的儿子，各人继承老爹的部落，你今天地位这么尊贵，我却什么地位都没有，什么缘故？”阿史那摄图大为头痛，遂封阿史那大逻便当阿波可汗（小可汗），回到原游牧地领导旧有部落（范围是都斤山〔蒙古国杭爱山〕至金山〔新疆阿尔泰山〕之间）。又封族叔父阿史那玷厥当达头可汗（小可汗），留居汗国西部。各可汗统御各人部落，分别游牧四方。阿史那摄图勇敢而得到人民爱戴，北方各弱小民族，对他都畏惧敬佩。

隋帝国建立后，对待突厥汗国，没有北周帝国时候那么恭敬谨慎，大可汗阿史那摄图十分怨恨。北周帝国嫁过去的千金公主，痛心娘家的覆灭，日夜请求阿史那摄图出军为宇文皇族复仇（千金公主和亲事，参考去年〔五八〇〕六月），阿史那摄图对他的官属说：“我，是宇文皇族的至亲，今天眼看杨坚自称君王，不能制止，还有什么面目再见皇后（可贺敦）？”遂与故北齐帝国营州（龙城，辽宁省朝阳市）州长高宝宁，联军攻击隋帝国边境，杨坚很是烦恼，训令沿边地区兴筑碉堡亭障，增修长城，调上柱国（勋官一级，从一品）武威（甘肃省武威市）人阴寿，镇守幽州（蓟县，北京市）；首都长安市长（京兆尹）虞庆则镇守并州（晋阳，山西省太原市），集结边防军数万人，严阵以待。

17 最初，北周帝国御车总监（奉车都尉）长孙晟，护送千金公主前往突厥汗国（瀚海沙漠群）和亲，突厥可汗喜爱他的射击技术，留他在突厥整整一年，命皇族子弟和贵族跟他亲密交往，希望能学会他的射法。阿史那摄图的老弟阿史那处罗侯，号“突利设”（突厥语），尤其受部众爱戴，老哥阿史那摄图对他很是猜忌，阿史那处罗侯暗中派心腹跟长孙晟订交，秘密盟誓，结作外援。长孙晟跟他到处狩猎，借此机会，观察山川形势，部众强弱，一一记在心头。

<table>
<tr><th>父</th><th>一代</th><th>二代</th><th>三代</th><th>四代</th><th>五代</th></tr>
<tr><td rowspan="6">大酋长
阿史那吐务</td><td rowspan="5">一任伊利可汗
阿史那土门</td><td rowspan="3">二任逸可汗
阿史那科罗</td><td rowspan="2">六任沙钵略可汗
阿史那摄图
（妻千金公主）</td><td>八任都蓝可汗
阿史那雍虞闾</td><td></td></tr>
<tr><td>（小可汗）
突利可汗
十任启民可汗
阿史那染干</td><td>十一任始毕可汗
阿史那咄吉</td></tr>
<tr><td>七任叶护可汗
阿史那处罗侯</td><td></td><td></td></tr>
<tr><td>三任木杆可汗
阿史那俟斤</td><td>（小可汗）
阿波可汗
阿史那大逻便</td><td></td><td></td></tr>
<tr><td>四任佗钵可汗
阿史那
（佗钵）</td><td>五任
（第二可汗）
阿史那菴逻</td><td></td><td></td></tr>
<tr><td>**阿史那室点蜜**</td><td>（小可汗）
达头可汗
九任步迦可汗
阿史那玷厥</td><td></td><td></td><td></td></tr>
</table>

现在，突厥汗国攻击隋帝国，长孙晟上疏说：“我国内部虽然安定，但蛮虏还没有臣服，我们如果出军讨伐，时机仍未成熟；把它弃置在教化之外，不予理睬，他们又对我们不停骚扰，所以必须拟具精密计划，运用巧妙谋略，才可以把他们消灭。阿史那玷厥跟阿史那摄图之间的关系，阿史那玷厥兵马强壮，地位却低微，外表上虽是阿史那摄图的部属，但二人间的裂痕，已很明显；如果从中挑拨离间，他们定会内斗。阿史那处罗侯是阿史那摄图的老弟，满心奸诈，势力薄弱，处心积虑的讨别人欢喜，贵族们都爱

戴他，因而受老哥猜忌，内心不安，在形迹上，他的一举一动，虽都显示一团和气，跟谁都没有隔阂，实际上却深怀惊惧。阿史那大逻便像老鼠一样，伸头四望，夹在两大强权之间，十分畏惧阿史那摄图，接受驱使，不过阿史那大逻便是看谁强就服从谁，目前还没有完全确定立场。我们应该远交近攻，使强者分裂，弱者联合。派人结交阿史那玷厥，说服他跟我们合作，则阿史那摄图就只好撤回军队，戒备西方边界。我们再结交阿史那处罗侯，并联合奚部落（滦河上游）、霫部落（西辽河以北匈奴人，霫，音xí〔习〕），则阿史那摄图势必分出部队，守卫东方疆域。他们的头部跟尾巴互相猜疑，腹部跟心脏互相隔离，十数年后，找一个机会，出动军队讨伐，定可以在一次军事行动中，荡平他们国土。”杨坚看到奏章，大为高兴，召见长孙晟当面谈话。长孙晟口述形势，手画山河，描述突厥汗国内部虚实，了如指掌，杨坚赞叹称奇，对长孙晟的建议，全部采纳。

于是，派畜牧部长（太仆）元晖，前往伊吾（新疆哈密市），晋见达头可汗（小可汗）阿史那玷厥，赏赐他狼头大旗。阿史那玷厥派使节前往隋帝国报聘，杨坚命他们坐在阿史那摄图的使节上位。再任命长孙晟当车骑将军（正五品上），前往黄龙（此黄龙非高宝宁占据的和龙城〔辽宁省朝阳市〕，而是泛指分布在东北地区的部落的各王庭），携带金银财宝，赏赐奚部落（滦河上游）、霫部落（西辽河以北匈奴人）、契丹部落（辽河上游），由他们派出向导，得以抵达阿史那处罗侯篷帐，诚恳结交，引诱他们归附隋帝国。反间行动既然开始，突厥汗国内部果然互相猜忌，不能团结。

18 陈帝国始兴王陈叔陵，是太子陈叔宝的二弟，但跟陈

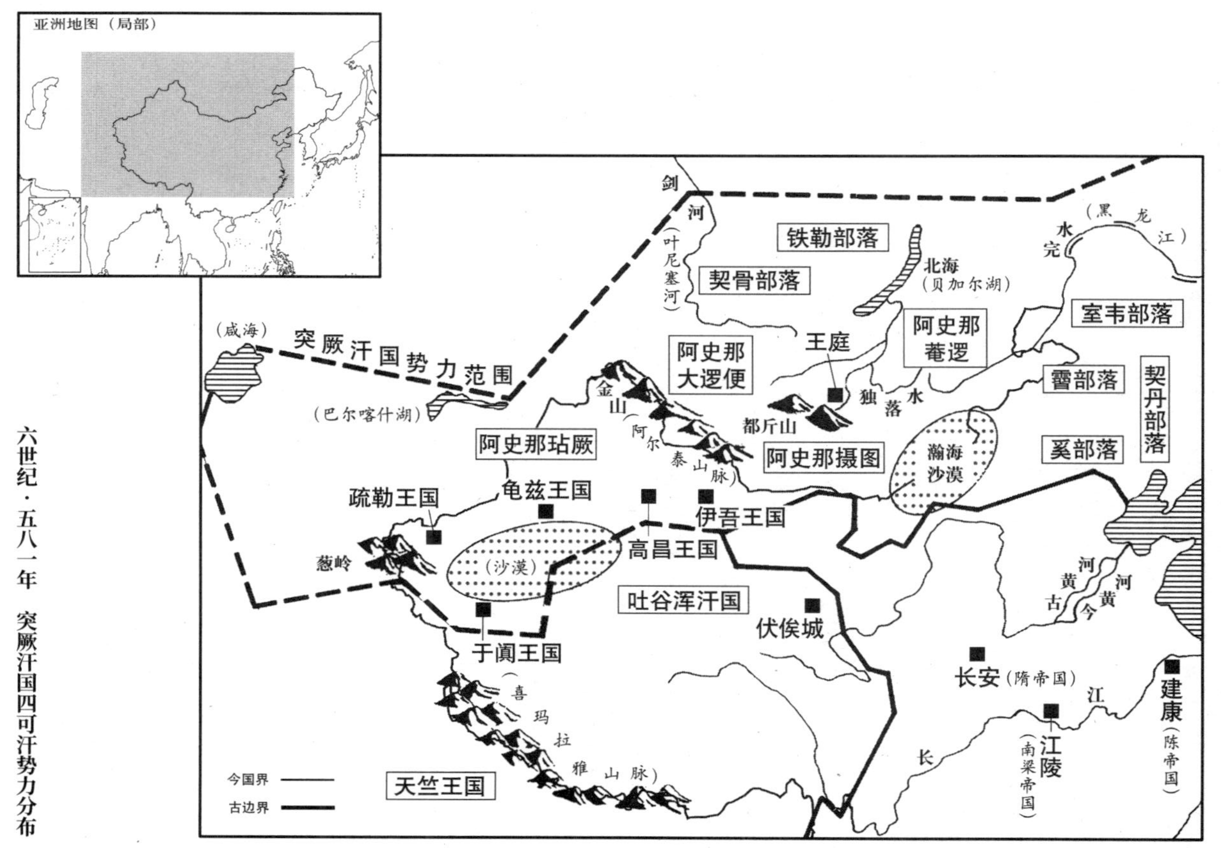

六世纪·五八一年　突厥汗国四可汗势力分布

叔宝不是一个娘亲，陈叔陵娘亲是彭贵人。陈叔陵当江州（湓城，江西省九江市）州长，性情苛刻阴险，十分狡狯。新安王陈伯固（二任帝陈蒨的儿子）因喜爱诙谐打诨，很受陈帝陈顼和太子陈叔宝的欣赏；但陈叔陵却对陈伯固十分痛恨，秘密调查他做错过什么事情，打算用司法中伤。后来，陈叔陵回京（首都建康）当京畿总卫戍司令（扬州刺史），很多事务跟国务院（尚书省）、立法院（中书省）有密切关联，主管官员迎合陈叔陵的意思，都向陈帝陈顼暗示应重用陈叔陵。陈叔陵大权在握，任何人只要稍稍不能使他称心如意，一定严厉报复，轻的会有大罪，重的甚至处斩。陈伯固畏惧，就探求陈叔陵的志趣，向他摇尾谄媚。陈叔陵喜爱挖掘古墓，而陈伯固喜爱射猎野鸡，二人常常一起前往郊外，情谊忽然转为亲密，遂密谋夺嫡。陈伯固是总监督长（侍中），常在宫中，每听到机密谈话，一定告诉陈叔陵。

五八二年 壬寅

南梁	天保	二十一年
陈	太建	十四年
隋	开皇	二年

1 春季，正月五日，陈帝国（首都建康〔江苏省南京市〕）皇帝（四任宣帝）陈顼（音xū〔虚〕）身体不适，太子陈叔宝跟始兴王陈叔陵、长沙王陈叔坚，一同进宫侍候老爹。而陈叔陵阴谋发动宫廷政变，关照皇家药物管理员（典药吏）说："切药材的刀太钝，你要把它磨利！"

正月十日，陈顼逝世（年五十五岁）。宫中一时混乱，陈叔陵命左右侍从到宫外去取佩剑，左右侍从没有领悟，竟把朝会用的衣服和木剑取来，陈叔陵大怒。陈叔坚在身旁，听到他说的话，疑心会发生什么事情，于是暗中监视陈叔陵的行动。

正月十一日，陈顼尸体被抬入棺材，太子陈叔宝伏在地上哀号，陈叔陵抽出刚磨利的切药刀，猛砍陈叔宝，砍中脖颈，陈叔宝倒地，昏迷不省人事。陈叔宝的娘亲、皇后柳敬言奔上去救儿子，陈叔陵又猛砍柳敬言数刀；乳娘吴女士从身后抱住陈叔陵的手臂，陈叔宝才勉强爬起来，但陈叔陵一手抓住陈叔宝的衣服不放，陈叔宝竭力挣扎，才算挣脱。陈叔坚双手卡住陈叔陵的脖子，抢下切药刀，把他拉到柱子旁边，用他的宽大衣袖把他反绑到柱子上。当时吴奶娘扶住陈叔宝已远远逃走，陈叔坚寻找陈叔宝，打算得到生杀的授权。陈叔陵力大无穷，就趁着这个机会，挣脱衣袖，逃出云龙门（宫城〔台城〕东门），乘车奔回东府（建康城南），征召左右侍卫，封锁青溪（玄武湖水，注入秦淮河），赦免东府城（建康城南）所有囚犯充当战士，散发金钱绸缎，作为对官兵的赏赐；又派人前往新林（江苏省南京市江宁区西），征调京畿部队增援。而自己身穿铠甲，头戴白布帽，登上城西门，招募新兵，没有一个人投效；又征召各亲王各将领，也没有一个人响应；只有新安王陈伯固单人匹马前来，协助陈叔陵指挥调度。陈叔陵集结军队约一千人，打算据守东府城（建康城南）。

当时，中央各军沿长江驻扎（防备隋帝国），首都防务空虚。陈叔坚报告皇后柳敬言，命太子宫随从官（太子舍人）河内郡（侨郡）人司马申，用太子的名义，征召首都西区卫戍司令（右卫将军）萧摩诃进宫，接受训令，率步骑兵数百人，攻击东府城（建康城南），驻军东府城西门。陈叔陵惊恐，派记录官（记室）韦谅把自己的出巡乐队，送给萧摩诃，说："事情如果成功，请你出任宰相。"萧摩诃回报说："必须大王派心腹文官、亲信将领前来见面，我才敢听从命令。"陈叔陵派他的心腹亲信戴温、谭骐驎晋见萧摩诃，萧摩诃逮捕二人，押送宫城，斩首，把人头送到东府城（建康城南）外展示。

陈叔陵知道大势已去，进入后宅，把王妃张女士及最宠爱的小老婆七人，全推进深井，然后率步骑兵数百人，从秦淮河小桥（秦淮河桥不只一个，东府城外者称“小桥”，朱雀门外者称“大桥”），打算投奔新林（新林有京畿卫戍部队），再渡长江，北奔隋帝国（首都长安）。逃到白杨路（当在新林之北），被中央军拦阻，陈伯固发现中央军，转身躲入小巷，陈叔陵拔刀飞马追赶陈伯固，陈伯固只好跟他回来，而陈叔陵的部下很多抛弃铠甲，四散逃跑。萧摩诃的前导骑兵官（马容）陈智深，迎面刺中陈叔陵，陈叔陵栽倒在地，另一前导骑兵官（马容）陈仲华，顺手砍下人头（陈叔陵年二十九岁）；陈伯固也被乱兵诛杀（年二十八岁）。一场流产政变，自凌晨四时发生，到上午十时，在杀声中结束。陈叔陵所有的儿子，全部被逼自杀；陈伯固所有的儿子，则饶他们一命，仅只贬作庶人。韦谅及前衡阳郡（湖南省株洲市西南）郡长（内史）彭暠、首席军事参议官（咨议参军）兼记录官（兼记室）郑信、收发官（典签）俞公喜，一同处死。彭暠，是陈叔陵的舅父。郑信、韦谅，都受陈叔陵的宠爱，也是陈叔陵的智囊。韦谅，是韦粲的儿子（韦粲死于侯景之难，参考五四九年正月）。

正月十三日，太子陈叔宝（本年三十岁）登极称帝（五任帝），大赦。

2 正月十七日，隋帝国（首都长安〔陕西省西安市〕）在并州（晋阳，山西省太原市）设中央驻河北道（黄河以北）特遣政府（河北道行台），命晋王杨广当总执行长（尚书令）；在益州（成都，四川省成都市）设中央驻西南道特遣政府（西南道行台），命蜀王杨秀当总执行长（尚书令）。隋帝（一任文帝）杨坚（本年四十二岁）鉴于北周帝国皇帝孤单危弱，因而招致覆亡，所以命两个儿子分别独当一面，各霸一方。两位亲王年纪还小（本年，杨广十四岁，杨秀年龄不详），于是大规模遴选忠贞纯洁而有才干声望人士，当他们的辅佐：用灵州（回乐，宁夏灵武市）州长王韶，当中央驻并州特遣政府右执行长（并省右仆射）；藩属事务部长（鸿胪卿）赵郡（河北省赵县）人李雄，当中央驻并州特遣政府国防分部部长（兵部尚书）；左武卫（十二禁军第三军）将军（从三品）朔方（陕西省绥德县西南）人李彻，当晋王府军事总管（总晋王府军事）；国务院国防部长（兵部尚书）元岩，当益州军区（总部设成都〔四川省成都市〕）总司令部秘书长（益州总管府长史）。王韶、李雄、元岩，正直骨鲠，都有盛名；李彻则是北周帝国时代名将，所以任用。

最初，李雄家世代精通儒家学派经典，只有李雄学习骑马射箭。老哥李子旦抱怨他，说：“骑马射箭，不是高级知识分子所应学习。”李雄说：“自古以来的圣贤，不能文武兼备而能成功立业的，简直太少。我虽然不够聪明，却很愿有古人的抱负，只是不愿死记一些章句注解而已。我既能文、又能武，老哥有什么挑剔！”李雄将去中央驻并州特遣政府（并省）就职，隋帝杨坚对李雄说：“我的儿子（杨广）年纪太轻，经历的事不多；只因你文武全才，我对北方就不再忧虑。”

两位亲王（晋王杨广、蜀王杨秀）恶性渐露，生活豪华奢侈，又常为非作歹，王韶、元岩都拒绝接受命令，或者自我囚禁，或者直闯内院，恳切规劝。两位亲王对他们也都很畏惧，遇到事情，总是先征求他们的意见，然后去做，不敢违法。杨坚接到报告，加以赏赐（不知道赏赐谁）。

杨坚又任命秦王杨俊，当中央驻河南道（黄河以南地区）特遣政府（河南道行台）总执行长（尚书令）、洛州（洛阳，河南省洛阳市东白马寺东）州长，指挥关东（函谷关以东）所有武装部队（杨俊本年不满十三岁）。

3 正月十九日，陈政府任命长沙王陈叔坚当骠骑将军、开府仪同三司（宰相级）、京畿总卫戍司令（扬州刺史），萧摩诃当车骑将军、南徐州（京口，江苏省镇江市）州长，封绥远公爵，把始兴王陈叔陵的家产——金银绸缎，多达亿万，全部赏赐给萧摩诃。擢升司马申当立法院立法官（中书通事舍人）。

正月二十一日，陈帝陈叔宝尊娘亲皇后柳敬言为皇太后。当时，陈叔宝身负刀伤，躺在承香殿，不能起床，也不能处理政务。柳敬言进住柏梁殿，全国各单位所有请示，都由她裁决。等陈叔宝伤势痊愈，才把大权归还。

正月二十三日，陈叔宝封皇弟陈叔重当始兴王，继承始兴王（昭烈王）陈道谭（二任帝陈蒨、四任帝陈顼的老爹）的香火祭祀。

4 隋帝国讨伐陈帝国（参考去年〔五八一〕九月）大军统帅元景山，从汉口（湖北省武汉市汉水北岸）出动，派上开府仪同三司（勋官五级，从三品）邓孝儒，率军四千人攻击甑山（湖北省汉川市），陈帝国派舰队司令陆纶，率水军援救，都被邓孝儒击败。于是陈帝国的涢口（湖北省武汉市西，涢水注入汉水处）、沌阳（武汉市西）、甑山各城守将，都放弃城池，纷纷逃走（以上各城，皆在司马消难南奔时归附陈帝国，参考前年〔五八〇〕八月）。

正月二十四日，陈帝国派使节请求隋帝国准许和解，愿意归还胡墅（陈帝国夺取胡墅事，参考去年〔五八一〕九月）。

5 正月二十五日，陈帝陈叔宝，封太子妃沈婺华当皇后。

正月二十七日，封皇弟陈叔俨当寻阳王，陈叔慎当岳阳王，陈叔达当义阳王，陈叔熊当巴山王，陈叔虞当武昌王。

6 隋帝国讨伐陈帝国东路大军总监督官高颎（音jiǒng〔窘〕），上奏隋帝杨坚，说：依照礼仪，对正在办理君王丧事的国家，不采取军事行动。（《春秋公羊传》前五五四年：“晋国士匄率军攻击齐国，抵达谷城〔山东省东阿县〕，听到齐国国君〔二十四任灵公姜环〕逝世，遂还。为什么用‘还’？表示善良。‘善良’什么？赞扬士匄对正在办理君王丧事的国家，不采取军事行动。”）

二月十五日，杨坚下诏命高颎等班师。

7 三月二十五日，陈帝国任命国务院左执行长（尚书左仆射）晋安王陈伯恭当湘州（临湘，湖南省长沙市）州长，永阳王陈伯智当国务院执行长（尚书仆射）。

8 夏季，四月十七日，隋帝国大将军（勋官四级，正三品）韩僧寿，在鸡头山（甘肃省平凉市西崆峒山）击破突厥汗国军（瀚海沙漠群）；上柱国（勋官一级，从一品）李充，在河北山（阴山）击破突厥军。

9 四月二十三日，陈帝陈叔宝封皇子、永康公爵陈胤（本年十岁）当太子。陈胤，是孙姬生的儿子，皇后沈婺华抱过来自己喂养。

10 五月十六日，北齐帝国时代营州（州政府设和龙城〔辽宁省朝阳市〕）州长高宝宁，引导突厥军（瀚海沙漠群）攻击隋帝国的平州（新昌，河北省卢龙县）。突厥动员五位可汗，以及武装战士四十万人，杀入长城（五可汗：大可汗：阿史那摄图；小可汗：第二可汗阿史那菴逻、达头可汗阿史那玷厥、阿波可汗阿史那大逻便、贪汗可汗阿史那〔名不详〕)。

11 五月十九日，隋帝国任公爵(穆公)于翼逝世。

五月二十一日，隋政府传国玉玺改称“受命玺”。

六月十二日，隋政府派使节前往陈帝国哀悼致祭(哀悼前任帝陈顼之死)。

六月十三日，隋帝国上柱国(勋官一级，从一品)李充，在马邑(即朔州，山西省朔州市)击败突厥汗国军。突厥再攻击兰州(金城，甘肃省兰州市)，凉州军区(总部设姑臧〔甘肃省武威市〕)总司令(凉州总管)贺娄子干，在可洛峐(武威市境)击败突厥军。

隋帝杨坚，嫌首都长安(陕西省西安市)城池太小，而皇宫又不断有怪事发生。最高监督长(纳言)苏威一直想说服杨坚迁都。杨坚因建立政权不久，不敢尝试。夜晚，杨坚跟苏威、高颎一同讨论。第二天早上朝会，高级监督官(通直散骑常侍，正四品下)庾季才上奏说：“我仰头观看天象，俯案博览群书，深知最近一定迁都。而且西汉王朝兴筑长安城池，将满八百年(西汉王朝一任帝刘邦于纪元前二〇二年定都长安，迄今七百八十四年；二任帝刘盈于纪元前一九四年兴筑长安城墙，迄今七百七十六年)，水质已变，咸苦难以饮食，不适宜人类居住。希望陛下上应天心，下顺民意，早日拟定迁都计划。”杨坚大为吃惊，对高颎、苏威说：“多么神奇！”太师(三师之一)李穆也上疏请求迁都，杨坚看了奏章，说：“天神无所不知，已显示预兆；太师(李穆)众望所归，也作此请求，由此看出，事情并不是不可施行。”

六月二十四日，杨坚下诏命高颎等，在龙首山(旧长安稍南)，兴筑新都。太子宫总管(太子左庶子，正四品上)宇文恺对土木工程，有巧妙的构思，杨坚任命他兼新首都建设副总监(领营新都副监)。宇文恺，是宇文忻的老弟（宇文忻，参考五七六年十一月）。

12 秋季，七月二十九日，陈帝国大赦。

九月五日，陈帝陈叔宝以佛教仪式，在太极殿设“无碍大会”，舍身、舍御用车轿、舍御用衣服；再度大赦（陈帝国皇帝上一次舍身，是一任帝陈霸先，参考五五八年五月）。同日（九月五日），任命长沙王陈叔坚当最高监察长（司空）；原骠骑将军及京畿总卫戍司令（扬州刺史）官职，仍然保持。

13 冬季，十月三日，隋帝国太子杨勇，驻防咸阳（陕西省泾阳县），防备突厥汗国军（瀚海沙漠群）。

十二月七日，隋政府把新都命名大兴城。

十二月十六日，隋帝杨坚再派沁源公爵虞庆则驻防弘化（甘肃省庆阳市），防备突厥汗国。

大军作战司令（行军总管）达奚长儒率军二千人，跟突厥沙钵略可汗（六任大可汗）阿史那摄图，在周槃（甘肃省庆阳市南）遭遇，突厥军有十余万人，隋军大为恐惧。达奚长儒激昂慷慨，且战且走，几次被突厥强大兵团冲散，但几次都重新集结，对四面八方的敌人，不停的抵抗，辗转战斗三天，日夜不停会战十四次，所有兵器都受到损毁，不能再用，士卒改用拳头决斗，手上肌肤脱落，只见手骨（战场上如无兵器，立即死亡，拳头岂有用武之地！对战果的过度夸张，就是说谎，这不过只是一场势均力敌的小型接触），杀伤突厥士卒以万为单位计算，突厥军士气有点沮丧，解围撤退。达奚长儒身上五处受伤，被刺透的有二处，战士死伤十分之八九。杨坚下诏擢升达奚长儒当上柱国（勋官一级，从一品），多余的功劳转授给他的儿子。

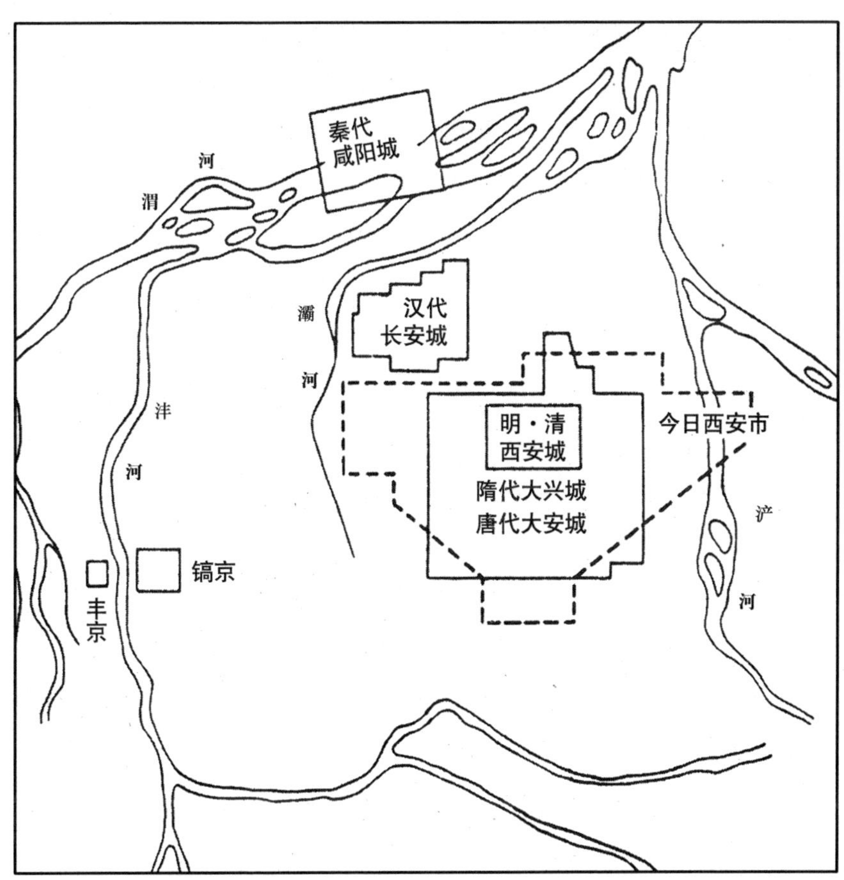

历代王朝长安城位置

当时，柱国（勋官二级，正二品）冯昱，驻防乙弗泊（今地不详，疑是青海湖）；兰州军区（总部设金城〔甘肃省兰州市〕）总司令（兰州总管）叱列长义，镇守临洮（此时称洮州，甘肃省临潭县）；上柱国（勋官一级，从一品）李崇，驻防幽州（蓟县，北京市）；都被突厥汗国击败。于是，突厥大军从木硖（宁夏固原市西南）、石门（宁夏固原市），分兵两路，大举南下，杀入武威（凉州，甘肃省武威市）、天水（秦州，甘肃省天水市）、金城（兰州，甘肃省兰州市）、上郡（此时称敷州，陕西省富县）、弘化（甘肃省庆阳市）、延安（延州，陕西省延安市。因不久之后，二任帝杨广以郡代替州，故史书常以郡名记载），沿边城池所有家畜，都被掳掠一空（家畜一空，人还存多少）。

沙钵略可汗（六任）阿史那摄图打算更深入南方，达头可汗（小可汗）阿史那玷厥不肯，率军北返。隋帝国御车总监（奉车都尉，从五品上）长孙晟又说服阿史那摄图的儿子阿史那染干，把假情报提供老爹说："铁勒等部落（西伯利亚贝加尔湖畔）叛变，打算袭击汗国王庭（牙帐，蒙古国哈拉和林市）。"阿史那摄图恐惧，回军出塞。

14 杨坚篡夺北周帝国政权成功后，对南梁帝国（首都江陵〔湖北省江陵县〕）皇帝（八任孝明帝）萧岿，恩情礼貌，越发优厚。本年（五八二），礼聘萧岿的女儿当晋王杨广的王妃；又准备把自己的女儿兰陵公主嫁给萧岿的儿子萧玚。于是，撤销隋帝国设于江陵（南梁首都，湖北省江陵县）的江陵协防司令（江陵总管），萧岿才开始真正管辖他的小小帝国（江陵协防司令之设，始于西魏帝国，参考五五四年十二月）。

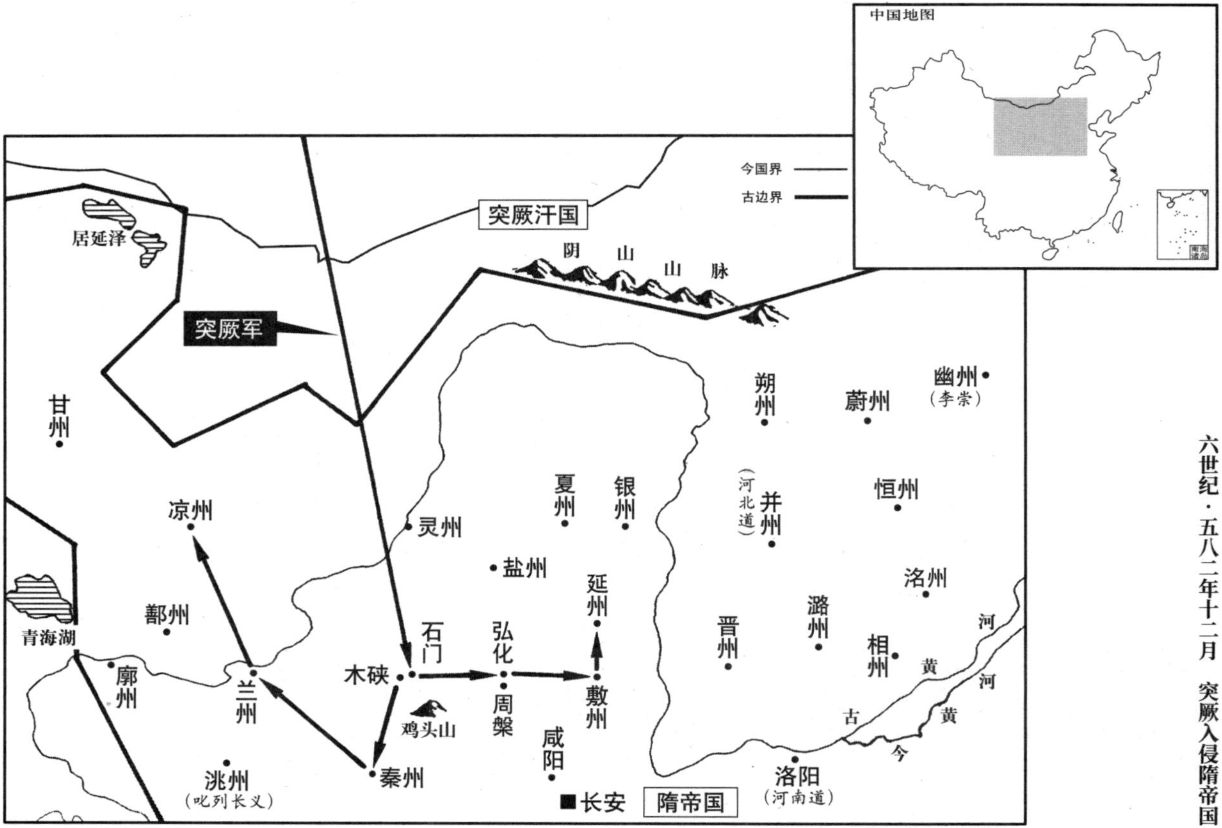

六世纪·五八二年十二月　突厥入侵隋帝国

五八三年 癸卯

南梁	天保	二十二年
陈	太建	十五年
	至德	元年
隋	开皇	三年

1 春季，正月一日，隋帝国（首都长安〔陕西省西安市〕）准备迁都，大赦。

2 正月三日，陈帝国（首都建康〔江苏省南京市〕）大赦，改年号（之前是太建十五年，之后是至德元年）。

最初，陈帝（五任）陈叔宝身受刀伤，不能过问政务；事情不论大小，都由长沙王陈叔坚决定，权势倾动政府。陈叔坚骄傲放纵，不知道节制；陈叔宝因此对这位老弟开始猜忌。国务院法务部长（都官尚书）山阴（浙江省绍兴市）人孔范，立法院立法官（中书舍人）施文庆，都讨厌陈叔坚，而受到陈叔宝的宠信，于是日夜搜索陈叔坚的资料，在陈叔宝面前，打陈叔坚的小报告。陈叔宝（本年三十一岁）遂逐渐跟陈叔坚疏远，最后，命陈叔坚仍保持骠骑将军名号，用三司（三公）的仪式，出任江州（湓城，江西省九江市）州长。另命国务院内政部长（祠部尚书）江总当国务院文官部长（吏部尚书）。

正月四日，封皇子陈深当始安王。

3 二月一日，日蚀。

4 二月五日，陈帝国派兼任总顾问长（兼散骑常侍）贺彻等，前往隋帝国聘问。

5 突厥汗国（瀚海沙漠群）攻击隋帝国北方边疆。

6 二月二十五日，陈帝国把前任帝（四任）陈顼，安葬显宁陵（在江苏省南京市江宁区东南牛头山西北），绰号孝宣皇帝，祭庙称高宗。

首都西区卫戍司令（右卫将军）兼立法院立法官（兼中书通事舍人）司马申，既负责处理机要公事，开始作威作福，精于观察人主脸色，对很多人暗中陷害。凡是冒犯过自己的人，一定在陈叔宝面前，旁敲侧击，紧要关头时说出中伤的话。顺服自己的，则利用机会推荐，因此政府上下，都被他控制。

陈叔宝打算擢升总监督长（侍中）、国务院文官部长（吏部尚书）毛喜当国务院执行长（仆射），司马申讨厌毛喜态度强硬，性情刚直，就提醒陈叔宝说："毛喜，是我妻子的老哥，先帝（四任陈顼）时一再攻击你把酗酒当作美德，要求驱逐太子宫的官员，陛下难道忘记？"陈叔宝才打消主意。

陈叔宝刀伤痊愈后，在后殿摆设筵席，大宴文武百官庆祝脱险，招待国务院文官部长（吏部尚书）江总以下，听乐赋诗。陈叔宝酒醉，派人请毛喜入宴。当时，刚刚把前任帝陈顼埋葬，做儿子的应该沉痛哀悼才对，而毛喜却看到陈叔宝追欢寻乐，心中大不高兴，打算规劝几句，陈叔宝已经酩酊大醉。毛喜无可奈何，在上台阶时，假装心病突发，跌倒阶下，被抬出后宫。陈叔宝酒醒后，对江总说："我后悔找毛喜来凑热闹，他实在没有病，只是想破坏我的欢宴，教我丢丑而已。"就跟司马申商量说："这个人自负才气，不肯低头，我打算把他交给鄱阳王（陈伯山）兄弟，准许他们随意报仇，是不是可以？"（陈伯山，是二任帝陈蒨的儿子。陈叔宝的老爹、四任帝陈顼篡夺三任帝陈伯宗的帝位时，诛杀刘师知、韩子高、到仲举父子、始兴王陈伯茂等，都是毛喜的阴谋，参考五六七年二月。陈叔宝竟打算把毛喜交给陈伯山兄弟报仇，不知道怎么想出来的！）司马申回答说："他无论如何都不会听话，陛下最好马上就办。"立法院立法官（中书通事舍人）北地郡（侨郡）人傅縡（音zài〔再〕）反对，说："那怎么可以？如果准许报仇，把先帝（陈叔宝的老爹陈顼）放到什么位置？"陈叔宝说："派毛喜去管一个小郡，教他看不到大场面！"于是任命毛喜当永嘉郡（浙江省温州市）郡长（内史）。

7 三月十八日，隋帝国迁往新都大兴（周王朝首都镐京在今西安市之西，西汉王朝首都长安在今西安市偏北，隋王朝首都大兴在今西安市偏南，相距很近）。

隋政府下令：男子二十一岁成年（北周帝国时，男子十八岁成年；北齐帝国则是二十岁成年，参考五六四年三月），开始服兵役（有事出征，无事解甲回乡）；每年十二个梯次轮调，过去每次三十天，现改为二十天（北周时，役男每年服役一个月，参考五六一年三月）；过去每个后备军人每年缴绸缎一匹，现改缴半匹。北周末年，酒专卖、盐专卖——盐池、盐井都设管理机构，现在全部撤销。

皇家图书院长（秘书监，正三品）牛弘，上疏说："书籍经典，经过不断战乱，大多失散。周国（北周帝国）政府的藏书，勉强超过一万卷。削平齐国（北齐帝国）后，所得到书籍，除掉重复的和其他性质的杂书，才多出五千卷。现在正逢圣明之世，应重新收集；我们了解，奠立国家的基础，没有一件事，比收集图书，更应优先。怎么可以让它们流落到私人之手，一直不回归政府？我们需要施加压力，强行搜购，再给书主一点补偿或奖励，则罕见的珍贵经典，定会集中，皇家图书院也将因此获得充实。"隋帝（一任文帝）杨坚（本年四十三岁）批准。

三月十九日，下诏购买前代遗留下来的书籍，每呈献一卷，换取绸缎一匹。

8 夏季，四月三日，吐谷浑汗国（青海省）攻击隋帝国的临洮（甘肃省临潭县）。洮州（州政府临洮）州长皮子信出战，失败而死。汶州军区（总部设广阳〔四川省茂县〕）总司令（汶州总管）梁远，把吐谷浑军击退。吐谷浑军再攻击廓州（洮河，青海省贵德县），被廓州政府军击退。

9 四月五日，隋政府任命国务院右执行长（尚书右仆射）赵煚（音jiǒng〔窘〕），兼立法院最高立法长（兼内史令）。

10 突厥汗国（瀚海沙漠群）不断对隋帝国发动攻击，隋帝国开始报复。隋帝杨坚下诏，说：“过去，周国（北周帝国）、齐国（北齐帝国）互相对抗，中国分裂。突厥蛮虏，同时跟二国交往。周政府（北周）忧虑东方（北齐），恐惧突厥跟东方关系亲密；齐政府（北齐）恐惧西方（北周），担心突厥跟西方友谊深厚。两国都认为：蛮虏的动向严重影响自己的安危。只因为都受强敌的威胁，尽量避免两面作战。我认为搜刮亿兆人民的财富，大量的去赏赐豺狼，对我们不但没有感恩之情，反而增加他们充当强盗，和侵略中国的资本（突厥佗钵可汗便嚣张的称北齐、北周两国是“娃儿”，参考五七二年闰十二月）。

“因此我改变策略，用礼仪代替金银，不再滥施贿赂，减少人民的差役赋税，国库反而有余。把赐给盗匪（突厥汗国）的财物，转赐给帝国将士；使奔驰于道路上的民夫苦工，获得休息，能够回乡耕田织布。边境一片升平，胜算握在我们之手。可是，凶恶愚昧的丑类，不了解我们的用心，把天下安定的形势，当作一个新的战国时代来临，仍保持过去全盛时期的傲慢，结下今天跟我们之间的怨恨。

“最近，他们更倾巢而出，大规模攻击北部边疆。这是上天所发出的愤怒，驱使他们前来接受利斧的诛杀。各将领现在率军出动，不仅对他们讨伐，还要对他们安抚教育；投降的一律收容，抵抗的一律处死。务使蛮虏不敢再存南下念头，永远畏服隋帝国的威力及惩罚。不需要像匈奴汗国一样，派子弟进京朝见，更不需要麻烦他们在渭桥叩拜（南北匈奴同时派子弟当人质及渭桥叩拜事，参考前五三年正月、前五一年正月）。”

于是，命卫王杨爽当大军元帅，分兵八路北伐，同时出击。杨爽率作战司令（总管）李充等四位将领，从朔州（招远，山西省朔州市）

出塞。

四月十二日，杨爽等跟突厥沙钵略可汗（六任）阿史那摄图，在白道（内蒙古呼和浩特市北）遭遇；李充向杨爽建议说："多少年来，突厥习惯胜利，所以不会把我们看在眼里，因此也不会有高度戒备，我们如果用精锐部队发动袭击，一定可以攻破。"各将领对这种判断，大感怀疑，只有秘书长（长史）李彻赞成。杨爽遂交给李充精锐骑兵五千人，向突厥军营闪电攻击，突厥军大败，阿史那摄图抛弃他所穿的金盔金甲，窜进深草中逃走。突厥士卒没有食物，只好磨碎骨骼（人的骨骼？马的骨骼？说不清楚），当作粮食，再加上患病及瘟疫流行，死亡惨重。

幽州军区（总部设蓟城〔北京市〕）总司令（幽州总管）阴寿，率步骑兵混合兵团十万人，从卢龙塞（河北省迁西县北）北出长城，攻击北齐帝国最后残余势力高宝宁。高宝宁向突厥汗国求救，而突厥正跟隋帝国大战，不能派出援军。

四月十三日，高宝宁放弃和龙（营州州政府所在城，辽宁省朝阳市），奔向漠北（瀚海沙漠群以北）；和龙所属各县，全部投降。阴寿悬出重赏捉拿高宝宁，又派密探挑拨离间高宝宁的心腹亲信；高宝宁投奔契丹部落（辽河上游），被他自己的部属诛杀（北齐帝国五七七年亡，高宝宁支持六年）。

11 四月二十二日，陈帝国（首都建康〔江苏省南京市〕）郢州（夏口，湖北省武汉市）城防司令（城主）张子讥，派使节到隋帝国（首都大兴），表示愿意献城投降。隋帝杨坚因两国邦交正睦，拒绝接受。

四月二十四日，杨坚派兼任副监督长（兼散骑常侍，从三品）薛舒、兼任高级监督官（兼通直散骑常侍，正四品下）王劭，前往陈帝国聘问。王劭，是王松年的儿子（王松年被指控诽谤《魏书》，参考五五四年三月）。

12 四月二十六日，隋帝杨坚举行祈雨大典。

13 四月二十七日，突厥汗国（瀚海沙漠群）派遣使节，前往隋帝国聘问。

14 隋政府改度支尚书为民部尚书（都是财政部长），改都官尚书（法务部长）为刑部尚书（司法部长）。命国务院左执行长（左仆射）主管文官部（吏部）、内政部（礼部）、国防部（兵部），右执行长（右仆射）主管财政部（民部）、司法部（刑部）、工程部（工部；在以往北朝的北魏帝国及北齐帝国，国务院〔尚书省〕皆置二执行长〔仆射〕及六部；南朝则时而置二执行长及五部、时而置一执行长及六部，执行长分左右时〔左右仆射〕，便自动撤销财政部〔度支〕，以使总理、执行长、部长人数，加起来都是八〔称“八座”〕，如今，隋政府正式确定二执行长的权力范围，不再时分时合）；撤除宫廷膳食部（光禄寺）、皇城保安司令部（卫尉寺）、藩属事务部（鸿胪寺）、水利部（都水台）。

15 五月六日，隋帝国北伐军作战司令（行军总管）李晃，在摩那度口（疑在新疆乌鲁木齐市北）击破突厥汗国军。

16 五月八日，南梁帝国（首都江陵〔湖北省江陵县〕）皇太子萧琮，前往隋帝国京师（首都大兴）朝见，祝贺隋帝国迁都。

17 五月二十四日，隋帝杨坚在方形祭坛上祭祀地神（方坛在新都大兴城北七公里）。

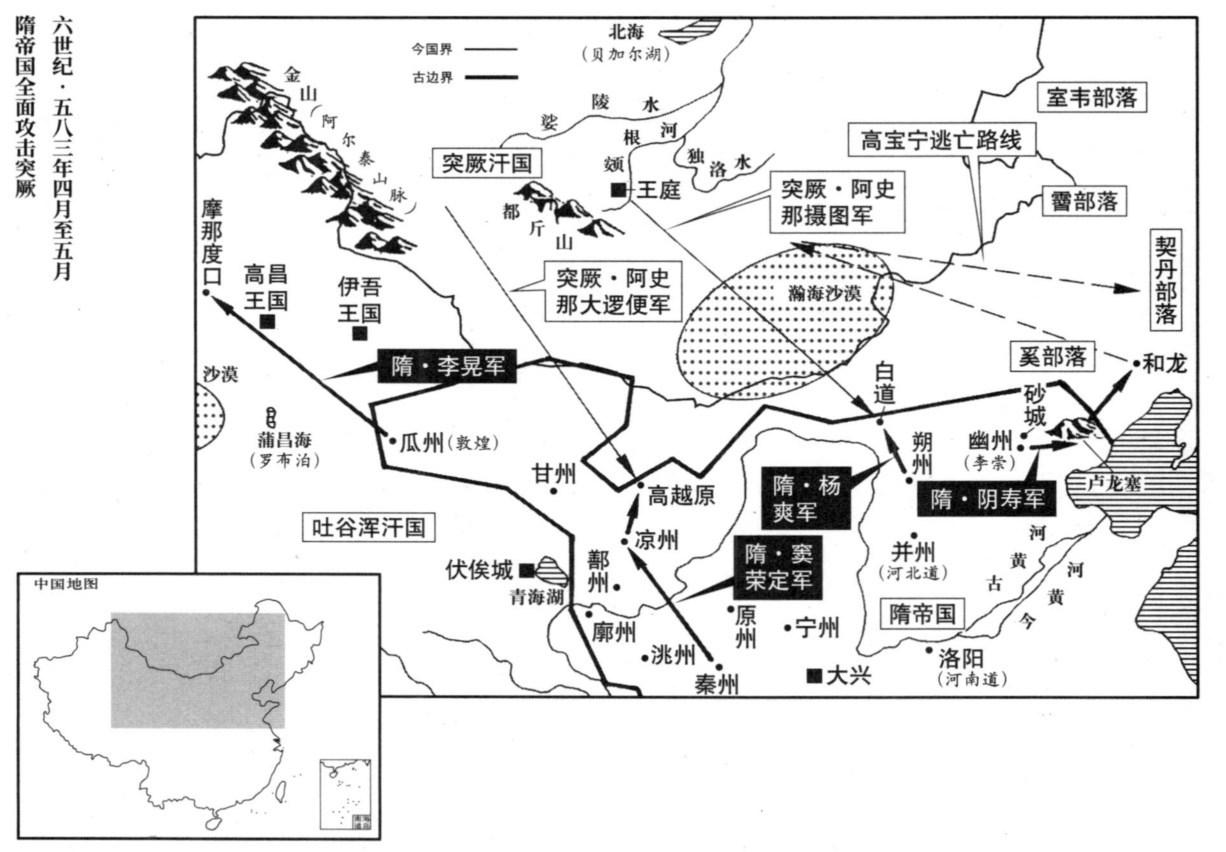

六世纪·五八三年四月至五月
隋帝国全面攻击突厥

北伐军秦州军区（总部设上邽〔甘肃省天水市〕）总司令（秦州总管）窦荣定，率九个作战司令、步骑兵三万人，从凉州（姑臧，甘肃省武威市）出发，前进到高越原（甘肃省民勤县西），跟突厥阿波可汗（小可汗）阿史那大逻便对峙；阿史那大逻便屡屡战败。窦荣定，是窦炽的侄儿（窦炽当时是太傅〔三师之二〕）。

前上大将军（勋官三级，从二品）京兆（首都大兴）人史万岁，因受人牵连，发配敦煌（甘肃省敦煌市）边防军当兵（大将军〔勋官四级，正三品〕尔朱勣被控叛变，处死，口供涉及史万岁），前往窦荣定大营晋见，请求效力。窦荣定曾经听说过史万岁的英名，相见交谈，大为高兴。

五月二十五日，将要会战，窦荣定派人告诉阿史那大逻便说："士卒有什么罪？把他们驱逐到战场送死，我提议两军各派一个勇士，一决胜负。"阿史那大逻便同意，遂派出一位骑士挑战，窦荣定则命史万岁应战。史万岁飞马出营，只一个回合，便砍下突厥骑士的人头而回。突厥军大为震骇，不敢再战，请求和解结盟，率军撤退。

长孙晟当时在窦荣定大营当副元帅，派人警告阿史那大逻便说："阿史那摄图（六任大可汗）每次出军，都大获全胜；你刚刚进入隋帝国领土，就被击败，这可是突厥的奇耻大辱。而且，阿史那摄图与阿史那大逻便，势均力敌。阿史那摄图对外胜利，受到大家推崇；阿史那大逻便出师不利，突厥汗国的光荣全被玷污。阿史那摄图一定乘机归罪于你，完成他长久以来隐藏在内心的阴谋，消灭北方王庭（阿史那大逻便根据地）。请你自己考虑：能不能抵挡？"阿史那大逻便派使节到隋军大营，长孙晟再警告他："阿史那玷厥（达头可汗）跟隋帝国和解，身为大可汗的阿史那摄图，并不能制止；你们可汗（阿史那大逻便）为什么不能归附隋帝国皇帝，联合阿史那玷厥，结成一个强大的反抗集团？这才是万无一失的策略。总比你们可汗（阿史那大逻便）身负丧师辱国重罪，向阿史那摄图投案，被他侮辱宰杀，要好得多！”阿史那大逻便同意，遂派使节随同长孙晟到大兴朝见。

沙钵略可汗阿史那摄图一向嫉妒阿史那大逻便骁勇剽悍；白道（内蒙古呼和浩特市北）之战，阿史那摄图溃败回来，忽然又听到阿史那大逻便跟隋帝国结盟，愤怒得发狂，遂先行撤退，袭击北方王庭，大破北方王庭留守军，诛杀阿史那大逻便的娘亲。阿史那大逻便回来，不知道回向何处，只好向西投奔阿史那玷厥（达头可汗）。阿史那玷厥大怒，积极协助阿史那大逻便重整旗鼓，率军东征，四散逃命的旧部逐渐集结，回归的骑兵将近十万人，遂跟阿史那摄图互相攻击，并不断击败阿史那摄图，最后，终于收复北方王庭故地，军势较从前更加强盛。贪汗可汗（小可汗，名不详）一向跟阿史那大逻便友善，阿史那摄图发动袭击，夺走他的部众，取消他的可汗称号；贪汗可汗逃脱，投奔阿史那玷厥。阿史那摄图的堂弟阿史那地勤察，统率自己的部落，住在别处，二人互相怨恨，阿史那地勤察率领他的部众，归降阿史那大逻便。

突厥汗国内战日益激烈，各可汗都派出使节前往隋帝国首都大兴（陕西省西安市），要求和解，请求支援。隋帝杨坚一概拒绝。

18 六月十四日，隋帝国西征军作战司令（行军总管）梁远，在尔汗山（青海湖以东）击破吐谷浑汗国（青海省）军。

19 突厥汗国攻击隋帝国的幽州（蓟城，北京市），隋帝国幽州军区（总部设蓟城〔北京市〕）总司令（幽州总管）广忠公爵（壮公）李崇，率步骑兵三千人迎战，辗转苦斗十余日，士卒伤亡惨重，无法突出重围，遂入据砂城（北京市北），突厥大军围攻，城墙多数倒塌，无法防守，李崇从早战斗到晚，又缺少粮食；他每夜都派军出去抢劫突厥大营，夺得牛马等家畜，当作军粮；突厥畏惧，戒备更为森严，每夜都高度戒备，防范砍营。李崇士卒饿火中烧，无法忍受，而又不能出城，只要一出城，一定遇到敌人；有一次夜晚突围，几乎死尽，天亮逃回，只剩下一百人左右。守军大都身负重伤，无力再战。突厥汗国立意要李崇投降，派使节对他说："你如果归顺，封你公爵（特勒）。"李崇知道无法逃脱，吩咐部属："我白白损失这么多军队，罪状之大，应死万次。今天当献出性命，报答帝国。你们等我死后，就可投降，以后再散开逃走，竭尽能力回乡。如果见到皇上，请转达我的心意。"说罢，拔出佩刀，单人匹马，直闯突厥阵地，斩杀二人，突厥军万箭齐发，把李崇射死（年四十八岁）。

秋季，七月五日，隋政府任命豫州（汝阳，河南省汝南县）州长、鲜卑人（代人）周摇，继任幽州军区（总部蓟城）总司令（幽州总管）。命李崇的儿子李敏继承公爵。

李敏的妻子，是乐平公主杨丽华（北周四任帝宇文赟的皇后）的女儿宇文娥英。结婚时，杨坚下诏特别准许使用一品高官的仪队，礼仪跟皇帝的女儿出嫁完全一样。不久，杨坚举行宴会，教李敏晋见，杨丽华对李敏说："我把一个帝国交给至尊（杨坚），而我只有你一个女婿，所以希望他命你当柱国（勋官二级，正二品），如果给你别的官，你可不要接受。"等到晋见，杨坚命他当仪同（勋官八级，正五品上），李敏不作声；又命他当开府（勋官六级，正四品上），李敏也不作声。杨坚说："公主（杨丽华）对我的功劳太大，她的女婿，我怎么能吝啬官职，现在命你担任柱国（勋官二级，正二品）。"李敏才叩头谢恩。

20 八月一日，日蚀。

21 陈帝国长沙王陈叔坚还没有前往江州（湓城，江西省九江市）上任，陈帝陈叔宝又把他留下，命他当最高监察长（司空），实际上是夺取他的权柄。

22 八月十六日，隋帝国派国务院左执行长（尚书左仆射）高颎，从宁州（定安，甘肃省宁县）出发；立法院总立法长（内史监）虞庆则，从原州（平高，宁夏固原市）出发，分道攻击突厥汗国（瀚海沙漠群）。

九月十八日，隋帝国大赦。

冬季，十月九日，隋帝国撤销中央驻河南道（黄河以南）特遣政府六部分部（河南道行台省。去年〔五八二〕正月设立）；任命秦王杨俊当秦州军区（总部设上邽〔甘肃省天水市〕）总司令（秦州总管），陇右（陇山以西）各州，统归管辖。

23 十月丁酉日（十月丙寅朔，没有丁酉），陈帝陈叔宝封皇弟陈叔平当湘东王、陈叔敖当临贺王、陈叔宣当阳山王、陈叔穆当西阳王。

十月戊戌日（十月没有戊戌），总监督长（侍中）、建昌侯徐陵逝世（年七十七岁）。

十月癸丑日（十月没有癸丑），续封皇弟陈叔俭当安南王、陈叔澄当南郡王、陈叔兴当沅陵王、陈叔韶当岳山王、陈叔纯当新兴王。

十一月，陈帝国派总顾问长（散骑常侍）周坟、副总顾问长（通直散骑常侍）袁彦，前往隋帝国聘问。陈叔宝听说杨坚相貌不凡，跟普通人不一样，因命袁彦把杨坚的相貌画下来带回。陈叔宝看到，大骇说：“我不希望见到这个人！”命人把画像扔到远处。

24 隋帝国既正式颁布帝国新律（参考前年〔五八一〕十月），邳公爵、最高监督长（纳言）苏威不断要求修改，立法院最高立法长（内史令）李德林反对，说：“当初制定法令时，你为什么不说话？而今刚刚颁布，自应施行一段时间，除非对人民造成大的伤害，不可以不断修改。”

中央驻河南道（黄河以南）特遣政府国防分部部长（行台兵部尚书）杨尚希说：“我发现，现在的郡县，比从前多出两倍。有的地方还不到一百华里，却设有数县；有的地方户口不满一千家，却设有两个郡。官员成群，财力浪费，全都倍增，可是捐税田赋，却每年减低。人民少，官员多；十只羊，竟有九个牧羊的人。我建议从现在开始，保留干练的官吏，罢黜闲员；把小郡小县，加以合并。政府既不再损失粮食绸缎，郡县也比较容易得到贤良的人才（地方政府编制过度膨胀，在北齐帝国时代也同样严重，参考五五六年十一月）。”正巧，苏威请求废除“郡”级政府，杨坚同意。

十二月三十日（隋历；陈历闰十一月三十日），下诏撤销“郡”，保留“州”。

25 十二月二十二日（陈历），隋帝国派兼任副监督长（兼散骑常侍）曹令则、高级监督官（通直散骑常侍，正四品下）魏澹，前往陈帝国聘问。魏澹，是魏收的族弟（魏收著《魏书》，参考五五四年三月）。

26 十二月二十三日，陈帝国最高监察长（司空）、长沙王陈叔坚免职。陈叔坚既失去恩宠，心里惶惶不安，于是谄媚旁门左道，设立祭坛，祭祀日神月神，乞求赐福。有人上疏检举（《南史·陈叔坚传》的记载是：陈叔宝暗中派人做这件事，再暗中命人告发）。陈叔宝召唤陈叔坚，因禁立法院(西省),打算诛杀,先命宦官前往,当面宣布他的罪状。陈叔坚回答说:“我心里并没有其他意思,只不过希望亲近皇上而已。我既违反天意,罪应万死。我死之后,一定看到陈叔陵,愿意宣读诏书,在九泉之下对他斥责。”陈叔宝这才赦免他一死,仅只撤除官职。

27 隋帝杨坚任命上柱国(勋官一级,从一品)窦荣定当右武卫(十二禁军第四军)大将军(正三品)。窦荣定的正妻是杨坚的姐姐安成公主。杨坚打算擢升窦荣定到三公级高位,窦荣定说:“卫家(卫子夫,参考前九一年七月)、霍家(霍光,参考前六六年七月)、梁家(梁冀,参考一五九年八月)、邓家(邓骘,参考一二一年四月),如果能稍稍自我克制,就不至于全族屠灭。”杨坚打消原意。

杨坚因李穆功劳至大(尉迟迥起兵时,如果李穆响应,杨坚必然倾覆,参考五八〇年七月),下诏说:“法律只防备卑劣小人物,不防备正人君子。太师(三师之一)、申公爵李穆,自今以后,即令犯罪,除了叛乱谋反,纵然应处死百次,政府也不受理。”

国务院教育部长(礼部尚书)牛弘,请求兴建皇家大会堂(明堂),杨坚因开国之初,一切草创,没有时间顾及到这种事,不准。

杨坚阅读国务院司法部(刑部,原称“都官”)奏章,发现判决死刑的案件,几乎多到一万,认为法令仍太严厉,所以很多人陷于法网(隋帝国建国时,已作一次大幅修订,参考前年〔五八一〕九月)。于是训令苏威、牛弘等,重新审查,再定新律,于是:废除死罪八十一条,流罪一百五十四条,徒刑、杖刑等一千余条;只五百条,继续保留,共十二卷。从此,刑法简单明了,虽然疏阔,但并没有遗漏。中央更设置法律研究官及遴选法学学生(律博士弟子员)。

杨坚因首都大兴（陕西省西安市）仓库，仍然空虚，本年（五八三），下诏命西自蒲州（蒲阪，山西省永济市）、陕州（陕县，河南省三门峡市），东到卫州（朝歌，河南省淇县东）、汴州（浚仪，河南省开封市），凡有水上运输的十三个州中，招募青年，负责船运（《隋书·食货志》：十三州是蒲州、陕州、虢州〔弘农，河南省灵宝市〕、熊州〔宜阳，河南省宜阳县西〕、伊州〔伏流，河南省嵩县东北〕、洛州〔洛阳〕、郑州〔成皋，河南省荥阳市西北汜水镇〕、怀州〔野王，河南省沁阳市〕、邵州〔亳城，山西省垣曲县东南〕、卫州〔朝歌〕、汴州〔浚仪〕、许州〔颍川，河南省许昌市〕、汝州〔襄城，河南省襄城县〕）。又在卫州（朝歌）设黎阳仓（河南省浚县）、陕州（陕县）设常平仓（三门峡市西）、华州（郑县，陕西省渭南市华州区）设广通仓（陕西省潼关县北。另外，洛州〔洛阳〕设河阳仓〔河南省洛阳市偃师区〕），辗转运输，互相补充。关东（函谷关以东）及汾州（隰川，山西省隰县）、晋州（临汾，山西省临汾市）等地粟米，都用船舶运到首都大兴（陕西省西安市）。

当时，大多数州长（刺史）都由军人担任，很多没有行政能力。诉讼监察官（治书侍御史，从五品下）柳彧上疏，说："从前，刘秀（东汉王朝一任帝）跟二十八位将领，披荆斩棘，平定天下，等到全国统一，大业成功之后，并不使他们担任政府官职（参考三七年四月）。我刚看到：诏书任命上柱国（勋官一级，从一品）和千子当杞州（白马，河南省滑县）州长。和千子前任赵州（广阿，河北省隆尧县）州长时，赵州（广阿）人有歌谣说：'老禾不早割，余种污良田。'和千子的专长是骑马射箭。至于主持政府，治理民众，他就不能了解。如果优待尊崇年老的功臣，满可以赏赐他丰厚的金银绸缎。如果教他当州长推行政令，国家的损失太大。"杨坚认为有理，和千子竟被免职。

柳彧发现杨坚精力全放到听取报告上，而文武百官奏请的事，又都十分琐碎，遂上疏规劝，说："我曾经听说，上古时代圣明的君主，没有人超过伊祁放勋（唐尧）和姚重华（虞舜）。而圣明的意义

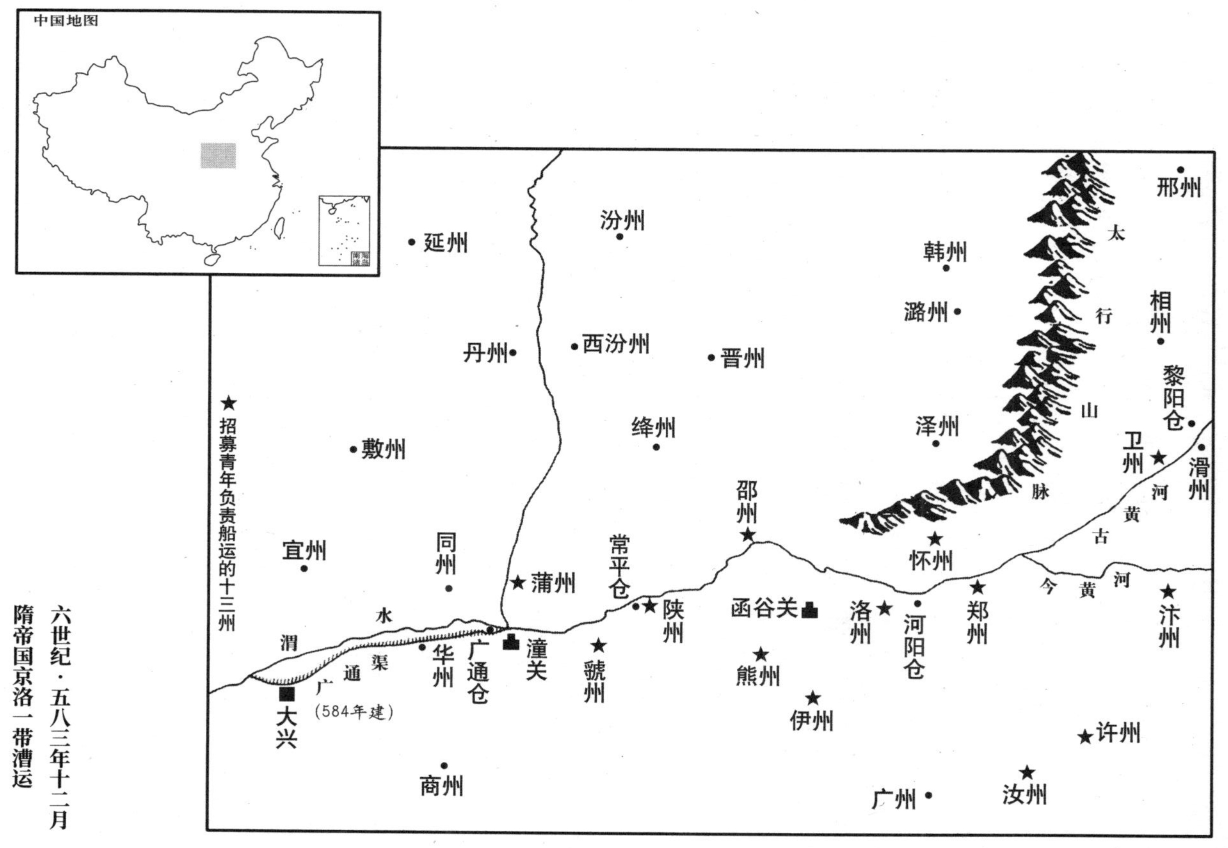

六世纪·五八三年十二月

隋帝国京洛一带漕运

是：不亲自处理繁琐细碎的小事。姚重华有五位重要干部（五臣：姒文命、姬弃、子契、皋陶、姚伯益），伊祁放勋有四位供他咨询的智囊（四岳：天文台长羲和的四个儿子，名不详），二位君王拱手垂袖，什么事都不做，而天下一片升平。访求贤才时辛劳，任用贤才后安逸，正是如此。陛下留心治理国家，固然不在意疲劳；同时也因为官员恐怕多做多错，受到惩处，因而不敢自行决定，一切都请最高当局指示，遂使奏章数量过多。甚至于连盖座房子之类的细小之事，以及接受或颁发一点细小轻微的物品，都要对各有关单位，一一批复。于是，白天办公到日落，忘记吃饭，晚上办公到夜半，忘记睡觉；文武百官动不动就往上签报，劳累皇上。我盼望垂听我的建议，尽量减少繁杂琐务，除非帝国大事，不是臣属可以做主，请求陛下决定外，其他那些细小的事情，都应交给有关单位负责。则陛下圣体健康，寿命无疆，臣属也受到庇护恩典。”杨坚看到，十分嘉许，遂说：“柳彧是正直之士，帝国瑰宝！”

柳彧因近世的风俗，每逢正月十五日夜晚，民间都燃放花灯游戏，上疏请求禁止，说：“我在京师（首都大兴）以及外州外县，都曾经看到，每年正月十五日夜晚，大街小巷挤满人群，呼朋引类，锣鼓喧天，火炬相连，照耀大地，人民往往倾家破产，在这个时候争强斗胜。一家大小，全体出动，不管是贵族或是贫贱平民，男女混杂在一起，和尚道士跟世俗人士无法分辨。奸淫的事情，由此促成；盗贼的案件，也由此发生。这种恶劣风俗，年复一年，没有人提高警觉。燃放花灯之举，对推广儒家学派的教育文化，毫无裨益，对人民的善良风俗及社会安宁，却有伤害，请下诏全国，立即禁止。”杨坚批准。

直到二十世纪末叶，中国农家，正月一日才开始吃肉（假使他有肉可吃），吃到正月十五，正月十六之后，便再无肉。辛苦日子，重新开始，花灯不过可怜的小民在停止吃肉前最后一次的休闲活动，短短一晚，使人忘掉就要再行投入漫长艰苦岁月的明天。可是，柳彧却把它形容成万恶之源。看不得小民的笑容，听不得小民的笑声，这种强制人民每天呆坐在那里猛想圣人的办法，才是真正的万恶之源。道学之成为吃人的礼教，就是因为它扼杀人性的正常发展。长期而过度的压抑，制造出来的全是畸形人，摇摆过市，好不热闹。

五八四年 甲辰

南梁　天保　二十三年
陈　至德　二年
隋　开皇　四年

1 春季，正月一日，日蚀。

2 正月六日，隋帝国（首都大兴〔陕西省西安市〕）皇帝（一任文帝）杨坚（本年四十四岁），前往皇家祖庙，祭祀祖先。

正月八日，再前往首都大兴南郊，祭祀天神。

3 正月九日，南梁帝国（首都江陵〔湖北省江陵县〕）皇帝（八任孝明帝）萧岿（本年四十三岁），前往隋帝国朝见。萧岿头戴通天冠，身穿红纱袍，面向北方，接受隋帝国欢迎使节的慰劳。等到入宫，登大兴殿，隋帝杨坚头戴通天冠，身穿红纱袍，萧岿则改戴远游冠，改穿臣属穿的官服；见面时，两位皇帝同时下拜。杨坚赏赐萧岿绸缎一万匹，其他珍贵的宝物，价值跟绸缎相等。

4 隋帝国前任华州（郑县，陕西省渭南市华州区）州长张宾、仪同三司（勋官八级，正五品上）刘晖等，制订《甲子元历》完成，奏报隋帝杨坚。

正月二十九日，杨坚下诏颁布施行。

5 二月一日，陈帝国（首都建康〔江苏省南京市〕）大赦。

6 二月十三日，隋帝杨坚在灞上（陕西省西安市东灞河畔）为回国的南梁帝萧岿，设宴饯行。

7 突厥汗国苏尼部落（所在地不详）男女一万余人，向隋帝国投降。

8 二月十八日，隋帝杨坚前往陇州（汧阴，陕西省陇县）。

9 突厥汗国（瀚海沙漠群）达头可汗（小可汗）阿史那玷厥，派使节到隋帝国，要求投降（此时阿史那玷厥势力正强，如非记载错误，当是远交近攻，为了牵制大可汗阿史那摄图）。

10 夏季，四月九日，隋帝杨坚，擢升国务院文官部长（吏部尚书）虞庆则当国务院右执行长（右仆射）。

上大将军（勋官三级，从二品）贺娄子干（贺娄，复姓），征调五州武装部队（河西五州：凉州〔姑臧，甘肃省武威市〕、甘州〔永平，甘肃省张掖市〕、瓜州〔鸣沙，甘肃省敦煌市〕、鄯州〔西都，青海省海东市乐都区〕、廓州〔洮河，青海省贵德县〕），进攻吐谷浑汗国（青海省），杀男女一万余人，历时二十天，班师。

陇西（陇山以西）不断受吐谷浑汗国抢夺劫掠，而民间习惯，不建城池村庄。杨坚命贺娄子干发动居民建立城池村庄，鼓励他们耕种农田，积蓄粮食。贺娄子干上疏，说："陇右（陇山以西）、河西（河西走廊）一带，土地广阔，人民稀少，而边境又不断发生战事，所以没有办法推行农耕。最近考察各垦荒屯田处所，发现收获很少，费用却很多，平时浪费人力，最后仍逃不脱被凶暴抢掠践踏的厄运；我建议：偏僻遥远的屯垦区，最好是一律撤销。陇右（陇山以西）居民以畜牧为生，如果强迫他们聚集，改从农业，一定增加他们的不安。我建议只需要使基地之间紧切连接，烽火互相可以看到，人民即令散居各地，也不必忧虑。"杨坚同意。

杨坚因贺娄子干熟悉边疆事务。四月二十六日，任命贺娄子干当榆关军区（总部设榆关〔内蒙古托克托县黄河南岸〕）总司令（榆关总管）。

11 五月，陈帝国擢升国务院文官部长（吏部尚书）江总，当国务院执行长（仆射）。

12 隋帝杨坚，因渭水含沙量太多，激流滚动，河床不稳，忽深忽浅，运粮船只，十分危险艰苦。

六月二十二日，下诏命太子宫总管（太子左庶子，正四品上）宇文恺，率水利工程人员开凿运河，从首都大兴引导渭水，直到潼关（陕西省潼关县），长达三百余华里，名广通渠（广通运河）。从此水势平静，船运畅通，关内（函谷关以西）民生物资，全靠这条运河运输供应。

13 秋季，七月六日，陈帝国派兼任总顾问长（兼散骑常侍）谢泉等，前往隋帝国聘问。

14 八月十三日，隋帝国邓公爵（恭公）窦炽逝世（年七十八岁）。

15 八月二十六日，陈帝国将军夏侯苗，向隋帝国投降；隋帝杨坚因两国邦交仍很和睦，拒不接受。

16 九月十五日，隋帝杨坚，因关中（陕西省中部）饥馑，前往洛阳（河南省洛阳市东白马寺东。减少关中粮食消耗）。

杨坚不喜爱华丽文章，下诏命全国无论公文私函，都要直率叙述，有什么说什么，不可浮华夸张（针对盛行于大分裂时代的四六体骈文而言）。泗州（宿迁，江苏省宿迁市）州长司马幼之，奏疏上所用辞藻，艳丽浮夸，杨坚命交付有关机关定罪惩罚。诉讼监察官（治书侍御史，从五品下）、赵郡（河北省赵县）人李谔，也认为当时流行的文体，轻佻险薄，上疏说："曹魏帝国三曹（曹操、曹丕、曹植），重视文章修辞，忽略当一个君王的主要任务，却去喜爱雕虫小技。部属仿效上位的人，遂成为社会大众的一种风尚。到了江左（长江以南）的齐国（南齐帝国）、梁国（南梁帝国），情形更为严重：文化人所竞争的，不过一个韵脚奇不奇，一个用字巧不巧！长篇大论，所谈的全是月亮露水；满桌满箱，所写的不外风云花朵。世间竟拿文章辞藻，来判断作者品格和能力的高低优劣，而政府也根据这个标准，遴选他们当官。可以换取金钱俸禄的道路，一经开辟，喜爱崇拜的心情，遂更强烈。于是乡村儿童、贵族学子，学校还没有进，六十个甲子如何配数还没有学，就先作五言诗。至于伏羲氏（五氏之三）、姚重华（舜）、姒文命（禹）的典故，伊尹、傅说、姬旦、孔丘的学说，就更不关心，何尝听进耳朵！认为傲慢就是清高，怪诞就是玄虚；把随心所欲当作建立功勋，只读儒家学派经书的知识分子，被指责古怪落伍，而会作诗作赋的人，才是学人专家。以致文章越来越繁多复杂，而政治却一天比一天混乱。原因在于文化人抛弃伟大圣人的轨道、楷模，而把无用的东西，当作有用。现在，政府虽然颁布诏书，可是听说遥远的州和偏僻的县，作风依旧：对仁孝之人，排除在门户之外，不肯录用；对文章华丽，辞藻轻薄的人，却被任命担任官职，甚至保送中央。都由于州长、县长不能深刻了解上级的旨意。请求广泛调查，对于违犯的官员，提出弹劾。”李谔再上疏，说：“高级知识分子自负才能，拼命上爬，谋求进取，已到无耻的地步，请求公布他们的罪状，加以罢黜，惩罚败坏风气规范之徒。”杨坚下诏，把李谔前后奏章，颁发天下州县。

17 突厥汗国（瀚海沙漠群）沙钵略可汗（六任大可汗）阿史那摄图，不断被隋帝国击败，遂向隋帝国请求和解。千金公主也自动请改姓杨，当杨坚的女儿。杨坚派开府仪同三司（勋官六级，正四品上）徐平和，前往突厥汗国聘问，改封千金公主当大义公主。晋王杨广建议趁这个机会发兵突击，杨坚不许。

千金公主宇文女士跟杨坚先生之间，有灭族深仇，竟然委曲求全，认贼作父。杨坚改封她为大义公主，应指的是“大义灭亲”，大义竟如此颠倒，也只有政治上才会出现。千金公主面对这项巨变，我们可体会出她锥心的痛苦。形势比人强，可悲。

阿史那摄图派使节送信给杨坚，信上说：“‘从天生大突厥天下贤圣天子伊利居卢设莫何沙钵略可汗’，致书‘大隋皇帝’：皇帝，你是我妻子的老爹，也就是我的岳父。我是你女儿的丈夫，也等于是你的儿子，两国的风俗习惯虽然不同，但情义却是一样。自今以后，子子孙孙，乃至于万世万代，亲上加亲，永不停止。上天作为见证，直到最后，都不辜负。汗国的羊马，都是天子的牲畜，帝国的绸缎，也是汗国的物品。”

杨坚回信说：“大隋天子致书大突厥沙钵略可汗：接到来信，知道有意和解，敦睦邦交，我既是你妻之父，就把你当作我的儿子一样，当经常派使节前往汗国，探望我女，也探望你。”于是，派国务院右执行长（尚书右仆射）虞庆则，出使突厥汗国，车骑将军长孙晟当副使节。

阿史那摄图在王庭（牙帐，蒙古国哈尔和林市）集结武装部队，炫耀军威，又陈列金银珠宝，展示财富。他自己则高坐帐中，声称有病，不能起身迎接，并且说：“包括我的伯父叔父，我从不向别人叩头。”虞庆则责备他，并且加以解释，阿史那摄图不理。千金公主秘密警告虞庆则说：“阿史那摄图是豺狼性格，跟他过分对抗，他可能吃人！”长孙晟提醒阿史那摄图说：“突厥可汗跟大隋皇帝，都是天子，可汗不起身，我们怎么敢不顺从你的意思。可是皇后

(可贺敦)是大隋皇帝的女儿，可汗是大隋皇帝的女婿，怎么可以不尊敬岳父！”阿史那摄图大笑，对他左右高级官员说：“那倒应该跪拜！”这才起身叩头，跪在那里接受诏书，顶在头上。可是，不久，阿史那摄图大为羞惭，跟部属聚在一起，放声大哭。接着，虞庆则又要阿史那摄图在写信给杨坚时，自己称“臣”，阿史那摄图问左右官员说：“什么是‘臣’？”左右官员说：“中国的‘臣’，就是突厥话‘奴’！”阿史那摄图说：“能当中国的‘奴’，是虞执行长(仆射虞庆则)的功劳！”赠给虞庆则马千匹，并且把堂妹嫁给虞庆则。(忽哭忽笑，忽惭忽傲，阿史那摄图的豪放骠悍和狡狯，活跃纸上。)

18 冬季，十一月四日，隋帝杨坚派兼任副监督长(兼散骑常侍)薛道衡等，前往陈帝国聘问。杨坚指示薛道衡：“你应该了解我的意思，不要在言辞上逞能。”

19 本年(五八四)，陈帝(五任)陈叔宝，在光昭殿前，兴建临春、结绮、望仙三阁，各高数十丈，各有套房数十间；所有门窗、壁带(挂镜线)、椽柱、栏杆、门槛，都用沉香木或檀香木做成，以黄金璧玉装饰，嵌镶珍珠翡翠，外面再悬挂珠帘；室内有宝床、宝帐、衣服玩物；豪华艳丽，近世以来从没有见过。每逢微风乍起，香味随风飘荡，传闻数华里。阁外用石头堆成假山，引水成池，种植各种奇花异草。

陈叔宝住临春阁，贵妃张丽华住结绮阁，龚、孔二贵嫔住望仙阁，三阁之间筑有双线专用车道(复道)来往。又有王、李二美人，张、薛二淑媛，以及袁昭仪、何婕伃、江修容，都受宠爱，轮流到三阁游戏(陈叔宝时代小老婆群编制：贵妃〔一级〕、贵嫔〔二级〕、贵姬〔三级〕，以上称“三夫人”。淑媛〔四级〕、淑仪〔五级〕、淑容〔六级〕、昭华〔七级〕、昭仪〔八级〕、昭容〔九级〕、修华〔十级〕、修仪〔十一级〕、修容〔十二级〕，以上称“九嫔”。倢伃〔十三级〕、容华〔十四级〕、充华〔十五级〕、承徽〔十六级〕、列荣〔十七级〕，以上称“五职”。美人〔十八级〕、才人〔十九级〕、良人〔二十级〕，以上称“散位”）。遴选有文学素养的宫女袁大舍等，命她们当“女学士”。国务院执行长（仆射）江总，虽然居宰相高位，却从不过问政府事务，每天跟国务院法务部长（都官尚书）孔范、总顾问长（散骑常侍）王瑳等文化人十余位，侍奉陈叔宝，在后宫游乐饮宴，厮混一起，不再有上下尊卑的分别；对这些男士，当时称之为“狎客”（供人娱乐的客人）。陈叔宝每次饮酒，就召集得宠的小老婆群、女学士，跟供人娱乐的客人，一同赴宴；吟诗作赋，互相应酬唱和，挑选其中最香艳的几首，谱上新曲，选出宫女一千余人练习，然后演奏，分成若干部，轮流传唱。曲有《玉树后庭花》《临春乐》等，全都是赞扬嫔妃的美丽容貌。君王和臣属，从傍晚饮到天亮，酩酊大醉，认为是一件常事。

20 张贵妃，名丽华，本是一个卑微的军人的女儿，当龚贵妃的婢女，陈叔宝第一次看见她，就惊为天仙化人。张丽华陪陈叔宝上床后，不久生下一个男孩陈深，后来封为太子（参考五八八年六月）。张丽华头发长达七尺（当她站立时，七尺长发，可垂到地面），光泽闪亮，简直像一面明镜，可以照人；反应敏捷，性情聪明，神采焕发，举手投足，无不雍容华贵，双目每一流转顾盼，光彩四射，就像一颗明星，照亮左右。而且张丽华深知人性弱点，用心观察陈叔宝脸色，不断向他引荐别的宫女，不仅陈叔宝对她感激，后宫所有的佳丽，都对她感激，争相赞扬她的美德。张丽华有一种取悦神灵的巫术，常在宫中祭祀一些旁门左道的鬼神，聚集女巫们，在神秘鼓声中跳舞祈祷。陈叔宝沉沦在美女醇酒之中，没有余力再去处理国家大事，政府各单位奏章，都请托宦官蔡脱儿、李善度，代为转呈。陈叔宝则斜靠椅垫，把张丽华抱到怀里，坐在膝盖上，跟她商量讨论，共同裁决。蔡、李不能全部记下那么多，张丽华都为他们一一记下，没有一项遗漏。张丽华遂运用这种情势，探听宫外事务，无论官场民间，说一句话或做一件事，张丽华都能先从她的管道，得到消息，转告陈叔宝；因此，陈叔宝更爱她入骨，张丽华遂在皇宫之中，位居巅峰。宦官以及皇上最亲近的侍从，更跟张丽华结合，内外互通音讯，利用关系，互相推荐亲戚朋友，横行民间；破坏法律，出卖官爵；包揽辞讼，公开贿赂。对文武官员的赏罚，政府不能过问，大权握在深宫。高级重要官员如果拒绝合作，张丽华就在陈叔宝面前，乘机陷害。于是孔、张两大势力（孔贵嫔及张丽华），炙手可热，辐射四方，当权高官无不见风转舵，自动纳入摇尾系统。

国务院法务部长（都官尚书）孔范，跟孔贵嫔结拜兄妹。陈叔宝最讨厌听到自己的过失；每有凶暴行为，孔范一定用尽心机，加以曲解掩盖，甚至化罪恶为圣德，不但认为不应谴责，反而应该赞美（又见一代文妖）。因此，孔范受到特别宠信，他的建议，陈叔宝言听计从。官员中如果有人批评政府，孔范就在他们头上随意罩上一个罪名，斥责贬逐。立法院立法官（中书舍人）施文庆，读了不少儒家学派的经典和史书，当时陈叔宝还是太子时，他就是太子宫的官属，聪明敏捷，博闻强记，对官场运作，十分熟练；处理事务时，心中策划，口授命令，条理分明，一一都合需要，因此也大受陈叔宝的宠信。施文庆又推荐他的好友吴兴郡（浙江省湖州市）人沈客卿、阳惠朗、徐哲、暨慧景等，称道他们有行政能力，陈叔宝都加以任用，命沈客卿当立法院立法官（中书舍人）。沈客卿口才流畅，相当了解政府典故兼掌管金库局（金帛局）职务。原来的制度是：军人及高级知识分子（士人），都免除捐税；陈叔宝大肆修建宫殿台阁，竭力满足视觉和听觉享受，国库掏空，遇到新建土木工程，总是缺少财源。沈客卿建议：不管什么人，一律征收捐税，而旧捐税则加重征收；陈叔宝批准。于是，任命阳惠朗当宫廷库藏部（太府寺）市场管理官（太市令），暨慧景当国务院财政部财务司（金曹）、粮秣司（仓曹）总务官（都令史）。二人本是低级职员出身，办事精细，考核稽查档案账簿，十分详密，分厘无误。可是，不识大体，没有长远规划，只会督促苛责；对搜刮聚敛，永不厌倦；知识分子和普通平民，全都叹息怨恨。沈客卿在上督导，每年税收，比过去多出数十倍，陈叔宝大为欢喜，越发认为施文庆有知人之明，更是亲近倚重，大小各事，没有一件不交给他去办。他的同党再互相引荐，位居高级官位，帽插貂尾、蝉羽的，多达五十人。

孔范自认为文武全才，政府中没有人可以和他相比，曾经在闲散时报告陈叔宝说："部队将领都是当兵出身，抵挡一个敌人的角色而已。深谋远虑，他们怎么知道！"陈叔宝把这话问施文庆，施文庆畏惧孔范，遂认为确实如此；司马申更在旁附和。从此，将领们稍微犯一点错误，中央就立即撤职，把他们的部队，交给文官率领。甚至中央禁军总监（领军将军）任忠的部队（京师禁军），也夺过来配给孔范及蔡徵。于是，文武官员，全部离心，帝国终于覆亡。

五八五年 乙巳

南梁	天保	二十四年
陈	至德	三年
隋	开皇	五年

1 春季，正月一日，日蚀。

2 隋帝国（首都大兴〔陕西省西安市〕）皇帝（一任文帝）杨坚（本年四十五岁），命国务院内政部长（礼部尚书）牛弘，修订五礼仪式（《五礼》：《吉礼》《凶礼》《军礼》《宾礼》《嘉礼》），编纂完成，共一百卷。

正月十一日，杨坚下诏颁布施行。

三月二日，杨坚命国务院左执行长（尚书左仆射）高颎（音jiǒng〔窘〕）当左领军（十二禁军第十一军）大将军（正三品）。

3 陈帝国（首都建康〔江苏省南京市〕）丰州（晋安，福建省福州市）州长章大宝，是章昭达的儿子（章昭达事，参考五七〇年二月），在州长任内贪污凶暴，中央派畜牧部长（太仆卿）李晕前往接任。李晕将要抵达。

三月五日，章大宝袭斩李晕，起兵叛变。

4 隋帝国宰相（大司徒，此是北周时的官名）、郢公爵王谊，跟隋帝杨坚是小时好友（二人幼年同学），他的儿子娶杨坚的女儿兰陵公主（之前还记载准备把兰陵公主嫁给萧玚〔参考五八二年十二月〕，此处又说嫁给王谊的儿子。或许跟萧玚的婚事告吹）。后来，杨坚对王谊的礼遇，稍稍减薄，王谊大为抱怨。于是有人检举他（"有人型"）："自称他的姓名出现神秘预言书，又生有帝王之相。"三公及部长级官员认为王谊触犯"大逆不道"之罪。

夏季，四月十六日（原文误置于三月，据《隋书》改），杨坚命王谊自杀（年四十六岁）。

四月二十二日，杨坚返首都大兴（去年〔五八四〕九月前往洛阳〔河南省洛阳市东白马寺东〕，迄今八个月）。

5 陈帝国叛将章大宝，派部将杨通，攻击建安（福建省建瓯市），不能攻克。而中央军即将到达，章大宝军队溃散；章大宝逃入深山，被追兵擒获，屠灭三族。

6 隋帝国国务院财政部长（度支尚书）长孙平，奏请："应规定农民每年秋季收获之后，缴出粟麦十斗以下，依照贫富，规定应缴数量；储存地方公社，指定专人负责管理，准备应付饥馑之年，定名'义仓'。"杨坚批准。

五月二十九日，下诏各州县设立义仓。当时，民间很多谎报“老”（六十岁以上）“小”（十岁以下），用以逃避田赋、捐税、差役，山东（崤山以东）地区，承袭北齐帝国时代的弊政，户口租税上，奸诈虚伪的记载，尤其众多（北齐帝国的赋税制度，参考五六四年三月）。杨坚命州县政府进行大规模户籍普查，如果户口名簿上记载与事实不符，里长（二十五家为一“里”）、党长（一百家为一“党”）发配边远地区。堂兄弟都要另立门户，别造名册，以防藏匿人口。最后，簿上显示：增加一百六十四万人。高颎建议制定“赋税资料库”，颁发全国州县，一体施行；杨坚批准。从此之后，户籍人口上的弊端，一扫而光。各州物资交流，河南地区（黄河以南）的物资从潼关（陕西省潼关县），河北地区（黄河以北）的物资从蒲州（蒲阪，山西省永济市），分别运往首都大兴（陕西省西安市），粮车日夜不停的在道路上奔波，每年达数月之久。

7 南梁帝国（首都江陵〔湖北省江陵县〕）皇帝（八任孝明帝）萧岿逝世（年四十四岁），绰号孝明皇帝，祭庙称世宗。萧岿孝顺慈爱，勤俭节约，人民生活安定。太子萧琮（年龄不详）继承帝位（九任孝靖帝）。

8 最初，突厥汗国（瀚海沙漠群）阿波可汗（小可汗）阿史那大逻便，跟沙钵略可汗（六任大可汗）阿史那摄图结怨（参考前年〔五八三〕五月），阿史那大逻便逐渐强大，东部超过都斤山（蒙古国杭爱山），西部超过金山（新疆阿尔泰山）；龟兹（新疆库车市）、铁勒（此指在新疆北部的部落）、伊吾（新疆哈密市）以及西域（新疆及中亚东部）各小国，都纷纷归附，称西突厥汗国。隋帝杨坚派上大将军（勋官三级，从二品）元契担任使节，前往安抚。

9 秋季，七月六日，陈帝国派总顾问长（散骑常侍）王话等，前往隋帝国聘问。

10 突厥汗国沙钵略可汗（六任大可汗）阿史那摄图，既被达头可汗（小可汗）阿史那玷厥困住（参考前年〔五八三〕五月），又恐惧契丹部属（辽河上游）突击。于是派使节向隋帝国请求紧急支援，准许他率部族渡过瀚海沙漠，向南迁移，借住白道川（内蒙古呼和浩特市北）。隋帝杨坚同意，命晋王杨广出军接应，供应食物、衣服，又赏赐车辆及乐队。阿史那摄图乘势西上攻击阿史那大逻便，大破阿史那大逻便军。可是，阿拔国（蒙古国东部）却乘突厥汗国王庭（牙帐，蒙古国哈尔和林市）空虚，发动突击，俘虏阿史那摄图的妻子儿女。隋军反攻，击败阿拔国，把所掳获的突厥人口牲畜，全部送还给阿史那摄图。阿史那摄图大喜过望，乃立下誓约，以瀚海沙漠群的南端，作为两国分界，并上疏给杨坚："天上没有两个太阳，地上没有两个君王。大隋皇帝才是真正的皇帝，我怎么敢依靠兵力，据守险要，偷窃君王尊贵的名号！我深受淳朴敦厚的风气感染，因爱慕而向隋帝国归附，已有正常管道。从今屈膝叩头，永为陛下的藩属。"派他的儿子阿史那库合真，到首都大兴（陕西省西安市）朝见。

八月二日，阿史那库合真抵达大兴，杨坚下诏说："沙钵略可汗（阿史那摄图）过去虽跟帝国和解，但仍是两国。今日既是君臣，就成为一家。"因命到郊外祭告天地及皇家祖庙，并把这项荣耀颁布全国皆知。给阿史那摄图的诏书，只称官衔，不称名字。在皇宫内殿，设宴招待阿史那库合真，并引他晋见独孤皇后，赏赐慰劳，十分优厚。阿史那摄图大为高兴，从此，过年过节，对隋帝国的进贡，从不间断。

11 九月，陈帝国将军湛文彻，攻击隋帝国的和州（历阳，安徽省和县），隋帝国仪同三司（勋官八级，正五品上）费宝首，生擒湛文彻。

12 九月二十三日，隋帝国派使节李若等，前往陈帝国聘问。

冬季，十月九日，隋帝国任命上柱国（勋官一级，从一品）杨素，当信州军区（总部设永安城〔重庆市奉节县〕）总司令（信州总管。信州据长江上游，杨坚的目的在使杨素训练水军，建立舰队，作为大规模攻击陈帝国的准备）。

13 最初，陈帝国北地郡（侨郡）人傅绛，当陈帝陈叔宝还是太子时，他在太子宫当侍从官（庶子）。后来陈叔宝登极称帝，傅绛升任皇家图书馆长（秘书监）、首都西区卫戍司令（右卫将军）、兼立法院立法官（兼中书通事舍人），自负才干，意气用事，政府官员中很多人都对他怨恨。施文庆、沈客卿，在陈叔宝面前，异口同声陷害傅绛收受高句骊王国（首都平壤〔朝鲜半岛平壤市〕）使节贿赂的黄金；陈叔宝逮捕傅绛下狱。

傅绛在狱中上疏说："当一个面对人民的君王，应该恭恭敬敬事奉上帝，像爱护儿女一样的爱护人民，克制欲望，远离谄媚奸佞；天还没有亮就披衣起床，太阳已经落山，却忘记吃饭，这样的话，恩德普及全民，福泽留给子孙。陛下最近饮食太多，对美女的贪恋更是过度，不知道虔敬的祭祀天地和皇家祖庙的大神，却去向淫荡昏乱的鬼魂献媚（指张丽华聚集女巫），卑劣小人物留在身旁，宦官和家奴玩弄权威，把忠直之士当作仇寇，把人民生命看作野草。后宫美女所穿的绫罗绸缎，拖到地面，厩房马匹吃的粟米粮秣，有大量剩余，可是贫苦的人民却流离失所，遍地都是饿死的尸体。官员公开收受贿赂，国库公款大量浪费，天神震怒，人民怨恨，干部背叛，亲信离心，我恐怕东南（指陈帝国）王气，从此结束。”

奏章呈上后，陈叔宝暴跳如雷，过了一会，怒气稍稍消失，派使节去监狱对傅縡说：“我打算赦免你，但你能不能改过？”傅縡回答说：“我的心跟我的脸一样，面貌如果可改，心就可改。”陈叔宝怒不可遏，派宦官李善庆追究到底，命傅縡在狱中自杀。

陈叔宝每逢要到郊外祭祀神祇，总是声称有病，不肯前去，所以傅縡在奏章中强调。

14 本年（五八五），南梁帝国（首都江陵）最高统帅（大将军）戚昕，率舰队袭击陈帝国的公安（荆州州政府所在城，湖北省公安县），不能攻克，撤退。

隋帝杨坚召唤南梁帝萧琮的叔父、全国武装部队总司令（太尉）、吴王萧岑，到首都大兴（陕西省西安市）朝见，命他当隋帝国的大将军（勋官四级，正三品），封怀义公爵，把他留住，不放他回国；恢复江陵协防司令部（江陵总管），加强监视（五八二年撤销，参考该年十二月）。

南梁最高统帅（大将军）许世武，秘密勾结陈帝国荆州（公安，湖北省公安县）州长、宜黄侯陈慧纪，准备献出首都江陵投降；阴谋泄漏，萧琮斩许世武。陈慧纪，是陈帝国一任帝（武帝）陈霸先的侄孙。

15 隋帝杨坚，命农林部副部长（司农少卿，正四品上）崔仲方，征发民夫三万人，在夏州（岩绿，陕西省靖边县北白城则村）、灵州（回乐，宁夏灵武市）修筑长城，东到黄河，西到绥州（上县，陕西省绥德县），绵延七百华里，用以遏阻北方匈奴部落（指突厥汗国）南侵（以各地地望，长城所在应是“西到黄河〔灵州〕、东到绥州”才对，灵州与绥州二地航空距离三百五十公里）。

五八六年 丙午

南梁	广运	元年
陈	至德	四年
隋	开皇	六年

1 南梁帝国（首都江陵〔湖北省江陵县〕）改年号广运。

2 正月十三日，党项羌部落（四川省西北部），向隋帝国（首都大兴〔陕西省西安市〕）投降。

3 正月十九日，隋帝国把历法（《甲子元历》，参考前年〔五八四〕正月）颁发给突厥汗国（瀚海沙漠群）。

二月，命州长的高级助理（秘书长〔长史〕、军政官〔司马〕等）每年年底，轮流到京师（首都大兴）朝见，并呈报全州官员考绩。

二月六日，再命崔仲方（参考去年〔五八五〕）征发民夫十五万人，在夏州（岩绿，陕西省靖边县北白城则村）以东，沿边界险要，兴筑数十城。

4 二月十五日，陈帝国（首都建康〔江苏省南京市〕）皇帝（五任）陈叔宝（本年三十四岁），封皇弟陈叔谟当巴东王、陈叔显当临江王、陈叔坦当新会王、陈叔隆当新宁王。

5 二月十九日，隋帝国大赦。

三月八日，洛阳（河南省洛阳市东白马寺东）居民高德，上书隋帝（一任文帝）杨坚（本年四十六岁），建议杨坚当太上皇，而把帝位传给皇太子杨勇。杨坚说："我承受天命，抚育天下，从早到晚，不停的辛苦操劳，仍恐怕治理不好，怎么可以效法近世有些帝王（指高湛、宇文赟），把帝位早早传给儿子，而自己去追求享乐安逸！"

6 夏季，四月十九日，陈帝国派兼任总顾问长（兼散骑常侍）周磻等，前往隋帝国聘问。

五月七日，封皇子陈庄当会稽王。

7 秋季，八月（隋历；陈历闰七月），隋帝国派副监督长（散骑常侍）裴豪等，前往陈帝国聘问。

八月三十日（隋历；陈历闰七月三十日），申公爵（明公）李穆逝世（年七十七岁），政府用特殊尊贵的礼节安葬。

闰八月十九日（隋历；陈历闰八月十九日），太子杨勇镇守洛阳（河南省洛阳市东白马寺东）。

8 隋帝国上柱国（勋官一级，从一品）郕公爵梁士彦，在攻击尉迟迥战役时（参考五八〇年七月），所向无敌，接替尉迟迥当相州（安阳，河南省安阳市）州长。隋帝杨坚对他猜忌，召回首都大兴（陕西省西安市）。另一上柱国（勋官一级，从一品）杞公爵、右领军（十二禁军第十二军）大将军（正三品）宇文忻，跟杨坚从小就是好友，擅长指挥作战，有隆重的威望，杨坚对他也很猜忌，遂找一件小事，谴责宇文忻，顺势免除他的官职。柱国（勋官二级，正二品）舒公爵刘昉，也被杨坚疏远。三人闲居在家，无所事事，心里都有怨恨，经过一段时间来往，遂阴谋发动政变。

宇文忻的策略是，命梁士彦前往蒲州（蒲阪，山西省永济市）聚众起兵，向首都大兴（陕西省西安市）进军，而自己作为内应；梁士彦的外甥裴通参与这项秘密计划，但裴通却暗中向杨坚告密。杨坚不露声色，反而任命梁士彦当晋州（临汾，山西省临汾市）州长，打算试探他的心意，梁士彦果然大为兴奋，对刘昉等说："这是天意！"遂请仪同三司（勋官八级，正五品上）薛摩儿当秘书长（长史），杨坚也批准。不久，梁士彦和其他政府高级官员，一同晋见杨坚，杨坚命左右卫士在官员行列中，逮捕梁士彦、宇文忻、刘昉，加以诘问，开始时都不承认；可是薛摩儿正巧被押解到金銮宝殿，杨坚命他们对质，薛摩儿把来龙去脉，全盘托出，梁士彦面无人色，回头对薛摩儿说："是你杀我！"

闰八月二十八日（隋历；陈历八月二十八日），斩梁士彦（年七十二岁）、宇文忻（年六十四岁）、刘昉（年龄不详），三人的叔父、侄儿、兄弟，免除死刑，仅只剥夺公权，贬作平民。

九月四日，杨坚身穿丧服，亲登射殿，命文武百官射取没收的三家金银财宝，作为鉴戒（三人都是杨坚的老友，又有拥护他当皇帝的大功，所以杨坚身穿丧服，表示痛心）。

冬季，十月二日，杨坚命国务院国防部长（兵部尚书）杨尚希，当国务院内政部长（礼部尚书）。杨坚每天一大早就登殿主持朝会，日过中午，还不疲倦。杨尚希规劝说：“姬昌（周王朝一任王姬发的老爹）因忧心国事，为民勤劳，使岁数减少；而姬发却因心情平安，得以延长年寿（姬昌死时九十七岁，姬发死时九十三岁，杨尚希有误）。愿陛下只掌握大的方向，至于执行细节，不妨交给宰相或有关单位执行；繁琐的小事，最高领袖不应亲自处理。”杨坚很欣赏，但不能听从。

十月六日，在襄州（襄阳，湖北省襄阳市）设中央驻山南道（秦岭以南）特遣政府（山南道行台），命秦王杨俊当特遣政府总执行长（行台尚书令）。杨俊正妻崔女士生下男孩，杨坚大为欢喜，赏赐文武百官。皇家图书院内馆常设管理官（直秘书内省）博陵郡（河北省安平县）人李文博，家庭一向贫寒；有人向他祝贺得到赏赐，李文博说：“国家设立赏罚，是为了反映功劳和过失！王妃生了男孩，文武百官有什么功劳？怎么可以接受赏赐！”听到的人都感惭愧。

9 十月十六日，陈帝国政府擢升国务院执行长（尚书仆射）江总当国务院总理（尚书令），国务院文官部长（吏部尚书）谢伷当国务院执行长（仆射）。

十一月三日，陈帝国大赦。

10 吐谷浑汗国（青海省）可汗（十五任）慕容夸吕，在位长达一百年（事实上只五十二年〔五四〇年至五九一年〕，似应为“寿命长达一百岁”），因为喜怒无常，所以不断罢黜太子，甚至诛杀。最后一位被封太子的儿子（名不详），十分恐惧，打算把老爹慕容夸吕制服，然后向隋帝国

（首都大兴）投降，请求隋帝国边防军将领出军接应；秦州军区（总部设上邽〔甘肃省天水市〕）总司令（秦州总管）河间王杨弘，请求中央批准，隋帝杨坚不同意。而太子的密谋泄漏，被老爹慕容夸吕处死，而再立他的幼子、嵬王慕容诃当太子。叠州（叠川，甘肃省迭部县）州长杜粲建议：乘吐谷浑内乱，出军攻击，杨坚也不同意。

本年（五八六），太子慕容诃又恐惧被杀，密谋率他的直属部落一万五千户，向隋帝国投降；派使节到隋帝国首都大兴（陕西省西安市），请求派兵迎接。杨坚说："吐谷浑贼风贼俗，人伦亲情跟我国全不一样，父亲既不慈爱，儿子也不孝顺。我一向用品德勉励人民，怎么可以帮他完成叛逆恶名？"对使节说："老爹有过失，做儿子的应该婉言规劝，怎么可以暗中用非法手段，身披不孝的恶名！普天之下，都是我的子民，你们每人都做善事，我就会十分喜悦。慕容诃既打算归附，唯一的办法是他要懂得做臣属、做儿子的道理。我不会遥远的派出军队，去助人作恶。"慕容诃才打消原意。

柏杨曰

父亲不断诛杀儿子，儿子一个接一个被诛杀，都想叛想逃，定有内情，必须经过深入探讨，才能了解。就眼前有限的资料评估，慕容夸吕可能是一个不可理喻的粗暴老汉。杨坚既不救陷阱中的羔羊，又不制止食子的豺狼，只一味要羔羊更加驯服，何以颟顸到这种地步？唯一的解释是：他所以强力推销父尊子卑观念，实质上跟君尊臣卑观念，互辅互成。杨坚既是"父"，又是"君"，尊卑分明所带来的利益，可是双料丰收，滴水不漏。至于别人心胆俱裂的恐惧，人伦大变的悲惨，他一点都不在意，他所在意的只有他从他坚持推广的这个美德中，是不是可以得到好处！

五八七年 丁未

南梁	广运	二年
陈	至德	五年
	祯明	元年
隋	开皇	七年

1 春季，正月三日，陈帝国（首都建康〔江苏省南京市〕）大赦，改年号（之前是至德五年，之后是祯明元年）。

2 正月十八日，隋帝国（首都大兴〔陕西省西安市〕）皇帝（一任文帝）杨坚（本年四十七岁），前往皇家祖庙，祭祀祖先。

正月二十日，中央命各州每年向中央推荐三位有品德的知识分子（贡士）。

二月十二日，杨坚前往首都大兴(陕西省西安市)东郊，祭祀太阳神。

3 陈帝国政府派兼任总顾问长(兼散骑常侍)王亨等，前往隋帝国聘问。

4 隋帝国征发民夫十万余人，修筑长城，二十天完工。

夏季，四月，在扬州(广陵，江苏省扬州市。此时应称吴州)开凿山阳运河(邗沟)，用以加强长江、淮河间运输。

5 突厥汗国(瀚海沙漠群)沙钵略可汗(六任大可汗)阿史那摄图，派他的儿子到隋帝国进贡，顺便请求隋帝杨坚准许突厥部落可以在恒州(故北魏帝国恒州，山西省大同市)、代州(广武，山西省代县)一带狩猎。杨坚允许，仍然派人赏赐他美酒饮食，阿史那摄图率部落叩头领受。

不久，阿史那摄图逝世，杨坚停止朝会三天，表示哀悼，并派祭祀部长(太常)前往祭奠。

最初，阿史那摄图因自己的儿子阿史那雍虞闾懦弱，遗嘱命他的老弟、亲王(叶护)阿史那处罗侯，接任可汗。阿史那雍虞闾派使节前往迎接阿史那处罗侯，准备拥护他登位，阿史那处罗侯说：“我们突厥汗国，自木杆可汗(三任大可汗阿史那俟斤)以来，宝座传递，都由老弟继承。庶子夺取嫡子应得的基业，失去祖先立法的原意，使领导阶层相互之间不肯敬畏(指阿史那大逻便诟骂阿史那菴逻，又跟阿史那摄图对抗等)。你应该登上大位，你虽是侄儿，我不怕向你叩头。”阿史那雍虞闾说：“叔父跟我的老爹，同一个根，连成一体，而我只是枝叶，怎么可以使根部反过来听枝叶的话，使叔父委屈在年幼晚辈之下！而且，老爹临终遗言，怎么可以废除，请叔父不要犹豫！”使节来往五六次，阿史那处罗侯才终于继承宝座，称莫何可汗（七任大可汗）；而任命阿史那雍虞闾当亲王，派使节把奏章呈送隋帝国中央政府，报告经过情况。

隋政府派车骑将军长孙晟，“持节”，前往突厥汗国布达人事命令，加封阿史那处罗侯当突厥大可汗，赏赐他鼓队旌旗。阿史那处罗侯勇敢而又有谋略，把隋帝国赐下的鼓队和旌旗，高举大军之前，向西攻击阿波可汗（小可汗）阿史那大逻便。阿史那大逻便的部众认为隋帝国军队已经参战，军心瓦解，都望风投降，于是生擒阿史那大逻便。

阿史那处罗侯上疏杨坚，请示对阿史那大逻便应如何处置。杨坚命高阶层官员讨论，乐安公爵元谐建议原地斩首示众，武阳公爵李充建议押解首都大兴（陕西省西安市），公开处死。杨坚问长孙晟说：“你认为如何？”长孙晟说：“如果他是突厥的大可汗，背叛我们，当然应用刑罚制裁。可是，现在是他们自家兄弟互相屠杀，阿史那大逻便并不曾辜负隋帝国。如果趁他正处困境，就把他诛杀，不是招抚远方人士的办法，不如使敌对的两方，同时并存。”国务院左执行长（左仆射）高颎说：“骨肉手足，互相残害，严重伤害儒家教化。应该留下阿史那大逻便一条命，表示中国待人宽厚。”杨坚同意。

6 五月一日，隋帝国派兼任副监督长（兼散骑常侍）杨同等，前往陈帝国聘问。

7 五月二日，日蚀。

8 秋季，七月十六日，隋帝国卫王（昭王）杨爽逝世。

9 八月，隋帝杨坚，征召南梁帝国（首都江陵〔湖北省江陵县〕）皇帝（九任孝靖帝）萧琮，到首都大兴（陕西省西安市）朝见。萧琮率他的文武官员二百余人，从江陵出发。

八月十八日，萧琮抵达大兴。

杨坚认为萧琮远在国外，派武乡公爵崔弘度，率军进入江陵，加强防务，挺进到鄀州（乐乡，湖北省钟祥市西北），萧琮的叔父、太傅（上三公之二）安平王萧岩，老弟、荆州（江陵）州长、义兴王萧瓛等，恐怕崔弘度袭击。

八月二十三日，萧岩等派国务院司法部长（都官尚书）沈君公，晋见陈帝国（首都建康）荆州（公安，湖北省公安县）州长、宜黄侯陈慧纪，请求归附。

九月十八日，陈慧纪率军抵达江陵城下。

九月十九日，萧岩等率领文武官员及男女居民十万人，逃入陈帝国。

杨坚听到消息，下诏废除南梁帝国，派国务院左执行长（尚书左仆射）高颎，南下安抚仍留下来的居民。对七任帝（宣帝）萧詧、八任帝（孝明帝）萧岿的坟墓，各拨付十户人家，负责维护。任命萧琮当上柱国（勋官一级，从一品），封莒公爵。（南梁帝国自四任帝萧绎死后，苟延残喘三十三年，至此覆灭，共立国八十六年〔五〇二至五八七〕。）

10 九月二十二日，陈帝国大赦。

11 冬季，十月，隋帝杨坚，前往同州（武乡，陕西省大荔县）。

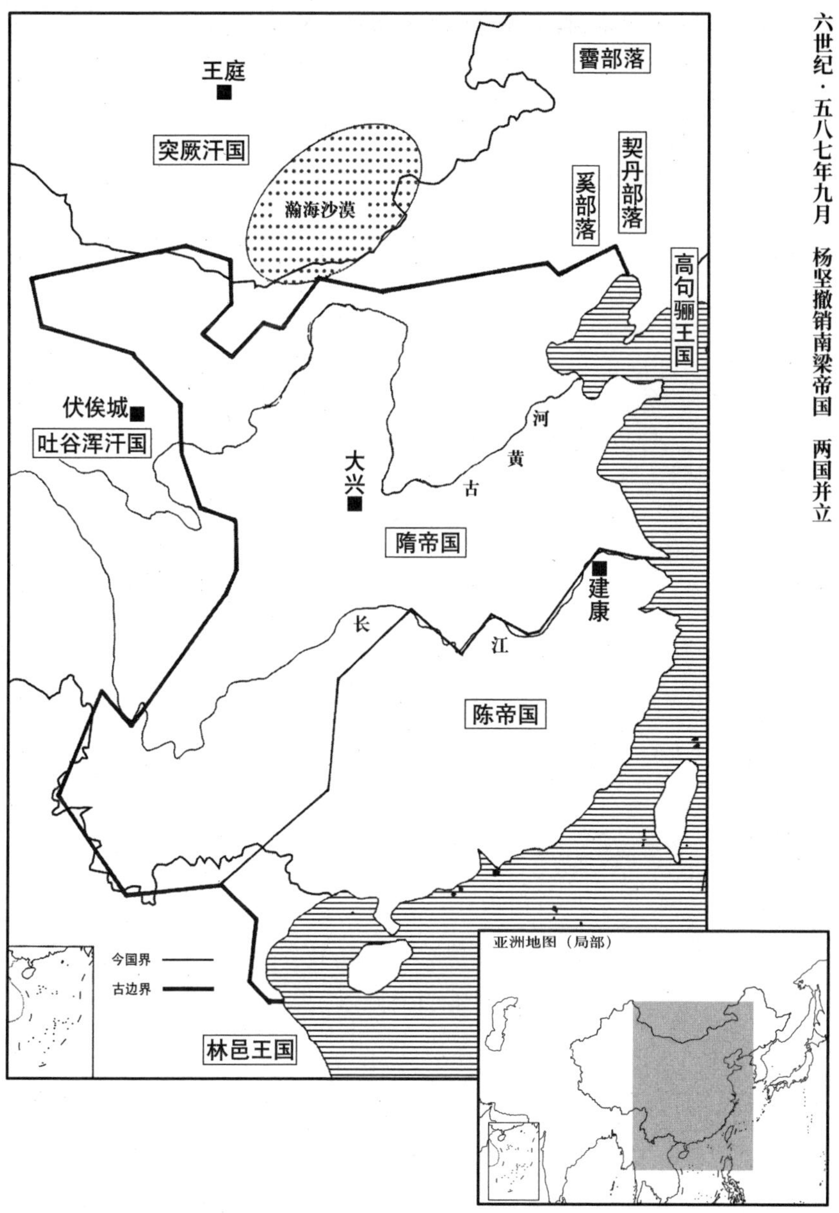

六世纪·五八七年九月 杨坚撤销南梁帝国 两国并立

十月二十二日，杨坚前往蒲州（蒲阪，山西省永济市）。

12 十一月五日，陈政府任命萧岩当开府仪同三司（宰相级）、东扬州（会稽，浙江省绍兴市）州长；萧瓛当吴州（吴县，江苏省苏州市）州长。

十一月十六日，任命豫章王陈叔英兼任宰相（兼司徒）。

13 十一月二十三日，隋帝杨坚，前往冯翊（同州州政府所在城。过去都称"同州"，因不久隋帝国以郡代州〔参考六〇七年四月〕，史书便以郡名记载），亲自到土地庙祭拜（杨坚生于冯翊）。

十一月二十七日，杨坚返首都大兴（陕西省西安市）。

杨坚此行，立法院最高立法长（内史令）李德林，因病不能随从，杨坚到同州（武乡，陕西省大荔县）后，下诏命他前来，跟他讨论消灭陈帝国（首都建康）的计划。归途中，杨坚在马背上举起马鞭，指着南山（秦岭），对李德林承诺说："等到消灭陈国（陈帝国）那天，我要用七种珍宝装扮你，使南山（秦岭）以东的人，没有人能比你更富贵！"

最初，杨坚自从颠覆北周帝国政权以来，跟陈帝国相处，十分和睦，每次擒获陈帝国的间谍，都发给他们衣服、马匹，很礼貌的释放回国；可是，陈帝国四任帝陈顼，并不认真的禁止侵扰劫掠。所以八〇年代初期，隋帝国曾发动反击，正巧陈顼逝世，杨坚下令班师（参考五八二年正月），并派使节前往祭悼，信上自称"杨坚"，下写"叩头"。陈帝国新登极的皇帝（五任）陈叔宝，越发忘了他是谁，在回信结尾时说："想你治理国家，都能如意，天地之间，清静安泰。"杨坚看到，大不高兴，命文武官员传阅。上柱国（勋官一级，从一品）杨素认为君王受到侮辱，臣属应该一死，叩头请求处罚。

杨坚再向高颎询问消灭陈帝国的方略，高颎回答说："长江以

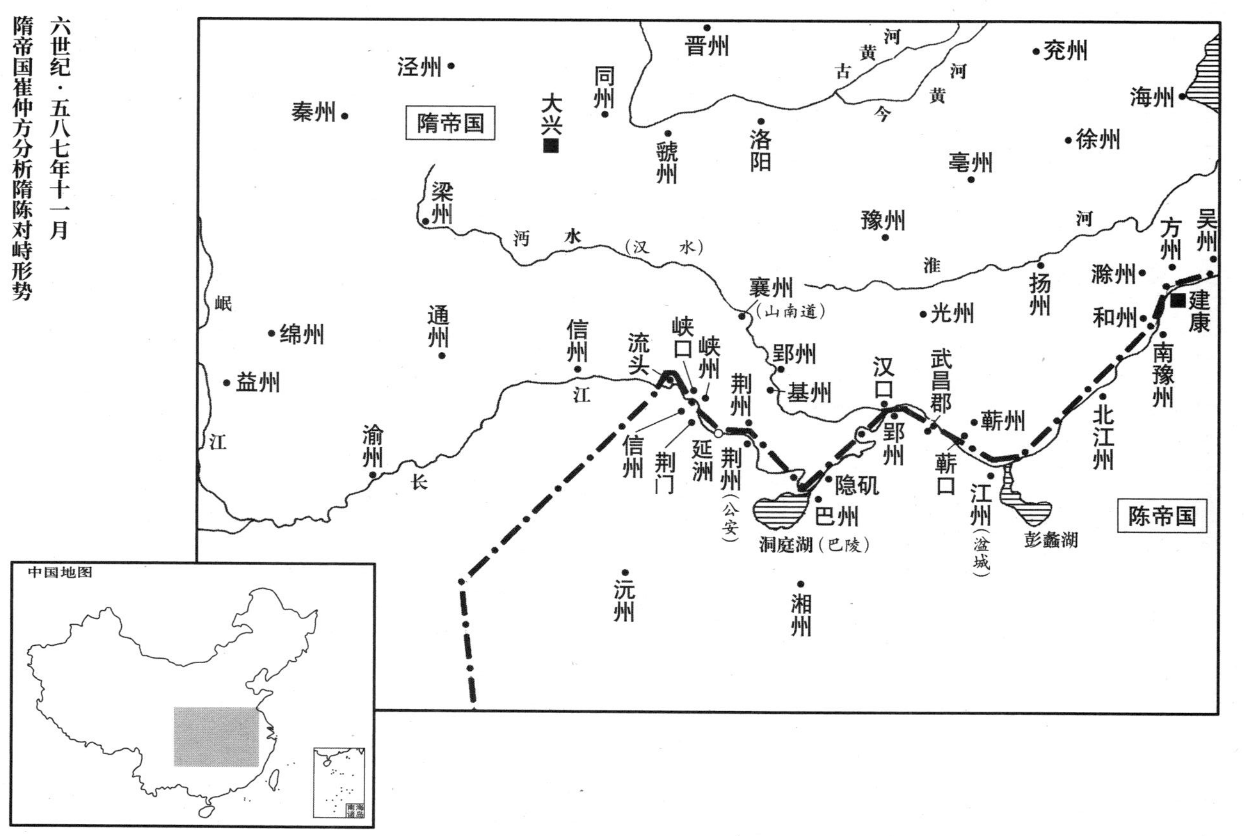

六世纪·五八七年十一月
隋帝国崔仲方分析隋陈对峙形势

北气候较凉，田地收割时间较晚；长江以南气候较暖，水稻成熟较早。就在他们将要收割的时候，我们却作小规模的动员，集结兵马，声称袭击，他们沿边各基地渡口，一定集结军队，严密戒备，这就足够他们耽误收割，使水稻腐烂田中。等他们增援妥当，我们即行复员。如此再三再四，他们就会认为我们不过虚张声势，故意使他们筋疲力尽。最后我们真的集结大军时，他们决不肯马上相信，犹豫不定之际，我们已渡过长江，登陆作战，士气高过平日（背水作战，有进无退）。同时，长江以南地下水距地面很近，不能挖掘地窖，敌人所有军用储备物资，都在地上，而房屋又都由竹子茅草筑成。我们如果派出间谍，利用风势放火，等他们修复之后，再去放火，用不了几年，民间粮食以及其他资源，都被烧光。”杨坚批准两大行动，于是，陈帝国开始受困。

隋帝国高级官员已看出杨坚意图，杨素、贺若弼，及光州（光城，河南省光山县）州长高劢、虢州（弘农，河南省灵宝市）州长崔仲方，争相呈献征服陈帝国的策略。崔仲方上疏说：“而今，只须要在武昌（湖北省鄂州市）以东——蕲州（蕲春，湖北省蕲春县）、和州（历阳，安徽省和县）、滁州（新昌，安徽省滁州市）、方州（六合，江苏省南京市六合区）、吴州（广陵，江苏省扬州市）、海州（朐山，江苏省连云港市）等州，加派精锐部队，秘密准备渡江。而另在益州（成都，四川省成都市）、信州（永安，重庆市奉节县）、襄州（襄阳，湖北省襄阳市）、荆州（江陵，湖北省江陵县）、基州（丰乡，湖北省荆门市东南）、郢州（长寿，湖北省钟祥市）等州，加速制造船舰，多方面准备，充实水上战斗武器。蜀江（此指长江上游）、汉水，是陈国（陈帝国）的上游，水路要冲，军事上必争之地。贼寇（陈帝国）虽然用舰队封锁流头（湖北省宜昌市西北）、荆门（湖北省宜都市西北长江南岸）、延洲（湖北省枝江市长江中小岛）、公安（陈荆州，湖北省公安县）、巴陵（陈巴州，湖南省岳阳市）、隐矶（岳阳市东北)、夏首(夏口，湖北省武汉市)、蕲口(湖北省蕲春县西)、湓城(陈江州，江西省九江市)，但都易击破，水上胜负，当分别在峡口(西陵峡口，宜昌市西)及汉口(湖北省武汉市长江江面)决战。贼寇(陈帝国)发现长江上游情况紧急，如果派精锐部队西上增援，我们驻防长江下游的将领，就可以抓住机会，横渡长江；他们如果不西上增援，留下军队保护自己，那么，我们驻防长江上游的各军，就可以乘风破浪，擂动战鼓，顺流而下。届时，他们九江、五湖的险要虽然依旧，但缺少能力，无法固守。纵有三吴(太湖流域及钱塘江流域)、百越(广东及广西)的强大部队，也因为对人无恩，而不能自立。”杨坚命崔仲方当基州(丰乡，湖北省荆门市东南)州长。

后来，陈帝国接受萧岩等投降，杨坚越发痛恨愤怒，对高颎说：“我当人民的父母，怎么可以因为隔着一条衣带宽的长江，而不前往拯救？”下令大量建造巨舰。有人请求保守秘密，杨坚说：“我公开执行上天发动的诛杀，有什么秘密可言？”命把造舰时削下的木屑，全部投入长江，任它顺水流下，说：“如果他们因恐惧而能改过，我还有什么要求！”

中国人一旦做了官，有了一点权，则急急于当小民父母的观念，就油然而生。有此一念，小民注定的永远是一群未成年的儿童，“君王”“领袖”之类，有神圣的义务，为小民厘定行为规范：什么事可做，什么事不可做！什么书可读，什么书不可读！什么观念可有，什么观念不可有！什么梦可梦，什么梦不可梦！于是，小民需要领导，儿童需要管教，有权大爷成了小民的老爹，遂乐不可支，认为这种政治制度，才是天下第一好的政治制度。

信州（永安，重庆市奉节县）州长杨素驻扎永安（信州州政府所在城），建造超级战舰五牙号，甲板上有五层楼，高一百余尺，左右前后，共设六个巨型的攻击捣竿（捣毁敌舰之用），每个捣竿举起，高达五十尺；战舰容纳战士八百人。次超级战舰黄龙号，容纳战士一百人。其他，还有平乘级、舴艋级；依照等次，顺序下水。

晋州（临汾，山西省临汾市）州长皇甫绩，将要前往到差，向杨坚叩头分析陈帝国一定覆亡的理由有三，杨坚询问是哪三项，皇甫绩说："一、以大吞小。二、以圣贤之君，讨伐昏暴之君。三、他们庇护叛乱犯萧岩，给我们一个很好的借口。陛下如果遴选将领，出动大军，我愿尽我微薄力量。"杨坚嘉勉他，命他上任。

14 当时，陈帝国不断发生神秘难测的怪事，长久淤塞的临平湖（在浙江省杭州市西北），湖水忽然满盈（父老相传："此湖塞，天下乱；此湖开，天下平。"东吴帝国覆亡前夕，临平湖水也曾满盈。参考二七六年七月），陈帝（五任）陈叔宝（本年三十五岁）十分厌恶，于是自称奴隶，卖给佛教寺庙，希望化解鬼神的诅咒。又在首都建康（江苏省南京市）兴筑大皇寺，另建七层佛塔；还没有完工，佛塔内部冒出火焰，整个烧掉。

吴兴郡（浙江省湖州市）人章华，喜爱求学，非常会写文章。政府官员们因他没有高贵门第，出身平民，所以争着对他排斥，说他的坏话；章华被任命当宫廷库藏部市场管理官（太市令），由于官职卑微，而又学非所用，心头忧闷，于是上疏陈叔宝，直言规劝，主要意思是：

“自从高祖（一任帝陈霸先）南方平定百越（指萧勃，参考五五七年三月），北方诛杀叛逆蛮虏（指侯景，参考五五二年四月；以及抵抗北齐南伐大军，参考五五六年六月）；世祖（二任帝陈蒨）东方削平吴会（太湖流域及钱塘江流域；指杜龛、张彪，参考五五六年正月及二月），西方击破王琳（参考五六〇年二月）；高宗（四任帝陈頊）克复淮南（淮河以南），开辟疆土一千华里（参考五七三年三月至十二月）；三位皇帝的功劳，已竭尽全力。陛下登极，迄今五年，从没有想到祖先创业艰难，也从不知道天命可畏，甘受亲信家奴弄臣的摆布、迷惑于美酒女色。不肯去皇家祖庙祭祀祖先。可是，晋封三位妃妾的时候，却有时间亲自登台（三位妃妾：龚、孔、张），年高德劭的元老，和武功烜赫的老将，都抛弃到原野草莽之中，而摇尾分子及鲨鱼群却擢升到政府任职。而今，帝国疆域一天天缩小，隋国（隋帝国）大军已紧压边界。陛下如果不能大彻大悟，我可以预言：麋鹿将遨游姑苏（伍子胥警告吴夫差语）。”

陈叔宝大怒，当天，斩章华。

五八八年 戊申

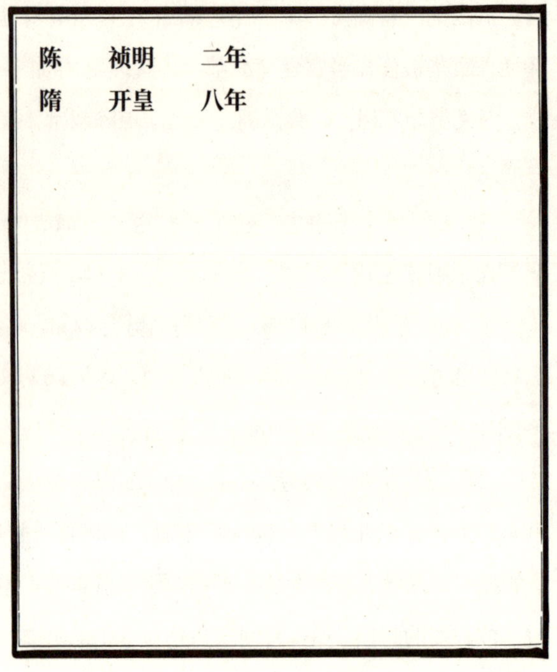

陈　祯明　二年
隋　开皇　八年

1 春季，正月十一日，陈帝国（首都建康〔江苏省南京市〕）皇帝（五任）陈叔宝（本年三十六岁），封皇子陈恮当东阳王、陈恬当钱塘王。

派总顾问长（散骑常侍）袁雅等，前往隋帝国聘问；又派另一总顾问长（散骑常侍）、九江（江西省九江市）人周罗睺（顾问院〔集书省〕设四位总顾问长〔散骑常侍〕），率军驻防峡口（西陵峡口，湖北省宜昌市西），侵略隋帝国的峡州（夷陵，湖北省宜昌市西北）。

2 三月五日，隋帝国（首都大兴〔陕西省西安市〕）皇帝（一任文帝）

杨坚（本年四十八岁），派兼任副监督长（兼散骑常侍）程尚贤等，前往陈帝国聘问。

三月九日，杨坚下诏通告天下，将对陈帝国发动军事总攻，说：“陈叔宝盘踞的不过巴掌般土地，可是他欲望之大，却像山谷深沟。全国大街小巷，都被他搜刮一空；无论中央地方，驱使人民不停的劳役；用尽各种手段，挥霍金银，把白昼当成夜晚。诛杀说实话的知识分子（如傅縡、章华），屠灭无罪者的全家。作恶多端，企图上欺苍天，乞求保佑，只靠祭祀鬼神。为了供应后宫庞大消耗，不惜出动军警；为了赢得美女欢心，甚至净街戒严。自古以来，头脑昏乱的君王，很少能跟陈叔宝相比。正人君子纷纷逃走，卑劣小人物则个个高官。天上有异，地下降灾，物生怪，人变妖。知识分子闭口，道路行人仅敢用眼睛示意。尤其是，陈叔宝背叛恩德，违背誓约，扰乱边疆。他个人则白天潜伏，夜晚却出来游荡，简直跟小偷、强盗一样。上天覆盖下的人民，都是我的臣属，每次听到消息，心中都感伤恻隐。现在，我下令出动大军，随机应变，诛杀铲除。只这一次战役，就要使吴越（陈帝国疆土）永远肃清。”又向陈帝国下达诏书，指责陈叔宝大罪二十条，缮写副本三十万张，运到江南（长江以南）散发。

陈叔宝的太子陈胤，聪明敏捷，喜爱文学，但是不断犯错。太子宫总管（詹事）袁宪恳切规劝，陈胤全不接受。当时，皇后沈婺华已失去皇帝宠爱，近身侍从常去太子宫，陈胤也常派人到嫡母那里，老爹陈叔宝疑心他一定怨恨，所以十分厌恶。而张丽华和孔贵妃，又日夜在陈叔宝耳边，说陈胤母子的坏话，国务院法务部长（都官尚书）孔范摇尾系统，又在外面下手帮助。陈叔宝遂打算封张丽华生的儿子、始安王陈深当帝位合法继承人，曾在安闲时向高阶层官员透露这项愿望。国务院文官部长（吏部尚书）蔡徵，顺着陈叔宝的旨意，极力赞成。只袁宪厉声反对，说：“皇太子是国家的储君，亿兆人民归心，你是什么东西，怎么敢轻易主张废立？”但陈叔宝仍是接受蔡徵的建议。

夏季，六月三日（原文误置于五月，据《陈书》改），罢黜太子陈胤，改封吴兴王；封京畿总卫戍司令（扬州刺史）始安王陈深当太子。蔡徵，是蔡景历的儿子（蔡景历事，参考五七七年十月）。陈深很聪明敏捷，而且有志气操守，举止庄重，即令左右侍卫，都看不出他的喜怒（陈深本年不过十四岁，竟有这种早熟的“小大人”形象，使人喷饭）。陈叔宝听说袁宪曾经规劝过陈胤，即任命袁宪当国务院执行长（尚书仆射）。

陈叔宝待他的正妻沈婺华皇后，一向冷淡，贵妃张丽华把后宫完全置于控制之下，沈婺华没有愤愤不平的反应，既不嫉妒，也不怨恨；而身上穿的和住处布置，都十分节约，没有华丽的衣服和锦绣装饰，平常只阅读儒家学派的经书、史书，以及佛教经典，不断写奏章给陈叔宝，提出很多劝告。陈叔宝计划罢黜她而另封张丽华当皇后；正巧帝国覆亡（参考明年〔五八九〕二月），遂没有实现。

冬季，十月三日，封皇子陈蕃当吴郡王。

3 十月二十三日，隋帝国在寿春（扬州，安徽省寿县）设中央驻淮南道（淮河以南）特遣政府（淮南行省），命晋王杨广当总执行长（尚书令）。

4 陈帝国派兼任总顾问长（兼散骑常侍）王琬、兼任副总顾问长（兼通直散骑常侍）许善心，前往隋帝国聘问。隋政府招待他们下榻外交宾馆。王琬等屡次请求回国，隋政府不准。

5 十月二十八日，隋帝杨坚因各地动员完成，前往皇家祖庙，向祖先焚香禀告。命晋王杨广、秦王杨俊、清河公爵杨素，都当大军元帅。杨广自六合（方州，江苏省南京市六合区）出发，杨俊自襄阳（襄州，湖北省襄阳市）出发，杨素自永安（信州，重庆市奉节县）出发，荆州（江陵，湖北省江陵县）州长刘仁恩自江陵出发，蕲州（蕲春，湖北省蕲春县）州长王世积自蕲春出发，庐州军区（总部设合肥〔安徽省合肥市〕）总司令（庐州总管）韩擒虎自庐江（安徽省庐江县）出发，吴州军区（总部设广陵〔江苏省扬州市〕）总司令（吴州总管）贺若弼自广陵出发，青州军区（总部设东阳〔山东省青州市〕）总司令（青州总管）弘农（河南省灵宝市）人燕荣，自东海出发（率舰队渡东海南下）。计出动作战司令（总管）九十人、士卒五十一万八千人，都受晋王杨广指挥。东接东海（海州，江苏省连云港市），西接巴蜀（四川省），旌旗联接，船舰相衔，横亘数千华里。杨坚命国务院左执行长（左仆射）高颎，当晋王杨广大军元帅府秘书长（晋王元帅长史），右执行长（右仆射）王韶当军政官（司马），军中一切事务，都由二人裁决；所有处分调配，没有一点阻碍。

十一月二日，杨坚亲自为出征将士饯行。

十一月十日，杨坚抵达定城（陕西省潼关县姐妹城），检阅远征大军，告诫全体士卒。

6 十一月十一日，陈帝国封皇弟陈叔荣当新昌王、陈叔匡当太原王。

7 隋帝杨坚，前往河东（蒲州，山西省永济市）。

十二月五日，杨坚返首都大兴（陕西省西安市）。

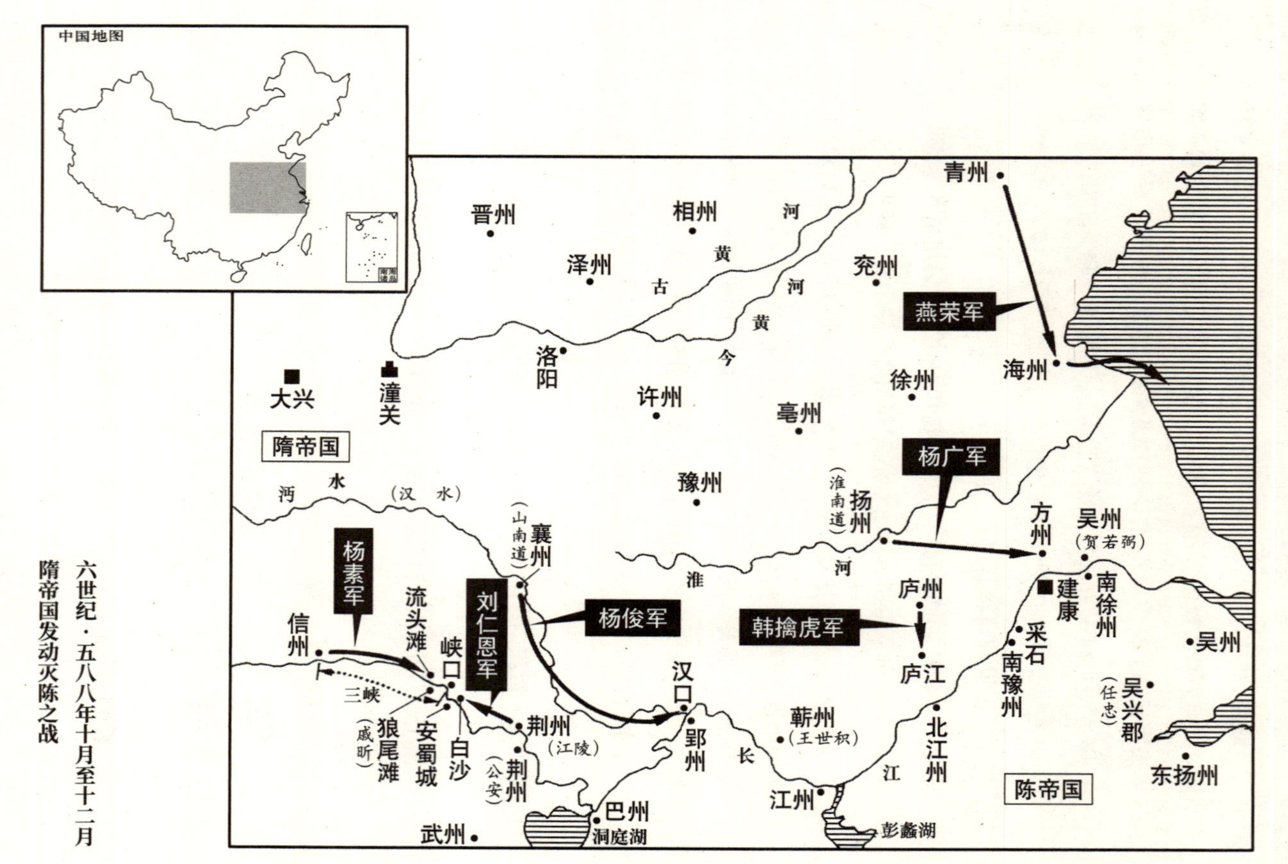

六世纪·五八八年十月至十二月
隋帝国发动灭陈之战

8 突厥汗国（瀚海沙漠群）莫何可汗（七任大可汗）阿史那处罗侯，西上攻击邻国，身中流箭，逝世。汗国贵族拥护阿史那雍虞闾继位，称颉伽施多那都蓝可汗（八任大可汗）。

9 隋帝国大军（东路，晋王杨广）抵达长江，总部秘书长（长史）高颎，问中央特遣政府文官分部考选司长（行台吏部侍郎〔原文“郎中”误〕，视正六品）薛道衡说：“这一次大规模用兵，江东（陈帝国）是不是可以攻克？”薛道衡说：“一定攻克，我曾看过郭璞（参考三二一年三月）的遗著：‘江东（江苏省南部太湖流域）分裂三百年，当跟中原复合。’现在时候已到（三一七年三月，晋帝国琅邪王司马睿在建康〔江苏省南京市〕继承国家元首，迄今二百七十二年），这是一。我们皇上（杨坚）敬业勤俭，为国辛劳，陈叔宝却荒乱淫逸，骄傲奢侈，这是二。国家安危，全看宰相，他们的宰相江总，只知道吟诗饮酒，在平民中选拔卑劣的小人物施文庆，把政府交给他处理；至于大将萧摩诃、任忠，不过两个有勇无谋的匹夫，这是三。我们政治清明，国力巨大，他们政府腐败，国力弱小，估计他们的武装部队，不过十万人。西自巫峡（重庆市巫山县东），东到大海（东海），兵力分散则力量单薄；兵力聚集在一起，则照顾不到另一个地方，这是四。我们像卷席子一样，立刻就把江南（长江以南）卷起，没什么值得担心！”高颎高兴说：“听你的话，成败道理，一目了然，本来我认为你不过一个饱学之士，想不到还有如此深刻的谋略。”

秦王杨俊（中路军）率各军驻防汉口（湖北省武汉市汉水北岸），指挥长江上游武装部队。

10 陈帝陈叔宝下诏，命总顾问长（散骑常侍）周罗睺当巴峡军区江防司令长官（都督巴峡缘江诸军事），抵抗长江上游隋军。

11 隋帝国信州（永安，重庆市奉节县）州长杨素，率舰队东下（西路军），穿过长江三峡，抵达流头滩（湖北省秭归县东）。陈帝国将军戚昕率青龙舰队一百余艘，据守狼尾滩（湖北省宜昌市西北），地势险恶，隋军担心无法通过，杨素说："成功失败，就在这次攻击。我们如果白天顺流而下，敌人会很容易看出我们的实力，滩流湍急，由不得我们控制，对我们不利，不如夜袭。"杨素亲率黄龙舰队数千艘，战士口衔木条（防止出声），顺流而下；另派开府仪同三司（勋官六级，正四品上）王长袭，率步兵在南岸登陆，攻击戚昕的另一大营；又命大将军（勋官四级，正三品）刘仁恩率骑兵自北岸攻击白沙（湖北省宜昌市东）；刘仁恩于天将亮时赶到，开始夹击。戚昕战败，逃走，军队全被俘虏，杨素对他们加以安抚慰劳，一律释放。隋军大军所至，对民间没有丝毫骚扰。

杨素率舰队东下，船舰布满江面，旌旗迎风招展，铠甲在太阳下反射出万道光芒。杨素坐在平乘级巨舰上，容貌雄壮，气势不凡，陈帝国官民望见，大为恐惧，说："杨素就是江神！"

陈帝国长江各军事基地听到隋军就要逼近消息，纷纷奏报。立法院立法官（中书舍人）施文庆、沈客卿却把所有告急奏章压下，不让陈帝陈叔宝知道。

12 最初，南梁帝国安平王萧岩、义兴王萧瓛，率十万人投奔陈帝国（参考去年〔五八七〕九月），陈叔宝对他们心存顾忌，所以使二人远离他们的部众，也使二人分散远方；任命萧岩当东扬州（会稽，浙江省绍兴市）州长、萧瓛当吴州（吴县，江苏省苏州市）州长；另派中央禁军总监（领军）任忠当吴兴郡（浙江省湖州市）郡长，在中间控制两州。陈叔宝又命南平王陈嶷镇守江州（湓城，江西省九江市）、永嘉王陈彦镇守南徐州（京口，江苏省镇江市）。不久，征召两位亲王参与明年（五八九）元旦扩大朝会，命沿江各船舰全部随从两位亲王返京（首都建康），主要目的在向投降来归的南梁帝国部众，展示陈帝国的军事威力。因此，长江万里，竟没有一艘军舰，而上游各州船只，又被杨素军阻截，没有一艘抵达京城（首都建康）。

陈帝国湘州（临湘，湖南省长沙市）州长、晋熙王陈叔文，在职很久，深获州民拥护。陈叔宝因湘州（临湘）位居上游，暗中猜忌。但又想到自己待文武官员很少恩惠，没有人可以信赖，找不到继任人选，于是擢升施文庆当司令官（都督）、湘州（临湘）州长，配备给他精锐部队二千人，命他西上到任，征召陈叔文东下返京（首都建康）。施文庆非常庆幸得到这个高位，但又恐惧一旦外放，中央政府权柄落到别人手上，会对他不利。于是，推荐他的同党沈客卿接替自己现职。

施文庆出发之前，跟沈客卿共同主管政府机要。中央军事总监（护军将军）樊毅，向国务院执行长（仆射）袁宪建议说："京口（江苏省镇江市）、采石（安徽省马鞍山市西南），都是军事重地，每地至少需要精锐武装部队五千人、金翅级军舰二百艘，沿长江上下巡逻戒备！"袁宪及骠骑将军萧摩诃，都认为有这个必要，遂跟文武百官讨论，请陈帝陈叔宝批准。可是施文庆却担心：军队一旦调发二镇，就没有多余的兵力跟随自己，将影响他前往就任的日期；而沈客卿又急于盼望施文庆早日出发，他好一个人单独控制政府，于是向各官员宣称："大家有意见的话，势不能一一当面陈述，请写成奏章，我们当马上转呈。"袁宪等信以为真，施文庆、沈客卿遂携带大家的奏章进宫，警告陈叔宝说："边界告警，不过平常小事，边防将领们足可抵挡，如果出动陆军及水上部队，人心一定慌乱。"

等到隋帝国南征大军，抵达长江，间谍深入国土，袁宪等不停上疏请求，再二再三。施文庆说："元旦朝会大典，马上就到；南郊祭祀天神大典，太子（陈深）又要跟随，现在如果派出大军，两件大事都不能举行。"陈叔宝说："派军出京（首都建康〔江苏省南京市〕），如果北方只是一场虚惊，没有战事，我们就用水军担任郊外祭祀警卫，有什么不可以！"施文庆说："这样的话，消息传到邻国耳朵，就会认为我们懦弱。"施文庆又送金银珍宝给江总，命江总入宫游说，陈叔宝不愿太违背他的意思，但又受政府官员坚决主张派兵的压力，于是，交付文武百官再作详细讨论。江总又压制袁宪等，会议就一直讨论，不能定案。

陈叔宝心态安闲时，对左右侍从说："天子之气，一向都在建康（江苏省南京市）。北齐三次渡江（五五五年正月，任约引北齐军袭建康，十月据石头。五五六年六月，再袭建康。五五九年十月，北齐助王琳，攻下芜湖），北周两次南下（五六〇年九月，北周独孤盛攻湘州。五六七年闰六月，宇文直等增援华皎），没有一次不被击败，隋国（隋帝国）军队，他们到底要干什么！"国务院法务部长（都官尚书）孔范说："长江是上天创造的深沟，自从开天辟地，一直隔绝南北，而今蛮虏（隋帝国）的军队，难道能飞过来不成？边防军将领打算立功，才谎报军情紧急。我一直不满意我卑微的官位，蛮虏如果渡江，我一定升到全国武装部队总司令（太尉）三公高位！”有人制造消息，说隋军战马很多病死，孔范大怒说：“那是我们的马！为什么不好好照顾，让它们死！”陈叔宝大笑，非常同意，所以不严加戒备，跟平常日子一样，演奏音乐、欢宴饮酒、吟诗作赋，毫不间断。

13 本年（五八八），吐谷浑汗国（青海省）小可汗拓跋木弥，率一千余家向隋帝国投降。隋帝杨坚说：“普天之下，都是我的臣属，我安抚养育他们，心存仁爱慈孝。吐谷浑首领（十五任可汗）慕容夸吕昏聩凶暴，妻子儿女对他都恐怖畏惧，渴望归化，借以自救残生。然而，背弃丈夫，叛离父亲，乃属大逆不道，我们不能收容。可是，只因他们的目的只是逃避一死，如果坚决拒绝，却又显得我们不仁不义。折中的办法是，以后如果再有求救音讯，只能对他们多加安抚宣慰，由他们用自己的力量逃出，我们不可以派兵接应。他妹夫及外甥也打算一同前来，一切由他们自己决定，不须要鼓励。”（胡三省注：“所谓背弃丈夫，叛离父亲，以及妹夫外甥，当时定是真人真事，有名有姓，而是史书记载不详。”）

吐谷浑汗国另一小可汗、河南王慕容移兹裒逝世（慕容移兹裒降隋帝国事，参考五八一年八月），隋帝杨坚命他的老弟慕容树归，继承河南王爵位，统领老哥的部众。

南北统一

导读

《三国演义》巨著的第一句话，就是："话说天下大事，分久必合，合久必分。"中国长达二百八十六年之久的大分裂时代，于六世纪八〇年代最后一年（五八九）结束，重归统一，很多地区本来互相仇恨、互相残杀的，开始出现一种天下一家的新的景观，人民不但可以互相来往，还可以互相亲爱。

隋王朝一任帝杨坚先生是一个好皇帝，虽然他心胸狭窄，不过中人之姿，但用帝王标准评估，倒为人民做了很多好事。然而他的儿子杨广，却是历史上最残暴和出丑最多的君王之一，不但弑父，连老爹在位二十余年为中国人带来的和平幸福，他只用了十三年，便全部摧毁。本册从大统一起叙述，直到杨广在鲜血中登上政治舞台。

柏杨　一九八七·一〇·一五

目录

六世纪

八〇年代

五八九年

南北朝

- 陈帝国亡，大分裂时代结束。
- 隋王朝建全国性政权，中国重归统一。

五八九年　己酉

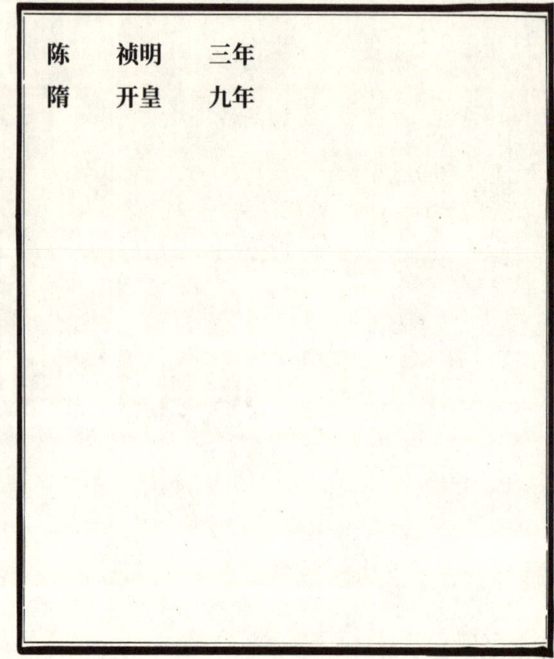

陈　祯明　三年
隋　开皇　九年

1 春季，正月一日，陈帝国（首都建康〔江苏省南京市〕）皇帝（五任）陈叔宝（本年三十七岁），在金銮宝殿举行元旦朝会，接受文武百官祝贺；忽然间大雾四起，伸手不见五指；吸进鼻孔，有一种酸辣的味道。陈叔宝昏昏入睡，直到下午才醒。

当天（正月一日），隋帝国（首都大兴〔陕西省西安市〕）吴州军区（总部设广陵〔江苏省扬州市〕）总司令（吴州总管）贺若弼，从广陵（吴州州政府所在县，江苏省扬州市）率军渡过长江。最初，贺若弼把营中很多老马卖掉，向陈帝国购买船只，藏在隐密地方；而另买破船五六十艘，停泊码头，陈帝国间谍侦察后，认为隋帝国并没有别的船舰。贺若弼又奏准：帝国所有江防部队，每逢换防，都要由各地先集中广陵（江苏省扬州市）。于是，每当换防之际，广陵旌旗满地，篷帐遍布原野；最初，陈帝国政府认为隋军集结，将发动攻击，立即紧急动员，增援沿江防务。后来才知道不过是江防部队换防而已，于是复员；以后遂不把这种大规模集结看作一件大事，因此不再戒备（高颎的计谋奏效，参考前年〔五八七〕十一月）。贺若弼又派军队沿江打猎，人喊马嘶，惊天动地，陈帝国在恐慌了几次之后，也不再作反应。所以当贺若弼大军真的横渡长江时，陈帝国沿江军民，竟没有人发觉。庐州军区（总部设庐州〔安徽省合肥市〕）总司令（庐州总管）韩擒虎（时在庐江〔安徽省庐江县〕），率五百人在夜色掩护下，从横江（安徽省和县东南长江渡口）南渡，在采石矶（安徽省马鞍山市西南）登陆，陈帝国守城官员及士卒，正酩酊大醉，隋军轻易的占领城池。晋王杨广率大军驻扎六合（江苏省南京市六合区）桃叶山（江苏省南京市浦口区东北十五公里）。

正月二日，采石（安徽省马鞍山市西南）陈帝国驻军司令（戍主）徐子建，飞奔京师（首都建康），奏报情况紧急。

正月三日，陈帝陈叔宝召集文武官员入宫举行军事会议。

正月四日，陈叔宝下诏说："野狗肮羊（指隋军），对我们肆意凌虐，侵犯京畿郊区。蜂蝎虽小，却是有毒，应该尽快清除。我当亲率皇家六军，扫荡八方。现在，全国戒严！"任命骠骑将军萧摩诃、中央军事总监（护军将军）樊毅、中央禁军总监（中领军）鲁广达，都当司令官（都督）；最高监察长（司空）司马消难、湘州（临湘，湖南省长沙市）州长施文庆，都当高级监军官（大监军）；命南豫州（姑孰，安徽省当涂县）州长樊猛，率舰队从白下（建康城北）出发，顾问院（集书省）总顾问长（散骑常侍）皋文奏，率军镇守南豫州（姑孰，安徽省当涂县）。中央悬出优厚奖赏条例，规定和尚、尼姑、道士，都不准免役，一律参战。

正月六日，贺若弼攻克京口（江苏省镇江市），擒获陈帝国南徐州（京口）州长黄恪。贺若弼军队纪律森严，对人民的一草一木，都不侵犯；有一位士卒离开行列到民家私自买酒，立即被捕，斩首。贺若弼俘虏陈军六千余人，全部释放，发给他们粮食，遣送回家，并把隋帝杨坚的诏书（已写三十万份备用，参考去年〔五八八〕三月），交给他们分别带往各地散发。于是，陈帝国民心瓦解，隋大军所到之处，如风吹残云。

陈帝国江防司令樊猛，当时驻扎建康（陈首都，江苏省南京市），他的儿子樊巡，摄理南豫州（姑孰，安徽省当涂县）总部执行官（摄行南豫州事）。

正月七日，隋帝国庐州军区（总部设庐州〔安徽省合肥市〕）总司令（庐州总管）韩擒虎，进攻姑孰（南豫州州政府所在城），只半天工夫，即行攻克，生擒樊巡和他的家属。陈帝国增援姑孰的总顾问长（散骑常侍）皋文奏，大败逃回建康。江南（长江以南）人民长久以来听到韩擒虎的威名，于是前往隋军大营请求晋见的人，日夜不绝。

陈帝国中央禁军总监（中领军）鲁广达的儿子鲁世真，留在新蔡（南新蔡，湖北省黄梅县西南），跟老弟鲁世雄，及所有部众，都投降韩擒虎，派使节送信给鲁广达，劝诱鲁广达投降（本世纪〔六〕四〇年代侯景之乱，鲁悉达集结亲友，武装保卫故乡南新蔡。陈帝国建立，鲁悉达归附，鲁家遂在地方上建立世袭势力。参考五五九年五月）。鲁广达当时驻军建康（陈首都，江苏省南京市），上疏自我弹劾，亲自前往最高法院（廷尉）请求处分。陈帝陈叔宝安慰劝解，赏赐黄金，送他回营。樊猛会同首都东区卫戍司令（左卫将军）蒋元逊，率青龙级军舰八十艘，在白下（建康城北）巡逻，准备抵抗由六合（江苏省南京市六合区）南下的隋军（晋王杨广军）。陈帝陈叔宝因樊猛的妻子儿女，全陷敌人之手，恐怕他生出二心，派镇东大将军任忠（时驻吴兴郡〔浙江省湖州市〕）接替他的职务，命骠骑将军萧摩诃前往劝导，樊猛大不高兴，陈叔宝不愿使他难堪，遂打消原意。

于是隋帝国东路大军，再分两道，贺若弼自北方的京口（江苏省镇江市）、韩擒虎自南方的姑孰（安徽省当涂县），南北夹击陈帝国首都建康（江苏省南京市）。陈帝国沿长江各卫戍基地，都望风逃散。贺若弼派军攻击曲阿（江苏省丹阳市），切断交通线（阻止三吴〔太湖流域及钱塘江流域〕援军），向西深入。陈叔宝命宰相（司徒）豫章王陈叔英驻军金銮宝殿；萧摩诃驻军乐游苑，樊毅驻军耆阇寺（鸡鸣山西），鲁广达驻军白土冈（江苏省南京市江宁区东），忠武将军孔范驻军宝田寺。

正月十五日，镇东大将军任忠由吴兴（浙江省湖州市）入援京师（去年〔五八八〕十二月命任忠当吴兴郡郡长，防备萧岩〔东扬州州长〕、萧瓛〔吴州州长〕），仍驻军朱雀门。

韩擒虎攻克姑孰（安徽省当涂县）的同日（正月七日），贺若弼攻克钟山（建康城东），在白土冈之东布防。晋王杨广派作战司令（总管）杜彦，跟韩擒虎会师，共步骑兵二万人，驻扎新林（江苏省南京市江宁区西）。蕲州军区（总部设蕲州〔湖北省蕲春县〕）总司令（蕲州总管）王世积，率舰队攻击九江（江州，江西省九江市），在蕲口（蕲水注入长江处，湖北省蕲春县西南）击破陈帝国大将纪瑱，陈军惊骇，纷纷投降。晋王杨广把情况上奏老爹杨坚，杨坚大为欢喜，设筵宴请文武百官。

当时，建康（陈首都，江苏省南京市）武装部队还有十余万人，可是陈帝陈叔宝性情怯懦，胆小如鼠，不懂军事，只会日夜不停的哭泣，政府各种措施，全交给施文庆。施文庆知道各将领对自己痛恨，唯恐怕他们作战胜利，建立功劳，将滋生难以控制的后遗症，所以奏报陈叔宝，说：“这些老粗一肚子牢骚，平常对政府都不满

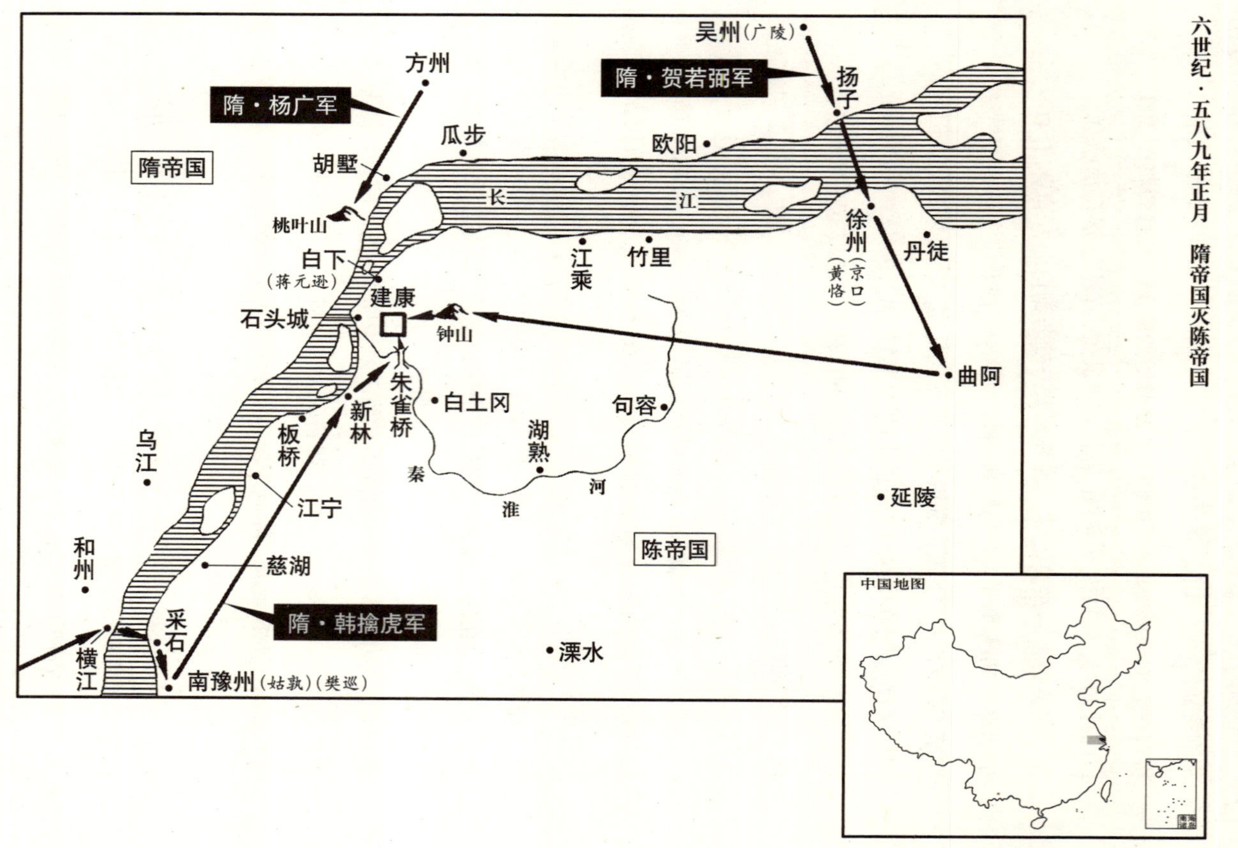

六世纪·五八九年正月　隋帝国灭陈帝国

意，在这个危机四伏时期，怎么可以相信他们的片面之辞。”因此，各将领有什么请求，多半批驳。

隋帝国吴州军区（总部设广陵〔江苏省扬州市〕）总司令（吴州总管）贺若弼，攻击京口（江苏省镇江市）时，陈帝国骠骑将军萧摩诃请求陈帝陈叔宝准他率军迎战，陈叔宝不准。后来，贺若弼进抵钟山（建康城东），萧摩诃又建议：“贺若弼一支孤军，深入敌境，营垒刚刚建立，还没有坚固，我们如果发动偷袭，一定可以攻克。”陈叔宝仍不准，召集萧摩诃、任忠，在内殿举行御前军事会议，任忠说：“《兵法》：‘攻击的一方利于速战速决，守卫的一方最好稳扎稳打。’而今，我们的兵力充沛，粮食充足，最恰当的反应，莫过于坚守宫城（台城），沿着秦淮河建立防御工事，隋军虽然进攻，我们却拒绝应战。然后再分出兵力，切断他们的长江交通，使一封信都不能渡过。请拨给我精锐部队一万人，金翅级战舰三百艘，渡长江北上，直攻六合（江苏省南京市六合区），隋军主力一定认为南岸战士已被俘虏，士气自然丧失。淮南（淮河以南）人民很多跟我相识，听说我率军前往，一定如影随形，起兵响应。我再扬言打算攻击徐州（京口，江苏省镇江市），断绝他们的归路，则隋军将不战而退。等到春暖花开，江河水涨，上江（长江上游）总顾问长（散骑常侍）周罗睺等军（周罗睺守巴峡，参考去年〔五八八〕正月），再顺流而下，增援京师（首都建康），这是上策。”陈叔宝不能接受。可是，到了第二天，陈叔宝忽然说：“两军对峙这么久，不见胜负，使人心烦，不妨教萧郎（萧摩诃）干他一下！”任忠叩头，苦苦警告：不可主动攻击。但忠武将军孔范支持萧摩诃，说：“请在战场上决一生死，我保证为陛下在燕然山（蒙古国杭爱山）竖立记功石碑（窦宪击破匈奴，燕然勒石事，参考八九年七月）。”陈叔宝遂批准反攻计划，对萧摩诃说：“你可为我决此一战。”萧摩诃说：“从前作战，是为了帝国和家族，今天作战，同时还为了妻子。”陈叔宝拿出大量金银绸缎，发给各军，作为赏赐之用。

正月二十日，陈叔宝命中央禁军总监（中领军）鲁广达，在白土冈（江苏省南京市江宁区东）构筑防御工事，位于各军最南；任忠在鲁广达之北，樊毅、孔范更北，萧摩诃军位各军最北。各军南北鱼贯相接，长达二十华里，头尾进退，互相不知。

隋帝国吴州军区（总部设广陵〔江苏省扬州市〕）总司令（吴州总管）贺若弼，率轻骑兵登山下眺，看到陈帝国各军出动，立即奔驰下山，下令他的部将、七个作战司令（总管）杨牙、员明等（员，姓），武装部队八千人，严阵以待。陈叔宝跟萧摩诃的妻子通奸，所以萧摩诃根本无心作战（萧摩诃声称“今日之战，还为了妻子”，陈叔宝应听懂他的含意）；只有鲁广达率领他的士卒奋勇攻击，和贺若弼对抗。隋军再三再四被陈军逼退，贺若弼部下被杀二百七十三人，贺若弼处境危急，下令燃起浓烟保护，才从狼狈中重振声势。陈军砍下隋军人头后，不顾纪律，纷纷奔回宫城（台城），向陈叔宝请求赏赐。贺若弼探知陈军士卒虚骄惰怠，率军急攻孔范阵地，孔范军一经接触，即行退走，其他各军看到，骑兵先行崩溃，四散逃命，主力瓦解，无法阻止，死亡五千人。员明生擒萧摩诃，送给贺若弼，贺若弼命拉出去斩首，萧摩诃面不改色，贺若弼乃松开他的捆绑，以礼相待。

任忠奔回宫城（台城），向陈叔宝报告战败情形，说：“陛下好好保重，我已无能为力！”陈叔宝付给任忠黄金两袋，命他出去招兵买马，继续作战，任忠说：“陛下最好坐船往上游投奔大军（指周罗睺军），我当拼死保卫。”陈叔宝信以为真，教任忠出宫部署，命宫中后妃宫女，整理行装，等待任忠。可是过了很久，奇怪为什么不见任忠回来。当时隋帝国庐州军区（总部设庐州〔安徽省合肥市〕）总司令（庐州总管）韩擒虎，正自新林（江苏省南京市江宁区西）向建康推进，任忠率领几个骑兵，前往石子冈（江宁区南）迎降。中央禁军总监（领军将军）蔡徵，率军驻守朱雀桥，听到韩擒虎就要抵达，军心恐惧，部队一哄而散。任忠引导韩擒虎军直入朱雀门（在朱雀桥北，御道南端尽头），陈军打算迎战，任忠挥手教他们散去，说："我这个老汉尚且投降，你们还想做什么！"大家都自动逃走。于是，建康城内政府各单位文武官员，一逃而空，只有国务院执行长（尚书仆射）袁宪，仍留内殿，国务院总理（尚书令）江总等几个人，留在国务院办公厅。陈叔宝对袁宪说："我平常待你，不比待别人好，今天使人惭愧。不仅仅是我没有品德，也是江东（太湖流域及钱塘江流域）知识分子的道义和担当，完全丧失。"

亡国之君往往以无比的勇气，奔向悬崖绝壁，凡劝阻他，或想要拉住他的人，都会被他诛杀。可是当他一头撞下深谷时，却痛恨那些未被他诛杀的朋友，当初为什么不肯劝他一句，或拉他一把；尤其痛恨他们竟然不肯跟自己一同摔死。于是，陈叔宝诟骂江东知识分子丧尽道义，朱由检诟骂"臣都是亡国之臣"，希特勒更诟骂德国人堕落，竟拒绝为他阁下一个人而全体送命。

陈叔宝心慌意乱，急于躲藏，袁宪严肃说："北军（隋帝国）进宫，绝对不会有什么暴行。大势既已如此，陛下将躲到哪里？我建议你衣帽整齐，登上金銮宝殿，模仿萧衍当年接见侯景前例（参考五四九年三月十二日）。"陈叔宝不接受，从座位上跳起来，飞奔逃走说："刀口底下，可不能乱试运气，我自有妙计。"率领宫女宦官十余人，奔到后宫景阳殿，陈叔宝坚持要躲到深井之中，袁宪苦苦规劝，陈叔宝都不肯听。后阁随从（后阁舍人）夏侯公韵，用身体挡住井口，不准陈叔宝下去，陈叔宝跟他争执很久，最后，仍是躲进深井。隋帝国大军进入后宫搜索。俯在井口呼叫陈叔宝的名字，没有人回答，士卒们宣称要投下石头，才听到陈叔宝的惊叫，士卒们抛下绳子拉他上来，对于陈叔宝的超级体重，感到惊奇，好不容易拉出井口，才发现陈叔宝原来和张丽华、孔贵嫔绑在一起。皇后沈婺华仍住皇后宫，生活跟平常一样。太子陈深本年十五岁，闭门而坐，太子宫随从官（太子舍人）孔伯鱼在旁陪伴，隋军士卒破门而进，陈深端坐不动，慰劳他们说："各位一路作战，恐怕很是辛苦！"隋军士卒对他至为尊敬。当时陈姓皇族近亲，在建康（陈首都，江苏省南京市）的王爵、侯爵，有一百余人，陈叔宝怕他们趁势叛变，下令全部集中宫城，住宿金銮宝殿，命豫章王陈叔英看管，暗中戒备。而今，宫城失守，大家一拥而出投降。

贺若弼乘胜抵达乐游苑，陈帝国中央禁军总监（中领军）鲁广达仍督促残余的士卒，苦战不停，斩杀及俘虏隋军数百人，而天已黄昏，只好放下武器；鲁广达面向宫城，叩头痛哭，对他的部属说："我不能拯救帝国，罪孽深重。"士卒们都流涕叹息，十分悲痛，鲁广达遂被俘虏。陈帝国政府各机关及禁卫军各司令部，全无人迹。入夜，贺若弼纵火焚烧北掖门（宫城〔台城〕北门），进入建康（陈首都，江苏省南京市）。听说韩擒虎已活捉陈叔宝，命押解到面前问话，陈叔宝惊慌恐惧，汗流浃背，浑身发抖，一见贺若弼，就跪下叩头。贺若弼说："小国的君王，地位跟大国的三公部长相等，向我叩头，合乎礼节。你放心，到了大兴（隋首都，陕西省西安市），至少可以封一个归命侯（孙晧投降晋王朝，封归命侯，参考二八〇年四月），心里用不着恐惧。"

六代豪华，春去也，
更无消息。
空怅望，山川形势，
已非畴昔。
王谢堂前双燕子，
乌衣巷口曾相识。
听夜深寂寞打孤城，
春潮急。
思往事，愁如织。
怀故国，空陈迹。
但荒烟衰草，乱鸦斜日。
玉树歌残秋露冷，
胭脂井坏寒螀泣。
到如今只有蒋山青，
秦淮碧。

杜牧《泊秦淮》曰

烟笼寒水月笼沙，
夜泊秦淮近酒家，
商女不知亡国恨，
隔江犹唱《后庭花》。

不久，贺若弼忽然发现自己的功劳，竟远落在韩擒虎之后，大为懊恼，遂跟韩擒虎在言语上激烈冲突，拔刀而起，要出营决斗，经大家劝阻；贺若弼又打算命蔡徵给陈叔宝撰写投降书，让陈叔宝坐上骡车，拉到自己军营，正式投降；但事情太荒唐离谱，无法执行。贺若弼把陈叔宝囚禁在德教殿，派军看守。

晋王杨广总部秘书长（晋王元帅长史）高颎（音jiǒng〔窘〕），比晋王杨广先一步进入建康（江苏省南京市），高颎的儿子高德弘，当杨广的机要秘书（记室），杨广派高德弘飞奔到高颎那里，命高颎留下他久已陶醉的美女张丽华，高颎说：“从前姜子牙蒙面诛杀苏妲己（参考前一一二二年)，今天怎么可以留下张丽华！”遂把张丽华押到青溪(玄武湖水，注入秦淮河)，斩首。高德弘回去报告，杨广脸色大变，说：“古人说：‘每一件恩德／我都要回报。’(《诗经·抑》：“无德不报。”)高颎这番恩德，我一定回报。”从此深恨高颎(高颎终被处死，参考六〇七年七月)。

正月二十二日，晋王杨广进入建康(江苏省南京市)，因为陈帝国故臣、最高监军施文庆，受政府信任却不尽忠，百般谄媚，蒙蔽君王耳目；沈客卿用沉重赋税，向人民勒索，只为了取悦他的主人；连同宫廷库藏部市场管理官(太市令)阳慧朗、司法部监狱总监(刑法监)徐析、国务院总务官(尚书都令史)暨慧景，都是人民的灾害，一起绑赴宫城之外，斩首，向三吴(太湖流域及钱塘江流域)人民赎罪。命高颎跟总部机要秘书(元帅府记室)裴矩，搜集档案图书，查封政府仓库，对储存的金银财宝，一件都不妄取，天下人对杨广的贤能，一致称道。裴矩，是裴让之的侄儿(裴让之事，参考五三八年八月)。

杨广认为贺若弼提前发动攻击，违犯军令，下令逮捕贺若弼，交付军法审判。隋帝(一任文帝)杨坚(本年四十九岁)命贺若弼乘政府驿马车返回京师(首都大兴)，下诏给杨广，解释他所以如此决定的原因，说：“平定江表(江东，指陈帝国)，是贺若弼、韩擒虎的力量。”赏赐绸缎一万匹。(不知道赏赐给谁，杨广？贺若弼？)又下诏给贺若弼及韩擒虎，赞扬他们的功勋。

开府仪同三司(勋官六级，正四品上)王颁，是王僧辩的儿子，深夜，挖掘陈帝国一任帝(武帝)陈霸先的坟墓(万安陵，江苏省南京市江宁区东南方山西北)，挖出骨骸，用火焚化成灰，溶到水里喝下(报复陈霸先叛杀老爹王僧辩之仇，参考五五五年九月)。然后自己捆绑，向晋王杨广投案自首。杨广转报中央，杨坚下令赦免。仍指派五户人家，负责洒扫陈帝国一任帝(武帝)陈霸先、二任帝(文帝)陈蒨、四任帝(宣帝)陈顼等三座坟墓。

柏杨曰

中国历史上两大鞭尸巨案，一是伍子胥对付芈弃疾，一是王颁对付陈霸先。伍子胥首先为复仇者创下佳话："黄金千两酬漂母，籐鞭三百报平王（芈弃疾）。"引起英雄志士的万丈豪情，和暴君暴官神经末梢的恐惧。它提示人生一个高贵指标：是非分明，善恶分明，恩怨分明，大丈夫固当如是。可是伍子胥的作为流传千古，而王颁的焚骨饮，却默默无闻。只因酱缸越深，君王越是尊严的像老虎屁股，没有人敢碰，司马光能照实转录，应受钦敬。

我们赞扬鞭尸，因为冤酷难伸的人，有权报复。以芈弃疾、陈霸先罪行标准，衡量中国历史上五百五十九个帝王，恐怕只有很少几个人，才能逃过这种惩罚。

杨坚派使节把陈帝国覆亡的消息，告诉许善心（陈帝国派王琬、许善心出使隋帝国，参考去年〔五八八〕十月），许善心改穿丧服，在西阶（宾客位置）之下号哭，面向东方（主人位置），在干草上独坐三天；隋帝杨坚下诏慰问。明天，杨坚命许善心返回宾馆，任命他当高级监督官（通直散骑常侍，正四品下），赏赐官服一套。许善心再度哭泣，极为悲哀，回到房间，改穿杨坚赏赐的隋王朝官服，出来后，面向北方（皇帝所在）站立，第三度哭泣，叩头，接受诏书。明天，前往金銮宝殿朝见，匍伏阶下，悲痛过度，几乎无法起立。杨坚对左右说："我削平陈国（陈帝国），只得到这一个人。既能够怀念他旧日君王，自然也会是我的诚实臣属。"指定许善心到监督院（门下省）服务（高级监督官〔通直散骑常侍〕本属监督院〔门下省〕，不知何以有此训令）。

陈帝国水军司令（水军都督）周罗睺，与郢州（夏口，湖北省武汉市）州长荀法尚，据守州城江夏（夏口），隋王朝秦王杨俊，率作战司令

（总管）三十人，水陆联合兵团十余万人，驻扎汉口（湖北省武汉市汉水北岸），不能前进，对峙超过一个月。陈帝国荆州（公安，湖北省公安县）州长（刺史）陈慧纪，派南康郡（江西省赣州市）郡长（内史）吕忠肃，驻军岐亭（湖北省宜昌市北），扼守巫峡（重庆市巫山县东。但去年〔五八八〕冬季，杨素击破戚昕，隋军早越巫峡东进；吕忠肃据守的当是西陵峡），在长江北岸山上凿洞，向南岸连接铁链三条，横拦江面，阻截隋军船舰，吕忠肃变卖家产，供给军需。杨素、刘仁恩奋勇攻击，大小四十余战，吕忠肃据守险要，竭力抵抗，隋军士卒战死的五千余人，陈军士卒割下尸首上的鼻子，回去报功。可是不久，隋军反击，屡战屡胜，俘虏陈军士卒，不但不割鼻报复，反而再三再四把他们释放回营。吕忠肃军心遂告瓦解，放弃阵地逃走，杨素解除铁链，吕忠肃退到荆门（湖北省宜都市西北长江西岸）的延洲（长江中小岛）。杨素派“巴蜑军”一千人（蜑，音dàn〔但〕。巴蜑族是居于四川省中部的部落，依水为生），乘“五牙级”战舰四艘进攻，用撞击长竿击破陈帝国战舰十余艘，遂大破吕忠肃军，俘虏武装士卒二千余人，吕忠肃仅逃出一命。陈帝国信州（安蜀城，湖北省宜昌市西）州长顾觉，驻军安蜀城（湖北省宜昌市西），放弃城池，逃走。陈慧纪驻军公安（荆州州政府所在城，湖北省公安县），纵火把所有粮秣军械及军用辎重，全部焚烧，率军东下，于是巴陵（湖南省岳阳市）以东所有城池，不再有人据守。陈慧纪率三万人庞大兵团，乘主力舰一千余艘，顺长江而下，打算救援建康（江苏省南京市），但被隋王朝秦王杨俊阻止，不能前进。这时，陈帝国晋熙王陈叔文解除湘州（临湘，湖南省长沙市）州长职务，返回建康（江苏省南京市），走到巴州（巴陵，湖南省岳阳市），陈慧纪推举他担任盟主；可是陈叔文已率巴州（巴陵）州长毕宝等，向杨俊呈递降书，杨俊派使节前来慰劳迎接。正巧，建康（江苏省南京市）陷落，晋王杨广教陈叔宝写信给长江上游各将领，命他们投降；派樊毅往见周罗睺，派陈慧纪的儿子陈正业往见陈慧纪，传达陈叔宝的意旨。事实上当时各城池早已解除武装，周罗睺和各将领哭泣三天，解散军队，命士卒返回乡里，然后晋见杨俊投降，陈慧纪也跟着投降；长江上游，完全平定。杨素抵达汉口（湖北省武汉市汉水北岸），跟杨俊会合。蕲州（蕲春，湖北省蕲春县）州长王世积驻军蕲口（蕲水注入长江处，蕲春县西南），把陈帝国覆亡消息，传播江南（长江以南）各郡，陈政府任命的江州（湓城，江西省九江市）军政官（司马）黄偲（音sī〔司〕），放弃城池逃走，豫章郡（江西省南昌市）等各郡郡长，都往见王世积投降。

正月二十九日，杨坚下诏派使节巡视安抚故陈帝国所属州郡。

二月一日，隋政府撤销中央驻淮南特遣政府（淮南行台省）。

2 国务院执行长（仆射）苏威上疏，请求：每五百家设一个乡长（乡正），负责一乡的行政及司法。最高立法长（内史令）李德林反对，认为："当初下诏撤销基层地方官员兼任司法，为的是乡里之间，不是亲戚，就是朋友，审判无法公平。现在命乡长专管五百家，恐怕为害更烈。而且，有些偏远荒凉的小县，人口还不到五百家，岂不是两个县才管辖一个乡！"杨坚不采纳。

二月二日，杨坚下诏规定："五百家称乡，设乡长（乡正）一人；一百家称里，设里长一人。"

3 故陈帝国吴州（吴县，江苏省苏州市）州长萧瓛，很受人民爱戴，陈帝国覆亡，吴州人推举萧瓛当盟主。隋王朝政府派右卫（十二禁军第二军）大将军（正三品）、武川（内蒙古武川县）人宇文述，率作战司令（行军总管）元契、张默言等讨伐。落丛公爵燕荣，率舰队航过东海

(燕荣泛海南下事，参考去年〔五八八〕十月)，抵达吴州(吴县)。陈帝国永新侯陈君范，从晋陵(江苏省常州市)投奔萧瓛，联合抵抗宇文述，而宇文述军渐渐逼近，萧瓛在晋陵(江苏省常州市)东，设立木栅拒马，留下一部分军队阻截；另派将领王褒，镇守吴州(吴县，江苏省苏州市)，而自己亲率主力舰队，自义兴(江苏省宜兴市)进入太湖，打算袭击宇文述的背后。但宇文述锐不可当，进军攻破晋陵(江苏省常州市)城东阵地，立即回军攻击萧瓛，大破萧瓛军；再派军绕道攻击吴州(吴县)，王褒换上道士衣裳，放弃州城逃走。萧瓛集结残兵败将，退守包山(太湖洞庭山)，燕荣舰队击破包山防卫，萧瓛率左右侍从数人，逃到民家躲藏，被人生擒。宇文述进抵奉公埭(浙江省杭州市萧山区西北)，陈帝国任命的东扬州(会稽，浙江省绍兴市)州长萧岩，献出会稽投降。萧岩、萧瓛都被押送首都大兴(陕西省西安市)，斩首(萧岩、萧瓛驱使江陵人民投降陈帝国，对杨坚的假仁假义，是一打击；参考前年〔五八七〕九月)。 224

清河公爵杨素击破荆门(湖北省宜都市西北长江西岸)陈帝国的抵抗后，派别动部队将领庞晖，率军夺取土地，南下抵达湘州(临湘，湖南省长沙市)，城中陈帝国守军已无心抵抗。州长、岳阳王陈叔慎，年十八岁，设下筵席，宴请文武官员。酒酣耳热时，陈叔慎叹息说："君臣间大义，难道到今天为止？"秘书长(长史)谢基，匍伏在地，哭泣流涕。湘州自卫军副司令(湘州助防)、遂兴侯陈正理在座，起身说："主人受到羞辱，臣属就应一死。各位谁不是陈帝国的臣属？现在，天下发生灾难，正是我们效命的机会，即令不能成功，也可看出臣属的节操。否则的话，青门之外，想死也不能死(秦王朝亡，东陵侯召平在首都咸阳〔陕西省咸阳市〕青门外，种瓜为生。陈正理意是宁愿一死，不愿过平民生活)，今天的决定，不可迟疑，最后响应的斩首！"大家全都承诺。于是宰杀牲畜，立誓结盟，派人向庞晖诈降；庞晖相信，在约定的日期，进入湘州（临湘，湖南省长沙市），陈叔慎埋伏武装部队等待。庞晖进城后，陈叔慎发动埋伏，逮捕庞晖，游街示众，连同隋军士卒，全部斩首。陈叔慎高坐阅兵台，招兵买马，几天时间，集结五千人。衡阳郡（湖南省株洲市西南）郡长樊通、武州（武陵，湖南省常德市）州长邬居业，都表示派军支援。隋王朝政府新任命的湘州（临湘）州长薛胄，率军恰恰抵达，会同作战司令（行军总管）刘仁恩，发动攻击。陈叔慎派陈正理、樊通迎战，失败。薛胄乘胜进入长沙（临湘），生擒陈叔慎。刘仁恩则在横桥（今地不详）击败邬居业军，生擒邬居业，连同陈叔慎、陈正理，一起押送给秦王杨俊，在汉口（湖北省武汉市汉水北岸）斩首。

岭南（南岭以南）一片慌乱，官民六神无主，几个还没有投降隋王朝的郡，联合起来，共同拥护高凉郡（广东省阳江市）太夫人冼女士当盟主，号称“圣母”，维持境内治安，抵抗外力侵入。隋帝杨坚下诏，命柱国（勋官二级，正二品）韦洸（时任江州〔湓城，江西省九江市〕总管）等，前往岭外（南岭以南）安抚劝导，陈帝国任命的豫章郡（江西省南昌市）郡长徐璒，据守南康郡（江西省赣州市）拒抗，韦洸等不能前进。晋王杨广派人把陈叔宝写给冼女士的信送去，告诉冼女士：帝国已亡，劝她归附隋王朝政府。冼女士集合首领数千人，转告这项噩耗，整天痛哭，最后派她的孙儿冯魂，率领部众迎接韦洸（冼女士事，参考五五〇年六月）。韦洸遂击斩徐璒，南下，抵达广州（番禺，广东省广州市），游说岭南（南岭以南）各州，全都归附。中央批准韦洸的推荐，任命冯魂当仪同三司（勋官八级，正五品上），封冼女士当宋康郡（广东省阳西县）夫人。韦洸，是韦夐的儿子（隐士韦夐事，参考五五九年六月）。

陈帝国任命的衡州（含洭，广东省英德市西北浛洸镇）军政官（司马）任瓌，建议他的司令官（都督）王勇，控制岭南（南岭以南），寻访陈姓皇

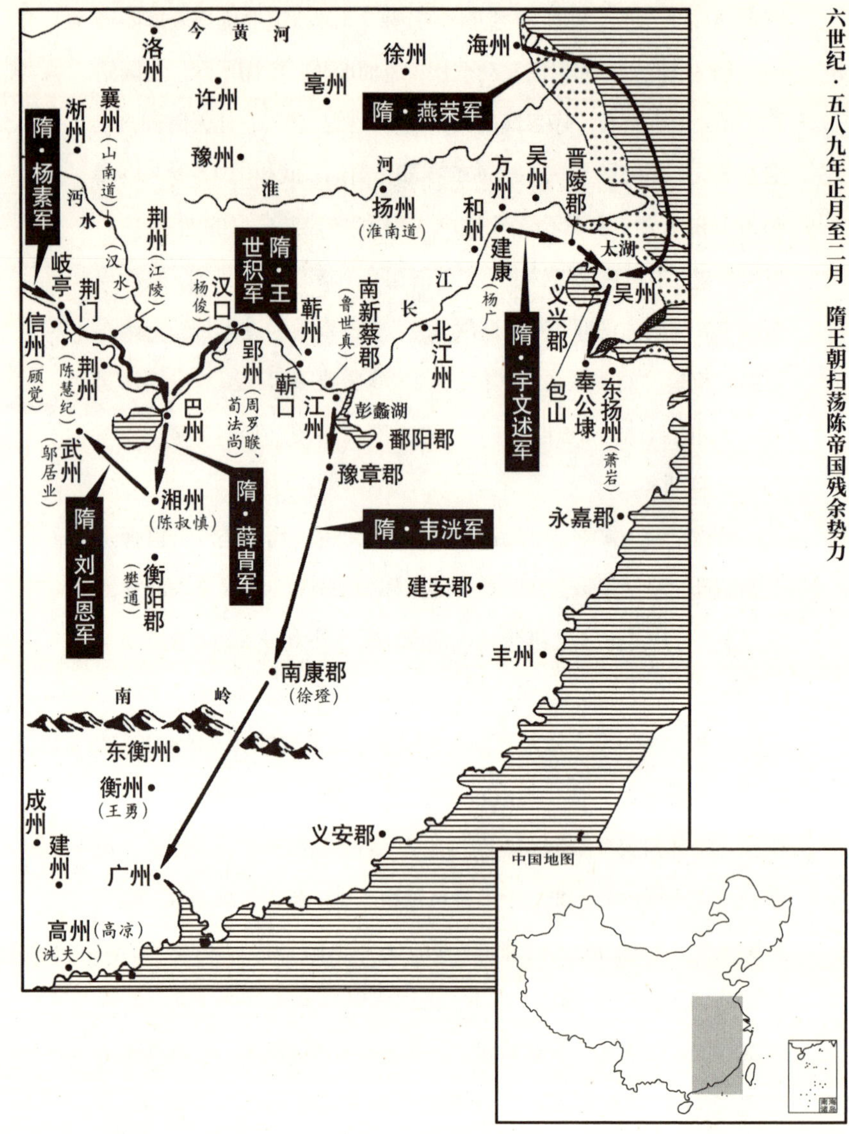

今黄河
洛州
徐州
海州
亳州
许州
隋·燕荣军
淅州
襄州（山南道）
隋·杨素军
豫州
淮河
扬州（淮南道）
沔水
（汉水）
荆州（江陵）
隋·王世积军
方州
吴州
晋陵郡
和州
建康（杨广）
太湖
吴州
义兴郡
岐亭
荆门
汉口（杨俊）
南新蔡郡（鲁世真）
蕲州
长江
北江州
信州（顾觉）
（陈慧纪）
荆州
郢州（周罗睺、荀法尚）
蕲口
江州
彭蠡湖
鄱阳郡
巴州
包山
奉公埭
东扬州（萧岩）
隋·宇文述军
武州（郢居业）
湘州（陈叔慎）
隋·薛胄军
豫章郡
隋·刘仁恩军
隋·韦洸军
永嘉郡
衡阳郡（樊通）
建安郡
丰州
南康郡（徐璒）
南岭
东衡州
衡州（王勇）
成州
建州
义安郡
广州
高州（高凉）（冼夫人）
中国地图
六世纪·五八九年正月至二月 隋王朝扫荡陈帝国残余势力

家子孙当皇帝，继续跟隋王朝政府对抗。王勇拒绝，率领他的部众向隋军投降。任瓌放弃官位而去。任瓌，是任忠的侄儿。

于是陈帝国完全覆亡（陈霸先于五五七年建国，本年〔五八九〕覆亡，立国共三十三年，凡五位君王）。隋王朝政府领土增加三十州、一百郡、四百县。隋帝杨坚下诏：建康（江苏省南京市）的城墙和宫殿，全部摧毁拆除，改作农田，供人民耕种。在石头城（建康城西北）另设蒋州（三百年经营一个巨城，霎时间化成瓦砾，这种纵火狂的心态，至为可骇）。

陈帝国覆亡，大分裂时代和大分裂时代后期的南北朝时代，同步结束。国家在隋政府领导下，又归统一。中国人经过二百八十六年的离乱隔绝和互相仇恨之后，重新团聚。大分裂像一个大火炉，中国境内各民族，几乎被中华人消化。再没有严重的鲜卑人、匈奴人、羯人、氐人、羌人之分。这个新的国家，因含有新的血液，充满了生命的活力。

中国传统文化中有一种强烈而持久的统一诉求，可能是长期统一的一种堕性，也可能跟儒家“定于一”的思想有关。所以，即令在大分裂时代统一却一直是一种憧憬。这是中国人显著的特性——总是求同。

促成中国统一的动力中，方块形状的中文，强烈的发挥它的凝聚力。欧洲自十五世纪西罗马帝国亡后，四分五裂的现象，并不比中国大分裂时代更糟。欧洲人和若干雄才大略的君王，与天主教教宗，也都怀着再统一的雄心壮志，可是欧洲失败而中国成功。即令是一个民族，如果分离过久，因言语的不同，以及所导致的文字的不同，都会成为若干截然不同的国家。罗马帝国使用的拉丁文是一种拼音文字，一旦两地隔绝，言语相异，各自用字母拼出各自的语

六世纪·五八九年二月　隋王朝统一中国

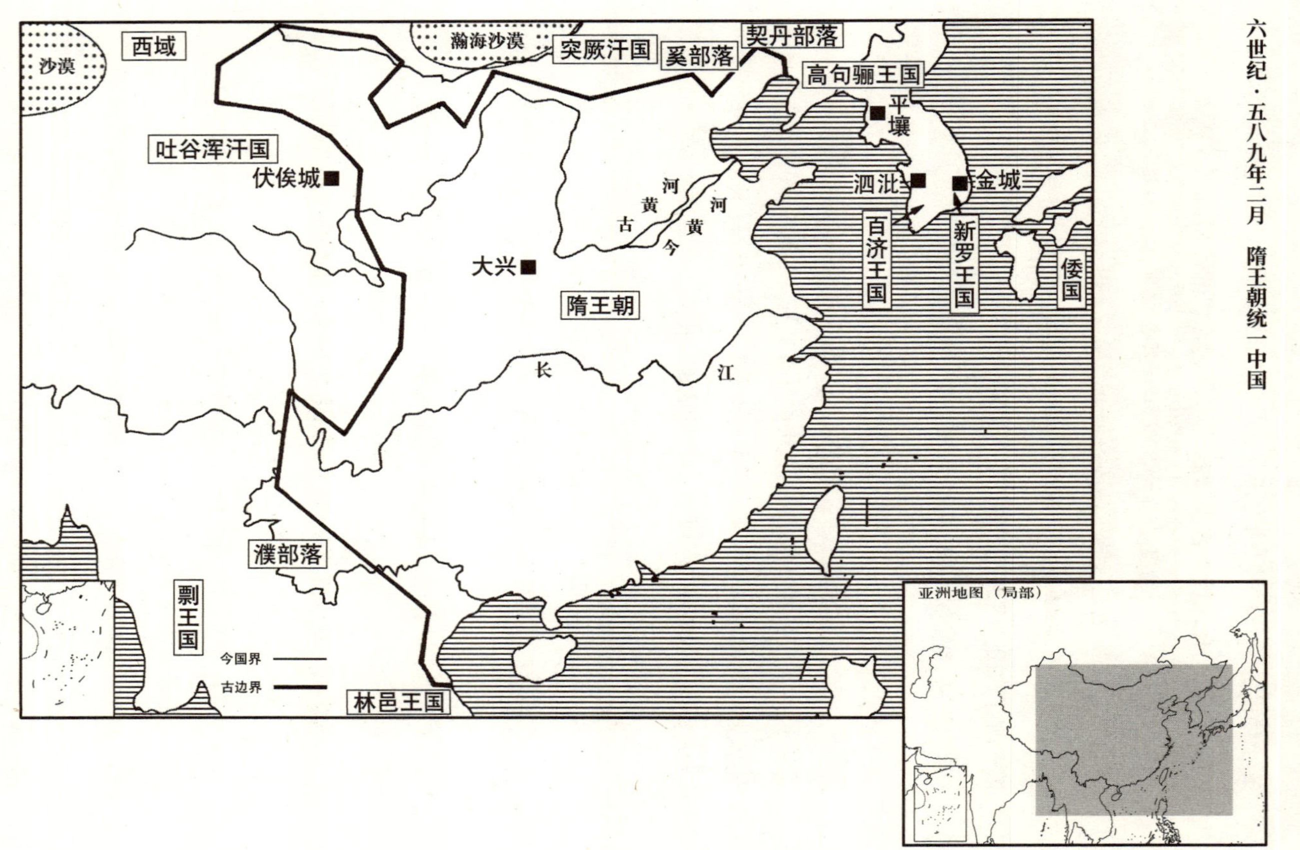

言，不同的各种文字，自纷纷出观。自从腓尼基人发明拼音字母，欧洲就注定了不能统一。中国境内语言的分歧，比欧洲更甚。可是没有字母这个工具，各地不能用拼音的方法创造相异的文字。在广大辽阔的疆域之内，中文遂像一条看不见的魔线，把语言不同、风俗习惯不同、血统不同的人民的心灵，缝在一起，成为一种自觉的中国人。虽然长久分裂，却一直有一种心理状态，认为分裂是暂时的，终必统一，所以，国与国合并之后，人际之间，只有地域性的冲突，而没有民族性的纷争。不像欧洲，合并成为一个国家之后，立刻就发生问题。假定拉丁文也是方块字而不是拼音字的话，欧洲可能像中国一样，早统一为单一国家。

晋王杨广班师，命王韶留下来镇守石头城（江苏省南京市西北），善后各事，全权负责。

三月六日，故陈帝陈叔宝（本年三十七岁），和他所属的亲王、公爵、文武百官，从建康（江苏省南京市）出发，前往大兴（陕西省西安市），俘虏群大大小小，押解上路，五百华里之远，络绎不绝。杨坚命征收大兴（陕西省西安市）私人住宅，腾空等待，内外整修一新，更派使节安慰迎接。陈帝国投降的人，一个个宾至如归，乐不可支。

夏季，四月十八日，杨坚前往骊山（陕西省西安市临潼区东南），亲自慰劳凯旋大军。

四月二十二日，各路大军进城，把俘虏呈献给皇家祖庙，献俘行列中，陈叔宝为首，其次是陈帝国各亲王、公爵、侯爵、将领、宰相；全穿原来在本国所穿的官服，分别乘坐车轿，后面跟着陈帝国的档案书籍、天文图画等，依照次序，排成行列；隋政府另派铁甲骑兵，四周围住（防备突变）。俘虏行列之后，跟着是晋王杨广、秦王杨俊，鱼贯而入，分别在金銮宝殿排列。杨坚任命杨广当太尉（三公之一），赏赐给他辂车、马匹、衮袍、冠帽，以及黑色圭玉、白色璧玉。

四月二十三日，杨坚登广阳门（大兴宫正南门）城楼，礼宾人员把陈叔宝带到面前，另外还有太子陈深、各亲王等二十八人；最高监察长（司空）司马消难以下，直到国务院助理官（尚书郎）约二百余人；杨坚派最高监督长（纳言）宣读诏书，加以安慰。再命最高立法长（内史令）宣读诏书，责备他们君臣不能团结，所以才归于消灭。陈叔宝和他的臣属全都羞愧恐惧，匍伏地上，压低鼻息，不能回答。接着，杨坚全部赦免。

最初，杨坚的老爹杨忠，率军迎接司马消难（参考五五八年三月），二人结拜兄弟，友情深厚，杨坚把司马消难当作叔父敬重。等到陈帝国瓦解，司马消难被俘，解回大兴（隋首都，陕西省西安市），杨坚特命赦免司马消难一死，发配给妓女户当奴（封建时代专事吹弹歌舞，供统治阶级取乐的人户。身份低贱，不属于良民），但二十天后，杨坚再下令赦免，仍以旧日情谊，特别接见，司马消难不久在私宅逝世。

四月二十七日，杨坚再登广阳门（大兴宫正南门），大宴南征将士。从门外两侧，开始堆积布匹绸缎，直堆到南郭门，依照功勋等级，分别赏赐，用去三百余万匹。故陈帝国境内各州，免除十年田赋捐税；本土各州，免除本年（五八九）田赋捐税。

乐安公爵元谐进言说：“陛下的威望和恩德，远播边远。我以前曾请求命突厥可汗当侦探（候正），陈叔宝当助理（令史），今天，应该接受我的建议。”杨坚说：“我征服陈国（陈帝国），只是为了铲除叛逆，并不是为了好大喜功。你的建议，不合我的本意。突厥可汗连山川形势都弄不清楚，怎么能够担任警戒？陈叔宝天天醉得不省人事，怎么能够交给他工作？”元谐沉默退下（元谐是杨坚的开国功臣，参考五八〇年六月）。

四月二十八日，晋封杨素当越公爵，命他的儿子杨玄感当仪同三司（勋官八级，正五品上），另一儿子杨玄奖当清河郡公爵（杨素原封），赏赐绸缎一万匹、粟米一万石。命贺若弼坐上御座，赏赐绸缎八千匹，擢升当上柱国（勋官一级，从一品），晋封宋公爵。又分别加赏金银财宝，并把陈叔宝的妹妹赏赐给贺若弼当小老婆。

贺若弼、韩擒虎在杨坚面前争功。贺若弼说："我在蒋山（建康城东）艰苦死战，击破陈国（陈帝国）精锐，生擒他们的勇将，威震江南（长江以南），才把敌国铲平。韩擒虎并没有打几个硬仗，怎么能跟我比。"韩擒虎说："我奉到明确的指令，命我会同贺若弼同时发动攻击，夺取敌人首都（建康），而贺若弼却胆大包天，先行出动，遇到盗贼（指陈帝国军），不得不应战，以至将士死伤惨重。我只率轻装备骑兵五百人进攻，兵器没有染血，一直进抵金陵（建康），降伏任忠，活捉陈叔宝，占领他们的国库，倾覆他们的巢穴。直到当天晚上，贺若弼才抵达北掖门，是我打开城门接他入城。他连赎罪都来不及，又怎能和我相比！"杨坚说："你们二人，都是上等功勋！"擢升韩擒虎也当上柱国（勋官一级，从一品），赏赐绸缎八千匹。但有关单位弹劾韩擒虎放纵士卒奸淫陈帝国宫女，因此不晋升爵位，不增加采邑。

加授高颎上柱国（勋官一级，从一品），晋封齐公爵，赏赐绸缎九千匹。杨坚嘉许他说："你出去讨伐陈国（陈帝国），有人告发你要叛变，我已把他斩首，君主与臣属道义相合，青蝇无法离间（把挑拨离间的话，比作蝇声嗡嗡，参考一六四年十二月注）。"闲暇时，杨坚命高颎跟贺若弼，评论在征服陈帝国战役中，自己的贡献，高颎说："贺若弼最先呈献十项条陈（参考前年〔五八七〕十一月），后来又在蒋山（建康城东）苦战，击破盗贼（陈帝国军）。我是一个文职人员，怎么敢跟大将相比。”杨坚大笑，嘉许他的谦让。

杨坚在发动攻击陈帝国战争中，经常派高颎向上仪同三司（勋官七级，从四品上）李德林请教谋略，然后转告晋王杨广。现在，杨坚赏赐这项功劳，加授李德林：柱国（勋官二级，正二品），封郡级公爵，发给绸缎三千匹。诏令已经宣布，有人警告高颎说：“现在把功劳都归给李德林，那些在疆场上死战的将领们，一定愤愤不平。而且，后世看来，一切计策都出自李德林指示，你这个总部秘书长（晋王元帅长史），好像有也可，没有也可。”高颎进宫禀报，杨坚下令收回。

西汉王朝建立时，气象盖世，刘邦把所有的功劳，归于张良、萧何、韩信。韩信的战绩震耳欲聋，其他将领当然不会反对，但张良却隐在幕后，处境跟李德林完全一样，刘邦硬把张良突出到万军之上，显示刘邦确实具有英明领袖必须具有的洞察力和开阔的胸襟。杨坚因李德林反对他滥肆屠杀（参考五八一年二月），记恨在心，所以遇机即发，而高颎也深知谗言一入，杨坚就会立刻顺水推舟，把李德林一笔抹杀。高颎是一个知识丰富的谋士，无论待人或处理事务，很多地方值得赞许，但他的嫉妒心太强，既嫉妒张丽华之美，又嫉妒李德林之能，使他跟杨坚一样，难以跃升到智者层面。

杨坚任命秦王杨俊当扬州军区（总部设扬州〔江苏省扬州市〕）总司令（扬州总管四十四州诸军事），镇守广陵（隋统一中国后，把设于广陵之吴州，改称扬州。原来的扬州〔寿春，安徽省寿县〕，则改称寿州）。晋王杨广返回并州（山西省太原市）。

晋王杨广诛杀陈帝国五位摇尾分子时（指施文庆、沈客卿、阳慧朗、徐析、暨慧景），还不知道更大的摇尾分子国务院法务部长（都官尚书）孔范，总顾问长（散骑常侍）王瑳、王仪，总监察官（御史中丞）沈瓘的罪状，所以都免一死；等俘虏们押解到大兴（隋首都，陕西省西安市），他们的事情才全部被揭发。

四月二日（此日期似有误），杨坚公布他们的罪状，贬窜边疆，用以向吴越（陈帝国）人民赎罪。王瑳刻薄卑鄙，贪赃枉法，嫉妒贤能，对有才干的人，百般谋害。王仪伶巧利落，精于谄媚拍马，把亲生的两个女儿呈献给陈叔宝玩弄，以求陈叔宝因此亲昵关系，对自己另眼看待。沈瓘手掌审判大权，阴险残忍，对囚犯施用酷刑，言论邪恶，只知对上交心。所以，一同定罪。

杨坚对陈叔宝的赏赐十分丰厚，又屡次召见，陈叔宝在金銮宝殿上站在三品官员的位置。每次命他参加宴会，恐怕他触景生情，心生伤感，特别禁止演奏东吴（江东，太湖流域及钱塘江流域）音乐。后来，负责监视陈叔宝的官员报告："陈叔宝说：'既没有等级，每次参加朝见，进退没有一定标准，希望给一个官号。'"杨坚叹息说："陈叔宝真是没有一点心肝！"监视人又说："陈叔宝常常酩酊大醉，很少有清醒的时候。"杨坚说："每次饮酒多少？"监视人回答说："陈叔宝跟他的子弟们，每天能饮一石。"杨坚大吃一惊，命陈叔宝自我节制，不久又说："随他的意去灌！不然的话，怎么过日子。"杨坚因陈姓皇族人口太多，都集中京师（首都大兴），恐怕为非作歹，于是分别遣送到偏远郡县，发给他们农田，使他们自力更生，每逢过年过节，仍赏赐给他们衣裳，作为安抚。

杨坚下诏，任命故陈帝国国务院总理（尚书令）江总，当上开府仪同三司（勋官五级，从三品）；国务院执行长（仆射）袁宪、骠骑将军萧摩诃、镇东大将军任忠，全当开府仪同三司（勋官六级，正四品上）；国务院文官部长（吏部尚书）吴兴（浙江省湖州市）人姚察，当皇家图书院主任秘书（秘书丞，正五品上）。杨坚嘉许袁宪的高尚节操，下诏说他是江表（江东）第一人，命他当昌州（湖北省枣阳市南）州长。杨坚听说陈帝国总顾问长（散骑常侍）袁元友，过去不断向陈叔宝直言规劝，特任命袁元友当国务院文官部爵位司长（主爵侍郎）。杨坚公开对文武百官说："削平江南（长江以南）的时候，我后悔没有立刻诛杀任忠。他接受人家的荣耀俸禄和重要委任，不但不能横尸一死，身殉国难，反而借口说他已无能为力（参考本年〔五八九〕正月二十日），比起弘演剖腹，把君王的肝脏藏到腹中，相差岂不太远！"（弘演纳卫国国君〔懿公〕卫赤肝事，参考三九七年八月注。）

柏杨曰

中国帝王最主要的一项任务（甚至是唯一的一项工作），就是如何使部属效忠，一切儒家学派的努力，也都朝向这个指标。礼教所以被重视，就是它可以使人心甘情愿的当仆当奴。于是弘演剖开自己的肚子，收藏君王的肝脏，遂被钦定为一个可敬的天下第一忠，也成为历代帝王意淫中的高贵典范。我们尊敬弘演的情操，但认为剖腹藏肝是一个杜撰的野蛮神话。

任忠已尽了他的职责，但他无力挽回大局。杨坚之所以恨任忠不死，只是希望自己的部属不要效法任忠，而要效法弘演，为杨坚剖肚、也为杨坚藏肝。但我们小民则希望将军们都能像任忠一样，竭尽自己的职责就够了，应把杨坚的肝，抛到阴山背后！

杨坚接见故陈帝国水军司令周罗睺，安慰勉励，承诺赐给他荣华富贵。周罗睺流泪回答说："我蒙受陈国（陈帝国）优厚的待遇，陈国（陈帝国）沦亡，我却没有节操可以记载。能够免除一死，已是陛下的恩赐，怎么还敢盼望富贵！”贺若弼对周罗睺说：“我们得到你在郢汉（湖北省武汉市）掌握兵权的消息，就知道扬州（建康）可以夺取。帝国大军出征，果然不出意料。”周罗睺说：“如果跟你周旋，胜败可不一定。”不久，任命周罗睺当上仪同三司（勋官七级，从四品上）。最初，陈帝国将领羊翔，先行投降隋帝国，隋帝国南征时，羊翔担任向导，官升到上开府仪同三司（勋官五级，从三品），金銮宝殿朝会，位置在周罗睺之上。韩擒虎在殿上向周罗睺开玩笑，说：“你不知道随机应变，今天才站到羊翔的下边，难道不感到羞愧！”周罗睺说：“我从前在江南（陈帝国），一直崇拜你的崇高声誉，认为你是天下骨鲠之士。今天说这种话，大出我意外。”韩擒虎脸上露出懊悔。

杨坚斥责陈帝国君臣时，只陈叔文（晋熙王）一个人掩饰不住喜悦，不久，再上疏自我推荐，说：“我从前在巴州（湖南省岳阳市）时，已经先行表示归附（参考本年〔五八九〕正月二十二日），请陛下仍记此情，我盼望受到的待遇，跟别人不同。”杨坚虽然厌恶他出卖祖国，但是，为了安抚江表（太湖流域及钱塘江流域），后来仍然加授陈叔文：开府仪同三司（勋官六级，正四品上），命当宜州（陕西省铜川市耀州区）州长。

最初，陈帝国总顾问长（散骑常侍）韦鼎，前往北周帝国聘问（参考五八一年四月），曾经跟杨坚相遇，对杨坚的相貌，大为惊异，告诉杨坚说：“你一定会大贵特贵，大贵特贵之后，中国即行统一，天下成为一家，十二年后，我这个老汉将投奔依靠于你。”等到五八三、五八四年，韦鼎当宫廷库藏部长（太府卿），开始变卖全部家产。工程部长（大匠卿）毛彪问他什么缘故，韦鼎说：“江东（太湖流域及钱塘江流域）帝王之气，已经完结，我跟你将来都要埋葬大兴（隋首都，陕西省西安市）。”等陈帝国覆亡，杨坚召见韦鼎，命他当上仪同三司

(勋官七级，从四品上)。韦鼎，是韦叡的孙儿(韦叡事，参考五二〇年八月)。

四月二十九日，杨坚下诏说："现在，天下已经统一，天生万物，都顺适本性，发展成长，太平时代的法令规章，正应及时推行。凡我所有人民，都要追求最高品德，接受熏陶，每个家庭都要自修，每个人都要立志。兵力可以建立威势，却不可以不早日停止；刑罚可以帮助教化，却不可以一心一意对它依据。现在规定：除了保卫宫城的禁卫军和镇守四方的边防军之外，野战部队一律解散，武器都要收回。社会秩序既然安定，各地没有非常之事，军官的子弟，都应读书学习儒家学派经典。民间所藏的铠甲刀枪，全部销毁。通告天下，了解我的意思。"

上柱国(勋官一级，从一品)贺若弼把他所有的作战计划，撰文呈报，定名《御授平陈七策》。杨坚拒绝阅读，说："你打算替我扬名，我不求名，你应该留给自己写作传记之用。"贺若弼官位太高，声望太重，兄弟们都封郡级公爵，分别当州长、将军，家里的珍宝古玩，多得不可胜数，身穿拖地绸缎长裙的小老婆和婢女有数百人，当时的人认为享尽荣华。后来，突厥汗国(瀚海沙漠群)派使节前来朝见，杨坚对使节说："你有没有听说过，南方陈国(陈帝国)有个皇帝？"使节回答说："听说过。"杨坚命左右侍从引导突厥使节往见韩擒虎，说："这个就是活捉陈国(陈帝国)皇帝的人。"韩擒虎用严厉的眼神盯住使节，使节惶恐，不敢抬头注视。

左卫(十二禁军第一军)将军(从三品)庞晃等，在杨坚面前不断说上柱国(勋官一级，从一品)高颎的坏话，杨坚大怒，全都罢黜(庞晃跟广平王杨雄，仗恃跟杨坚的旧日情谊，在杨坚面前屡屡攻击高颎)，而对高颎越发亲密信任，告诉高颎说："独孤先生好像一面明镜，每次遇到摩擦，就更光亮(在水银被发现前，中国用铜铸镜)。"最初，高颎的老爹高宾，当独孤信的幕僚，依照北周帝国的规定，部属应姓主官的姓（参考五五四年正月），高宾遂改称独孤宾，所以杨坚常称他独孤先生（惯性使然，虽已改回本姓，旧姓顺口），而不称名字。

4 乐安公爵元谐，性情豪爽，行侠仗义，气度恢宏，跟杨坚是小时候的同学，互相亲爱，杨坚称帝后，元谐不断升迁，地位显赫。但元谐喜欢信口攻击别人，不能博取杨坚左右亲信们的欢心。元谐跟上柱国（勋官一级，从一品）王谊，感情深厚，后来，王谊被诛杀（参考五八五年三月），杨坚对元谐也开始猜忌，稍稍疏远。于是，有人检举元谐和他的堂弟、上开府仪同三司（勋官五级，从三品）元滂，临泽侯田鸾，上仪同三司（勋官七级，从四品上）祈绪等（祈，姓），阴谋叛变。杨坚交给有关单位调查审理，有关单位奏报说："元谐阴谋派遣祈绪发动党项部落（四川省西北部），切断通往巴蜀（四川省）交通线。有一次，元谐曾经跟元滂一同晋谒皇上（杨坚），元谐暗中对元滂说：'我是主人，殿上那个是贼。'遂命元滂观察气象，元滂说：'他（指杨坚）的气象像一只蹲着的狗和一只奔走的鹿，不如我们头上有福德云。'"（明显的是"有人型"冤狱，逼出这种恍惚发烧口供，不知使用多少酷刑！）杨坚大怒，元谐、元滂、田鸾、祈绪，一同诛杀。

闰四月七日，任命国务院文官部长（吏部尚书）苏威当国务院右执行长（右仆射）。

六月三日，任命荆州军区（总部设荆州〔湖北省江陵县〕）总司令（荆州总管）杨素，当最高监督长（纳言）。

5 隋王朝政府官员及在朝或在野知识分子，一致认为隋帝杨坚应该封禅（皇帝前往泰山添土祭天神称"封"，前往梁父山辟场祭地神称"禅"。

事实上，封禅的意义就是皇帝浪费人民财产，出门摆阔)。

秋季，七月十五日，杨坚下诏说："怎么可以因为派遣一位将军，消灭一个小国，引起远近注意，就宣称太平！以微小的品德去祭拜名山，用虚伪的言语去干扰上帝，我不敢听这种建议。从今以后，凡提倡封禅的言论，一律禁止。"

6 左卫（十二禁军第一军）大将军（正三品）广平王杨雄（杨坚的远房堂侄），受隋帝杨坚的宠爱，权高望重；连同高颎、虞庆则、苏威，被时人称为"四贵"。杨雄宽厚包容，礼贤下士，朝野倾心。杨坚对他得到广大部众的拥护爱戴，十分厌恶，心中猜忌，不希望他手握军队。

八月一日，杨坚擢升杨雄当司空（三公之三），名义上高升，实际上夺取他的兵权（"三公"地位最高，仅次"三师"，隋王朝政府建立之初，"三公"还拥有一个机构，也有官属编制〔开府〕，稍后，开府撤销，只剩光棍一人）。杨雄被高悬在那里，没有实际工作，就紧闭家门，不再接见宾客。

7 杨坚篡夺帝位之初，柱国（勋官二级，正二品）沛公爵郑译，请求修订皇家音乐，杨坚命祭祀部长（太常卿）牛弘、国立贵族大学校长（国子祭酒）辛彦之、国立贵族大学教授（博士）何妥等研究讨论，多少年下来，不能定案。郑译说："古乐十二律，旋相为宫，各用七声，世莫能通。"（事关音律，完全不懂，照抄原文，以下同此。）后来，龟兹（新疆库车市）人苏祇婆，非常会弹琵琶（突厥阿史那公主下嫁北周帝国三任帝宇文邕时〔参考五六八年二月〕，苏祇婆是她的陪嫁侍从之一），郑译向苏祇婆学习，才完全了解，并推演为十二"均"，八十四"调"；用来校订音乐管理局（太乐）所用的乐谱，发现很多错误。郑译又在七音之外，更提出一音，称为"应声"，撰写一篇学术论文，公布传阅。现在跟邳公继承人（邳公世子）苏夔，讨论“累黍定律”。

当时的人认为：很久以来，音律已经失传，不是郑译、苏夔少数几个人短时间之内就可以制定（北魏帝国末年，全国大乱，首都洛阳乐器全被烧光；之后，十三任帝元恭时，才复制定，称《大成乐》，参考五三三年三月，北齐帝国应因而继承。至于西魏帝国，则于五三九年，才制定音乐，参考该年十一月，北周帝国也继承。但隋政府要求的，或许是上古时代的音律，所以才说失传）。杨坚是个老粗，不敬重知识，牛弘对音律又没有深入研究，何妥自认为是儒家学派高级知识分子—— 一代大儒，对音律的了解，反而不如郑译等，大为惭愧，遂老羞成怒，不希望郑译等成功，于是不断阻挠破坏；首先标新立异，认为：“非十二律旋相为宫及七调（不懂，原文照抄）。”何妥既然开头，各种不同的意见，遂纷纷提出，各人有各人的摇尾系统，各派人马，互相对抗。有人建议：各派应该依照各派学说原理，制出乐章后，在其中选择最优秀的使用。但这又引起何妥的恐慌，他认为音乐一经演奏，奸坏优劣，立刻呈现，于是他坚持请杨坚亲自谛听，可是他却先行提醒杨坚说：“‘黄钟’象征帝王的品德。”所以当演奏发出“黄钟”声音时，杨坚说：“滔滔不绝，温和柔雅，跟我的心灵融会贯通。”何妥遂奏请只采用黄钟，不管其他。杨坚大为高兴，批准。

当时，又有作曲家万宝常，深晓音律。郑译等的“黄钟调”（不懂）制成，奏报皇帝，杨坚问万宝常的意见，万宝常说：“这是亡国的声音。”杨坚大不高兴。万宝常请以“水尺”作为标准，调整乐器，杨坚同意（水尺，《隋书·律历志》：“五音用火尺，其事火重，用金尺则兵，用木尺则丧，用土尺则乱，用水尺则律吕合调，天下和平。”金木水火土渗入古文化每一部门，医药、历法、天象，甚至谱一首曲，唱一首歌，都逃不脱五行幽灵，但说了半天，“水尺”到底是什么？仍没有说清楚）。万宝常制造各种乐器，音阶大都比郑译的低两个音调，乐器上的设备有增有减，变化之多，无法细记。声音平淡素雅，世人不能接受，祭祀部（太常）喜爱音乐的人士，差不多都对他排斥。苏夔尤其是嫉妒万宝常。而苏夔的老爹苏威，正是当权高官，炙手可热，凡是参与讨论音乐的专家学者，一致认为苏夔正确无讹，而万宝常漏洞百出。万宝常所作的歌曲，遂被压制，不能问世。

等到征服陈帝国，掳获南宋帝国及南齐帝国皇家遗留下来的乐器，以及江左（江东，太湖流域及钱塘江流域）乐师，杨坚命他们在金銮宝殿上演奏，赞叹说："这才是中国正统之声。"于是，把"五音"调整为"五夏""二舞""登歌""房内"十四音律，在招待国宾及皇家祭祀祖先和神灵时使用。杨坚下诏命祭祀部（太常）演员管理局（清商署）负责管理。

当时，全国统一，历代王朝政府用品器物，都集中音乐管理局（乐府。隶属祭祀部〔太常〕）。祭祀部长（太常）牛弘上奏说："中国皇家正统音乐，多流落江左（江东，太湖流域及钱塘江流域）。从前，攻克荆州（江陵，湖北省江陵县），得到南梁帝国皇家音乐（参考五五四年十二月）。而今，铲平蒋州（建康，江苏省南京市），又得到陈帝国皇家音乐，历代相传下来，可能跟古代相合，请求指定人员加以整理修订，以备皇家使用。至于北魏帝国及北周帝国的皇家音乐，内容不纯，羼杂边疆蛮夷后裔的歌声，都不可以使用，应完全停止。"

冬季，十二月，杨坚下诏命牛弘与高级监督官（通直散骑常侍）许善心、姚察及通直郎（此时隋政府没有此官）虞世基，共同研讨雅乐。虞世基，是虞荔的儿子（虞荔事，参考五六一年十二月）。

8 十二月十日，杨坚任命黄州军区（总部设黄州〔湖北省黄冈市黄州区〕）总司令（黄州总管）周法尚，当永州军区（总部设永州〔湖南省永州市〕）

总司令（永州总管），负责安抚岭南（南岭以南），命他带黄州军三千五百人前往到职，充当警卫。陈帝国任命的桂州（广西桂林市）州长钱季卿等，都向周法尚投降。陈帝国定州（广西桂平市）州长吕子廓，据守山洞，拒绝屈服；周法尚进击，斩吕子廓。

9 杨坚任命国务院国防部畜牧司长（驾部侍郎）狄道（甘肃省临洮县）人辛公义，当岷州（甘肃省岷县）州长。岷州人民最恐惧瘟疫，一旦染病，家人就把他抛弃，远远躲避，患病的人大多数都会死亡。辛公义下令把病人全抬到州政府办公大厅，天正炎热，病人多的时候有数百人，屋子、院子、走廊，全都躺满。辛公义把自己的床铺放到病榻之间，日夜都在那里，用薪俸购买药物，为病人医治，亲自慰问。病人如有痊愈，辛公义就召集病人的亲戚，告诉他们："生死自有命运注定，怎么会有传染？如果真有传染，我早死了。"大家都羞惭道歉，把亲人领回。后来，有人患病，要求投奔州长，他的家属亲戚反而坚持亲自奉养，大家才开始相爱，父慈子孝，风俗大变。后来，辛公义升任并州（山西省太原市）州长，刚下驿马车，就先到监狱，在院子里露天坐下，亲自审问被告。十数天时间，或判决、或释放，全部结案。这时才回到州政府公堂，接受新的诉讼，案件都当堂结案。如果不能结案，必须继续囚禁，辛公义晚上就住宿公堂，不肯回家。有人规劝说："公事自有一定程序，州长何至如此辛苦！"辛公义说："州长没有恩德，不能使人民不发生诉讼，把人囚禁监狱，自己怎么可以在家安稳的睡觉！"被告听到这些话，都坦白承认错误。以后，再有人打算打官司，乡里年纪大的人就加以劝阻，说："这是件小事，怎么忍心劳动州长！"原告与被告多数都能互相让步和解。

隋王朝

◉ 江南人民纷纷起兵反抗隋政府，杨素讨平。

◉ 杨坚筑仁寿宫。

◉ 高句骊王国攻辽西，汉王杨谅战败。

◉ 突厥突利可汗投降隋帝国，改称启民可汗。

◉ 杨坚诬杀王世积。

◉ 波斯将军巴拉木，逐国王科斯洛埃斯二世，国王于翌年反攻，巴拉木逃亡被杀。

◉ 格雷果里一世被选当教皇，Pope一词遂成罗马主教专用称号。

◉ 日本崇峻天皇被其臣东汉直驹刺死，钦明天皇之女丰御食炊屋姬即位，是为推古女天皇（三十三代）。

五九〇年 庚戌

隋　开皇　十年
（皇帝汪文进元年）
（皇帝高智慧元年）
（皇帝沈玄侩元年）

1 春季，正月七日，隋王朝（首都大兴〔陕西省西安市〕）皇帝（一任文帝）杨坚（本年五十岁），封皇孙杨昭当河南王、杨楷当华阳王。杨昭，是晋王杨广的儿子。

二月，杨坚前往晋阳（山西省太原市），命上柱国（勋官一级，从一品）高颎（音jiǒng〔窘〕），留守京师（首都大兴）。

夏季，四月四日，杨坚由晋阳返回首都大兴。

2 成安子爵（文子）、最高立法长（内史令）李德林，仗恃自己的才能声望，喜爱发表议论，而且口不留情，一定要胜过对方，同事们对他都很排斥；因此，他虽然是开国元勋，辅佐杨坚登极的首功，但自隋王朝建国迄今，十年之久，不升一级。李德林屡次反对国务院右执行长（右仆射）苏威的意见，而高颎一直帮助苏威，上疏指责李德林凶狠暴戾；杨坚多次都采纳苏威的建议。杨坚赏赐李德林一座庄园商店，命李德林自己选择，李德林指定叛徒高阿那肱的财产——位于卫国县（河南省清丰县）的一处旅舍（高阿那肱与王谦起兵失败事，参考五八〇年十月），杨坚答应。后来，杨坚前往晋阳（山西省太原市），旅舍职员控告说，当初高家仗势欺人，强行霸占农民田地，在田地上建筑旅舍出租。苏威乘机报复，检举李德林蒙骗皇上，竟然说是他出钱购买（这一段语意难解，既是高家强行购田，造屋出租，便与李德林无关。既是杨坚赏赐，李德林便不可能告诉杨坚说他自行购入）。农林部长（司农卿）李圆通等，站在苏威一边，要求杨坚："这座旅舍的利润，等于千户侯爵的收入，应该计算日子，命李德林追缴赃款！"杨坚对李德林越发厌恶（《隋书·李德林传》："李德林曾请求查阅逆产登记簿，杨坚拒绝。"拒绝了解真相，而只相信小报告，是一种顽强颟顸或存心栽赃，当事人难逃魔手）。右武候（十二禁军第六军）大将军（正三品）虞庆则等奉命视察安抚关东（函谷关以东），回京（首都大兴）之后，异口同声奏报说："乡长（乡正）审判讼案，偏袒亲友，执法不公，公开收受贿赂，人民苦不堪言。"杨坚命撤销乡长（乡正）职位。李德林不赞成，说："当初设立乡长（乡正）时，我本来就坚决反对（参考去年〔五八九〕二月）。然而，刚刚设立，马上就要取消，政令便没有权威，早上颁布的命令，晚上即行作废，不是帝王制定法令规章的初意。我建议陛下：今后，文武官员凡是要求改变法令规章的，就用军法惩处。不然的话，大家议论纷纷，永没有止境。”杨坚暴跳如雷，厉声诟骂说：“你胆敢把我说成王莽（新王朝一任帝）！”（杨坚用权术篡夺政权，认为所有部属也都在对他用权术，精神紧张，疑心越重。王莽因不断变更法令，陷于乱亡；他疑心李德林讽刺他不断变更法令。）最初，李德林称他老爹是太尉府首席军事参议官（太尉咨议），为的是可以为老爹谋取到赠官。宫廷监督官（给事黄门侍郎）猗氏（山西省临猗县）人陈茂等，秘密检举说：“李德林的老爹直到去世时，还是皇家图书院校勘官（校书郎），却荒唐的提升老爹的官位。”（首席军事参议官〔咨议〕视从六品，皇家图书院校勘官〔校书郎〕正九品上，相差至巨。）杨坚怀恨在心。现在，杨坚提出这些罪状，逐条责备，说：“你是最高立法长（内史），主管皇家机要事务。最近不让你参与高阶层决策，是因为你心胸不够恢宏，难道你不知道！而你又欺上瞒下，骗取庄园店舍，又擅自提高老爹的官职，我实在气愤不过，但我不能严办你，只好给你一个州安顿！”命他出任湖州（河南省唐河县南湖阳镇）州长，李德林叩头道歉，说：“我不敢盼望继续当最高立法长（内史令），只请求留我在京师（首都大兴），当一个散官（有阶无官），能上金銮宝殿朝见。”杨坚不准。李德林后来调当怀州（河南省沁阳市）州长，在任内逝世（年六十一岁）。

农林部长（司农卿）李圆通，当杨坚尚是普通官员时，是杨坚的家奴，有器宇才干。杨坚被封随公爵时，任命李圆通及陈茂当参谋助理，对二人十分信任（李圆通保护杨坚，参考五八〇年七月二十九日；陈茂事，《资治通鉴》没有记载）。后来，南梁帝国覆亡（参考五八七年九月），杨坚任命南梁宫廷库藏部长（太府卿）柳庄，当宫廷监督官（给事黄门侍郎，正四品上）。柳庄有见识度量，学问渊博，言谈流畅，对过去法令规章十分熟悉，对政治运作十分熟练。杨坚及高颎对他都很敬重。但柳庄跟陈茂同事，却不能奉承陈茂，陈茂遂在杨坚面前说他的坏话，杨坚对柳庄稍微疏远，最后外放柳庄当饶州（江西省鄱阳县）州长。

杨坚天性猜忌，疑心重重，不爱读书，既然靠阴谋诡计夺取皇帝宝座，遂自认为聪明非凡，管理部属，明察入微，常命左右侍从窥探政府内外消息，作秘密情报，发现有人犯错，就用重刑惩罚。又疑心助理员（令史）等低级官员贪赃枉法，暗中派人用金钱布匹行贿，对方一旦接受，立即斩首。甚至在金銮宝殿上打人，一日之中，发生三次四次。有一次，怪罪行刑官打人时不够用力，下令斩行刑官。国务院左执行长（尚书左仆射）高颎、诉讼监察官（治书侍御史）柳彧等规劝，认为："金銮宝殿不是杀人地方，宫廷台阁也不是用刑场所。"杨坚不理。高颎等文武官员遂全体到金銮宝殿，请求处分。杨坚问领左右府（十二禁军第七、八军）司令官（都督）田元说："我的棍棒是不是太粗？"田元说："是太粗。"杨坚问他粗到什么程度，田元举起手掌说："陛下的棍棒直径像人的大拇指，打人三十下，等于普通刑杖数百下，所以很多人被捶击毙命。"杨坚不高兴，但仍命今后在金銮宝殿上不再准备刑杖；打算处罚人时，都交给有关单位去办。后来，楚州（江苏省淮安市淮阴区）副军事参议官（行参军，正九品上至从九品上）李君才，上疏说："陛下过分宠信高颎！"杨坚霎时间火冒三丈，下令捶击，金銮宝殿没有刑杖，遂用皮鞭把李君才抽死。从此之后，金銮宝殿上再设置棍棒。不久，杨坚突然发怒，又要当廷杀人，国务院国防部军政司长（兵部侍郎）冯基，一再劝阻，杨坚拒绝，终于在廷上把那人诛杀。杨坚不久也就后悔，安慰冯基；而对那些没有进言劝阻的官员，大发雷霆。

3 五月九日，杨坚下诏说："北魏帝国末年，丧乱流离。军人眷属为了一时需要，往往集结在一起，称为'府''坊'，军人南征北讨，眷属没有安定生活，家中没有一道完整的墙，地上更少高大桑树；对于这些人，我至为怜悯。现在规定，所有的军人眷属，全部隶属州县，由州县政府分给他们田地耕种，户籍田赋，跟平民一样，但仍由屯垦总部管理。至于山东（崤山以东）、河南（黄河以南）及北方沿边地区新设立的屯垦总部，一律撤销。”

六月五日，杨坚下令，人民满五十岁，免除兵役及差役。

秋季，七月十八日，杨坚任命最高监督长（纳言）杨素，当最高立法长（内史令）。

冬季，十一月十七日，杨坚前往首都大兴南郊，祭祀天神。

4 江表（江东，太湖流域及钱塘江流域）自晋帝国在建康（江苏省南京市）建立政府（三一七年三月）以来，三百年间，公权力不振，刑法疏阔缓慢，豪门世家高高凌驾寒门平民之上。陈帝国覆亡后，隋王朝政府官员一视同仁，对待豪门世家跟对待寒门平民一样。苏威更作《五教》，使民间无论长幼老少全都背诵（《五教》是什么，这个江南全民背诵的政治圣书，今已无人知道，但可推测当是讲解传播尊君思想作品），知识分子及一般平民，全都愤怒怨恨。而民间又突然传出谣言，说隋政府要把他们强行迁移进关（函谷关），无论城镇远近，人心恐惧惊骇。于是民变风起云涌。婺州（浙江省金华市）人汪文进、越州（浙江省绍兴市。此时应称吴州）人高智慧、苏州（江苏省苏州市）人沈玄憎，都聚众起兵，反抗隋王朝政府，各人自称皇帝，设置文武百官。乐安（浙江省仙居县）人蔡道人、蒋山（江苏省南京市东）人李悛、饶州（江西省鄱阳县）人吴世华、温州（浙江省温州市。此时应称处州）人沈孝彻、泉州（福建省福州市）人王国庆、杭州（浙江省杭州市）人杨宝英、交州（越南河内市）人李春等，都自称总司令官（大都督），四出攻击，攻陷邻近城池。故陈帝国版图所有州县，几乎全部叛变，变民集团大的有数万人，小的有数千人，互相呼应，逮捕隋政府派任的县长，有的甚至把县长的肠子都抽出来，有的则把县长剁成肉酱吞食，说：“你还能不能教我再背诵《五教》！”

杨坚下诏，命杨素当大军作战官（行军总管），出军讨伐。

杨素在渡长江南下前，命始兴（广东省韶关市）人麦铁杖（麦，姓），头顶着一叠芦草，在夜晚游泳过江，前去南岸侦察，回来报告后，再度前往，被变民军俘虏。变民军派三十人看守，麦铁杖盗取看守佩刀，突袭，把守卫几乎杀光，割掉他们的鼻子，揣到怀里逃回。杨素对他的能力及胆量，大为惊奇，奏报中央，授麦铁杖仪同三司（勋官八级，正五品上）。

杨素率强大舰队，自杨子津（江苏省扬州市南长江渡口）渡江，在京口（江苏省镇江市）攻击变民首领朱莫问，大破朱莫问军，进击晋陵（江苏省常州市）变民首领顾世兴、无锡（江苏省无锡市）变民首领叶略，完全平定。在苏州（江苏省苏州市）称帝的沈玄憎战败，逃走，杨素追击，生擒沈玄憎。越州（吴州，浙江省绍兴市）称帝的高智慧，据守钱塘江东岸，兴建军营，周围一百余华里，船舰布满江面；杨素发动攻击，副作战司令（子总管）南阳（河南省南阳市）人来护儿，建议杨素说：“东吴（太湖流域及钱塘江流域）人民轻快敏捷，船是最锋利的武器。盗贼抱着必死决心，很难跟他们一较长短，我们最好严阵以待，不要交战。然后交给我数千人特种部队，暗中渡江（钱塘江），击破他们的军营，使敌人退没有地方退，进又找不到目标攻击，这是韩信击败赵王国的计谋（参考前二〇四年十月）。”杨素接受。来护儿率领轻便小艇数百艘，渡钱塘江登岸，击破变民军营，乘势纵火，浓烟烈焰，上冲霄汉。变民军看到火势，大为恐惧，杨素用主力奋勇攻击，大破变民军，变民集团完全崩溃。称帝的高智慧逃奔东海，杨素追击到海湾（不知何地），召唤机要秘书（行军记室）封德彝讨论军务，仓猝中封德彝失足落水，大家竭力抢救，才总算没有淹死；然后换穿衣服，晋见杨素，竟不谈掉到水里的事。后来，杨素才知道，问他为什么不说，封德彝说："这是私人的事，所以没有报告。"杨素大感奇异。封德彝本名封伦，但用别名封德彝行世，是封隆之的孙儿（封隆之事，参考五三一年二月）。另一称帝的汪文进，任命司令官蔡道人当最高监察长（司空。此是南朝官制），镇守乐安（浙江省仙居县）。杨素进攻，全部扫平。

杨素派作战官（总管）史万岁（史万岁随从出征突厥，参考五八三年五月）率军队二千人，从婺州（浙江省金华市）出发，翻山越岭，漂洋过海，攻破无法计数的变民军据守的沿溪流的山洞，经过七百余次会战，一面战斗，一面前进，辗转一千余华里，讯息完全断绝，长达一百天之久，无论远近，都认为史万岁早已全军覆没。史万岁把战报放到竹筒之中，投到水里，任它漂泊，有在岸边汲水的人，把它捞起，报告杨素。杨素把事情呈报中央，杨坚嗟叹，赏赐史万岁家十万钱。

杨素继续进攻，在温州（浙江省温州市）击破变民军首领沈孝彻，徒步逼近天台（浙江省天台县），直指临海（浙江省临海市），追逐、攻击、搜捕，前后会战一百余次，称帝的高智慧南下逃往闽越（福建省）。隋帝杨坚因杨素出征在外的时间太久，下诏命杨素乘政府驿马车返回中央朝见。杨素认为残余的变民军还没有完全消灭，将来可能后患无穷。于是，在朝见后，请求完成扫荡工作，杨坚同意，杨素遂再乘政府驿马车返回前方会稽（吴州，浙江省绍兴市）。泉州（福建省福州市）变民首领王国庆认为台湾海峡浪大风急，艰难危险，不是北方人熟悉的路径，所以没有戒备，想不到杨素从海上抵达。王国庆惊惶，放弃城池逃走，残余的党羽都逃到各地海岛，有的入山据守洞穴。杨素分别派出将领，水陆两路追击捕捉。又派密使游说王国庆，命他斩高智慧，用以赎罪。王国庆乃生擒高智慧，送交杨素，杨素遂在泉州（福建省福州市）斩高智慧，其他党羽全部投降；江南（长江以南）完全平定。

杨素班师，杨坚派左领军（十二禁军第七军）将军（从三品）独孤陀，远到浚仪（汴州州政府所在县，河南省开封市）迎接慰劳。杨素回到京师（首都大兴），皇帝钦差的使节更天天去杨素家问候。任命杨素的儿子杨玄奖当仪同三司（勋官八级，正五品上），赏赐十分丰厚。独孤陀，是独孤信的儿子（独孤信是独孤皇后的老爹）。

杨素指挥大军作战，随机应变，谋略倍出，统御部队，军容严厉。每次跟敌人会战之前，一定寻求人的过失，斩首立威，多的时候，能杀一百余人，少时也不下十数人，血流面前，而杨素视若无睹，谈笑风生。等到疆场决战，杨素先派出一二百人冲锋，如果能攻陷敌阵则罢，如果没有攻陷敌阵，战败而回，不管还剩下多少，一律斩首。然后再派二三百人作第二波攻击，凡战败而回的，依例全杀。将领士卒无不发抖，都抱定必死的决心，因此战无不胜，攻无不克，杨素也被称为名将。当时，杨素地位很高，又受杨坚宠爱，所提出的建议，皇帝没有一件事拒绝，凡是追随杨素的人，即令是再小的功劳，定有奖赏。而其他将领，即令功劳再大，也多被文官挑剔谴责，不予承认。所以杨素虽然残忍，将士们也愿意跟从。

5 任命并州军区（总部设并州〔山西省太原市〕）总司令（并州总管）晋王杨广，当扬州军区（总部设扬州〔江苏省扬州市〕）总司令（扬州总管），

六世纪·五九〇年十一月　杨素平定江南民变

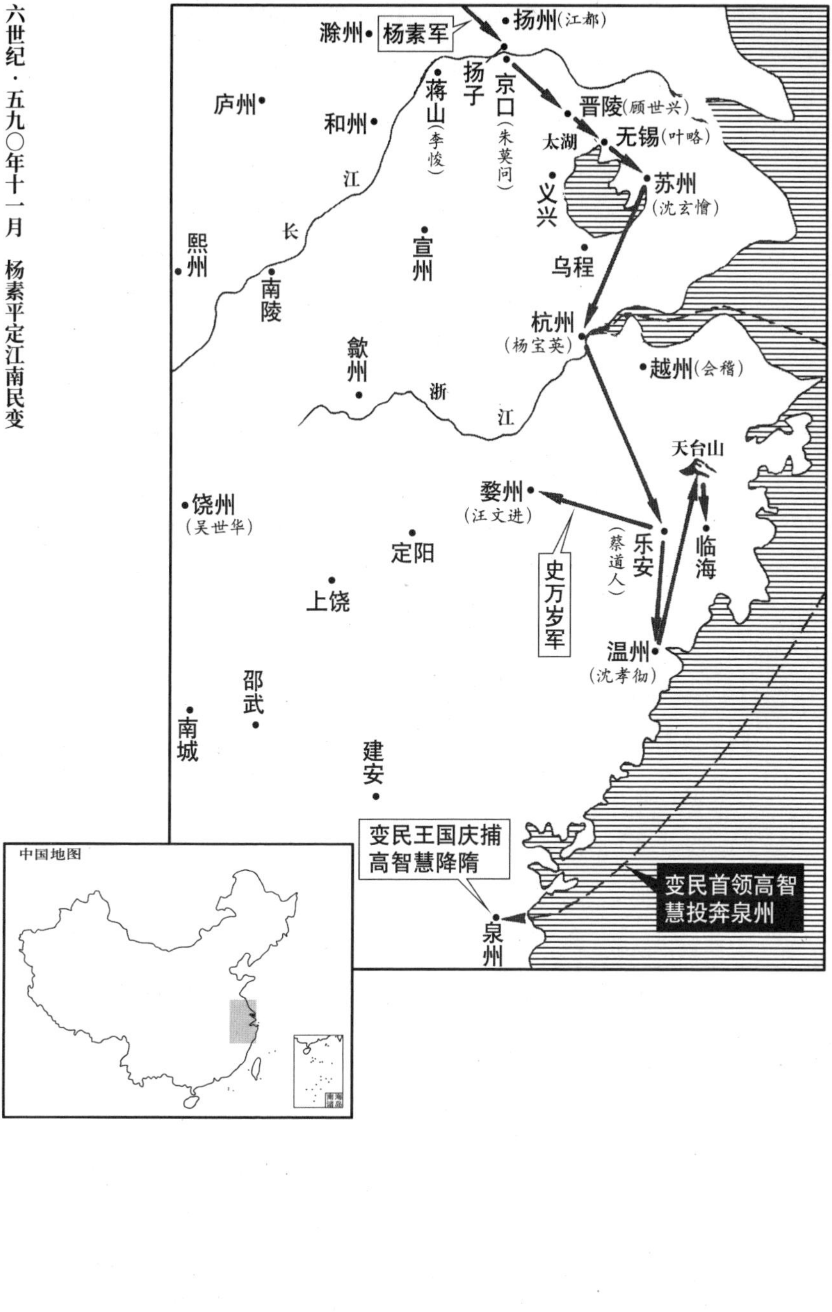

杨素军
滁州
扬州（江都）
扬子
京口（朱莫问）
蒋山（李悛）
庐州
和州
晋陵（顾世兴）
无锡（叶略）
太湖
苏州（沈玄懀）
义兴
江
长
熙州
南陵
宣州
乌程
杭州（杨宝英）
越州（会稽）
歙州
浙
江
天台山
婺州（汪文进）
饶州（吴世华）
乐安（蔡道人）
临海
定阳
史万岁军
上饶
温州（沈孝彻）
邵武
南城
建安
变民王国庆捕高智慧降隋
变民首领高智慧投奔泉州
泉州
中国地图
南海诸岛

镇守江都（即广陵，扬州州政府所在城），再命秦王杨俊当并州军区总司令（并州总管）。

6 番禺（广东省广州市）蛮夷首领（夷王）王仲宣反抗中央，岭南（南岭以南）各部族首领纷纷响应，遂包围广州（番禺）。柱国（勋官二级，正二品）韦洸被流箭射中（韦洸南征事，参考去年〔五八九〕二月），逝世，杨坚下诏，命韦洸的副手慕容三藏摄理广州兵团作战执行官（检校广州道行军事），加派给事郎（散官，正八品上）裴矩，到岭南（南岭以南）巡视安抚。裴矩抵达南康（虔州州政府所在县，江西省赣州市），招募士卒，集结数千人。变民首领王仲宣派别动部队将领周师举，包围东衡州（广东省韶关市）。裴矩会同大将军（勋官四级，正三品）鹿愿，联合进攻，斩周师举，进逼南海郡（广东省广州市。此时隋王朝没有“郡”级地方政府，但因岭南〔南岭以南〕远在边疆，此时还来不及改制）。

高凉郡（广东省阳江市）冼夫人派她的孙儿冯暄，率军增援被变民军包围的广州（番禺，广东省广州市），冯暄跟变民军将领陈佛智，原是好友，遂逗留不肯进击，冼夫人得到消息，大怒，派使节逮捕冯暄，囚禁州政府监狱，改派另一孙儿冯盎出征，斩陈佛智。冯盎前进到南海郡（广州市），跟鹿愿会师；遂与慕容三藏联合攻击王仲宣，王仲宣军溃散，广州的包围解除。冼女士身穿铠甲，骑武装战马，侍卫人员手执丝质遮阳伞，率领戒备森严的骑兵，亲自出征，追随裴矩，巡视安慰二十余州。苍梧郡（广西梧州市）住民首领陈坦等，都前往晋见。裴矩代表皇帝行使职权（承制），分别任命他们当州长、县长，教他们各回所统御的部落；岭表（南岭以南）遂完全平定。

裴矩回京（首都大兴）复命，隋帝杨坚对高颎、杨素说：“当初，韦洸率二万人大军，无法早日进入岭南（南岭以南），我一直担心他带的兵太少。而裴矩却只靠他三千人的疲惫军队，直接开到南海（广东省广州市）。有这样部属，我还忧愁什么？”任命裴矩当国务院财政部税务司长（民部侍郎），任命冯盎当高州（广东省阳江市）州长；追赠冯盎的老爹冯宝“广州军区总司令”（广州总管），封谯国公爵；封冼夫人当谯国夫人。谯国夫人冼女士设置总部，有秘书长（长史）以下官属，由政府发给印章，授权冼夫人可以调动六个州内各部落军队，如果遇到紧急情况，冼夫人可以采取应变措施。杨坚因冼夫人效忠中央的缘故，特别下诏赦免冯暄逗留不前之罪，任命他当罗州（广东省化州市）州长。独孤皇后赏赐冼夫人首饰一副，参加宴会时服装一套。冼夫人把这些皇家赏赐的物件，放到金匣子里，连同南梁帝国及陈帝国时代皇家所赏赐的物件（参考五七〇年二月），分别储藏不同的仓库，每年部落举行盛典大会时，冼夫人都把它们陈列在大庭上，让子孙们观看，训诫说：“我事奉三代帝王，用的是一颗忠心，现在，皇家赏赐，全都在这里，就是忠心的回报。你们应仔细考虑，把赤诚献给皇帝。”

番州军区（总部设番州〔东衡州改，广东省韶关市〕）总司令（番州总管）赵讷，贪污暴虐，俚族、獠族各部落，纷纷叛变逃亡。冼夫人派秘书长（长史）张融前往京师（首都大兴），呈递“亲启密奏”，提出安抚计划，同时指出赵讷罪恶，已不能吸引和怀柔远方人士。杨坚派使节调查审讯赵讷，查出赃款贿赂，最后竟把赵讷斩首。杨坚委任冼夫人出面安慰招抚，冼夫人携带诏书，亲自出动，声称自己是皇帝的使臣，经过十余州，宣传中央旨意，跟俚族獠族各部落沟通谈判；所到之处，大家全都投降。杨坚对她十分嘉许，把临振县（海南省三亚市西崖州区）赐给冼夫人作汤沐邑（女爵位采邑）。追赠冯仆：崖州军区（总部设崖州〔海南省儋州市〕）总司令（崖州总管）及平原公爵。

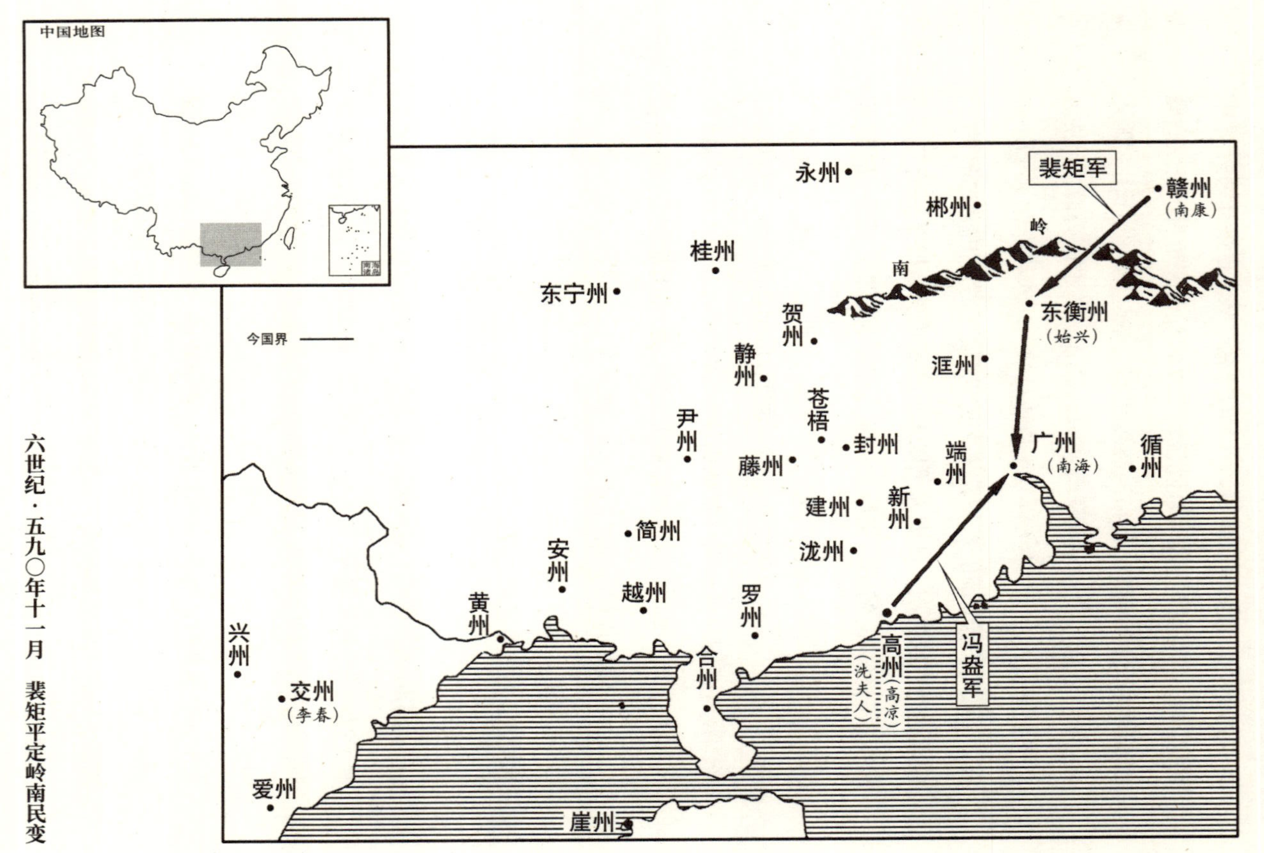

六世纪·五九〇年十一月　裴矩平定岭南民变

五九一年 辛亥

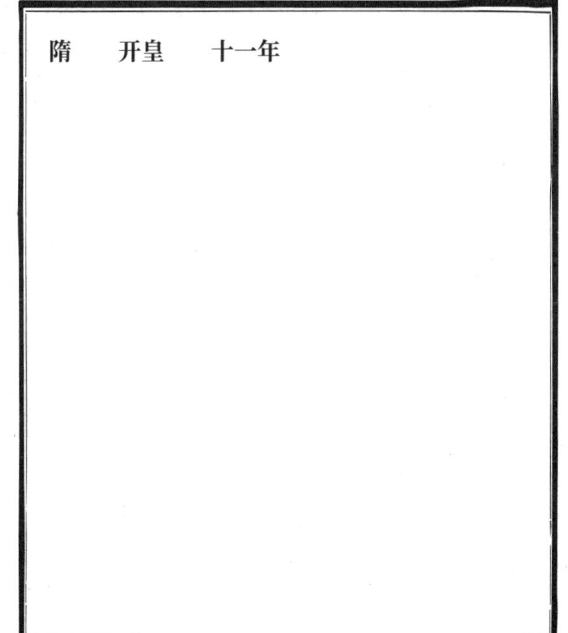

1 春季，正月，隋王朝（首都大兴〔陕西省西安市〕）皇太子杨勇的正妻（太子妃）元女士逝世。

2 二月六日，吐谷浑汗国（青海省）听到陈帝国覆亡消息，大为恐惧，可汗（十五任）慕容夸吕一面派使节向隋政府（首都大兴）进贡，一面向西逃亡，据守险要，不敢发动任何攻击。不久，慕容夸吕逝世，儿子慕容世伏继位可汗（十六任），派他的侄儿慕容无素，携带奏章到大兴呈递，请求作为藩属；又呈献地方特产，请求把女儿送到皇宫，充当宫女或小老婆。隋帝（一任文帝）杨坚（本年五十一岁）回答慕容无素说："如果批准你们的请求，其他邻邦得到消息，一定援例，将用什么理由拒绝！我一心使人民获得休养，各顺天性发展，怎么可以集合很多女人在一起，只不过为了装满后宫！”终于不许。

3 平乡（河北省鸡泽县）县长刘旷，有异常政绩，常用仁义及道理说服人民，原告被告往往自我责备离去，监狱一空，长满野草，公堂之上，可以捕捉麻雀；隋帝杨坚调他当临颍（河南省临颍县）县长。国务院执行长（仆射）高颎特别推荐说：“刘旷的廉洁和行政效率，全国第一。”杨坚召见刘旷慰劳勉励，对侍臣说：“如果不特殊奖赏，怎么能使人羡慕效法！”

二月二十四日，杨坚下达措辞喜悦的诏书，擢升刘旷当莒州（山东省沂水县）州长。

4 二月二十九日，日蚀。

5 最初，杨坚地位卑贱的时候，就跟胞弟、现封滕王（穆王）的杨瓒（杨慧），感情不睦。杨坚当北周帝国丞相时，任命杨瓒当教育部长（大宗伯），杨瓒恐怕杨坚为家门招来大祸，暗中打算谋杀杨坚，杨坚忍在心头，不对外泄漏。杨瓒的妻子，是北周帝国三任帝宇文邕的妹妹顺阳公主，跟长嫂独孤皇后一直明争暗斗，顺阳公主暗中使用巫术诅咒，杨坚命杨瓒把她逐出家门，杨瓒不肯。

秋季，八月，杨瓒跟随杨坚前往栗园（大兴城南），突然发病，逝世（年四十二岁），当时的人都疑心他被杨坚毒死。

八月二十六日，杨坚自栗园回宫。

6 岐州（陕西省宝鸡市凤翔区）州长、沛公爵（达公）郑译逝世（年五十二岁）。

五九二年 壬子

隋　开皇　十二年

1 春季，二月己巳日（二月丁丑朔，没有己巳），隋王朝（首都大兴〔陕西省西安市〕）皇帝（一任文帝）杨坚（本年五十二岁）任命蜀王杨秀（杨坚第四子）当最高立法长（内史令），兼右领军（十二禁军第八军）大将军（正三品）。

2 国立贵族大学教授（国子博士，正五品上）何妥，跟国务院右执行长（尚书右仆射）邳公爵苏威，讨论公事时，经常发生争辩，日子一久，互不容忍。苏威的儿子苏夔，当太子宫初级事务官（太子通事舍人，正七品下），年纪轻轻，反应灵敏，口才流畅，享有盛名，知识分子很多人对他攀附。后来，讨论音律，苏夔与何妥互相坚持自己的意见，不肯相让（二人制定音律，参考五八九年八月）。杨坚命文武百官在自己同意的意见下签名，文武百官因苏威权倾朝野，十分之八九都同意苏夔。何妥大为愤恨，说："我当大学教授四十余年，难道栽到后生小辈之手！"遂上疏弹劾说："苏威跟内政部长（礼部尚书）卢恺、文官部考选司长（吏部侍郎）薛道衡、国务院事务秘书长（尚书右丞）王弘、文官部考核司长（考功侍郎）李同和等，结成一党。国务院同僚都把王弘称为'世子'（爵位合法继承人），把李同和称为'阿叔'，显示王弘的权势好像苏威的儿子，李同和的权势好像苏威的老弟。"再弹劾苏威用非法手段任命他的堂弟苏彻、苏肃当官等几件事。杨坚命蜀王杨秀、上柱国（勋官一级，从一品）虞庆则等人共同查办，发现何妥检举的事，很多证据确凿；杨坚怒不可遏。

秋季，七月一日，免除苏威所有爵位及官职，仅保留开府仪同三司（勋官六级，正四品上）官衔，返回私宅。剥夺卢恺公权，开除官籍；知名之士被牵连的有一百余人。

最初，北周帝国时代，遴选官员任职，唯才是用（西魏帝国苏绰政治改革方案中的"擢贤良"，参考五四一年七月），并不管谁是高门世家（清流），谁是寒门平民（浊流）。后来卢恺摄理国务院文官部事务（摄吏部）和考选司长（吏部侍郎）薛道衡，才开始区分，所以引起"结党营私"的抨击，甚至获罪受惩。过了不久，杨坚说："苏威是一个有品德的人，只是被人错误引导！"下令把他的名字再列入晋见簿中（时称"通籍"，即得以晋见皇帝）。苏威喜爱拟订章程，其中有一项是：县政府每年应在民间挑出"五品"欠缺的人，有些县回答说："本县根本没有'五品’之家。”他做事之不切实际，大都类此（苏威的“五品”，指道德上的五伦，县政府认为指的是官阶；由此误会，可看出苏威做事之不周严）。又命民间呈报剩余粮食数目，打算与穷人互通有无。财政部税务司长（民部侍郎，正六品上）郎茂认为琐碎繁杂，迂阔不便，上疏说服杨坚，全部撤销。郎茂，是郎基的儿子（郎基事，参考五五四年六月）。郎茂曾经当过卫国（河南省清丰县）县长，居民中有名叫张元预的，兄弟不和，县政府主任秘书（丞）、民兵司令（尉），都主张用严刑处罚，郎茂说：“张元预兄弟已经互相仇视，再因此犯罪受罚，将使他们仇视更深，不是感化人民的本意。”乃慢慢向他们灌输仁义观念，张元预兄弟各自感动后悔，叩头请求宽恕，从此兄弟和睦，以亲爱闻名于世。

3 七月二十五日，杨坚前往皇家祖庙（太庙）祭祀祖先。

4 七月二十八日，日蚀。

5 隋帝杨坚因全国执法官员，很多不了解法律，有时候被告犯同样的罪，执法官员却有不同的判决。

八月一日，杨坚下达训令，说：“各州州政府所判决的死刑犯，不准自行处决，应全部移送最高法院（大理寺），请求复审；复审完毕，送国务院奏报，再作最后决定。”

6 冬季，十月十日，杨坚再去皇家祖庙（太庙）祭祀祖先。

十一月九日，杨坚再往首都大兴南郊，祭祀天神。

7 十一月十七日，新义公爵韩擒虎逝世（年五十五岁）。

8 十二月十四日，任命最高立法长（内史令）杨素，当国务院右执行长（尚书右仆射），跟左执行长（尚书左仆射）高颎，共同管理政府。杨素性情疏阔，口才流畅，是非对错，全凭自己主观判断，在政府所有官员中，最推崇高颎及祭祀部长（太常）牛弘，也很厚待文官部考选司长（吏部侍郎）薛道衡，但对苏威却看不上眼。至于其他当权官员，差不多都受过杨素的欺凌侮辱。杨素的才干能力以及格调，要比高颎为高。但是，诚心对人，顾全大体，处处为帝国着想，待人处事心平气和，以及宰相的风范度量，则远不如高颎。

右领军（十二禁军第八军）大将军（正三品）贺若弼，自认为他的功劳和名望，超过同僚之上，常常以宰相自居。不久，杨素被擢升国务院右执行长（右仆射，从二品），而贺若弼仍然在老位置当将军，心中愤愤不平，言谈之间，完全流露。因此，被免除官职，但怨恨愤怒，越发厉害。到了最后，杨坚索性逮捕贺若弼，囚禁监牢。杨坚盘问他说："我命杨素、高颎当宰相，你常常在大庭广众中抨击：'这两个人只配吃饭！'什么意思？"贺若弼说："高颎，是我的老友。杨素，是我舅父的儿子。我对他们清楚得很，才敢说这话。"三公部长级高官遂弹劾贺若弼乱发牢骚（怨望），罪应处死。杨坚对贺若弼说："臣属根据法律所作的判决，连君王也不可以推翻，你应找出可以活命的理由。"贺若弼说："我仰仗陛下的神威，率八千军队，横渡长江，生擒陈叔宝（参考五八九年正月），希望这个理由使我活命。”杨坚说：“这项功劳，已有额外重赏，怎么能炒冷饭？”贺若弼说：“我过去受额外重赏，现在仍盼望受额外活命。”杨坚思考了几天，珍惜他的功劳，特别下令免死，仅只剥夺公权，在官籍中删除名字。一年多后，杨坚又恢复他的爵位。但杨坚对他仍十分猜忌，不再任命他担任实官。然而，每次宴客赏赐时，对贺若弼仍很优厚。

9 有关单位上疏说：“政府仓库里的粮食，全都储满，没有空地可再容纳，只好堆积到走廊大厅。”杨坚说：“我征收的捐税田赋，本已很轻，而又大量赏赐（如赏赐南征陈帝国将士），怎么反而多起来？”有关单位回答说：“收入经常多于支出，大略统计，每年赏赐的绸缎，最多才数百万匹，对库存并没有影响。”于是，再在首都大兴兴筑左钱币库（左藏院），继续积储。杨坚下诏说：“宁可把粮食绸缎保存在人民之手，也不保存在仓库之中。河北（河北省）、河东（山西省）本年田赋，减三分之一；军眷田赋，减二分之一；民夫差役完全免除。”当时，全国户口每年都有增加，京辅（大大兴地区）及三河（大洛阳地区）一带，地少人多，人民贫困，衣服和粮食都严重不足。杨坚遂派出使节，前往各地重新分配耕田；耕地很少的乡村，每人才分到二十亩，老人和少年，分配到的数量更少。

五九三年

癸丑

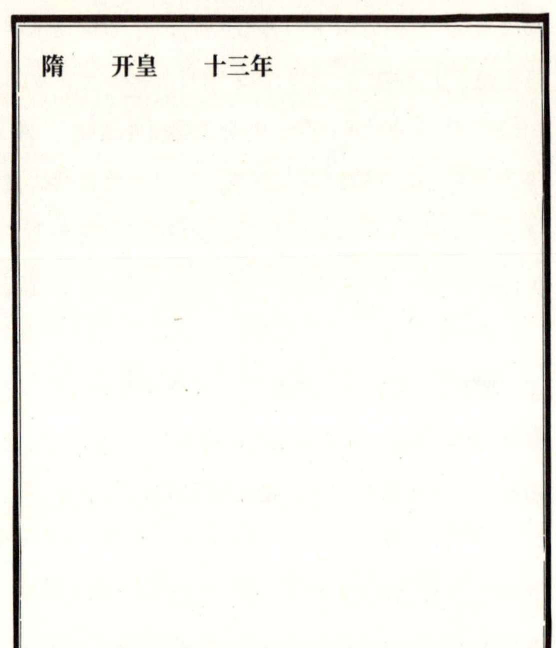

隋　开皇　十三年

1 春季，正月十一日，隋王朝（首都大兴〔陕西省西安市〕）皇帝（一任文帝）杨坚（本年五十三岁）祭祀感生帝（参考五六一年正月）。

正月二十一日，杨坚前往岐州（陕西省宝鸡市凤翔区）。

2 二月六日（原文“丙午”，据《隋书》改），杨坚下诏兴建仁寿宫，地址在岐州（陕西省宝鸡市凤翔区）北方（陕西省麟游县境），命国务院右执行长（尚书右仆射）杨素当总监工官。杨素上疏推荐前莱州（山东省莱州市）州长宇文恺摄理建筑部长（检校将作大匠，从三品）；机要秘书（记室）封德彝当土木工程官（土木监）。于是，铲除高山，填平深谷，兴建堂殿；亭台楼阁，蜿蜒相连，工程紧急，要求严厉残酷，民夫差役很多死亡，有的疲劳过度，体力不能支持，昏倒在地，立刻就被推进坑穴，泥土石块继续倾下，转眼工夫，活活埋葬；终于填出一块平地，死亡的人以万为单位计算。

3 二月九日，封皇孙杨暕当豫章王。杨暕，是晋王杨广的儿子。

4 二月十七日，杨坚从岐州（陕西省宝鸡市凤翔区）回京（首都大兴）。

5 二月二十七日，杨坚下令："私人不准收藏神秘预言书（纬候图谶）。"

6 秋季，七月三十日，日蚀。

7 本年（五九三），杨坚命国务院内政部长（礼部尚书）牛弘等，讨论皇家大会堂（明堂）制度（隋王朝开国之初，牛弘建议兴建皇家大会堂，遭杨坚拒绝，参考五八三年十二月）。摄理建筑部长（检校将作大匠，从三品）宇文恺，呈献木制样品屋；杨坚命有关单位择定安业里（大兴南城），准备开工兴建，可是儒家学派知识分子议论纷纷，互相坚持己见，长期不能定案，杨坚遂下令取消。

8 杨坚消灭陈帝国时（五八九年），把陈叔宝的屏风，赏赐给远嫁突厥汗国（瀚海沙漠群）的大义公主宇文女士，宇文女士逼于形势，虽认杨坚为义父（参考五八四年九月），但亡国之痛（悲北周帝国），内心不能平衡，把愁苦诉诸诗篇，写在屏风之上，表面上哀悼陈帝国，实际上哀悼北周（大义公主《题屏风诗》：盛衰等朝暮／世道若浮萍／荣华实难守／池台终自平／富贵今何在／实事写丹青／杯酒恒无乐／弦歌讵有声／余本皇家子／

漂流入虏廷／一朝睹成败／怀抱忽纵横／古来共如此／非我独申名／唯有明君曲／偏伤
远嫁情)。杨坚得到报告，大为厌恶，对大义公主的礼遇，渐渐微薄。

彭公爵刘昶，原娶北周帝国的公主。通缉犯杨钦，逃亡到突厥汗国（瀚海沙漠群），异想天开，诈称：刘昶打算跟他的公主妻子发动政变，颠覆隋王朝政府，所以特别派他担任密使，通知大义公主支援，命突厥出军扰乱边界。都蓝可汗（八任大可汗）阿史那雍虞闾深信不疑，于是不再向隋王朝政府进贡，开始沿边骚扰。杨坚派车骑将军（正五品上）长孙晟，前往突厥秘密调查。大义公主接见长孙晟时，言辞不再谦敬，又发现大义公主派她的情夫、胡人安遂迦，与杨钦进行阴谋，煽动阿史那雍虞闾。长孙晟返回京师（首都大兴），把情形报告杨坚。杨坚再派长孙晟前往，命突厥交出杨钦，阿史那雍虞闾拒绝，誓言："清查境内所有的外国人，没有杨钦。"长孙晟遂贿赂某一位高官，得知杨钦藏匿所在，于夜晚突袭生擒；明天，把他押解到阿史那雍虞闾面前，并乘机揭发大义公主的奸情，突厥汗国的贵族们大感羞耻。阿史那雍虞闾遂逮捕安遂迦等，全都交给长孙晟。杨坚十分欣喜，擢升长孙晟当开府仪同三司（散官六级，正四品上），命他三往突厥，要求罢黜大义公主。副立法长（内史侍郎，正四品下）裴矩，自告奋勇前往突厥，说服阿史那雍虞闾诛杀大义公主。

当时，阿史那处罗侯（七任莫何可汗）的儿子阿史那染干（《隋书·突厥传》认为阿史那染干是阿史那摄图〔六任沙钵略可汗〕的儿子，本传应更可信），称突利可汗，居住北方，派使节前往隋王朝政府，请求公主下嫁。杨坚派裴矩告诉使节说："你只要能杀死大义公主，我就答应这门亲事。"阿史那染干遂在阿史那雍虞闾面前，强调大义公主的罪行，阿史那雍虞闾大怒若狂，斩大义公主，请隋政府再赐公主下嫁。隋政府高官会议同意，打算应许。长孙晟反对，说："我的观察，阿史那雍虞闾是一个反复无常的小人物，只因跟达头可汗（小可汗）阿史那玷厥之间，互相怨恨，所以才打算依靠我国的力量。依我观察，纵然把公主嫁给他，最后他仍然会远走高飞。现在，他如果娶我国公主，仗恃隋帝国的威望，阿史那玷厥和阿史那染干，就无法避免受他控制。等到强大之后，再叛隋帝国，恐怕我国难以因应。而且，阿史那染干是阿史那处罗侯的儿子，对我们一向顺服，两代以来，都是如此。前些时曾经请求结亲，现在不妨答应他；同时命他的部众向南迁移，他们兵员较少，力量较弱，容易安抚，就教他跟阿史那雍虞闾对抗，保卫边疆和平。”杨坚说：“好极。”于是再派长孙晟前往慰问阿史那染干，允许他娶公主。

9 祭祀部长（太常卿）牛弘，命御用作曲官（协律郎，正八品上）范阳（河北省涿州市）人祖孝孙等，参与厘定皇家雅乐。祖孝孙追随陈帝国阳山郡（广东省英德市西北浛洸镇）郡长毛爽，学习京房的音律，“布管飞灰，顺月皆验。”（《后汉书·律历志》原文：“候气之法，为室三重，户闭涂衅，必以周密，布缇缦室中，以木为案，每律各一，内庳外高，从其方位，加律其上，以葭莩灰，即其内端，案历而候之，气至者灰动；其为气所动者，其灰散；人及风所动者，其灰聚。殿中候用玉律十二，惟二乃候，灵台用竹十六，候日如其历。”事关音律，不懂，照抄，提供专家。）同时，“每律生五音十二律，为六十音，因而六之，为三百六十音，分直一岁之日，以配七音，而旋相为宫之法，由是著名。”牛弘等乃奏请：“复用旋宫法。”杨坚仍记得何妥的小报告（参考五八九年八月），在牛弘奏章上批示，不准作旋宫，只准用黄钟一宫。于是牛弘等再奏，附和杨坚的意思，把前代金石，全都销毁，用以平息异议。牛弘等又作武舞，象征隋王朝的功德；“郊庙飨用一调，迎气用五调，旧工稍尽，其余声律，皆不复通。”（不懂，照抄。）

五九四年 甲寅

1 春季，三月，隋王朝（首都大兴〔陕西省西安市〕）皇家雅乐谱成。

夏季，四月一日，隋帝（一任文帝）杨坚（本年五十四岁），下诏施行新的皇家雅乐，指出："民间音乐，放荡邪僻，为时已久，放弃旧的乐谱，竞相谱出繁杂新声，应该约束禁止，务必保存传统精华。"音乐师万宝常听到祭祀部（太常）所奏的音乐，流下眼泪，说："乐声淫乱凄厉，而且哀伤，这个政府不久就会覆亡。"当时帝国势力正盛，天下太平，听到的人都不能同意。可是到了下世纪（七）一〇年代，万宝常的话竟然应验。万宝常贫穷，又没有儿子，很久之后，竟然饿死。临死时，他把所有的书都烧掉，说："要它们有什么用！"（我们为一个音乐家之死哭泣！）

2 最初，中央各院、署、部，以及各州州政府，都有"公积金"（公廨钱），收取它的利息，供应日常开支。国务院工程部长（工部尚书）苏孝慈认为："政府把现金供给商号，收取利息，不但困扰人民，而且败坏风气，应该全面禁止，改为出租耕田，收取粮食。"杨坚批准。

六月四日，杨坚下诏："三公部长级以下官员，一律发给公田，不可以自己经营生计，和人民争利。"

3 秋季，七月三日，任命邳公爵苏威当最高监督长（纳言）。

4 最初，隋政府颁布《张宾历》，全国通行（参考五八四年正月）。广平（河北省邯郸市永年区东南广府镇）人刘孝孙、冀州（河北省衡水市冀州区）秀才刘焯，先后指摘它的错误。可是张宾正受隋帝杨坚宠爱信任，天文台长（太史令）刘晖又附和张宾，共同抨击刘孝孙，把他逐出京师（首都大兴）。后来，张宾逝世，刘孝孙当掖县（山东省莱州市）主任秘书（丞），辞去官职，前往京师（首都大兴）上疏，重提当年争论，杨坚下诏调他到天文台当常设天文官（直太史），一连很多年，都没有升迁。最后，刘孝孙手抱他的著作，命他的学生抬着棺木，到宫城门下，伏地痛哭。执法人员把他逮捕，上奏杨坚，杨坚大为惊异，询问国立贵族大学校长（国子祭酒）何妥，何妥证明刘孝孙的历书正确。杨坚遂命人比较《刘孝孙历》与《张宾历》的优劣。常设天文官（直太史）勃海（河北省东光县）人张胄玄，跟刘孝孙共同指出《张宾历》的缺失，但反对意见也跟着兴起，议论纷纷，很久不能获一致结论。杨坚命在很多问题中，增加讨论日蚀问题，杨素等复奏，说："天文台长（太史令）刘晖前后预测日蚀二十五次，全都没有应验；张胄玄的预测，全部应验；刘孝孙预测超过一半应验。"杨坚于是召见刘孝孙、张胄玄等，亲自慰劳勉励。刘孝孙请先把刘晖斩首，然后才有可能厘定新的历法。杨坚大不高兴，命搁置新历。刘孝孙不久也逝世。

刘孝孙的学识，应受到肯定，甚至不得不用政治手段，去争学术真理，我们也万分同情。然而，刘晖不过一个差劲的学棍，并不是江洋大盗，在假面具被拆穿后，唾弃他就够了，刘孝孙怎么会想到还要索取他的性命。

学术辩论，败者固要杀人，胜者也要杀人，高级知识分子都成了黑社会堂主，中国文化停滞和落后的原因，在此现出端倪。

5 关中（陕西省中部）大旱，人民饥馑。杨坚派使节前往观察平民吃什么食物，拿回来碾碎的豆粉，其中羼杂糠皮，呈献杨坚。杨坚流下眼泪，命文武百官观看，深刻的责备自己，不再进食酒肉，几乎长达一年之久。

八月九日，杨坚率政府官员及关中居民，离开首都大兴（陕西省西安市），前往洛阳（河南省洛阳市东白马寺东），用以减少关中（陕西省中部）粮食消耗，并接近洛阳粮仓（此已是第二次因饥馑而东往洛阳，第一次在五八四年九月）。东下途中，杨坚训令斥候官不准驱逐逃荒难民；难民男男女女，奔跑在皇家禁卫部队中间；对于扶老携幼的人，杨坚都拉开马头避开，安慰勉励之后才走。走到危险难行的地方，看到有挑担的或背东西的，杨坚总命左右侍卫扶助。

6 杨坚因北齐帝国、南梁帝国、陈帝国皇家香火断绝，冬季，闰十月二十三日，下诏命高仁英、萧琮、陈叔宝，分别在四季向祖先致祭，所需器物祭品，由主管单位供应（北周帝国屠杀高家，高仁英死里逃生，参考五七七年十月。萧琮是南梁帝国亡国之君，参考五八七年九月。陈叔宝是陈帝国亡国之君，参考五八九年正月）。

陈叔宝跟随杨坚，登洛阳城北邙山，陪同饮酒，作诗说："日月光天德／山河壮帝居／太平无以报／愿上东封书。"遂上疏请求杨坚封禅（到泰山祭祀天地），杨坚用措辞婉转的诏书回答。有一天，陈叔宝又陪同饮宴，告辞出去时，杨坚一直盯着他，说："他的失败，岂不是由于饮酒！为什么不把作诗的精力，去治理国家！当贺若弼渡江（长江）攻击京口（江苏省镇江市）时，他们的人紧急呈递密奏（参考五八九年正月），陈叔宝却酩酊大醉，竟没有看上一眼。高颎进入宫城的时候，发现那封紧急密奏，竟然被扔到坐榻底下，还没有拆封。这是一个笑料，实在是上天要他灭亡。从前，苻坚（前秦帝国三任帝）东征西讨，把所有的亡国之君，都加授高官，使他们仍继续享受荣华富贵（苻坚封前燕帝国亡国之君慕容暐当新兴侯，参考三七〇年十二月；封前凉王国亡国之君张天锡当归义侯，任"北部尚书"，参考三七六年九月）。只不过为了博取一个宽厚的美名，却不知道违反天意。勉强给他们官做，就是违反天意。"

7 齐州（山东省济南市）州长卢贲，被控在大饥馑时，下令禁止人民出售粮食，剥夺做官权利。后来杨坚打算再教他主持一个州，卢贲被召见时，回答杨坚的询问，都不合杨坚的旨意，而又口出怨言，杨坚大为愤怒，遂永不录用。皇太子杨勇为他说情，说："他们这批人都有拥护老爹称帝的开国之功，虽然性情阴险，行为浮躁，但仍不应舍弃。"杨坚说："我这样制裁他，是保全他的性命。没有刘昉、郑译、卢贲、柳裘、皇甫绩等，我不会有今天这种地位（卢贲护送杨坚进入宰相府，参考五八〇年五月）。然而，他们全都反复无常。当宇文赟（北周帝国四任帝）在位时，他们都靠着狡狯谄媚，受到宠爱信任。宇文赟一死，颜之仪等请指定赵王（宇文招）辅佐幼主，他们这群人使用诈术，找到我头上。后来发现我诚心诚意的治理帝国，又打算作乱，所以刘昉谋反（参考五八六年闰八月），郑译施用巫蛊（参考五八一年九月）。像卢贲这件事，都是因为对官位权势，不能满意；任命他当官，他态度傲慢，不任命他当官，他又充满怨恨，是他自己使人难以相信，并不是我把他舍弃。人家看到这种情形，认为我待功臣太没有情义，事实上并不如此。"卢贲遂赋闲在家，直到逝世（年五十四岁）。

8 晋王杨广率文武百官，不顾隋帝杨坚的意愿，坚决请求杨坚前往泰山添土祭祀天神（封）、到梁父山辟土祭祀地神（禅）。杨坚命祭祀部长（太常卿）牛弘，制定封禅仪式。制定完成后，杨坚审阅，说："这件事情太大，我有什么品德，能够承担？不过我可以去东方巡查，顺便到泰山祭拜。"

十二月六日，杨坚前往东方视察。

9 杨坚喜爱向鬼神祈福，上仪同三司（勋官七级，从四品上）萧吉上疏说："岁逢'甲寅''乙卯'，天地相合，今年乃'甲寅'之年，而'辛酉'（十一月一日）正巧是'冬至'之日。明年（五九五）乃'乙卯'之年，而'甲子'（五月七日）正巧是'夏至'之日。冬至之日，阳气始生，到首都南郊祭祀天神之日，恰是皇上的本命之年（鼠年生，则每逢鼠年，就是本命之年）。夏至之日，阴气始生，到首都北郊祭祀地神，恰是皇后的本命之年。皇上的恩德像天一样覆盖大地，皇后的仁爱像地一样承载万物。因之，天地阴阳二气，在这个时辰会合。”杨坚大为高兴，赏赐萧吉绸缎五百匹。萧吉，是萧懿的孙儿（萧懿，是南梁帝国一任帝萧衍的老哥，参考五〇〇年十月）。编制外初级监督官（员外散骑侍郎，从五品下）王劭声称：杨坚的面貌好像盾牌，庄严神圣；并指示他的部属注意这项特征。杨坚大喜，命他当皇家图书院国史编撰官（著作郎，从五品上）。王劭不断上疏，指出杨坚接受上帝旨意，登上皇帝宝座，天神显示的祥瑞，非常之多。同时收集民间歌谣，引用神秘预言书（图书谶纬），更把佛教经典中的文句，加以更改，甚至使意义完全相反，撰写《皇隋灵感志》三十卷，呈报杨坚；杨坚命全国人民都要阅读。王劭召集各州派到中央的进奏官，洗手焚香，把该书恭放案头，高声朗诵，抑扬顿挫，好像唱歌，为时十天甚至一个月之后，从头到尾再朗诵一遍，这才结束。杨坚越发高兴，对王劭的赏赐越来越多。

柏杨曰

知识分子为了升官保位，厚颜无耻的撰写文章谄媚当权头目，不过是小号文妖。如果再昧尽天良，还要用别人的生命自由作自己升迁的垫脚石，则是大号文妖。至于听见其他文化人遇难，立刻划清界线，落井下石，不过是中等文妖。像萧吉、王劭两个可怜兮兮的干法，一个白日梦，一个洗手焚香，恭读“训词”“语录”，乃吃剩饭角色！直到二十世纪，这种蕞尔之辈，不但不绝，反而如春雨后的狗尿苔，更遍地都是，使人为中华民族的品质担忧。

五九五年 乙卯

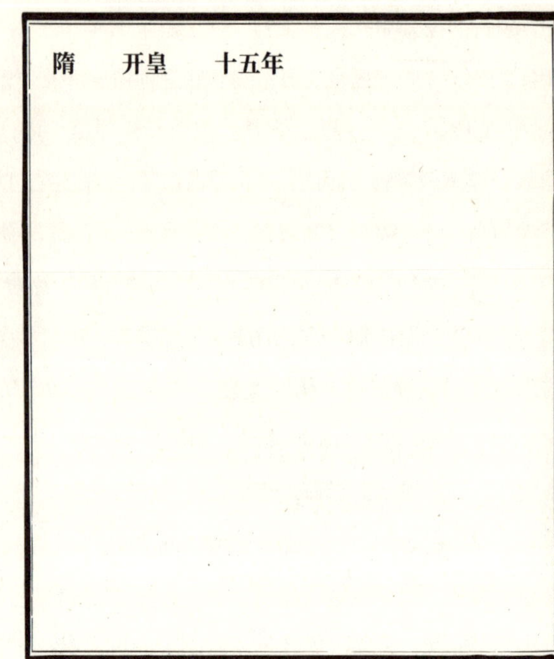
隋 开皇 十五年

1 春季，正月三日，隋王朝（首都大兴〔陕西省西安市〕）皇帝（一任文帝）杨坚（本年五十五岁）停留齐州（山东省济南市）。

正月十一日，在泰山（山东省泰安市北）兴筑祭坛，焚烧柴火，祭祀天神。因为天下仍然大旱，杨坚承认过失，请求赐下惩罚。仪式跟在首都南郊祭祀天神一样。同时，杨坚又亲自祭祀青帝神坛；大赦。

2 二月二十七日，隋政府收缴全国民间武器，下令：胆敢私自制造武器的，判刑；但关中（陕西省中部）及沿边地区不在此限。

3 三月一日，杨坚从东方返回首都大兴。

4 仁寿宫（陕西省麟游县境）落成。

三月二十九日，杨坚前往仁寿宫。当时，天气正转炎热，工匠民夫一个接一个死在路上，总监工官杨素把尸体全部烧成灰烬抛弃（中国人传统使用土葬，二十世纪前，火烧尸体，是一种刑罚），杨坚得到报告，很不高兴。等亲到仁寿宫，看见规模雄伟，豪华盖世，大发雷霆说："杨素竭尽财力，建造行宫，使人民对我怨恨。"杨素听到，大起恐慌，恐怕受到处罚，告诉封德彝，封德彝说："你不必担心，等皇后驾到，一定会有感谢你的诏书。"明天，杨坚果然命杨素入宫面见，独孤皇后慰劳他说："你知道我们夫妇年老，没有什么可以享乐的，所以特别装潢这个行宫，岂不是忠孝两全！"赏赐杨素钱一百万、绸缎三千匹。

杨素仗恃他的富贵，及自身才干，对别的人往往欺负凌侮；而只欣赏封德彝，时常接见他，谈论宰相的工作，从早到晚，忘记疲倦，因而抚摸自己的坐榻，说："封郎一定会坐上我这个座位！"不断向杨坚推荐，杨坚擢升封德彝当立法官（内史舍人，从五品）。

5 夏季，四月一日，大赦。

6 六月一日，杨坚下诏，命开凿黄河中游底柱山（河南省三门峡市北黄河河道中央）。

7 六月三日，相州（河南省安阳市）州长豆卢通（豆卢，复姓），进贡精致白细绢布，杨坚命在金銮宝殿把它焚烧。

8 秋季，七月，最高监督长（纳言）苏威，被控随从隋帝杨坚祭祀泰山时，犯了对皇家“不敬”之罪，免职。不久，杨坚又命他复位。杨坚对文武百官说：“世人都说苏威假装清廉，家里堆满黄金白玉，那可是胡说八道。然而，他性情凶狠暴戾，不切实际，求名的心太切，顺着他，他就高兴，不顺着他，他就记恨，这才是他的毛病。”

9 七月二十二日，杨坚从仁寿宫（陕西省麟游县境）返抵首都大兴（陕西省西安市）。

10 冬季，十月三日，任命国务院文官部长（吏部尚书）韦世康，当荆州军区（总部设荆州〔湖北省江陵县〕）总司令（荆州总管）。韦世康，是韦洸的老弟（韦洸救广州，死于流箭；参考五九〇年十一月）。韦世康和平恬静，谦虚宽恕，在文官部（吏部）十余年，时人给他的评语是廉洁公正。韦世康经常有退休的念头，对子弟们说：“薪俸何必要那么多？为了避免心高气傲，能退就退。任期不必等到做完，只要患病，立刻就辞。”因之请求准许退休，杨坚不肯，派他出镇荆州（湖北省江陵县）。当时，全国只有四个军区——并州军区（总部设并州〔山西省太原市〕）、扬州军区（总部设扬州〔江苏省扬州市〕）、益州军区（总部设益州〔四川省成都市〕）、荆州军区（总部荆州），四个军区的总司令（总管），分别由晋王杨广、秦王杨俊、蜀王杨秀，以及韦世康担任，时人认为是韦世康的一种荣耀。

11 十一月七日，杨坚前往骊山（陕西省西安市临潼区东南）温泉。

12 十二月四日，杨坚训令：“盗取边防军粮一升以上的，一律斩首，并没收家产。”

13 十二月五日，杨坚下诏，命全国文武官员必须任满四年，考绩合格，才可以改调或擢升。

14 汴州（河南省开封市）州长令狐熙，进京（首都大兴）朝见，考绩天下第一等，杨坚赏赐他绸缎三百匹；并通告全国皆知。令狐熙，是令狐整的儿子（令狐整事，参考五四六年五月）。

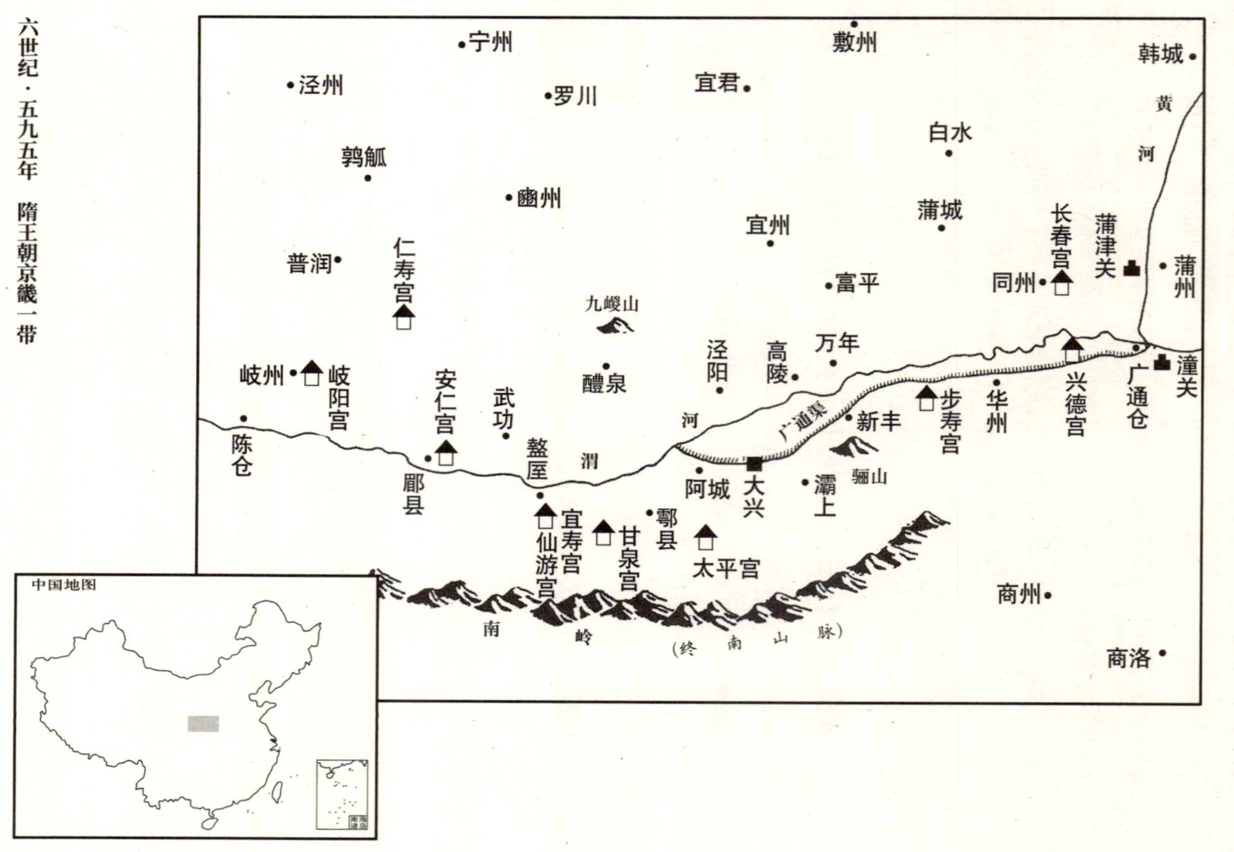

六世纪·五九五年　隋王朝京畿一带

五九六年 丙辰

隋　开皇　十六年

1 春季，二月四日（原文误置于正月，据《北史》改），隋王朝（首都大兴〔陕西省西安市〕）皇帝（一任文帝）杨坚（本年五十六岁）封皇孙杨裕当平原王、杨筠当安成王、杨嶷当安平王、杨恪当襄城王、杨该当高阳王、杨韶当建安王、杨煚（音jiǒng〔窘〕）当颍川王，都是皇太子杨勇的儿子。

2 夏季，六月十三日，杨坚下令规定：工人商人，都不准当官。

3 秋季，八月六日，杨坚下诏：“判决死刑的囚犯，要经过三次审判，然后奏报，才可以执行。”(之前已有类似的诏书，参考五九二年八月。)

4 冬季，十月十日，杨坚前往长春宫(陕西省大荔县东)。

十一月三日，杨坚返回首都大兴。

5 党项部落(四川省西北部)攻击会州(四川省茂县)，杨坚下诏动员陇西地区(陇山以西)武装部队讨伐；党项部落投降。

6 杨坚把光化公主(杨家皇族的女儿)嫁给吐谷浑汗国(青海省)可汗(十六任)慕容世伏。慕容世伏大喜，上疏请求准许称光化公主为“天后”，杨坚不许。

五九七年 丁巳

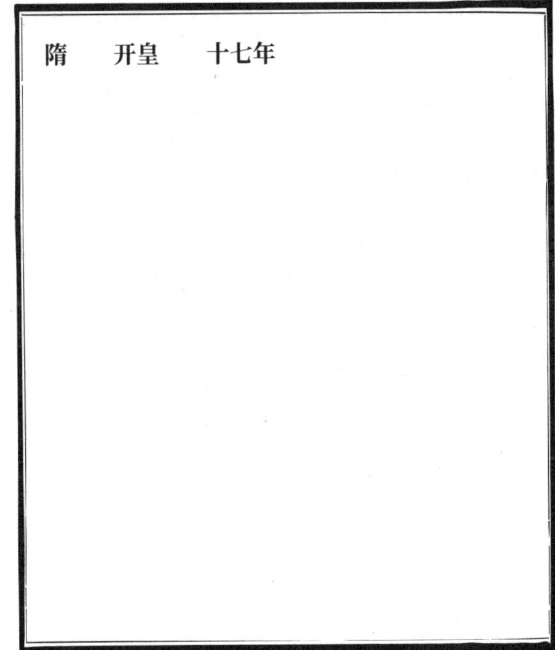

1 春季，二月六日，隋王朝（首都大兴〔陕西省西安市〕）太平公爵史万岁攻击南宁羌（云南省曲靖市境羌部落），扫平。

最初，益州军区总司令（益州总管）梁睿攻克王谦时（参考五八〇年十月），西南夷獠民族（云南省夷民族部落及獠民族部落），全都归降，只有南宁州（云南省曲靖市）酋长爨震（爨，姓。音cuàn〔窜〕），认为距中原遥远，不肯屈服。梁睿上疏，认为："南宁州（云南省曲靖市），西汉王朝时属牂柯郡，人口稠密，金银财宝十分富饶。最初，南梁帝国南宁州（云南省曲靖市）州长徐文盛，被萧绎（南梁帝国四任帝）调回荆州（五四八年十一月，萧绎征调帝国西部各州军队入援江陵〔荆州州政府所在县，湖北省江陵县〕，南宁州应在其中），当时中国（指中原）被阻在远方，没有能力经营边疆。民众首领爨瓒，遂乘机控制那个地区，政府也只好遥命他当州长。后由他的儿子爨震继承，直到今天。可是，爨震并没有尽到州长责任，既不进贡，又不缴税。”梁睿请求出动扫平巴蜀（王谦）的军队，继续南下扫平南宁州（云南省曲靖市）。后来，南宁州（云南省曲靖市）民众首领之一爨翫投降，政府任命他当昆州（云南省昆明市）州长；不久，爨翫再度背叛。隋帝（一任文帝）杨坚（本年五十七岁）遂决定采取大规模军事行动，命左领军（十二禁军第七军）将军（从三品）史万岁，当大军作战总司令官（行军总管），率军进攻，从蜻蛉川（云南省大姚县），进入南中（云南省）。夷民族部落纷纷据守险要，史万岁一一击破；经过《诸葛亮记功碑》（碑在云南省大理市境。诸葛亮伐南中，参考二二五年七月），渡西洱河（洱海），进入夷民族部落基地渠滥川（云南省大理市以南地区），行军一千余华里，击破三十余个部落，俘虏男女二万余人。各夷獠民族大为恐惧，派出使节，呈献直径超过一寸的明珠，请求投降，杨坚批准。于是，竖立石碑，歌颂隋政府的功德。史万岁请求携带爨翫到京师（首都大兴）朝见，杨坚同意。可是爨翫另有阴谋，不想前往中央，贿赂史万岁很多金银财宝，史万岁遂留下爨翫，单独班师。

2 二月十三日，隋帝杨坚前往仁寿宫（陕西省麟游县境）。

3 桂州（广西桂林市）俚民族部落酋长李光仕，聚众起兵，反抗中央政府。杨坚派上柱国（勋官一级，从一品）王世积、前任桂州军区总司令（桂州总管）周法尚，共同讨伐。周法尚动员岭南（南岭以南）军

六世纪·五九七年二月　史万岁平定南宁

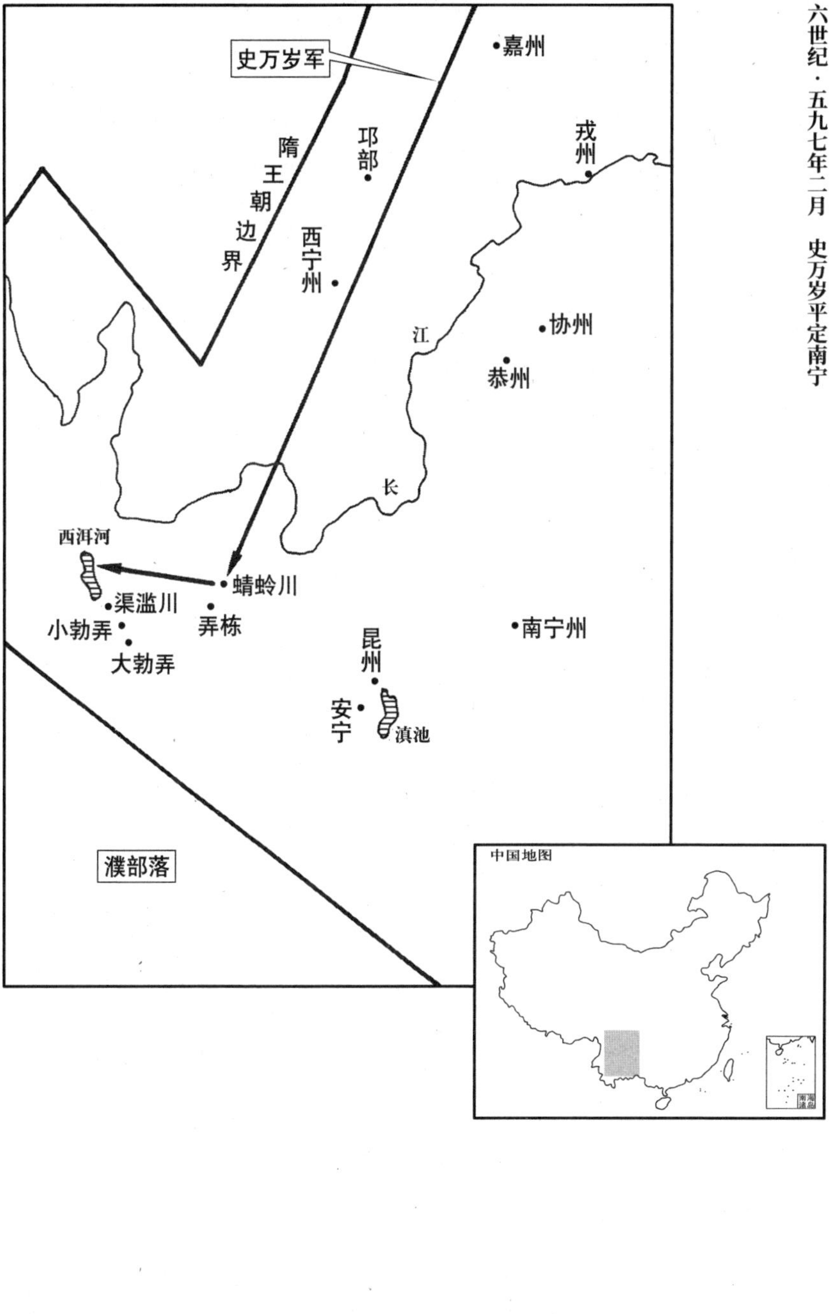

史万岁军
嘉州
隋王朝边界
邛部
戎州
西宁州
协州
江
恭州
长
西洱河
蜻蛉川
渠滥川
弄栋
南宁州
小勃弄
大勃弄
昆州
安宁
滇池
濮部落
中国地图
南海诸岛

队，王世积动员岭北（南岭以北）军队，二人约定在尹州（广西贵港市）会师。然而王世积军队感染瘟疫，士卒陆续病亡或病倒，不能前进，逗留衡州（湖南省衡阳市）。周法尚单独进军攻击，李光仕战败，率军退保白石洞（广西桂平市南）。周法尚掳获大量妇女；变民来投降的，周法尚就把妻子发还给他，只有十天，投降的有数千人；李光仕率残余部众溃退，周法尚追击，斩李光仕。

杨坚又派编制外初级监督官（员外散骑侍郎，从五品下）何稠，招募新兵攻击李光仕，又说服变民军另一首领莫崇等；何稠代表皇帝行使职权，任命他们当州长、县长等。何稠，是何妥的侄儿（何妥检举苏威事，参考五九二年二月）。

杨坚因岭南（南岭以南）夷民族部落及越民族部落，不断反抗，命汴州（河南省开封市）州长令狐熙，当桂州军区（总部设桂州〔广西桂林市〕）总司令（桂州总管十七州诸军事），指挥十七个州武装部队，有权采取紧急应变措施，可以代表皇帝，委派州长以下官员。令狐熙到差后，推广恩德，建立威信，各地洞溪山洞酋长，互相告诉说："从前的总司令（总管）都是用军队压迫，现在的总司令却亲笔写信指教，我们怎么可以违背！"于是互相鼓励，全都归附。最初，各州县人民反抗中央，州县长等官员无法到职，只好寄住总司令部（总管府）；现在，令狐熙命他们全都前往任所。又为各州县居民兴筑城堡，建立市场，开办学校，无论汉人或蛮夷，同受感化。俚民族部落酋长宁猛力，在陈帝国时代，就据守南海一带（广西南部），隋王朝统一天下，也对他安抚，调他当安州（广西钦州市）州长。宁猛力仗恃地势天险，态度傲慢，从没有晋见过长官。令狐熙以恩德相待，对他非常信任，宁猛力感动，亲自到总部晋见令狐熙，再不敢为非作歹。令狐熙上奏把安州改为钦州。

4 杨坚认为各机关的低级职员，都不敬畏他的长官，所以政令难以推行，工作无法完成。

三月九日（原文“壬辰”，据《隋书》改），下诏说：“各单位裁决部属罪状，遇到法律处罚很轻，而罪状却很重时，特准在法律之外，另用棍棒捶击。”于是上上下下都虐待他们的部属，动辄拷打。把残暴当作干练，把守法当作傻瓜。

杨坚因强盗、偷窃案件太多，下令：“偷窃一钱以上的人，无论多少，一律街市斩首。”甚至三个人共同偷窃一个瓜，事情发觉，三人当场处死。于是连路上的行旅，都陷于恐惧，清晨迟迟起床，晚上早早就寝（恐怕运气不佳，碰上麻烦），全国人心不安。有一次，几个人劫持法官，告诉他说：“我们不是强盗，只是为天下人伸冤。请代我们转奏皇上：自古以来，立法治国，从来没有听说只不过偷了一个钱，就判死刑。你如果不替我们转奏，等我们再来时，你就会被铲除。”杨坚接到报告，特别废除这项法律。

有一次，杨坚大怒若狂，打算在六月盛夏，用棍棒杀人，最高法院副院长（大理少卿）河东（蒲州，山西省永济市）人赵绰，坚决反对，说：“夏季盛暑，天下万物，正在成长，不可在此时剥夺生命（中国传统，春夏二季不处决囚犯，必到秋季才可）。”杨坚咆哮说：“六月天气，万物虽然生长，但上帝也有雷霆万钧之时，我顺天做事，有什么不行！”终于把那人用棍棒打死。

最高法院事务员（大理掌固）来旷，上疏弹劾最高法院（大理）法官的判决，过于宽大。杨坚遂认为来旷忠心正直，命他每天早朝时，站在五品官员的行列。来旷又检举最高法院副院长（大理少卿）赵绰：随意减免囚犯刑罚，杨坚派亲信调查审问，发现与事实相反，不禁大怒，下令诛杀来旷。赵绰竭力反对，认为来旷所犯的罪，不应处死。杨坚袍袖一拂，转身就走。赵绰急叫："我不再谈来旷，只因还有别的事情，来不及报告。"杨坚命人带赵绰进入内阁，赵绰叩头道歉，说："我有三项死罪：我当最高法院副院长（大理少卿），不能约束事务员（掌固），使来旷触犯皇上重刑，其一。囚犯依法不应处死，我不能用我的生命为他争取，其二。我本没有其他的事可以奏报，却当众说谎，希望晋见，其三。"杨坚脸上怒容和缓下来，正巧独孤皇后在座，命赏赐赵绰两盅金杯美酒，然后把两个金杯也赏赐给赵绰，来旷也因此免除死刑，仅只贬窜广州（广东省广州市）。

开府仪同三司（勋官六级，正四品上）萧摩诃的儿子萧世略，在江南（长江以南）聚众起兵，萧摩诃应受连坐处分。杨坚说："萧世略年纪不满二十岁，能做出什么事！只因他是名将的儿子，受人逼迫罢了。"下令赦免萧摩诃。赵绰认为决不可以，杨坚无法批驳，打算等赵绰离开后再赦免萧摩诃，遂命赵绰退席，赵绰说："我奏报的案件，陛下还没有批示，不敢早走。"杨坚说："为了我的缘故，你对萧摩诃不妨特赦！"遂教左右侍从传令释放萧摩诃。

国务院司法部审判司长（刑部侍郎）辛亶，曾经穿红色内裤，世俗认为可以帮助官运亨通。可是杨坚却认为那是一种巫蛊诅咒，打算斩辛亶。赵绰说："依照法律，辛亶的罪状不应处死，我不敢接受命令。"杨坚大怒，阴险的说："你珍惜辛亶，却不珍惜自己。"命斩赵绰。赵绰说："陛下宁可以杀我，不可以杀辛亶。"赵绰被绑出金銮宝殿，行刑官剥下他的衣服，就要砍头，杨坚派人问说："你到底怎么决定？"赵绰说："一心执法，不敢怕死。"杨坚拂袖而起，回宫，停了很久，才下令把他释放。明天，杨坚向赵绰道歉，慰劳勉励，赏赐绸缎三百匹。

当时，杨坚禁止劣币，有两个人在市场上使用被禁止的劣币，兑换良币，警察人员把他们逮捕，上奏，杨坚命把二人斩首。赵绰规劝说："依照法律，二人应受杖刑。杀他们，于法无据。"杨坚说："这件事跟你没有关系。"赵绰说："陛下不认为我愚昧不明，把我安置在法官位置上，如今却想胡乱杀人，怎么可以说与我无关？"杨坚说："一个人去摇大树，如果摇不动，就应该识相不摇。"赵绰说："我的盼望更大，希望动摇陛下的圣意，岂止大树！"杨坚说："吃稀粥时，如果太烫，就应该暂时放到一边。天子威严，难道你想压制？"赵绰叩头，而更向前接近，杨坚大声呵止，赵绰仍不肯后退，杨坚转身回宫。诉讼监察官（治书侍御史，从五品下）柳彧也上疏劝阻，杨坚才打消原意。

杨坚因赵绰忠诚正直，常召他进宫，有时杨坚跟独孤皇后同坐，就命赵绰也坐，要他批评时政的得失，对赵绰前后的赏赐，以万为单位计算。赵绰跟最高法院院长（大理卿）薛胄，同时以公平宽恕，闻名于世。可是薛胄审理案件，偏重用情，赵绰则全部依照法律条文，二人都胜任愉快。薛胄，是薛端的儿子（薛端，参考五三四年十月十七日）。

杨坚晚年，用法越来越严厉。元旦朝会时，有些武官衣帽及佩剑不整齐，监察官（御史）没有提出弹劾，杨坚大怒说："你当监察官（御史），想弹劾就弹劾，想不弹劾就不弹劾！"下令斩首。议论国务官（谏议大夫，从四品下）毛思祖劝阻，杨坚立即斩毛思祖。建筑部主任秘书（将作寺丞）因征收麦秸太晚，军械局管理官（武库令，正八品下）因办公处所生长杂草，左右官员出差时，有的接受州长或县长赠送的马鞭、鹦鹉，被杨坚知道，于是一律诛杀，杨坚亲自监斩。

杨坚喜怒无常，对人处罚，不再遵守法律；更信任杨素，杨素恣情任性，随心所欲，只管自己满足，不管天理国法。他跟藩属事务部副部长（鸿胪少卿）陈延，结有怨恨。有一天，杨素经过专门招待外来使节的国际宾馆（蕃客馆），发现院中堆有马粪，仆人差役等却挤在毛毡上掷骰子赌博；遂报告杨坚。杨坚大怒，逮捕外宾接待官（主客令，正八品下）及赌徒，一律用棍棒捶击至死；并拷打陈延，陈延几乎毙命。

杨坚派亲卫军府（内府三卫之一）司令官（亲卫大都督，属“左右卫府”）长安（首都大兴〔陕西省西安市〕西半城）人屈突通（屈突，复姓），前往陇西（陇山以西）地区，复查政府畜牧成果，查出藏匿战马二万余匹，杨坚大怒，打算斩畜牧部长（太仆卿）慕容悉达，及各有关官员一千五百人。屈突通劝阻说：“人命至为宝贵，陛下怎么为了几头牲畜，杀一千多人？我愿冒死请求！”杨坚眼如铜铃，厉声呵责，屈突通又叩头说：“我知道我应该处死，但求陛下赦免一千余人性命。”杨坚感动觉悟，说：“我之糊涂，竟然如此，幸好有你常进忠言！”于是慕容悉达等全都免死，仅用自由刑及苦工刑定罪，擢升屈突通当左武候（十二禁军第五军）将军（从三品）。

5 上柱国（勋官一级，从一品）彭公爵刘昶，跟杨坚是旧日老友，杨坚对他非常亲热。刘昶的儿子刘居士，意气用事，从不理会法令规程及典章制度，不断违法犯罪，杨坚看刘昶的情分，每次都予原谅。刘居士不但不知感恩收敛，反而更为骄傲放纵，常常劫持贵族高官子弟中雄壮健康的，强行绑架到家，把车轮挂到他脖子上，用棍棒殴打；对于打到奄奄一息仍不屈服的，尊称他是“壮士”，释放后跟他结成好友，党羽三百人，常蜂拥到街头行凶，施暴行路商旅，经常抢劫强夺；连三公部长以及亲王公主，都不敢计较。终于有人检举刘居士阴谋不轨，企图政变，杨坚这才大怒，斩刘居士，很多贵族高官子弟，被牵连剥夺当官权利。

6 杨素、牛弘等，再度推荐张胄玄的历法（张胄玄定历事，参考五九四年七月）。杨坚命杨素会同几位数学家，研讨六十一条旧历法不能解决的难题，命天文台长（太史令，从七品下）刘晖等，跟张胄玄等辩论。刘晖张口结舌，一条也回答不出，而张胄玄可以解释五十四条。杨坚乃任命张胄玄当编制外初级监督官（员外散骑侍郎，从五品下）兼天文台长（兼太史令），赏赐绸缎一千匹，命他参与拟定新历。本年（五九七），《张胄玄历》完成。

夏季，四月二日，杨坚下诏颁布新历（《张胄玄历》）；制订旧历法的刘晖等四人，全都开除官籍。

7 秋季，七月，桂州（广西桂林市）变民首领李世贤，聚众起兵。杨坚召集御前会议，讨论出军讨伐。几位将领请求出征，杨坚不准，而只回顾右武候（十二禁军第六军）大将军（正三品）虞庆则，说："你官位高居宰相（虞庆则当过国务院执行长〔尚书仆射〕，宰相之职），爵位上至公爵（虞庆则封鲁国公爵），国家出现盗贼，你却无意走这一趟，不知什么缘故？"虞庆则叩头道歉，大为恐惧。杨坚遂任命虞庆则当桂州军区（总部桂州）大军作战司令官（行军总管），攻击李世贤，全部扫平。

8 秦王杨俊（杨坚第三子），从小仁慈宽恕，崇信佛教，曾经请求出家当和尚，老爹杨坚不准。后来，杨俊当并州军区（总部设并州〔山西省太原市〕）总司令（并州总管，参考五九〇年十一月，迄今七载），性情渐变，开始奢侈豪华，违犯帝国制度，大肆兴筑宫殿。杨俊喜爱美女，而他的正妻崔女士，是崔弘度的妹妹（崔弘度，参考五八〇年六月），却生性嫉妒，对她丈夫的行为，不能忍耐，就把毒药放到瓜果里，送给杨俊；杨俊中毒害病，被接回京师（首都大兴）。杨坚发现他浪费公款及胆大妄为。

七月十三日，免除杨俊所有官职，仅保留亲王爵位，返回私宅。崔女士下毒案发，离婚，杨坚命她回娘家自杀。左武卫（十二禁军第三军）将军（从三品）刘升规劝说："秦王（杨俊）并没有别的过失，只不过浪费国家财产，喜爱盖房子而已，我认为可以包容。"杨坚说："法律不可破坏。"杨素劝阻说："秦王（杨俊）的过失，不应受到如此严厉的处罚，请陛下考虑！"杨坚说："我是五个儿子的老爹（五子：太子杨勇、晋王杨广、秦王杨俊、蜀王杨秀、汉王杨谅），不是亿万人民的老爹。照你所说，为什么不另行制定《天子儿律》！以姬旦（周公）的仁慈，还诛杀姬鲜（管国国君）、姬度（蔡国国君）。我实在远不如姬旦（周公），怎么可以破坏法律！"不准杨俊复出当官。

9 七月二十四日，突厥汗国（瀚海沙漠群）突利可汗（小可汗）阿史那染干，亲自前往隋王朝首部大兴（陕西省西安市），迎娶公主。杨坚把他安置在祭祀部（太常）住下，教他学习六礼（六礼，参考三三六年二月），把皇族女儿安义公主，嫁给阿史那染干。杨坚打算破坏阿史那染干跟都蓝可汗（八任大可汗）阿史那雍虞闾之间的团结，所以送给阿史那染干的礼物，特别厚重。派祭祀部长（太常卿）牛弘、最高监督长（纳言）苏威、国务院财政部长（民部尚书）斛律孝卿，相继担任使节。

阿史那染干的部落，本来远住在突厥汗国北部（应在西伯利亚贝加尔湖附近），既然娶了隋帝国公主，长孙晟说服他率领部众南下，定居度斤旧镇（即都斤山〔蒙古国杭爱山〕），杨坚对他的赏赐特别丰厚。阿史那雍虞闾大为愤怒，说：“我，是大可汗，反而不如一个小小酋长！”遂不再对隋帝国朝贡，并积极沿边抢掠。阿史那染干侦察到动静，立即派人飞马奏报，因此，阿史那雍虞闾每次发动突击，隋帝国都有准备。

10 九月十一日，杨坚从仁寿宫（陕西省麟游县境）返回首都大兴（陕西省西安市）。

11 编制外初级监督官（员外散骑侍郎，从五品下）何稠，从岭南（南岭以南）班师，变民首领宁猛力请求追随何稠到中央朝见，何稠因宁猛力病重，危在旦夕，就让他回基地钦州（广西钦州市）疗养，约定说：“八九月间，请直接前往京师（首都大兴）相会。”何稠返抵京师（首都大兴），报告杨坚，杨坚大不高兴。

冬季，十月，宁猛力逝世，杨坚责备何稠说：“你前些时不带宁猛力来，如今他已死亡！”何稠说：“我跟宁猛力口头约定，假如他去世，一定派他的儿子来当人质，南越（广东及广西）人性情直爽，他的儿子一定会来。”宁猛力临死，果然告诫他的儿子宁长真说：“我跟钦差大臣（何稠）有约，不可以失信，你安葬我之后，就应该上路。”宁长真继任钦州州长，遵照老爹指示，到首都大兴朝见。杨坚十分喜悦，说：“何稠的威信，在蛮夷中竟然如此！”

12 鲁公虞庆则南下讨伐桂州（广西桂林市）变民首领李世贤时，任用妻弟赵什住当总部秘书长（随府长史）。赵什住跟虞庆则心爱的小老婆通奸，恐怕事情泄漏，于是宣称：虞庆则实在不想出征。

杨坚接到小报告，对虞庆则的礼遇和赏赐，都十分微薄。变民军被击败后，虞庆则班师，走到潭州（湖南省长沙市）临桂岭（今地不详），眺望山川形势，说："这里真是险要，如果粮食再充足，守将又是适当人选，简直无法攻破。"派赵什住先行回京（首都大兴）奏报公事，并观察杨坚脸色；赵什住乘势向杨坚检举虞庆则阴谋叛变；杨坚命有关单位调查审理。

十二月十日，确定虞庆则有罪，处死；擢升赵什住当柱国（勋官二级，正二品。作为对他陷害姐夫的酬庸）。

13 高句骊王国（首都平壤〔朝鲜半岛平壤市〕）国王（二十五任平原王）高汤，听到陈帝国覆亡消息，大为恐惧，立即整顿装备，制造武器，储蓄粮食，作长期抗战打算。

本年（五九七），杨坚下诏给高汤，责备他说："你虽然表面上自称是中国的藩篱属国，但实际上并没有忠实诚恳的节操。"又说："你们那个区域，虽地小人少，但是如果把你（高汤）罢黜，事实上权力不能久空，我们毕竟还是要再派官员，前去安抚人民。你如果改变心意行为，遵守帝国的规章制度，就成为我的优秀部属，何必劳动我再派别人！试问：辽河广阔，比长江如何？高句骊人口众多，比陈国（陈帝国）如何？我如果没有包容你、教育你的胸襟，就不会责备你的过失；只要一言不发，直接派遣一位将领，何必多费这些力气向你恳切规劝！只不过为了给你一个自新的机会。”高汤接到诏书，大起恐慌，打算上疏陈情道歉。不巧，患病逝世；儿子高元继位（二十六任婴阳王）。

杨坚派钦差大臣前往朝鲜半岛，任命高元当上开府仪同三司（勋官五级，从三品），继承辽东公爵位。高元上疏谢恩，请求改封王爵，杨坚同意。

14 吐谷浑汗国（青海省）内乱，贵族联合谋杀可汗（十六任）慕容世伏，拥护他的老弟慕容伏允继位（十七任步萨钵可汗），派使节把可汗变动情事，报告隋政府，请求宽恕他的专权。也请依照旧例，娶隋王朝公主为妻，杨坚批准。

从此，吐谷浑汗国每年按时进贡。

五九八年

戊午

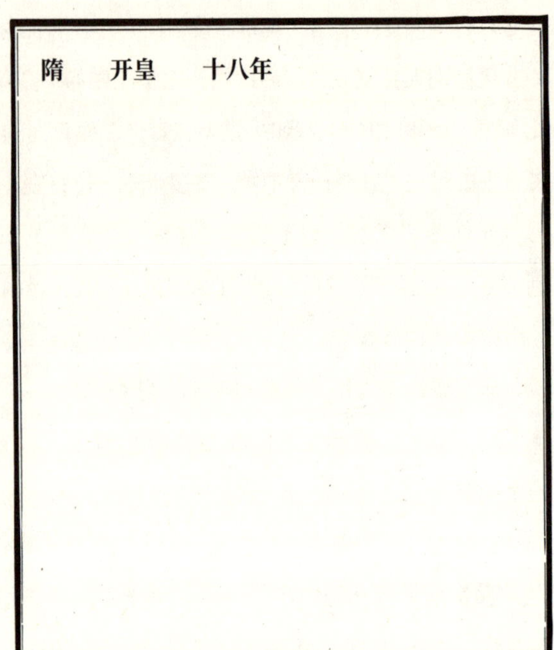
隋　开皇　十八年

1 春季，二月三日，隋王朝（首都大兴〔陕西省西安市〕）皇帝（一任文帝）杨坚（本年五十八岁），前往仁寿宫（陕西省麟游县境）。

2 高句骊王国（首都平壤〔朝鲜半岛平壤市〕）国王（二十六任婴阳王）高元，率靺鞨部落（黑龙江下游）数万人，攻击辽西（辽西走廊，辽宁省西南部）。营州军区（总部设营州〔辽宁省朝阳市〕）总司令（营州总管）韦冲，把他们击退。杨坚得到报告，大怒。

二月四日，任命汉王杨谅、上柱国（勋官一级，从一品）王世积，同时担任大军总指挥官（行军元帅），率水陆联军三十万人，讨伐高句骊王国。另命国务院左执行长（尚书左仆射）高颎，当杨谅总部秘书长（汉王长史）、豳州（陕西省彬州市）州长周罗睺当海军总司令（水军总管）。

3 延州（陕西省延安市）州长独孤陀，有一位婢女，名徐阿尼；徐阿尼祭拜猫的魂魄——猫鬼，能使猫鬼杀人。民间坚信：猫鬼每次杀人，被害人的财宝都会自动转移给猫鬼的主人。这时，独孤皇后及杨素的正妻郑女士，同时生病，医生治疗，不能痊愈，于是咬定是“猫鬼作祟”（《隋书·独孤陀传》：“徐阿尼祭拜猫鬼，祭拜的时间总在子夜。子者，指老鼠而言。独孤陀曾派人到家中拿酒，他的妻子说：‘没有钱买酒。’独孤陀遂告诉徐阿尼说：‘可教猫鬼去越公〔杨素〕家，给我弄很多钱。’徐阿尼便念咒语。过了几天，猫鬼飞到杨素家。五九一年，杨坚刚从并州〔山西省太原市〕回京〔首都大兴〕，独孤陀对徐阿尼说：‘可派猫鬼到皇后那里，对我们多多赏赐。’徐阿尼再念咒语，猫鬼遂进入皇宫。最高法院主任秘书〔大理丞，正七品下〕杨远在监督院宫外办公厅〔门下外省〕举办现场表演，命徐阿尼召唤猫鬼，徐阿尼于深夜煮香粥一盆，用羹匙叩敲盆边，呼叫说：‘猫女可回来，不要住在皇宫。’停了很久，徐阿尼面色铁青，好像被人抓住。她遂声称：‘猫鬼已到。’于是，证据确凿。”柏杨按：这又是一场冤狱，从徐阿尼杜撰出来的供辞，可想到她受到多少苦刑拷打，一个无依无靠的婢女，身陷无法逃避的陷阱，只好自诬。千载之下，我们为她哭泣）。杨坚认为：独孤陀是独孤皇后同父异母的老弟；独孤陀的正妻杨女士，是杨素同父异母的妹妹；于是，杨坚遂认为定是独孤陀主使，命高颎等彻底查明，取得全部证据（就是徐阿尼的现场表演）。杨坚大怒，下令用牛车把独孤陀夫妇押解到京师（首都大兴），打算命他们自杀。独孤皇后竭力拯救，绝食三天，请求宽恕，说：“独孤陀如果害国害民，我不敢说什么，而今却因涉及到我的缘故犯罪，我才斗胆请求：饶他一命。”独孤陀的老弟、国务院文官部勋赏司长（司勋侍郎）独孤整，也到宫门哀哀求告。杨坚才赦免独孤陀夫妇死刑，开除官籍，贬作平民；罚他的正妻杨女士出家当尼姑。

最初，有人控诉说娘亲被猫鬼杀害，杨坚认为他妖言惑众，十分愤怒，把他逐走。而今，杨坚下诏，屠杀上次被指控为猫鬼主人的全家。

夏季，四月十一日，杨坚再下诏："豢养'猫鬼''蛊毒'及'诅咒''旁门左道'人家，一律放逐到偏远荒僻地区。"（《隋书·五行志》：江南〔长江以南〕各郡，几乎家家养蛊，而宜春郡〔袁州，江西省宜春市〕尤其盛行。方法是：于五月五日，聚集一百种虫，大者像蛇，小者像蝨，放在一个容器里，使它们自相吞食，最后只剩一虫，保留下来，如果是蛇则称"蛇蛊"，如果是蝨则称"蝨蛊"，用它们来杀人，借饮食进入人腹，嚼食五脏。死者死后，财产都转移到蛊主之家。超过三年不谋杀别人，则毒蛊会谋害蛊主。世代相传，永不断绝，也有人交给女儿，带到夫家。）

4 六月二十七日，杨坚下诏撤销高句骊王国（首都平壤）国王高元的官职爵位。汉王杨谅大军从临渝关（河北省秦皇岛市抚宁区东榆关镇）出发，正逢大雨连绵，粮秣被阻，运不到前线，军中缺少食物，更遇到瘟疫传染，将帅士卒大量病倒或死亡。海军总司令（水军总管）周罗睺，从莱州（山东省莱州市）拔锚出港，直航高句骊王国首都平壤（朝鲜半岛平壤市），中途遇到大风，舰队船只很多沉没。

秋季，九月二十一日，撤退班师，海陆两军死亡十分之八九。但高句骊国王高元也感恐慌，派使臣向隋政府道歉，请求宽恕，上奏章自称"辽东粪土臣高元"。杨坚于是下令军队复员，待高元跟当初一样。

百济王国（首都泗沘〔朝鲜半岛扶余市〕）国王（二十七任威德王）扶余昌，派使节前往大兴呈递奏章，表示如隋帝国攻击高句骊王国时，他愿当向导。杨坚下诏解释说："高句骊知罪臣服，我已赦免，不可以再动干戈。"赠送使节丰厚的礼物，送他返国。高句骊王国对这件事多少听到一点消息，大为恼怒，出军掠夺百济王国边境。

5 九月二十三日，杨坚自仁寿宫（陕西省麟游县境）返首都大兴（陕西省西安市）。

6 冬季，十一月十六日，杨坚前往首都大兴南郊，祭祀天神。

7 十二月，杨坚自首都大兴前往仁寿宫，另设行宫十二座。

8 南宁蛮（云南省曲靖市夷民族部落）首领爨翫再度叛变（爨翫归降事，参考去年〔五九七〕二月）。蜀王杨秀弹劾："史万岁接受贿赂，放纵盗贼，以致产生边患。"杨坚责备史万岁，史万岁支吾抵赖，不肯承认，杨坚大怒，命斩史万岁。国务院左执行长（尚书左仆射）高颎，及左卫（十二禁军第一军）大将军（正三品）元旻等，一再请求说："史万岁的勇力谋略，都超过常人，将领士卒都乐意为他效力，即令是古代名将，也不见得比他更好。"杨坚怒气稍稍消失，于是只开除史万岁官籍，贬作平民。

五九九年 己未

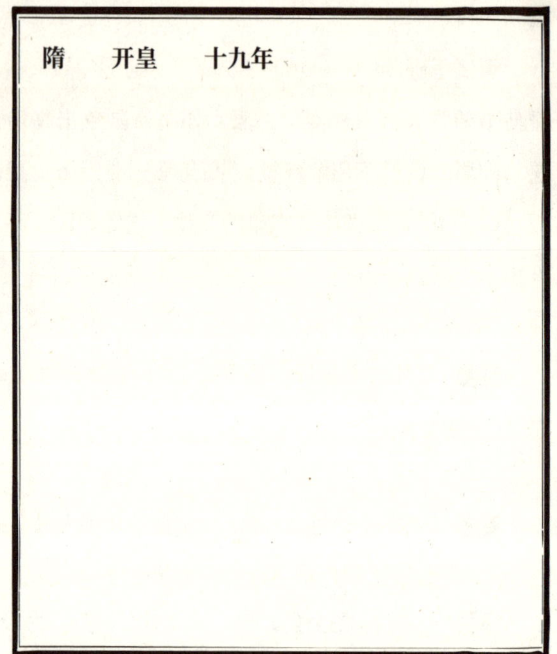
隋　开皇　十九年

1 春季，正月七日，隋王朝政府（首都大兴〔陕西省西安市〕）大赦。

2 二月十九日，隋帝（一任文帝）杨坚（本年五十九岁）前往仁寿宫（陕西省麟游县境）。

3 突厥汗国（瀚海沙漠群）突利可汗（小可汗）阿史那染干，托长孙晟上奏说：都蓝可汗（八任大可汗）阿史那雍虞闾，正大肆制造攻城武器，打算进攻大同城（内蒙古乌拉特前旗）。杨坚下令大军三路北伐：汉王杨谅当大军元帅，国务院左执行长（尚书左仆射）高颎从朔州道（山西省朔州市）出发，右执行长（右仆射）杨素从灵州道（宁夏灵武市）出发，上柱国（勋官一级，从一品）燕荣从幽州道（北京市）出发，同时攻击阿史那雍虞闾，全归汉王杨谅（时驻并州〔山西省太原市〕）指挥，可是杨谅并不亲临军营（这是南宋帝国所建立的一种奇异指挥方式，参考四三一年闰六月注）。

阿史那雍虞闾得到消息，跟达头可汗（小可汗）阿史那玷厥，缔结同盟，联合对阿史那染干突袭，在长城下会战，阿史那染干崩溃。阿史那雍虞闾把阿史那染干的兄弟子侄，全部杀光，遂渡河（不知道什么河），进入蔚州（山西省灵丘县）。阿史那染干部众逃散一空；夜晚，只剩下阿史那染干和长孙晟等五人，骑马南下，天将亮时，走一百余华里，沿途集结骑兵数百人。阿史那染干跟他的部属商议：“大军溃败成这个样子，进京（首都大兴）朝见，只不过一个普通降人而已，隋帝国皇帝怎会理我！阿史那玷厥虽然对我突袭，但并没有深仇大恨，如果投降于他，定会收留安顿。”长孙晟听到消息，派遣密使到伏远镇（今地不详）燃起紧急烽火。阿史那染干突然看到四支火柱同时升起，向长孙晟询问原因，长孙晟告诉他说：“城堡位于高处，我们又处于凹地，所以看不清楚四周变化。定是守将远远眺望，发现有盗贼军队。隋政府规定：盗贼如果不多，只燃烧两烽；稍多，燃烧三烽；如果大队人马，则燃烧四烽。现在情形，当是守将发现盗贼大军进逼。”阿史那染干大为恐惧，对他的部属说：“追兵已近，姑且进城躲避。”既然进城，长孙晟命阿史那染干属下高官阿史那执室，统御部众，自己则陪同阿史那染干乘坐政府驿马车，前往首都大兴（陕西省西安市）朝见。

夏季，四月二日，阿史那染干抵达大兴，杨坚大为欢喜，擢升长孙晟当左勋卫（左卫军三府之二）骠骑将军（正四品上）、“持节”、突厥保安司令官（护突厥）。 298

杨坚命阿史那染干跟都蓝可汗（八任大可汗）的使节阿史那因头公爵，当庭辩论，阿史那染干理直气壮，杨坚对他特别厚待。阿史那雍虞闾的老弟阿史那郁速六，舍弃妻子儿女，随同阿史那染干同来隋帝国，杨坚嘉许勉励，命阿史那染干送给他大量珠宝，作为安慰。

北伐中路军高颎，命上柱国（勋官一级，从一品）赵仲卿率军三千人担任前锋，进抵族蠡山（应在山西省大同市北），跟突厥军相遇，会战七天，大破突厥军；赵仲卿追击，抵达乞伏泊（内蒙古察哈尔右翼前旗北黄旗海），再度大破突厥军，俘虏一千余人，牲畜以万为单位计数。突厥立即全面反攻，赵仲卿集中军队，结成方阵，四面抵抗，历时五日，情势危急，正巧高颎主力赶到，内外夹击，突厥败退，隋帝国军队追击，渡过白道川（内蒙古呼和浩特市北），越过秦山（阴山山脉东段大青山），前进七百余华里，班师。

北伐西路军杨素，与达头可汗（小可汗）阿史那玷厥遭遇，从前，中原将领跟突厥作战，恐惧突厥骑兵横冲直撞，都命步骑兵以及战车部队联合，互相羼杂，结成方阵，四面用鹿角、拒马筑成防御工事，骑兵反被保护在方阵之内。杨素说：“这只是保护自己不败的方法，不能取胜！”于是改变战术，用骑兵作为主力，结成骑阵。阿史那玷厥得到报告，大喜若狂，说：“这是上天把他们赏赐给我！”下马向上天感恩叩拜，率骑兵十余万，向前挺进。上仪同三司（勋官七级，从四品上）周罗睺对杨素说：“盗贼的阵势并不严整，请马上还击。”遂率精锐骑兵进攻，杨素继率主力大军投入战场，

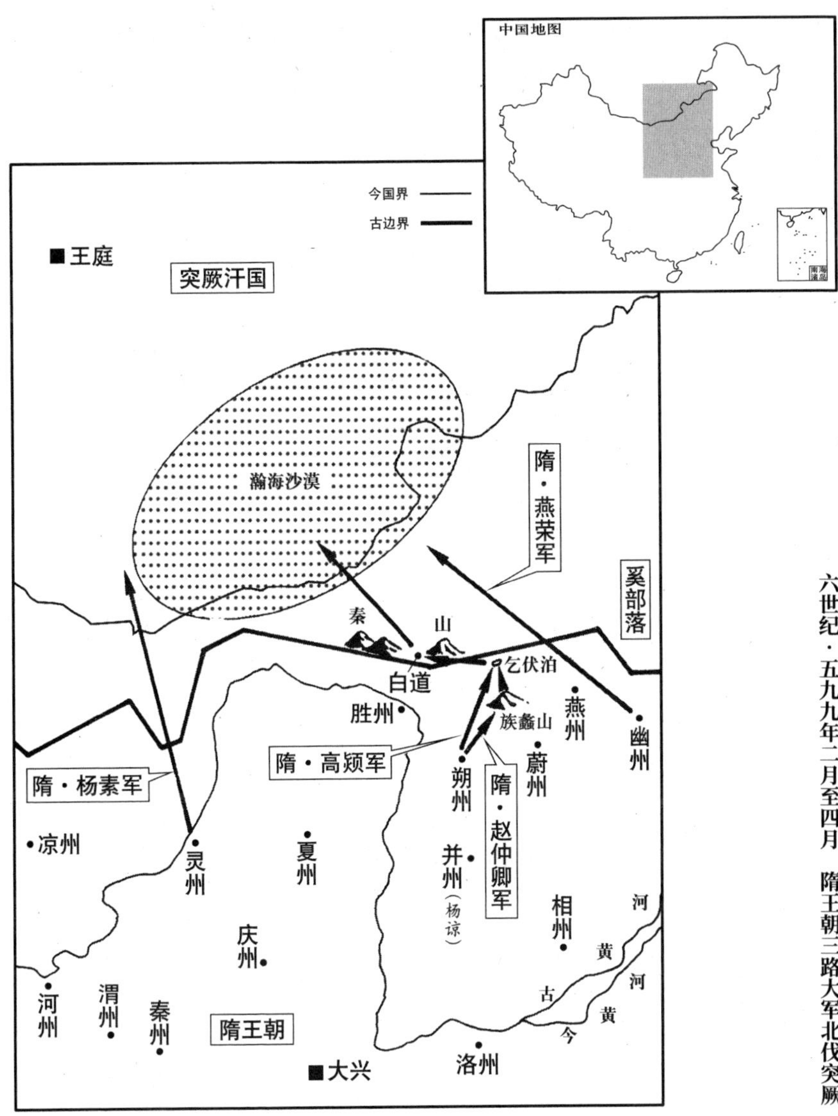

六世纪·五九九年二月至四月　隋王朝三路大军北伐突厥

突厥军大败，阿史那玷厥身受重伤，消失不见踪影，死伤之多，无法计算，部众悲号痛哭，向北逃走。

4 六月三日，杨坚任命豫章王杨暕当最高立法长（内史令）。

5 宜阳公爵王世积，当凉州军区（总部设凉州〔甘肃省武威市〕）总司令（凉州总管），他的亲信泾州（甘肃省泾川县）人皇甫孝谐犯罪，有关单位通缉搜捕，皇甫孝谐逃亡，投奔王世积，王世积不肯收留。皇甫孝谐终于被发配桂州（广西桂林市）当兵，于是紧急上疏，检举："王世积曾请法术师给他相面，看他能不能大贵？法术师回答说：'你会当一国之主，又要前去凉州。'他的亲信告诉王世积说：'河西（甘肃省中部西部）出产天下精兵，可以建立大业。'王世积说：'凉州地大人少，不是一个作战基地。'"杨坚遂斩王世积，擢升皇甫孝谐当上大将军（勋官三级，从二品）。

6 独孤皇后生性嫉妒，杨坚对后宫美女，从不敢跟她们上床。尉迟迥的孙女，美丽非凡，没收入宫当奴（尉迟迥起兵失败，参考五八〇年八月），杨坚在仁寿宫（陕西省麟游县境）偶尔看到她，惊为天仙化人，加以奸淫，十分宠爱。独孤皇后得到密报，遂利用杨坚出席朝会时间，暗下毒手，把她害死。杨坚大为愤怒，骑马冲出皇宫，不走大路，沿着小道，深入山谷二十余华里。国务院左执行长（尚书左仆射）高颎（音jiǒng〔窘〕）、右执行长（右仆射）杨素等紧急追上，拉住马头，苦苦规劝，杨坚叹息说："我，贵为天子，却没有一点自由！"高颎说："陛下，你怎么可以为了一个女人，轻率的舍弃帝国！"杨坚的怒意稍稍化解，停住马蹄，站了很久，直到午夜才回皇宫。独孤皇后在寝宫等候，杨坚既到，独孤皇后泪流满面，哭泣道歉。高颎、杨素等为他们和解，摆下筵席饮酒，极尽欢乐。最初，独孤皇后因高颎的老爹是独孤家的宾客，对高颎十分亲近礼遇（高颎的老爹高宾，是独孤皇后的老爹独孤信的部属，独孤信被杀，独孤皇后因高宾是老爹旧部，常到高家）。现在，听到高颎说自己是“一个女人”，遂把高颎记恨在心。

当时，太子杨勇已失去爹娘的宠爱，杨坚及独孤皇后暗中有罢黜杨勇，另选太子的想法。独孤皇后假装漫不经心的问高颎说：“有神仙告诉晋王妃（杨广正妻萧女士），说晋王（杨广）一定会统治天下，怎么办？”高颎跪下说：“长幼兄弟，有一定顺序，怎么可以废除！”独孤皇后知道高颎在这一点上立场严正，不可能改变，遂秘密计划把他排出政府。

正巧，杨坚下令把东宫（太子宫）一部分卫队，调往政府，高颎上奏说：“如果全挑勇士，恐怕东宫（太子宫）守卫力量单薄。”杨坚变脸说：“我有时候出宫，需要健壮警卫。太子（杨勇）在东宫（太子宫）培育他的德行，左右要什么勇士！太子设立强大卫队，是一种陋规。如果依照我的意思，等到禁军轮调的时候，分出一部分前往东宫（太子宫），使皇宫卫队跟东宫（太子宫）卫队，没有分别，岂不是件很好的改革？我看透了前代这方面的利弊，你不须走前人的路子（太子造反的例子，最明显的莫过于南宋帝国的刘劭。三任帝刘义隆担心皇族叛变，遂把太子宫卫队兵力，增加到一万人，与羽林禁卫军兵力相等，而太子刘劭却利用卫队叛变。参考四五三年二月）。”高颎的儿子高表仁，娶杨勇的女儿为妻，杨坚说这段话，对高颎已有提防之心。

高颎的正妻逝世，独孤皇后告诉杨坚说：“高颎年纪已老，而夫人去世，陛下怎么能够不给他再娶一位！”杨坚把独孤皇后的话告诉高颎，高颎流泪拒绝说：“我很老了，退朝回家，只不过吃斋念佛，读读佛经而已。虽然陛下关心哀怜，可是续娶正妻这件事，不是我的愿望。”杨坚才打消原意。不久，高颎心爱的小老婆生了一个男孩，杨坚听到消息大喜，可是独孤皇后却大不高兴。杨坚问她缘故，独孤皇后说：“陛下以后还能不能再信任高颎？从前，陛下打算给高颎娶一房妻子，高颎心里只有心爱的小老婆，却当面欺骗陛下。现在，他的狐狸尾巴已经暴露，怎么可以认为他诚实。”杨坚从此对高颎疏远。

东征高句骊王国之役（参考去年〔五九八〕二月），高颎事前一再劝阻，杨坚拒绝接受，等到大军狼狈撤退，独孤皇后告诉杨坚说：“高颎当初怎么都不肯出征，是你勉强他他才动身，当时我就知道他不可能立功！”杨坚又因汉王杨谅年纪还小，把军事全权交给高颎处理，高颎责任重大，兢兢业业，心怀大公无私，并不自避嫌疑，所以杨谅吩咐的话，高颎很多都不服从。杨谅记恨在心，等到班师，向娘亲独孤皇后哭说：“孩儿真是幸运，没有被高颎杀掉。”杨坚听到，越发愤愤不平。

后来，北伐突厥汗国，高颎从白道川（内蒙古呼和浩特市北）出发，计划深入瀚海沙漠群，派使节到中央请求派军增援，杨坚左右亲信就有人警告说：“高颎打算叛变！”杨坚还没有处理，高颎已击破突厥班师。又后来，王世积被杀，调查审理过程中，听到很多皇宫中高度机密，说是从高颎那里传出来，杨坚大吃一惊。现在，有关单位奏报，说：“高颎及左卫（十二禁军第一军）大将军（正三品）元旻、右卫（十二禁军第二军）大将军（正三品）元胄，都跟王世积来往，接受他馈赠的名马。”元旻、元胄同被免职。上柱国（勋官一级，从一品）贺若弼、吴州军区（总部设吴州〔浙江省绍兴市〕）总司令（吴州总管）宇文弼、国务院司法部长（刑部尚书）薛胄、财政部长（民部尚书）斛律孝卿、国防部长（兵部尚书）柳述等，都证明高颎无罪，杨坚越发怒不可遏，全部逮捕囚入监狱，政府官员遂再没有人敢为高颎呼冤。

秋季，八月十日，高颎被证明有罪，免除他的上柱国（勋官一级，从一品）、国务院左执行长（左仆射）官职，但仍保留齐公爵位，命他返回私宅。

不久，杨坚前往秦王杨俊家，召唤高颎赴宴。高颎抽咽流泪，十分哀伤，独孤皇后也为他悲泣。杨坚对高颎说："我没有辜负你，是你辜负你自己！"遂对左右侍从说："我待高颎，比待我的儿子还好，即使看不到他，他也好像常在我眼前。可是自从他免职退休，我就把他忘记，好像世界上原本没有高颎此人。做一个臣属，不可以要挟君王，夸嘴说自己才是第一。"

又不久，高颎公爵府总管（国令，视正七品）上疏揭发高颎隐私，声称高颎的儿子高表仁对高颎说："司马懿当初假装害病，不出席朝会（参考二四七年五月），终于夺取政权。你今天这种遭遇，怎么知道不是福气！"杨坚大怒，逮捕高颎，囚禁立法院（内史省）审讯。有关官员再奏报说：佛教和尚真觉，曾经对高颎说："明年（六〇〇），帝国将有大规模丧葬典礼。"尼姑令晖也说："五九七、五九八两年，皇上（杨坚）有厄运。五九九年，难过此关。"杨坚听到，火上加油，告诉文武百官说："帝王宝座，都是天意，人力怎么可以得到。孔丘以至圣的天才，仍无法主宰一个国家。高颎跟他的儿子谈话，自比晋王朝皇帝，是什么居心！"主管官员请斩高颎。杨坚说："去年杀虞庆则，今年杀王世积，如果再杀高颎，天下人将对我有什么评论！"于是剥夺高颎公权，开除官籍，贬作平民。

最初，高颎任国务院左执行长（左仆射），他的娘亲警告他，说：

"你的富贵荣华，已到顶尖，只差砍头，你要谨慎。"因此，高颎时常都在恐惧之中。遭此巨变，虽贬作平民，毕竟没有丧生，高颎内心欢喜，一点也没有怨恨。最初，国立贵族大学校长（国子祭酒）元善对杨坚说："杨素粗鲁疏阔，苏威胆小如鼠，元胄、元旻，不过像鸭子一样，随波浮动，没有主见。可以托付国事的，只有高颎。"杨坚当初也认为如此。等高颎被控有罪，杨坚严厉责备元善，元善忧愁恐惧而死。

7 九月，杨坚任命祭祀部长（太常卿）牛弘当国务院文官部长（吏部尚书）。牛弘遴选官员，先考虑品德，再考虑才干，务求谨慎庄重，这些人虽然行动迟缓，但牛弘所推荐的多数都能称职。文官部考选司长（吏部侍郎）高孝基，有鉴赏人才的能力，机警聪明，反应迅速，而又清廉谨慎；但他性情豪爽，行为洒脱，近乎轻佻，因为这个缘故，当时当权高官对他都不敢信任，只有牛弘深刻了解实情，全心委任，交给他全权。隋王朝政府得到最好的人才，差不多都在这个时候，舆论都佩服牛弘的远大见识与器度。

8 冬季，十月二日，隋政府封突厥汗国突利可汗（小可汗）阿史那染干，当意利珍豆启民可汗（此时仍是小可汗），中文的意思是"心智健康的元首"，突厥汗国得到消息，把俘虏阿史那染干的部众，归还一万余人。杨坚命左勋卫（左卫军三府之二）骠骑将军（正四品上）长孙晟率边防军五万人，进驻朔州（山西省朔州市），兴筑大利城（内蒙古和林格尔县）收容他们。当时安义公主已经逝世（前年〔五九七〕七月安义公主下嫁，迄今不到两年），杨坚再派长孙晟"持节"，送皇家女儿义成公主，下嫁阿史那染干。

长孙晟上疏说："阿史那染干部落，回归的越来越多，可是力量仍小，虽在长城之内，仍然恐惧阿史那雍虞闾（八任都蓝大可汗）的袭击抢掠，不能安心定居。我建议把他们迁到五原（盐州，陕西省定边县），可以受黄河保护，再在夏州（陕西省靖边县北白城则村）、胜州（内蒙古托克托县）之间，东自黄河（中游，山西、陕西二省界河），西也到黄河（中上游，流经宁夏）；南北距离四百华里，挖掘深沟，把他们收容在里面，使他们得以安心畜牧。"杨坚批准。

杨坚又命上柱国（勋官一级，从一品）赵仲卿，率军二万人，驻扎边疆，为阿史那染干防御达头可汗（小可汗）阿史那玷厥攻击；代州军区（总部设代州〔山西省代县〕）总司令（代州总管）韩洪等，率步骑兵一万人，镇守恒安（山西省大同市）。阿史那玷厥率骑兵十万人攻击，韩洪军大败，赵仲卿自乐宁镇（山西省大同市西）出动阻截突厥军，杀一千余人。

9 杨坚派越公爵杨素从灵州（宁夏灵武市）、大军作战司令官（行军总管）韩僧寿从庆州（甘肃省庆阳市）、太平公爵史万岁从燕州（河北省涿鹿县）、大将军（勋官四级，正三品）武威（甘肃省武威市）人姚辩从河州（甘肃省临夏市），各率大军分别出发，夹攻突厥汗国都蓝可汗（八任大可汗）阿史那雍虞闾。各路军还没有出塞。

十二月四日，阿史那雍虞闾被部属刺死。达头可汗（小可汗）阿史那玷厥自称步迦可汗（九任大可汗），突厥汗国大乱。长孙晟报告杨坚说："我国军队进逼边境，几次会战，都获得胜利，蛮虏（突厥汗国）内部分裂，四方离散，主人（阿史那雍虞闾）又被诛杀。我们趁此机会向他们招降，他们可能全体归附，如蒙批准，请派阿史那染干的部属，分别招抚。"杨坚同意，投降过来的人很多。

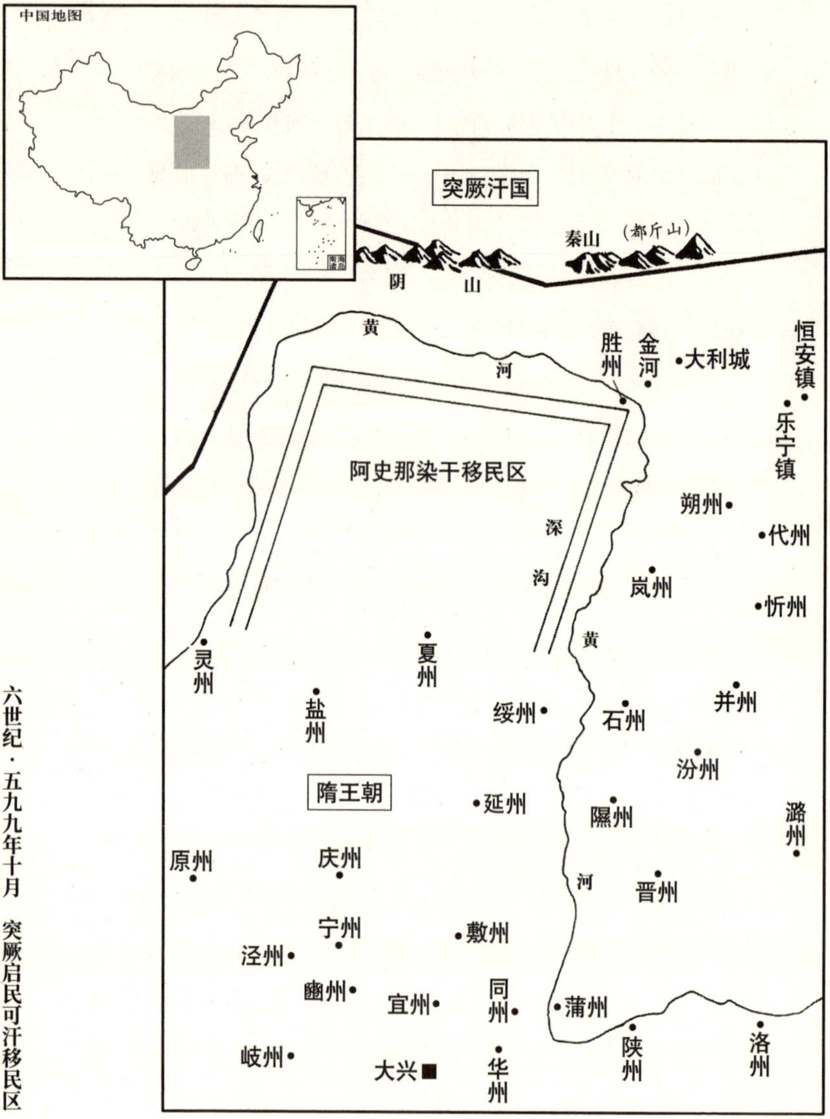
中国地图
南海诸岛
突厥汗国
秦山
（都斤山）
阴山
黄河
胜州
金河
大利城
恒安镇
乐宁镇
阿史那染干移民区
深沟
朔州
代州
岚州
忻州
黄河
灵州
夏州
盐州
绥州
石州
并州
汾州
隋王朝
延州
隰州
潞州
原州
庆州
晋州
宁州
敷州
泾州
豳州
宜州
同州
蒲州
陕州
洛州
岐州
大兴
华州

六世纪·五九九年十月　突厥启民可汗移民区

七世纪

○○年代，隋王朝宫廷政变，一直没有安全感的皇帝杨坚，被他的儿子杨广谋杀。杨广是中国历史上昏暴君王之一，奢侈淫虐，一意孤行。他大规模侵略高句骊王国，引起国内遍地民变。一○年代末期，他终于被叛军绞死，隋王朝也告灭亡。

唐王朝兴起，李世民大帝使长期苦难中的中国人民，迅速复元，并击败侵略中国的所有蛮夷，被尊为“天可汗”。中国进入第二个黄金时代，强大繁荣，受万邦崇拜。

直到九○年代，一个小老婆出身的美女武曌夺取唐王朝政权，成为中国历史上唯一的一位女皇帝。

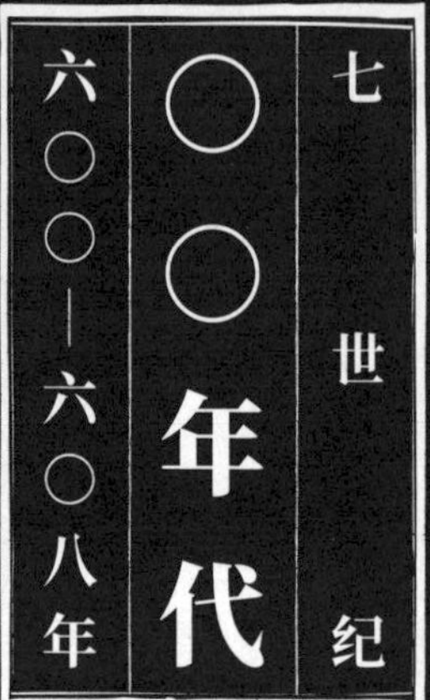

隋王朝

- 杨广夺嫡成功。
- 突厥内部大乱，分为东西两部分。
- 隋帝杨坚被太子杨广谋害。
- 定洛阳为东都。
- 杨广筑洛阳西苑，开运河，游江都，游西北。
- 杨广诬杀高颎、贺若弼、薛道衡。

- 东罗马帝国将领福克斯篡位，屠前任帝毛利斯全家。
- 日本始有历法。
- 法兰克王克罗特尔二世自制钱币（过去欧洲各国都用东罗马帝国钱币）。

隋　开皇　二十年

1 春季，二月，熙州（安徽省潜山市）人李英林聚众起兵。

三月二日，隋政府（首都大兴〔陕西省西安市〕）任命扬州军区（总部设扬州〔江苏省扬州市〕）军政官（扬州总管司马）、河内（怀州，河南省沁阳市）人张衡，当大军作战官（行军总管），率步骑兵五万人混合兵团讨伐，削平。

2 上柱国（勋官一级，从一品）贺若弼又因被人控告，逮捕下狱，隋帝（一任文帝）杨坚（本年六十岁）责备他说："你有三'太猛'：嫉妒心太猛，自以为是、自以为别人不是的心太猛，目无长官的心太猛。”不久又把他释放。有一天，杨坚对左右侍卫说：“贺若弼将出征陈国（陈帝国），对高颎说：‘陈叔宝定被削平，问题是，我们这些功臣，会不会飞鸟尽，良弓藏？’高颎说：‘我向你保证，绝不会如此。’等消灭陈国（陈帝国），贺若弼就要求当最高立法长（内史），又要求当国务院执行长（仆射）。我告诉高颎：‘对功臣最恰当的赏赐，就是赏赐给他勋官（自上柱国到都督共十一级，等于二十世纪自上将到准尉共十级一样），不可掌握实权（这是政府保护功臣，和功臣自保的唯一方法，杨坚虽然想到，却做不到，只有东汉王朝一任帝〔光武帝〕刘秀，以及宋帝国一任帝〔太祖〕赵匡胤做到）。’贺若弼后来告诉高颎说：‘皇太子（杨勇）跟我之间，情谊亲切，连高度机密，都附到耳朵上见告，言无不尽，你怎知你将来不需要我？为什么现在不为我说几句话！’贺若弼打算去广陵（扬州，江苏省扬州市），又打算去荆州（湖北省江陵县），都是重要军事基地，可发动兵变的地方，他的作乱意图始终不改。”

3 夏季，四月四日，突厥汗国（瀚海沙漠群）步迦可汗（九任大可汗）阿史那玷厥，侵犯隋帝国边塞。杨坚下诏命晋王杨广、越公爵杨素，从灵武道（灵州，宁夏灵武市）出发；汉王杨谅、太平公爵史万岁，从马邑道（朔州，山西省朔州市）出发，分兵迎战。

左勋卫（左卫府三卫之二）骠骑将军（正四品上）长孙晟，率降人组成的部队（不知是什么降人），当秦州（甘肃省天水市）兵团作战司令官（秦州行军总管），受晋王杨广指挥。长孙晟知道突厥习惯饮用泉水，容易下毒，派人把毒药投入河川上游，突厥各部落人民和牲畜遂大量死亡，大为恐慌，互相警告说：“上天降下毒水，是要我们灭亡！”乘夜逃走。长孙晟追击，杀一千余人。

史万岁出塞，挺进到大斤山（内蒙古阴山山脉东段大青山），跟突厥大军遭遇。步迦可汗阿史那玷厥派使节问:“隋帝国将领是谁?”斥候回答:“史万岁。”使节再问:“是不是敦煌(甘肃省敦煌市)那个家伙(参考五八三年五月)?”斥候说:“当然是。”阿史那玷厥恐惧,立即撤退。史万岁急行军尾追,奔驰一百余华里,奋勇攻击,大破突厥军,杀数千人,继续追逐,深入沙漠数百华里,突厥军已逃得无影无踪,始行班师。杨坚下诏命长孙晟重返大利城(内蒙古和林格尔县),安抚新投降过来的突厥人。

阿史那玷厥再派他的侄儿阿史那俟利伐,从沙漠东方攻击启民可汗(小可汗)阿史那染干。杨坚再动员军队抵抗,沿边防守要道。阿史那俟利伐不能前进,退回沙漠。阿史那染干上疏致谢,说:“隋帝国圣人可汗(杨坚),怜悯人民,养育万物,像天一样,万物全在他保护之下;像地一样,万物全在他承担之上。我像一棵枯树,重生新叶;一副枯骨,再长新肌;千秋万世,一直替隋帝国看守牛马。”杨坚又派上柱国(勋官一级,从一品)赵仲卿给阿史那染干兴筑金河(内蒙古托克托县东)、定襄(大利城,内蒙古和林格尔县)二城。

4 秦王(孝王)杨俊(杨坚第三子)长期患病,不能痊愈,派使节上疏给老爹皇帝杨坚,请求宽恕(杨俊被贬,参考五九七年七月)。杨坚对杨俊的使节说:“我竭尽全力,创立大业,订定规则,树立模范,希望臣属遵守,你是我的儿子,却打算破坏,我不知道怎么责备你!”杨俊惭愧恐惧交集,病情更加沉重;杨坚再任命他当上柱国(勋官一级,从一品)。

六月二十日,杨俊逝世(年三十岁。胡三省注:杨坚五个儿子,只杨俊病死!);杨坚只哭几声就停住。杨俊所做的奢侈华丽物品,杨坚下令全部焚毁。王府官员请求为杨俊立碑,杨坚说:“想求美名,几页史书就够，立碑干什么？如果子孙不能保持家声，只不过让别人打碎，当作‘镇纸石’！”杨俊的嫡子杨浩，是崔妃所生；另一位姬妾生的庶子，名叫杨湛。官员们迎合杨坚的旨意，奏称：“西汉王朝栗姬的儿子刘荣（参考前一五〇年十一月）、东汉王朝郭皇后的儿子刘彊（参考四三年六月），都因娘亲有罪，遂被罢黜，如今，秦王（杨俊）的两个儿子，娘亲都有罪，不应继承香火。”杨坚批准，命秦王府官员当丧主。

5 最初，杨坚命太子杨勇，参与军政大事，杨勇时常提出同意或不同意的见解，杨坚全部接受，杨勇性情宽恕忠厚，诚恳豪爽，从不虚假伪装。杨坚重视节约，杨勇曾经把蜀人（四川省中部）制造的精细铠甲，再加雕饰，杨坚看到，大不高兴，告诫他说：“自古以来，帝王奢侈豪华，从来没有一个能够长久。你是储君，应以节约为第一优先，才有资格祭祀皇家祖庙。我从前所穿的衣服，每种我都留下一件，时常观看，自我警惕。恐惧你今天以皇太子之心，忘记从前平民之事，所以赐给你我从前用的佩刀一把、菹酱一盒，这是你从前当‘管理官’（北周帝国时“上士”）时，常吃的食物（菹，音zū〔租〕。菹酱，今名“味噌”；古人最喜爱的食物，后来失传，直到二十世纪，才由日本再传入中国），你如果能记住以前的事，应该知道我的心意。”

后来，遇到冬至，文武官员都去晋见杨勇，杨勇出动乐队，公开接受祝贺。杨坚知道这件事后，问文武官员说：“我最近听说，冬至那天，内外百官都到东宫（太子宫）朝见，这是什么礼数？”祭祀部副部长（太常少卿）辛亶回答说：“前往东宫（太子宫），只能算是祝贺，不能算是朝见。”杨坚说：“如果是祝贺的话，应该是三五人或数十人，随来随去，怎么有关单位传令召唤，定时全体集合？太子（杨勇）穿正式官服，陈设乐队，坐在那里等待，是不是可以？”遂下诏说："礼节有等级差别，君王和臣属才不至于混淆。皇太子虽然有极高地位，但在大义上，他仍然既是臣属，又是儿子。可是冬至那天，各地军政要员，却群往朝贺，各自进贡土产。这种行为不合规矩，应立即停止。"从此，杨坚对杨勇的恩宠，开始衰退，逐渐产生猜疑。

杨勇喜爱女色，东宫很多美女受到宠爱，而云昭训尤其艳丽照人，压倒群芳（昭训，太子宫小老婆群称号）。正妻元妃跟杨勇感情不睦，心脏病忽发，只两天时间，即行逝世（参考五九一年正月）。独孤皇后认为元妃死得离奇，可能被人谋害，对杨勇严厉责备。从该年（五九一）开始，云昭训主持东宫，生长宁王杨俨、平原王杨裕、安成王杨筠；高良娣生安平王杨嶷、襄城王杨恪；王良媛生高阳王杨该、建安王杨韶；成姬生颍川王杨煚（音jiǒng〔窘〕）；其他美女则生杨孝实、杨孝范（"良娣""良媛"，都是太子宫小老婆群名号）。独孤皇后越发愤愤不平，不断派出暗探，寻求杨勇过失。

自古以来，宫中妒妇，没有一个人能超过隋王朝的独孤皇后，不仅自己嫉妒，连儿子或臣属的小老婆，她也嫉妒。儿子对小老婆好，对正妻不好，娘亲厌恶，犹可说是家庭常情，至于臣属之有小老婆，跟皇后有什么相干，竟然也痛恨入骨，岂不是妒得出奇。

独孤女士应是中国历史上最早的一位女权运动悍将，像班昭女士（曹大姑）之流，在男子脚下，陪笑求全，自我作贱，不过一名女奴集中营总管罢了。可惜独孤女士没有建立一个理论基础，在那个大男人沙文主义的中古时代，她

的主张只能产生压力，不能产生说服力，受惩罚的人不知道犯了什么罪，独孤女士除了自己生闷气外，徒制造笑料。

晋王杨广（杨坚次子）更加刻苦发挥自己的演技，每天只跟正妻萧妃一人相聚，后宫美女怀孕，一律堕胎，发觉太晚不能堕胎时，则生下后扼死，于是独孤皇后不断称赞杨广爱情专一，品德贤良。杨广对所有当权官员，都全心全意和他们交往，建立亲密友情。杨坚和独孤皇后每次派左右侍从到杨广那里，无论贵官或贱役，杨广和萧妃都亲自在门口恭迎，接到客厅落座，用盛大的可口美食招待，临走还要送一份厚礼；所以连独孤皇后派去的身边婢女仆妇，都盛赞杨广仁爱孝顺。杨坚跟独孤皇后曾经到杨广私宅做客，杨广把所有美女都送到别的地方藏匿，而只留下老的或丑的，身上穿着没有绣花的衣服，在左右服侍。床帐改用素色绸缎，把乐器上的弦都去掉，但仍挂在墙上，故意积满灰尘。杨坚看到，对这个儿子的不喜爱声色犬马，留下深刻印象。回宫后告诉侍从时，掩饰不住内心的喜悦。侍从们也应声为国家庆幸祝贺，因此，在所有的儿子中，杨坚特别宠爱杨广。

杨坚秘密召见相面师来和（来，姓），给他所有的儿子相面，来和回答说："晋王（杨广）眉上双骨隆起，富贵无法形容。"（即令以相书论，眉上双骨隆起，只显示心高气傲，并不显示富贵。）杨坚又问上仪同三司（勋官七级，从四品上）韦鼎说："我这些儿子，谁可以继承我的位置？"韦鼎说："皇上皇后所最喜爱的，就应传给他，我不敢作任何预言。"杨坚笑说："你不过不肯明说！"

晋王杨广的姿容仪态，十分优美，反应敏捷，行事聪明，而又沉默稳重，喜爱读书，行文流畅，跟政府官员来往，态度恭敬，礼貌谦卑，因此美名四播，评价高于其他亲王。

杨广当扬州军区（总部设扬州〔江苏省扬州市〕）总司令（扬州总管），到京师（首都大兴）朝见，返总部之前，入宫辞别娘亲，匍伏地上痛哭流涕，独孤皇后也老泪横流。杨广说："我性情愚昧卑下，只知道依靠兄弟手足之情，不知道什么事使大哥（杨勇）不高兴，怒火一直不熄，打算把我害死。我恐惧受到像曾参所受到的那种谗言陷害（参考前三〇八年），也恐惧酒杯汤勺之中，饮到毒药。因此忧愁思虑，深怕进入险境。"独孤皇后愤怒说："晛地伐（杨勇乳名）越来越教人讨厌（晛，音xiàn〔现〕），我给他娶元家女儿，竟然对她毫不尊重，只宠爱阿云（云昭训），使她生下那么多猪狗！前些时元家女儿被人毒死，我也不能深入调查，为什么又对你这个样子。我还在世，他已这般蛮横，我死之后，你岂不是被当作鱼肉欺凌。每想到东宫（太子宫）连嫡子都没有，你老爹千秋万世之后，留下你们兄弟向阿云的儿子们叩头问安，心里就无限痛苦。"杨广又叩头，哭泣呜咽，不能停止。独孤皇后也悲哀难支。从此，独孤皇后决心罢黜杨勇，改封杨广。

杨广与安州军区（总部设安州〔湖北省安陆市〕）总司令（安州总管）宇文述，感情一向亲密，打算命宇文述靠近自己，于是奏准调宇文述当寿州（安徽省寿县）州长。杨广尤其信赖总部军政官（总管司马）张衡，张衡为杨广拟订夺嫡策略。杨广向宇文述请教，宇文述说："皇太子（杨勇）失去父母宠爱，为时已久，他的德行，天下没有人听到。而大王的仁爱忠孝，却闻名全国，又才华盖世，多少次率领大军，建立功勋，受到主上和皇后的宠爱，四海人民的盼望，都归向大王。然而，罢黜太子，另立新的储君，是国家大事；我处在别人父子之间，轻不能轻，重不能重，实在不容易进言，然而能够使主人心回意转的，只有杨素，而杨素的智囊是他的老弟杨约。我十分了解杨约，让我有机会到京师（首都大兴）朝见，跟杨约会面，共同研究。”杨广大为高兴，拿出大量金银财宝，厚厚的送宇文述入关（函谷关）。

杨约当时正担任最高法院副院长（大理少卿），杨素有什么决定，都先跟杨约商量，然后才做。宇文述宴请杨约，把珍宝及古董陈列满堂，酒饮到半醉，一起赌博，宇文述每次都假装赌输，以至把杨广所送的金银财宝，全部输光。杨约赢到这么多东西，稍稍表示歉意，宇文述说：“事实上这是晋王（杨广）的赏赐，教我和你共同欢乐一场！”杨约大吃一惊说：“为什么要这样？”宇文述遂传达杨广本意，乘机游说：“坚守正常规范，固然是臣属行事的准则；但违反经典，却合正义，也是见识通达的人最高谋略。自古以来，贤人君子，没有不跟时代脉搏呼应，用以逃避灾祸。你们兄弟功劳声望，盖过世人，掌握权柄，有很多年，文武百官受你们杨家欺负凌辱的，恐怕难以数清（参考五九二年十二月）。皇太子（杨勇）因所要求的事总是不能办到，对当权高官痛恨得咬牙切齿，你虽然受到人主的宠信，可是打算害你的人太多。主上一旦抛弃天下，你的保护伞在哪里？如今皇太子失去皇后宠爱，而主上平常也有罢黜太子（杨勇）的意愿，这是你所深知。现在，请求改封晋王（杨广）当太子，只在你家老哥（杨素）一句话。如果真的因这件事建立大功，晋王（杨广）感恩，将永刻骨髓。这正可以排除累卵之危，而成就泰山般那么安全。”杨约同意，报告杨素，杨素听到这些话，大喜过望，拍手说：“我的智慧，想不到这一层，全靠你提醒！”杨约知道他的计策已有成效，再告诉杨素说：“皇后（独孤女士）的话，皇上没有不听，应该抓住机会，早一点表态归附，荣华富贵自可以长保，传到子孙。如果迟疑不决，一旦发生变化，太子（杨勇）当权，恐怕大祸随时可以临头。”杨素同意。

几天之后，杨素进宫参加宴会，假装毫不经意，顺口称赞说：“晋王（杨广）孝顺友爱，恭敬勤俭，很像皇上（杨坚）。”用来探测独孤皇后的心意，独孤皇后一时感动泪下，哭泣说：“你的话太对了，我儿对爹娘真是大孝大爱，每次听说至尊（杨坚）和我派宦官（内使）去看他，他都会亲自到边境迎接，谈到远离双亲膝下，没有一次不悲伤哭泣。他的妻子（萧女士）也真可怜，我派婢女前去，她常教婢女跟她同床睡眠、同桌进餐。哪像睍地伐（杨勇乳名）跟阿云（云昭训），架子奇大，坐在那里不动，从早到晚吃喝玩乐，亲近小人，猜忌陷害骨肉。我所以越发怜悯阿麽（杨广乳名），常怕别人把他暗中害死。”杨素既然了解独孤皇后的意思，于是大肆抨击杨勇没有才干，独孤皇后馈赠杨素很多金银财宝，让他说服杨坚早作罢黜太子的决定。

杨勇也察觉到这项夺嫡阴谋，忧愁恐惧，不知道如何是好，命新丰（陕西省西安市临潼区）人王辅贤制造各种物件，祈求鬼神化解厄运。又在后园兴筑“平民村”，房屋非常简陋，杨勇时常在其中睡眠休息，穿着布衣，下垫草褥，希望能抵挡诅咒。杨坚也知道杨勇内心不安，在仁寿宫（陕西省麟游县境）派杨素到首都大兴观察杨勇的反应。杨素抵达东宫（太子宫），在外边坐下来慢慢休息，不肯立即进去，杨勇衣冠整齐恭候，杨素故意逗留，用以激怒杨勇；杨勇果然被激怒，接见杨素时，愤怒之情，言辞和脸色上完全显示。杨素回来报告杨坚说：“太子（杨勇）怨恨强烈，恐怕有什么变化，希望严加戒备。”杨坚听到杨素的诬陷，对杨勇更加怀疑。独孤皇后又派人到东宫（太子宫）侦察，芝麻蒜皮般小事，都奏报杨坚，再加上曲解伪造，杨勇的罪状遂直线上升。

杨坚开始跟杨勇疏远，而且更加猜忌。于是从玄武门（大兴宫正北门）到至德门（东北门），派出秘密警察，侦察杨勇动静，随时奏报。东宫（太子宫）卫队中，军官以上兵籍，全划归十二禁军府，勇敢健壮的，全被调走。太子宫左翼禁军司令（左卫率，正四品上）苏孝慈，外放淅州（河南省淅川县南）州长；杨勇越不高兴。天文台长（太史令，从七品下）袁充报告杨坚，说："我夜观天象，皇太子应该罢黜。"杨坚说："冥冥中早已注定，大家不敢说话罢了。"袁充，是袁君正的儿子（袁君正事，参考五四九年三月十四日）。

晋王杨广又命总部军事参谋长（督王府军事）姑臧（甘肃省武威市）人段达，私下贿赂杨勇宠爱的东宫官员姬威，命他窥探杨勇的隐私，秘密报告杨素。天罗地网已经密布，全国内外，一片喧哗沸腾，杨勇的过失每天都听得到。段达煽动姬威说："太子（杨勇）所犯的错误，主上都已经知道。我家大王（杨广）已接密诏，将要发生废立大事，你如果能抢先告发，定有大富大贵。"姬威满口答应，遂即上书检举太子（杨勇）叛变谋反。

秋季，九月二十六日，杨坚从仁寿宫（陕西省麟游县境）返首都大兴（陕西省西安市）。

第二天（九月二十七日），杨坚登大兴殿，对左右侍从官员说："我刚回京师（首都大兴），本应开怀欢乐，不知道什么缘故，反而愁苦不安！"国务院文官部长（吏部尚书）牛弘说："我们做臣属的不能尽职，劳动主上忧虑！"杨坚因不断听到恶意小报告，认为政府官员对将要发生的废立大事，应无人不知，无人不晓，所以才在大庭广众中，故意发问，希望听到大家对杨勇的过失，加以肯定。牛弘的回答使杨坚大失所望；杨坚脸色立刻铁青，对东宫（太子宫）官属呵责说："仁寿宫（陕西省麟游县境）距这里不远（航空距离一百二十公里），却使我每次返京（首都大兴），都要严加戒备，好像进入敌国。我因为泻肚，不敢脱衣安睡，昨晚为了靠近厕所，本来睡在后殿，恐怕有紧急事变，特别搬回前殿（看情形，七世纪初期，即令宫廷，也没有马桶设备，厕所和卧室仍隔离两处），岂不是你们这些人打算破坏！”下令逮捕太子宫总管（太子左庶子，正四品上）唐令则等数人，交付有关单位审判；命杨素向大家报告东宫（太子宫）种种犯罪隐私，以便亲近的臣属了解。

杨素遂公开指控，说：“我从前奉皇上指令，前来京师（首都大兴），命皇太子（杨勇）调查刘居士的残余党羽（参考五九七年三月），太子（杨勇）接到诏书后，怒容满面，声调激昂，暴跳如雷，告诉我说：‘刘居士党羽早已完全伏法，教我往哪里穷追！你当国务院右执行长（右仆射），责任不轻，你自己去查好了，和我什么相干？’又说：‘从前举大事时（指杨坚篡位，参考五八一年二月），如果失败，我先被诛杀。而今老爹当天子，竟使我不如我的一些老弟，任何一件事，我都不能自主。’长长叹气，回头说：‘我觉得行动受到限制！’”杨坚说：“很久以来我就看出这个孩子不能继承我的事业，皇后一直劝我罢黜，我因他是我当平民时所生，而又是长子，希望他逐渐改过，所以隐忍到今天，他曾经指着皇后的宫女对人说：‘这都是我的人。’这种话多么怪诞。他的妻子（元妃）刚刚亡故，我十分疑心她被毒死，曾经责备他，他老羞成怒说：‘过些时候，我还要杀元孝矩（元妃的老爹）！’这是想害我，而迁怒到岳父头上罢了。杨俨（杨勇的长子）刚刚诞生，我跟皇后亲自抱过来抚养，自从有了芥蒂，他就不断派人来，定要把娃儿抱走。而且，云定兴（云昭训的老爹）的女儿，是云定兴在外跟别人通奸所生，想到那个女人的淫乱，怎么敢肯定是云定兴的种？从前，司马遹（晋王朝二任帝司马衷的太子）娶屠户家的女儿，生了儿子就喜爱杀猪（参考二九九年十一月）。现在，婚配如果不能门当户对，就一定乱了皇家血统。我对人民的恩德虽然不如伊祁放勋（尧）、姚重华（舜），但无论如何，我都不会把全国人民的幸福，交到这个不肖儿子之手。我一直畏惧他会害我，防他如同防敌，现在，打算把他罢黜，使天下得享永久和平。”

左卫（十二禁军第一军）大将军（正三品）五原公爵元旻劝阻说：“废立太子，是一件大事，诏书如果颁布，再有后悔，已来不及。谗言陷害，无所不入，盼望陛下明察。”

杨坚不回答，只命姬威报告杨勇罪恶。姬威说：“太子（杨勇）和我讲话，一向只在表达他的骄傲奢侈，他常说：‘如果有人劝他，他就杀人，只要杀一百多人，规劝的话自会永远停止。’太子（杨勇）兴建亭台楼阁，一年四季不断。前些时，苏孝慈被解除太子宫左翼禁军司令（左卫率，正四品上），太子（杨勇）胡子都翘起来，挥动手臂，说：‘大丈夫终会有一天扬眉吐气，这仇终身不忘，到时候一定要称心快意。’宫中需要，国务院（尚书）依照法规，很多拒绝发给，太子（杨勇）往往大怒说：‘执行长（仆射）以下，我要杀一两个，使他们知道对我傲慢的代价。’常说：‘至尊（杨坚）总是讨厌我生了很多庶子，高纬（北齐帝国五任帝）、陈叔宝（陈帝国五任帝），难道也是庶子！’曾经命巫婆算卦，求问吉凶，告诉我说：‘至尊的死期在五九八年，期限转眼就到。’”杨坚涕泪横流，说：“谁不是父母所生，竟凶恶到这种地步！我最近阅读《齐书》（崔子发所著《齐纪》），看到高欢放纵他的儿子，心中愤怒，怎么可以向他效法！”于是下令软禁杨勇跟他的一些幼儿，派人分别逮捕他的党羽。杨素舞文弄墨，经过扭曲编造，使杨勇的罪名确凿，遂兴起大狱。

过了几天，有关单位禀承杨素的旨意，弹劾元旻时常曲意事奉杨勇，意在托付前程。杨坚在仁寿宫（陕西省麟游县境）时，杨勇派亲信裴弘送一封信给元旻，在信封上批注："不要让别人看见。"杨坚说："我身在仁寿宫（陕西省麟游县境），一点点小事，东宫（太子宫）都会知道，消息灵通得比驿马还快，一直感到奇怪，岂不就是这个恶棍泄漏！"派武士就在左卫禁军行列中，逮捕元旻。右卫（十二禁军第二军）大将军（正三品）元胄，当时正要下班，却不肯就走，遂奏报说："我刚才没有立刻就走的原因，就是为了防备元旻。"（元旻、元胄，二人原是好友，又都是杨勇亲信。）杨坚命把元旻及裴弘，一齐投入监狱。

最初，杨勇看到一棵枯老槐树，问说："它还有什么用处？"一个侍从回答说："枯槐木最适合取火。"当时，卫士都佩有取火木材（"火柴"是十九世纪输入中国的西方产物，在此之前，甚至二十世纪三〇年代，北方乡村，仍用"火石"，以铁器撞击，激出火花，火花溅到枯干槐木上燃烧），杨勇命工人制造数千枚，打算分别赏赐左右；而现在，在仓库中全被查出。同时，医药局（药藏局）储藏艾草数斛，也被发现，杨坚大为奇怪，盘问姬威，姬威说："太子（杨勇）这样做，别有居心。皇上住仁寿宫（陕西省麟游县境），太子经常养马一千匹，曾经说：'只要控制城门，自然饿死。'"杨素把姬威的证辞诘问杨勇，杨勇反击，说："我听说你家的马有数万匹，我身为太子，有一千匹马，怎么能说是谋反！"杨素又把东宫（太子宫）所有衣服器具、首饰珍宝，凡是看起来织绣雕刻加过工的，全部陈列大庭，展览给文武百官观看，作为杨勇犯罪的证据，杨坚及独孤皇后屡次派使者责问杨勇，杨勇不服。

冬季，十月九日，杨坚派人传见杨勇。杨勇看到使节，吃惊说："难道是杀我！"杨坚全副武装，集结禁军，登武德殿，命文武百官站在东边，皇家亲属站在西边，有人引导杨勇和他的所有儿子，站在殿廷中间。杨坚命副立法长（内史侍郎）薛道衡宣读诏书，免除杨勇“太子”和儿子“亲王”、女儿“公主”的封号。杨勇叩头说：“我的尸首应该横躺在法场之上，使将来的人警惕！而今，幸而蒙陛下哀怜，得以保全性命。”说罢，眼泪流下，染湿衣襟；稍停一会，叩头参拜，退出，左右沉默哀伤。长宁王杨俨（杨勇的长子）上书请求留在京师（首都大兴）担任禁军卫士，辞哀情切，杨坚批阅，心中悲恻，杨素警告说：“希望神圣的心灵，像被毒蛇咬过的手臂一样，挥刀永断，不应再有温情。”

十月十三日，杨坚下诏：“元旻、唐令则，及太子宫总务管理官（太子家令，从四品上）邹文腾、左翼禁军军政官（左卫率司马，从七品下）夏侯福、饮食官（典膳监，正七品下）元淹、前文官部考选司长（前吏部侍郎）萧子宝、前（北周帝国）国务院侍从司掌印员（天官御伯主玺下士）何竦，一并处斩，妻妾子孙全体没收官府当奴。车骑将军（正五品上）、胜州（内蒙古托克托县）人阎毗、东郡公爵崔君绰、游骑尉（散官，从七品下）沈福宝、瀛州（河北省河间市）法术师章仇太翼（章仇，复姓），特免一死，各打一百军棍，本人以及妻子儿女和所有家产田宅，全部没收。建筑部副部长（副将作大匠，品秩不详）高龙叉、太子宫康乐管理官（率更令，从四品上）晋文建、监督院初级监督官（通直散骑侍郎，从五品上）元衡，一律强迫自杀。”于是在广阳门（大兴宫正南门）外集合政府所有官员，宣读诏书，一一斩首。并把杨勇软禁立法院（内史省），给他五品官员的粮食。赏赐杨素绸缎三千匹，元胄、杨约各一千匹，酬庸他们对杨勇逆案，深入穷追，终于查明真相的功劳。

文林郎（散官，从九品上）杨孝政上疏劝告杨坚，说：“皇太子（杨勇）被卑劣的小人物误导，应加强教育训诲，不应罢黜。”杨坚大怒，命人猛烈捶击他的前胸。

最初，云昭训的老爹云定兴，不分昼夜，随时出入东宫（太子宫），丝毫没有节制，进呈各种奇异衣服、珍贵器具，尽量使杨勇高兴；太子宫总管（左庶子，正四品上）裴政不断规劝，杨勇不理。裴政对云定兴说："你所作所为，违犯法令规章。而且，元妃突然死亡，道路上议论纷纷，对于太子（杨勇）并不是好的名声，你应该早日退出，不然的话，大祸就要来临。"云定兴告诉杨勇，杨勇越发疏远裴政，最后，外放裴政当襄州军区（总部设襄州〔湖北省襄阳市〕）总司令（襄州总管）。唐令则（继裴政位）一直被杨勇亲近，杨勇时常命他到后宫教宫女妃妾弹琴唱歌，太子宫副总管（右庶子）刘行本责备唐令则说："太子宫总管（庶子）一职，应用正道辅佐太子，何必在床帐之间谄媚！"唐令则十分惭愧，但不能改过。当时沛国（隋王朝时无沛国）人刘臻、德州（山东省德州市陵城区）人明克让、相州（河南省安阳市）人陆爽，都因文学上的造诣，受杨勇的宠爱；刘行本对他们不能尽言劝导，大为恼怒，时常讽刺三人，说："你们只懂得读死书而已！"夏侯福曾经在后宫跟杨勇胡闹，夏侯福纵情大笑，声音传到宫外。刘行本听到消息，等夏侯福从后宫出来，责备他说："殿下对你宽容，赏赐给你温和脸色，你是什么东西，竟敢那样怠慢无理！"把夏侯福交付有关单位惩罚。过了几天，杨勇替夏侯福说情，刘行本才把他释放。杨勇曾经得到一匹骏马，打算请刘行本骑上观察，刘行本严肃说："至尊（杨坚）把我放到太子宫副总管（右庶子）位置上，目的是辅佐殿下，不是当殿下的弄臣。"杨勇惭愧，才算中止。等到杨勇被罢黜，二人已经逝世，杨坚叹息说："如果裴政、刘行本仍在人世，杨勇不至到今天这个地步。"

杨勇曾经宴请太子宫文武官员，太子宫总管（左庶子）唐令则亲自弹琵琶，唱《娬媚娘》，太子宫图书馆馆长（洗马，从五品上）李纲，站起来报告杨勇说："唐令则身为宫廷高级官员，责任是辅佐太子，竟然在大庭广众之中，把自己当作卑贱的歌手，唱出淫荡的声音，污染太子耳目。这件事如果让皇上知道，唐令则固然不得了，岂不也连累殿下，我请求马上对他处罚。”杨勇说：“我正在快活，你不要多管闲事。”李纲即行退出。等到杨勇被罢黜，杨坚召集东宫（太子宫）官属，严厉责备，大家恐惧惊慌，没有人敢说一句话。只李纲答辩说：“废立太子，是一件大事，政府文武高官，都知道不可以，却无人敢发一言。我怎么能因为怕死，而不向陛下陈述实情？太子（杨勇）本是中等人才，可以使他做善事，也可以使他为非作歹，当初陛下如果遴选正人君子作他的辅佐，足可以使他守护帝国的伟大基业，可是却命唐令则当总管（左庶子）、邹文腾当事务管理官（家令），二人只知道用声色犬马娱乐太子（杨勇），怎么能不到今天这地步。这是陛下的错误，不是太子（杨勇）的过失。”说罢，匍伏在地，痛哭流涕，呜咽不止。杨坚悲伤很久，说：“李纲责备我，并不是没有道理，然而，你只知其一，不知其二。我挑选你当太子宫的官员，杨勇却不肯对你亲近，即令再多的正人君子，有什么用！”李纲说：“我所以不能被太子（杨勇）亲近，因为奸邪在他身旁之故。陛下只要诛杀唐令则、邹文腾，而另行遴选贤能人才辅佐太子（杨勇），怎么知道我们会永被遗弃？自古以来，罢黜嫡子，很少不倾覆危亡，希望陛下三思，不要将来后悔（自秦王朝以来，因是太子〔嫡长子〕而被罢黜、使国家败亡的，至少有以下各人：嬴扶苏〔参考前二一〇年七月〕、孙和〔参考二五〇年五月〕、司马遹〔参考二九九年十二月〕、石宣〔参考三四八年八月〕。但也有罢黜太子而政权无事的：刘彊〔参考四三年六月〕、刘庆〔参考八二年三月〕、刘荣〔参考前一五〇年十一月〕、元恂〔参考四九六年闰十二月〕）。”杨坚大不高兴，起身退朝，左右官员都为李纲冒犯皇帝的行为发抖。正巧国务院事务秘书长（尚书右丞）出缺，有关单位请求指派恰当人选，杨坚指着李纲说:“这就是优秀的事务秘书长(右丞)。”即行发布人事命令。

太平公爵史万岁,从突厥汗国大斤山(内蒙古阴山山脉东段大青山)返京(首都大兴),杨素对于史万岁建立的功劳,深为嫉妒,报告杨坚说:“突厥本来已经投降,并没有对隋帝国攻击,只不过沿边喂牛羊吃草。”于是把史万岁的报告搁置,没有任何奖励。史万岁不断上疏,陈述战事经过始末,杨坚一直不能醒悟。等到罢黜杨勇时,杨坚正严厉追究杨勇的党羽。而忽然想起史万岁的事,于是问史万岁在哪里。事实上史万岁正在殿堂,可是杨素却回答说:“史万岁去东宫晋谒太子(杨勇)!”希望激怒杨坚,杨坚果然相信,下令召见史万岁。当时出征将士数百人聚集朝堂,向皇帝陈情申冤,史万岁对他们说:“我今天一定把你们的委屈,尽量报告皇上,事情就会决定。”既然面见杨坚,抱怨说:“将士们血战有功,却被政府官员压制。”心情悲愤,言辞凄厉,杨坚大怒,下令左右把他拖出,乱棒打死。一会工夫,又派人传令停止行刑,可是人已毙命,于是下诏宣布史万岁的罪状,天下人都为他的冤枉,感到悲痛。(杨坚诏书:“柱国〔勋官二级,正二品〕、太平公爵史万岁,经过提升选拔,时常命他统率大军。前些时,因南宁州〔云南省曲靖市〕发生叛乱,命他出军讨伐,当时,昆州〔云南省昆明市〕州长爨翫,内怀祸心,为人民带来灾难,我有严厉训令,命史万岁把他押来京师〔首都大兴〕,史万岁接受金银贿赂,违背我的指示,竟许他留下〔参考五九七年二月〕,以至爨翫不久再度谋反,中央再度发兵,才算平定,有关单位调查审讯,依法应处极刑。最后我舍弃他的过失,顾念他的功劳,特饶他一命。没有多久,就恢复他的原来官职,近来再统大军,进讨蛮夷后裔,突厥达头可汗〔小可汗〕阿史那玷厥率领凶恶部众,打算拒抗,既然看到中国军队声威,即行撤退,刀枪没有一点敌人的血,贼寇匪徒〔突厥军〕霎时瓦解,所谓大捷,不过如此。但这也算帝国一件盛事,我为了成就他的贡献,再度对他奖赏。想不到当我们跟突厥汗国已经和解,并签订盟誓之日,史万岁仍心怀奸诈,谎称抵抗突厥大军入侵，曾在沙场会战，不据实报告，只知道反复无常，玩弄国家法律。一个人如果能竭尽忠诚，树立志节，毫不欺骗，才叫‘良将’。至于史万岁心怀奸诈，向上级强邀功劳，就叫‘蟊贼’，国法不允许破坏，不可再赦。”)

十一月三日，封晋王杨广当太子，全国地震。杨广请求官服车马用器等，都降低一级；以及东宫官员对太子不可自己称“臣”。

十二月三日，杨坚批准。任命寿州（安徽省寿县）州长宇文述当太子宫左翼禁军司令（左卫率，正四品上）。当初，杨广阴谋夺嫡时，洪州军区（总部设洪州〔江西省南昌市〕）总司令（洪州总管）郭衍参与行动，因此征调郭衍当太子宫左翼城防司令（左监门率，从四品上）。

杨坚把前太子杨勇，软禁东宫，交给杨广负责看管。杨勇自认无罪，不应受到罢黜，不断请求面见老爹诉冤，杨广从中阻拦，使杨勇的请求，无法呈递到杨坚那里。杨勇悲苦交集，便爬到树上，面向皇宫哀嚎呼叫，希望声音传到老爹耳朵，引发老爹怜悯，得以召见。杨坚果然询问，可是杨素却趁势回答说：杨勇精神已经错乱，癫鬼附体，没有痊愈可能。杨坚也认为如此，杨勇终于无法再见老爹一面。

最初，杨坚征服陈帝国时（参考五八九年正月），大家都认为天下将要太平，助理监察官（监察御史，从八品上）房彦谦，私下对他的亲信说：“主上（杨坚）嫉妒刻薄，而又凶暴残酷，太子（杨勇）地位卑微，力量薄弱，各亲王都手握兵权，目前表面上虽然安定，我却担心发生混乱。”他的儿子房玄龄也秘密告诉老爹说：“主上本来没有功勋恩德，而用诈术夺到政权，几个儿子全都骄傲奢侈，对人毫无爱心，一定会自相残杀，今天虽然一片太平，但它的覆亡，可以踮起脚来等待。”房彦谦，是房法寿的玄孙（房法寿事，参考四六七年八月）。

房玄龄跟杜杲（北周帝国知名之士）的侄孙杜如晦，都被保荐到国务院文官部（吏部）等候派遣工作，文官部考选司长（吏部侍郎）高孝基，当时被认为有知人之明，看到房玄龄，惊叹说："我打过交道的人够多的了，从来没有见过像这位青年，他将来一定成为伟人，只恨我年纪已老，不能等到那一天。"看到杜如晦，说："你有应变的才能，一定担当栋梁的重任。"把自己的子孙，托给二位照顾。

6 杨坚到了晚年，深信佛教、道教，以及其他鬼神。

十二月二十六日，下诏："凡是毁坏佛教神像、道教神像，以及'五岳''九镇''二海''四渎'神像的，以'不道'论罪（杀一家三口是谓"不道"，十恶之一，遇赦不赦）。和尚毁坏佛像，道士毁坏道像的，以'恶逆'论罪（杀父母、祖父母、丈夫，是谓"恶逆"，十恶之一，遇赦不赦）。"（五岳：东岳泰山〔山东省泰安市北〕、西岳华山〔陕西省华阴市南〕、南岳衡山〔湖南省衡山县西〕、北岳恒山〔河北省曲阳县北。此恒山非今天的恒山〔山西省浑源县东〕，要到十五世纪明王朝时，官方才正式确认今天的恒山〔元岳〕是北岳〕、中岳嵩山〔河南省登封市北〕。九镇：会稽山〔浙江省绍兴市南〕镇扬州、衡山镇荆州、华山镇豫州、沂山〔山东省临朐县南〕镇青州、岱山〔泰山〕镇兖州、岳山〔吴山，陕西省陇县西南〕镇雍州、医巫闾山〔辽宁省北镇市〕镇幽州、恒山镇冀州、霍山〔山西省霍州市东〕镇并州。二海：东海、南海。四渎：长江、黄河、淮河、济水。各有神祇，杨坚命为这些神祇建立庙宇，竖立神像，设立官员负责香火洒扫。）

7 本年（六〇〇），杨坚命同州（陕西省大荔县）州长、蔡王杨智积前来中央。杨智积，是杨坚的侄儿（杨坚老弟杨整的儿子），性情谨慎拘束，从不在家接见宾客，自己的穿着饮食，都很简陋，杨坚对他十分怜爱。杨智积有五个儿子，只教他们阅读《论语》，不准在外七世纪·六〇〇年十二月　隋王朝『五岳』『九镇』『四渎』

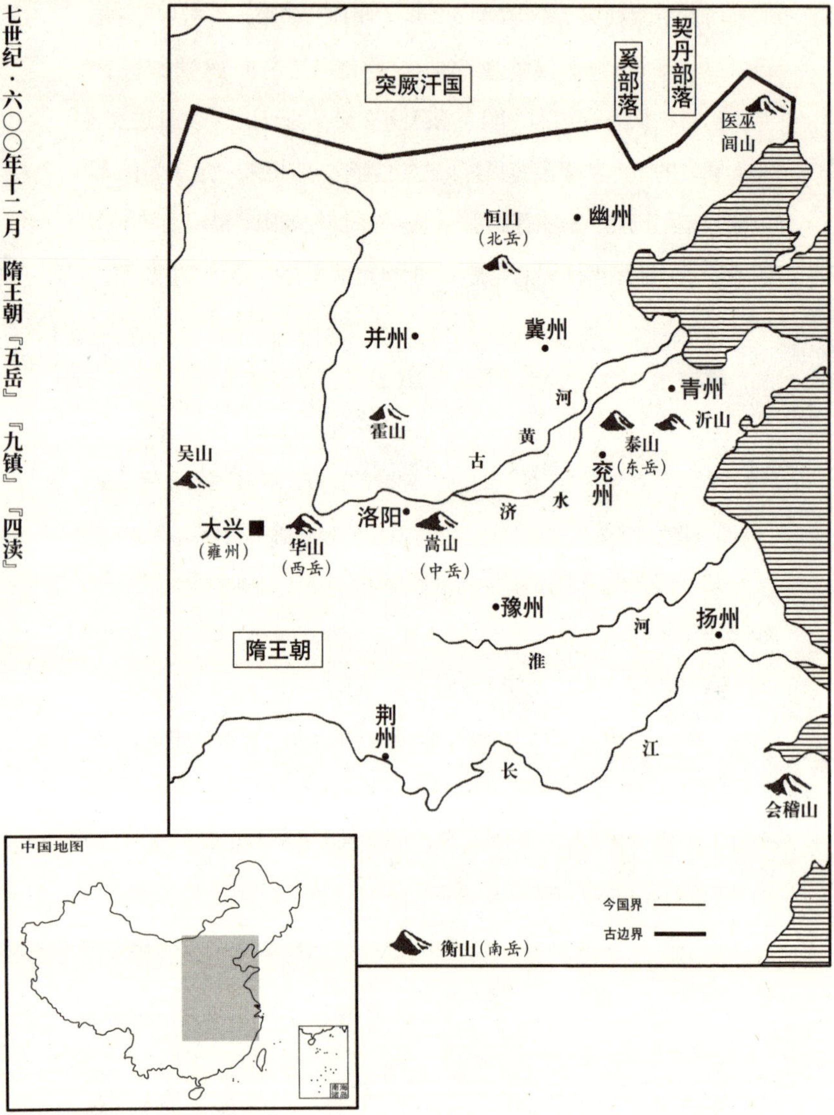

突厥汗国
奚部落
契丹部落
医巫闾山
恒山
（北岳）
幽州
并州
冀州
河
青州
霍山
黄
泰山
沂山
吴山
古
（东岳）
兖州
济
水
大兴
（雍州）
华山
（西岳）
洛阳
嵩山
（中岳）
豫州
扬州
河
淮
隋王朝
荆州
江
长
会稽山
今国界
古边界
衡山（南岳）
中国地图
南海诸岛

结交朋友。有人问他什么缘故，杨智积说：“你对我毫不了解。”他的意思是唯恐怕儿子们因为有才能，而招来大祸。

8 齐州（山东省济南市）州政府副军事参议官（行参军）章武（河北省大城县）人王伽，押送流刑犯（流囚）李参等七十余人，前往京师（首都大兴），走到荥阳（河南省荥阳市），怜悯他们的辛苦，集合起来说：“你们自己违犯国法，身体被绳索捆绑，应该受到这种惩罚。而竟连累押送你们的士卒一起受苦，岂不惭愧！”李参等叩头请求宽恕。王伽把他们的枷锁全都解下，解除士卒任务，跟大家约定说：“某月某日，你们一定要到京师（首都大兴）集合，如果来得太早或来得太迟，我只好代替你们受死。”遂把他们释放，自己单身西上。流刑犯感激欢呼，在约定的日期，全体到齐，没有一人逃亡。杨坚得到报告，至为惊异，召见王伽，询问他很久，不断称赞，于是召集全体流刑犯，命他们带着妻子，抱着娃儿，一同晋见，在庭殿设宴招待，罪刑一律赦免。下诏说：“凡是一个生命，都有灵秀之气，知道善恶，辨别是非。如果用至诚相待，细心劝导，风俗习惯都会改变，人人达于最美好的境界。以往，全国战乱，人民流离，道德的培养、教化的推动，全都中断。官吏没有仁慈之心，人民也胸怀奸诈。我一心一意遵循古圣先贤的法度，用恩德使人民受到感化，只有王伽深深了解我的用意，诚心宣传教导，使得李参等也感动觉悟，主动到执法机关报到，说明皇家臣民并不是很难教育。倘若全国官吏，都像王伽这样，全国人民全是李参之辈，则刑罚被舍弃不再使用的日子，不会很远！”擢升王伽当雍县（陕西省宝鸡市凤翔区）县长。

9 天文台长（太史令）袁充奏称：“隋王朝建立之后，白昼时间渐长。五八一年，冬至的日影，长达一丈二尺七寸二分。从那天开始，白昼时间渐短，到五九七年，日影比从前短少三寸七分。太阳距地面近，则日影短而白昼长；太阳距地面远，则日影长而白昼短。太阳在内侧轨道运行距地近，太阳在外侧轨道运行则距地远。《元命包》（神秘预言书）说：‘日月离开内侧轨道，璇玑指针（测天仪器）不偏不倚。’《京房别对》说：‘一片祥和，太阳在上面轨道运转。天下太平，太阳在中间轨道运转。分裂割据，太阳在下面轨道运转。’我沉思大隋王朝开创机运，上感苍天，日影短而白昼长，开天辟地以来，这种奇景很少见过。”杨坚亲登金銮宝殿，对文武百官说：“日影增长的吉祥，是上天保佑。现在，新封太子，应改年号，符合白昼增长之意。”于是，以后民夫差役做工，因白昼时间增长的缘故，都增加工作量，倍受痛苦。

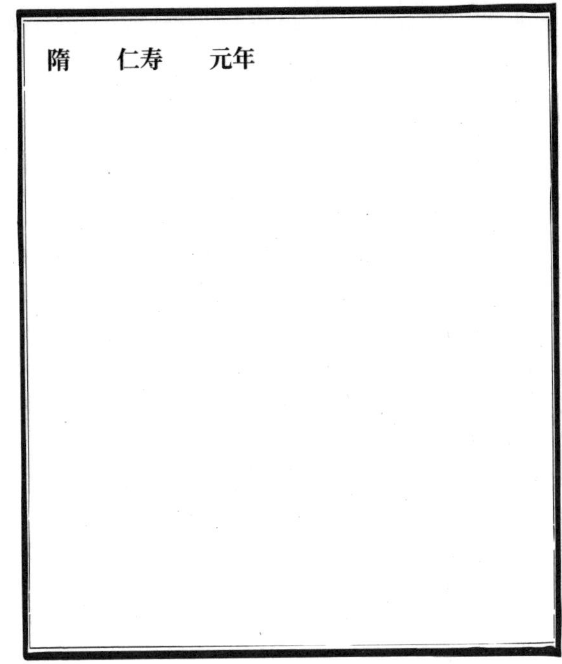

1 春季，正月一日，隋王朝（首都大兴〔陕西省西安市〕）皇帝（一任文帝）杨坚（本年六十一岁），大赦天下，改年号仁寿。

任命国务院右执行长（尚书右仆射）杨素当左执行长（左仆射）；最高监督长（纳言）苏威当右执行长（右仆射）。

正月十三日，改封河南王杨昭（杨广长子）当晋王。

2 突厥汗国（瀚海沙漠群）步迦可汗（九任大可汗）阿史那玷厥，

侵犯隋帝国边塞，在恒安（山西省大同市）击败代州军区（总部设代州〔山西省代县〕）总司令（代州总管）韩弘。

3 隋政府任命晋王杨昭当立法院最高立法长（内史令）。

二月一日，日蚀。

4 夏季，五月七日，突厥汗国男女九万人，归降隋帝国。

5 六月三日，杨坚派出十六名钦差大臣，巡视全国各地风俗民情。

六月十三日，杨坚下诏：全国学校学生人数虽多，却程度太低；所以命国立贵族大学（国子学）只留学生七十人，其他国立中央大学（太学）、国立四门专科学校（四门），以及各州县学校，全部撤销（自西汉王朝设国立中央大学〔太学〕，学校时有废除，但都是因为内乱外患，政府无力照顾。七世纪〇〇年代，国泰民安，杨坚却撤销学校，借口学生水准太低，目的却是愚民，教全国没有识字之人，使他的政权永保）。殿内将军（正八品上）、瀛州（河北省河间市）人刘炫，上疏恳切劝阻，杨坚不理。

秋季，七月，把国立贵族大学（国子学），改为国立中央大学（太学）。

最初，杨坚篡夺北周帝国政权，恐怕民心不附，所以不断宣传祥瑞预兆，证明杨坚是真命天子，用来炫耀。祥瑞中属于伪造的，数目之多，无法计算。

冬季，十一月九日，杨坚到首都大兴（陕西省西安市）南郊祭祀天神，仪式隆重，跟泰山封禅一样（泰山添土祭天神称“封”，梁父山辟地祭地神称“禅”），把祭文刻到木板上，详细陈述前后所遇到的祥瑞，感谢上天。

6 山獠部落（四川省）纷纷聚众起兵，杨坚任命军械供应部副部长（卫尉少卿）洛阳（河南省洛阳市东白马寺东）人卫文升，当资州（四川省资中县）州长，镇守安抚。卫文升本名卫玄，但用别名卫文升行世。新到职时，山獠正攻击大牢镇（四川省荣县），卫文升单人匹马，前往变民军大营拜访，告诉变民军说：“我是州长，带有天子诏书，跟你们谈话沟通，不要惊恐。”山獠不敢反抗，卫文升于是向他们分析利害，变民首领感激欢悦，解除包围而去，前后投降的十余万人。杨坚大为高兴，赏赐绸缎二千匹。

十一月十二日，擢升卫文升当遂州军区（总部设遂州〔四川省遂宁市〕）总司令（遂州总管）。

7 潮州（广东省潮州市）、成州（广东省封开县。此时应称封州）等五个州的山獠部落，聚众起兵，高州（广东省阳江市）酋长冯盎，亲往首都大兴（陕西省西安市），请求中央军讨伐。杨坚命杨素跟冯盎讨论变民形势，杨素叹息说：“想不到蛮夷中竟然还有这样的人！”杨坚即派冯盎征调江岭（长江以南及南岭以南）武装部队攻击，民变很快平息，杨坚任命冯盎当汉阳郡（此时应是成州，甘肃省礼县南）郡长。

8 杨坚下诏任命杨素当云州道（内蒙古和林格尔县）大军总指挥官（云州道行军元帅），长孙晟当受降特使（受降使者），会同启民可汗（小可汗）阿史那染干，北上攻击突厥大可汗（九任步迦可汗）阿史那玷厥。

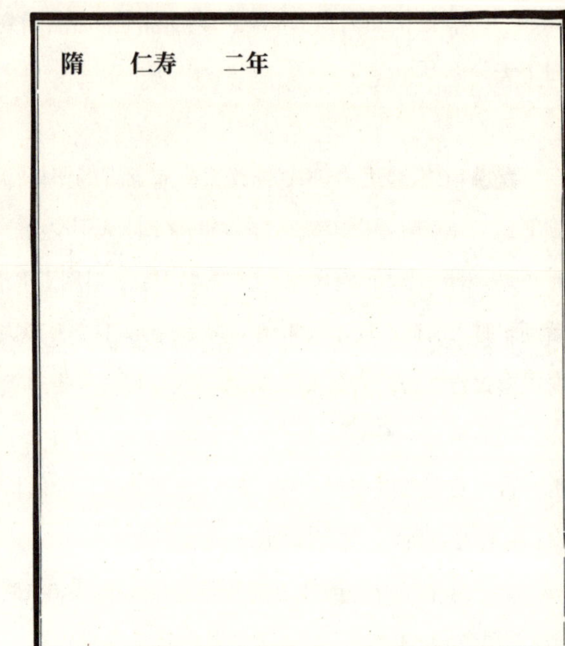

1 春季，三月二十一日，隋王朝（首都大兴〔陕西省西安市〕）皇帝（一任文帝）杨坚（本年六十二岁）前往仁寿宫（陕西省麟游县境）。

2 突厥汗国（瀚海沙漠群）将领思力俟斤（血缘及官位不详）等，在河套渡黄河南下，劫掠启民可汗（小可汗）阿史那染干所属部落男女六千人、牛马牲畜二十余万头北返。云州道（内蒙古中部）大军总指挥官(云州道行军元帅)杨素,率各路大军追击,一面战斗一面前进,追逐六十余华里,大破突厥军,思力俟斤向北撤退。杨素紧追不舍,于深夜追及,恐怕突厥军逃得无影无踪,杨素下令大军紧跟在后,而亲自率两名骑兵卫士和两名投降的突厥降将,混入突厥部队,跟突厥士卒并肩前进,突厥部队竟没有发觉。等到突厥军安营扎寨,还没有安定下来,杨素下令大军闪电突袭,再破突厥军,把被俘虏的人民牲畜,全部夺回,归还阿史那染干。从此,突厥人向极远的地方逃走,瀚海沙漠以南,再没有劫掠。杨素因为有功,杨坚擢升他的儿子杨玄感当柱国(勋官二级,正二品),封另一儿子杨玄纵当淮南公爵。

3 国务院国防部长(兵部尚书)柳述,是柳庆的孙儿(柳庆事,参考五四八年十二月),娶杨坚的女儿兰陵公主,仗恃皇家恩宠,对谁都不放到眼里,自杨素以下,都不敢惹他发怒。有一次,杨坚问符节保管局副管理官(符玺直长,从七品上)、万年(陕西省西安市临潼区北)人韦云起说:“你在外面听说什么不妥当的事,可以告诉我。”柳述正在一旁,韦云起报告说:“柳述骄傲豪迈,从没有经历过艰难困苦,国防军事要务,恐怕他难以胜任。只因为他是公主的夫婿,就高踞国家重要职位。我恐怕舆论会认为:陛下遴选官员,不管他是不是贤才,只要私心喜爱就行;这应算是最大的不妥当。”杨坚认为他说得很对,回头警告柳述说:“韦云起的话,是治疗你的特效药,你应把他当作师傅、朋友。”

秋季,七月十日,杨坚下诏命中央以及地方官员,各自推荐所知的人才。柳述推荐韦云起,韦云起遂被任命当立法院助理立法官(通事舍人,从六品上)。

4 益州军区（总部设益州〔四川省成都市〕）总司令（益州总管）、蜀王杨秀（杨坚第四子），容貌雄伟，有胆量魄力，喜爱武艺。杨坚经常警告独孤皇后说："杨秀的下场一定凶恶，我在世的时候，当然不必担心，等他的兄弟当家，他一定叛变。"大将军（勋官四级，正三品）刘哙讨伐西爨部落（云南省中部）时，杨坚命上开府仪同三司（勋官五级，从三品）杨武通，率军继续前进，杨秀派他的亲信弄臣万智光，当杨武通的作战军政官（行军司马）。杨坚认为万智光并不是适当人选，加以谴责，遂对文武官员说："破坏我法纪的，是我的子孙。就好像猛虎，其他任何动物都不能伤它，可是皮毛间生的那些寄生虫，终于会把它吃掉。"于是分散杨秀所属的武装部队。 336

自从秘书长（长史）元岩逝世，杨秀渐渐奢侈豪华，竟然制造浑天仪（杨秀忘了他是谁，只有皇帝才可以制造这种观察天象的仪器），又大量搜捕山獠部落男子，割掉生殖器，充当后宫宦官。车辆马匹、衣服装饰，都跟皇帝一样。

后来，太子杨勇因被诬陷，受到罢黜，封晋王杨广当太子（参考前年〔六〇〇〕十月），杨秀心里愤愤不平。杨广恐怕他这个胞弟给他制造麻烦，于是暗中命杨素搜集杨秀的罪状，向杨坚密进谗言。杨坚遂命杨秀回京（首都大兴），杨秀犹豫不决，打算声称有病，拒绝动身。总部军政官（总管司马）源师（北齐源文宗的儿子，参考五七三年四月）进言规劝，杨秀脸色铁青说："这是我家里的事，跟你什么相干？"源师流泪说："我有荣幸当总部幕僚的一员，怎么敢不竭尽忠心！皇上征召大王，已数月之久，大王推托迁延，不肯就去。人民不知道大王的心意，万一生出奇怪的议论，政府内外都会怀疑惊骇。那时，皇上发下雷霆万钧的诏书，随便派一个差役，前来质询，大王用什么方法证明自己清白？请仔细考虑！"中央也恐怕杨秀发生变故。

七月十二日，任命原州军区（总部设原州〔宁夏固原市〕）总司令（原州总管）独孤楷，当益州军区（总部设益州〔四川省成都市〕）总司令（益州总管），乘坐政府快速驿马车，飞奔前往接替杨秀。独孤楷抵达后，杨秀仍不肯启程，独孤楷一再劝解警告，又过了很久，杨秀才动身出发。杨秀出发后，脸上露出悔恨之情，独孤楷看到眼里，下令部队警戒，杨秀前进四十余华里，打算回军袭击独孤楷，派出间谍侦察，发现全军高度备战，才打消初意。

5 八月十九日，独孤皇后逝世（年五十九岁）。太子杨广在老爹杨坚，以及宫女宦官面前，悲哀恸哭，痛苦得几乎气绝而死，好像他无法承担失母的打击。可是，回到他的卧房，却喜上眉梢，大吃大喝，有说有笑，跟平常日子一样。杨广命每天早上送进四十两米；但暗中却把肥肉、干肉、腌鱼等，放到竹筒中，用蜡封口，藏到头巾里面，秘密带进去。国史编撰官（著作郎，从五品上）王劭上书说：“佛经有言：‘人在升天或进入极乐世界（无量寿国）的时候，天上佛祖，会大放光明，派出香花及女子乐队，前来迎接。’我私下察看皇后的福缘善果，祺祥祯瑞，都一一的记载在神秘预言书之上，一致坚称皇后是‘妙善菩萨’。我谨慎的查考：八月二十二日，仁寿宫（陕西省麟游县境）内，将再度从天降下金银花瓣。二十三日，大宝殿（中寝殿）后面，夜晚会发生神奇光芒。二十四日凌晨五时至七时，永安宫北方将发出种种乐声，震动天际，到了夜晚五更（翌日天将亮时），大地恢复平静，一切如入梦幻，皇后圣洁的灵魂，即行升天。与佛家经文所说的，全部符合。”杨坚批阅奏章，悲喜交集。

九月十一日，杨坚自仁寿宫（陕西省麟游县境）返首都大兴（陕西省西安市）。

冬季，十月九日，命国务院工程部长（工部尚书）杨达当最高监督长（纳言）。杨达，是杨雄的老弟（杨雄事，参考五八九年七月）。

闰十月十日，杨坚下诏命国务院左执行长（尚书左仆射）杨素、右执行长（右仆射）苏威，会同国务院文官部长（吏部尚书）牛弘等，修订《五礼》——《吉礼》《丧礼》《军礼》《宾礼》《嘉礼》（之前已修订过一次，参考五八五年正月）。

6 杨坚命上仪同三司（勋官七级，从四品上）萧吉，负责给独孤皇后选择墓园。萧吉发现吉地，奏报说："占卜年代，皇家可享二千年；占卜世代，皇家可传二百世。"杨坚说："吉凶握在人手，跟坟地无关。高纬（北齐帝国五任帝）埋葬他的老爹，难道没有占卜吉地？为什么国家不久就亡！好比我们杨家祖坟，如果说不吉，我不会当天子。如果说不凶，我老弟（杨整）不应战死（杨整随北周帝国三任帝宇文邕攻击北齐帝国并州时阵亡）。"然而，仍接受萧吉的建议。萧吉退出后，告诉同族萧平仲说："皇太子（杨广）派宇文述向我深深致谢，说：'你从前预言我当太子，而今应验，终身不忘。现在，皇后的墓园已经择定，希望你用法术使我早早坐上宝座。我登极之后，回报你享受不完的荣华富贵。'我告诉他说：'四年之后，太子（杨广）自当主宰帝国。'然而，太子（杨广）当权，隋王朝恐怕就要覆亡，我从前欺骗他们：'皇家可享二千年。'二千年者，事实是三十年；'皇家可传二百世'，事实是传二世，你要记在心头。"

闰十月二十八日，把独孤皇后安葬太陵（今地不详），绰号文献皇后。杨坚下诏，认为："杨素处理丧事，辛勤寻求吉地，这份心意至诚至孝，征服蛮夷（突厥汗国）与削平盗寇（陈帝国）的功勋，怎么能跟此相比？封他的另一个儿子当义康公爵，采邑一万户。"赏赐杨素田地三十顷、绸缎一万匹、米一万石，和同样多的绢布和金银财宝。

7 蜀王杨秀抵达大兴（陕西省西安市），杨坚接见他，不说一句话。明天，派使节去严厉责备，杨秀承认有罪，请求宽恕。太子杨广及各亲王则到金銮宝殿流泪哭泣，哀求原谅。杨坚说："前些时杨俊浪费金钱，我以父亲的身份训诫。现在杨秀残害人民，我以君王的身份惩罚。"于是交付有关执法单位。开府仪同三司（勋官六级，正四品上）庆整规劝说："前太子（杨勇）既被废作平民，秦王（杨俊）也已逝世，陛下现存的儿子不多，怎么可以严厉到这种程度？蜀王（杨秀）性情直爽，今天受到重责，恐怕会生意外。"杨坚暴跳如雷，打算割掉庆整的舌头，遂对文武百官说："应该把杨秀拉到街市斩首，向人民道歉。"下令交给杨素等调查审理。

杨广暗中制造两个木偶，用绳索绑住木偶的手，又用铁钉钉住木偶的心，再加上脚镣手铐和重重枷锁，一个木偶写杨坚，一个木偶写汉王杨谅，另写："请西岳（华山）慈父圣母，生擒杨坚、杨谅生魂，就照这个样子，不要让他们到处游荡。"秘密埋在华山（陕西省华阴市南）之下，然后由杨素把它们再挖掘出来。此时又查出杨秀狂妄的引用神秘预言书（图谶），声称京师（首都大兴）遍地妖异，而巴蜀（四川省）吉祥。又查出杨秀曾经撰写文告，声称："指定时间，兴师问罪。"杨素把这项文告，秘密夹在杨秀的文集之中。种种证据，遂告完成，一并呈奏。杨坚大为震骇，说："天下怎么有这种事？"

十二月二十日，杨坚下诏把杨秀贬作平民，软禁宦官署（内侍省），不准跟妻子儿女相见，只派两个山獠部落女子在旁侍候；受到株连的有一百余人。杨秀上书请求宽恕，说："深愿陛下仁慈厚恩，赐下怜悯，在我残身还存的时候，希望跟瓜子相见一面。并请再赏赐一个墓穴，使我的骸骨，有所归属。”瓜子，是杨秀的爱子。杨坚遂下诏公布杨秀十大罪状，并且说：“我不知道杨坚、杨谅是你的什么亲人？”但后来仍准杨秀跟他的儿子相聚。

从前，有一次，杨素曾因一点小事，激使杨坚大怒，杨坚教他到总监察署（御史台）报到，命诉讼监察官（治书侍御史，从五品下）柳彧审理。杨素长久以来习惯富贵，就登榻坐上柳彧的座位。柳彧从外进来，站在台阶下，举起笏版，从容不迫，对杨素说：“我奉圣旨，审理你所犯的罪。”杨素只好走下来。柳彧遂高踞案头，而命杨素站在庭前，柳彧一一询问，杨素一一答辩。于是，杨素把柳彧恨入骨髓。蜀王杨秀曾经向柳彧索取李文博撰写的《治道集》（李文博，参考五八六年十月），柳彧送给他，杨秀回送柳彧家奴、婢女十人。等杨秀被认定有罪，杨素弹劾柳彧以中央官员身份，结交亲王，开除官籍，贬作平民，流放怀远镇（宁夏银川市）。

杨坚派农林部长（司农卿）赵仲卿前往益州（四川省成都市），深入调查审理杨秀案件，连杨秀幕僚宾客所经过的地方、所来往的人家，赵仲卿都一定曲解法律，把罪状罩到他们头上，州县高级官员大半以上，都被牵连。杨坚认为他非常能干，赏赐优厚。

很久以后，贝州（河北省清河县）秘书长（长史）裴肃，派人呈递奏章，说：“高颎天赋良才，是帝国的佐命元勋，受大家嫉妒，终于被免职在家（参考五九九年八月），希望陛下念及他的大功，忘记他的小过。两位被黜为平民的亲王（杨勇及杨秀），受到惩罚已经很久，难道没有洗心革面？希望陛下推广君王和父亲的仁德慈爱，顾念骨肉天性的大义，封他们一个小国，继续观察。如果能有善行，就渐渐增加他们的待遇。如果态度仍是恶劣，再免除官爵，削除名位，仍不算晚。而今，自新的道路永远断绝，悔恨的心情无法获得宽恕，岂不悲哀！”奏章呈上后，杨坚对杨素说：“裴肃忧虑我的家事，是一番诚心。”遂征召裴肃进京（首都大兴）。太子杨广得到消息，问太子宫总管（左庶子）张衡说：“让杨勇改过自新，目的是什么？”张衡说：“观察裴肃的意思，不过打算教杨勇当姬太伯（吴太伯，参考二五二年闰四月注）及刘彊（东汉王朝太子，参考四三年）而已。”裴肃既到，杨坚召见，当面解释杨勇不可释放的原因，然后再命他回任。裴肃，是裴侠的儿子（裴侠事，参考五三四年六月）。

杨素的老弟杨约，及叔父杨文思、杨文纪、族叔杨忌，分别担任中枢部长（尚书）及辅枢部长（列卿），儿子们虽没有汗马功劳，却都高升柱国（勋官二级，正二品）、州长。杨家大量扩充家产，从京城（首都大兴）到各大城市，拥有旅馆、商店、水车、水磨和上等住宅庄园，数目多到不可胜数。家奴以千为单位计算，长衣拖地的小老婆及歌女舞女，也以千为单位计算，宅第豪华奢侈，规模和皇宫一样，亲戚朋友都位居显要。杨家既罢黜一个太子和一个亲王，威望权势，越发炽热。政府官员凡违抗他们意思的，后果可怖，有时甚至全族被屠。只要能攀附到他们的亲戚，即令没有才能，也会受到擢升。政府官员就像强风下的蓑草一样，没有人不畏惧屈服。敢跟杨素平等相待而不屈膝的，只有柳彧、国务院事务秘书长（尚书右丞，从四品下）李纲、最高法院院长（大理卿，正三品）梁毗而已。

最初，梁毗当西宁州（四川省西昌市）州长，历时十一年。当地部落酋长都认为：黄金越多，身价越高，遂互相攻击抢夺，几乎没有一年安宁，梁毗深感忧虑。后来，乘着各酋长争相用黄金贿赂自己的机会，把黄金放到座位旁边，对它恸哭，说：“这种东西，饥饿的时候不能吃，寒冷的时候不能穿，你们却为了它而互相残杀，死亡难以计数，如今又送到我这里，是不是打算害死我！”全部退回，各部族人民感动醒悟，遂和平相爱。杨坚得到报告，十分嘉许，调回他担任最高法院院长（大理卿），执法公正。

梁毗看到杨素专权情形，恐怕成为帝国的大患，遂呈递“亲启密奏”，说：“古人有言：‘人臣不可以作威作福，那会伤害你的家，也摧毁你的国。’（《书经·洪范》：“臣无有作威作福，其害于而家，凶于而国。”）我观察国务院左执行长（左仆射）越国公爵杨素，所受的恩宠越重，权势的影响越高，无论官员绅士，全都竖起耳朵，睁大眼睛，注视他的言行。冒犯他的，夏天也落严霜；服从他的，冬季也降甘雨，一个人是荣华富贵或身败名裂，全看他口中一句评语；一个人是飞黄腾达或万劫不能翻身，弹指之间，他就可以决定。所厚爱的都不是忠心报国之士，所保荐的却全是亲戚，杨家子弟满布全国，州县相连。这种情形在天下太平时，不容易做出叛逆之事，一旦四海动荡，定成大祸根源。奸邪之辈玩弄大权，是逐渐累积而成，王莽凭借的是王家多少年当权的成果（参考前一年），桓玄的根基也早从上一代（桓温）开始（参考四〇二年二月二十八日）；终于分别摧毁西汉王朝及晋帝国政府。陛下如果认为杨素是宰相，我恐怕他的心未必就像伊尹。但愿陛下考察古今，斟酌轻重，采取适当行动，使帝国大业永固，全国人民都受到恩泽。”奏章呈上后，杨坚大怒，逮捕梁毗，囚入监狱，亲自盘问。梁毗极力抨击：“杨素仗恃宠爱，手握大权，军队所到之处，屠杀平民，至为残酷。太子（杨勇）、蜀王（杨秀）因犯罪被废作平民之日，文武官员全都震恐颤悚，只杨素卷起衣袖，挥动手臂，扬眉吐气，满脸喜悦；把国家的灾难，当作自己的幸运。”杨坚无法解答，只好把梁毗释放。

后来，杨坚逐渐对杨素疏远，而且开始猜忌，杨坚训令说：“国务院左执行长（左仆射杨素）是帝国的最高行政长官，不必亲自处理细小的事务。所以只需要三五天前往国务院（尚书省）一次，处理大事。”外表看起来是优待杨素，实际上是剥夺他的实权。从此直到杨坚逝世（参考后年〔六〇四〕七月），杨素对国务院（尚书省）的事，不再过问。杨坚又把杨约外放当伊州（河南省汝州市）州长。

杨素既被疏远，国务院文官部长（吏部尚书）柳述的权势就更重，并摄理国防部长（摄兵部尚书），参与决策机要。因此，杨素对柳述十分厌恶。

太子杨广询问宋国公爵贺若弼说：“杨素、韩擒虎、史万岁，都称为良将，他们的优点和缺点如何？”贺若弼说：“杨素是猛将，没有韬略；韩擒虎是斗将，缺少统御能力；史万岁是骑将，不过一个普通军官。”杨广说：“那么，谁是大将？”贺若弼说：“全靠殿下选择！”只因贺若弼自许是大将之才。

8 交州（越南河内市）俚部落酋长李佛子，聚众起兵，占领越王故城（今地不详），派他的侄儿李大权占领龙编城（故交州州政府所在城〔越南河内市东北北宁省〕，隋王朝把州政府移至宋平城，二城相距很近），他的一位将领李普鼎占领乌延城（今地不详）。

杨素推荐瓜州（甘肃省敦煌市）州长、长安（首都大兴西半城）人刘方，有大将谋略，杨坚下诏命刘方当交州兵团作战司令官（交州道行军总管），率领二十七个营，向交州（越南河内市）进发。刘方军令森严，官兵有犯法的，一定斩首；然而他对官兵慈爱关心，有患病的，甚至亲自去照顾医药，士卒也因此对他感恩。

刘方抵达都隆岭（今地不详），跟变民军相遇，击破变民军。于是进逼李佛子大营，先派人分析祸福。李佛子恐惧，投降。刘方把李佛子解送首都大兴（陕西省西安市）。

六〇三年

癸亥

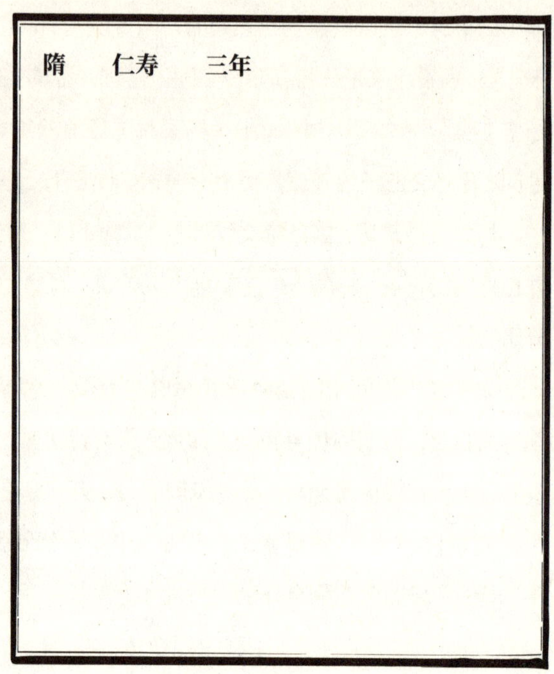

隋　仁寿　三年

1 秋季，八月三日，隋王朝（首都大兴〔陕西省西安市〕）皇帝（一任文帝）杨坚（本年六十三岁），命幽州军区（总部设幽州〔北京市〕）总司令（幽州总管）燕荣自杀。

燕荣性情严苛残暴，对左右官员常常鞭打，每次甚至以一千鞭为单元。曾经在路旁见到荆棘，认为可以当作刑杖，命人砍下制造，制成后用人体做试验。那个人诉说无罪，燕荣说：“这次等于预支，以后你有罪时，可以抵消。”不久那人犯了罪，燕荣下令鞭打，那人说：“前天被打，大人说以后有罪，可以原谅。”燕荣说：“没有罪还打，何况有罪！”照样鞭打。

观州（河北省东光县）秘书长（长史）元弘嗣，调任幽州（北京市）秘书长（长史），元弘嗣恐怕受燕荣的屈辱，坚决辞职。杨坚特下训令给燕荣：“元弘嗣如果犯的罪要责打十鞭以上的，要先奏报批准。”燕荣跳起来说：“好小子，你敢玩我！”于是派元弘嗣监收仓库粟米，如果颗粒不够饱满，或扬起来仍有谷皮的，立刻处罚，虽然每次鞭打，都不满十下，但一天之中，甚至打三四次。这样经过一年，双方怨恨日深，燕荣索性逮捕元弘嗣，囚禁监狱，不准家人给他送饭，元弘嗣饥饿难忍，把衣服里的棉絮抽出来，用冷水吞食。他的妻子前往大兴（陕西省西安市）宫门外呈递奏章，请求申冤。杨坚派使节调查，完全是事实，弹劾燕荣暴虐；而贪赃枉法，尤其严重。杨坚遂把燕荣召回京师（首都大兴），命他自杀。

元弘嗣接任燕荣的官位，残酷凶暴，比燕荣更厉害。

燕荣和元弘嗣的故事，使人震惊，不是震惊燕荣暴虐，而是震惊元弘嗣的更暴虐。有句谚语说：“苦命媳妇熬成婆！”熬成婆后，不但不为苦命的媳妇，解除苦命，反而比原来的恶婆，更凶暴的虐待苦命的媳妇。

这使我们警惕到，仅只拯救受苦受难的人是不够的，必须有超过夺权层面的最高理想，作为指导原则。否则就永远有个恶婆，就永远被燕荣和元弘嗣轮流施暴！这正是中国人的悲哀。

2 九月二十三日，设立粮食管理官（常平官），管理义仓。

3 本年（六〇三），龙门（山西省河津市）人王通，到宫门前呈献《太平十二策》，杨坚不能采用，遣送他回乡。王通遂在黄河、汾水之间，开课授徒，有很多学生从偏远的地方，慕名前来。后来政府曾经几次征召他出来做官，王通都没有接受。杨素对他十分尊重，劝他走入仕途，王通说："我的祖先幸而留下来破旧的住宅，足可遮风蔽雨；微薄的田地，足使我有稀粥可吃。读读书，谈谈道理，足使自己身心愉快。但愿你真心诚意治理天下，只要风调雨顺，国泰民安，我受到的恩德就够了，不愿出来当官。"有人挑拨离间，告诉杨素说："事实上他侮辱了你，你为什么还对他尊重！"杨素问王通是不是如此，王通说："如果你可以侮辱，我侮辱你岂不正好；如果你不可以侮辱，我侮辱你就是我的错误。无论得失，都在我身上，你何必在意！"杨素待他跟当初一样。

学生贾琼问：如何可以使诽谤消失？王通说："不要分辩。"贾琼又问：如何可以平息怨恨？王通说："不要和他争胜。"王通曾经说："一个从来没有赦免的国家，他们的刑法一定公正。一个田赋捐税沉重的国家，他们的财力一定脆弱。”又说：“听到别人诽谤就愤怒的，最容易被挑拨离间；听到别人赞扬就欣喜的，最容易得意忘形。不要愤怒，也不要欣喜，既不会被挑拨离间，也不会得意忘形。”本世纪（七）一〇年代，王通在家逝世，学生们给他一个绰号：文中子。

4 突厥汗国（瀚海沙漠群）大乱，铁勒（西伯利亚贝加尔湖附近）、仆骨（西伯利亚叶尼塞河上游）等十余部落，背叛步迦可汗（九任大可汗）阿史那玷厥，阿史那玷厥走投无路，投降启民可汗（小可汗）阿史那染干（时定居黄河河套地区）。阿史那玷厥直属部众瓦解，纷纷西奔，投靠吐谷浑汗国（青海省）。

上开府仪同三司（勋官五级，从三品）长孙晟把阿史那染干送到碛口（内蒙古苏尼特右旗），将阿史那玷厥的残余部众全部接收（突厥汗国这次内乱的原因不明，但任何内乱，首领都要独负全责，阿史那玷厥已被证实没有统御能力。碛口是荒漠边缘进出之口，阿史那染干在此阻截及收容惊惶逃亡的阿史那玷厥部众）。

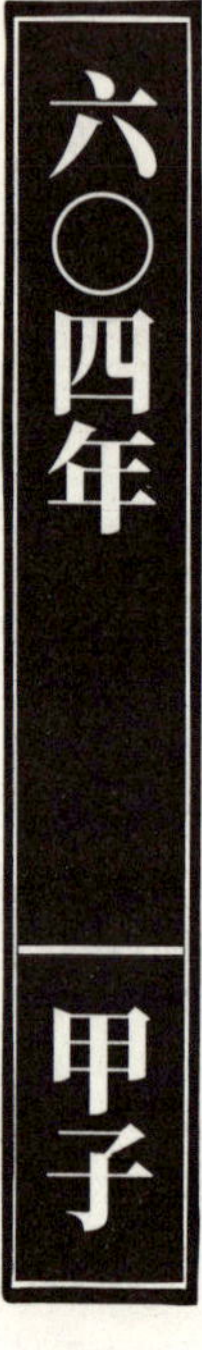

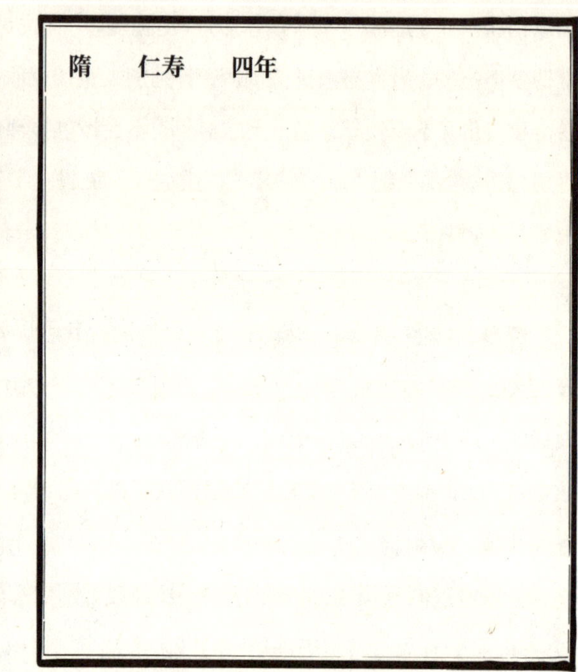

1 春季，正月九日，隋王朝（首都大兴〔陕西省西安市〕）皇帝（一任文帝）杨坚（本年六十四岁），大赦天下。

2 杨坚将前往仁寿宫（陕西省麟游县境）避暑，法术师章仇太翼一再劝阻（章仇，复姓），杨坚拒绝接受。章仇太翼说：“陛下这一趟出去，恐怕永不再返！”杨坚大怒，逮捕章仇太翼，囚禁大兴监狱，准备从仁寿宫回来时，把他斩首。

正月二十七日，杨坚抵达仁寿宫。

正月二十八日，杨坚下诏命政府一切赏赐和财政开支，不管大小，全部请示太子杨广裁决。

夏季，四月乙卯日（四月丙寅朔，没有乙卯），杨坚生病。

六月六日（原文“庚申”，据《北史》改），大赦天下。

秋季，七月十日，杨坚病势沉重，躺在床上，向文武百官告别，分别握住他们的手，悲哀叹息，命杨广赦免章仇太翼。

七月十三日，杨坚在大宝殿逝世（年六十四岁）。

杨坚生性谨慎严肃，所发号令，一定执行，所禁止的事情，一定坚持。每天一早起来主持朝会，直到中午已过，都不疲倦，虽然吝啬，可是赏赐功臣的时候，却毫不珍惜。对阵亡将士，一定优厚抚恤，并派使节慰问他们的遗属。杨坚爱护人民，鼓励耕田种桑（养蚕），减轻差役，减收田赋捐税。但自己的日常生活，却简单朴素，所用的器具衣服，破旧之后，仍随时修修补补使用，除非宴会，平常进餐，不过一盘肉而已，宫廷妇女的衣裳，洗涤后仍然照穿。影响所及，六世纪八〇年代至七世纪〇〇年代初期，男子都穿棉布织品，不穿绸缎，装饰品不过一些铜、铁、骨头、兽角之类，从没有人佩戴金银珠宝。全国粮食衣料，大量增产，仓库都装不下。杨坚篡夺政权时（六世纪八〇年代），天下不满四百万户（此数字应不包括当时仍存在的南梁帝国〔首都江陵〕及陈帝国〔首都建康〕户口），到了末年（七世纪〇〇年代），超过八百九十万户（平均五口之家，人口应有一千四百五十万），仅只冀州（古冀州地区，河北省中部南部）一州，就有一百万户（五百万人）。然而，杨坚性情猜忌，喜欢苛求，挑剔小节，相信部属一些挑拨离间的话，以至功臣老友，没有一个人能有始有终，对自己的儿子，甚至当作仇寇，这是他的缺点。

最初，独孤皇后既死（参考前年〔六〇二〕八月），杨坚对宣华夫人陈女士、容华夫人蔡女士（夫人，小老婆群第一级），大为宠爱。陈夫人，是陈帝国四任帝陈顼的女儿（陈叔宝的妹妹）。蔡夫人，是丹阳（江苏省南京市）人。杨坚在仁寿宫（陕西省麟游县境）患病，躺在床上。国务院左执行长（尚书左仆射）杨素、国防部长（兵部尚书）柳述、宫廷监督官（给事黄门侍郎，正四品上）元岩（蜀王杨秀秘书长元岩封平昌郡公爵，此元岩封龙涸县公爵，不是同一人），都到寝殿侍候；杨坚命皇太子杨广进宫住宿大宝殿。杨广考虑到老爹万一逝世，需要预先防备，亲自写一密函，送出去询问杨素，杨素把他所做的安全措施，条条列出，送回杨广，宫人把它误送给杨坚；杨坚看了，大为气愤。陈夫人天亮时，前去厕所，杨广受不了美色诱惑，抱住她求欢，陈夫人竭力拒抗，得以逃回杨坚那里，杨坚奇怪她神色仓惶，加以盘问，陈夫人流泪说："太子（杨广）无礼！"杨坚惊骇愤怒，擂床说："畜生，怎么能交给他大事，独孤害了我（参考六〇〇年六月）！"命柳述、元岩进来，吩咐说："传唤我儿！"柳述等就去传唤杨广，杨坚说："杨勇！"柳述、元岩离开寝殿去写诏书（胡三省注："储君如此重要之事，废立之间，竟这么轻率，怎么不君臣同败。"）。杨素听到消息，报告杨广，于是假传杨坚的诏书，逮捕柳述、元岩，囚禁最高法院监狱（大理狱）。征调东宫（太子宫）禁军，接管仁寿宫警卫，宫内外戒严，宫门禁止出入，命宇文述、郭衍全权指挥。又命太子宫总管（左庶子。原文"右庶子"误）张衡，进入寝殿，侍奉医药，张衡把寝殿所有宫女宦官，全都驱逐到其他地方；霎时之间，杨坚逝世。因此，国人对杨坚之死，有不同的论断（赵毅《大业略记》："杨坚在仁寿宫，病重，召唤杨广到寝殿。杨坚在美女群中，最宠爱的，只有陈夫人与蔡夫人而已。杨广命蔡夫人到另一房间，蔡夫人出来后，脸上有伤，头发凌乱，杨坚问她，蔡夫人哭泣说：'皇太子〔杨广〕非礼！'杨坚大怒，咬手指出血，召见国务院国防部长〔兵部尚书〕柳述，宫廷监督官〔黄门侍郎〕元岩等，命用诏书召回故太子杨勇，即行罢黜杨广，由杨勇复位。杨广认为事情急迫，急唤国务院左执行长〔尚书左仆射〕杨素、太子宫总管〔左庶子〕张衡，暗进毒药。杨广遴选健壮骁勇男奴三十人，都穿女人衣服，身藏武器，站在门口及巷口，严密戒备。杨素等即进寝殿，杨坚暴死。”马总《通历》：“杨坚有病，在仁寿宫与文武百官诀别，一一握手，感伤叹息。当时，只有太子〔杨广〕及陈宣华夫人在侧侍奉，太子〔杨广〕非礼，陈夫人告诉杨坚，杨坚大怒说：‘死狗，哪能托付后事！’急命征召杨勇，杨素密不宣布，把左右宫女全都逐走，派张衡进去，猛击杨坚前胸，鲜血喷出，溅洒屏风，杨坚惨呼冤痛，声音传到户外，遂死。”）。陈夫人跟后宫妇女听到变故，面面相觑，浑身颤抖，脸无人色。黄昏时候，太子杨广派宦官送来一个小金盒，接口处有杨广亲笔写的“封”字，呈递陈夫人。陈夫人看到，惊惶恐惧，认为内装毒药，不敢打开。宦官催促，才勉强打开，盒中却放着几个同心结，宫女们松了一口气，转悲为喜，互相说：“总算免掉一死！”陈夫人羞愤交加，退后坐下，不肯接受。宫女们一齐逼迫，才向宦官一拜。当天夜晚，杨广命陈夫人上床奸淫。

王鸣盛曰

杨坚临死遗诏，条列废太子杨勇及第四子杨秀等罪恶，盛称现太子杨广仁慈孝顺等等善行，其中特别强调说：“为了普天下之人民，恶子孙已被罢黜，好子孙足可以负荷大业。”这项诏书乃是杨广企图奸淫庶母事件还没有发生之前，由杨坚亲自拟定。等到后来，打算召见杨勇，贬谪杨广，不久就被害死。杨坚只有五个儿子：杨勇、杨广、杨俊、杨秀、杨谅，都是独孤皇后所生，杨坚常对文武官员说：“我身旁没有小老婆，五子同胞，共一个娘亲，可以说是真正亲骨肉手足，怎么可能像前代君王，宫内宠妾太多，庶子纷争，那才是亡国之道。”再想不到自己却被自己的次子杨广所弑。长子杨勇和幼子杨谅，及杨勇的儿子杨俨、杨裕、杨筠、杨嶷、杨恪、杨该、杨韶、杨煚、杨孝实、杨孝范，都被杨广诛杀（参考六〇七年三月）。杨广及杨秀，杨广的次子杨暕，杨俊的儿子杨浩、杨湛；以及杨秀的儿子（史失其名），杨谅的儿子杨颢，杨广的孙儿杨倓，全被宇文化及诛杀（参考六一八年三月）。杨俊被他的王妃崔女士毒死（参考六〇〇年六月），杨广的第三子杨杲被裴虔通诛杀（参考六一八年三月），杨广的孙儿杨侑被唐王朝一任帝李渊诛杀（参考六一九年八月），另一孙儿杨侗被王世充诛杀（参考六一九年五月）。杨家一门四代，凶死的共约三十余人，剩余的灾祸，蔓延到后代身上，到八世纪四〇年代——唐王朝时，杨暕的曾孙杨慎矜，又无缘无故被宰相李林甫、王拱，罗织成罪，财产没收，全家屠灭，兄弟三人同时断命（参考七四七年十一月）。杨坚勤俭爱民，在位期间，并没有犯大的错误，可是他对北周帝国宇文皇族，以及宇文泰、宇文觉、宇文毓、宇文邕、宇文赟各君王子孙的屠杀，数目不下五六十人（参考五八一年二月），则自己遭受毒手，后裔惨遭杀害，报应昭彰，实属应该。

张谓讥刺刘裕（南宋帝国一任帝）：“只知道学习近世的曹操、司马懿，不知道效法古代的姜小白（桓）、姬重耳（文）。制造出来的大祸，延及两个朝代，而自己的福气还不到三年（刘裕在位恰恰二十四个月〔四二〇年六月至四二二年五月〕）；八任皇帝中（事实上是九任，因未将四任帝刘劭计算在内），有六任皇帝不得善终（二任帝刘义符、三任帝刘义隆、四任帝刘劭、六任帝刘子业、八任帝刘昱、九任帝刘準）。上天报应，岂不明显。”杜牧说：“相面师肯定杨坚将来会当皇帝（参考五七五年七月），后来杨坚果然当了皇帝。北周帝国末年，杨坚是八柱国（勋官一级）之一，全家都是侯爵公爵，世袭已久，一旦窃夺皇帝高位尊号，不过三十年，老年青年，甚至怀中婴儿，全遭凶杀，那位深知相法的大师，应该警告说：这可是杨家大祸，那才算优秀的相面师。”张谓、杜牧二位先生的确论，迄今人仍传诵。

七月二十一日，隋政府发布杨坚的死讯，太子杨广（本年三十六岁）登上皇帝宝座（二任炀帝）。正巧，伊州（河南省汝州市）州长杨约，前来仁寿宫（陕西省麟游县境）朝见，杨广派他先返大兴（陕西省西安市），重新布置留守官员。杨约假传杨坚圣旨，命故太子杨勇自杀，当杨勇拒绝服毒时，杨约把他吊死。然后命军队进入备战状态，集合留守官员，宣布杨坚逝世消息。杨广得到报告，称赞说：“名兄之弟，果然能担负大任。”追封杨勇当房陵王，但不准他儿子继承爵位（既不准继承，所谓王爵，不过纸上几个字而已）。

八月三日，杨坚灵柩从仁寿宫运到首都大兴。

八月十二日，暂时殡厝在大兴前殿。柳述、元岩被开除官籍。柳述放逐到循州（广东省惠州市），元岩放逐到番州（广东省广州市）。杨广命兰陵公主跟柳述离婚，打算要她改嫁，兰陵公主誓死拒绝，不再朝见，上书要求跟柳述一同放逐，杨广大怒。兰陵公主忧愁悲愤逝世，临死，上书要求跟柳述合葬，杨广更怒不可遏，竟不前去悼丧，致送的葬仪也很微薄。

3 天文台长（太史令，从七品下）袁充奏称：“皇上即位，跟伊祁放勋（尧）登上宝座之时，年龄相同。”暗中鼓励文武百官上书祝贺。国务院内政部教育司长（礼部侍郎）许善心表示异议，认为：“帝国正遇到大的丧葬，不应该有祝贺之事。”左卫（十二禁军第一军）大将军（正三品）宇文述，一向讨厌许善心，教唆监察官（御史）弹劾，杨广调许善心当宫廷调查官（给事郎〔此时应称“给事”〕，从六品上），贬降官等二级。

4 汉王杨谅（杨坚第五子），深受一任帝杨坚的宠爱，担任并州军区（总部设并州〔山西省太原市〕）总司令（并州总管），自崤山以东，直到东方大海；南到黄河，共五十二州（河北省及山西省），全属他的辖区；特别授他应变全权，不受法律规章拘束。杨谅认为他的辖区正是天下出产精兵的地方，看到太子杨勇因受诬陷而被罢黜（参考六〇〇年十月），一直闷闷不乐。后来蜀王杨秀又受处罚（参考前年〔六〇二〕七月），内心恐惧，越发失去安全感，暗中积极准备；告诉老爹杨坚说：“突厥（瀚海沙漠群）正在强大，应该整修武备。”于是大肆征调工兵差役，修理器械，集结亡命之徒，安置在左右的私人卫队之中，有数万人之多。突厥曾经攻击边境，杨坚命杨谅抵御，被突厥击败。所属将领免职的有八十余人，全都流放岭表（南岭以南）。杨谅因他们都是多年老部属，上书请求留下，杨坚大怒说：“你身为镇守外地的亲王，只有遵守中央命令，怎么可以私下强调故旧关系，破坏国家法律尊严？老天，你这娃儿一旦没有了我，如果轻举妄动，他（指杨广）抓你像抓鸡笼里的小鸡一样，你那些心腹将领有什么用！”

王頍（音kuǐ〔傀〕），是王僧辩的儿子，性情豪放，往往有出奇制胜的策略，当杨谅的首席军事参议官（咨议参军，正五品下）。萧摩诃，是陈帝国的将领（参考五八九年正月）；二人都不很得意，郁郁寡欢，希望天下大乱，使他们获得好处；二人都受杨谅宠信，赞成杨谅的阴谋。

正巧，荧惑星守住东井星，王府礼仪官（仪曹郎）邺县（河北省临漳县西南郇城镇）人傅奕，懂得星辰天象，杨谅问他：“这是什么祥瑞？”傅奕回答说：“天上东井，是黄道必经之路，荧惑星通过，本属平常，如果入地上井，那才算奇怪！”杨谅大不高兴。

后来，杨坚逝世，新皇帝杨广派车骑将军（正五品上）屈突通（屈突，复姓），携带杨坚的诏书，征召杨谅到中央朝见。最初，杨坚跟杨谅秘密约定：“我如果用政府诏书或训令征召你，‘敕’字旁特别加上一点，再跟玉麟兵符相合，你就上道。”（这是杨谅的谎言，跟侯景当年所作的诈欺一样〔参考五四六年十二月〕。高欢不可能有此密约，高澄可能；杨坚不可能有此密约，独孤皇后可能。手握绝对权力的人，不会使用这种方法。）等看到诏书上没有那一点，杨谅知道发生变化，盘问屈突通，屈突通态度强硬，不肯屈服，被送回首都大兴。杨谅遂动员军队叛变。

总部军政官（总管司马）、泾州（甘肃省泾川县）人皇甫诞，恳切劝阻，杨谅不理，皇甫诞流泪哭泣说：“我看得出，大王的兵力和资源，都不足以跟中央为敌；而且，君臣的地位已经确定，逆顺的形势完全不同，大王虽然兵强马壮，却很难取得胜利。一旦陷进叛逆漩涡，记载在公文书之上，虽然想当一个平民，也办不到。”杨谅大怒，把皇甫诞逮捕囚禁。

岚州（山西省岚县）州长乔钟葵，打算响应杨谅，他的军政官（司马）雍州（首都大兴）人陶模拒绝，说：“汉王（杨谅）犯上作乱，你承受皇家厚恩，应该竭尽全力效命，怎么献出自己身子，作罪恶的阶梯！”乔钟葵吃惊说：“你想谋反！”把刀架到陶模脖子上，陶模言辞气势，不肯屈服，乔钟葵被他的大义感动，下令释放。军官们说：“如果不斩陶模，无法满足人心。”遂把陶模囚禁。当时参与杨谅兵变的有十九个州。

王頍（音kuǐ〔傀〕）建议杨谅说：“大王手下将领士卒的家属们，都在关西（函谷关以西），如果用他们当主力，就应该发动攻击，长驱直入，直接夺取京师（首都大兴），所谓急雷使人来不及掩住耳朵，正是如此。如果大王目的只不过打算割据昔日北齐帝国旧有疆域（指杨谅的军区辖土），则应任用东方（函谷关以东）人。”杨谅不能决定，于是兼用两种策略，宣称杨素谋反，起兵讨伐。

杨谅如果宣称讨伐弑父凶手杨广，声势会锐不可当。可能此时弑父的消息，还没有泄漏。然而，专制社会中的政治斗争，不择手段，与其栽赃说杨素谋反（杨素并没有谋反），何如一口咬定杨广弑父？杨谅在正式起兵后还弄不清作战目的——是摧毁中央？还是只求割据？就可看出杨谅不过一个簇花饭桶！

总部大营军事参议官（总管府兵曹）闻喜（山西省闻喜县）人裴文安，建议杨谅，说：“井陉（太行八陉之五，河北省井陉县西）以西地区（山西省），完全在大王控制之下，山东（太行山以东）武装部队，也由大王指挥，应该全部动员，派老弱残兵驻守险要，但仍命他们随时扩充土地。然后率领精锐，直入蒲津关（山西省永济市西黄河渡口），我愿充当前锋，大王率主力继进，闪电攻击，挺进霸上（陕西省西安市东灞河畔）；咸阳（陕西省咸阳市）以东地区，可以从容不迫的把它平定。此时，京师（首都大兴）震动骚扰，军队不能马上集结，上下互相猜疑，人心离散。我们严阵以待，发号施令，谁敢不听。用不了十天，大事可定。”

杨谅大为兴奋，派他任命的大将军（勋官四级，正三品）余公理，从太谷（山西省晋中市太谷区）出发，前往河阳（河南省孟州市）；大将军綦良，从滏口（太行八陉之四，河北省武安市西南）出发，前往黎阳（河南省浚县）；大

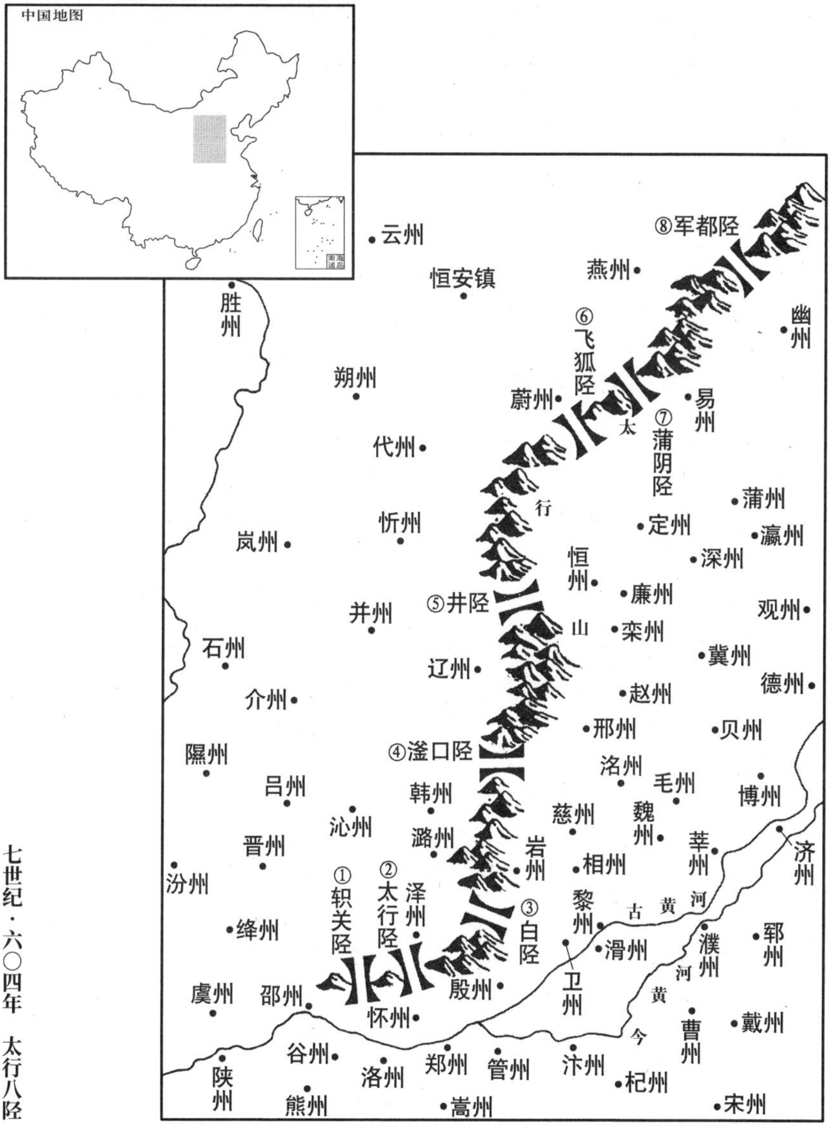

中国地图

南海诸岛

云州
恒安镇
⑧军都陉
燕州
胜州
⑥飞狐陉
幽州
朔州
蔚州
易州
⑦蒲阴陉
代州
太
行
山
岚州
忻州
蒲州
定州
瀛州
恒州
深州
廉州
⑤井陉
并州
观州
栾州
石州
冀州
辽州
德州
赵州
介州
邢州
贝州
④滏口陉
隰州
洺州
毛州
吕州
韩州
博州
沁州
慈州
魏州
晋州
潞州
岩州
莘州
济州
汾州
①轵关陉
②太行陉
泽州
相州
③白陉
黎州
古黄河
绛州
滑州
濮州
郓州
卫州
虞州
邵州
殷州
河
黄
怀州
曹州
戴州
今
谷州
陕州
洛州
郑州
管州
汴州
杞州
熊州
嵩州
宋州

七世纪·六〇四年 太行八陉

将军刘建，从井陉（太行八陉之五，河北省井陉县西）出发，夺取燕赵地区（河北省）；柱国（勋官二级，正二品）乔钟葵从雁门（代州，山西省代县）出发（当时，李景据代州，不服从杨谅）；任命裴文安当柱国（勋官二级，正二品），会同另一柱国（勋官二级，正二品）纥单贵、王聃（音dān〔丹〕）等，率军直指京师（首都大兴）。

杨广任命右武卫（十二禁军第四军）将军（从三品）洛阳（河南省洛阳市东白马寺东）人丘和，当蒲州（山西省永济市）州长，镇守蒲津关（永济市西黄河渡口）。杨谅挑选精锐勇士数百人，骑马，伪装妇女，身披长可及地的“面罩长衣”（“面罩长衣”，原文“羃䍦”，音mì lí〔密离〕，是隋王朝流行的一种妇女装束。给我们的印象好像是阿拉伯妇女的沙漠装，从头罩到脚），对外声称是杨谅的宫女返回大兴（陕西省西安市），城门守卫没有发觉，突击队进入蒲州，城中英雄豪杰也有人响应。丘和发现变化，跳城逃回京师（首都大兴）。蒲州秘书长（长史）棣州（山东省阳信县）人高义明、军政官（司马）平州（河北省卢龙县）人荣毗，都被反抗军逮捕。裴文安等挺进到距蒲津关一百余华里处，杨谅忽然改变主意，命纥单贵破坏黄河大桥，坚守蒲州（山西省永济市），召回裴文安。裴文安返抵晋阳（山西省太原市），警告杨谅说：“军事行动，必须诡秘神速，为的是要出敌人意料之外，大王既不亲征，我又被调返，使敌人安安闲闲拟订计划，大事就会永去。”杨谅不回答，而只任命王聃（音dān〔丹〕）当蒲州（山西省永济市）州长，裴文安当晋州（山西省临汾市）州长，薛粹当绛州（山西省新绛县）州长，梁菩萨当潞州（上党，山西省长治市）州长，韦道正当韩州（山西省襄垣县）州长，张伯英当泽州（山西省晋城市）州长。

代州军区（总部设代州〔山西省代县〕）总司令（代州总管）秦州（甘肃省天水市）人李景，率军拒抗杨谅，杨谅派别动部队将领刘嵩袭击李景，李景迎击，斩刘嵩；杨谅再派乔钟葵率精锐战士三万人进攻，李景部队不过数千人，加以城池并不坚固，在乔钟葵围攻下，城楼崩塌，城墙也相继摧毁，李景一面战斗，一面修补，士卒不顾生命，顽强死拼；乔钟葵屡攻屡败。而李景部属军政官（司马）冯孝慈，军法军事参议官（司法〔法曹行参军〕）吕玉，都骁勇善战；仪同三司（勋官八级，正五品上）侯莫陈乂（侯莫陈，三字姓）富于谋略，对防御战术，有特别专长；李景知道三人可以担当大事，就推心置腹，交给他们全权，自己毫不干涉，只坐在办公厅，时常巡察安抚。

中央大军讨伐，杨素率轻骑兵五千人，袭击王聃、纥单贵据守的蒲州（山西省永济市），夜晚，抵达黄河西岸，集结商用船只，约数百艘，船中铺草，人马踏到上面，不会发出声音。于是静悄悄的渡过黄河，在东岸登陆，拂晓攻击；杨谅的柱国（勋官二级，正二品）纥单贵战败，逃走；王聃大为恐惧，献出城池投降。杨广下诏命杨素班师（此句似是多余）。最初，杨素将出发时，预算某日击破反抗军，出发后，一切照计划行事，杨广遂任命杨素当并州兵团作战司令官（并州道行军总管）兼河北地区（黄河以北）安抚特使（河北道安抚大使），率军队数万人攻击杨谅。

杨谅最初公开反抗中央的时候，王妃的老哥豆卢毓（豆卢，复姓）正担任总部秘书官（府主簿，从六品上），苦苦劝阻，杨谅拒不接受。豆卢毓私下对老弟豆卢懿说："我如果单人匹马逃回中央，自己当然可以免祸，但这只是为自己打算，不是为国家打算。我准备假装服从，等待抓住机会。"豆卢毓，是豆卢勣的儿子（豆卢勣，参考五八〇年十月）。豆卢毓的老哥、显州（河南省泌阳县）州长豆卢贤，报告隋帝杨广说："我弟弟豆卢毓平常守正不屈，绝不会参加乱党。只是在凶威逼迫之下，不能如愿以偿。我请求率军出征，跟豆卢毓里应外合，对付杨谅并不困难。"杨广批准。豆卢贤派家人秘密携带诏书，到豆卢毓那里，暗中商议。

杨谅离开晋阳（山西省太原市），打算前往介州（山西省汾阳市），命豆卢毓跟助理官（总管属）朱涛，留守总部。豆卢毓告诉朱涛说：“汉王（杨谅）叛变，脚还没有移动，就会失败，我们怎么可以坐在这里等待满门屠灭，辜负国家！我当跟你出军拒抗。”朱涛大吃一惊，说：“大王（杨谅）把大事托付给我们，怎么说出这种话！”站起来拂袖而去，豆卢毓追赶，斩朱涛；从狱中释放出皇甫诞，共同商议，连同开府仪同三司（勋官六级，正四品上）宿勤武等（宿勤，复姓），紧闭城门，拒绝杨谅回城。可是他们的部署还没有完成，已有人报告杨谅，杨谅回军袭击。豆卢毓发现杨谅重返，向城中守军宣布：“这是山贼！”杨谅进攻南门，守城的是稽胡部落（山西省西部匈奴人）军，不认识杨谅，射箭抵抗，箭如雨下。杨谅转移阵地，攻击西门，西门守军认识杨谅，大开城门欢迎。豆卢毓、皇甫诞齐被诛杀。

反抗军大将军（勋官四级，正三品）綦良，进攻慈州（河北省磁县）州长上官政，不能攻克，遂回军攻相州（河南省安阳市）执行官（行州事）薛胄部众，又不能攻克，遂自滏口（河北省武安市南）进攻黎州（河南省浚县），切断白马渡口（河南省滑县古黄河渡口）；另一大将军（勋官四级，正三品）余公理穿过太行陉（太行八陉之二，河南省沁阳市西北），攻击河内（怀州，河南省沁阳市）。杨广任命右卫（十二禁军第二军）将军（从三品）史祥当大军作战司令（行军总管），驻扎河阴（河南省洛阳市孟津区北），史祥告诉参谋官们说：“余公理轻佻，又没有智谋，仗恃他的人多，心意骄傲，破他没有困难。”余公理挺进到河阳（河南省孟州市），史祥沿黄河南岸集结船舰，余公理在北岸也集结部队抵挡。史祥挑选精锐士卒在稍东下游地方，准备暗中北渡黄河，余公理接到报告，率军迎击，在须水（河南省孟州市东）会战。余公理还没有布成阵势，史祥奋勇进攻，余公理军大败。史祥急行军指向黎阳（河南省浚县），綦良军还没有接战，即行四散逃跑。史祥，是史宁的儿子（史宁事，参考五三六年七月）。

杨广打算征调幽州（北京市）的武装部队，可是担心幽州军区总司令（幽州总管）窦抗拒绝接受命令，要杨素推荐取代窦抗的人选，杨素推荐前江州（江西省九江市）州长、棣州（山东省阳信县）人李子雄。杨广授李子雄上大将军（勋官三级，从二品），当广州（番州，广东省广州市）州长（遥领）；又任命左领军（十二禁军第七军）将军（从三品）长孙晟当相州（河南省安阳市）州长，动员山东（太行山以东）的兵力，会合李子雄共同决定方略。长孙晟因儿子长孙行布正是杨谅部属，请求辞职，杨广说："你深爱国家，无论如何都不会因儿子的缘故，伤害大义，如今我把大事委托于你，你不可推辞。"李子雄乘驿马车抵达幽州（北京市），住进宾馆，招兵买马，集结一千余人。窦抗到宾馆拜访李子雄，李子雄发动埋伏，生擒窦抗。窦抗，是窦荣定的儿子（窦荣定事，参考五八三年十二月）。

李子雄率领幽州（北京市）步骑兵混合兵团三万人，从井陉关（太行八陉之五，河北省井陉县西）西进，进攻杨谅。当时，反抗军大将军（勋官四级，正三品）刘建，围攻驻军司令（戍将）雍州（首都大兴）人张祥据守的井陉（井州，河北省井陉县）；李子雄在抱犊山（河北省石家庄市鹿泉区西）下，击破刘建，刘建撤退。代州军区（总部设代州〔山西省代县〕）总司令（代州总管）李景，被反抗军将领乔钟葵包围一个月有余。杨广下诏命朔州（山西省朔州市）州长、代州（山西省代县）人杨义臣增援，杨义臣率步骑兵联合兵团二万人，于夜晚南下，突过西陉（代县西北）向东南推进，乔钟葵集结所有军队迎战。杨义臣因为自己的兵力薄弱，命搜刮军中牛驴，约有数千头，再命士卒数百人，每人携带一个战鼓，把牛驴暗暗赶到山谷。傍晚，杨义臣再跟乔钟葵会战，双方刚刚接触，杨义臣把牛驴逐出山谷，奔驰前进，霎时间，战鼓如雷，尘土蔽天，乔钟葵军不知真相，认为政府军发动伏兵，立即溃散；杨义臣追击，大破反抗军。此时，晋州（山西省临汾市）、绛州（山西省新绛县）、吕州（山西省霍州市），仍效忠杨谅。杨素每城派两千人，作象征性包围，防止他们出动骚扰，而亲率主力北上进攻杨谅基地并州（山西省太原市）。杨谅派他的大将赵子开率十余万人大军，切断并州（山西省太原市）四周所有交通线，据守高壁（山西省灵石县南），连营五十华里；杨素命各将领挺进，而亲自率领一支奇袭部队，暗中进入霍山（霍州市东南），沿悬崖绝壁前进。杨素出谷口后，立即扎营，自己坐守营外，命参谋长（军司）入营挑选三百人留守；士卒对反抗军的强悍，心怀恐惧，不愿出战，都愿留守，拖拖拉拉，使大军不能准时出发。杨素诘问到底是怎么回事，参谋长（军司）据实报告，杨素即命三百名留守士卒集合，全体斩首。重新下令征召志愿留营的人，已没有人敢留。杨素遂率军急进，绕到反抗军背后，直接攻击大营，擂鼓放火，反抗军不知道怎么办才好，自相践踏，死伤数万人。反抗军介州（山西省汾阳市）州长梁修罗，驻守介休（介州州政府所在县），听到杨素军到，立即放弃城池逃走。

杨谅得到赵子开失败消息，大为恐惧，亲自率军将近十万人，在蒿泽（汾阳市北湖泊，现已干涸）布阵抵抗。不料大雨倾盆，杨谅打算率军撤退，王頍（音kuǐ〔傀〕）劝阻说：“杨素一支孤军，深入我们领土，人困马乏，大王率领精锐部队，亲自出击，一定取得胜利。而今，刚看到敌人，就回身退走，显示我们胆怯，使军心沮丧，更增加政府军的气焰，大王万不可回军。”杨谅不理，退守清源（山西省清徐县）。

王頍对他的儿子说：“情况恶劣，大军一定失败，你要紧跟着我。”杨素向杨谅发动攻击，大破反抗军，生擒萧摩诃。杨谅退回晋阳（山西省太原市）坚守，杨素四面包围，杨谅束手无策，请求投降，他所有在外地的党羽，也都被扫平。杨广派杨约带着亲手写的诏书，慰劳杨素。王頍打算投奔突厥汗国（瀚海沙漠群），逃进深山，而道路断绝（不知是被封锁或是山路自然崩塌），知道无法逃生，告诉他的儿子说：“我的谋略不亚于杨素，只因所有建议，都不被接纳，遂到今天这种地步，不能坐在这里等他们捉拿，让那些无赖小丑成名。我死之后，你继续逃命，无论如何，不可投奔亲戚朋友！”于是自杀（年五十四岁），尸体暂时掩埋在石洞中。他的儿子几天没有饭吃，只好投奔亲戚朋友，最后终被生擒，连同王頍的尸体，送到晋阳（山西省太原市），一齐斩首。

王頍警告他的儿子：“不可投奔亲戚朋友！”字字是人生历练，老爹王僧辩所遇非人，变生肘腋（参考五五五年九月）；王頍同样所遇非人，被拖下水；然而不经此变，这段智慧言语，不能留传。

大难临头之际，敌人的天罗地网，一定设在自己的亲友之家，王頍之子不去行乞讨饭，而去投奔舒适之地，正是天堂有路他不走，地狱无门偏自来，不知道杀手早已埋伏停当。即令没有埋伏，在威逼利诱下，亲戚朋友的情谊，有其极限，沈充在兵变失败后，投奔部将吴儒家，就是一个血淋淋的例证（参考三二四年七月）。

凡是要逃亡或正在逃亡的英雄豪杰，都要谨记王頍之言。

文武百官上奏，认为汉王杨谅应该诛杀，杨广不许，而只开除杨谅的官籍，从皇家户籍中剔除姓名，杨谅遂被囚禁而死。杨谅的

中国地图

隋·杨义臣军
朔州
陉岭
西陉
代州（李景）
隋·李子雄军
蔚州
天池
岚州
忻州
乔钟葵军
井州（张禄）
定州
恒州
抱犊山
汾水
刘建军
并州
廉州
井陉
太行山
栾州
绥州
石州
清源
辽州
太谷
蒿泽
綦良军
介州
邢州
洺州
隰州
高壁
余公理军
吕州
霍山
沁州
韩州
滏口陉
滏口
慈州（上官政）
丹州
汾州
晋州
潞州
岩州
相州（薛胄）
绛州
黎州
卫州
滑州
太行陉
泽州
殷州
裴文安、纥单贵军
白马津
黄河
古
蒲津关
怀州
河阳
虞州
邵州
蒲州
今黄河
陕州
谷州
河阴
洛州
须水
郑州
管州
汴州
熊州
伊州
嵩州
洧州
隋·史祥军

部属及平民，被牵连而遭处死及流放的，有二十余万家。最初，一任帝杨坚跟独孤皇后互相敬爱，发誓绝不准许有异母兄弟。杨坚曾经对文武百官说："从前的帝王，偏爱小老婆，嫡子与庶子遂互相斗争，终于罢黜太子，另立储君，甚至把国家搞亡。我从没有小老婆，五个儿子，都是同一娘亲所生，可以说是真正的骨肉手足，所以我从没有这方面的忧虑！"杨坚又鉴于北周帝国各亲王力量太弱，所以命他的儿子们分别据守重要军事基地，独当一面，权力跟中央政府相等。到了末期，父子兄弟互相怀疑猜忌，五个儿子全都不能终其天年。

司马光曰

从前，辛伯警告姬揭（周桓公）说："对小老婆的宠爱超过对皇后的宠爱，对家奴弄臣的信任使他们参与政府决策，庶子的权势跟嫡子的权势相等，或有一个可以跟京师匹敌的大都市兴起；这些，都是战乱的根源。"君王如果真的在这四方面特别慎重，战乱怎么会发生！杨坚只知道嫡庶之间的斗争太多，皇家孤单脆弱容易瓦解，却不知道势力相敌，地位相当，即令是一母同胞，也不能避免争夺。查考辛伯的话，杨坚岂不是只懂了一项，却忽略了三项。

专制封建制度是一个绝症患者，治愈了跛脚，却引起瞎眼；治愈了瞎眼，又引起屁股溃烂；治愈了屁股溃烂，又发生老年痴呆；治愈了老年痴呆，又得了脑膜炎。反正是扶得东来西又倒，病情越治越严重。开国帝王都想矫正前朝的弊端，然而，上帝注定一定会再生出他意想不到而又招架不了的另一种弊端。

民主法治的最大贡献之一是，它为政权转移提供一个和平而比较公平的方法。

5 冬季，十月十六日，杨广把老爹、一任帝（文帝）杨坚，安葬太陵（今地不详），庙号称高祖，跟独孤皇后同一个坟墓，但两个墓穴。

6 杨广下诏，免除妇女及奴婢的捐税和私人军队的田赋；并且规定男子二十二岁成年（原本是二十一岁成年，参考五八三年三月）。

7 法术师章仇太翼报告杨广说："陛下本来是'木'命，而京畿（雍州）则是破木的地形（胡三省注："本旺在卯；雍州在西，酉位也，故为破木之冲。"事属传统的五行学说，不懂），不可以长久居留。而神秘预言书上说：'重建洛阳，恢复晋王朝天下。'"杨广大为相信。

十一月三日，杨广前往洛阳（河南省洛阳市东白马寺东），命晋王杨昭（杨广长子）留守大兴（陕西省西安市）。杨素因建立大功，杨广封杨素的儿子杨万石、杨仁行，侄儿杨玄挺，分别当仪同三司（勋官八级，正五品上），赏赐绸缎五万匹、绫罗一千匹及杨谅的女奴二十人。

8 十一月四日，杨广调发青年数十万人，挖掘长壕，西自龙门（山西省河津市），东到泽州（山西省晋城市）、卫州（河南省淇县东），南下到临清关（河南省新乡市东北），渡过黄河，直挖掘到汴州（河南省开封市），西方抵达伊州（河南省汝州市），直到商州（陕西省商洛市商州区），沿壕沟设立关卡（杨广用如此浩大工程增加自己的安全，这只是一个开端）。

9 十一月二十日，前陈帝国皇帝（末任〔五〕）陈叔宝逝世（年五十二岁）。杨广追赠：大将军（勋官四级，正三品）、长城县公爵，绰号炀公爵。

10 十一月二十一日，杨广下诏，在洛水、伊水汇合处（即洛阳），兴建东京（此新建之洛阳城，位于旧洛阳城及白马寺之西，即今河南省洛阳市所在地），特别强调："宫殿制度，本来为了起居方便而设，所以今天的规划，务必节约。"

11 蜀王杨秀事件时（参考前年〔六〇二〕闰十月），右卫（十二禁军第二军）大将军（正三品）元胄，被控跟杨秀有私人友谊，开除官籍，长久不能复职。当时，慈州（河北省磁县）州长上官政，也因犯罪贬逐岭南（南岭以南），将军丘和因不能固守蒲州（山西省永济市），也被免职。元胄跟丘和是多年老友，两人相聚，酒酣耳热，元胄对丘和说："上官政，一代英雄，流放到岭南（南岭以南），会不会乘机发动大事？"然后抚摸自己的肚子，说："如果是他，他不会没有作为。"丘和上疏检举，元胄竟被处死。于是，杨广任命上官政当骁卫（十二禁军第七军）将军（从三品），丘和当代州（山西省代县）州长。

元胄为了投靠权势，乘危陷害老友元旻，内心的险恶，使人血液都结成一团（参考六〇〇年九月），所得到的赏赐还没有用完，他的老友丘和，也在他背后插上一刀。我们从来不机械的相信善恶必有报应，但是如果有证据显示确有报应时，也不禁抚案叹息。再想不到，官场友谊，竟这般可怕！

七世纪·六〇四年十一月 洛阳外围防御工事

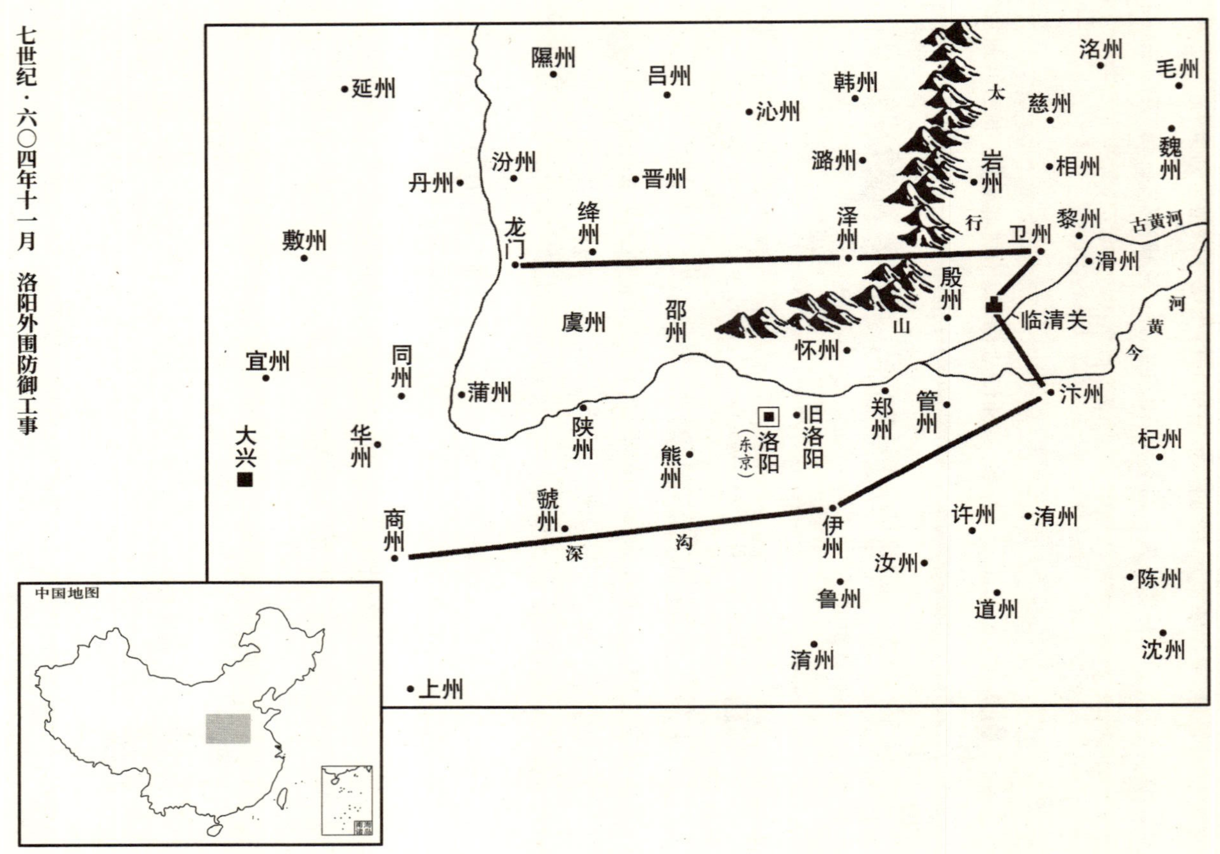

隋　大业　元年

1 春季，正月一日，隋王朝（首都大兴〔陕西省西安市〕）皇帝（二任炀帝）杨广（本年三十七岁），大赦天下，改年号大业。

2 封太子妃萧女士当皇后。

3 撤销各州军区总司令部（诸州总管府）。

4 正月二十五日，封晋王杨昭当皇太子。

5 一任帝杨坚末年，文武百官中有人传说林邑王国（越南中部）出产奇珍异宝。当时，天下一片升平，全国无事。交州兵团作战司令官（交州道行军总管）刘方，刚刚削平交州（越南河内市东北北宁省）民变，杨坚立即命他当骥州（越南荣市）兵团作战司令官（骥州道行军总管），南下征服林邑王国。刘方派钦州（广西钦州市）州长宁长真等，率步骑兵一万余人，从越裳（越南甘禄县）出发，刘方亲率大将军张愻（音xùn〔训〕）等，率领舰队，从比景（越南筝河口）出发。

本月（正月），隋帝国海军抵达林邑王国港口。

6 二月七日，杨广命有关单位在殿前陈列金银财宝、绸缎车马，召见杨素及讨伐杨谅有功的各将领，命奇章公爵牛弘宣读诏书，称赞他们的功劳，依照等级，分别赏赐，杨素等叩头“舞蹈”（一种失传的古礼）而退。

二月十八日，任命杨素当国务院总理（尚书令）。

7 杨广下诏，命全国官民一律脱下丧服，只杨广换穿浅黄色衣裳，系黑色腰带。

8 三月十七日，杨广下诏，命杨素及最高监督长（纳言）杨达、建筑部长（将作大匠）宇文恺，兴建东京（洛阳，河南省洛阳市），每月投入工匠民夫二百万人，把洛州（州政府洛阳）郊区和其他各州巨商富农数万户人家，强迫迁移到东京（洛阳），充实户口。

废除“二崤小径”（崤山南道），开凿“葼册小径”（崤山北道。葼，音zōng〔宗〕）。

9 三月十八日，杨广下诏说：“君王应听取舆论，以及跟平民交换意见，才能了解刑事上及政治上的得失。我准备巡视淮海(华东地区)，考察各地风俗习惯。”(这是杨广四出游荡的理论基础。)

10 杨广命建筑部副部长(将作少监)宇文恺，与立法院立法官(内史舍人)封德彝等，兴建显仁宫(河南省宜阳县东南)，工程浩大，南到皂涧(洛水支流)，北到洛水北岸，搜刮长江以南、五岭(南岭)以北所有的奇异木材和古怪石头，运到洛阳(河南省洛阳市)。又搜刮国内稀有花草和珍贵的飞禽走兽，用来充实园林。

三月二十一日，杨广命国务院事务秘书长(尚书右丞)皇甫议，召集河南(黄河以南)、淮北(淮河以北)各州民夫，前后一百余万，开凿通济运河(通济渠)。自洛阳西苑，引导谷水、洛水，注入黄河。再从板渚(河南省荥阳市北)引导黄河，穿过荥泽(河南省郑州市西北)，注入汴河，在大梁(河南省开封市)之东，再注入泗水，再注入淮河，更征调淮南(淮河以南)民夫十余万人，挖掘古邗沟(邗，音hán〔寒〕)，从山阳(江苏省淮安市)，到扬子(江苏省扬州市南长江渡口)，注入长江(一任帝杨坚时，曾疏浚邗沟，参考五八七年四月)。运河宽四十步，河旁都修筑御道，种植杨柳。自大兴(隋首都，陕西省西安市)到江都(扬州，江苏省扬州市)，设立行宫四十余处。

三月三十日，杨广派宫廷监督官(黄门侍郎)王弘等，前往江南(长江以南)制造龙舟和其他船舶数万艘。东京(洛阳)派出的官员，督促严厉惨急，工匠民夫死亡的达十分之四五。东自成皋(河南省荥阳市西北汜水镇)，西到河阳(河南省孟州市)，到处可看到主管单位用车满载尸体，在路上运送埋葬。

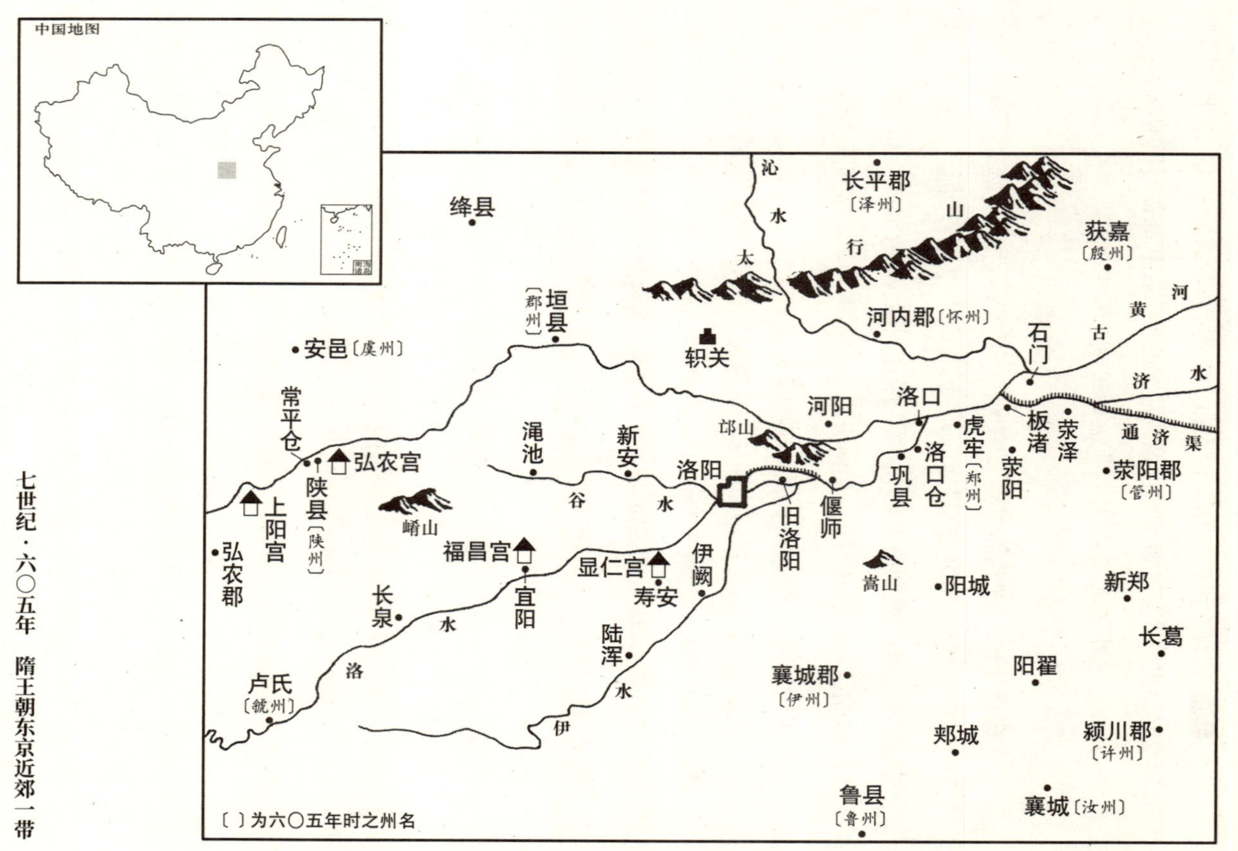

七世纪·六〇五年 隋王朝东京近郊一带

杨广又在东京(洛阳)兴筑天经宫，一年四季，祭祀老爹杨坚。

11 林邑王国(越南中部)国王梵志，派军扼守险要，拒抗中国远征军进攻。隋帝国远征军驩州(越南荣市)兵团作战司令官(驩州道行军总管)刘方，不断击败林邑军，南渡阇黎江(今地不详)，林邑军乘坐巨象，从四面八方发动攻击。远征军情势不利，于是，挖掘大量小坑，上面覆盖乱草，然后派兵挑战，一旦接触，远征军假装战败逃走，林邑军追杀，巨象很多踏进小坑，林邑军大为惊恐，混乱成一团。刘方用强弓射击巨象，没有陷进小坑的巨象，转身逃走，反而践踏林邑军大营，远征军乘胜进击，林邑军遂大败，被杀及被俘的，以万为单位计数。刘方率军追击，连战连捷，经过"马援铜柱"(今地不详。铜柱事，参考三三六年十二月注)南，行军八日，抵达林邑王国首都(典冲，越南茶荞城)。

夏季，四月，梵志放弃首都，乘船逃往大海(南海)。刘方进城，俘获梵志皇家祭庙中祖先牌位十八个，都由黄金铸成。刘方竖立石碑，上刻远征的战功，班师。然而，士卒双足肿胀，死亡达十分之四五，刘方也患病，在归途中逝世。

最初，国务院事务秘书长(尚书右丞)李纲，因不断坚持反对的意见，冒犯杨素及苏威。所以，当刘方远征时，杨素向当时皇帝(一任文帝)杨坚，推荐李纲，任命李纲当作战军政官(行军司马)。刘方迎合杨素的意思，对李纲百般侮辱，几乎把李纲害死。刘方死后，远征大军北还，李纲仍任军职，长久不调不迁。最后，苏威派李纲前往番州(广东省广州市)，作为林邑王国办理善后的接待长官，很久不命他回京(首都大兴)；李纲索性自己回京奏报公事。苏威弹劾李纲擅自离开职守，移送司法机关调查议罪，正巧遇上大赦，仅只免除官

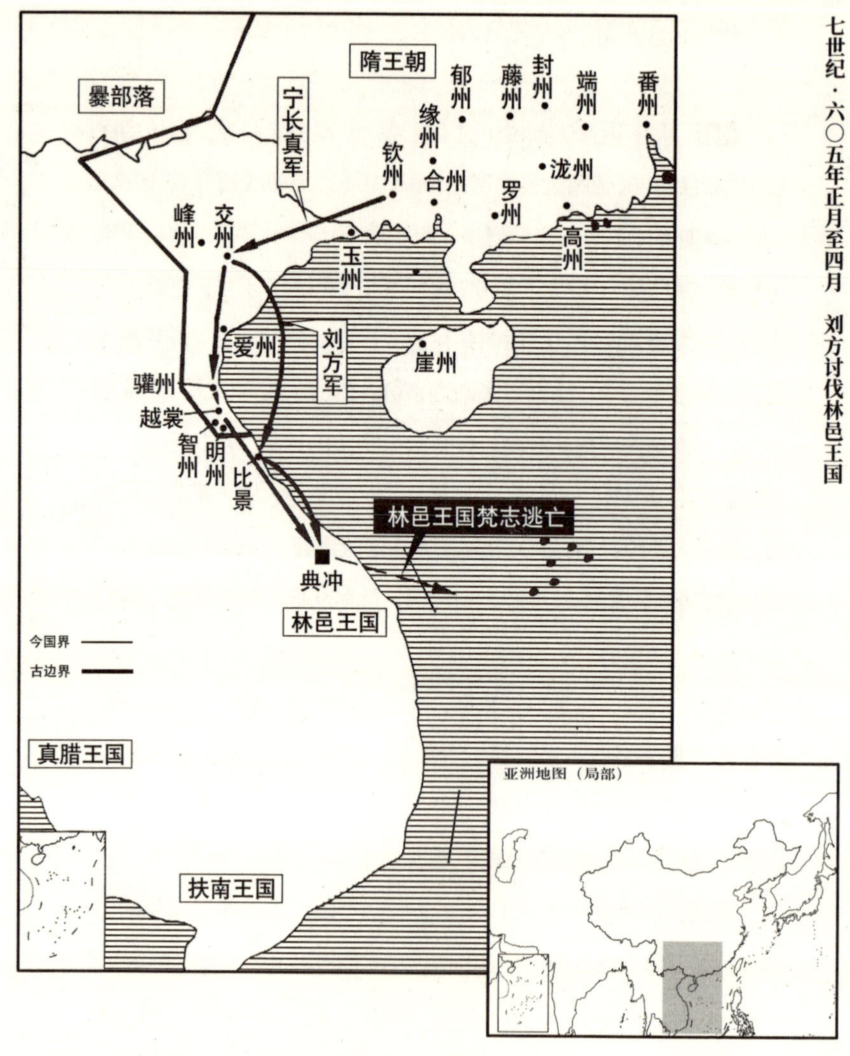

七世纪·六〇五年正月至四月　刘方讨伐林邑王国

职。李纲于是断绝社交活动，隐居鄠县（陕西省西安市鄠邑区）。

12 五月，兴筑洛阳西苑，周围二百华里，里面有人工海，周围十余华里；人工海中有蓬莱、方丈、瀛洲等人工山（三者都是传说中的海上仙山，参考前二一九年），高出水面一百余尺，亭台楼阁在山上星罗棋布，好像神仙所居。苑北有龙鳞溪，盘旋转折，注入人工海。沿龙鳞溪两旁，兴筑十六院（十六座别宫），宫门正对涑水，每院由一位四品官阶（国务院各部司长级）的美丽夫人主持。殿堂台阶，极端豪华。秋冬时节，宫中树叶凋落，则用彩缎剪成树叶，绑在枝头；如果褪色，则另换新制，所以一年四季，都像盛春。小池塘中也用彩缎剪成荷叶菱角，杨广前来观赏时，就把枝头结冰击碎，而把人工制品扎在上面。十六院互相竞争，看谁的酒菜最为精美，用以博取杨广的宠爱。杨广喜欢在深夜月色之下，带领数千名美女，骑马游逛西苑谱出《清夜游曲》，在马上演奏。

13 杨广对各亲王的恩情，十分淡薄，而非常猜忌。滕王杨纶、卫王杨集，心里十分忧愁恐惧，唯有召唤法术师算卦，占卜吉凶，并且设立祭坛，向鬼神祈祷求福。于是有人检举二人怨恨政府，诅咒君王，有关单位请求把二人处死。

秋季，七月十八日，杨广下诏，开除二人官籍，贬作平民，放逐偏远郡县。杨纶，是杨瓒的儿子（杨瓒即杨慧，是一任帝杨坚的老弟，参考五八一年二月）。杨集，是杨爽的儿子（杨爽，是杨坚的老弟，参考五八一年二月）。

14 八月十五日，杨广前往江都（扬州，江苏省扬州市），从显仁宫（河南省宜阳县东南）出发，宫廷监督官（黄门侍郎）王弘，派龙舟北上迎接圣驾。

八月十八日，杨广登上小型红色御船，顺着运粮水道，驶出洛口（洛水注入黄河处，河南省巩义市东北），换乘正式龙舟。龙舟共有四层，高四十五尺，长二千尺；最上层有皇帝接见官员的“正殿”，有皇帝休闲活动的“内殿”，有文武百官办公的左右“朝堂”。中间两层有房间一百二十个，都用黄金璧玉装潢。下层是宦官所住地方。萧皇后乘坐“飞螭号”（螭，音chī〔吃〕），规模比杨广乘坐的龙舟略小，但装饰没有分别。另有“浮景级”御船九艘，只有三层，都是水上宫殿。此外又有“漾彩级”“朱鸟级”“苍螭级”“白虎级”“玄武级”“飞羽级”“青凫（音fú〔扶〕）级”“陵波级”“五楼级”“道场级”“玄坛级”“板艙（音tà〔榻〕）级”“黄篾级”等数千艘，由后宫美女、亲王、公主、文武官员、和尚、尼姑、道士、道姑、外国宾客等乘坐，同时也运载各单位储备的供应物资，仅只用来拉纤的民夫，就有八万余人；专拉“漾彩级”以上的就有九千余人，纤夫称为“殿脚”，都身穿绸缎。又有“平乘级”“青龙级”“艨艟级”“艚艑（音cáo yuán〔曹原〕）级”“八櫂（音zhào〔兆〕）级”“艇舸级”等数千艘，供十二禁军官兵乘坐，上面同时装载武器篷帐，由士卒自己拉纤，不再分配民夫。船舰首尾相接，长达二百余华里，灯火照耀大地；骑兵夹岸行进，严密保护，旌旗遍野，所经过的州县，五百华里以内，都奉命供应食物，一个州每天甚至出动一百辆牛车装载运送，都是极为精美的山珍海味，后宫美女吃得发腻，起程的时候，全都抛弃掩埋。

15 契丹部落（辽河上游）攻击营州（辽宁省朝阳市）。隋帝杨广下诏命主任巡察官（通事谒者，从六品）韦云起，调动突厥汗国（此指移民至黄河河套的部落）的军队，反击契丹。突厥启民可汗（十任大可汗）阿史那染干派骑兵二万人，交付韦云起指挥。韦云起把突厥兵团分为二十营，兵分四路，同时进发，营与营间相距一华里，不准交错混乱，听到鼓声前进，听到号角停止；除非奉有军令，不准骑马奔驰。韦云起一再提醒：听到鼓声前进！一位突厥低级军官（纥干）违反命令，立即被斩首，把人头送到各营展览示众。于是突厥军纪建立，将领们入营进见时，都跪下前进，浑身颤抖，不敢抬头。契丹部落本受突厥汗国（此指突厥王庭而言）管辖，对突厥大军突然出现，毫不起疑。韦云起进入契丹部落辖境，命突厥将领扬言前往柳城（营州州政府所在县，辽宁省朝阳市），跟高句骊王国（首都平壤〔朝鲜半岛平壤市〕）贸易。韦云起下令：凡敢泄漏这次出征任务的，处死。契丹部落完全没有戒备，突厥兵团在距契丹大营五十华里时，发动闪电攻击，俘虏契丹大营男女四万人；而把男子诛杀，把一半妇女和一半牲畜，赏赐给突厥兵团，其他剩下来的战利品，尽数带回隋王朝。杨广大为高兴，召集全体官员说："韦云起使用突厥的军队，平定契丹，可称为文武全才，我今天亲自把他保荐给中央政府。"擢升韦云起当诉讼监察官（治书侍御史，从五品下）。

16 最初，突厥汗国阿波可汗（小可汗）阿史那大逻便，被叶护可汗（七任大可汗）阿史那处罗侯俘虏（参考五八七年四月），贵族们拥护公爵（特勤）阿史那鞅素的儿子（名不详）继任，称泥利可汗（小可汗）。泥利可汗逝世后，儿子阿史那达漫继位，称处罗可汗（西突厥〔新疆北部及中亚东部〕一任大可汗），他的娘亲向女士，本是中国人，在泥利可汗死后，再嫁泥利可汗的老弟、公爵（特勤）阿史那婆实（北方游牧民族，丈夫死后就嫁丈夫之弟或丈夫嫡子，用以保护幼儿及财产）。六世纪九〇年代，阿史那婆实偕同向女士，到隋帝国首都大兴（陕西省西安市）朝见，正巧遇上达头可汗（小可汗）阿史那玷厥变乱，夫妇二人就留在大兴，居住藩属事务部（鸿胪寺）。

处罗可汗（西突厥一任大可汗）阿史那达漫，经常停留乌孙王国故地（新疆西北部伊犁河流域），不知道如何治理他的汗国，人民纷纷叛变，而外部又被铁勒部落围困。

铁勒部落（贝加尔湖以南）是匈奴人的后裔，种族复杂，包括著名的仆骨部落（西伯利亚叶尼塞河上游）、同罗部落（蒙古国北部）、契苾部落（苾，音bì〔必〕。蒙古国中部）、薛延陀部落（蒙古国西南部）等，酋长都称“俟斤”，种族不同，姓氏也不同，但总称“铁勒”，大致上跟突厥的风俗习惯差不多，靠着抢劫掠夺，维持生存，没有君王，分别隶属东西两突厥。

本年（六〇五），西突厥处罗可汗（一任大可汗）阿史那达漫，率军攻击铁勒部落所属各小部落，加重捐税。又疑心薛延陀部落，恐怕它背叛，于是召集薛延陀部落各地酋长数百人，全部屠杀。铁勒境内所有部落，遂纷纷叛变，拥护俟利发酋长契苾歌楞，当莫何可汗（铁勒一任大可汗）；又拥护薛延陀酋长字也咥（音xì〔细〕）当小可汗，迎战阿史那达漫，不断击败西突厥军。莫何可汗骁勇绝伦，很能得到部众的效忠，邻国对他都很畏惧。伊吾王国（新疆哈密市）、高昌王国（新疆吐鲁番市东）、焉耆王国（新疆焉耆县）都向他归附。

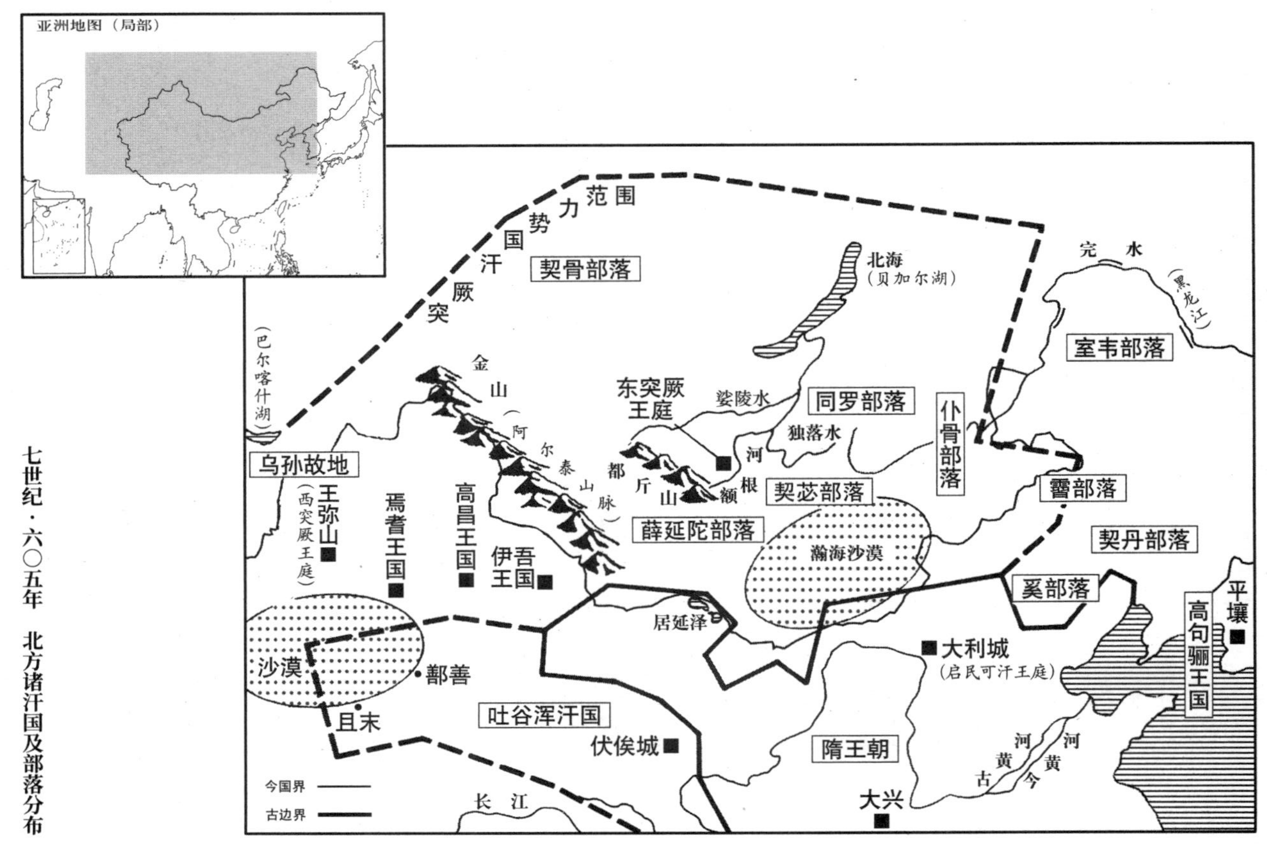

七世纪·六〇五年 北方诸汗国及部落分布

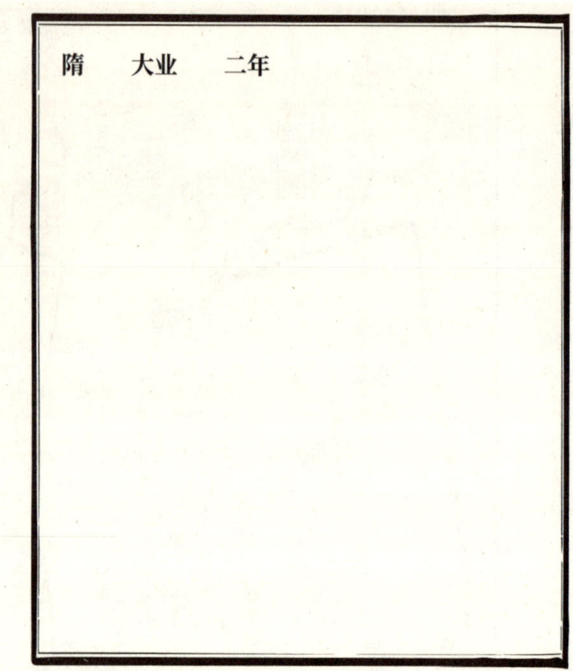

1 春季，正月六日，隋王朝（首都大兴〔陕西省西安市〕）东京（洛阳，河南省洛阳市）兴建完成。隋帝（二任炀帝）杨广（本年三十八岁）加授建筑部长（将作大匠）宇文恺：开府仪同三司（勋官六级，正四品上）。

2 正月十二日，杨广派十名钦差大臣，分别巡视州县。

3 二月一日，杨广命国务院文官部长（吏部尚书）牛弘等，讨论皇帝的车马服装，以及仪队警卫制度；命开府仪同三司（勋官六级，正四品上）何稠当宫廷库藏部副部长（太府少卿），负责制造，然后运往江都（扬州，江苏省扬州市）。何稠聪明过人，思虑精巧，博览图书典籍，参考古今，大量增删。皇帝所穿御袍及所戴御帽，都绣上太阳、月亮、星辰。休闲时，鹿皮便帽改用漆纱帽（二十世纪韩国人民仍戴此帽）。何稠又制造“黄麾”（麾，音huī〔灰〕）三万六千个（黄麾，一种旌旗模样的皇家装饰，行路时卫士高举，作为前导），以及皇帝的御车御轿，皇后出游时的仪仗队、文武百官的制服，一切都竭力追求华丽贵重，满足杨广的夸耀心意。杨广命各州县进贡羽毛，人民遂大肆捕捉飞禽，在陆地水边，设下天罗地网，无论是飞禽或是走兽，只要有羽毛可做装饰品的，几乎屠杀一空。乌程（浙江省湖州市）有一棵高树，高度超过一百尺，树干垂直，没有枝桠可以攀附。树端有鹤鸟建筑的巢穴，人们打算捉它，却攀登不上，于是用斧砍伐根部，鹤鸟恐怕树倒之后，幼鹤跌死，就把自己身上的羽毛拔掉，投到地上。当时有人认为是一种祥瑞，说：“皇帝制造仪仗，鸟兽呈献自己的羽毛。”（鹤鸟有灵，它会一面拔毛一面流泪，暴政逼人自诬、自陷、自残、自杀；而摇尾系统竟然永不辞穷！）何稠手下工匠十余万人，消耗金银钱财和绸缎布匹，多得以亿为单位计算。

杨广每次出游，仪仗警卫，都填满街道，往往长达二十余华里。

三月十六日，杨广从江都（扬州，江苏省扬州市）出发。

夏季，四月二十六日，杨广从伊阙（洛阳城南）乘坐法驾（第二级仪仗队），共马车一千辆，骑兵一万人，把杨广拥入东京（洛阳）。

四月二十七日，杨广亲登端门（洛阳南面中门），大赦，免除全国本年（六〇六）田赋捐税。下诏规定：五品以上文官才可坐车，办公时身穿军便服，佩挂璧玉。武官的马勒加白螺装饰，头裹“包头巾”，身穿“骑马装”。文物鼎盛，近代以来，从没有出现过。

4 六月二十九日，杨广擢升杨素当司徒（三公之二）；晋封豫章王杨暕（杨广次子）当齐王。

5 秋季，七月八日，杨广规定：文武百官不能因考绩优秀，就可升迁，必须同时还有恩德品行和明显的功勋，才可升迁。

杨广对官位十分吝啬，官员应该升迁的，杨广多数都教他们兼任（兼）或代理（假）。即令有缺，宁可保留，也不补实。当时牛弘是国务院文官部长（吏部尚书），无法据理力争，杨广另命最高监督长（纳言）苏威、左翊卫（十二禁军第一军。此时应称“左卫”）大将军（正三品）宇文述、左骁卫（十二禁军第七军。此时应称“左领军”）大将军（正三品）张瑾、立法院副立法长（内史诗郎，正四品下）虞世基、总监察官（御史大夫，从三品）裴蕴、监督院宫廷监督官（黄门侍郎）裴矩，同时负责处理全国人事行政和官员的升迁调补（掌参选事）；当时人称之为“考选司（选曹）七贵”。然而，外表上虽然七人同时出席会报，事实上决定权握在虞世基之手，于是大肆接收贿赂，贿赂多的可以越级擢升；没有贿赂的，只不过把他的功劳勋绩，记载在簿册上而已。裴蕴，是裴邃的堂曾孙（裴邃，参考五〇六年五月）。

6 皇太子杨昭从首都大兴（陕西省西安市）前往东京（洛阳，河南省洛阳市）朝见，停留数月，准备返回大兴，请求多留几日，杨广不准。杨昭因不停的下跪起立、起立下跪，而他的体质一向肥胖，不堪负荷，遂因过度疲劳，引起疾病。

七月二十二日，杨昭逝世(年二十八岁)。绰号元德太子。

杨广哭他的儿子，只几声就停止。马上命乐队演奏、歌女登场，跟平常日子没有差异。

7 楚公爵(景武公)、司徒(三公之二)杨素，虽然建有大功，但杨广对他却十分猜忌，外表对他特别优待，实际上内心情谊至为淡薄。天文台官员(太史)警告说："古随国地区(湖北省中部)会有大规模丧葬典礼。"杨广乃把杨素改封楚公爵，认为楚国、随国在同一地区，可以用他承当厄运(北周帝国时代，杨坚封随公爵，而现在的国号"隋"，也是从当初封爵国号"随"演变而来。所以古随国地区，象征隋王朝)。

杨素患病卧床，杨广每次派名医前去诊治，都赏赐最贵重的药品，然而每次都向名医秘密盘问，唯恐怕杨素不死。杨素也知道自己的名望地位，已到巅峰，所以不肯服药，也不谨慎调养，对他的老弟、最高立法长(内史令)杨约说："我难道还想活！"

七月二十三日，杨素逝世。杨广追赠杨素太尉(三公之一)、虢州(河南省灵宝市)等十州州长，葬礼隆重盛大。

8 八月九日，杨广封皇孙杨倓当燕王、杨侗当越王、杨侑当代王，都是杨昭的儿子。

九月十四日，封秦王(孝王)杨俊的儿子杨浩当秦王。

9 杨广因老爹杨坚在位末年，法令严苛。

冬季，十月，下诏命修改法令。

10 隋政府在巩县(河南省巩义市)东南平原上，设立洛口仓(巩县城东），兴筑保护城，周围二十余华里，在邙山（洛阳城北）挖掘三千个地窖，每窖容量八千石。设监仓官一人，及镇守军队一千人。

十二月，再在洛阳北七华里设置回洛仓，保护城周围十华里，挖掘三百地窖（回洛之名，始于高欢，参考五三四年八月）。

11 最初，北齐帝国五任帝高纬（北周帝国封他温公爵）时（六世纪六〇、七〇年代），有马戏、旱船等游戏，称为热门乐队（散乐）。北周帝国四任帝宇文赟时，郑译奏报，把他们征召到首都长安（之前已遣散过一次，参考五八一年四月），杨坚篡夺政权后，命牛弘制定雅乐（参考五九三年），凡民间音乐舞蹈、演艺特技人员，全部遣散。

杨广因东突厥汗国（瀚海沙漠群）启民可汗（十任大可汗）阿史那染干，即将来隋王朝朝见，打算夸耀他的帝国是如何富庶欢乐。祭祀部副部长（太常少卿）裴蕴，迎合杨广心意，奏请："调查搜索天下北周帝国、北齐帝国、南梁帝国、陈帝国特技演艺人员子弟，都列为演艺户籍，其中六品官员以下直到平民，有精于音乐舞蹈或其他特技的，都隶属祭祀部（太常）。"杨广批准。于是各地民间技艺，大量集中东京（洛阳），在西苑（芳华苑）积翠池旁边，公开表演。第一个出场的是八哥鸟，来回跳跃，把街道泼弄得一片大水，鼋（音yuán〔元〕，大鳖）、鼍（音tuó〔驼〕，玳瑁）、龟、鳖，以及水上表演人，以及各种鱼类，奔跑翻腾，满地奔走。一个节目是鲸鱼喷水成雾，遮蔽天际，忽然间雾中出现黄龙，长七八丈。又有一个节目是两人头顶一根竹竿，舞女在竹竿上跳舞，跨跃而起，闪电般两个人已交换位置。又有古神话中的“神鳌负山”（《列子·汤问》：渤海之东，有大海沟，海沟中有五座山，这五座山都没有根基，只好随波逐流〔类似冰山〕，上天恐怕它漂流到西极，遂命十五只巨鳌，分别顶住，从此山才不动。）和法术师的“口中吐火”，惊险奇异，千变万化。演艺人员都穿绫罗绸缎，歌女舞女都戴着碰撞时发出鸣声的金环玉佩，满身装饰羽毛、鲜花。政府下令首都大兴（京兆）及东京洛阳（河南）二特别市政府，负担供应演艺人员的衣服；以致两京绸缎，全部耗空。

杨广创作很多艳丽的诗赋，命音乐员（乐正，从九品下。属音乐管理署〔太乐署〕）白明达，加谱新曲，交付歌唱，音调哀怨。杨广大为高兴，对白明达说：“北齐帝国不过一个偏僻的小局面，音乐师曹妙达尚且加封王爵。何况现在天下统一，我正要提拔你，使你富贵，你要好好工作。”

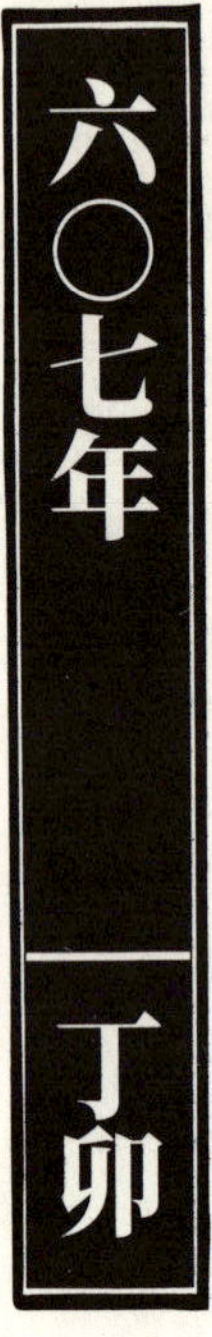

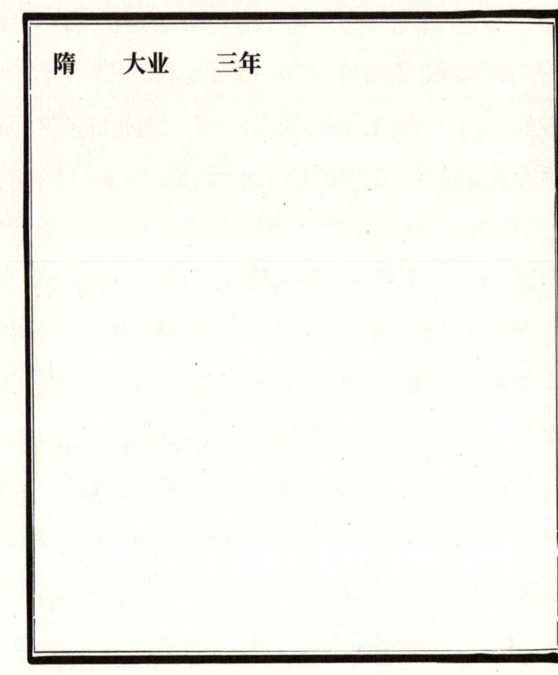

1 春季，正月一日，隋王朝政府（首都大兴〔陕西省西安市〕）扩大展示中国贵重文物。

当时，东突厥汗国（瀚海沙漠群）启民可汗（十任大可汗）阿史那染干，到东京洛阳（河南省洛阳市东白马寺东）朝见，看见隋王朝的贵重文物，十分羡慕，请求改穿隋王朝式衣服及冠帽，隋帝（二任炀帝）杨广（本年三十九岁）拒绝。明天，阿史那染干率领他的部属，上疏坚决请求；杨广大为高兴，对国务院文官部长（吏部尚书）牛弘等说："现在，正统衣冠已经完备。以至连单于(匈奴汗国首领)都解开辫子(北方游牧民族传统结辫,中原人则传统束发,是中原人与北方蛮夷最大的不同之一),是你们的功劳。”分别赏赐很多绸缎。

2 三月二日,杨广返首都大兴(陕西省西安市)。

3 三月四日,杨广命羽骑尉(散官,从九品下)朱宽,向东方出海探访奇风异俗,抵达流求国(台湾岛),然后返回。

4 最初,云定兴(故太子杨勇正妻云昭训的老爹)、阎毗(前车骑将军),因谄媚故太子杨勇,连同妻子都被判刑,男当官奴,女当婢女(参考六〇〇年十月)。杨广登极,大量兴建土木工程,听说云定兴心思灵巧,遂特别召见,命他负责主持这项工作,而授阎毗朝请郎(散官,正七品上)。当时,宇文述正在当权,云定兴送给宇文述夜明珠、细罗帐,以及新奇的衣服装饰和歌声悦耳的舞女,向宇文述摇尾,宇文述大为欢喜,把他当作老哥看待。

杨广将向四方蛮夷挑战,大量制造兵器,宇文述推荐云定兴负责监制,杨广同意。稍后,宇文述告诉云定兴说:“你所制造的武器,皇上都称心合意,可是始终不能得到一个正式官职,只为了长宁王(杨俨)兄弟迄今仍没有死!”云定兴说:“那几个没用的东西,你为什么不劝皇上把他们除掉?”宇文述遂奏报杨广,说:“房陵王(杨勇)的几个儿子,都慢慢长大。现在陛下要出兵征伐四邻,如果教他们随驾行动,看管比较困难,如果集中管理,恐怕又发生问题。反正他们也没有用处,请早日决定处分。”杨广同意,于是毒死长宁王杨俨(年龄不详),把他的七个弟弟流窜到岭表(南岭以南);

但仍派出杀手尾追，在中途把七人全部诛杀。

襄城王杨恪的王妃柳女士，随夫自尽。

长宁王杨俨兄弟的父母杨勇及云昭训，不幸被仇家害死，兄弟八人，像暴风雨中的孤雏，朝不保夕，唯一可倚靠的就是外祖父云定兴。在他们有限的记忆里，只不过八年之前，外祖父还把他们当作凤凰，灾变突降，老人家是唯一的庇荫。

然而，官场文化中，为了夺权争位，可以随时丧尽天良。云定兴之出卖血亲骨肉，比起杨广之弑父，不过小事一桩。

5 夏季，四月二日，杨广下诏说：为了安抚河北（黄河以北）人民，将巡视赵魏地区（河北省中部南部及河南省北部）。

6 国务院文官部长（吏部尚书）牛弘等，修订法律完成，共十八篇，称《大业律》。

四月六日，颁布实行。人民对过去法律的严厉苛刻，早已厌恶，喜爱政府宽大。然而到了后来，征伐不断，战役繁多，人民不堪负担，有关单位只好用强硬手段以求达到目的，把国家法令根本抛到脑后。旅骑尉（散官，从八品下）刘炫，参与修订工作，牛弘曾经在闲谈时询问刘炫说："《周礼》制度，官员多而雇员少，而今，雇员比从前多出百倍，如果减少，事情便不能完成，什么原因？"刘炫说："古人任用官吏，要求他做出成绩，而在年终考核他们的优劣；对每个案件，不再作二度审理，公文简单；雇员的责任，不过只管大纲要点而已。现在不然，所有档案文书，常担心受到复查，如果办理不够严密，一旦从万里之外追查百年以上的旧案，便无法善后。所以谚语说：‘老雇员抱着档案文书而死。’事情太多，政治败坏，缘故在此。”牛弘说：“北魏帝国及北齐帝国的时候，雇员工作清闲，现在却忙得屁股坐不住，什么原因？”刘炫说：“以前，中央只任命州长等高级官员（如秘书长〔长史〕、军政官〔司马〕等），郡只任命郡长，县只任命县长；其他幕僚，则由首长自己聘请。携带人事命令前往到任的，每州不过数十人。现在却大不一样，大小官员，全由国务院文官部（吏部）任命，一举一动，再小的事，都要呈报文官部考核司（考功曹）。所以，与其减少官，不如减少事，官不能减，事不能减，而希望安闲，怎么能够！”

牛弘认为刘炫的话正确，但不能采用。

7 四月十四日，杨广下诏改州为郡，改革度量衡，完全恢复古代制度。

取消上柱国（勋官一级，从一品）以下散官等级，改称“大夫”（光禄大夫〔从一品〕、左光禄大夫〔正二品〕、右光禄大夫〔从二品〕、金紫光禄大夫〔正三品〕、银青光禄大夫〔从三品〕、正议大夫〔正四品〕、通议大夫〔从四品〕、朝请大夫〔正五品〕、朝散大夫〔从五品〕，以上称“九大夫”）。

设立宫廷总管署（殿内省）与国务院（尚书省）、监督院（门下省）、立法院（内史省）、皇家图书院（秘书省），共为五院署。增加巡察署（谒者台）、京畿安全署（司隶台）与总监察署（御史台），合称三署。

又从宫廷库藏部（太府寺）分出若干业务，设立宫廷供应署（少府监）、宦官署（长秋监），以及国立贵族大学（国子监）、建筑部（将作监）、水利部（都水监），共称五监。

又改组十二禁军府，增加左、右翊卫等，共十六禁军府（第一军左翊卫、第二军右翊卫、第三军左武卫、第四军右武卫、第五军左候卫、第六军右候卫、第七军左骑卫〔左骁卫〕、第八军左备身、第九军右骑卫〔右骁卫〕、第十军右备身、第十一军左监门、第十二军右监门、第十三军左屯卫、第十四军右屯卫、第十五军左御卫、第十六军右御卫）。

废除伯爵、子爵、男爵，唯留王爵、公爵、侯爵。

8 四月十八日（原文“丙寅”，据《隋书》改），杨广出发向北巡视。

四月二十一日，杨广逗留赤岸泽（陕西省大荔县西南）。

五月九日，东突厥汗国（瀚海沙漠群）启民可汗（十任大可汗）阿史那染干，派他的儿子阿史那拓公爵，前来隋帝国朝见。

五月十日，杨广下诏征调河北（黄河以北）十余郡成年男子，开凿太行山，从东向西，直到晋阳（山西省太原市），准备筑成御用大道（驰道）。

五月十八日，阿史那染干派他的侄儿、阿史那毗黎伽公爵，朝见杨广。

五月二十三日，阿史那染干派使节请求准许他亲自入塞迎接圣驾；杨广不准。

9 最初，一任帝（文帝）杨坚篡夺帝位，只建四个祖先祭庙（太庙），在同一殿堂之内，而分别放在不同的房间（杨坚除追尊老爹杨忠庙号太祖、绰号武元皇帝外，祖父杨祯、曾祖父杨烈、高祖父杨惠嘏，都没有皇帝名号。四代祖庙：高祖父杨惠嘏庙、曾祖父杨烈庙、祖父杨祯庙、老爹杨忠庙）。杨广登极后，命有关单位讨论传统的皇家七庙制度。内政部副部长（礼部侍郎）摄理祭祀部副部长（摄太常少卿）许善心等（此时国务院〔尚书省〕六部各设副部长〔侍郎〕，作为部长〔尚书〕助理；各司〔曹〕司长，则改称“郎”），奏请为祖父杨忠、老爹杨坚，各立一殿，比照周王朝姬昌（文王）、姬发（一任王武王），是两座永远不废的祖庙，连同杨家皇族祖先的庙，共三个祭殿。其他祖先，则分别在其他房间祭祀，采用儒家“亲尽则毁”法则，永保七殿的数目。

到现在，有关单位请求批准这项建议，在东京（洛阳）建立皇家祖庙。杨广对皇家图书院长（秘书监）柳䛒说：“始祖庙和两座永远不废的父祖庙，都已齐备，后世子孙把我放到哪里？”（杨广对于终有一天他的牌位被逐出祖庙与草木同朽，不能忍受。）

六月十日，杨广下诏命给老爹另行建立一庙，每月致祭。后来杨广忙于四处游荡寻乐，已没有余暇建立七庙。

10 杨广经过雁门郡（山西省代县），雁门郡郡长丘和（出卖元胄的那位，参考六〇四年十一月），呈献的饮食十分精美。稍后杨广抵达马邑郡（山西省朔州市），马邑郡郡长杨廓拒绝呈献，杨广大不高兴。擢升丘和当博陵郡（河北省定州市）郡长（自边郡迁内郡），而以丘和作为榜样，命杨廓前往博陵郡，向丘和学习。从此，杨广所到之处，地方政府呈献的饮食，互相竞赛丰富奢侈。

六月十一日，杨广停留榆林郡（内蒙古托克托县）。杨广打算出塞炫耀军威，穿过东突厥汗国，前往涿郡（北京市），恐怕启民可汗（十任大可汗）阿史那染干惊慌，反应过度，于是先派武卫（十六禁军第三军）将军（从三品）长孙晟，前往解释；阿史那染干同意，召集他的属国奚部落（滦河上游乌桓人）、霫部落（霫，音xí〔习〕。西辽河以北匈奴人）、室韦部落（内蒙古东北部）等酋长数十人，在王庭集合。长孙晟发现中央御帐（牙帐）前面生有乱草，打算命阿史那染干亲自消除，用以向各部落酋长显示隋帝国皇帝的威严。于是指着其中一根，说：“这根草定有奇香！”阿史那染干拔起来嗅了一下，提出异议说：“一点也不香。”长孙晟说：“天子巡视所到之处，封国国君都要亲自洒水扫地，清除道路，用以表示敬意。而今御帐前面竟然乱生杂草，我以为定有特别奇香的缘故，你才把它留下。”阿史那染干醒悟说：“这是我的罪过！我身上的骨肉，都是隋帝国皇帝的赏赐，能有机会贡献体力，怎么敢推辞！只不过久住边疆，不知道规矩，幸而蒙你教导。这是你的恩德，我的幸运。”遂拔出佩刀，亲自割草，汗国贵族们和各酋长，争着动手。

于是，从榆林郡（内蒙古托克托县）北方开始，西到东突厥汗国中央御帐（大利城，内蒙古和林格尔县），东到蓟县（涿郡郡政府所在城，北京市），长三千华里，宽一百步，开凿御道，全国劳力和财力，都投入这项艰苦工程（大利城与蓟县二地航空距离四百公里）。杨广听说这是长孙晟所作的策划，对长孙晟十分嘉许。

六月二十日，阿史那染干和义成公主，到行宫亲自拜见。

六月二十一日，吐谷浑汗国（青海省）、高昌王国（新疆吐鲁番市东）都派使节到隋帝国进贡。

六月二十七日，杨广登上榆林郡（内蒙古托克托县）北方城楼，眺望渔民捕鱼情形，大宴文武百官。定襄郡（大利城，内蒙古和林格尔县）郡长周法尚，前往行宫朝见。库藏部长（太府卿）元寿说：“刘彻（西汉王朝七任帝）出关，旌旗长达一千华里（参考前一一〇年十月）。我建议除了御营卫士外，其他随驾的武装部队，分为二十四军，每天派出一军，每军相距三十华里，旌旗互相望见，锣鼓声音互相听到，前军的殿后和后军的先锋，遥遥衔接，一千华里不断，应是军事上的盛大景观。”周法尚说：“不然，军队出动，连绵一千华里，而又不时的被山川阻拦隔绝，万一发生紧急情况，立刻四分五裂；心脏有事，头脚不知；即令得到消息，距离遥远，也难以救援。虽然过去曾经使用过，却是容易失败。”杨广不高兴，问说：“你有什么意见？”周法尚说：“军队不应分散，而应结成‘方阵’，四面都可作战，皇家眷属及文武百官眷属，都在方阵之中。万一发生变化，则面对的一方，立即抵抗，然后派军出阵攻击。集合车辆，就是墙堡，阵线弯曲，就可互相掩护，这跟据守城池，有什么分别！如果战胜，抽出骑兵反攻，如果不能战胜，就严密自守，我认为这是万无一失的安全策略。”杨广欣赏说：“好极！”遂任命周法尚当左武卫（十六禁军第三军）将军（从三品）。

东突厥启民可汗阿史那染干再一次上疏，认为：“先帝可汗（杨坚）怜悯我，赏赐我安义公主，供应种种物资，使我们不忧匮乏。我的兄弟（八任大可汗阿史那雍虞闾）大为嫉妒，集合起来，想把我诛杀，在那个时候，我走投无路，唯有仰视苍天，下看大地，交出我的生命，依靠先帝（杨坚）。先帝怜悯我将被害死的苦情，收留抚养，命我当突厥的大可汗（帝王），发还突厥被俘的人民（参考五九九年十月），陛下君临天下，仍跟先帝（杨坚）一样，养我育我，照顾我突厥部众，供应粮秣，从不缺少。我所受的恩德，言语无法表达。现在，我已不是突厥的可汗，而是陛下的臣民，我愿率领部落，全体改变服装，如同隋帝国。”杨广认为不可以。

秋季，七月四日，杨广下诏给阿史那染干，强调：“瀚海沙漠北方还没有平定，仍须要征战，只要心里恭顺，何必改变服装？”

杨广打算向东突厥炫耀他的权力和财富，命宇文恺制造一顶巨大的篷帐，可容纳数千人。

七月七日，在榆林郡（内蒙古托克托县）城东张开，杨广御驾亲临，仪队警卫森严，宴请阿史那染干和他的部众，表演各种歌舞及特技，外国宾客们大为惊骇欢乐，争着奉献牛、羊、马、骆驼等数千万头。杨广赏赐给阿史那染干绸缎二千万匹（可怕的天文数字），他的部下也分等级赏赐。同时准许阿史那染干乘坐御车御马，使用乐队旌旗，奏报皇帝时不自称姓名，朝会时位置在亲王之上。

杨广下诏征调民夫一百余万，修筑长城，西自榆林（内蒙古托克托县），东到紫河（内蒙古和林格尔县南），国务院左执行长（尚书左仆射）苏威劝阻，杨广不接受，工程二十天完成。杨广征集天下歌舞演艺人员时，祭祀部长（太常卿）高颎（音jiǒng〔窘〕）劝阻，杨广不理。高颎退出后，对祭祀部主任秘书（太常丞，从六品）李懿说："宇文赟（北周帝国四任帝）因喜爱歌舞特技而亡国，前车翻覆，就在不远，怎么可以重演！"高颎又因杨广待阿史那染干太厚，对库藏部长（太府卿）何稠说："这个蛮虏对我国实力，以及地理形势已相当了解，恐怕成为隋帝国后患。"又对观王杨雄说："最近以来，政府纪律废弛！"国务院内政部长（礼部尚书）宇文弼，私下对高颎说："宇文赟的奢侈，跟今天的情形相比，今天岂不更为严重！"又说："修筑长城，不是今天的紧要任务。"光禄大夫（九大夫之一，从一品）贺若弼，也在私人谈话中，认为招待阿史那染干的宴会，过分奢侈。以上各节，都被人检举；杨广认为他们诽谤政府，打击领导中心。

七月二十九日，高颎（年龄不详）、宇文弼（年六十二岁）、贺若弼（年六十四岁），全体斩首。高颎所有的儿子都放逐边疆，贺若弼的妻子儿女没收充当官府的奴仆婢女，案件牵连到苏威，苏威也被免职。高颎文武全才，洞察世情，自从受到一任帝杨坚的信任，就竭尽忠心，诚恳贡献，推荐人才，把拯救天下的大事，当作自己的责任。苏威、杨素、贺若弼、韩擒虎，都是高颎一手引进政府，其他立功的官员更不计其数；高颎当权将近二十年，官民一致赞扬敬服，没有人有异议，隋帝国能日趋富庶，是高颎的力量。等到被杀，天下人都为他伤痛。

最初，萧琮因是萧皇后老哥的缘故（参考五八二年十二月），杨广对他十分亲近尊重，任命他当最高立法长（内史令），改封梁公爵，他的堂兄弟（缌麻）以内的亲戚，都依照才干，担任官职。萧家兄弟布满政府。但萧琮性情淡泊，不把官职这件事挂在心上，虽然身在异乡为客，但对北方（隋王朝政府）贵族豪门，并不低头；跟贺若弼友情深厚，贺若弼既被诛杀，而当时童谣又说：“萧萧将再兴起！”杨广对他从此猜忌，萧琮遂被免职，不久在家逝世。

11 八月六日，杨广从榆林郡（内蒙古托克托县）出发，经过云中（云中故郡，内蒙古托克托县东北），溯金河（大黑河，于托克托县注入黄河）而上。当时，天下升平，物资丰富；保护杨广及皇家安全的武装战士就有五十万余人，战马就有十万匹，旌旗遍野，辎重一千华里不断。杨广命宇文恺等制造可以观赏风景，又可以移动的宫殿；上面容纳侍卫人员数百人，宫殿既能拆开，又能组合，下边用轴轮承载，由人力推动，运转灵活，转眼之间就能使它前进后退，或改变方向。杨广又命宇文恺制造可以移动的城堡，周围长两千步，用木板当作城墙，布包木板，上画彩图，城楼和瞭望台，全都具备。蛮夷大为惊骇，认为神仙降临，每望见杨广所在的御营，即令在十华里之外，也都屈膝下跪叩头，没有人敢不下马（直到二十世纪中叶，中国乡村中，下马下轿，仍是一种非常的尊敬礼节，一个做外孙的，经过外祖父家所在的村庄，如果不下马下轿，将被人批评）。启民可汗（十任大可汗）阿史那染干早准备好锦帐，等候圣驾。

八月九日，杨广亲到锦帐做客，阿史那染干举杯敬酒，无论下跪或起立，都十分恭顺，亲王、侯爵以下官员，都卷起袖子，露出手臂，在帐前割取烤肉，没有人敢仰头看杨广一眼，杨广大为喜悦，写诗一首："呼韩邪单于叩头而至／屠耆单于紧接着归降而来／汉王朝的皇帝又算什么／顶多登一登单于台。"萧皇后也亲到义成公主的锦帐。杨广赏赐阿史那染干及义成公主每人一个金瓮，以及衣服被褥、彩色绸缎，汗国公爵（特勒）以下官员，也依照等级，分别赏赐。杨广回驾，阿史那染干跟随入塞。

八月十三日，杨广命阿史那染干返国。

八月十七日，杨广到楼烦关（山西省宁武县北）。

八月二十六日，杨广抵达太原郡（山西省太原市），下诏兴建晋阳宫（北齐帝国原建晋阳宫，北周帝国消灭北齐后，把晋阳宫拆除，参考五七七年五月）。杨广对总监察官（御史大夫）张衡说："我打算拜访你家，你可当我的主人。"张衡先行飞马奔到河内郡（河南省沁阳市），准备酒席。杨广越过太行山，开凿直线山道九十华里。

九月十三日，杨广抵达济源（河南省济源市），驾临张衡住宅。杨广喜爱那里的山水风景，特别留下来欢宴三天，赏赐十分丰厚。张衡再呈献精美食物，杨广命转发给文武百官，以及担任警戒的卫士，没有一个人不沾恩惠。

九月二十三日，杨广抵达东都（洛阳，河南省洛阳市）。

12 九月二十六日，杨广任命齐王杨暕当东都洛阳市长（河南尹）。

九月二十七日，任命国务院财政部长（民部尚书）杨文思当最高监督长（纳言）。

13 冬季，十月，杨广训令黄河以南各郡，每郡保送一户演

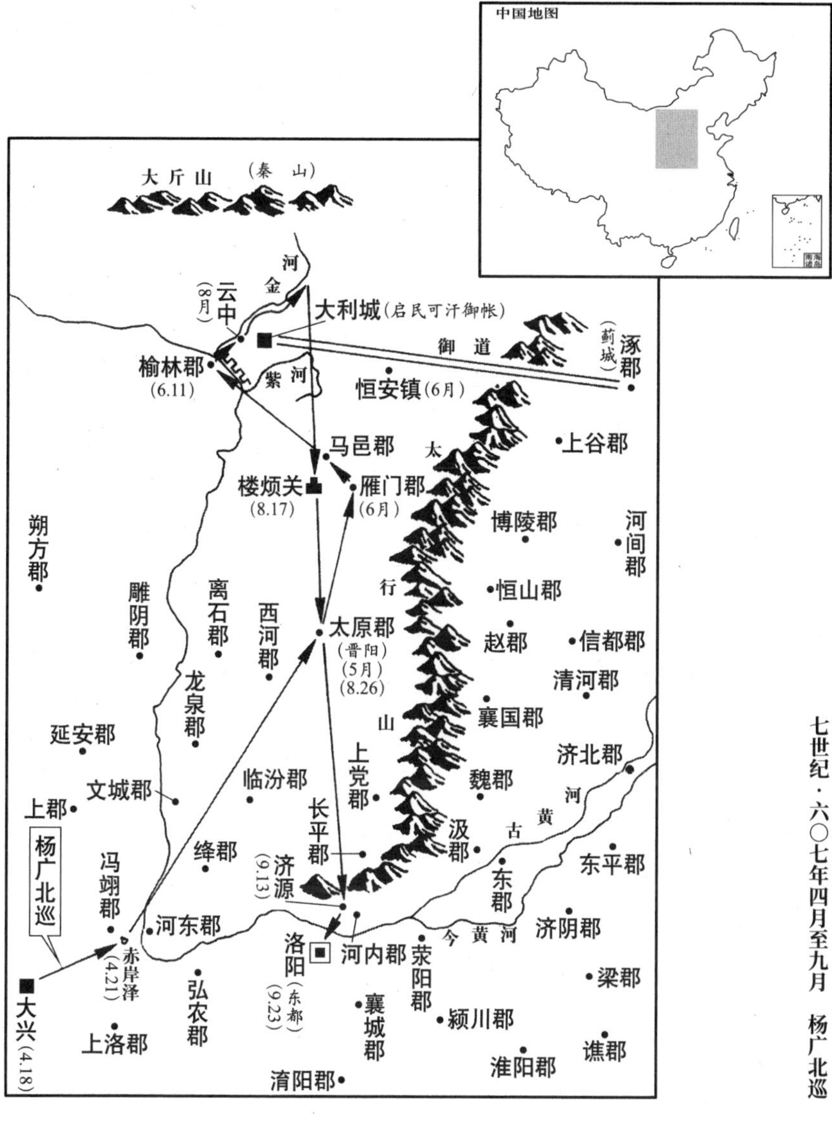

七世纪·六〇七年四月至九月　杨广北巡

艺人家，连同洛阳（河南省洛阳市）原有的演艺人家，共三千余户，在洛水以南，设立十二坊安置。

14 西域（新疆及中亚东部）各国商人，很多到张掖郡（甘肃省张掖市）贸易，杨广派国务院文官部副部长（吏部侍郎）裴矩，前往负责管理。裴矩知道杨广好大喜功，企图在远方立威，于是外国商人来的时候，裴矩就向他们探问该国的山川形势和风土人情，以及君王和平民穿的什么衣服和佩的什么装饰，撰写《西域图记》三卷，包括四十四国，奏报中央。另外绘制地图，所有险要地方，都加以注明，自西倾山（甘肃省玛曲县）以西，东西纵横，将达二万华里，从敦煌郡（甘肃省敦煌市）出发，前往西海（地中海），有三条路，北道由伊吾王国（新疆哈密市），中道由高昌王国（新疆吐鲁番市东），南道由鄯善王国（新疆若羌县），而敦煌是进出总枢纽（《隋书·裴矩传》：当时中国前往西域，主要有三条路。北道自伊吾，经蒲类海〔新疆巴里坤县西北巴里坤湖〕铁勒汗国〔新疆天山山脉一带〕，至西突厥汗国王庭〔三弥山，新疆拜城县东北〕，渡过北流河水〔今地不详〕，至拂菻王国〔罗马帝国〕，到达西海〔地中海。自西突厥王庭之后，路线不详〕。中道从高昌王国〔新疆吐鲁番市东〕，经焉耆王国〔新疆焉耆县〕、龟兹王国〔新疆库车市〕、疏勒王国〔新疆喀什市〕，越过葱岭〔帕米尔高原〕，再经钹汗王国〔中亚纳曼干市西北卡散赛城〕、苏对沙那王国〔中亚列宁纳巴德市西南乌拉秋别城〕、康国〔中亚撒马尔罕市〕、曹国〔中亚撒马尔罕市西北伊什特汗城〕、何国〔伊什特汗城西〕、安国〔中亚布哈拉市〕、小安国〔布哈拉市东北〕、穆国〔中亚查尔朱城〕、波斯王国〔伊朗〕，到达西海〔地中海〕。南道从鄯善王国〔新疆若羌县〕，经于阗王国〔新疆和田市〕、朱俱波王国〔新疆叶城县〕、渴槃陀王国〔新疆塔什库尔干县〕，越过葱岭，又经过护密王国〔中亚塔吉克霍罗格城南〕、吐火罗王国〔阿富汗北部汗阿巴德城〕、挹怛王国〔阿富汗北部马扎里沙里夫城〕、帆延王国〔阿富汗巴米安城〕、漕王国〔阿富汗吉兹尼市〕，至北婆罗门王国〔巴基斯坦境〕，到达西海〔地中海。此应是海路，路线不详〕）。裴矩在奏章上强调：“以隋帝国的恩德和威武，将领士卒的骁勇，从濛汜水（今地不详）顺流而下，越过昆仑山，容易得犹如翻一下手掌。但因西突厥汗国（新疆北部及中亚东部）及吐谷浑汗国（青海省），分别控制羌人部落及匈奴人部落，西方交通遂被拦腰切断，所以他们无法向隋帝国朝贡。而今都趁该国商人东来做生意之便，暗中呈献诚心，伸颈仰头，殷切盼望，愿意当陛下的臣民。如果接受他们的归服，加以安抚，促使他们安定和睦。政府只要派出皇家使节，用不着动用武力，各国都会服从，吐谷浑和西突厥可以消灭，使天下所有民族，统一在一个强大帝国之内，岂不是时机已经成熟！”杨广乐不可支，赏赐裴矩绸缎五百匹，每天让裴矩登上御榻，坐在身旁，亲自询问西域（新疆及中亚东部）情形。裴矩强调：“各国多的是奇珍异宝，吐谷浑（青海省）容易征服。”杨广于是怦然心动，兴起媲美嬴政（秦王朝一任帝）、刘彻（西汉王朝七任帝）功业大志，企图把西域重新纳入版图；把如何经略四方蛮夷的任务，全部交给裴矩。任命裴矩当宫廷监督官（黄门侍郎），再派他前往张掖郡（甘肃省张掖市），用重利引诱西域各国人士前来隋帝国，于是前后相继，所经过的郡县，都要地方政府招待供应，大家对这项送往迎来，十分疲惫，花费以万万计算，终于使隋帝国人力缺乏，财力枯竭，进而促使隋王朝灭亡，都是裴矩一手造成。

15 铁勒汗国（新疆东北部及蒙古国北部）攻击隋帝国边境，隋帝杨广派将军冯孝慈，从敦煌（甘肃省敦煌市）出发迎击，不能取胜。铁勒不久就派使节来道歉归降；杨广命裴矩安抚。

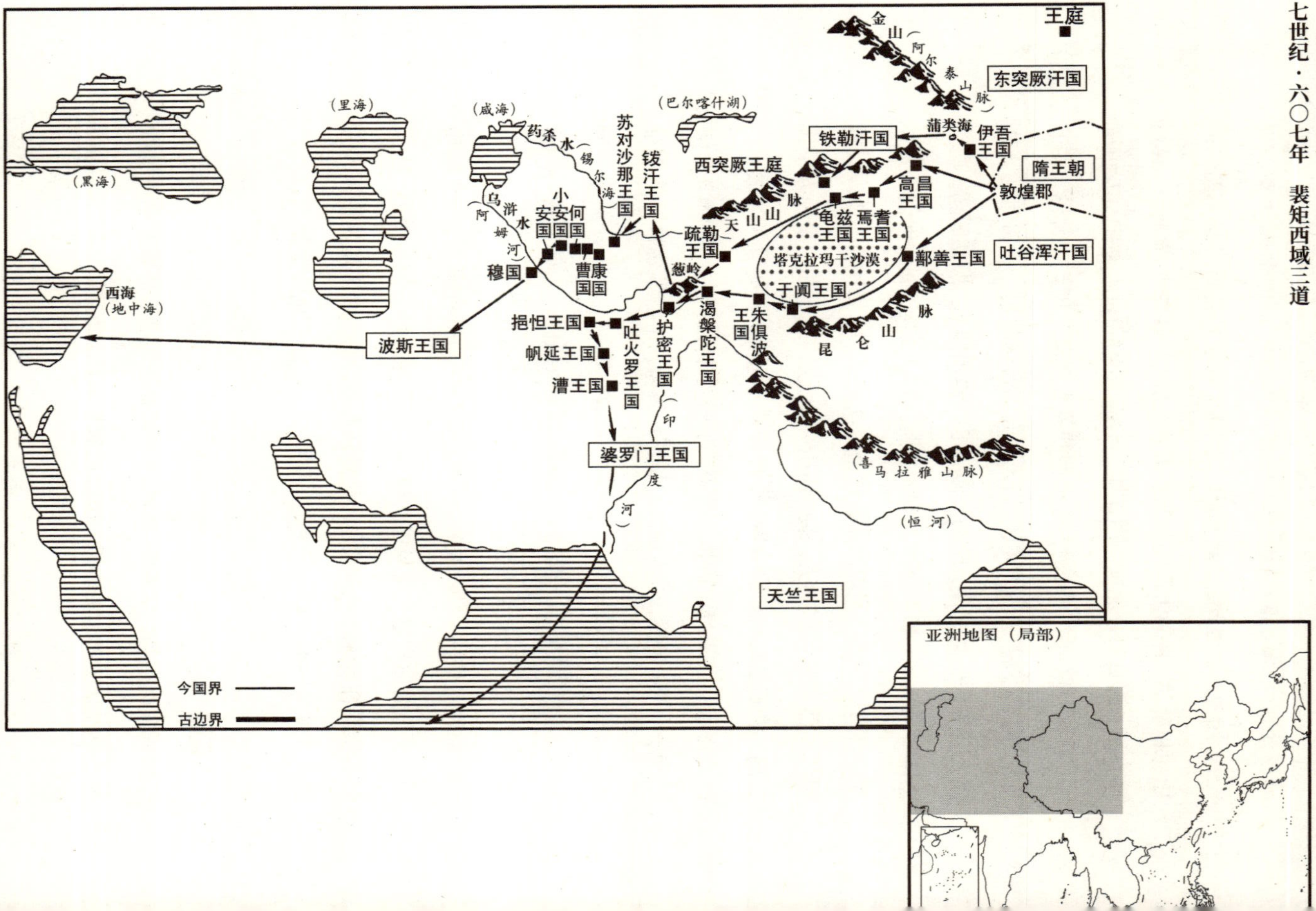
王庭
金山
(阿尔泰山脉)
东突厥汗国
蒲类海
伊吾王国
隋王朝
敦煌郡
铁勒汗国
高昌王国
西突厥王庭
焉耆王国
龟兹王国
天山山脉
吐谷浑汗国
鄯善王国
塔克拉玛干沙漠
于阗王国
昆仑山脉
疏勒王国
葱岭
朱俱波王国
渴槃陀王国
护密王国
(巴尔喀什湖)
钹汗王国
苏对沙那王国
(咸海)
药杀水
(锡尔河)
乌浒水
(阿姆河)
小安国
安国
何国
曹国
康国
穆国
(里海)
(黑海)
西海
(地中海)
波斯王国
挹怛王国
吐火罗王国
帆延王国
漕王国
婆罗门王国
印度河
(喜马拉雅山脉)
(恒河)
天竺王国
今国界
古边界
亚洲地图(局部)

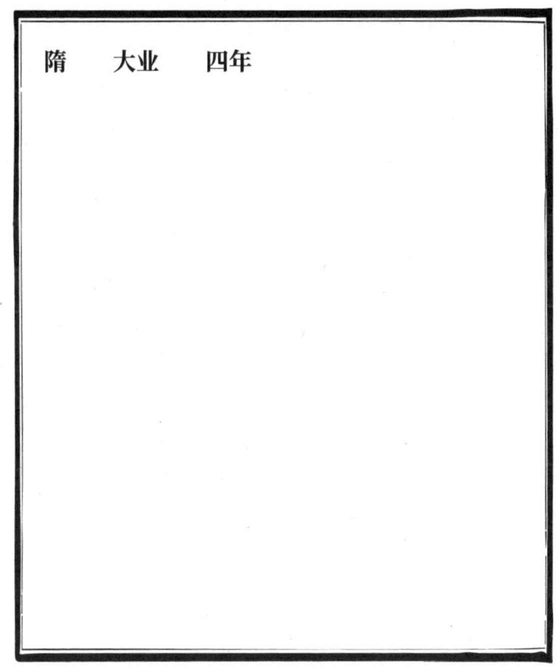

1 春季，正月一日，隋王朝（首都大兴〔陕西省西安市〕）皇帝（二任炀帝）杨广（本年四十岁），下诏征调河北（黄河以北）所有武装部队战士，共一百余万人，挖掘永济运河（永济渠）工程，引导沁水向南注入黄河，向北流到涿郡（北京市）。男子缺乏，开始征召妇女服役。

2 正月二十八日，擢升库藏部长（太府卿）元寿当最高立法长（内史令）。

3 监督院（门下省）宫廷监督官（黄门侍郎）裴矩，听说西突厥汗国（新疆北部及中亚东部）处罗可汗（一任大可汗）阿史那达漫，思念他的娘亲，遂建议中央政府派使节安抚接纳。

二月六日，杨广派副总巡察官（司朝谒者，从五品）崔君肃，携带诏书，前往沟通感情。阿史那达漫接见崔君肃，态度倨傲，看到诏书，也不肯起身叩拜。崔君肃说："突厥本是一个大国，中间分裂，成为东西敌对的两国，每年都有战争，经过数十年残杀，仍然不能击败对方，说明双方势均力敌。可是东突厥（瀚海沙漠群）启民可汗（十任大可汗）阿史那染干，率领他的部落一百万人之多，谦卑委屈，做隋帝国皇帝的臣属，是为了什么？只不过为了对可汗有咬牙切齿之恨，不能单独制服你，打算请求大国协助，共同出兵把你征服而已！文武百官一致认为应该答应阿史那染干的请求，事实上，皇帝也已经批准，大军定期出发。而你的娘亲向夫人，恐惧你被消灭，日夜不断的守在宫城门下，双膝跪地，痛哭流涕，哀求宽恕，请求皇上派使节召唤可汗，命你朝见归降（向夫人留居隋帝国事，参考六〇五年八月）。皇帝怜悯她爱护儿子之情，所以命我到此。想不到你的态度竟傲慢到如此程度！向夫人显然在欺骗天子，尸体势将横躺法场，人头也将送到王庭示众。而隋帝国远征军势必出发，加上东突厥的部队，左右夹攻，可汗灭亡就在眼前。我真想不通，你为什么不肯叩一个头，而宁愿断送娘亲一命；又为什么不肯说一句称臣的话，而宁愿使汗国成为废墟！"阿史那达漫跳起来，流泪叩头，跪下接受诏书，派使节随从崔君肃前往隋帝国进贡汗血宝马。

4 三月十九日，日本倭奴国王多利思比孤，派使节到隋帝国进贡，携带国书，国书说："日出处天子，写信给日落处天子，身体平安！"杨广看到，大不愉快，对藩属事务部长（鸿胪卿）说："以后没有礼貌的蛮邦书信，不必转呈。"

5 三月二十二日，杨广前往五原郡（内蒙古五原县），乘势出塞，巡视长城。

杨广出巡所住行宫，都用六合板筑城（六合板，形状好像一个骰子，每面一平方尺，但只两面有板，筑城时如同积木，板面朝外，可以迅速垒成，板上涂青色。六板〔即六个立方体的骰子〕作为城基，城墙高达三丈六尺。四角还有眺望用的敌楼。里面用同样原理，为杨广建六合殿、千人帐）。六合城外，环绕"枪车"，每当行宫完成，枪车就把车辕对外，一字排列，车阵之内，散布铁蒺藜、铁菱角；再内则是强弓阵地，用尖锐钢锥插地，锥尖朝外，作为拒马；强弓设有连发装置，用绳连接机关，敌人偷袭时，只要碰到绳子，机关旋转，立即向敌人所在方向发箭。更在外围，用箭插地，用绳相连，上面挂着铜铃磬槌之类，敌人一旦碰触，即行发出声音告警。

6 杨广征求能够出使天涯海角、绝远地区的人才，国务院工程部屯垦司文书官（屯田主事）常骏等，请求前往赤土王国（马来半岛宋卡府）。杨广大为高兴。

三月二十三日，命常骏携带绸缎五千匹，用以赏赐赤土国王。赤土王国，是南海外遥远国度。

7 杨广没有一天不兴建宫殿，西京（大兴）、东京（洛阳，河南省洛阳市）、江都（江苏省扬州市），林苑庄园、亭台楼阁，虽然很多，日子一久，也都厌倦。杨广每次游逛，左看右看，竟没有一个地方使他满意，于是精神恍惚，不知道如何才好。遂搜集天下山川地图，亲自阅览，寻求风景美丽地方，兴筑离宫林苑。

夏季，四月，下诏命在汾州（汾州在今山西省吉县，原文应是“汾水”之误）之北汾水发源地，兴筑汾阳宫（宫在山西省宁武县南管涔山〔燕京山〕上，环抱天池，冯小怜曾在此打猎，参考五七六年十月）。

8 最初，元德太子杨昭逝世（参考前年〔六〇六〕七月），东京洛阳市长（河南尹）齐王杨暕，依照顺序，应是合法继承人。杨昭所属官员及卫士二万余人，全移交给杨暕；杨广特别为他遴选优秀官员，当他的僚属；命宫廷膳食部副部长（光禄少卿）柳謇之（謇，音jiǎn〔剪〕），当杨暕王府秘书长（齐王长史，从四品），并警告他说：“齐王（杨暕）的品德学业，如果都能长进，富贵荣华自会进入你的家门；如果他的行为不好，罪过也会加到你头上。”柳謇之，是柳庆的侄儿（柳庆事，参考五四八年十二月）。

杨暕一天比一天受老爹的宠爱，文武百官都去晋见，车马塞满道路，杨暕遂变得骄傲不可一世，亲近卑劣的宵小人物，所作所为很多违反国法。杨暕指定总部官员乔令则、库狄仲锜（库狄，复姓）、陈智伟，专门为他寻找美女、名马以及各种娱乐。乔令则等有此靠山，更无法无天，探听到某家有美女，立即假传杨暕命令，召唤出来，送到杨暕住处，供杨暕奸淫，然后送回。库狄仲锜及陈智伟，则前往遥远的陇西（陇山以西），苦刑拷打匈奴部落酋长，命他们奉献名马，最后总算得到几匹，带回送给杨暕，杨暕命他们归还原主，库狄仲锜等却对外宣称是大王的赏赐，直接把马牵回私宅，杨暕并不知道。乐平公主杨丽华（宇文赟的皇后，杨广的姐姐），曾经告诉杨广说：柳家的女儿美貌绝伦。杨广没有表示。过了很久，杨丽华把柳女士介绍给杨暕，杨暕把她接回。又过了很久，杨广问老姐："柳家女儿在哪里？"杨丽华说："在杨暕那里。"杨广大不愉快。

杨暕跟随老爹前往汾阳宫（山西省宁武县南管涔山上）大规模狩猎，杨广命杨暕率一千士卒进入猎场，杨暕猎到大量麋鹿，呈献老爹，而杨广亲自狩猎的这一队，却什么都没有猎到，就责备入围的官员，官员们一致说是受杨暕左右武士的阻止，野兽无法通过。杨广怒火冲天，寻求杨暕过失。当时法令规定：县长不准无故离开县境。伊阙（洛阳城南）县长皇甫诩，受杨暕宠爱，杨暕违犯这项禁令，把他带到汾阳宫。监察官（御史）韦德裕逢迎皇帝的意向，弹劾杨暕；杨广派武装战士一千余人，大肆搜索杨暕住处，穷追猛查所指控的各事。杨暕的王妃韦女士，早就逝世，杨暕跟韦女士的姐姐元夫人通奸，生有一女。杨暕召唤相面师，命他相他的后宫美女，相面师指韦妃的姐姐说："这位生女儿的，会当皇后。"杨暕因老哥、元德太子杨昭有三个儿子，恐怕轮不到自己继承帝位，就暗中祈求鬼神，使用邪术，诅咒他们快死。现在，种种罪行，全被揭发。杨广大怒，斩乔令则等人，命韦妃的姐姐自杀，杨暕总部官员全放逐边疆。柳謇之被控不能辅佐杨暕走入正道，开除官籍。

当时，赵王杨杲（音gǎo〔搞〕）年纪还小（本年只二岁），杨广对侍从人员说："我只有杨暕这个儿子，不然的话，当拖到法场斩首，显明国法尊严。"从此，杨暕所受的恩宠，一天比一天减少，虽然仍当东京洛阳市长（河南尹），但已不能再参与中央政事。杨广一直派虎贲指挥官（虎贲郎将〔十六禁军府副将军〕正四品）一人，监视杨暕住宅，杨暕只要有一点过失，虎贲指挥官就立刻奏报。杨广常担心杨暕叛变，所以派到他左右的卫士，都是老弱残兵，充数而已。天文台长（太史令）庾质，是庾季才的儿子（庾季才，参考五八二年六月）；庾质的儿子在齐王府当助理（属，正六品），杨广问庾质说：“你不能一心效忠于我，竟然教你的儿子效忠齐王（杨暕），为什么薄此厚彼？”庾质回答说：“我事奉陛下，我儿子事奉齐王（杨暕），只有一心，没有二心。”杨广怒火仍然不熄，贬庾质出任合水（甘肃省庆阳市）县长。

9 四月十三日，杨广下诏，认为东突厥汗国启民可汗阿史那染干，已接受中原教育文化，考虑改变东突厥汗国风俗；因之，命在万寿（内蒙古托克托县北）地方，兴筑城池，建造街道房屋，所用的床帐被褥以上的物品，优厚供应。

10 秋季，七月十日，征调民夫二十余万人，修筑长城，由榆谷（内蒙古托克托县西）向东修筑。

11 监督院（门下省）宫廷监督官（黄门侍郎）裴矩，说服铁勒汗国（新疆东北部及蒙古国北部），使铁勒攻击吐谷浑汗国（青海省），大破吐谷浑军。吐谷浑步萨钵可汗（十七任）慕容伏允，向东逃亡，进入隋帝国西平郡（青海省海东市乐都区）边境，派人向隋帝国请求投降，并请求救援。杨广派安德王杨雄从浇河郡（青海省贵德县）、许公爵宇文述从西平郡（青海省海东市乐都区），分别出发迎接。宇文述抵达临羌城（青海省湟源县），慕容伏允畏惧宇文述军队强大，不敢投降，率领部众再往西方逃走。宇文述率领军队追击，连克曼头（青海省共和县西南）、赤水（青海省兴海县）二城，杀三千余人，擒获汗国王爵、公爵以下官员

七世纪·六〇八年七月
隋王朝攻击吐谷浑汗国

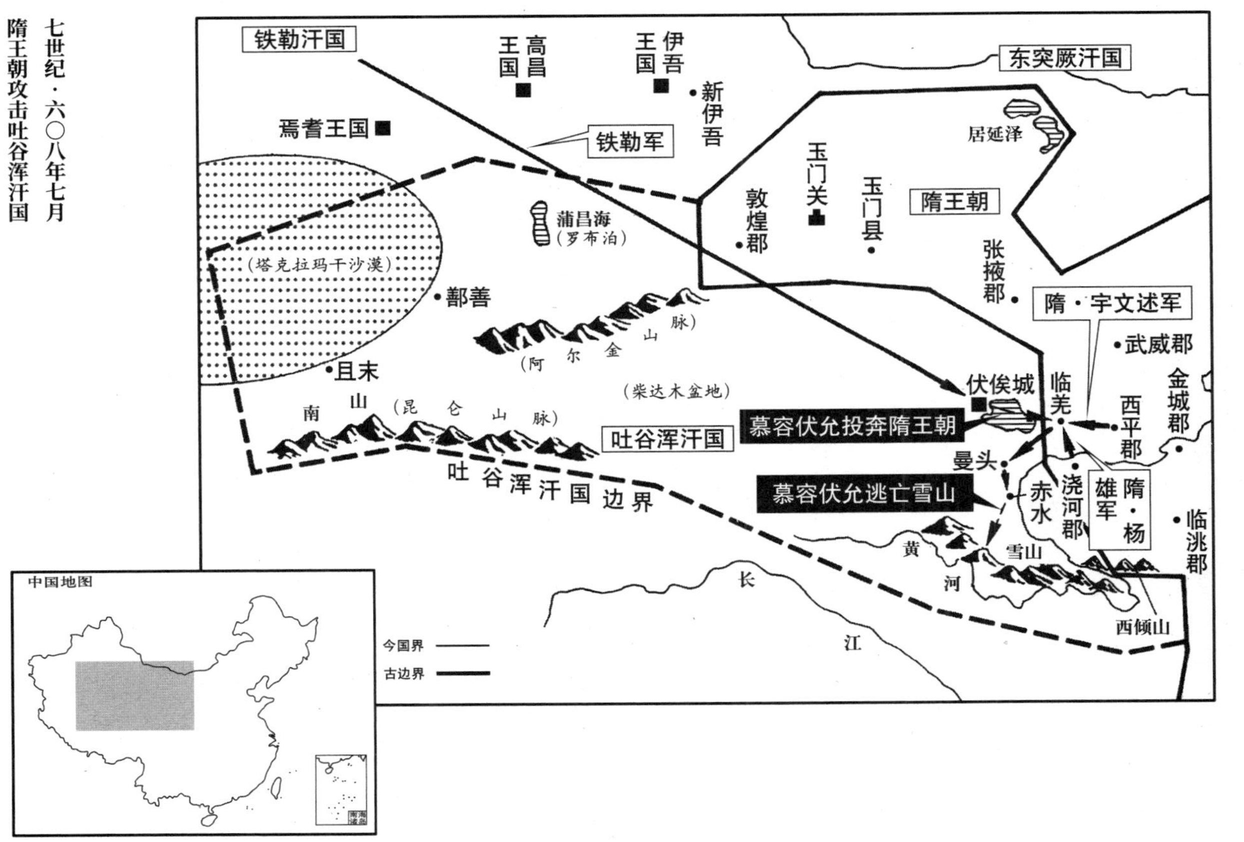

二百人，俘虏男女平民四千人，班师。

慕容伏允再向南逃亡，投奔雪山（积石山，青海省东南部阿尼玛卿山）。吐谷浑汗国故土全空，计东西四千华里、南北二千华里，都归并隋帝国。隋帝国隋政府设立郡、县、镇、军事指挥所（共设四郡：鄯善郡〔新疆若羌县〕、且末郡〔新疆且末县〕、西海郡〔青海省海晏县〕、河源郡〔青海省兴海县〕；于明年〔六〇九〕六月正式设立）；把全国轻刑囚犯，都放逐到四郡定居。

12 八月二十一日，杨广亲自到北岳恒山（河北省曲阳县北）祈祷，大赦天下。河北地区（黄河以北）各郡郡长都来会合，裴矩邀请西域（新疆及中亚东部）十余国的使节，前来助祭。

13 九月一日，杨广征集天下驯鹰教练员，全部集中东京（洛阳），约一万余人。

14 冬季，十月十六日，颁布新制度量衡（实际上是古制，参考去年〔六〇七〕四月）。

15 隋帝国使节常骏等，抵达赤土王国（马来半岛宋卡府）。赤土国王利富多塞，派三十艘船舶出海迎接，用黄金锁链拴住常骏等的船只。常骏在海上航行一百余日，登陆后又走了一月有余，才到赤土王国的首都（僧祇城〔马来半岛宋卡府〕），皇宫使用的器具物品，十分华丽珍贵，招待隋帝国使节也很优厚，利富多塞派他的皇子那邪迦，随从常骏到隋帝国进贡。

16 杨广任命右翊卫（十六禁军第二军）将军（从三品）、河东郡（山西省永济市）人薛世雄当玉门兵团总司令（玉门道行军大将），跟东突厥启民可汗（十任大可汗）阿史那染干，联军攻击伊吾王国（新疆哈密市），大军出玉门关（此玉门关位今甘肃省瓜州县东，在西汉王朝时代关城东航空距离八百公里）；而东突厥汗国军没有出现。

薛世雄孤军横渡沙漠前进，伊吾王国认为隋帝国军队不可能到达，完全没有戒备，忽然间听到薛世雄军已越过沙漠消息，大为恐惧，请求投降。薛世雄遂在两汉王朝时代故伊吾城的东方，再筑新伊吾城，留银青光禄大夫（九大夫之五，从三品）王威，率军队一千余人驻防，然后班师。

官逼民反

导读

中国历史上的民变，有一项最大的特质，就是：绝大多数都是被暴君暴官逼反。从《资治通鉴》上可以看出，暴君暴官往往手持钢刀，向人民怒吼："你反不反？"人民胆敢拒绝叛变，官员就会把他活活砍死，或一直砍到他反为止。

中国人是世界上最顺服的民族之一，很少因种族之类的大题目揭竿而起，激起中国人反抗的最大因素，只有暴君暴官过度的暴行。在这方面，杨广先生应是最杰出的暴君暴官之一，他能在短短十三年间，把全国人民逼反，把正蒸蒸日上的隋王朝砸得粉碎。

每一个变民都有一段辛酸血泪故事，可惜正史不能详载。

柏杨　一九八七·一一·一五

目录

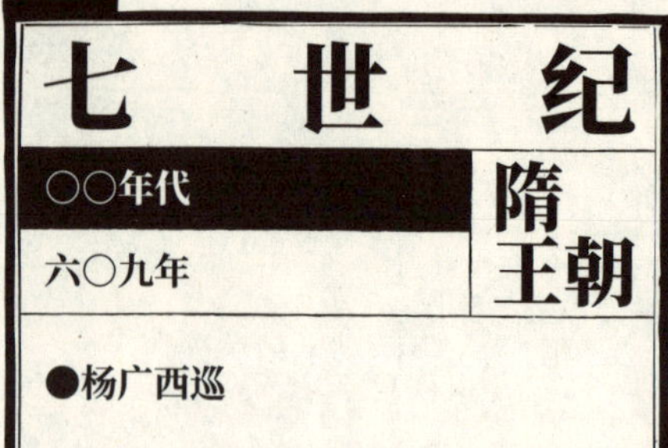

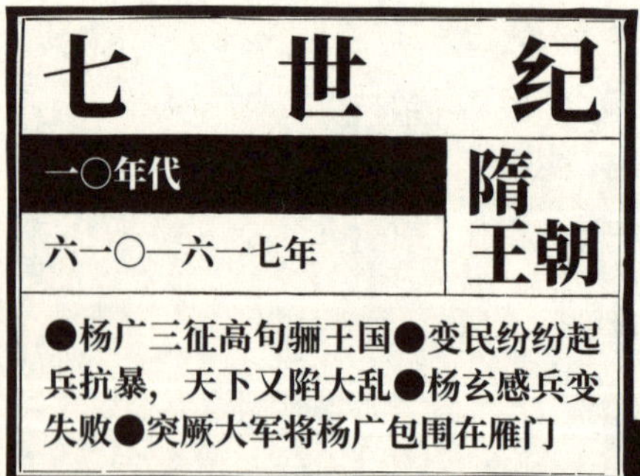

隋王朝

◉ 杨广西巡。

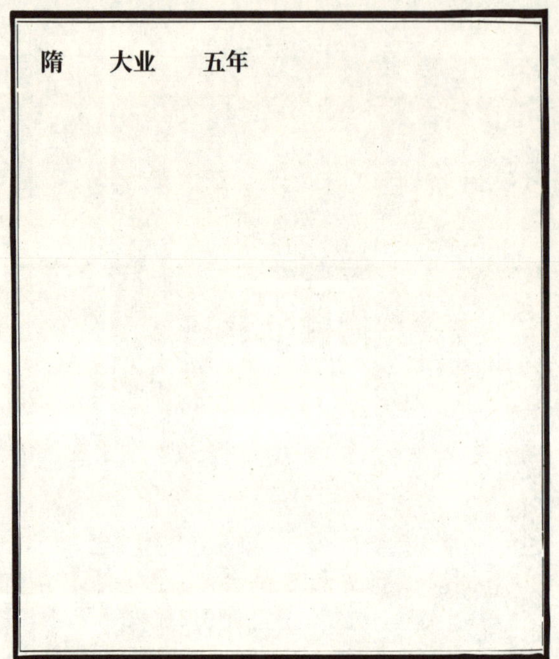

1 春季，正月八日，隋王朝政府（首都大兴〔陕西省西安市〕）将东京（洛阳，河南省洛阳市）改称东都。

2 东突厥汗国（瀚海沙漠群）启民可汗（十任大可汗）阿史那染干，南下大兴，朝见中国皇帝（二任炀帝）杨广（本年四十一岁），杨广对他的招待和赏赐，越发优厚。

3 正月十五日，杨广下诏命天下农田重新平均分配。

4 正月二十日，杨广从东都（洛阳）西返。

5 正月二十一日，杨广下令禁止民间使用铁叉、铁钩、铁矛、刀斧之类的器具。

6 二月十一日，杨广抵达西京（大兴）。

7 三月二日，杨广出发巡视河右（青海省东部）地区。

三月八日，杨广抵达扶风郡（陕西省宝鸡市凤翔区）从前家宅。

夏季，四月二十七日，杨广出临津关（青海省循化县东），渡黄河，到达西平郡（青海省海东市乐都区），集合军队，举行阅兵大典，打算扫荡吐谷浑汗国（青海省）残余部众。

五月九日，杨广在拔延山（青海省化隆县西北）大肆狩猎，所设长围绵延二十华里。

五月十四日，杨广进入长宁谷（西宁市北），越过星岭（青海省大通县）。

五月二十日，杨广抵达浩亹川（青海省大通河。亹，音mén〔门〕）。因河桥还没有建成，杨广大怒，斩水利部长（都水使者，正五品）黄亘及监工官九人。延误数天之久，等桥修成，才继续西进。

吐谷浑汗国步萨钵可汗（十七任）慕容伏允，率领部众退守覆袁川（青海省祁连县北黑河上游），杨广分别派最高立法长（内史）元寿，向南进驻金山（青海省西宁市湟中区北）；国务院国防部长（兵部尚书）段文振，向北进驻雪山（甘肃、青海二省交界处冷龙岭）；畜牧部长（太仆卿）杨义臣，向东进驻琵琶峡（青海省门源县西）；将军张寿向西进驻泥岭（青海省刚察县北大通山），完成四面包围。慕容伏允率数十名骑兵，从缝隙中逃走，另命一位亲王冒充可汗，撤退到车我真山（青海省祁连县东南俄博南山）。

五月二十六日，杨广下诏命右屯卫（十六禁军第十四军）大将军（正三品）张定和，前往搜捕。张定和对残存无几的吐谷浑部众，没有看在眼里，也不披铠甲，仍穿日常衣服，奋不顾身，领先登山，吐谷浑军埋伏弓箭手，射死张定和。张定和的副司令官柳武建进击，大破吐谷浑军。

五月二十八日，吐谷浑汗国仙头王穷途末路，率男女十余万人，向隋帝国投降。

六月二日，杨广派左光禄大夫（九大夫之二，正二品）梁默等，追捕慕容伏允，战败，被慕容伏允击斩。军械供应部长（卫尉卿）刘权，从伊吾（新疆哈密市）南下，攻击吐谷浑，抵达青海湖，俘虏一千余人，乘胜追击，追到伏俟城（王庭，青海省天峻县东青海湖西畔）。

六月六日，杨广对初级宫廷监督官（给事郎，从五品）蔡徵说："自古以来，天子有巡视四方、狩猎田野的礼仪。可是江东（南北朝时代的南朝）历代帝王，都是擦脂抹粉之辈，坐在深宫，不跟人民相见，这是什么道理？"蔡徵回答说："这就是他们国家寿命所以短促的原因。"

六月十一日，杨广西游，抵达张掖郡（甘肃省张掖市）。杨广将出发时，命裴矩游说高昌王国（新疆吐鲁番市东）国王（十三任）麹伯雅、伊吾（新疆哈密市）将军（设）吐屯等，承诺给付大量金银财宝，请他们到隋帝国朝见皇帝。

六月十七日，杨广抵达燕支山（甘肃省永昌县西大黄山），麹伯雅、

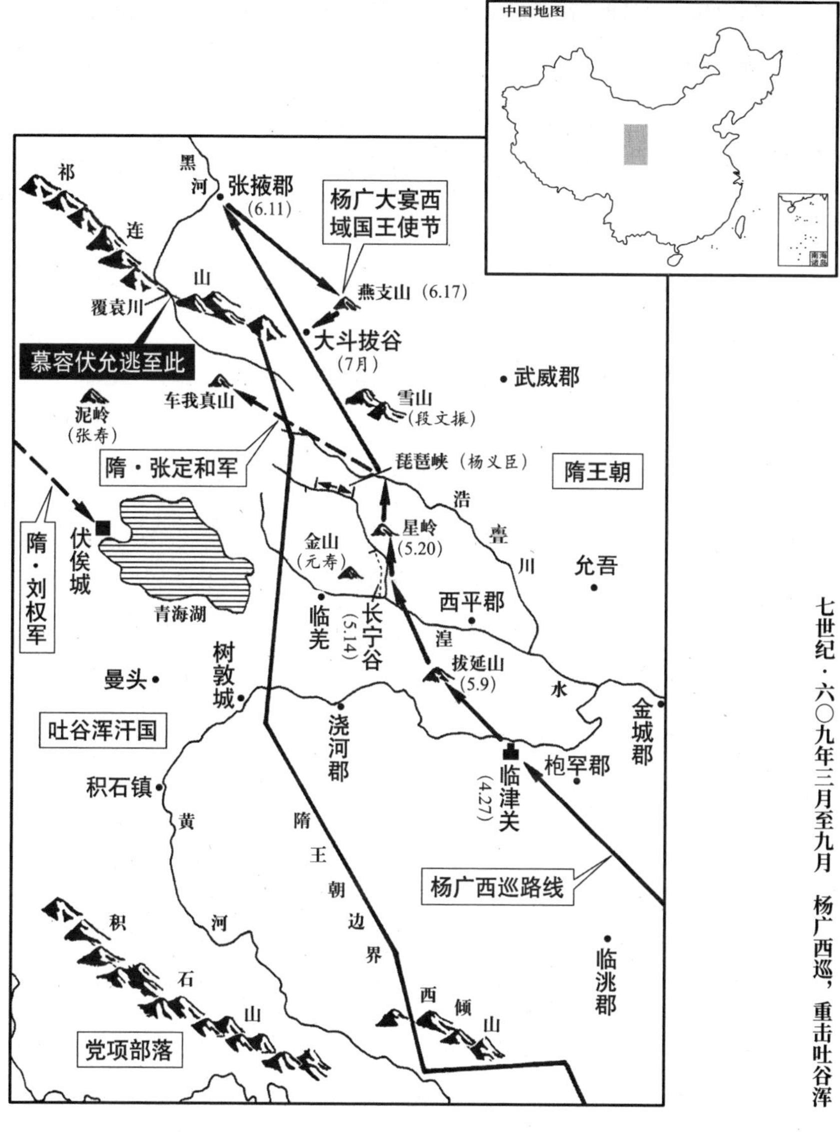

七世纪·六〇九年三月至九月　杨广西巡，重击吐谷浑

吐屯等，以及西域（新疆及中亚东部）二十七国君王或使节，在路边迎接，裴矩命他们佩金戴玉，身穿绸缎和毛织品，摆设香案，演奏音乐，有歌有舞，十分隆重。杨广仍不过瘾，下令武威郡（甘肃省武威市）、张掖郡（甘肃省张掖市）两郡青年男女，一个个服装华丽，围绕观看；衣裳不漂亮、车马不新颖的，由郡县政府督促改进；于是车辆、马匹，拥挤喧哗，人声沸腾，场面长达数十华里，显示隋帝国的强大富有。

吐屯将军呈献西域（新疆及中亚东部）纵深数千华里土地，杨广大为高兴。

六月十八日，隋政府设置西海（青海省天峻县）、河源（青海省兴海县）、鄯善（新疆若羌县）、且末（新疆且末县）四郡。集合全国罪犯，充当边疆屯垦战士，放逐到四郡，从事农耕。杨广命刘权镇守河源郡（青海省兴海县）积石镇（郡政府所在城），大规模开荒垦田，防备吐谷浑汗国（青海省）复兴，并保护前往西域的道路畅通。

本年（六〇九），隋王朝共有一百九十郡、一千二百五十五县、八百九十余万户（《隋书·地理志》：共八百九十万零七千五百四十六户，四千六百零一万九千九百五十六人）；东西长九千三百华里，南北宽一万四千八百一十五华里。隋王朝的强盛，达到巅峰。

杨广认为裴矩对远方人士有怀柔的谋略，擢升他当银青光禄大夫（九大夫之五，从三品）。西京（大兴）所属各县，以及西京西北各郡的田赋捐税，全运送塞外，每年以亿万计算；路途遥远，地势险恶，而又不断受盗匪劫掠，人夫牛马往往死在中途，不能送达；郡县政府反而认为拒缴田赋捐税，严厉惩罚，使他们家破人亡。于是，农民流离逃散，不能生产，隋王朝西部地区最先陷入困境。

最初，吐谷浑趉胡吕乌甘豆可汗（十七任）慕容伏允，派他的儿子慕容顺到隋帝国朝见，杨广把慕容顺留下，不让他回国。现在，慕容伏允战败逃亡，不能自立，率数千骑兵投奔党项部落（四川省西北部），杨广遂封慕容顺继任可汗，把他护送到玉门（甘肃省瓜州县东），命他统御残余部落，而由汗国的大宝王慕容尼洛周当宰相，辗转抵达西平郡（青海省海东市乐都区），慕容尼洛周被部属击斩，慕容顺无法深入，遂再回隋王朝。

六月二十一日，杨广登观风行殿（车上行宫），陈列各种文物，大肆铺张，邀请高昌国王麴伯雅、伊吾将军吐屯，同登观风行殿，入席欢宴。其他在台阶下陪同的蛮夷使节，有二十余国；演奏“九部乐”，并演出马戏，娱乐嘉宾，然后依照等级，分别颁发赏赐。

六月二十三日，杨广下诏赦免天下罪犯。

吐谷浑汗国据有青海湖时，民间传说：把母马带到湖上，就会有龙前来交配。

秋季，七月，杨广在青海湖设立牧场，驱逐母马两千匹到山川河谷，希望得到龙种，结果没有成效，停止。

杨广东返，经过大斗拔谷（甘肃省民乐县南），山路险恶，只能鱼贯而行，正逢风雪交加，天色灰暗，文武百官浑身上下湿成一片，饥寒交迫，深夜赶路，仍赶不到指定住宿营所，士卒冻死一大半，马驴冻死十分之八九；后宫美女、宦官、公主，有的狼狈走失，跟军队士卒混杂住在山间。

九月十九日，杨广抵达西京（大兴）。

冬季，十一月十三日，杨广再去东都（洛阳）。

8 国务院财政部副部长（民部侍郎，正四品）裴蕴，认为全国户籍漏列，以及对年龄作不实记载的（或多报岁数，或少报岁数，以逃避差役），为数很多，因之奏请作面对面察看，只要发现一个人作假，负责官员即行撤职。同时鼓励民间互相告密，只要检举一个人，就命对方代他缴纳赋税或代他服役。

本年（六〇九），各郡呈报户口普查：增加适合服役青年二十万三千人，新近投降归附的外族人六十四万一千五百人。杨广在金銮宝殿上阅览奏章，对文武百官说："前代没有贤能人才，以致户政败坏，而今户口确实，都是裴蕴的功劳。"从此对裴蕴渐渐亲近信任；不久，擢升他当总监察官（御史大夫，正四品），跟裴矩、虞世基，共同主管中央机要。裴蕴很会观察领袖的脸色，而且迅速正确的猜中领袖心里在想什么。裴蕴对杨广想加害的人，一定扭曲法律，编成罪状；对杨广想要包庇的人，也一定寻出最轻微的条款，予以释放。自此以后，官司无论大小，全都交给裴蕴处理，裴蕴所作裁定，国务院司法部（刑部）、最高法院（大理），都不敢表示异议，甚至他们自己处理的案件，也一定先了解裴蕴的意向，然后才敢判决。裴蕴性情机警，反应迅速，能言善道，口若悬河，判刑应轻应重，全看他一张嘴，因为他说得头头是道，当时的人虽觉得不对劲，但无法提出异议。

9 东突厥汗国（瀚海沙漠群）启民可汗（十任大可汗）阿史那染干逝世。杨广特别停止朝会三天，表示哀悼。命阿史那染干的儿子阿史那咄吉继位（咄，音duō〔多〕），称始毕可汗（十一任大可汗）。阿史那咄吉上疏请求娶庶母义安公主，杨广下诏同意，一切依照突厥风俗办理。

10 最初，副立法长（内史侍郎，正四品）薛道衡，以才干及学问闻名于世，在中央长期掌握权柄（薛道衡任国务院文官部考选司长〔吏部侍郎〕，参考五九二年十二月）。一任帝杨坚末年，出任襄州军区（总部设湖北省襄阳市）总司令（襄州总管）。杨广登极，薛道衡当番州（广东省广州市）州长，杨广命他回京（首都大兴），打算用他当皇家图书院长（秘书监，从三品）。薛道衡抵达中央后，呈递《高祖文皇帝颂》（杨坚颂），杨广阅读后，大不高兴，回头对苏威说："薛道衡赞扬前任政府，仿效《鱼藻》诗篇，来意不善。"（《诗经·鱼藻》："鱼在海藻里游／好大的头／君王居住镐京〔陕西省西安市长安区西〕／快乐饮酒。""鱼在海藻里游／好长的尾／君王居住镐京／饮酒沉醉。""鱼在海藻里游／紧傍着水草／君王正在镐京／屋美楼高。"〔鱼在在藻／有颁其首／王在在镐／岂乐饮酒。鱼在在藻／有莘其尾／王在在镐／饮酒乐岂。鱼在在藻／依于其蒲／王在在镐／有那其居。〕本是一首普通抒情诗，却有人赋给它政治意义，《毛诗小序》说，这是卫国十一任国君〔武公〕卫和，讽刺周王朝十二任王〔幽王〕姬宫涅的诗，意思是："万物失去和谐，姬宫涅身居镐京，将无法独自快乐，于是君子思念一任王〔武王〕姬发。"这种怪诞的解释，连理学大师朱熹都不能接受，可是杨广却利用它杀人。）杨广遂改命薛道衡当京畿总安全官（司隶大夫，正四品），准备对他下手。京畿安全署（司隶台）地方安全官（司隶刺史）房彦谦，看出情形不对劲，劝薛道衡闭门不再会见宾客，言辞卑屈，在政坛上保持低姿态，薛道衡不能接受。

正巧，杨广下诏命重新修定法令，大家议论纷纷，很久不能决定，薛道衡对同僚说："如果高颎仍在，早就施行！"有人检举，杨广大怒说："你想高颎是不是？"下令有关司法单位追查审理。裴蕴奏报说："薛道衡自负才能，又仗恃他是陛下的旧人，所以心中没有君王，把过错罪恶都推给国家，随意制造灾祸。仅只论他的罪名，好像隐约不明，可是探讨他的心意，却是一个很险恶的叛逆。"杨广说："对极！我从前和他一同作战（指南征陈帝国之役），他瞧不起我这个无知少年，跟高颎、贺若弼等，在外专权独断，作威作福。等到我登上宝座，他心里不能平衡，幸好天下无事，才没有谋反！你认定他心存叛逆，真是观察入微，真知灼见。”

薛道衡认为自己被指控的并不是大的过失，就催促司法机关早日结案，他相信奏报上去时，杨广一定赦免；命家人准备饮食，用以供应前来道贺慰问的宾客。再也想不到，奏报上去后，杨广命他自杀。薛道衡仍不在意，不肯服毒。司法机关第二次奏报，杨广下令把他绞死（年七十岁），妻子儿女放逐遥远的且末郡（新疆且末县）；天下人为他呼冤。

文化人向专制政治首领歌功颂德，已够下流，裴蕴竟至于甘作帮凶，引导钢刀，更是标准的下流胚。下流胚并不白干，往往可以换取到一官半职，和因之而来的一星点荣华富贵。

薛道衡献了一篇《高祖文皇帝颂》，便被诛杀，只因为他拍马屁拍错了地方，拍到马屌上了。杨广弑父，老爹成了他的痛牙，说明下流胚的魅力固有升官发财的功能，但也潜伏着误拍马屌的危险，并不一定无往不利。

11 杨广大规模检阅武器辎重，对盔甲等以及其他器具的精美，至为称赞。宇文述乘势推荐说：“这都是云定兴的功劳。”杨广即擢升云定兴当库藏部主任秘书（太府丞，从五品）。

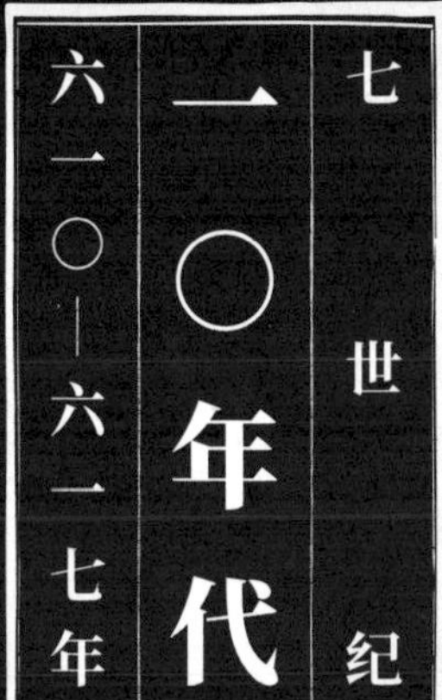

隋王朝

- 杨广三征高句骊王国。
- 变民纷纷起兵抗暴，天下又陷大乱。
- 杨玄感兵变失败。
- 突厥大军将杨广包围在雁门。

- 东罗马皇帝福克斯被变民诛杀，北非总督之子希拉克略继位。
- 法兰克王国，克罗特尔成为唯一国王。自五七七年长期内战，至此告一段落。

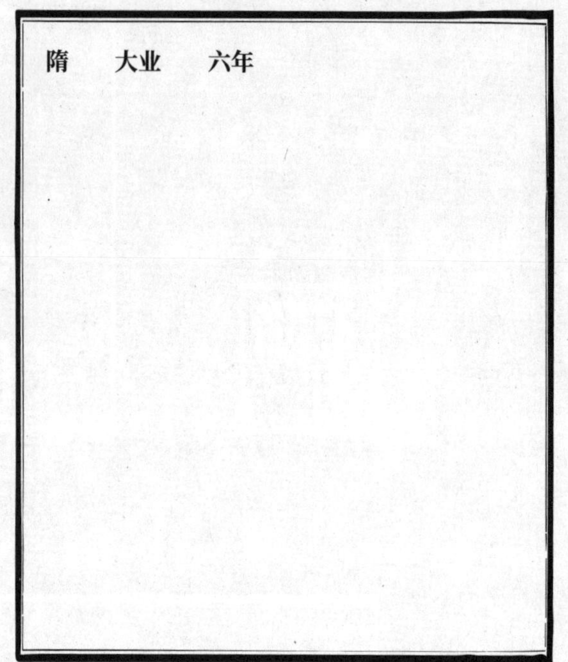

1 春季，正月一日，天还没有亮，大约三更时分（午夜十一时至凌晨一时），变民数十人，头戴白帽，身穿素色衣服，一手拿香，一手拿花，自称“弥勒佛”，进入隋王朝（首都大兴〔陕西省西安市〕）东都（洛阳，河南省洛阳市）建国门（皇城端门），守门卫士都向他们叩头。稍后，他们夺取卫士的武器，打算发动攻击，正巧，和齐王杨暕相遇，杨暕把他们全都斩首（杨暕时任东都洛阳市长〔河南尹〕），于是大规模搜索逮捕，受牵连的有一千余家。

七世纪·六一〇年正月　陈稜、张镇周攻打流球

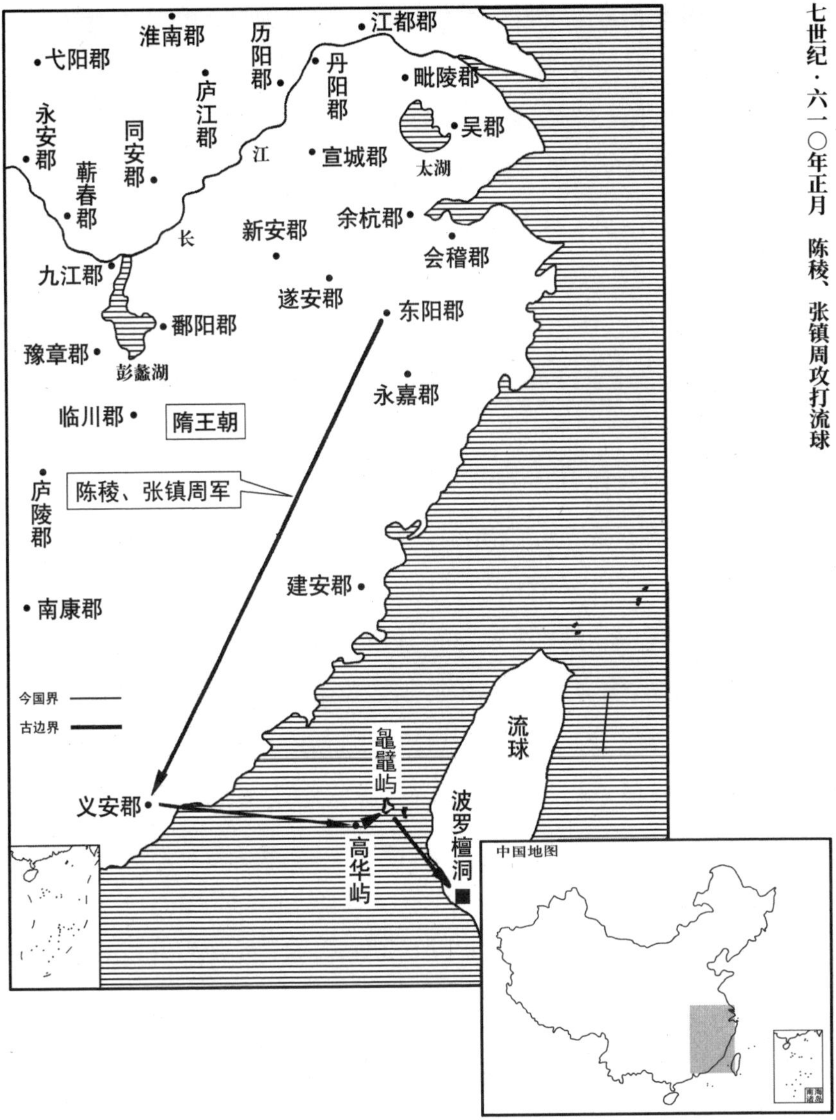

淮南郡
历阳郡
江都郡
弋阳郡
丹阳郡
毗陵郡
庐江郡
永安郡
同安郡
吴郡
太湖
江
宣城郡
蕲春郡
余杭郡
新安郡
长
会稽郡
九江郡
遂安郡
东阳郡
鄱阳郡
豫章郡
彭蠡湖
永嘉郡
临川郡
隋王朝
陈稜、张镇周军
庐陵郡
建安郡
南康郡
今国界
古边界
流球
鼊鼊屿
义安郡
波罗檀洞
高华屿
中国地图
南海诸岛

2 隋帝（二任炀帝）杨广（本年四十二岁），因各国君王及各地蛮 426
夷酋长，都集中洛阳。

正月十五日，在端门街（端门外大街）盛大演出各种戏剧及特技表演，场地周围五千步，仅只手拿乐器的就有一万八千人，乐声传播数十里，从黄昏到天明，灯火烛光，照耀天地，整整一个月才结束，耗费金钱万万之多（元宵节的民间庆祝活动，被一任帝杨坚禁绝，参考五八三年十二月；如今恢复）。从此，每年都援例举行（胡三省注：“今人元宵节行乐，从此鼎盛。”）

外族人请求到丰都贸易（洛阳东市称丰都，南市称大同，北市称通远），杨广批准。下令先行大规模整修商店，加强装潢，使各家的房脊屋檐，都高低一样，设置很多篷帐，珍贵的货物如同山积，无论商人或顾客，都衣裳华丽，文质彬彬，连卖菜小贩也都坐在用龙须草编织的垫子上。店主奉到命令，对经过酒店餐馆的外族人，都要邀请他们入座招待，酒醉饭饱之后，不收一文，而且告诉他们：“中国富庶，客人饮酒吃饭，向来不用付钱。”外族人都惊骇赞叹。然而，聪明的外族人也发觉有诈，指着树上缠的绸缎，问说：“中国也有贫苦的人，衣不蔽体，为什么不把它拿给他们，却缠到树上？”被问的人惭愧，无法回答。

杨广经常夸奖裴矩的才干，对文武官员说：“裴矩完全了解我的意向，所有报告都在我心里早计划好，不过还没有说出口，裴矩竟然都能想到，如果不是尽忠国家，怎么能够这样？”当时，裴矩与右翊卫（十六禁军第二军）大将军（正三品）宇文述、副立法长（内史侍郎）虞世基、总监察官（御史大夫）裴蕴、光禄大夫（九大夫之一，从一品）郭衍，都以摇尾拍马受到杨广宠爱。宇文述的功夫尤其精湛，容貌举止，无一不迎合杨广的心意，杨广左右侍从官员，全都向宇文述学习。郭衍曾经向杨广建议每隔五天出席一次朝会，警告说：“不要效法高祖（一任帝杨坚），自己白白辛苦。”杨广越发认为他忠心耿耿，说：“只有郭衍的心，跟我相同。”

摇尾系统在没有当权时，不过只是摇尾，为害不大。一旦当权，立刻就成了鲨鱼，为害酷烈，从摇尾而噬人，“权势”使他成长。这些人在把同辈忠良吞食罄尽之后，很难不掉过头来，吞食主人。

杨广主持朝会时，态度严肃，无论讨论问题或裁决争议，以及发出指示，措辞用语和根据的理由，都丰富充分，可是内心里所想的却只有美女和淫荡的音乐、戏剧。他在两都间来往游逛（两都：西京大兴、东都洛阳），经常携带和尚、尼姑、道士、道姑同行，称为“四道场”。梁公爵萧钜，是萧琮的侄儿（萧琮，南梁帝国末任帝，参考五八七年九月）。御前带刀贴身卫士（千牛左右，正七品）宇文皛（音xiǎo〔晓〕），是宇文庆的孙儿（宇文庆，参考五七九年五月），都受杨广的宠爱。

杨广每天都在洛阳西苑林木亭台之间，摆设筵席，酒菜极为丰富，命燕王杨倓（杨广之孙，杨昭次子）与萧钜、宇文皛，及一任帝杨坚的小老婆群同坐一席；和尚、尼姑、道士、道姑同坐一席；杨广跟他宠爱的美女同坐一席，各席紧相连接。杨广每天退朝以后，就这样聚集在一起欢乐，互相劝酒，酒醉饭饱，无论什么事都做得出来，再怪诞的行为都被认为十分平常。杨家妇女中美丽的，往往由杨广奸淫。宇文皛出入后宫，不受门禁限制；至于杨广小老婆群，以及公主，都传出丑闻，杨广也不责罚。

3 杨广再派朱宽前往流球（台湾岛）安抚招降，流球居民拒绝。杨广派虎贲指挥官（虎贲郎将，十六禁军府副将军）庐江郡（安徽省合肥市）人陈稜、朝请大夫（九大夫之八，正五品）同安郡（安徽省潜山市）人张镇周，征调东阳郡（浙江省金华市）民兵一万余人，从义安郡（广东省潮州市）乘船舰出海攻击。航行一月余，抵达流球（台湾岛），张镇周当先锋，登陆前进，流球王渴剌兜派军迎战。张镇周不断击败流球军，进抵流球首都（波罗檀洞，台湾省屏东县恒春半岛境），渴剌兜亲自率军阻截，又被击败，遂退回营寨。陈稜等乘胜进攻，攻克，斩渴剌兜，俘虏住民一万余人，班师。

二月十三日，陈稜等呈献流球（台湾岛）俘虏，杨广把他们分别赏给文武百官当奴，擢升陈棱当右光禄大夫（九大夫之三，从二品），张镇周当金紫光禄大夫（九大夫之四，正三品）。

4 二月二十三日，杨广下诏说："近来晋封爵位，赏赐采邑，都不恰当，名义与实质，完全脱节。从今以后，必须对国家立功的人，才可以封赏，子孙们仍然世袭。"于是，清查从前封赏的五等爵位，对没有功劳的封爵，一律撤除。

5 二月二十八日，把从北周帝国、北齐帝国、南梁帝国、陈帝国征调来的歌舞演艺人员，全部隶属祭祀部（太常），分别设立教授，招收学生，传授技艺；演艺人员多达三万余人。

6 三月二日，杨广前往江都宫（江苏省扬州市）。

7 最初，杨广打算大规模兴建汾阳宫（山西省宁武县南管涔山上），命总监察官（御史大夫，正四品）张衡绘图奏报，张衡乘机规劝说：

喜宁门
徽安门
德猷门
尤光门
丰财
审教
通远
无吉
进德
修义
殖业
毓德
兴艺
含嘉城
圆璧城
圆璧南门
道光
履顺
敦厚
立行
德懋
教业
上春门
含嘉门
清化
思恭
临德
时泰
时邕
毓财
游艺
玄武门
东城
紫微城
东宫
宣仁门
立德
归义
景行
宝城门
光政门
则天门
兴教门
温雒
承福
玉鸡
铜驼
通远市
重光门
承福门
西太阳门
洛
水
太微城
东太阳门
丽景门
端门
左掖门
慈惠
询善
嘉猷
延庆
安众
右掖门
惠训
道术
道训
通利
富教
睦仁
静仁
惠和
5
从善
仁风
丰都市
雒滨
积善
尚善
旌善
劝善
择善
福善
永太
绥福
怀仁
建阳门
思顺
教义
观德
修文
修业
恭安
温柔
会书
归仁
1.北里
2.南里
3.淳和
4.大同市
5.天津桥
显义
宣风
安业
崇业
宣范
道化
修善
嘉善
章善
恭俭
利仁
永丰
陶化
尊贤
入苑
承义
淳风
淳化
修行
崇政
基化
宏教
集贤
履道
依仁
正俗
永通门
1
2
3
富义
4
宽政
宜民
正平
敦行
康俗
游奕
崇让
里仁
民和
兴教
归德
乐和
尚贤
明教
怀义
固本
从政
宁民
长夏门
白虎门
建国门

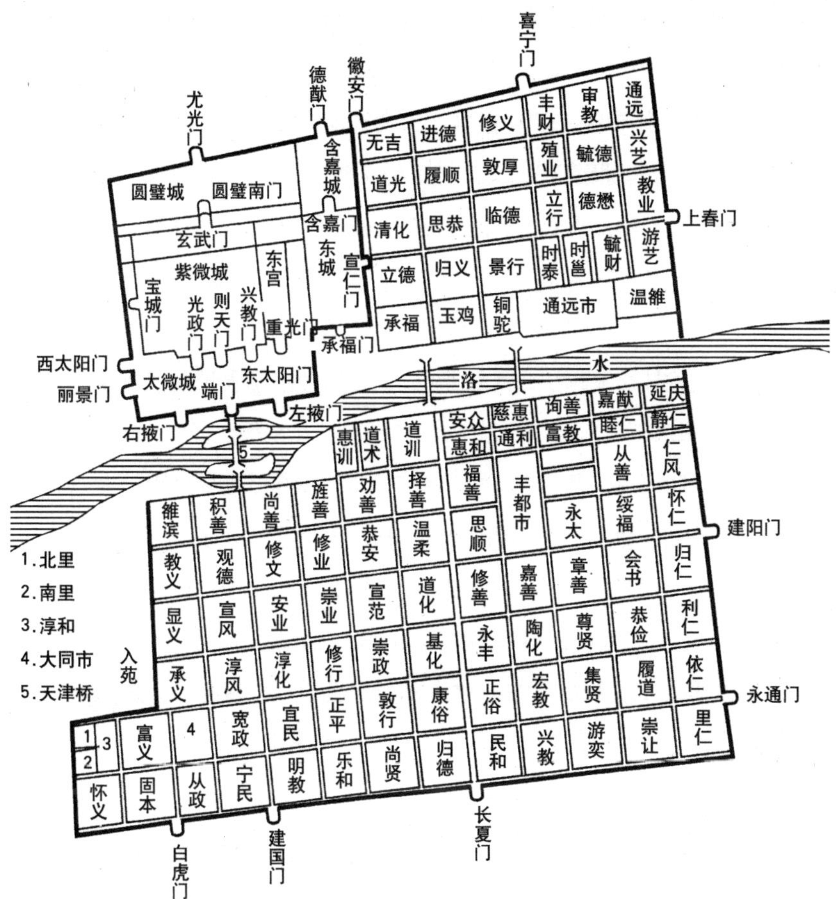

隋王朝东都洛阳城坊图

“这些年来，劳役太多，人民筋疲力尽，请皇上留意，稍稍减少。”杨广大起反感。于是，有一次，当张衡告退时，杨广盯着他的后背，对左右侍从说：“张衡自认为全靠他的计谋，才使我得到天下！”于是，翻出旧账，追查齐王杨暕携带皇甫诩随驾汾阳（参考前年〔六〇八〕四月），以及从前杨广前往涿郡（北京市），和前往祭祀北岳恒山（河北省曲阳县北）时（参考〔六〇八〕八月），地方民间首领前来晋见，衣服很多凌乱，不够整齐，谴责张衡：主管纠举弹劾，竟没有反应，贬出当榆林郡（内蒙古托克托县）郡长。很久之后，张衡监督修筑楼烦城（山西省静乐县），杨广出京（首都大兴）巡视，张衡得以晋见，但杨广认为张衡应该忧愁恐惧，枯干瘦削才对，偏偏张衡体态跟过去一样，那是一种不知道悔改的象征，杨广大为厌恶，对他说：“你胖胖的满面红光，最好回你的郡政府。”命他再返榆林郡（内蒙古托克托县）。不久，又派张衡监督修筑江都宫。国务院内政部长（礼部尚书）杨玄感奉派前往江都郡（江苏省扬州市），张衡对杨玄感说：“薛道衡真是死得冤枉（参考去年〔六〇九〕十一月）！”杨玄感报告杨广，而江都郡郡政府主任秘书（江都郡丞）王世充又奏报张衡不断减少筑宫工具。杨广于是大怒，逮捕张衡，锁拿到江都街头，打算斩首，拖延了一阵，最后开除张衡官籍，贬作平民，放他返回乡里，而命王世充兼江都宫总管（领江都宫监）。

王世充是西域（新疆及中亚东部）人，本姓支，老爹名支收，王世充小时候，娘亲改嫁王家，遂改姓王。王世充性情狡猾奸诈，口才流利，反应迅速，阅读很多书籍，喜好兵法，熟悉法律判例。杨广几次到江都（江苏省扬州市），王世充在旁伺候，观察杨广脸上的表情，作恰当的谄媚；精心的装饰水池亭台，呈献珍贵的物品，因此，杨广对他十分宠爱。

8 夏季，六月二十四日，杨广命江都郡郡长（江都太守）的官阶，跟京师市长（京尹）一样（首都大兴市长〔京兆尹〕、东都洛阳市长〔河南尹〕，都是正三品。原江都郡郡长品秩是从三品）。

9 冬季，十二月三日，国务院文官部长（吏部尚书）、文安侯（宪侯）牛弘逝世（年六十六岁）。

牛弘胸襟宽大，性情忠厚，谨慎节俭，学问渊博。隋王朝所有元老官员中，始终被皇帝信任，没有受到猜忌或惩罚过的，只有牛弘一人。老弟牛弼喜好饮酒，每次酒醉，都要闹事，曾经在醉中射死牛弘驾车的牛。牛弘回家时，妻子迎上来对他说："你弟弟射死了牛。"牛弘毫不惊奇，只回答说："可以做牛肉干！"坐定之后，妻子又提醒他说："你弟弟忽然把牛射死，可是怪事！"牛弘说："我已经知道！"脸色不变，读书不停。

10 杨广下诏命挖掘江南运河，从京口（江苏省镇江市）到余杭郡（浙江省杭州市），长八百余里，宽十余丈，使龙舟可以通行无阻。沿途设立驿马车站、离宫、草料场；打算巡视东方的会稽郡（浙江省绍兴市）。

11 杨广因随从御驾的文武百官，都穿裤褶（音zhě〔者〕。裤褶，宽裤管的长裤），无论行军或旅游，十分不便。本年（六一〇），杨广下诏规定："随从御驾长途跋涉的官员，不论文武，一律改穿军服。五品以上穿紫色罩袍，六品以下可用红绿色。雇员穿青衣，平民穿白衣，屠户商人穿黑衣，士卒穿黄衣。"

12 杨广前往东突厥汗国（瀚海沙漠群）启民可汗（十任大可汗）阿

六世纪八〇年代至七世纪一〇年代 隋王朝运河及各地行宫

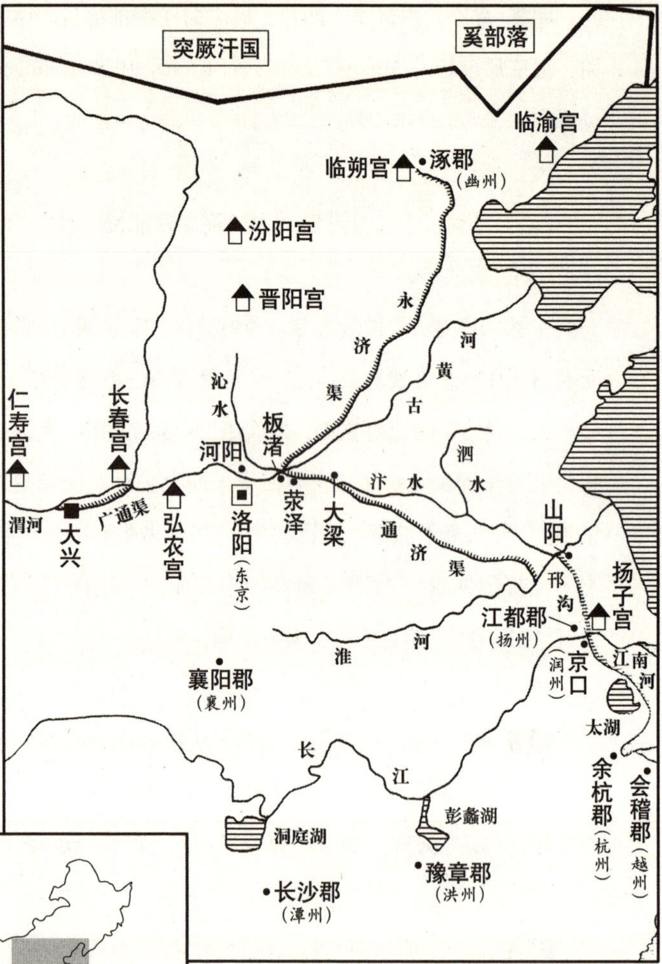

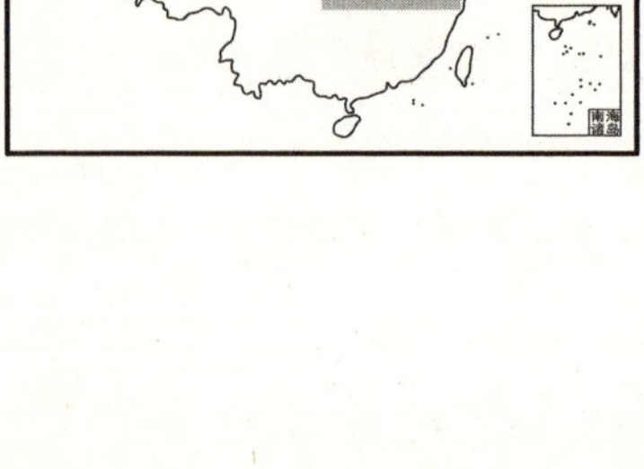

突厥汗国
奚部落
临渝宫
临朔宫
涿郡（幽州）
汾阳宫
晋阳宫
永济渠
河
黄
古
沁水
仁寿宫
长春宫
板渚
河阳
泗水
汴水
山阳
渭河
大兴
广通渠
弘农宫
洛阳（东京）
荥泽
大梁
通济渠
邗沟
扬子宫
江都郡（扬州）
京口（润州）
江南河
淮河
襄阳郡（襄州）
太湖
长江
余杭郡（杭州）
会稽郡（越州）
彭蠡湖
洞庭湖
豫章郡（洪州）
长沙郡（潭州）
中国地图
南海诸岛

史那染干御帐做客时（参考六〇七年八月），高句骊王国（首都平壤〔朝鲜半岛平壤市〕）的使节，正巧也在王庭，阿史那染干不敢隐藏，命他晋见杨广。监督院（门下省）宫廷监督官（黄门侍郎）裴矩，游说杨广说："高骊（高句骊王国）本是子胥余（箕子）当年的采邑，两汉王朝及晋王朝时代，都曾经设立郡县（周王朝一任王姬发，把商王朝末代王孙子胥余〔子爵〕，封到朝鲜半岛。前二世纪〇〇年，燕国人卫满推翻子胥余后裔，建立朝鲜王国〔参考前一〇九年四月〕。西汉王朝七任帝刘彻灭卫氏朝鲜，在朝鲜半岛北部，设立四郡〔参考前一〇八年〕。东汉王朝末年，公孙度盘踞，传到公孙渊，被曹魏帝国所灭〔参考二三八年八月〕，以后直到晋王朝，都设郡县，直至大分裂时代初期，才完全脱离中国〔参考三一三年四月〕。至于辽东半岛，则在后燕帝国末期，才脱幅而去〔参考四〇五年正月〕），今天不肯臣服，俨然另成一个国度，先帝（一任杨坚）打算讨伐，立意已久，只因杨谅无能，出师不利（参考五九八年六月）。现在正逢陛下盛世，怎么可以放弃，使文明世界沦落成为蛮荒之邦！如今他们的使节亲眼看到突厥全盘汉化，我们正可以利用这个恐惧心理，胁迫他们国王到京师（首都大兴）朝见。"杨广接受，命牛弘向高句骊王国使节宣读杨广的诏书，说："我因为启民可汗（十任大可汗阿史那染干）诚心诚意事奉中国，所以亲自驾临他的御帐。明年（六一一），我将往涿郡（北京市），你回去告诉你们国王，应该前来朝见，不要惊疑恐惧，我接待他的礼仪，跟我接待启民可汗一样。如果你们国王不来，我就率领启民可汗，到你们的国土巡视。"

高句骊国王（二十六任婴阳王）高元恐惧，以致藩属应尽的礼节，开始短缺（如是恐惧，只能更为殷勤，何敢短缺），杨广决定出军讨伐。下令征收天下富人捐税，用以购买战马，每匹战马高达十万钱。一面检查武器辎重，力求新颖精良，如果发现粗制滥造，不合规定，立即斩监制官。

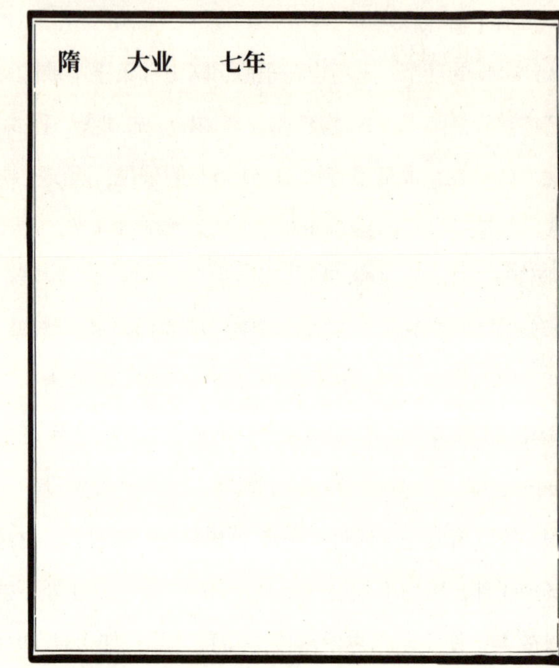

1 春季，正月十六日，隋王朝（首都大兴〔陕西省西安市〕）光禄大夫（九大夫之一，从一品）、真定侯（襄侯）郭衍逝世。

2 二月三日，隋帝（二任炀帝）杨广（本年四十三岁）登上钓台（中国各地都有钓台，此台当临长江），亲到扬子津（江苏省扬州市南长江渡口），盛大宴请文武百官。

二月十九日，杨广自江都（江苏省扬州市）北上，前往涿郡（北京市)，龙舟渡过黄河，进入永济运河。

杨广命国务院文官部考选司（选部)、监督院（门下)、立法院（内史)、总监察署（御史）四单位在船上办公，裁决全国官员升迁调补，参与甄选的知识分子三千余人，有的紧跟龙舟步行三千余华里，都没有结果，而天寒地冻，疲惫饥饿，因而致死的占十分之一二。

3 二月二十六日，杨广下诏讨伐高句骊王国（首都平壤〔朝鲜半岛平壤市〕)。命幽州军区（总部设北京市）总司令（幽州总管）元弘嗣（军区总司令部制度已于六〇五年正月废除，此当系指前官)，前往东莱郡（山东省莱州市）海口，建造军舰三百艘；监工官员严厉督促，全体工匠日夜站在水中，一点都不敢休息，从腰以下，都生虫蛆，死亡十分之三四。

夏季，四月十五日，杨广抵达涿郡（北京市）临朔宫，九品以上文武随从官员，郡政府一律负责拨付房舍安顿。

之前，杨广下诏全国总动员，不管路途远近，各地军队都到涿郡（北京市）集合。又征调长江、淮河以南水手一万人、弓箭手三万人、岭南（南岭以南）短矛突击手三万人，四方人潮像江河一样，向涿郡（北京市）汹涌奔流。

五月，杨广训令黄河以南、淮河以南、长江以南各郡，制造辎重运输车五万辆，送往高阳郡（博陵郡改称，河北省定州市)，用来装载衣裳、盔甲、帐幕；不用牛马，而命士卒拉车；又征调黄河南北地区民夫，供应军事需要。

秋季，七月，杨广再征调长江、淮河以南民夫和船只，把黎阳仓（河南省浚县境)、洛口仓（河南省巩义市东）的粮食，运到涿郡（北京市)；大小船舶，前后依次相接一千余华里，满装武器铠甲及攻城工具，来来往往，路上始终保持数十万人，日夜不断，大道为之阻塞，士卒民夫中途大量死亡，尸体压着尸体，天气炎热，相继腐烂，脓血满路，臭气扑鼻，天下骚动。

4 山东（崤山以东）、河南（黄河以南）大水成灾，淹没三十余郡。

冬季，十月三日，砥柱山（河南省三门峡市东黄河河道中）崩塌，堵塞河床，河水倒流数十华里。

5 最初，杨广向西巡视（参考前年〔六〇九〕三月），派执法监察官（侍御史，正七品）韦节，征召西突厥汗国（新疆北部及中亚东部）泥撅处罗可汗（一任大可汗）阿史那达漫，前来大斗拔谷（甘肃省山丹县南）会见；西突厥贵族们拒绝，阿史那达漫只好向隋帝国使节道歉，找一个理由作为借口，表示不能离开。杨广大怒若狂，可是无可奈何。正巧，小可汗阿史那射匮派使节向杨广请求结亲，裴矩奏报说："阿史那达漫不到中国朝见，是仗恃他强大。我建议运用谋略，使他削弱；只要国土分裂，就容易控制。阿史那射匮是阿史那都六的儿子、阿史那玷厥（东突厥达头小可汗）的孙儿，世代相传，都是小可汗，在西方独当一面。现在听说他已失势，归附阿史那达漫，所以才派使节前来隋帝国，目的只在结交外援，希望对他的使节优厚赏赐，封他本人当大可汗，西突厥就会立刻一分为二，两方都得听从中国。"杨广说："你分析得很对。"遂派裴矩常常到宾馆拜访，稍作暗示。然后杨广登仁风殿，召见使节，告诉他阿史那达漫不肯合作情事，赞扬阿史那射匮一心向善，承诺封他当西突厥汗国大可汗；命阿史那射匮出军击斩阿史那达漫，同时承诺公主下嫁。杨广取出一支桃竹（一种竹名）做的白羽毛箭，命使节转交给阿史那射匮，强调说："这件事最好迅速发动，快如飞箭。"使节回国，路过阿史那达漫御帐，阿史那达漫喜爱那支桃竹白羽毛箭，打算留下来，幸而使节机警，支吾过去。

阿史那射匮听到报告，大为兴奋，集结兵力，袭击阿史那达漫（阿史那达漫的王庭设三弥山〔新疆拜城县东北〕），阿史那达漫大败，抛妻弃子，率数千人骑兵，向东逃走，沿路不断受到攻击和抢劫。最后，进入高昌王国（新疆吐鲁番市东）东方，据守时罗漫山（新疆天山山脉东段）。高昌国王（十三任）麴伯雅，上疏禀报杨广，杨广派裴矩及阿史那达漫的娘亲向夫人的亲信和左右显要官员，飞骑前往玉门关（甘肃省瓜州县东）晋昌城（甘肃省瓜州县东南），劝阿史那达漫到隋帝国朝见，阿史那达漫接受。

十二月八日，阿史那达漫抵达涿郡（北京市），前往临朔宫（北京市境）晋见杨广，杨广大为喜悦，用最荣耀的礼仪欢迎，设宴款待，阿史那达漫叩头，后悔朝见太晚。杨广用温和的言词慰劳；准备天下珍贵食物，由女子乐队作盛大演奏，每人都穿绫罗绸缎，手拿各种管弦乐器，使人眼花缭乱。然而，阿史那达漫始终有不愉快的脸色。

6 杨广自从去年（六一〇）计划讨伐高句骊王国（首都平壤），下诏在山东（崤山以东）设立总部，饲养战马，供应大军。又征调民夫运输粮食，集中储存泸河（辽宁省锦州市）、怀远（辽宁省沈阳市辽中区）二镇。运粮的车辆和拉车的牛只，全都一去不返（车毁牛死），士卒死亡也超过一半，农民的耕种收割，都失去时令，农田很多荒芜。加上各地饥馑，粮食价格飞涨，东北边区尤其严重，一斗米值数百钱。各郡县运送的谷米有时被认为粗糙恶劣，官员就教民夫购买当地粮食缴纳。政府又征调小型手推车（鹿车）车夫六十余万人，二人共推米三石，道路遥远，路况险恶，谷米三石，不够二人干粮之用，等抵达总部缴粮时，已无粮可缴，车夫恐怕受罚，于是全都逃亡。再加上官员贪污凶暴，利用机会职权，贪赃枉法，人民困难穷苦，财产和体力，同时枯竭。安分守己则无衣御寒，无食果腹，死亡迫在眉睫；而起兵抗暴，还有可能苟且生存。于是，人民开始聚集，四出抢劫。

邹平（山东省邹平市）人王薄，聚集部众，占据长白山（邹平市南），劫掠齐郡（山东省济南市）、济北郡（山东省聊城市茌平区西南）郊区，自称“知世郎”，表示看透了世情！王薄又撰写《莫向辽东送死歌》，互相警惕劝导，逃避兵役差役的人，很多前往投奔。

平原郡（山东省德州市陵城区）东部有豆子䴚（山东省惠民县西。䴚，音gǎng〔港〕），背靠勃海郡（山东省阳信县），面对黄河，地形高低不平，水道山丘，纵横阻隔，从北齐帝国时起，很多强盗都躲藏到里面。有一位名叫刘霸道的，家住豆子䴚附近，几代当官，家产富有，刘霸道喜爱行侠仗义，家中食客经常有数百人。等各地变民纷起，远近很多人都去投奔，有部众十余万，号称“阿舅贼”。

漳南（河北省故城县东）人窦建德，年轻时行侠仗义，胆量和臂力超过普通人，乡里的人都对他拥护。正巧政府招募壮士远征高句骊王国，窦建德以骁勇受到重视，被任命为率领二百人的部队长。同县（漳南，河北省故城县东）人孙安祖，也以骁勇被选为远征战士，孙安祖因房屋田产被洪水冲走，妻子儿女又都饿死，申请免役，县长大怒，逮捕孙安祖鞭打。孙安祖刺死县长，逃亡，投奔窦建德，窦建德把他藏起来，政府出动军警搜捕，跟踪找到窦建德家，窦建德对孙安祖说："高祖（杨坚）时代，帝国势力正盛，动员百万大军远征高句骊，还被他们打败（参考五九八年六月），而今大水成灾，人民穷困，加上从前西征吐谷浑，士卒一去不回（参考前年〔六〇九〕七月），留下的创伤还没有恢复，皇上（杨广）不怜悯下面苦情，反而更出兵攻打高句骊，天下一定大乱。大丈夫如果不死，当建立伟大功业，怎么甘心当亡命之徒！"乃集合游手好闲的少年，有数百人，命孙安祖率领，进入高鸡泊（河北省故城县西），抢夺民间财物，孙安祖自称将军。

当时，还有鄃县（山东省夏津县）人张金称，在河曲（永济运河弯曲处，应在河北省临西县一带）聚众起兵。蓨县（河北省景县）人高士达，在清河郡（河北省清河县）境内，集结变民，四出抢掠。郡县政府疑心窦建德跟变民军勾结，逮捕窦建德的家人，全部屠杀。（《新唐书·窦建德传》："群盗来往漳南〔河北省故城县东〕杀人放火，打家劫舍，却从不进入窦建德住的那条街，因此郡县政府认定他跟盗贼私通。"）窦建德率部属二百人逃亡，投奔高士达。高士达自称东海公爵，命窦建德当大营军事参议官（司兵）。不久，孙安祖被张金称诛杀，孙安祖的部众全投靠窦建德，武装战士多达一万余人。窦建德礼贤下士，跟士卒同甘共苦，因此人民争着归附，愿为他牺牲性命。

从此，各地民变蜂起，数目多到无法计算，有的兵力高达一万余人，攻城掠地。

十二月十三日，杨广下诏命郡县民兵司令（都尉，正四品）及鹰扬指挥官（鹰扬郎将，正五品），互相合作追捕变民，就地斩首；然而无法肃清。

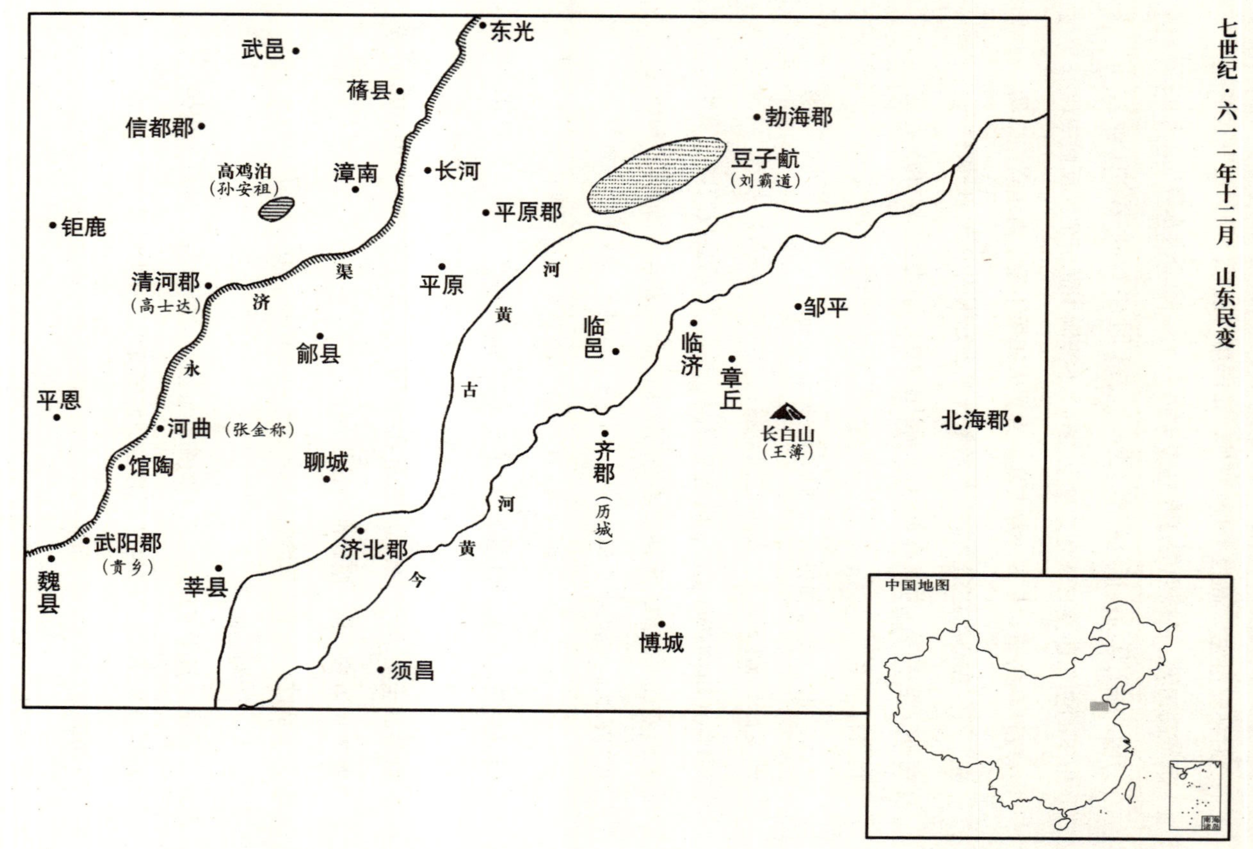

七世纪·六一一年十二月 山东民变

六一二年 壬申

隋　大业　八年

1 春季，正月，隋王朝（首都大兴〔陕西省西安市〕）皇帝（二任炀帝）杨广（本年四十四岁），分割西突厥汗国（新疆北部及中亚东部）泥撅处罗可汗（一任大可汗）阿史那达漫的部众为三部；命阿史那达漫的老弟阿史那阙度将军，率老弱残兵一万余人，居住会宁（会宁川，甘肃省靖远县）；命阿史那大奈公爵，率其他部落，居住楼烦郡（山西省静乐县）；命阿史那达漫本人，率骑兵五百人，经常随从杨广出游，改封为曷萨那可汗，赏赐十分优厚。

2 最初，嵩高山（河南省登封市北）道士潘诞，自称三百岁，为杨广提炼仙丹，杨广特在嵩高山上替他兴筑嵩阳观，豪华房屋数百间，并拨付给他处男、处女各一百二十人，供他差遣，官位比作三品；潘诞经常驱使数千人为他工作，耗尽万万钱之多。潘诞坚持说提炼仙丹必须用石头的胆囊（石胆）和石头的骨髓（石髓），命石匠开凿嵩高山山上大石，深达数百尺的，有数十处。历时六年，仙丹无法炼成。杨广诘问，潘诞回答说："没有石头的胆囊，没有石头的骨髓，如果用处男处女的胆囊或骨髓，各三斛六斗（三十六斗），可以代替。"杨广大怒，锁拿到涿郡（北京市）斩首。潘诞临死时，告诉人说："这是天子没有福气，恰巧碰上我'兵解'时辰已到（学仙的人把死亡当作解脱，认为是上帝规定的劫运，在劫运中的人，难逃劫运，尸体像蝉蜕下的壳，被遗留世上，灵魂则得道升天。因之自然死亡称"尸解"，被杀称"兵解"），我应该飞升到梵摩天！"（道家有三天，三天是什么，没有统一说法，即天分三层，都是仙境，梵摩天当是三天之一。）

3 全国各地军队，都集中涿郡（北京市），杨广召见合水（甘肃省庆阳市）县长庾质（贬谪庾质，参考六〇八年四月），问道："高句骊（首都平壤〔朝鲜半岛平壤市〕）全国人口，不能跟我的一个郡相比，我出动如此庞大的军队，你认为能不能攻克？"庾质回答说："一定可以攻克。然而我心中有愚昧的看法，不希望陛下亲自出征！"杨广沉下脸来，说："我统率大军到此，怎么可以还没有看见盗贼，就先撤退！"庾质说："经过大战而不能全胜，恐怕有损陛下威望。如果陛下留在涿郡（北京市），而只派猛将精兵，指示机宜，加倍速度前进，出其不意，一定可以攻克，事情的契机在行动要快，慢则不能建功。"杨广大不愉快说："你既怕苦，当然可以留下。"宫廷供应

七世纪·六一二年　朝鲜半岛形势

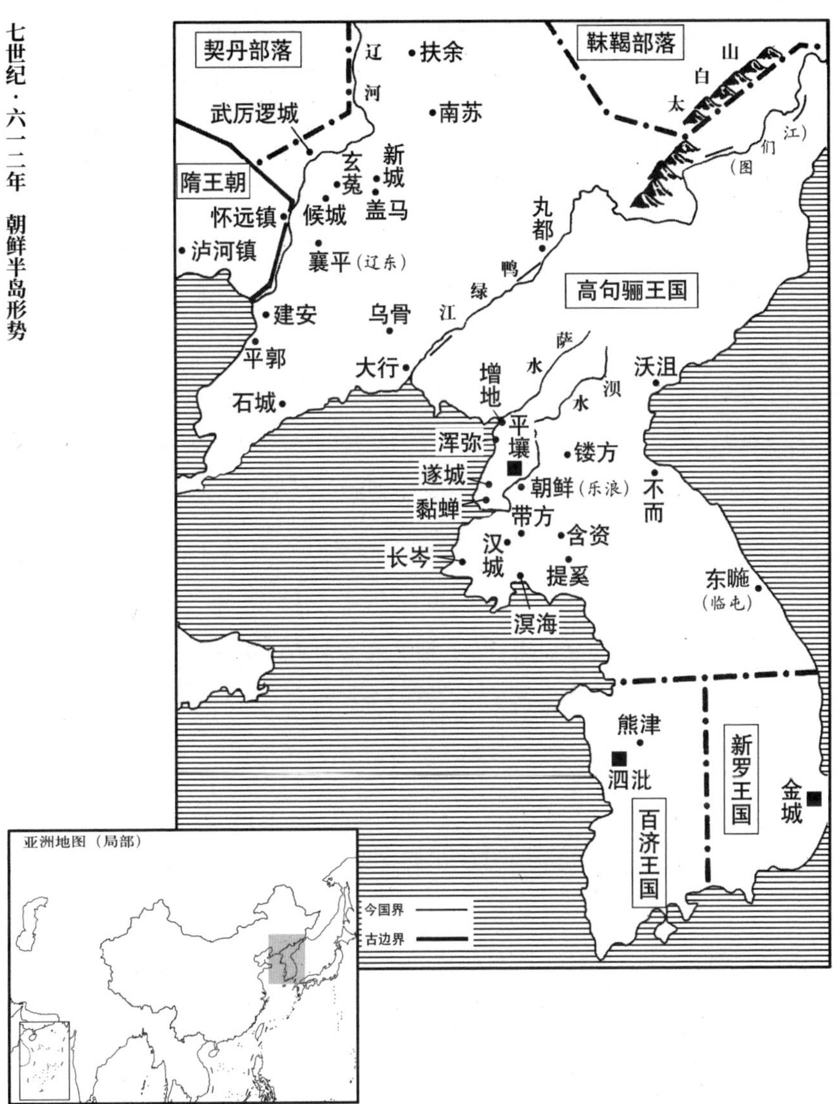

署西区供应局（右尚方署）事务官（监事）耿询，上疏恳切劝阻东征，杨广大怒，命左右卫士斩耿询，幸赖宫廷供应总监（少府监，从三品）何稠向杨广苦苦哀求，才免一死。

正月二日，杨广下诏：左翼十二军分别攻击镂方（朝鲜半岛成川城）、长岑（朝鲜半岛长渊城）、溟海（朝鲜半岛海州市）、盖马（辽宁省抚顺市）、建安（辽宁省盖州市）、南苏（辽宁省西丰县南）、辽东（辽宁省辽阳市）、玄菟（辽宁省沈阳市）、扶余（吉林省四平市）、朝鲜（朝鲜半岛平壤市南）、沃沮（朝鲜半岛咸兴市）、乐浪（朝鲜，朝鲜半岛平壤市南）；右翼十二军分别攻击黏蝉（朝鲜半岛龙岗城）、含资（朝鲜半岛瑞兴城）、浑弥（朝鲜半岛平原城）、临屯（朝鲜半岛江陵市）、候城（辽宁省沈阳市西南）、提奚（朝鲜半岛金川城）、蹋顿（今地不详）、肃慎（黑龙江下游）、碣石（朝鲜半岛平壤市北）、东暆（临屯，朝鲜半岛江陵市）、带方（朝鲜半岛沙里院市）、襄平（辽东，辽宁省辽阳市）。各路人马先后出发，限定在高句骊王国首都平壤（朝鲜半岛平壤市）会师，官兵共一百一十三万三千八百人，对外宣称二百万，而担任后勤的工作人员，要加两倍。杨广在桑干河畔祭告战神（古桑干河流经涿郡城南），在临朔宫（北京市境）南祭告昊天上帝。在蓟城（涿郡郡政府所在城，北京市）北郊祭祀马神。亲自任命将帅：每军"大将""亚将"各一人，骑兵四十队，每队骑兵一百人，十个骑兵队（一千人）为一骑兵团；步兵八十队，分为四个步兵团（每团二千人）；每团设团长（偏将）一人；头盔铠甲、帽穗马缨、旗帜旌幡，各团的颜色不同；各军另设"受降特使"一人，禀承杨广指令，担任安抚慰劳工作，不受大将管辖；辎重后勤部队等，也有四个团，在步兵左右保护下前进，扎营、停留，都有号令规定。

正月三日，第一军出发。以后每天派出一军，两军相距四十华里，前后衔接，鱼贯前进。四十天后，大军才出动完毕，首尾接连，战鼓及号角声音，互相听得清楚，旌旗连绵九百六十华里。杨广御营，以及十二禁军（应是十六禁军）、三台、五省（以上皆参考六〇七年四月）、九寺（直属部），分别隶内、外、前、后、左、右六军（上古时代天子统率六军），依照次序出发，又连绵八十华里。近代出军景观，还从来没有如此盛大。

4 正月二十四日，立法院最高立法长（内史令）元寿逝世（年六十三岁）。

5 二月十二日，观王（德王）杨雄（杨广的族兄）逝世（年七十七岁）。

6 北平侯（襄侯）段文振，当国务院国防部长（兵部尚书，正三品），上疏提醒杨广说："陛下宠爱突厥，太过优厚，让他们居住塞内，又帮助他们武器粮食。野蛮民族的性格，没有感恩之情，全都贪得无厌，以后终有一天成为帝国的灾祸，应该在还来得及的时候，把他们送返塞外，然后加强烽火设备及斥候工作，沿边严格防范，这是万年平安的长程策略。"国防部军政司长（兵曹郎，从五品）斛斯政，是斛斯椿的孙儿（斛斯椿，挑拨北魏帝国十五任帝元修跟高欢感情，以至元修出奔，参考五三四年四月），因有才能，聪明干练，杨广对他十分宠爱信任，命他专门负责军事。段文振知道斛斯政阴险刻薄，不可让他主持机要，屡次警告杨广，杨广不能接受。

等到出征高句骊王国（首都平壤），杨广任命段文振当左候卫（十六禁军第五军）大将军（正三品），指定攻击南苏（辽宁省西丰县南）。段文振在行军途中病重，上疏说："我私下观察，高句骊不过是一个小丑，没有接受过严重惩罚，竟使我们派出六军劳动御驾亲征。夷狄怀有无穷险诈，我们必须谨慎防备，对方如果仅只在口头上表示投降，最好不要马上接受。而今阴雨不停，大水行将成灾，不应再作逗留。唯愿陛下发动闪电攻击，严令各军星夜挺进，水陆并行，必须出其不意，平壤（高句骊首都，朝鲜半岛平壤市）一座孤城，必能攻克。只要摧毁根本，其他城池自会望风瓦解。如果不能及时平定，万一遇到秋季豪雨，艰险拦阻，兵源粮源全被切断，强敌仍在面前，靺鞨部落（黑龙江下游）将攻击我们的背后！现在迟疑不决，不是上等谋略。”

三月十二日，段文振逝世，杨广很感可惜。

7 三月十四日，杨广才亲自进入军营。抵达辽河西岸，各军会师，就在河畔构筑庞大阵地。高句骊军在辽河东岸拒守，中国东征军不能渡过。左屯卫（十六禁军第十三军）大将军（正三品）麦铁杖对人说：“大丈夫性命，上天自有安排。不可以活到后来，用艾叶在额上烧灸，用瓜蒂在鼻孔喷汁，怎么治都不能退热，死在儿女之手！”（胡三省注：“热病头痛，所以燃艾叶灸额，热病呼吸困难，瓜蒂清凉，喷汁入鼻，使呼吸顺畅。”）于是请求充当先锋，对他的三个儿子说：“我受国家大恩，今天就是死日，我死得其所，你们也得到富贵。”

杨广命国务院工程部长（工部尚书）宇文恺，在辽河西岸建造三座浮桥，建造既成，向东移动，想不到桥身太短，还有一丈有余差距，不能到达东岸。就在此时，高句骊军涌到，中国东征军勇士争着跳水接战，高句骊军在高岸上俯身拦击，东征军无法登岸，大量死伤。麦铁杖一跃而上，跟虎贲指挥官（虎贲郎将）钱士雄、孟叉等，全部战死。杨广下令撤退，把浮桥牵回西岸。

杨广追封麦铁杖为宿公爵，命他的儿子麦孟才继承爵位；次子麦仲才、麦季才，都当正议大夫（九大夫之六，正四品）。命宫廷供应总监（少府监）何稠把浮桥加长，两天即行完成，于是各军顺序渡辽河前进，在东岸跟高句骊会战，高句骊军大败，死亡以万计算。东征各军乘胜包围辽东城——就是西汉王朝时代的襄平城（辽宁省辽阳市）。杨广也渡过辽河，招待西突厥汗国（新疆北部及中亚东部）曷萨那可汗（一任大可汗）阿史那达漫，及高昌王国（新疆吐鲁番市东）国王（十三任）麹伯雅观战，希望他们恐惧敬畏。杨广趁此下诏赦免天下罪犯。命国务院司法部长（刑部尚书）卫文升、国务院事务秘书长（尚书右丞）刘士龙，安抚辽左（辽河以东）人民，停收田赋捐税十年；设立郡县，便于管理。

8 夏季，五月四日，最高监督长（纳言）杨达逝世（年六十二岁）。

9 当东征大军出发，各将领启程时，杨广亲自向他们训话说：“我们现在采取军事行动，完全是拯救人民，讨伐罪犯，不是为了建立功业，寻求美名。你们或许不完全了解我的本意，打算用突击队偷袭，单打独斗，使自己扬名沙场，以争取奖赏，这不是大军东征目的。各位前进时，应兵分三路，当发动攻击时，三路兵马都要互相通知，不可以一军单独前进，防备损失伤亡。同时，所有军事措施，都须奏报，等候批准，不可以独断专行。”

据守辽东（辽宁省辽阳市）的高句骊军，发动几次反击，不能取胜，便坚守城池，不再出战。杨广命各军团团围住。又命各将领：高句骊军如果投降，就应马上接纳安抚，不可以再作攻击。辽东城每次情势危急，眼看陷落在即，守军就声言投降。东征军将领因奉杨广指示，不敢立即反应，总是先行飞奔奏报，等到批示下达，城中守军已重整旗鼓，继续抵抗。如此这般，经过两三次。杨广始终不能觉悟，而辽东城也久久不能攻下。

六月十一日，杨广巡视辽东（辽宁省辽阳市）城南，观看城池形势，召集各将领，责备说："你们自以为身为高官，又仗恃豪门世家，是不是把我当成一个糊涂虫？在京师（首都大兴）的时候，你们不愿我亲自出马，只不过怕我亲自看到你们的毛病缺点！我今天来到这里，就是要看你们的作为，砍你们的人头！你们现在怕死，不肯尽力，难道敢肯定我不能杀你们？"各将领战栗恐惧，脸色大变。杨广遂暂停在城西数华里地方，坐镇六合城（即"行城"，参考六〇八年三月），而高句骊王国境内各城，都坚守不降。右翊卫（十六禁军第二军）大将军（正三品）来护儿率江淮一带（华东地区）水军，船舰连绵数百华里，横渡黄海（当从东莱郡〔山东省莱州市〕出发），从浿水（大同江）逆流而上，距高句骊首都平壤（朝鲜半岛平壤市）六十华里，跟高句骊军会战，大破高句骊军。来护儿打算乘胜攻击平壤，副总司令（副总管）周法尚阻止，要他等各军会合后再进，来护儿不听，遴选精锐部队四万人，直抵平壤城下。高句骊在外城的空寺里，埋伏军队，然后出兵迎战，假装战败回城，来护儿乘胜攻击，尾追入城，命士卒大肆抢劫，队伍完全瓦解。高句骊伏兵突然发动，来护儿大败，仅一个人逃出性命，士卒生还的不过数千人。高句骊军追到泊船码头，周法尚严阵以待，高句骊军才行撤退。来护儿率军退到海浦（大同江口），心胆俱裂，不敢再留下来跟后来的部队会师。

左翊卫（十六禁军第一军）大将军（正三品）宇文述攻击扶余（吉林省四平市）、右翊卫（十六禁军第二军）大将军（正三品）于仲文攻击乐浪（朝鲜半岛平壤市南）、左骁卫（十六禁军第七军）大将军（正三品）荆元恒攻击辽东（辽宁省辽阳市）、右翊卫（十六禁军第二军）将军（正三品）薛世雄攻击沃沮

（朝鲜半岛咸兴市）、左屯卫（十六禁军第十三军）将军（从三品）辛世雄攻击玄菟（辽宁省辽阳市）、右御卫（十六禁军第十六军）将军（从三品）张瑾攻击襄平（辽东，辽宁省辽阳市）、右武候（十六禁军第六军）将军（从三品）赵孝才攻击碣石（朝鲜半岛平壤市北）、涿郡（北京市）郡长摄理（检校）左武卫（十六禁军第三军）将军（从三品）崔弘升攻击遂城（朝鲜半岛咸从县）、摄理（检校）右御卫（十六禁军第十六军）总部虎贲指挥官（虎贲郎将）卫文升攻击增地（朝鲜半岛新安州），规定各军在鸭绿江西岸会师。上列宇文述等各军，分别自泸河（辽宁省锦州市）、怀远（辽宁省沈阳市辽中区）二镇出发，人马都发给一百天的粮食，又发给铠甲、刀枪、长矛，以及衣服、辎重、攻城用具、煮饭用具、篷帐用具，加起来在三石以上，对此可怕重量，士卒体力无法负荷。杨广下令：“士卒胆敢遗弃粮食的，斩首！”士卒索性在没有出发前，就在营帐下挖坑，把粮食掩埋。所以，大军才前进一半，粮食几乎吃光。

高句骊王国派重要官员乙支文德（乙支，复姓），前往东征军大营，宣称投降，事实上是探听中国军事实力。右翊卫（十六禁军第二军）大将军（正三品）于仲文，曾经奉杨广的秘密指令：“如果国王高元亲来，或派乙支文德前来，绝对不可放他再走！”于仲文准备软禁乙支文德，国务院事务秘书长（尚书右丞，正四品）刘士龙，当受降特使（慰抚使），坚决阻止。于仲文只好命乙支文德回去；可是，一会工夫就大为后悔，派人追上乙支文德说：“另外还有话相告，请再来一聚。”乙支文德拒绝，渡鸭绿江一直返京（首都平壤）。

于仲文与宇文述等竟让乙支文德走脱，内心惶恐。宇文述因粮食已尽，打算班师，于仲文认为，如果派出精锐部队追捕乙支文德，定可立功，宇文述一再劝止，于仲文大怒说：“将军率领十万大军，连一小撮盗贼都不能击破，还有什么颜面再见皇上！而且，我这一趟出征，早就知道不能立功，为什么？古代名将所以能建立功业，因大军行动，由一个人决定。而今，各有各的一套，怎么能够克敌！”（一百二十万人大军而不设立统帅，即令全是良将，也难取胜！）当初，杨广因于仲文有军事韬略，曾令其他各军遇事向他请示，听从他的调度，所以于仲文才有这些牢骚。宇文述等不得已，只好勉强服从，跟各将领南渡鸭绿江，追赶乙支文德。乙支文德发现中国东征军士卒，满脸饥饿疲惫，为了使他们的情况更加恶化，于是，每一接战，高句骊军即行后退。宇文述挥军急进，一天之中，七战七捷：一方面乘战胜余威，一方面大家又一致要求攻击，遂全力前进，向东渡过萨水（清川江），距平壤城三十华里，紧傍山麓扎营。乙支文德再派使节前来诈降，向宇文述请求：“你们如果班师，当送我们国王（高元）前往离宫朝见。”宇文述了解士卒疲惫，已无力再战，而平壤城高壕深，十分坚固，一时难以攻克，明知道对方是诈，也只好当作真实接受，遂结成方阵班师，高句骊军从四面八方发动袭击，宇文述等一面抵抗一面撤退。

秋季，七月二十四日，宇文述等抵达萨水（清川江），军队渡到一半时，高句骊军攻击后卫部队，右屯卫（十六禁军第十四军）将军（从三品）辛世雄战死。于是，霎时间，东征大军瓦解，士卒四散逃命，没有人能够阻止。剩下的将领们飞驰奔跑，一日一夜行四百五十华里，抵达鸭绿江。幸而将军、天水郡（甘肃省天水市）人王仁恭殿后，迎击高句骊军，驱退他们的追击。来护儿得到宇文述等兵败消息，也急行撤退。只摄理右御卫府（十六禁军第十六军）虎贲指挥官（虎贲郎将）卫文升的部队，单独保全。

最初，九个军东渡辽河，共三十万五千人，等回到辽东（辽东郡郡政府所在武厉逻城，辽宁省新民市），只剩下二千七百人（三十万二千三百人丧

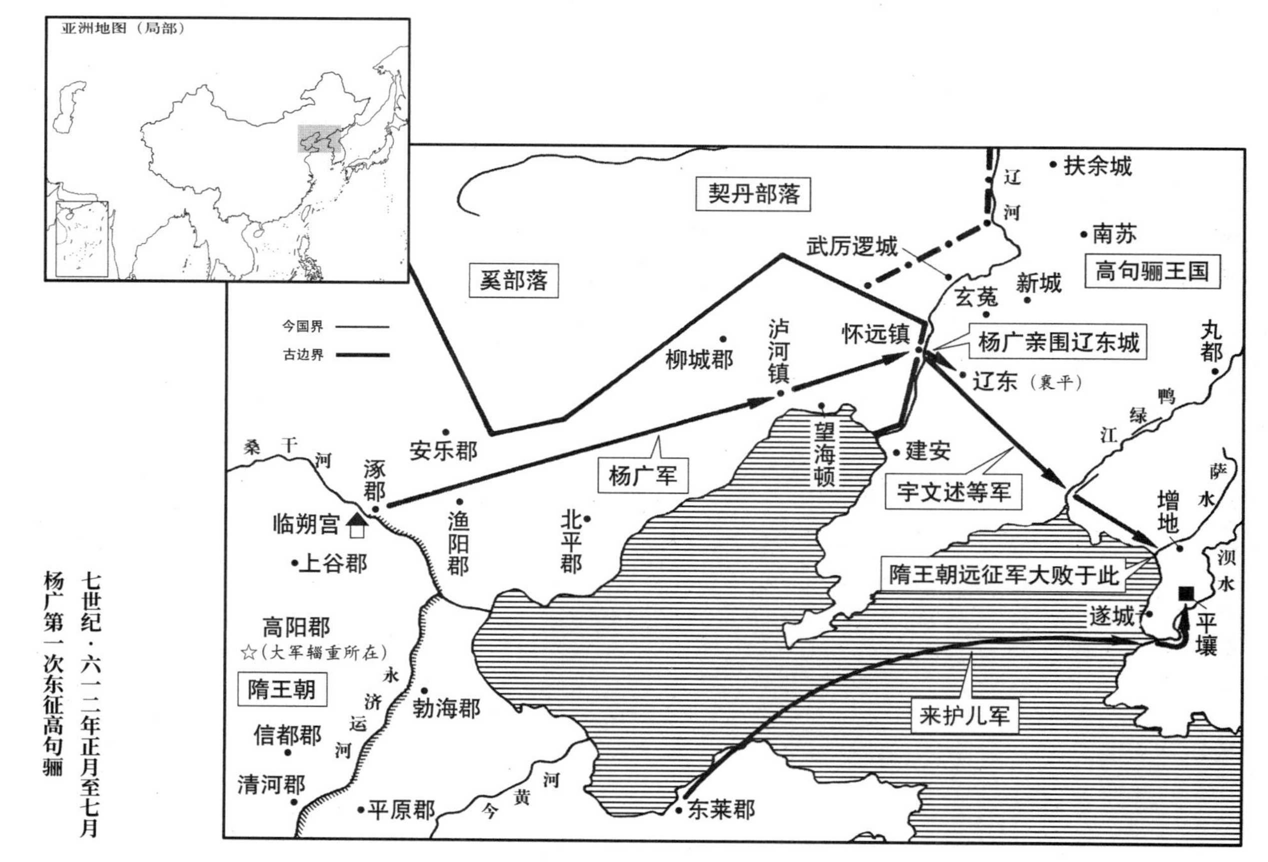

七世纪·六一二年正月至七月
杨广第一次东征高句骊

生或被俘虏），所有武器辎重以万万计算，全部丧失。杨广大怒，锁拿宇文述等归案。

七月二十五日，杨广自涿郡（北京市）启程南返。

最初，百济王国（首都泗沘〔朝鲜半岛扶余市〕）国王（三十任武王）扶余璋，派使节请求中国攻击高句骊王国，杨广命他侦察高句骊动静，而扶余璋却暗中跟高句骊王国交结（在一任帝杨坚出兵攻打高句骊时，百济站在中国的一边，参考五九八年九月。如今倒投高句骊）。中国东征军出发时，扶余璋派他的部属国智牟前来请示出兵日期，杨广大为喜悦，赏赐特别丰厚，派国务院工程部工程司长（尚书起部郎）席律，前往百济告知。等到中国东征军渡过辽河，百济王国也在边界集中军队，声称支援中国，实际上却是观望成败。

这一次大规模东征，只不过在辽河西岸攻克武厉逻城（辽宁省新民市），设辽东郡及通定镇。

八月，杨广下令把黎阳仓（河南省浚县境）、洛阳仓（洛阳城北）、洛口仓（河南省巩义市东）、太原仓（山西省太原市境）等粮食，运往望海顿（辽宁省锦州市东南）储存，命国务院财政部长（民部尚书）樊子盖，留守涿郡（北京市）。

九月十三日，杨广返抵东都（洛阳）。

10 冬季，十月八日，国务院工程部长（工部尚书）宇文恺逝世（年五十八岁）。

11 十一月三日，杨广封杨姓皇家少女当华容公主，下嫁高昌王国（新疆吐鲁番市东）国王（十三任）麹伯雅。

12 宇文述一向受杨广宠爱信任，而且他的儿子宇文士及又娶杨广的女儿南阳公主，所以杨广不忍诛杀。

十一月八日，宇文述与于仲文等，都被开除官籍，贬作平民；斩刘士龙向全国人民道歉（因刘士龙坚持释放乙支文德）。萨水（清川江）溃败时，高句骊军追赶，把薛世雄包围在白石山（朝鲜半岛北部），薛世雄奋勇反击，击破高句骊军，对他仅只免职。另擢升卫文升当金紫光禄大夫（九大夫之四，从二品）。

各将领都把罪过推给于仲文，杨广既把各将领释放，仍单独囚禁于仲文。于仲文忧愁恚恨，病势沉重，杨广才准他出狱，在家逝世（年六十八岁）。

13 本年（六一二），全国大旱，瘟疫流行，山东（崤山以东）尤其严重。

14 张衡既被贬回乡里（参考前年〔六一〇〕三月），杨广不停的派亲信前往探听张衡的行为。杨广从辽东（辽宁省）返回东都（洛阳），张衡的小老婆检举张衡心中仍怀怨恨，批评政府；杨广下诏命张衡在家自杀。张衡临死，大声悲号说："我替人做什么事，而竟然希望长久活命！"（张衡拉杀杨坚，杨广定杀张衡灭口，参考六〇四年七月；相隔八年。）监刑官塞住耳朵（恐怕再被杀灭口，专制政治就是黑社会政治，灭口成为一种手段），急令刽子手诛杀。

六一三年 癸酉

隋　大业　九年
（皇帝刘元进元年）
（皇帝向海明白乌元年）

1 春季，正月二日，隋王朝（首都大兴〔陕西省西安市〕）皇帝（二任炀帝）杨广（本年四十五岁）下诏，征召全国军队再到涿郡（北京市）集合。开始募集勇士组军，美称“骁果”（骁，音xiāo〔萧〕。“骁果”似是七世纪流行的形容词，形容英雄人物勇敢善战）。并修筑辽东古城，用以储备军粮。（自秦王朝直至大分裂时代后燕帝国，辽东郡政府设襄平城〔辽宁省辽阳市〕，后燕帝国末期，郡政府侨迁至和龙城〔辽宁省朝阳市〕附近。襄平在东，和龙在西。高句骊军据守古襄平，杨广

七世纪·六〇九年至六一三年 隋王朝领土扩张

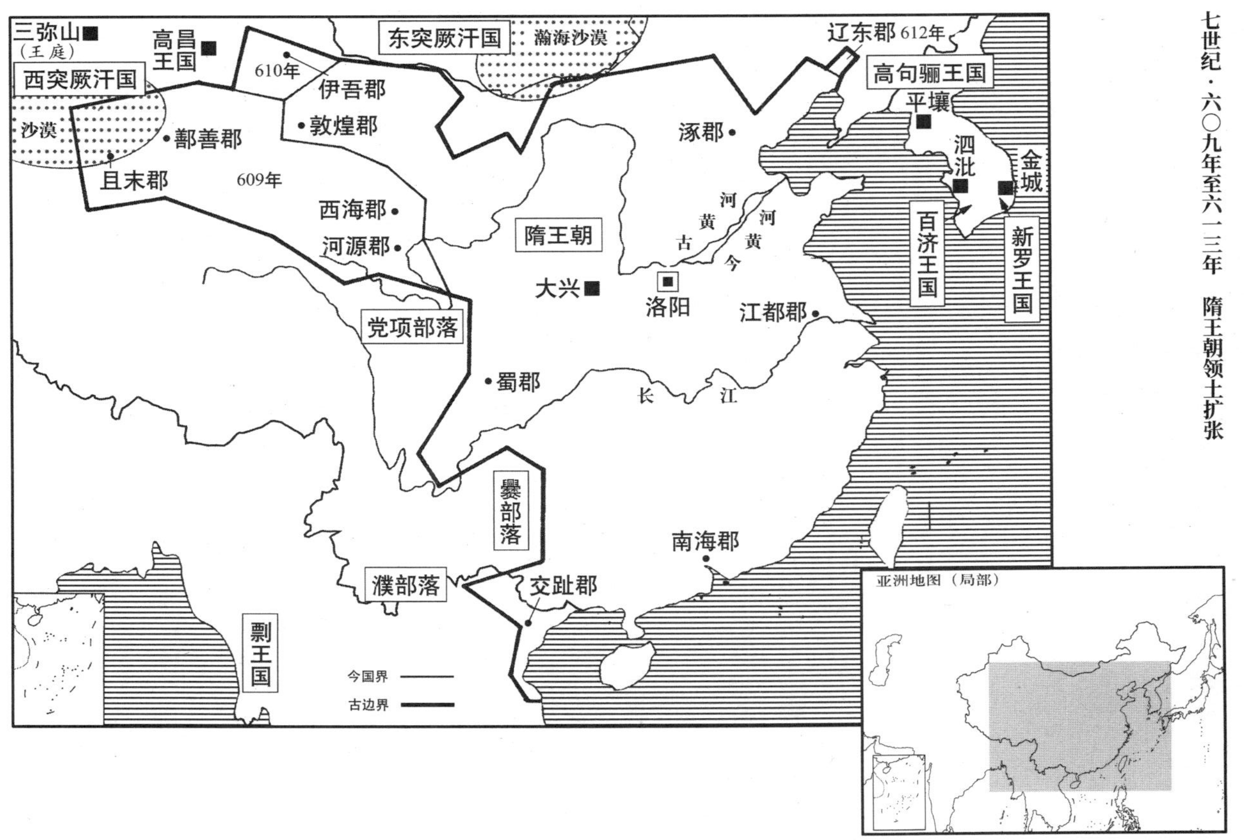

重修的是侨郡城)。

2 灵武郡(宁夏灵武市)变民首领白瑜娑,抢夺政府牧马场的马匹,联合北方的东突厥汗国(瀚海沙漠群)。陇右(陇山以西)地区很多地方受到劫掠,称之为"奴贼"。

3 正月二十三日,赦免天下。

4 正月二十四日,杨广命国务院司法部长(刑部尚书)卫文升,辅佐代王杨侑,留守西京(大兴)。

5 二月壬午日(二月乙巳朔,没有壬午),杨广下诏说:"宇文述因兵力不够,粮食不继,遂使帝国大军失败,是参谋官员作业错误,不是宇文述的罪过,应该恢复他的爵位官职。"不久,又加授宇文述:开府仪同三司(散官,从一品)。

6 杨广对左右的官员说:"高骊(高句骊王国)不过一个小丑,竟敢凌辱中国。现在就是移动一座高山,填平一片大海,都会成功,何况这个歹徒!"乃再讨论攻击高句骊王国(首都平壤〔朝鲜半岛平壤市〕)。左光禄大夫(九大夫之二,正二品)郭荣劝阻说:"蛮夷在礼仪上欠缺,是臣属们的事,千钧强弓,不会只为了一只小老鼠发箭,为什么劳动御驾去亲自对付一撮小贼?"杨广不接受。

7 三月二日,济阴郡(山东省菏泽市定陶区)变民首领孟海公,聚众起兵,据守周桥(定陶区东南),部众有数万人,遇到有人引用书上的话，立即诛杀。

8 三月三日，隋政府征调民夫十万人，整修大兴城（陕西省西安市）。

9 三月四日，杨广前往辽东（辽宁省），命国务院财政部长（民部侍郎）樊子盖等，辅佐越王杨侗，留守东都（洛阳）。

10 全国各地民变蜂起：

齐郡（山东省济南市）人王薄、孟让，北海郡（山东省青州市）人郭方预，清河郡（河北省清河县）人张金称，平原郡（山东省德州市陵城区）人郝孝德，河间郡（河北省河间市）人格谦，勃海郡（山东省阳信县）人孙宣雅，各自聚众起兵，四出抢劫。人数多的有十余万，少的也有数万，山东（崤山以东）人民水深火热。

天下升平的日子太久，人民早已忘记战乱，郡县政府官员每次跟变民军接触，都望风而逃。只有齐郡（山东省济南市）郡政府主任秘书（郡丞）阌乡（河南省灵宝市西）人张须陀，得到官兵部众拥护，勇敢果决，善于作战，率领郡政府军，在泰山（东岳，山东省泰安市北）下攻击王薄。王薄仗恃自己一直战胜，不作戒备，张须陀袭击，大破变民军，王薄集结残余部众，北渡黄河，张须陀追到临邑（山东省临邑县），再度攻击，又大破变民军。王薄会同北方的孙宣雅、郝孝德等十余万人，进攻章丘（山东省济南市章丘区），张须陀率步骑兵二万人迎击，变民军大败。变民军首领裴长才等，率部众二万人突然抵达章丘城下，大肆劫掠，张须陀来不及集结部队，只率领五名骑兵攻击，变民军一拥而上，将他包围一百余重，张须陀身上数处受伤，而越战越勇。正巧城中守军出援，变民军稍稍后退，张须陀指挥大军攻击，裴长才等大败逃走。

三月二十六日，郭方预等联军攻陷北海郡（山东省青州市），大肆劫掠后撤退。张须陀对部属说："盗贼仗恃兵力强大，认为我们不能援救，我们急行军前往，出其不意，一定把他们击破。"挑选精锐士卒，加倍速度前进，大破变民军，杀数万人，前后俘获变民军辎重物资，多得无法计算。

历城（齐郡郡政府所在县，山东省济南市）人罗士信，年十四岁，随从张须陀在潍水攻击变民军，变民军刚刚布阵，罗士信已飞骑奔到阵前，刺杀数人，斩下一个人头，抛到半空，用长矛接住，挑起来在变民军阵前奔驰而过，变民军目瞪口呆，不敢接近。张须陀遂发动攻击，变民军完全崩溃。罗士信向北追击，每杀一个人，就割下那人的鼻子藏到怀里，等回大营之后，计算杀敌数目。张须陀对他至为欣赏，留在自己左右。每次作战，张须陀先冲，罗士信做他的副手。

隋帝杨广派使节慰问安抚，命画师画张须陀、罗士信阵地作战实况图观赏。

11 夏季，四月二十七日，杨广东渡辽河。

四月二十九日，杨广派宇文述与上大将军（从二品）杨义臣，攻击平壤（高句骊首都，朝鲜半岛平壤市）。

12 左光禄大夫（九大夫之二，正二品）王仁恭，攻击扶余（吉林省四平市），推进到新城（辽宁省抚顺市北），高句骊军数万人迎战，王仁恭率劲旅一千人击破高句骊军，高句骊军登城固守。杨广下令攻击辽东城（辽宁省辽阳市），准许各将领使用自己认为最好的攻击方法。于是，高空作战的飞楼、摧击城堡的撞车、攀登城墙的云梯，以及深入城中的地道，东征军从四面八方发动，日夜不停。高句骊守军在城中随机应变，竭力抵抗；二十余日，不能攻克，守军及东征军死伤同样惨重。云梯长达十五丈，骁果勇士吴兴郡（浙江省湖州市〔隋王朝无此郡〕）人沈光爬到顶端，跨上墙垛，跟高句骊守军肉搏，短兵器相接，杀十数人，高句骊士卒集中焦点攻击，沈光摔下城墙，还没有摔到地面，正巧云梯上有一根绳子垂在那里，沈光抓住，翻身爬上云梯，再攀登厮杀；杨广正巧看到，被他的勇敢感动，立即任命他当朝散大夫（九大夫之九，从五品），经常留在自己左右。

13 国务院内政部长（礼部尚书）杨玄感，骁勇善战，精于骑射，喜欢读书，爱好宾客，全国知名人士，多跟他交往。杨玄感跟蒲山公李密，十分友善。李密，是李弼的曾孙（李弼事，参考五三四年四月）；年轻时便有才能策略，志向远大，轻视钱财，喜爱结交朋友，当禁军左亲卫指挥官（左翊卫府〔十六禁军第一军〕亲卫〔三卫之一〕郎将），杨广有一次看到他，对宇文述说："左翼卫队那个皮肤黑黑的年轻人，眼光有神，跟平常人不一样，不要让他担任宫廷警卫。"宇文述就暗示李密，要李密自己称病辞职。李密遂不和外界来往，闭门专心读书。曾经骑着黄牛，在牛背上读《汉书》，边走边看，杨素在路上遇见，大为惊奇，召唤他到家见面，相谈之下，十分高兴，对他的儿子杨玄感等说："李密的见识和气度，如此深远广大，你们不如他！"因此，杨玄感跟李密感情日厚。有时，杨玄感也欺侮李密，李密警告说："说话要诚实，不应该当面奉承。在疆场之上，两军对垒，把握决战良机，怒吼呐喊，使敌人恐惧顺服，我不如你。可是集结天下贤良俊杰，安排在适当位置之上，各自发挥才能，你不如我。怎么可以仗恃官阶稍微高一点，就看轻天下知识分子！”杨玄感大笑，十分佩服。

杨素仗恃他的功劳，态度一向倨骄傲慢，金銮宝殿朝见，或皇上宴会的时候，有时不肯完全遵守做一个臣属必须遵守的礼节。杨广早就记恨在心，但没有说出口，杨素也警觉到这种反应。等到杨素逝世（参考六〇六年七月），杨广对亲近侍从说：“假使杨素不死，最后全族也会屠灭。”杨玄感隐约听到这句话，而且，杨玄感自认为几代以来，长期的享受荣华富贵，政府官员很多是老爹杨素的部属；杨玄感眼看政府日陷混乱，杨广又非常猜忌，心中已失去安全感，遂跟老弟们暗中策划叛变。杨广正忙着东征高句骊王国（首都平壤），杨玄感自告奋勇，向杨广说：“我世代都受国家厚恩，愿意率军作战。”杨广大喜说：“将军家门出将军，宰相家门出宰相，一点不假。”因此对杨玄感一天比一天宠爱信任，杨玄感多少也参与政府决策。

杨广东征高句骊，命杨玄感在黎阳（河南省浚县）监督后勤辎重运输。杨玄感遂与虎贲指挥官（虎贲郎将）王仲伯、汲郡（河南省淇县东）总务官（赞治。此时已撤销此官编制）赵怀义等，暗中进行谋划；故意截留运输船只，不准时出发，打算使东征军缺乏粮食。杨广派使节督促，杨玄感扬言水路沿途全是盗贼，粮船应集中行动，不能孤舟独进。杨玄感的老弟、虎贲指挥官（虎贲郎将）杨玄纵、鹰扬指挥官（鹰扬郎将）杨万石，都随杨广前往辽东（辽宁省），杨玄感暗中派人召唤，二人逃亡南下。杨万石走到高阳郡（博陵郡改称，河北省定州市），被郡政府庶务员（监事）许华捕获，送到涿郡（北京市），斩首。

当时，右骁卫（十六禁军第九军）大将军（正三品）来护儿，率舰队从东莱郡（山东省莱州市）出发，打算攻击平壤（高句骊首都，朝鲜半岛平壤市）。杨玄感派家奴假装政府使节，由东向西，宣称来护儿叛变。

六月三日，杨玄感进入黎阳（河南省浚县），关闭城门，大规模裹挟民夫，用船舶上的帆布制造盔甲，设立官署，恢复一任帝（文帝）杨坚时代的制度（废除杨广所定官制。改制事，参考六〇七年四月）。发布文告到邻郡，宣称为了讨伐叛徒来护儿，命大家派军到黎阳仓（河南省浚县境）集合。郡长县长有才干的，杨玄感都要他们亲自督运粮食，前来会师；命赵怀义当卫州（汲郡，河南省淇县东）州长，东光（河北省东光县）民兵司令（尉）元务本当黎州（黎阳〔河南省浚县〕）州长，河内郡郡政府秘书官（主簿）唐祎当怀州（河内郡，河南省沁阳市）州长（杨广把州改郡，杨玄感恢复原状，改郡为州）。

诉讼监察官（治书侍御史，从五品）游元，在黎阳（河南省浚县）督运粮秣，杨玄感对他说："暴君（杨广）虐待天下人民，身陷荒远绝域，上天灭亡他的时候已到。我会亲自率领正义之师，诛杀无道帝王，你意下如何？"游元严肃说："你父亲（杨素）身受帝国大恩，近世以来，无人可比。你们兄弟不是穿青，就是穿紫（五品以上官服），互相辉映，满门富贵，自应尽忠帝国，报答皇恩，想不到你老爹（杨素）的坟土还没有全干，你就反咬一口。我只有一死，不敢听你的命令。"杨玄感大怒，将游元囚禁，不断用武器逼面威胁，游元仍不肯屈服，杨玄感遂斩游元。游元，是游明根的孙儿（游明根事，参考四六一年十月）。

杨玄感挑选体力健壮的运输工人，集合五千余人；又挑选丹阳郡（江苏省南京市）、宣城郡（安徽省宣城市宣州区）水手，集合三千余人。杨玄感宰杀牛、猪、羊，跟大家盟誓，宣布说："主上（杨广）暴虐无道，从没有想到人民，以致天下大乱，死在辽东（高句骊王国）的，以一万为单位计数。今天，我跟你们奋起抗暴，拯救亿万生灵，如何？”大家都跳起来高呼万岁，全军戒备。

杨玄感所任命的怀州（河南省沁阳市）州长唐祎，逃出黎阳（河南省浚县），奔返河内郡（沁阳市）。

最初，杨玄感秘密派家僮前去大兴（隋首都，陕西省西安市），召唤李密和老弟杨玄挺，前来黎阳（河南省浚县），等杨玄感起兵，李密也恰恰抵达，杨玄感大为高兴，把李密当作自己的智囊，询问说：“你一向把拯救人民当作自己的责任，而今时候已到，你认为应该怎么办？”李密说：“皇上（杨广）率军出征，远在辽东（辽宁省）塞外，距幽州（指涿郡，北京市）还有一千华里（北京市与辽阳市间航空距离六百公里）。南有大海（渤海），北有强大的外族（指东突厥汗国、奚部落、契丹部落等），中间只有一线（辽西走廊）跟国内联系，情况艰难危险。你率领大军，出其不意，长驱直入，占领蓟县（涿郡郡政府所在县，北京市），夺取临渝（河北省秦皇岛市抚宁区东榆关镇），扼住咽喉，他的归路既被切断，高句骊得到消息，一定攻击他的背后，顶多十天半月，粮秣辎重全都罄尽，东征军如果不投降，也会自己崩溃，用不着流血，就可以把他捕获，这是上等策略。”杨玄感说：“告诉我次等策略。”李密说：“关中（陕西省中部）四面全是山塞，就像天堂（关中就是“四关之中”之意，参考前二〇六年十二月），虽然卫文升在那里镇守，也不必介意。我们率领大军，擂动战鼓，向西进发，沿途不攻击城池，只横穿原野，直取大兴（隋首都，陕西省西安市），集结英雄豪杰，安抚知识分子及广大平民，据守险要，皇上即令回来，根据地已失，我们就可慢慢进取。”杨玄感说：“告诉我再次等策略。”李密说：“遴选精锐部队，日夜不停的加倍速度兼程行军，袭击东都（洛阳，河南省洛阳市），向四方发号施令。问题是，如果唐祎发出警告，恐怕他们早已严密戒备。如果攻城，一百天不能攻克，全国援军从四面八方而来，以后的结果，我就不知道了。”杨玄感说：“不然，文武百官的家属，都在东都（洛阳），如果能先攻克，足以动摇政府的军心。而且，经过城池而不夺取，怎么能够立威？你的下计，事实上是上计！”遂领军南下洛阳，派杨玄挺率勇士一千人当前锋，先行攻击河内郡（河南省沁阳市），唐祎登城固守，杨玄挺毫无收获。

唐祎又派人报告越王杨侗及东都（洛阳）留守长官樊子盖等，东都（洛阳）立刻进入备战状态；修武（河南省修武县）居民互相带领把守临清关（河南省新乡市东北。洛阳保护深沟的关隘，参考六〇四年十一月），杨玄感不能通过。于是在汲郡（河南省淇县东）南渡黄河，追随他的人多得像赶市集一样。杨玄感命老弟杨积善率军三千人，在偃师（河南省洛阳市偃师区）南郊，顺洛水向西挺进；杨玄挺从白司马坂（洛阳城北），翻过邙山（洛阳城北）南下；杨玄感率三千余人紧随他后面，相距十华里许，自称反抗军主力。士卒都手拿单刀，使用柳木做的盾牌，既没有弓箭，也没有盔甲。

东都（洛阳）派河南（洛阳所在县）县长（河南令，正五品）达奚善意，率精锐部队五千人，抵抗杨积善；另派建筑部长（将作监，正四品）、洛阳市政府总务官（河南赞治，从四品）裴弘策率八千人，抵抗杨玄挺。达奚善意南渡洛水，在汉王寺（今地不详）筑垒，明天，杨积善军抵达，达奚善意还没有接战，军队就先崩溃，士卒四散逃命，铠甲武器，全被杨积善掳获。裴弘策前进到白司马坂（洛阳城北），和反抗军一经接触，就被击败逃走，铠甲武器抛弃大半，杨玄挺也没有追击。裴弘策逃了三四华里，集结残兵败将，再度筑垒，严阵以待，杨玄挺慢慢赶到，就在阵前休息，休息了很久，忽然间发动突击，裴弘策又被击败逃走，如此这般，重演五次。

六月十四日，杨玄挺前进到太阳门（隋王朝东都宫城有东太阳门〔东门〕及西太阳门〔西面北门〕，不知指哪一门），裴弘策率十余骑兵，奔回宫城，其他出征将士没有一个人回来，全投降杨玄感。

杨玄感驻军上春门（洛阳城东面北门），每次跟大家盟誓，都说："我做官做到上柱国（勋官一级〔旧制〕，从一品），家里黄金万两，对于荣华富贵，已再无所求。现在，不怕全族屠灭，只是为了解除人民的苦难！"大家内心喜悦，父老们争着呈献牛肉美酒，子弟纷纷到大营投效从军，每天多到以千为单位计算。

立法院立法官（内史舍人，从五品）韦福嗣，是韦洸的侄儿（韦洸，参考五八九年二月），出兵拒抗杨玄感，被杨玄感俘虏，杨玄感对他十分礼遇，命他跟反抗军官员胡师耽，共同负责文书工作。杨玄感命韦福嗣执笔，写信给樊子盖，斥责杨广的罪恶，警告说："我今天要罢黜昏君，另行拥护英明，请不要受小节限制，自招忧患。"樊子盖原来是地方官员（原任涿郡〔北京市〕郡长），刚刚调到中央，东都（洛阳）原有官员很多对他不尊敬，若干军事措施，甚至不告诉他，也不接受他的命令。裴弘策跟樊子盖在朝会时，同站一班；裴弘策不断被反抗军击败，所以当樊子盖命他再出城作战时，裴弘策不肯服从，樊子盖立即命拉出去斩首示众。国立贵族大学校长（国子祭酒，从三品）河东郡（山西省永济市）人杨汪，态度稍稍傲慢，樊子盖又要杀他，杨汪叩头叩得前额出血，才逃一命。于是将领官吏震撼肃穆，没有人敢昂然抬头，命令遂得以执行，禁令也得以贯彻。杨玄感出动所有精锐部队攻城，樊子盖随机应变拒守，杨玄感无法攻克。然而大官子弟响应东都（洛阳）号召，前来投效政府军的，听说裴弘策被处死，都不敢进城。韩擒虎的儿子韩世谔、观王杨雄（杨坚的族侄）的儿子杨恭道、虞世基的儿子虞柔、来护儿的儿子来渊、裴蕴的儿子裴爽、最高法院院长（大理卿，从三品）郑善果的儿子郑俨、周罗睺的儿子周仲等四十余人，都投降杨玄感。杨玄感把他们全当作亲信，委任重要工作。郑善果，是郑译的侄儿（郑译，参考五七六年八月）。

杨玄感的部队有五万余人，派五千人封锁慈涧道（慈涧，洛阳城西），另派五千人封锁伊阙道（伊阙，洛阳城南），再派韩世咢率三千人包围荥阳（河南省荥阳市），顾觉率五千人攻击虎牢（河南省荥阳市西北汜水镇）。虎牢投降反抗军，杨玄感命顾觉当郑州（虎牢改郑州）州长，镇守虎牢。

代王杨侑（时在首都大兴）派国务院司法部长（刑部尚书）卫文升，率军四万人，增援东都（洛阳）。卫文升经过华阴（陕西省华阴市），挖掘杨素的坟墓，把杨素的尸体用火烧毁，向士卒显示必死的决心；遂穿过崤谷（河南省三门峡市东南）、渑池（河南省渑池县），直指东都（洛阳）城北。杨玄感迎击，卫文升一面作战，一面推进，驻军金谷园（洛阳城西北，晋王朝梁绿珠〔参考三〇〇年八月〕坠楼处）。

杨广围攻高句骊王国（首都平壤）辽东城（辽宁省辽阳市），很久不能攻克，命人制造布袋一百余万个，满装泥土，打算兴筑高架大道（鱼梁大道），宽三十步，从城外平地筑起，直筑到城墙，与城墙等高，使战士攀登攻击。同时制造八个轮子的攻城战车，高出城墙，在高架大道（鱼梁大道）两旁，推使接近城墙，战车上满装射击手，可以居高临下，俯射城中；已经定好日期发动总攻，城里高句骊守军感到情势危急，十分忧虑。而就在这时候，杨玄感兵变消息传到，杨广大为恐惧，把最高监督长（纳言）苏威召唤到御帐，问他道：“杨玄感这娃儿聪明，会不会造成后患？”苏威说：“一个人能辨别是非，判断成败，才叫‘聪明’。杨玄感粗心大意，思考疏略，一定没有后患。害怕的是，他揭起了大乱的序幕！”杨广又听说贵族大官的子弟，都在杨玄感那里，越发愁闷。国务院国防部副部长（兵部侍郎）斛斯政，一向跟杨玄感友善，杨玄感兵变，斛斯政跟他秘密勾结，杨玄纵兄弟逃亡，都是斛斯政暗中安排。杨广对杨玄纵等的党羽，打算穷追猛查，斛斯政心里不安。

六月二十六日，斛斯政投奔高句骊王国（首都平壤）。

六月二十八日，夜晚二更时分（二十一时至二十三时），杨广秘密召集各将领，命他们率军撤退；军用物资、武器辎重、攻城用具，堆积如山，营垒、篷帐，一律保持原状，一丝不动，全部舍弃；军心惶恐，军纪丧失，行军不成行列，士卒纷纷逃亡。

高句骊守城军立即发觉，但是不明真相，不敢出城，只在城里擂鼓呐喊。到第二天（六月二十九日）中午，才派出斥候，渐渐向四方远处侦察，而仍怀疑中国东征军使用诈术，经过两天，才派数千人尾追，但仍怀畏惧，不敢逼近，一直保持八九十华里的距离。将要追到辽河，确知杨广大营已经渡过，这才开始攻击殿后部队，东征军的殿后部队，仍有数万人之多；高句骊军紧随袭击，东征军落后的老弱残兵数千人，被高句骊军全部屠杀。

最初，杨广第二次东征高句骊王国时，再度询问天文台长（太史令）庾质说："这次如何？"庾质回答说："我实在愚昧，仍是上次的看法（庾质反对杨广亲征，参考去年〔六一二〕正月）。陛下如果仍要御驾再往，实在太过辛劳。"杨广大怒说："我亲自指挥，还不能取得胜利，直接派人前去，怎么能够建功！"现在东征军仓猝撤退，杨广对庾质说："你不盼望我出征，当是为了这桩事，你看杨玄感会不会成功？"庾质说："杨玄感地位虽高，权势虽大，可是他一向不得人心，只是利用人民的苦难，希望侥幸。全国大一统局面，不容易动摇。"

杨广派虎贲指挥官（虎贲郎将〔十六禁军府副将军〕，正四品）陈稜，进攻反抗军元务本据守的黎阳（河南省浚县），又派左翊卫（十六禁军第一军）大将军（正三品）宇文述、右候卫（十六禁军第六军）将军（从三品）屈突通，乘坐政府驿马车征调各路人马讨伐杨玄感。左骁卫（十六禁军第九军）大将军（正三品）来护儿抵达东莱郡（山东省莱州市），听说杨玄感包围东都（洛阳），召集各将领举行军事会议，商议回军援救。各将领都认为没有中央训令，不应该擅自行动，坚决反对。来护儿声色俱厉，说："洛阳被围，是心脏和腹部的祸事。高骊（高句骊王国）违抗命令，不过是皮肤上的疥癣小病。国家的事，我们既然知道应该怎么做，就应该去做。擅自行动的责任，由我来负，跟任何人没有关系，有反对的，依军法诛杀。"当天即行回军，一面派儿子来弘整，乘政府驿马车飞报杨广。杨广当时返抵涿郡（北京市），已下令来护儿救援东都（洛阳），看见来弘整，大为高兴，下诏给来护儿说："你回军之时，正是我下令要你回军之时。君王跟部属心意密合，虽然相隔遥远，却如同符契。"

最初，右武候（十六禁军第六军）大将军（正三品）李子雄，因案被指控有罪，免职，开除官籍，杨广命他随军效力，当时正在东莱郡（山东省莱州市）来护儿大营，杨广对他疑心，下诏逮捕，送往行宫。李子雄斩杨广的使节，逃奔杨玄感。

卫文升率步骑兵二万人，渡过瀍水（洛水支流），跟杨玄感会战，屡战屡败。杨玄感每次攻击，都身先士卒，勇不可当，所到之处，无不摧陷，而又善于安抚部属，很得部属欢心，都乐意为他战死，因此每次战役，都传出捷报，而部众越来越多，高达十万人。卫文升人数较少，不能抵挡，死伤超过大半，几乎全军覆没（司马光《考异》：当时政府军已无斗志，每次作战，刚刚接触，就抛弃武器，坐在地下，用白布缠头，

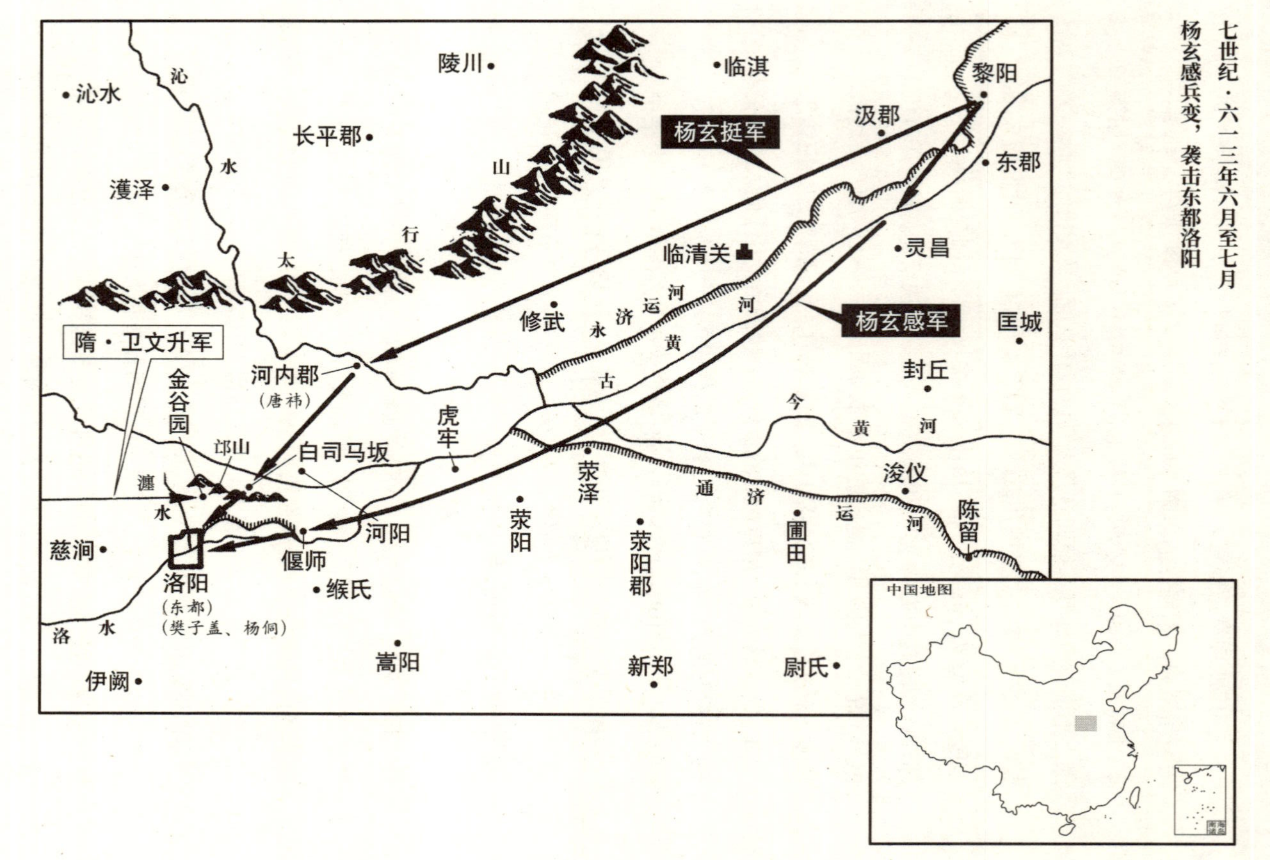

七世纪·六一三年六月至七月
杨玄感兵变，袭击东都洛阳

睁眼看着反抗军行动)。卫文升重新集结部众，进抵邙山南麓，跟反抗军决战，一天十余次接触，恰巧杨玄挺被流箭射死，反抗军才稍稍向后撤退。

秋季，七月十一日，余杭郡(浙江省杭州市)变民首领刘元进，聚众起兵，响应杨玄感。刘元进手长一尺有余，臂长超过膝盖，自认为相貌奇特非凡，暗中有称帝称王的大志。正巧杨广征调三吴(太湖流域及钱塘江流域)青年从军，东征高句骊王国(首都平壤)，三吴士卒们互相提醒说："往年(指去年〔六一二〕)国势鼎盛，我们老爹老哥参加东征的，尚且有大半没有回来。现在，国家已疲惫衰败，再出动大军，只有死光，一个不剩。"因此，很多人逃亡。郡县政府搜捕，至为紧急，这些亡命之徒听说刘元进起事，纷纷前往投奔，十天半月之间，刘元进已拥有数万人。

当初，杨玄感抵达东都(洛阳)，自认为天下各地都会响应。俘虏韦福嗣后，当作心腹，不再专信李密。可是韦福嗣所作的策划，总预留退步，李密看穿了他，警告杨玄感说："韦福嗣不是起义时原始盟友，所以态度观望。你刚刚发动大事，却把奸诈之人留在身旁，听他在中间拨弄是非，一定被他耽误，请把他斩首！"杨玄感说："何至于到这种地步！"李密退出，对他的亲友说："楚公爵(杨玄感)喜爱造反，却不知道如何取得最后胜利，我们今天已成瓮中之鳖！"

李子雄劝杨玄感早早称帝，杨玄感征求李密的意见，李密说："从前，陈胜自己打算称王，张耳劝阻，而被驱逐在外(参考前二〇九年七月)；曹操打算要皇帝加授九锡(九锡，参考四年)，荀彧劝阻，而被诛杀(参考二一二年十月)。现在，我准备说出真话，又恐怕步张耳、荀彧的后尘。如果阿谀奉承，又不是我的性格。为什么？试想一想，自从起兵以来，虽然不断传出捷报，可是，天下之大，还没有一个郡县响应！东都（洛阳）的守卫仍很坚强，全国救兵，将越来越多。你现在所做的事，应该是奋身作战，早早夺取关中（陕西省中部），而竟急于把自己推到高峰，为什么向人显示心胸是如此之小！”杨玄感笑起来，以后遂不再提及。

屈突通进驻河阳（河南省孟州市），宇文述率军随后抵达。杨玄感征求李子雄的意见，李子雄说：“屈突通深通军事，如果一旦渡黄河南下，大局胜负恐怕难以决定，不如分出一部分兵力抵抗。屈突通不能渡河，樊子盖、卫文升就势力孤单。”杨玄感认为对极，打算派军北上，樊子盖料到杨玄感这个计谋，于是向杨玄感大营不断发动攻击，杨玄感无法抽身。屈突通遂渡黄河，在破陵（洛阳城东北）扎营。杨玄感分为两军，西抗卫文升，东抗屈突通。而樊子盖守城军也出城作大规模攻击，杨玄感屡战屡败，和他的同党共同讨论，李子雄说：“东都（洛阳）援军越来越多，我们不断战败，势不可久留，不如直接进入关中（陕西省中部），打开永丰仓（即广通仓，陕西省潼关县北，参考五八三年十二月，当是避讳而改名）赈济贫苦人民，三辅（大大兴地区）可以在大旗挥动下平定。我们接收政府仓库，面向东方，跟杨广争夺天下，也是霸王事业。”李密说：“弘化郡（甘肃省庆阳市）留守长官（留守）元弘嗣，手握陇右（陇山以西）强大武装部队；我们不妨宣称元弘嗣谋反，派人迎接你入关（函谷关）加盟，可能把大家骗住。”

正巧，华阴（陕西省华阴市）杨家宗亲派人前来充当向导。

七月二十日，杨玄感解除东都（洛阳）包围，率军西上潼关（陕西省潼关县），宣称：“我已击破东都（洛阳），现在要攻取关西（函谷关以西）。”宇文述等政府各军，在后追击。杨玄感前进到弘农宫（河南省三门峡市），当地人民父老拦住马头，劝杨玄感说：“弘农宫空虚，而存粮又多，容易攻下。”杨玄感认为可以。弘农郡（河南省灵宝市）郡长、蔡王杨智积（一任帝杨坚的老弟杨整的儿子）对部属们说：“杨玄感听到大军就要到达的消息，打算西上图谋关中（陕西省中部），策略如果实现，以后对他可能更难攻克。我们当想办法把他套住，使他不能前进；不出十天，就可生擒活捉。”等到杨玄感兵临城下，杨智积登上城墙，大声诟骂，杨玄感大怒，停下来攻城。李密劝阻说：“你今天是在欺骗你部属情况下西进，行动需要迅速。何况政府军就要追到，怎么可以逗留！如果前进不能进入潼关，后退又没有险要可以据守，大军势将一哄而散，你用什么方法生存！”杨玄感不接受，发动攻击，焚烧城门，杨智积在城门内也纵火，杨玄感军无法进城，围攻三天，不能攻克，只好放弃，率军继续西上，前进到阌乡（河南省灵宝市西）县境内，政府军将领宇文述、卫文升、来护儿、屈突通等军，已追到皇天原（阌乡城东），杨玄感据守槃豆（灵宝市西五十公里），筑营布阵五十华里，且战且走，一天之内，三次被击败。

八月一日，杨玄感在董杜原（灵宝市西）再筑营布阵，政府军各将领攻击，反抗军大败，杨玄感单人匹马，率十余名骑兵，投奔上洛郡（陕西省商洛市商州区），政府军追到，杨玄感回马大声叱喝，政府士卒都拨马逃走。杨玄感逃到葭芦戍（河南省灵宝市西南），只剩下他跟老弟杨积善，徒步逃亡，自己知道难逃一死，对杨积善说：“我不能接受别人诛杀侮辱，你可取我性命。”杨积善抽刀把杨玄感砍死，然后自杀，可是自杀还没有死，就被追兵捕获，连同杨玄感的人头，一并送到行宫。杨广下令把杨玄感的尸体在东都（洛阳）切成碎块，示众三天，再剁成肉酱，用火烧成灰烬。杨玄感的老弟杨玄奖，当义阳郡（河南省信阳市）郡长，准备投奔杨玄感时，被郡政府主

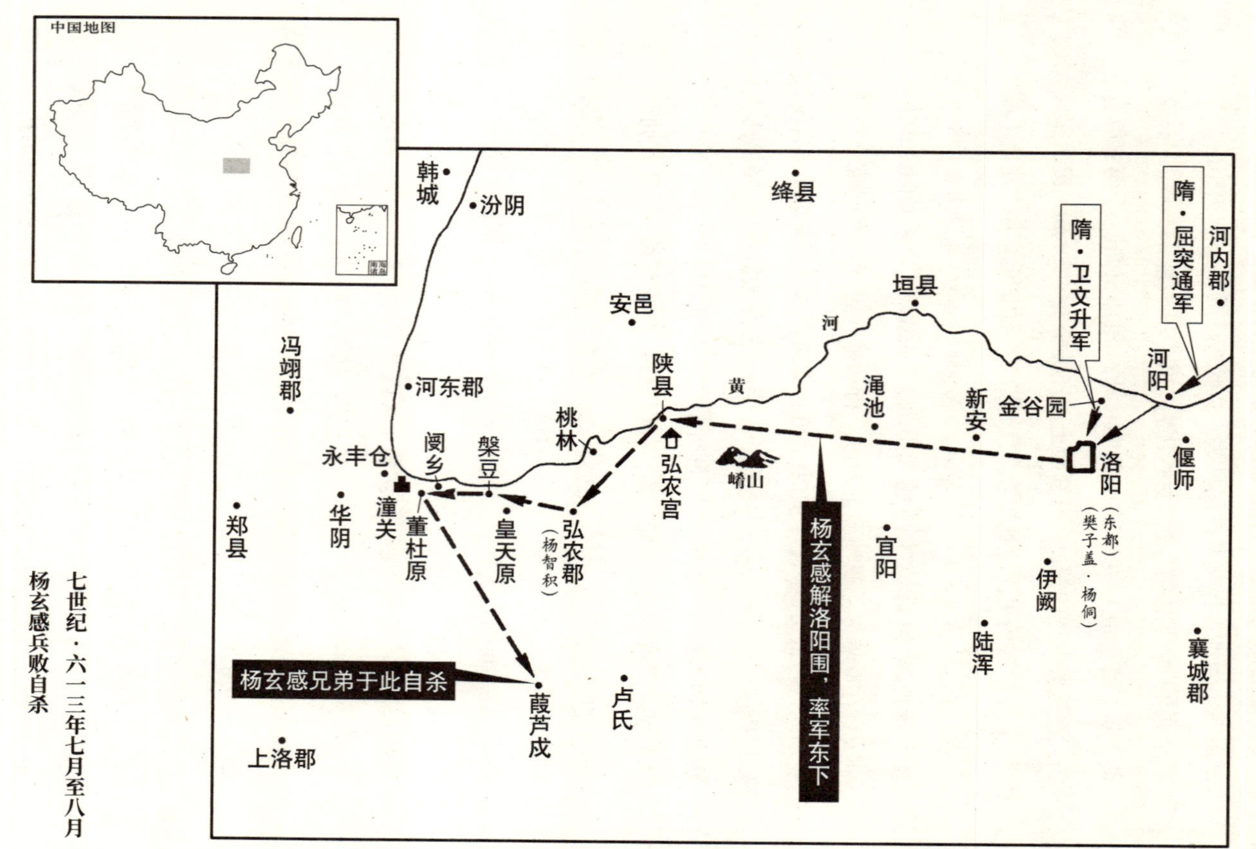

七世纪·六一三年七月至八月
杨玄感兵败自杀

任秘书（郡丞）周旋玉诛杀。另一老弟杨仁行当朝请大夫（九大夫之八，正五品），在首都大兴（陕西省西安市）伏法（杨素一门至此全被屠灭）。

杨玄感包围东都（洛阳）时，梁郡（河南省商丘市）变民首领韩相国，起兵响应。杨玄感任命他当河南方面军元帅（河南道元帅），只十天半月，就集结十余万人，攻掠郡县，挺进到襄城郡（河南省汝州市），听到杨玄感失败消息，部众开始逃散，韩相国被政府军擒获，砍下人头，传送东都（洛阳）示众。

杨广认为元弘嗣是斛斯政的亲戚，而身任弘化郡（甘肃省庆阳市）留守长官（留守）；派军械供应部副部长（卫尉少卿）李渊，飞马前往逮捕，遂命李渊接任留守长官职务，关右（潼关以西）十三郡的军队，全归李渊指挥（胡三省注：十三郡是：天水郡〔甘肃省天水市〕、陇西郡〔甘肃省陇西县〕、金城郡〔甘肃省兰州市〕、枹罕郡〔甘肃省临夏市〕、临洮郡〔甘肃省临潭县〕、汉阳郡〔甘肃省礼县南〕、灵武郡〔宁夏灵武市〕、朔方郡〔陕西省靖边县北白城则村〕、平凉郡〔宁夏固原市〕、弘化郡〔甘肃省庆阳市〕、延安郡〔陕西省延安市〕、雕阴郡〔陕西省绥德县〕、上郡〔陕西省富县〕）。李渊待他的部属宽厚简明，人们多愿归附。杨广因为李渊堂堂一表，相貌奇异，而姓名又出现在神秘预言书上（指《桃李章》歌谣，参考六一六年十月），心中疑惧不安。所以不久就又把李渊调回行宫所在地。李渊正巧患病，没有及时晋见，他的甥女王女士在杨广后宫当小老婆，杨广问王女士说："你舅舅为什么来得这么迟？"王女士回答说李渊患病，杨广说："会不会死？"李渊听到消息，大为恐惧，不敢再显露才干，而只每天酩酊大醉，尽量收取贿赂，用以自我掩饰。

14 八月二日，吴郡（江苏省苏州市）变民首领朱燮、晋陵郡（江苏省常州市）变民首领管崇，集结群众，劫掠江左（太湖流域及钱塘江流域）。

朱燮本是一位道士，后来还俗，读过儒家学派的经典和史学著作，很知道兵法，体态瘦小，在昆山（上海市松江区西）县立学校当教师（昆山博士），率数十名学生起兵，暴政虐待下的人民纷纷向他投奔，情况热烈，好像回家。管崇身材高大，一表人才，志气不凡，不拘小节，隐居常熟（江苏省常熟市），声称自己有帝王的相貌，所以变民们一致拥护他当领袖。当时，杨广还留在涿郡（北京市），派虎牙指挥官（虎牙郎将〔十六禁军府属官〕，从四品）赵六儿，率军一万人，驻防扬子（江苏省扬州市南长江渡口），分成五营，防备南方变民军渡长江北上。管崇派他的部将陆颢，乘夜渡江袭击赵六儿，一连击破两营，掳获两营中的武器辎重后离去，变民军的人数更多，高达十万人。

15 八月二十日，农林部长（司农卿）、云阳（陕西省泾阳县西北）人赵元淑，受杨玄感案的连累，被杀。

杨广命最高法院院长（大理卿）郑善果、总监察官（御史大夫）裴蕴、国务院司法部副部长（刑部侍郎）骨仪，以及东都（洛阳）留守长官樊子盖，会同搜捕捉拿杨玄感的党羽。骨仪，是天竺王国（印度半岛）人。杨广告诉裴蕴说：“杨玄感大声一呼，跟从他的就有十万，使我发现天下人口不可太多，太多就会集结去当强盗！如果不彻底屠杀，不足以阻吓后来的人效法。”樊子盖性情本就残酷，而裴蕴又奉到皇帝这样指示，于是严刑峻法，诛杀三万余人，犯人家产全部没收，冤死的占一大半，判处流刑的有六千余人。杨玄感包围东都（洛阳）时，曾打开粮仓赈济人民；凡接受这种赈济的，全都驱逐到洛阳南郊活埋。杨玄感所敬重的文化人：会稽郡（浙江省绍兴市）人虞绰、琅邪郡（山东省临沂市）人王胄，则被放逐边疆；二人逃亡，被捕获后，斩首。

杨广很会写文章，不能忍受别人的才华高过于他（杨广喜爱文学，参考六〇〇年六月）。薛道衡死（参考六〇九年十一月），杨广说："你还能不能作'空梁落燕泥'？"王胄死，杨广朗诵他的诗句说："'庭草无人随意绿'，你还能再写这样的诗句？"杨广自负他的才干学问，轻视天下所有知识分子，曾经对侍从说："天下人都认为我是继承先人（一任帝杨坚）的事业，才拥有四海，事实上，即令我跟士大夫们竞争，也会当天子。"

杨广曾经心情轻松的对皇家图书院管理官（秘书郎，正七品）虞世南说："我天性不喜欢别人规劝，尤其是，一个人地位声望都到高峰，还想用谏诤求名，我就更不能忍受。至于地位卑贱的人，我虽然可以宽容，但最后一定会把他从地面上铲除（杨广确实做到这一点），你要切记。"虞世南，是虞世基的老弟（虞世基谄媚，参考六一〇年正月）。

16 杨广派裴矩前往陇右（陇山以西）安抚人民，顺道经过会宁（甘肃省靖远县），慰问西突厥汗国（新疆北部及中亚东部）曷萨那可汗（一任大可汗）阿史那达漫的部落（参考去年〔六一二〕正月）；派将军（设）阿史那阙度设入侵故吐谷浑地区（青海省），大肆劫掠，来增加部落的财富。

裴矩回来后，报告杨广，杨广对他大为嘉许。

17 九月八日，东海郡（江苏省连云港市）变民首领彭孝才，聚众起兵，部众有数万人。

18 九月二十三日，杨广抵达上谷郡（河北省易县），因郡政府供应不够丰富，撤除郡长虞荷等官职。

闰九月二十八日，杨广前往博陵郡（即高阳郡，河北省定州市）。

19 冬季，十月七日，变民首领吕明星包围东郡（河南省滑县），政府军虎贲指挥官（虎贲郎将〔十六禁军府副将军〕，正四品）费青奴把吕明星击破。

20 余杭郡（浙江省杭州市）变民首领刘元进，率领部众将渡长江北上；正巧杨玄感失败，另两个变民首领朱燮、管崇，共同迎接刘元进，推他当盟主，据守吴郡（江苏省苏州市），登极称帝，朱燮、管崇都当国务院执行长（尚书仆射），设立文武百官。毗陵郡（江苏省常州市）、东阳郡（浙江省金华市）、会稽郡（浙江省绍兴市）、建安郡（福建省福州市）英雄豪杰，很多聚众起兵，逮捕郡长，响应刘元进。

杨广派左屯卫（十六禁军第十三军）大将军（正三品）代郡（雁门郡，山西省代县）人吐万绪（吐万，复姓）、光禄大夫（九大夫之一，从一品）下邽（陕西省渭南市北）人鱼俱罗，率军讨伐。

21 十一月九日，右候卫（十六禁军第六军）将军（从三品）冯孝慈，讨伐清河郡（河北省清河县）变民首领张金称；冯孝慈战败被杀。

22 杨玄感从东都（洛阳）西上时，韦福嗣逃脱，前往东都（洛阳）自首，当时，类似这种情形的人，一律宽大处理，不加追究；樊子盖检查杨玄感的档案文书时，查出韦福嗣所拟计划及书信的草稿（即杨玄感致樊子盖信），密封起来，呈报杨广；杨广命逮捕韦福嗣，押送行宫所在。李密逃亡，被人擒获，也送东都（洛阳）。樊子盖遂用囚车把韦福嗣、李密、杨积善、王仲伯等十余人，用铁链锁住，押送高阳郡（河北省定州市。杨广南返，此时到达高阳郡）。李密跟王仲伯等，暗中商议如何逃亡，于是，把他们携带的所有黄金，拿给押送官过目，说：“我们死的那天，拜托你用来埋葬我们的尸体，剩下的全都相赠，作为报答。”

押解官贪图黄金，满口承诺，对他们的防范也渐渐松懈。李密请押解官准许他们自买酒食，于是每次饮宴，喧哗呼叫，整晚不睡，押解官也不在意，最后抵达魏郡（河南省安阳市）石梁驿（今地不详），李密等把押解人员灌醉，然后在墙上凿洞逃走。李密召唤韦福嗣同逃，韦福嗣说：“我没有罪，天子不过当面骂我一顿罢了。”

韦福嗣等既押解到高阳郡（河北省定州市），杨广把书信草稿拿给他看，然后送交最高法院（大理）。宇文述奏称：“凶恶的叛逆之徒，臣属们应共同痛恨，如果不用重刑，就没有办法警戒将来。”杨广说：“由你安排。”

十二月十五日，宇文述就在野外竖立木桩，把杨积善、韦福嗣等绑到木桩上，用车轮套住头颈，集合九品以上所有的文武官员，都手拿兵器，或用刀砍，或用箭射，乱箭射到杨积善、韦福嗣等身上，好像一个刺猬，身躯已经破碎，头仍套在车轮之中。对杨积善、韦福嗣的尸体，再施车裂酷刑，然后焚化成灰，扬弃大地。杨积善声称他曾经手斩杨玄感，希望免除一死，杨广说：“那么，你更是一头枭鸟！”（传说中枭鸟吞食娘亲，参考三一五年八月）遂改杨积善姓枭。

23 唐县（河北省唐县）人宋子贤，是一位魔术师，能变作佛祖，自称弥勒佛出世，人民无论远近，全都坚信不疑。宋子贤阴谋举行

“无遮大会”（祈福大会），起兵袭击杨广。事情泄漏，宋子贤被斩首，党羽一千余家被杀。

扶风郡（陕西省宝鸡市凤翔区）和尚（桑门）向海明，也自称弥勒佛出世，凡是归附他的人，都会夜有好梦，因此三辅（大大兴地区）平民纷纷信奉，向海明遂聚众起兵，反抗中央，部众多达数万。

十二月十八日，向海明自称皇帝，改年号白乌。

杨广下诏命畜牧部长（太仆卿）杨义臣讨伐，击破向海明军。

24 杨广召唤卫文升（西京留守长官）、樊子盖（东都留守长官）前来行宫，加以慰劳，赏赐十分丰厚，再命他们各回任所。

25 新近称帝的变民首领刘元进，攻击丹阳郡（江苏省南京市），隋政府军吐万绪渡长江南下，击破刘元进军，刘元进解除包围，撤退；吐万绪进驻曲阿（江苏省丹阳市），刘元进设立栅栏抗拒，对峙一百余天，吐万绪发动攻击，变民军完全崩溃，被杀的以万计数。刘元进只身乘夜逃走，坚守营垒。朱燮、管崇等驻军毗陵郡（江苏省常州市），营与营相连一百余华里；吐万绪乘胜追击，再破变民军。变民军退守黄山（江苏省苏州市西南），吐万绪包围黄山。刘元进、朱燮，仅逃出一命，隋政府军在攻击中斩管崇及变民将帅士卒五千多人，俘虏变民军眷属男女三万多人，于是前进解除会稽郡（浙江省绍兴市）的包围。

光禄大夫（九大夫之一，从一品）鱼俱罗跟吐万绪同行，战无不捷，攻无不克。然而，人民风起云涌的投入抗暴行列，像投入市集，变民军战败时即行四散，可是不久再度集结，声势更盛。

刘元进退守建安郡（福建省福州市），杨广命吐万绪进军讨伐，吐万绪因士卒太过疲惫，请求稍微休息，等到明年（六一四）春季再进，杨广大不愉快（现在已是十二月下旬，距明春不过二三十日）。鱼俱罗也看出民变形势，不是一年两年短期内可以平定，而儿子们留在东都洛阳（河南省洛阳市），暗中派奴仆前往迎接，杨广得到报告，大怒。有关单位迎合他的意思，弹劾吐万绪懦弱怯敌，鱼俱罗则常常战败。杨广下令斩鱼俱罗，而征召吐万绪前来行宫所在，吐万绪忧愁悲愤，在中途逝世（《隋书·吐万绪传》：吐万绪走到永嘉郡〔浙江省温州市〕逝世）。

杨广更派江都郡郡政府主任秘书（丞）王世充，征调淮南军队数万人，讨伐刘元进。王世充南渡长江，连战连捷，刘元进、朱燮在吴郡（江苏省苏州市）阵亡，残余部众投降或四散逃走。

王世充召集最先投降的士卒，在通玄寺（今地不详）佛像前，焚香盟誓，承诺赦免，绝对不动杀机。四散逃命的变民，本来要逃入东海当强盗，听到这个消息，十天半月之间，几乎全体都回来自首，王世充把他们引诱到黄亭涧（江苏省苏州市西南黄山之下），封锁四周，全都屠杀，死约三万余人（人间惨事）。

因此，变民残存部众再度集结反抗政府，政府军无法消灭他们，直到隋王朝政府覆亡。可是杨广却认为王世充有大将之才，越发宠爱信任。

26 本年（六一三），杨广下诏，命凡是变民的家产，一律没收。当时遍地都是变民，郡县官员因此各逞权威，任意诛杀。

27 章丘（山东省济南市章丘区）人杜伏威，与临济（山东省济南市章丘区西北）人辅公祏（音shí〔石〕）是刎颈之交的好友，同时逃亡（辅公祏不断偷姑母家的羊送给杜伏威，县政府搜捕紧急，二人遂相伴逃走），杜伏威本年十六岁，出战时一定在前，撤退时一定在后，因之变民推举他当首领。下邳郡（江苏省宿迁市）人苗海潮，也聚众起兵，杜伏威命辅公祏对苗海潮说："我跟你都因不堪忍受隋政府的暴政，分别举起正义旗帜，因为力量分散之故，常怕被生擒活捉，如果能合并为一，就足够抵抗隋军。你如果能当盟主，我一定恭敬服从；如果认为不能，最好是接受我的命令，否则的话，我们可以一战决定雌雄。"苗海潮恐惧，率领他的部众归降。

杜伏威辗转战斗，到淮河以南劫掠，自称将军。江都（江苏省扬州市）留守长官（江都留守）派指挥官（校尉）宋颢讨伐，杜伏威迎战，假装战败，把政府军引诱到芦草丛中，而在上风纵火，政府军全部烧死。海陵（江苏省泰州市）变民首领赵破阵，认为杜伏威军队太少，没有看在眼里，召唤他同心合力。杜伏威命辅公祏在外戒严备战，自己跟左右十人，携带牛肉美酒，进帐晋见赵破阵，就在座位上，把赵破阵击斩，吞并他的部众。

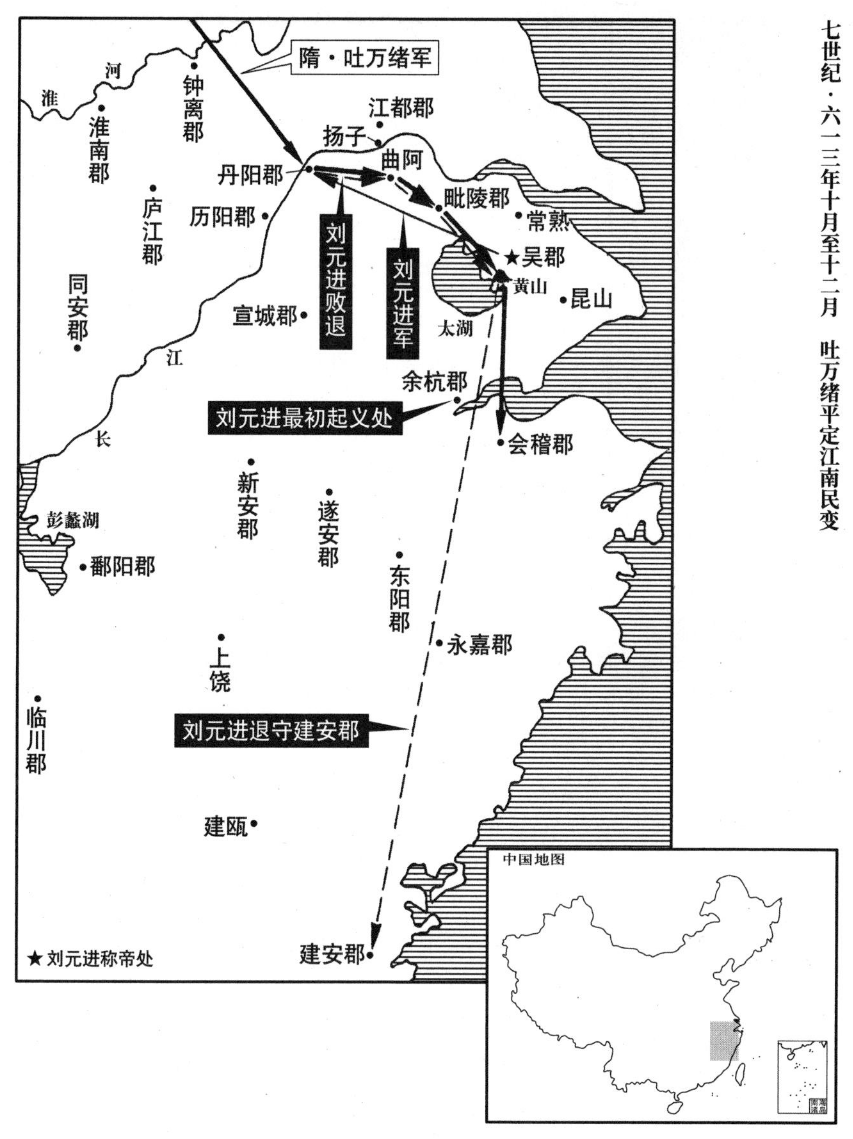

七世纪·六一三年十月至十二月　吐万绪平定江南民变

六一四年 甲戌

隋　大业　十年

（皇帝李弘芝元年）

（皇帝刘迦论大世元年）

（皇帝刘苗王元年）

1 春季，二月三日，隋王朝（首都大兴〔陕西省西安市〕）皇帝（二任炀帝）杨广（本年四十六岁）下诏，命文武百官商议讨伐高句骊王国（首都平壤〔朝鲜半岛平壤市〕）事宜，一连几天，没有人敢说一句话。

二月二十日，杨广再下诏征调全国武装部队，百道同时进发。

2 二月二十九日，扶风郡（陕西省宝鸡市凤翔区）变民首领唐弼，拥护李弘芝当皇帝，有部众十万人，唐弼自称唐王。

3 三月十四日，杨广前往涿郡（北京市）；士卒走到中途，即行纷纷逃走。

三月二十五日，杨广抵达临渝宫（河北省秦皇岛市抚宁区东榆关镇），在郊外祭祀姬轩辕（黄帝王朝一任帝），斩逃亡士卒，用鲜血祭祀战鼓；但士卒仍继续逃亡，无法禁止。

4 夏季，四月，榆林郡（内蒙古托克托县）郡长、成纪（甘肃省秦安县西北）人董纯，跟彭城郡（江苏省徐州市）变民首领张大虎，在昌虑（山东省滕州市东南）作战，董纯大破变民军，杀一万余人。

5 四月二十七日，杨广抵达北平郡（河北省卢龙县）。

6 五月二十三日，延安郡（陕西省延安市）变民首领刘迦论，自称皇王，改年号大世，有部众十万人，跟稽胡部落（山西省西部及陕西省北部匈奴人）互相结盟，抄掠抢劫。

杨广下诏任命左骁卫（十六禁军第七军）大将军（正三品）屈突通，当关内（潼关以西）剿匪总司令（关内讨捕大使），调发地方武装部队，发动攻击，在上郡（陕西省富县）会战，斩刘迦论及他的将领士卒一万余人，俘虏变民男女数万人，班师。

7 秋季，七月十七日，杨广抵达怀远镇（辽宁省沈阳市辽中区），此时，天下已经大乱，向各郡征调的军队，很多超过指定日期，仍没有报到，而高句骊王国（首都平壤〔朝鲜半岛平壤市〕）也疲惫困苦。右翊卫（十六禁军第二军）大将军（正三品）来护儿挺进到毕奢城（辽宁省大连市。仍是渡渤海北上），高句骊军迎战，来护儿击破高句骊军，乘胜进军，将渡鸭绿江攻击平壤（高句骊王国首都），高句骊国王（二十六任婴阳王）高元，大为恐惧。

七月二十八日，高元派使节到中国东征军大营，请求投降；为了表示诚意，逮捕斛斯政（斛斯政投奔高句骊，参考去年〔六一三〕六月），用囚车交回中国；杨广大为高兴，派使臣“持节”，征召来护儿回军。来护儿召集各将领，说：“东征大军出动三次，都不能平定盗贼，这次回去，不可能再来，如此辛劳，竟没有一点功劳，我深感羞耻。现在，高骊（高句骊王国）已陷困难，用我们的军队攻击，几天之内，就可以攻克。我打算继续进军，包围平壤，活捉高元，呈上捷报而回，岂不是好事！”上疏给杨广，请求继续军事行动，等待指示，不肯马上接受诏书。秘书长（长史）崔君肃竭力反对，来护儿坚持不变，说：“盗贼（指高句骊王国）的优势已不存在，只要我们一军，就足可达到目的。我在京师（首都大兴）之外，事情可以独断专行，宁愿擒获高元而受处罚。舍弃今天机会，以后永远不能。”崔君肃警告各将领：“如果听由元帅拒抗诏书，势必上奏皇帝，大家一起倒霉。”各将领恐惧，异口同声向来护儿请求，来护儿才接受诏书。

八月四日，杨广从怀远镇（辽宁省沈阳市辽中区）班师。邯郸（河北省邯郸市）变民首领杨公卿，率部众八千人，袭击杨广御林军后卫第八队，抢到“飞黄上厩”骏马四十二匹，逃走（宫廷总管署〔殿内省〕设御马管理局〔尚乘局〕，拥有六厩：上等飞黄厩、二等吉良厩、三等龙媒厩、四等騊駼厩〔騊駼，音táo tú · 淘图〕、五等駃騠厩〔駃騠，音jué tí · 绝提〕、六等天苑厩）。

冬季，十月三日，杨广返抵东都（洛阳）。

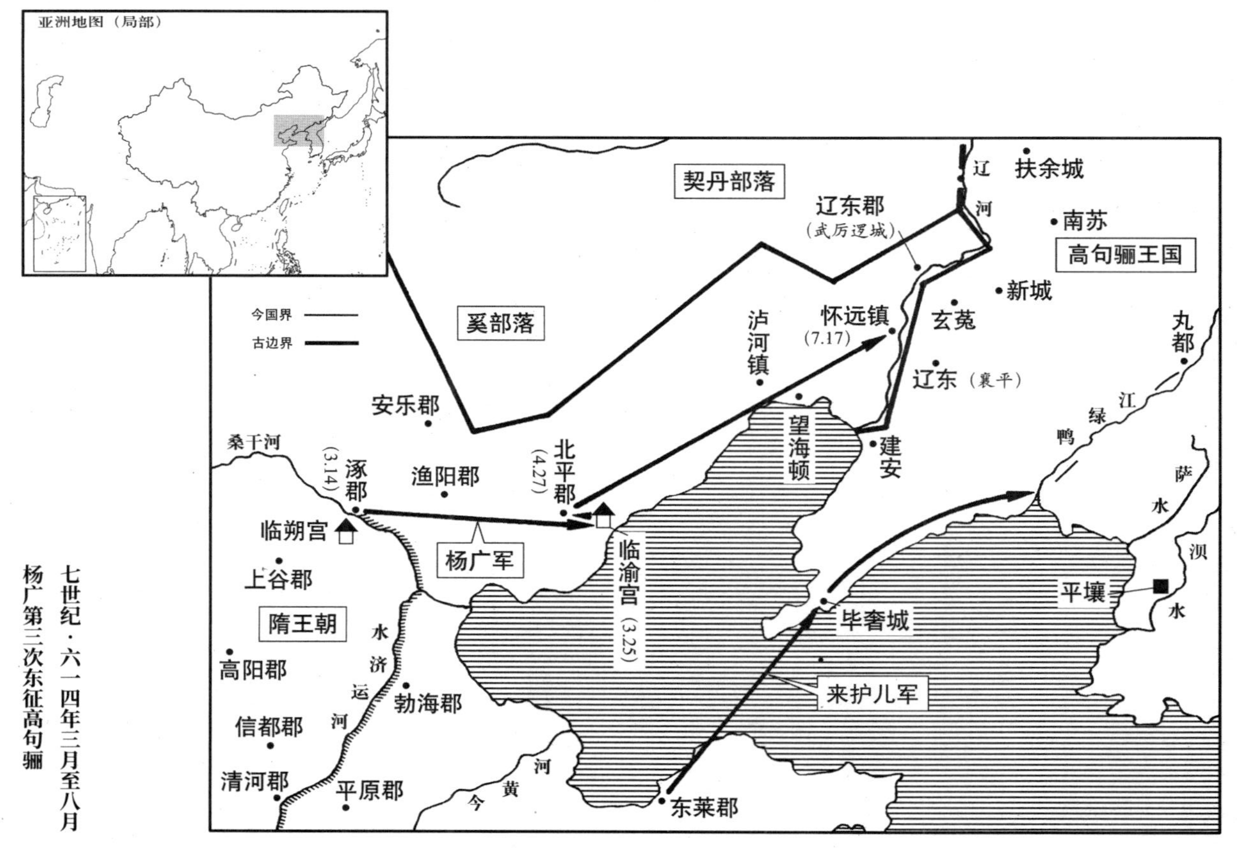

七世纪·六一四年三月至八月
杨广第三次东征高句骊

十月二十五日，杨广返抵西京（首都大兴），把高句骊王国的使节和斛斯政，送到皇家祖庙，祭告祖先。杨广下诏征召高句骊国王高元来中国朝见，高元仍然不理。杨广命各将领准备行装，将再度东征；可是最后终于不能成行。

最初，上世纪（六）九〇年代，中国富庶，人民殷实，无论政府与民间，全都主张征服高句骊王国（首都平壤），只有刘炫认为绝不可以，著《抚夷论》予以讽刺。直到现在，预言才应验（刘炫曾劝阻一任帝杨坚废除学校，参考六〇一年六月）。

十一月二日，在金光门（大兴西面中门）诛杀斛斯政，使用诛杀杨积善时同样的酷刑（杨积善死，参考去年〔六一三〕十二月），把他尸体上的肉割下煮熟，命文武百官吞食，有些马屁精为了表示忠贞，甚至吞食到饱，然后把残留下的骨骸，焚烧扬灰。

8 十一月十一日，杨广前往首都大兴南郊，祭祀天神。杨广并不依照传统规定先在休息的地方沐浴禁食。而于第二天（十一月十二日）一早，就坐上法驾（第二等皇家仪队），直接去祭坛行礼。当天，狂风突起。杨广专祭昊天上帝，三公（太尉、司徒、司空）分别祭五色帝。

典礼完毕，杨广骑马飞奔而回。

9 十一月二十一日，离石胡（山西省吕梁市离石区境匈奴人）酋长刘苗王，聚众起兵，自称皇帝，部众有数万人。政府派将军潘长文讨伐，不能攻克。

10 汲郡（河南省淇县东）变民首领王德仁，拥有部众数万人，据守林虑山（河南省林州市西），四出抢劫。

11 杨广将再去东都（洛阳），天文台长（太史令）庾质劝阻说："近年来讨伐辽东（高句骊王国），人民太过劳苦，筋疲力尽，陛下应该镇守安抚关内（潼关以西），鼓励人民耕田种桑，等待三年五载，库藏稍微丰富，然后再出去巡察，才比较合宜。"杨广大不愉快；庾质遂声称有病，不能随驾行动；杨广大怒，逮捕庾质，下狱；庾质竟死在狱中。

十二月九日，杨广前往东都（洛阳），赦免天下。

十二月二十五日，杨广抵达东都（洛阳）。

12 东海郡（江苏省连云港市）变民首领彭孝才，辗转劫掠到沂水（山东省沂水县），彭城郡（江苏省徐州市）留守长官（彭城留守）董纯出兵讨伐，生擒彭孝才。

董纯虽然不断传出捷报，可是变民越来越多。于是有人打小报告给杨广，诬陷董纯懦弱畏怯，杨广愤怒，把董纯锁拿到东都（洛阳），斩首。

13 齐郡（山东省济南市）变民首领孟让（参考去年〔六一三〕三月）据守长白山（山东省邹平市南），辗转劫掠各郡，挺进到盱眙（江苏省盱眙县），有部众十余万，占领都梁宫（盱眙县南都梁山上），仗恃淮河险要，形势坚固。江都郡（江苏省扬州市）郡政府主任秘书（江都丞）王世充率军拒抗，兴筑五个城寨，切断要道，故意显示力量薄弱。孟让笑说："王世充不过一个舞文弄墨的小官僚，怎么有能力指挥军队，我今天把他生擒活捉，在鼓声向导下，进入江都（江苏省扬州市）。"当时，人民纷纷建立碉堡城寨，自我保护平安，乡村已劫掠不到东西，变民军开始饥饿，孟让只留下少数兵力守营，出军包围五个城寨，再派一部分向南方抢夺。王世充趁他们戒备懈怠，发动突击，大破变民军，孟让率数十名骑兵逃走，被杀一万余人。

14 齐郡（山东省济南市）另一变民首领左孝友，部众十万人，驻守蹲狗山（山东省昌乐县东），郡政府主任秘书（郡丞）张须陀连营前进，加以压力，左孝友走投无路，出营投降。

张须陀的声威震撼东中国，因屡建功勋，被擢升当齐郡副郡长（通守），兼河南道（黄河以南）十二郡整肃剿匪总司令（领河南道十二郡黜陟讨捕大使）。

涿郡（北京市）变民首领卢明月，率部众十余万，驻军祝阿（山东省禹城市）。张须陀率一万人攻击，十余日相持不下，政府军的粮食已尽，将要撤退，张须陀对将士们说："盗贼（变民军）发现我们撤退，一定全体出来追赶，如果有人率军一千人埋伏，乘机夺取他们的大营，可以大胜。但这可是一件危险的事，谁能走这一趟？"没有人回答，只有罗士信及历城（齐郡郡政府所在县，山东省济南市）人秦叔宝，请求担任。于是，张须陀放弃营寨，悄悄逃走，而命二人各率一千人，埋伏苇草之中，卢明月果然全体出动追击。罗士信、秦叔宝突击变民军大营，营门紧闭，二人攀上城楼，各杀数人，营中大乱，二人砍开营门，迎接外面的政府军入内，遂纵火焚烧变民军三十余座营寨，烈火浓烟，上冲霄汉。卢明月急急奔还，张须陀回军奋勇攻击，大破变民军，卢明月率数百名骑兵逃走，张须陀杀人之多，及俘虏之多，无法计算。秦叔宝本名秦琼，但以别名行世。

六一五年 乙亥

隋　大业　十一年
（皇帝李弘芝二年）
（皇帝刘苗王二年）
（燕国漫天王王须拔元年）
（迦楼罗王朱粲元年）

1 春季，正月，隋王朝政府（首都大兴〔陕西省西安市〕）增设皇家图书院（秘书省）官员一百二十人，都由学士担任。

隋帝（二任炀帝）杨广（本年四十七岁）喜爱读书写作，自从出任扬州军区（总部设江苏省扬州市）总司令（扬州总管），特在王府设立“学士”，多达一百人（“学士”一词在此出现，直到二十世纪，仍然存在，不同的是，二十世纪的“学士”，指大学毕业时所得的学位，而隋王朝以下，学士是编撰官。明王朝时，加一“大”字，成了“大学士”，往往就是宰相，地位十分尊贵）。杨广常命王府学士（王府编撰官）编纂书籍，撰写文章。后来登极称帝，前后约二十年（杨广于五九〇年十一月当扬州军区总司令〔扬州总管〕，迄今二十六年），编纂撰写的工作，从没有停止。从儒家学派经典、文学、军事、农业、地理、医药、算卦、佛教、道教，到赌博、猎鹰、犬马，都有著作，没有一样不精密正确；共编纂成三十一部，一万七千余卷。

当初，西京（大兴）嘉则殿，藏书三十七万卷，杨广命皇家图书院长（秘书监）柳顾言等，依类别排列修订，删除重复、杂乱和卑劣部分，共剩下皇家钦定本三万七千余卷，收藏东都（洛阳）修文殿。又照抄副本五十部，分为三等，分别安置在西京宫（大兴）、东都宫（洛阳）、各院（省）、各部署。正本各书都装订得华丽整洁，配上珍贵的卷轴、锦缎的裱褙（此时的书还没有成册，仍是卷轴）。在观文殿前辟出十四间书房，无论门窗、床铺、被褥、柜橱的帘幔，都极度的珍贵华丽，每三间开一个大门，垂挂丝织帷帐，上面有两个人工雕制的飞鸟；而就在大门之外，地下埋有机关，杨广前来看书时，宫女宦官手捧香炉前导，脚踏机关，飞鸟即行下降，冉冉拉起帷帐，门窗以及书橱，都自动开启（看起来很像二十世纪的电动门）；杨广出去，则都自动关闭。

2 杨广因人民逃亡太多，户口不实，抗暴变民遍地。

二月七日，杨广下诏命人民全部迁到城里居住，就近配发耕田。郡县政府所在、驿马车站、村庄聚落，全都兴筑城垒。

3 上谷郡（河北省易县）变民首领王须拔，自称漫天王，国号燕；另一变民首领魏刀儿，自称历山飞。各有部众十余万，北方跟东突厥汗国（瀚海沙漠群）结盟，南方劫掠燕赵地区（河北省中部北部）。

4 最初，一任帝（文帝）杨坚，梦见洪水淹没京师（参考五八二年六月），心里既愤又忧，所以迁都大兴城。

申公爵（明公）李穆逝世（参考五八六年八月），孙儿李筠继承爵位。叔父李浑，对李筠的刻薄吝啬，十分忿恨，命侄儿李善衡刺死李筠，而诬陷堂弟李瞿昙是凶手，斩李瞿昙。李浑贿赂他的妻兄，当时尚是太子宫左翼禁军司令（左卫率，正四品上）的宇文述说："如果能由我继承爵位，我把采邑田赋税收的一半给你。"宇文述向太子杨广求情，杨广转奏老爹杨坚，遂命李浑袭爵。可是，李浑履行承诺只有两年，两年后就不再付给，宇文述大为忿恨，一直等待报复。杨广登极后，李浑不断升迁，最后当右骁卫（十六禁军第九军）大将军（正三品），改封郕公爵；杨广因李浑家族强大，心里猜忌。

现在，报复机会来临，有法术师（方士）安伽陁（音tuó〔驼〕）声言："姓李的会当天子。"劝杨广把全国凡是姓李的，全部屠杀。李浑的侄儿、建筑部长（将作监，正四品）李敏，乳名洪儿，杨广疑心李敏的名字应验预言，经常当面告诉李敏这项预言，希望李敏自杀。李敏大为恐惧，不断跟李浑和李善衡，屏除随从，关门秘密讨论。宇文述遂向杨广打小报告，同时命虎贲指挥官（虎贲郎将〔十六禁军府副将军〕，正四品）河东郡（山西省永济市）人裴仁基，上疏正式检举李浑谋反。杨广遂逮捕李浑全家，派国务院政务秘书长（尚书左丞，正四品）元文都、总监察官（御史大夫，正四品）裴蕴，组合议法庭审理。审讯数日，无法找到谋反证据，遂据实报告杨广。杨广再命宇文述穷追猛查，宇文述诱惑李敏的妻子宇文娥英（北周帝国四任帝宇文赟及乐平公主杨丽华〔杨广的姐姐〕的女儿，参考五八三年七月），上疏诬告李浑阴谋利用杨广渡辽河的机会，率所有当将领的李家子弟，共同袭击御营，拥护李敏当皇帝。宇文述拿进去奏报，杨广感动流泪，说：“我的帝国几乎倾覆，全靠你才得以保全。”

三月五日，斩李浑、李敏（年三十九岁）、李善衡及家族三十二人，三亲等以内的家人，全放逐边疆。数月后，李敏的妻子宇文娥英也被毒死（《隋书·李敏传》：乐平公主杨丽华逝世时，遗言拜托老弟杨广，说：“我没有儿子，只有一个女儿〔宇文娥英〕，我不担心我的生死，但深怜我死后她无依无靠，我的汤沐邑，请转赠她丈夫李敏。”杨广批准。《隋书·李浑传》：宇文述接办这件叛乱案时，到监狱中见宇文娥英，说：“你是皇上的甥女，难道还担心嫁不到好丈夫？李敏、李浑的名字，都在神秘预言书上，皇上已决定诛杀，谁都救不了。夫人应先求保护自己性命，你如果接受我的建议，我保证你可以不受连坐处分。”宇文娥英说：“我不知道应该怎么办，请长辈指示。”宇文述说：“你可以检举李家谋反，李浑曾经告诉李敏：‘你名字在神秘预言书上，应当天子。而今，主上〔杨广〕喜爱战争，劳动人民，正是上天要灭亡隋王朝之时，我当跟你共同夺取政权。如果天子下次再渡辽河东征，我跟你一定都会担任高级将领，每军〔十六禁军〕士卒二万余人，集合在一起，已经五万人马，再调发李家子弟、内外亲戚，以及其他出征将士，而由我们子弟担任元帅的，等待机会，前后响应，我跟你先行进发，袭击皇上御营，子弟起兵响应，各自击斩主将，只不过一天时间，天下已定。’”宇文述口述，而由宇文娥英亲自撰写奏章）。

5 有两只孔雀飞出洛阳西苑，飞到宝城（洛阳宫城东南）金殿之前，亲卫府（十六禁军第一第二军直属单位）指挥官（校尉，正六品）高德儒等十余人看见，奏报杨广，认为是鸾凤降临。当时孔雀已经飞走，无法验明事实，但文武百官仍一齐祝贺。

杨广下诏，认为高德儒正心诚意，暗通上天，首先看见吉兆，特地擢升他当朝散大夫（九大夫之九，从五品），赏赐绸缎一百匹，其他的人各赏赐布帛；并且在鸾凤降临的地方，兴筑仪鸾殿。

6 三月十七日，杨广前往太原郡（山西省太原市）。

夏季，四月，杨广前往汾阳宫（山西省宁武县南管涔山上）避暑，宫城狭小，文武百官及保驾士卒，没有地方可住，散布在山谷之间，用草搭盖茅庵安身。

7 杨广任命军械供应部副部长（卫尉少卿）李渊，当山西河东安抚宣慰特使（山西河东抚慰大使。山西，太行山以西；河东，黄河以东，事实上是同一个地区，即今山西省），全权代表皇帝升迁任免郡县政府官员。

李渊征调河东郡（山西省永济市）军队，攻击变民军；进抵龙门（山西省河津市），击破变民军首领毋端儿（毋，姓）。

8 秋季，八月五日，杨广出塞向北巡视。

最初，裴矩因东突厥汗国始毕可汗（十一任大可汗）阿史那咄吉（咄，音duō〔多〕）渐渐强盛，向杨广建议：用计策使他们从内部分裂，打算把皇家女儿嫁给阿史那咄吉的老弟阿史那叱吉公爵，封他当南面可汗（小可汗）。阿史那叱吉不敢接受，阿史那咄吉听到消息，大起反感。智囊史蜀胡悉，具有谋略，深受阿史那咄吉宠爱信任，裴矩宣称要跟他谈判两国贸易细节，把他引诱到马邑郡（山西省朔州市），竟予诛杀。然后派使节携带杨广诏书，告诉阿史那咄吉说："史蜀胡悉背叛可汗，前来投降，我已为你把他斩首。"阿史那咄吉知道是怎么回事，从此不再朝见杨广。

八月八日，阿史那咄吉动员骑兵数十万人，准备袭击杨广，义成公主先派人飞奔告警。

八月十二日，杨广抵达雁门郡（山西省代县），齐王杨暕率殿后部队，守卫崞县（山西省原平市北崞阳镇）。

八月十三日，东突厥大军包围雁门郡，隋政府官员上下吓成一团，拆除民宅木头铁器，制造守城武器，城中军民有十五万人，而粮食仅能支持二十天。雁门郡所属四十一座城池，突厥攻克三十九座，只剩下雁门郡（山西省代县）、崞县（山西省原平市北崞阳镇）仍然拒守。突厥对雁门郡发动急攻，流箭落到杨广面前，杨广心胆俱裂，抱住幼子赵王杨杲，流泪哭泣，双眼红肿。

左翊卫（十六禁军第一军）大将军（正三品）宇文述，劝杨广挑选精锐骑兵数千人突围，最高监督长（纳言）苏威说："守城，我们的力量足足有余，而轻装备骑兵行动，正是突厥的特长，陛下是万辆战车的主人，怎么可以轻率行动！"国务院财政部长（民部尚书）樊子盖说："陛下身在危险之境，而企图侥幸，万一失败，后悔已来不及！不如固守坚城，先摧挫他们的锐气，就在这里征召四方人马增援。陛下亲自安抚鼓励士卒，宣布不再东征辽东（高句骊王国），高悬奖赏，自必人人奋发，何必担忧不能成功！"立法院副立法长（内史侍郎）萧瑀认为："突厥的风俗，皇后（可贺敦）一定参与军事机密，而且义成公主以皇家女儿身份，外嫁蛮夷，一定需要强大娘家的支援，如果派一名使节前往告知，即令没有益处，至少也没有损失。不过将士们忧心的，倒是一旦免除突厥的灾难，势将再去攻打高骊（高句骊王国）。假设陛下公开宣布赦免高骊，专心讨伐突厥，则大家心里自然安定，人人奋战。"萧瑀，是萧皇后的老弟。虞世基也劝杨广加重奖赏，停止东征辽东（高句骊王国）；杨广同意。

杨广亲自视察慰劳将士，鼓励说："你们要努力攻击盗贼（突厥军），只要能保住城池，凡是站在行列中的士卒，不必担心不富贵！我保证：绝不让主管单位文职人员玩弄笔墨，挑剔刁难，贬低你们的功勋。"于是下令："守城有功的人，平民、士卒，直升六品，赏绸缎一百匹；官员依照顺序升级。”而派出慰劳军队的使节，在大街上一个接连一个，于是军心大振，腾跃欢呼，日夜抵抗突厥的猛烈攻击，死伤惨重。

八月二十四日，杨广下诏，向全国招募兵马，各郡长县长纷纷奔赴皇家急难。李渊的儿子李世民，年十六岁，也投身军旅，隶属屯卫（十六禁军第十三、十四军）将军（从三品）云定兴（就是那位出卖外孙赢得富贵的外祖父，参考六〇七年三月），建议云定兴携带大量旌旗战鼓，发动佯攻，造成敌人的惊慌，说：“阿史那咄吉竟敢出军包围天子，当是相信我们仓猝之间，不能立刻援救。所以最好是白天使旌旗招展，数十华里不断，夜晚则锣声鼓声，互相呼应。蛮虏一定认为救兵涌到，就会望风而逃。不然的话，他们人多，我们人少，他们如果全军出动，我们难以持久。”云定兴接受。

杨广派密使绕道小路到东突厥汗国，向义成公主求救，义成公主派人向阿史那咄吉告警说：“北方边界有紧急情况！”而此时，东都（洛阳）及各郡的救援部队，也赶到忻口（山西省忻州市北忻口镇）。

九月十五日，阿史那咄吉解除包围，退走。杨广派人出去侦察，发现山谷全空，连一匹战马都没有，于是派二千名骑兵尾追，追到马邑郡（山西省朔州市），俘虏东突厥老弱残兵二千余人而回。

九月十八日，杨广返抵太原郡（山西省太原市），苏威建议说：“现在盗贼（变民）不能消灭，政府军人困马乏，盼望陛下迅速返回西京（大兴），使根基稳固，为国家的利益着想。”杨广最初满口答应，但宇文述却建议说：“随驾官员的眷属，很多都在东都（洛阳），最好是顺路经过洛阳，从潼关（陕西省潼关县）进京（首都大兴）。”杨广听从。

冬季，十月三日，杨广抵达东都（洛阳），在街上左顾右盼，对侍从说：“人还多得很嘛！”意思是去年（六一四）讨伐杨玄感时，杀人

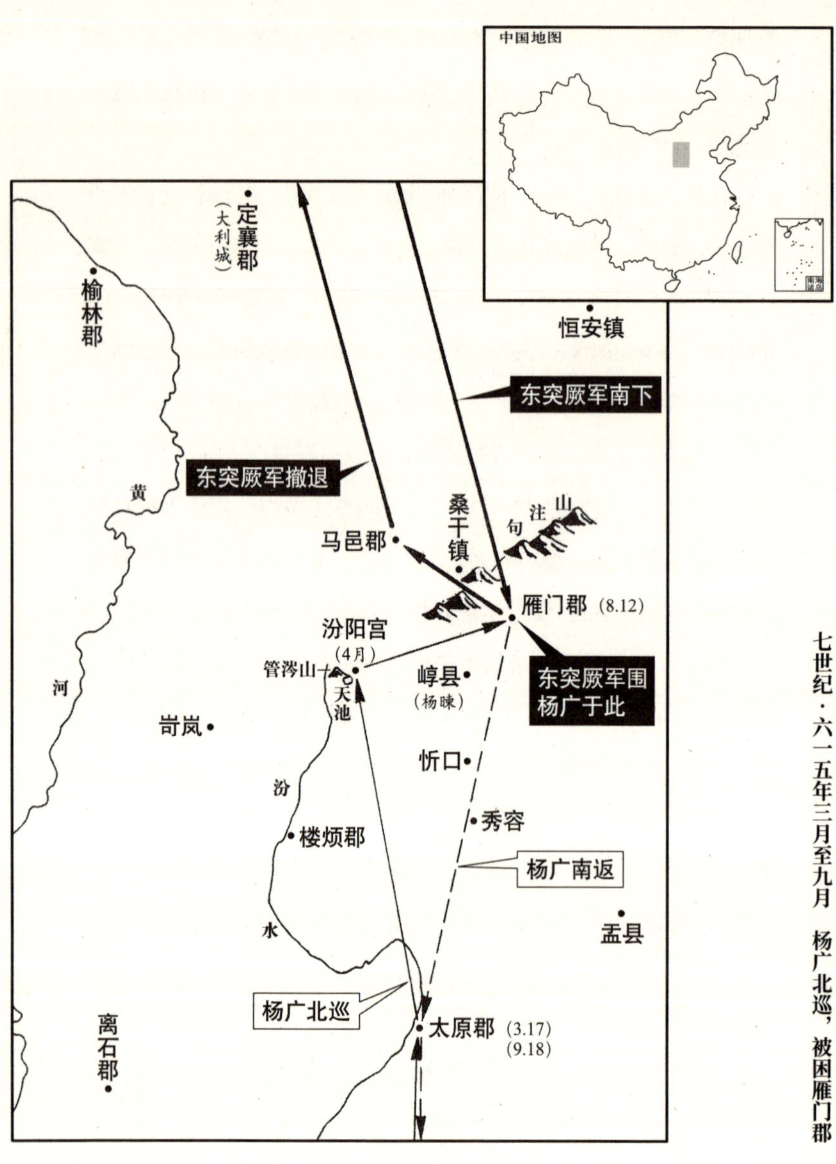

七世纪·六一五年三月至九月　杨广北巡，被困雁门郡

太少。苏威检讨雁门之围时所悬赏的奖励，太高太重，应该再加斟酌；樊子盖一再请求杨广遵守承诺，不应失信，杨广说："怎么，你打算收买军心！"樊子盖大为恐惧，不敢回答。

杨广对于有功人员升官晋爵，十分吝啬。当初，平定杨玄感，应该升官晋爵的很多，于是重新制定散官的官名官阶：建节尉才是正六品，之下是奋武尉（从六品）、宣惠尉（正七品）、绥德尉（从七品）、怀仁尉（正八品）、秉义尉（从八品）、奉诚尉（正九品）、立信尉（从九品）等尉（以上称散官八尉），一级降低一阶。守卫雁门郡的将领士卒一万七千人，被承认有功勋的才一千五百人，一切依照杨玄感事件中立功前例办理：第一次作战建立第一功的，升官一级；原先不是军官，只能升最低级立信尉（散官，从九品），三次战役建立第一功的，可升秉义尉（散官，从八品），参与作战而没有立功的，每四次战役，晋升一级，再没有其他物资赏赐。而杨广却兴致勃勃讨论发动第四次东征高句骊王国（首都平壤〔朝鲜半岛平壤市〕），将士没有人不怨愤。

最初，萧瑀以皇亲国戚的身份，又有才干品德，杨广在东宫当太子时，萧瑀曾当过他的部属，最后官升立法院副立法长（内史侍郎），杨广命他主持机要。萧瑀性情刚直，因不断提出劝告，对杨广有很多冒犯，杨广遂逐渐对他疏远。等雁门郡（山西省代县）的包围解除，杨广告诉文武百官说："突厥狂妄悖逆，能有什么作为！只因没有立即把他赶走，萧瑀就害怕得浑身发抖，不可原谅。"贬出当河池郡（陕西省凤县）郡长，当天就命他上道。候卫（十六禁军第五、六军）将军（从三品）杨子崇，随杨广前往汾阳宫（山西省宁武县南管涔山上），认为突厥一定会发动袭击，不断请求杨广早早回京（首都大兴），杨广拒绝，等到包围解除，杨广忽然大怒，说："杨子崇胆小如鼠，动摇军心，不可担当皇家警卫的大任。"贬出当离石郡（山西省吕梁市离石区）

郡长。杨子崇，是杨坚的族弟（杨广的族叔）。

9 杨玄感之役时，龙舟水殿都被反抗军烧毁。杨广下诏命江都郡（江苏省扬州市）郡政府重新建造，共数千艘，规模比从前更为庞大。

10 十月十三日，涿郡（北京市）变民首领卢明月，率部众十万人，劫掠陈汝（河南省中部）。

11 东海郡（江苏省连云港市）变民首领李子通，勇敢而力大无穷，最先投靠长白山（山东省邹平市南）变民首领左才相。当时，所有变民首领都十分残忍，只有李子通宽厚仁慈，因此很多人向他归附，不到半年，部众有一万人。左才相嫉妒猜疑，李子通率军离去，南渡淮河，跟转战淮南（淮河以南）的变民首领杜伏威会合（杜伏威自称将军，参考前年〔六一三〕十二月）。

杜伏威挑选军中壮士，收作养子，共三十余人（统帅把将领，或将领把士卒收作养子〔或义子〕，是一种诉诸原始感情的核心力量，称之为“义”，团结互不相干的人在自己四周，共同追求荣华富贵，实际上是一种黑社会集团，这种手段似从杜伏威开始，以后逐渐兴盛，到唐王朝末年及小分裂时代，更为普遍，直至二十世纪初叶不衰。杜伏威本年十八岁，只因是个大头目，便当养父），养子中济阴郡（山东省菏泽市定陶区）人王雄诞、临济（山东省济南市章丘区西北）人阚稜，最为出色。

不久，李子通阴谋诛杀杜伏威，派军袭击，杜伏威身受重伤，从马上掉下，王雄诞背负他逃到芦苇中隐藏，集结残兵败将，声势再起。隋政府军将领来整（来，姓），攻击杜伏威，击败杜伏威军；杜伏威部将西门君仪的妻子王女士，力气大而又勇敢，背着杜伏威逃走，王雄诞率壮士十余人严密保护，跟隋政府军苦战，终于逃出一命。来整击败李子通军，李子通率领残余部众投奔海陵（江苏省泰州市），收拾残余士卒，约二万人，自称将军。

12 城父（安徽省亳州市东南城父镇）变民首领朱粲，初在县政府当一名雇员，参加讨伐高句骊王国（首都平壤）东征军时逃亡，聚众起兵，民间称他是“可达寒贼”（可达寒，意义不明），而朱粲自称迦楼罗王，部众高达十余万，率军辗转劫掠荆沔（湖北省中部）及山南（秦岭以南）各郡；朱粲性情残忍，所到之处，屠杀一光，不见人烟（抗暴军往往比政府军还要残暴，是中国人的一项悲哀）。

13 十二月二十二日，杨广下诏，命国务院财政部长（民部尚书）樊子盖，征调关中（陕西省中部）各郡军队数万人，攻击绛郡（山西省新绛县）变民首领敬盘陀等。樊子盖不管是平民或是变民，从汾水北岸起，见人杀人，见村烧村，变民有投降的，全都活埋。人民怨恨悲愤，更加反抗，聚集在一起，四出劫掠。杨广派李渊接替樊子盖。李渊作风宽大，变民有投降的，不但不杀，反而安置在自己左右担任侍从，因此变民很多投降，前后有数万人；敬盘陀的残余党羽，逐渐星散，敬盘陀也逃到其他郡县。

六一六年 丙子

隋　大业　十二年
（皇帝李弘芝三年）
（皇帝刘苗王三年）
（燕国漫天王王须拔二年）
（迦楼罗王朱粲二年）
（元兴王操师乞始兴元年）
（楚帝林士弘太平元年）
（燕王格谦元年）

1 春季，正月（应是正月一日），隋王朝（首都大兴〔陕西省西安市〕）皇帝（二任炀帝）杨广（本年四十八岁）朝会，二十余郡的元旦祝贺特使，没有抵达（有些郡已沦入变民之手，有些特使死在或被阻在中途），杨广才开始讨论派出使节，分十二路出发各地，征调军队镇压变民。

2 杨广下诏，命毗陵郡（江苏省常州市）副郡长（通守）路道德，集合十郡军队，士卒数万人，在郡城东南，兴筑宫殿林苑，周围十二华里以内，建十六座离宫，大体上仿效东都（洛阳）西苑规模（西苑盛况，参考六〇五年五月），而奇特华丽，更要超过。

杨广又想在会稽郡（浙江省绍兴市）筑宫，但天下大乱已起，不能实现。

3 三月三日，清河郡（河北省清河县）变民首领张金称，攻陷平恩（河北省邱县西南），一个早上就屠杀男女一万余人；又攻陷武安郡（河北省邯郸市永年区东南广府镇）、钜鹿（河北省巨鹿县）、清河郡（河北省清河县）。

张金称比其他变民首领更为残暴，所经过的地方，不留一条人命。

我们真要看清楚，历史上确实有一种层出不穷、令人沮丧的现象：争取民主的人不了解什么是民主，一旦当权，往往更跋扈独裁。反抗暴政的人，不一定崇拜自由平等，而是他要自己爬上高位，由他施暴。

历史上的变民，固不一定是强盗，但也不一定就是正义之师。俗话说：政府军杀人劫掠如同梳子，变民军杀人劫掠如同篦子。梳齿的间隔大，还可能留下余粮；篦齿密密排列，真是点滴不漏。苦媳妇一旦熬成婆，往往比原来的婆更恶，中国人的无尽灾难，种因在此。

4 三月上巳日（三月七日。上巳水边修禊，参考三一六年正月），杨广率文武百官在洛阳西苑水边，饮酒欢宴，命学士（编撰官）杜宝撰写《水饰图经》，考察古代有关水上游戏的故事七十二条，由朝散大夫（九大夫之九，从五品）黄衮，用木头一一雕制，包括女子乐队、画舫、载酒的船；人物都能自动行走，栩栩如生，另有钟、磬、筝、瑟等乐器，也都能自动演奏。

5 夏季，四月一日，洛阳宫大业殿西院失火，杨广认为变民军攻打进来，惊慌逃走，跑到西苑，躲在蔓草丛中，等火被扑灭才回宫。

杨广从六一二年以后，睡不安枕，每晚常常被自己猛烈的心跳惊醒，大叫："有贼！"命几位有臂力的美女给他按摩，才能入睡。

6 四月七日，绰号历山飞的变民首领魏刀儿，派将领甄翟儿，率部众十万人攻击太原郡（山西省太原市）。政府军将领潘长文战败阵亡。

7 五月一日，日全蚀。

8 五月九日，杨广在景华宫，命有关单位寻找萤火虫，寻到数斛之多，等黑夜外出游山时，把它们放掉，于是霎时间，万点萤火，布满高山深谷。

9 杨广向左右侍从官员询问变民军消息。左翊卫（十六禁军第一军）大将军（正三品）宇文述说："逐渐减少。"杨广又问："减少几成？"宇文述说："剩下来不到十分之一。"最高监督长（纳言）苏威不愿被问到这个问题，把身子隐藏在殿柱后面，但杨广仍把他叫到前面问他，苏威回答说："这不是我的工作，所以不知道盗贼到底有多少，只知道盗贼距我们越来越近。"杨广说："这是什么意思？"苏威说："从前盗贼盘踞长白山（山东省邹平市南，距洛阳航空距离五百七十公里），现在盗贼盘踞汜水（河南省荥阳市西北汜水镇，距洛阳航空距离六十五公里）。而且从前应该呈缴的田赋捐税和民夫差役，今天都到哪里去了，岂不是都变成盗贼？最近以来，各地奏报盗贼的事情，都不真实，遂使中央不能作正确判断，因之也不能早日平定。同时，陛下从前在雁门郡（山西省代县），承诺不再讨伐辽东（高句骊王国），而今又下诏征兵集粮，打算东征，盗贼怎么能够消失！"杨广大不高兴，退朝。

不久就是五月五日（端阳节），文武百官呈献各种珍宝，只苏威呈献《尚书》（《书经》）一部。有人打小报告诬陷说："《尚书》中有《五子之歌》，苏威不怀好意。"杨广越发大怒。（纪元前二十二世纪初叶，夏王朝三任帝姒太康暴虐，出外打猎游荡，一百天之久不返京师〔首都斟鄩，河南省登封市〕；有穷部落〔洛阳南〕酋长后羿因人民忿怒，起兵叛变。姒太康的娘亲和他的五个兄弟，在河水弯曲处，徘徊怨恨，慷慨悲歌，歌共五首，依理应称《五弟之歌》，而称五子者，是对祖先而言。其一："皇家祖先训示／对待人民／应该亲近／不应该疏远。人民是国家的根本／根本坚固／国家安宁。我看天下／即令是愚夫愚妇／都可以给我教训。一个人如果不断的犯错／所引起的怨恨／难道一定显露在明处／它潜伏在人不注意的阴暗之下。我治理亿万人民／好像用腐烂的绳子／去拉住六匹奔跑中的马。身居人民之上高位的人／怎么能不谨慎害怕。"其二："皇家祖先训示／在内迷恋美女／百事荒唐。在外迷恋打猎／百事荒唐。吃美好的酒／听美妙的音乐／盖豪华的楼／砌豪华的墙。只要对其中一件事有兴趣／就不可能不被灭亡。"其三："伊祁放勋〔陶唐，黄帝王朝六任帝〕曾经统治八方。而今政治混乱／法令不成法令／纪律不成纪律／到底还是灭亡。"其四："英明的皇家祖先／是万王之王。有经典制度／传给子孙安享。货物交通／贸易自由／皇家自然富有。一旦荒凉坠毁／皇家祭祀断绝永久。”其五：“叹息唏嘘／你为什么还不回头／竟使我们伤悲。人民都在恨我／我将靠谁。满心哀伤／而脸上无限羞愧。谨慎而迅速的改过／还来得及后悔。”原文：其一：“皇祖有训／民可近不可下。民惟邦本／本固邦宁。予视天下愚夫愚妇／一能胜予。一人三失／怨岂在明。不见是图／予临兆民。懔乎若朽索之驭六马／为人上者／奈何不敬。”其二：“训有之／内作色／荒。外作禽／荒。甘酒嗜音／峻宇雕墙／有一于此／未或不亡。”其三：“惟彼陶唐／有此冀方。今失厥道／乱其纪纲／乃底灭亡。”其四：“明明我祖／万邦之君。有典有则／贻厥子孙。关石和钧／王府则有。荒坠厥绪／覆宗绝祀。”其五：“呜呼曷归／予怀之悲。万姓仇予／予将畴依。郁陶乎予心／颜厚有忸怩。弗慎厥德／难悔可追。”）

不久，杨广命苏威就东征高句骊王国（首都平壤〔朝鲜半岛平壤市〕）一事，提出计划。苏威打算让杨广知道全国民变之多，回答说：“这次东征，我认为不必征调正式军队，只要赦免天下强盗，就会有数十万大军。派去东征，他们高兴可以无罪，一定争着立功，高骊（高句骊王国）自可灭亡！”杨广大不愉快。苏威退出，总监察官（御史大夫）裴蕴奏称：“这个人太不应该，天下哪有这么多盗贼！”杨广说：“这个老军头，一肚子诡诈，用盗贼多威胁我，我早就想打他的嘴，只是暂时忍一忍！”裴蕴看出风向，命河南（东都洛阳，河南省洛阳市）平民张行本检举：“苏威从前在高阳郡（河北省定州市）负责选拔官员，随便授人官职。同时畏惧突厥（东突厥汗国）强盛，请求皇上返回京师（参考去年〔六一五〕八月）。”杨广命有关单位调查审理，完全证实，审理完毕，杨广下诏条条数说苏威的罪状，开除苏威官籍，贬作平民。一个月后，有人再上疏检举苏威跟东突厥汗国（瀚海沙漠群）勾结，阴谋叛变，杨广命裴蕴调查审理，裴蕴判决苏威死刑。苏威无法表明自己清白，只有叩头流血，为自己的罪行道歉（多么痛心的场面）。杨广怜悯，把他释放，说：“不忍心马上诛杀。”连同苏威的子孙，剥夺三代公权。

10 秋季，七月八日，济公爵（景公）樊子盖逝世（年七十二岁）。

11 江都郡（江苏省扬州市）新制造的龙舟完成，运到东都（洛阳）。宇文述劝杨广前往江都游逛，杨广同意。右候卫（十六禁军第六军）大将军（正三品）酒泉（甘肃省酒泉市）人赵才规劝说：“现在，人民疲惫劳苦，国库空虚，盗贼蜂起，政令已不能推行。但愿陛下早回京师（首都大兴），安抚亿万人民。”杨广大怒，逮捕赵才，交付有关单位处理，经过十数天，怒气平息，才把赵才释放。

政府官员都不愿远行，而杨广的意志却十分坚决，没有人敢表示异议。建节尉（散官，正六品）任宗，上疏竭力劝阻，当天，杨广就在金銮宝殿上，用棍棒把任宗活活打死。

七月十日，杨广动身前往江都，命越王杨侗，与光禄大夫（九大夫之一，从一品）段达、库藏部长（太府卿）元文都、摄理国务院财政部长（检校民部尚书）韦津、右武卫（十六禁军第四军）将军（从三品）皇甫无逸、国务院事务副秘书长（右司郎，从五品）卢楚等，共同负责东都洛阳留守政府政务。韦津，是韦孝宽的儿子（韦孝宽事，参考五三七年十一月）。

杨广作诗向洛阳宫美女告别，说：“我梦江都好／征辽亦偶然。”初级巡察官（奉信郎，从九品）崔民象，因变民遍地，在建国门（洛阳罗城正南门）上疏劝阻，杨广怒火冲天，用刀砍碎崔民象的面颊，然后斩首（杨广以盖世英勇，奔向绞架）。

12 七月十四日，冯翊郡（陕西省大荔县）人孙华，聚众起兵。虞

杨广出巡

次序	类别	年份	出发·经过·抵达
1	一次下江都	605—606	洛阳—江都（江苏省扬州市）
2	一次北巡 （民变开始）	607	洛阳—涿郡（北京市）—榆林郡（内蒙古托克托县）—启民可汗王庭（阴山山脉北）—太原郡（山西省太原市）—河内郡（河南省沁阳市）—洛阳
3	二次北巡	608	洛阳—五原郡（陕西省定边县）
4	西巡	609	洛阳—大兴（陕西省西安市）—扶风郡（陕西省宝鸡市凤翔区）—长宁川（北川河）星岭（青海省西宁市北）—张掖郡（甘肃省张掖市）—燕支山（甘肃省永昌县西）—大斗拔谷（甘肃省山丹县南）—大兴—洛阳
5	二次下江都	610	洛阳—江都
6	三次北巡	611	江都—涿郡
7	一次东征 （民变开始）	612	涿郡—辽江城（辽宁省辽阳市）—涿郡—洛阳
8	二次东征 （杨玄感起兵）	613	洛阳—辽东城—上谷郡（河北省易县）—博陵郡（河北省定州市）
9	三次东征	614	洛阳—涿郡—洛阳—大兴
10	四次北巡	615	洛阳—太原郡—长城—雁门郡（山西省代县）—洛阳
11	三次下江都	616	洛阳—江都

七世纪·六一六年七月至六一八年四月
杨广南巡江都，一去不返

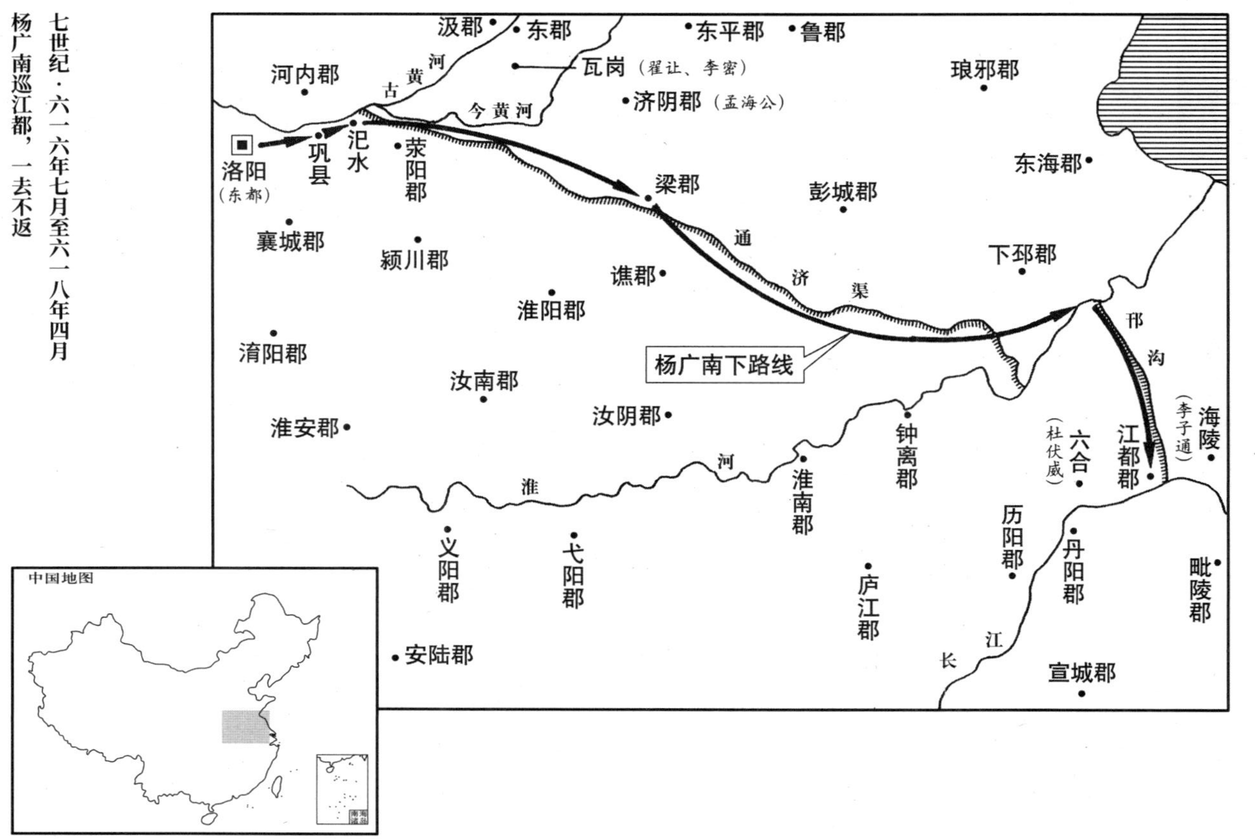

世基因变民太多，请求派军驻防洛口仓（河南省巩义市东），杨广说：“你只是文弱书生，所以胆怯。”

七月十四日，杨广抵达巩县（河南省巩义市），训令有关单位，把箕山、公路二府（禁军征兵府），迁到洛口仓保护城内，命建立围墙，防范意外。杨广抵达汜水（河南省荥阳市西北汜水镇），巡察署（谒者台）初级巡察官（奉信郎，从九品）王爱仁，再上疏请求杨广回驾西京（首都大兴），杨广斩王爱仁，然后起程。杨广抵达梁郡（河南省商丘市），梁郡人拦住御驾上疏说：“陛下如果一定驾临江都（江苏省扬州市），天下就不再是陛下所有。”杨广命一律斩首。

当时，变民首领李子通据守海陵（江苏省泰州市），左才相劫掠淮河以北地区，杜伏威驻军六合（江苏省南京市六合区），各有部众数万人。杨广命光禄大夫（九大夫之一，从一品）陈稜，率精锐禁军部队八千人讨伐，不断克敌制胜，传出捷报。

13 八月二十一日，变民首领赵万海，率部众数十万人，自恒山郡（河北省正定县）攻击高阳郡（河北省定州市）。

14 冬季，十月六日，许公爵（恭公）宇文述逝世。

最初，宇文述的儿子宇文化及、宇文智及，游手好闲。杨广当太子时，宇文化及就在东宫（太子宫）当差，杨广对他十分宠信亲近。杨广当皇帝后，命宇文化及当畜牧部副部长（太仆少卿，从四品）。杨广前往榆林郡（内蒙古托克托县；参考六〇七年六月），宇文化及和宇文智及，违犯禁令，跟东突厥汗国（瀚海沙漠群）贸易，杨广大怒，打算斩首。行刑队已经解开宇文化及和宇文智及的衣服跟发辫，但到了最后关头，仍把他们释放，赏赐给宇文述当奴隶。

宇文智及的老弟宇文士及，因为娶公主为妻的缘故（参考六一二年十一月），一直轻视宇文智及，只有长兄宇文化及跟宇文士及亲爱接近。宇文述既死，杨广再命宇文化及当右屯卫（十六禁军第十四军）将军（从三品），宇文智及当建筑部副部长（将作少监，正五品）。

15 杨玄感的智囊李密，从押解途中逃亡（参考六一三年十一月），投奔平原郡（山东省德州市陵城区）变民首领郝孝德，郝孝德对他并不尊重。李密再投奔齐郡（山东省济南市）变民首领王薄，王薄也没有发现李密有什么与众不同。李密穷困贫乏，忍饥受饿，甚至剥树皮吞吃，躲藏在淮阳郡（河南省周口市淮阳区）民间村落，改名换姓，集合几个农家子弟，教他们读书识字；郡县政府不久就对他怀疑，下令搜捕，李密再度逃亡，投奔妹夫、雍丘（河南省杞县）县长丘君明。丘君明不敢收容，将他转介给侠义之士王秀才，王秀才将女儿嫁给李密为妻。

丘君明的堂侄丘怀义向中央告发，杨广命丘怀义亲自携带诏书，交给梁郡（河南省商丘市）副郡长（通守）杨汪搜捕。杨汪派军包围王秀才家，正巧李密外出不在，因而逃出一命；但丘君明、王秀才，却全被诛杀。

韦城（河南省滑县东南）人翟让，在东郡（河南省滑县）郡政府当司法官（法曹），因被控有罪，判处死刑。监狱看守员黄君汉，对翟让的骁勇，十分钦敬，于深夜秘密告诉翟让：“翟司法官，天心民意，已经明显，你怎么可以坐在这里等死！”翟让惊喜，说：“我，圈中之猪，是生是死，全在黄看守之手。”黄君汉打开翟让的脚镣手铐，把他释放，送出监狱。翟让叩头说：“我受你再生之恩，诚是幸运，可是，我走之后，你怎么办？”忍不住泪下。黄君汉大怒说：“我本来认为你是顶天立地大丈夫，可以拯救人民，所以甘冒一死，救你逃脱，怎么反而跟小儿女一样，哭哭啼啼致谢。你只管逃命，不要为我担心。”翟让遂逃到瓦岗（河南省滑县南），聚众起兵。同郡（东郡）人单雄信，勇敢健壮，精于马上使用长矛，集结了一些少年，投奔翟让。

离狐（山东省菏泽市西北）人徐世勣，家住卫南（河南省滑县东），本年十七岁，勇敢而有谋略，建议翟让说：“东郡（河南省滑县）各县，跟你以及跟我，都是乡亲，很多人互相认识，不应该侵夺抢掠。汴水流过荥阳郡（河南省郑州市）、梁郡（河南省商丘市），我们仅在水上抢夺，劫掠商人旅客，就足可以维持我们的需要。”翟让同意，率军进入二郡郡界，抢夺公私船只，于是，财富大量增加，变民归附翟让的越来越多，集结到一万余人。

当时又有外黄（河南省民权县西北黄集村）人王当仁、济阳（河南省兰考县东北堌阳镇）人王伯当、韦城（河南省滑县东南）人周文举、雍丘（河南省杞县）人李公逸等，都聚众起兵。李密自雍丘逃亡到此，来往变民军首领之间，贡献夺取天下、削平群雄、统一全国的计策，开始时都认为李密荒唐虚妄，没有人相信。久而久之，逐渐有人认为他说的并不是没有道理，互相商量说：“这个人是高官子弟，志气高昂。而今大家都说：‘杨家将灭，李家将兴！’我听说，帝王命大，不会死于战乱，这个人再三遇救，帝王莫非是他！”因此对李密逐渐尊敬。

李密观察各变民军首领，认为只有翟让的力量最为强大，遂透过王伯当，和翟让见面。李密不断为翟让拟定策略，前往游说各小股变民军，都能收编他们投降。翟让大为高兴，稍稍跟李密亲近，商议事情。李密向翟让提出前瞻性计划，说：“刘邦（西汉王朝一任帝)、项羽(西楚王国一任王)都从平民起家，最后身为帝王。而今，杨广在上昏暴，人民在下怨恨，政府精锐部队全死在辽东(高句骊王国)，和平共存的睦邻政策也被突厥(东突厥汗国)破坏。可是，杨广却游逛扬越(指江都)，抛弃东都(洛阳)，这正是刘邦、项羽奋起的时候。以你的英雄才能，远大谋略，兵强马壮，足可以像卷席子一样，把两京一卷而起(两京：西京大兴、东都洛阳)，扑灭暴政，隋王朝政府无法抵挡灭亡。”翟让道歉说：“我们这群强盗，苟且偷生在乱草之间，朝不保夕。你所说的，我担当不起。”

正巧，一位叫李玄英的，从东都(洛阳)逃出来，走遍所有变民部队，寻找李密，说：“这个人当接收隋王朝天下。”人们问他有什么根据，李玄英说：“近来，民间歌谣有首《桃李章》：‘桃李子／皇后绕扬州／辗转花园里。不要多言语／谁能这么允许。’‘桃李子’，指的是姓李的逃犯：‘皇后’跟帝王相同：‘辗转花园里’，指天子(杨广)在扬州(江都郡，江苏省扬州市)没有回来之日，将死在水沟山谷之中；‘不要多言语／谁能这么允许’，指的是一个‘密’字。”不久，李玄英跟李密见面，全心拥护李密。

前宋城(河南省商丘市)民兵司令(尉)齐郡(山东省济南市)人房玄藻，自认为很有才干，却恨受不到重用，曾参与杨玄感兵变之役，杨玄感失败后，房玄藻改名换姓逃亡，跟李密在梁宋(河南省东部)一带相遇，遂随同李密走遍汉沔(汉水流域)一带，寻访各个变民军，游说他们的将领；等回来的时候，随从他的有数百人。但李密依然以宾客的身份，寄住翟让大营。翟让看到各路英雄豪杰纷纷归附李密，打算接受李密的大计划，但一直犹豫不决。

有一位名叫贾雄的人，通晓阴阳卜卦，是翟让的智囊，翟让对他言听计从。李密用心结纳贾雄，命贾雄假托神秘预言及其他法术，说服翟让。贾雄承诺，但还没有找到适当机会。正巧翟让召唤贾雄，告诉他李密的话，问他可以不可以。贾雄回答说："大吉大利，贵不可言。"但是，他警告说："你如果自己当王，恐怕不见得成功，如果拥护那个人，一切困难都可迎刃而解。"翟让说："照你所说，蒲山公爵（李密在隋王朝封号）应该自立，何必追随我？"贾雄说："事情有它的原因，他所以前来投奔，因为你姓翟，'翟'的意思是沼泽池塘，蒲草非水不能生长，所以需要将军。"翟让同意，跟李密的感情日深。

李密遂游说翟让："而今，四海像滚水一样的翻滚沸腾，人民不能耕种，你的人马虽然很多，并没有军需仓库，全靠野地劫掠，供应时常中断，如果时日延误太久，再加上强大的敌人忽然压境，大家必然四散逃命。不如先攻取荥阳郡（河南省郑州市），按兵不动，就近取粮（洛口仓，河南省巩义市东），等到士壮马肥，然后再和别人争先。"翟让听从，于是攻破金隄关（荥阳市北黄河关隘），又攻击荥阳郡（河南省郑州市）所属各县，很多攻克。

荥阳郡（河南省郑州市）郡长、郇王杨庆，是杨弘的儿子（杨弘，是一任帝杨坚的族弟，参考五八〇年七月二十四日），对翟让无力讨伐。隋帝杨广，调张须陀当荥阳郡副郡长（通守），专门对付翟让。

十月二十七日，张须陀率军攻击，翟让从前屡被张须陀击败，听到消息，大为恐惧，打算逃走躲避。李密说："张须陀有勇力而没有头脑，在战场上又不断取得胜利，将士们骄傲凶狠，可以在一次战役中，把他活捉，你只管严阵以待，我保证为你大获全胜。"

翟让不得已，集结部队，准备会战。李密派一千余人埋伏大海寺（荥阳市北）北树林之中。张须陀一向瞧不起翟让，用方阵推进，翟让攻击，情势不利，张须陀乘胜反攻，向北追赶十余华里。李密发动伏兵袭击，张须陀战败。李密、翟让、徐世勣、王伯当，各路变民军联合围攻，张须陀突围而出，而左右将领不能全部脱险，张须陀再跃马杀入重围，救他们出来，这样来往三四次，终于阵亡（年五十二岁）。他所率领的将士官兵日夜悲哭，数天都不停止；黄河以南郡县，士气沮丧。

张须陀阵亡，官兵士卒悲号哭泣，数日不绝，这才是名将。像霍去病不把部下士卒当人（参考前一一九年），不过是一个侥幸成功的无赖汉而已。

鹰扬指挥官（鹰扬郎将〔禁军征兵府首长〕，正五品）河东郡（山西省永济市）人贾务本，是张须陀的副司令官，也身受重伤，率领残兵败将五千人，投奔梁郡（河南省商丘市），不久逝世。

杨广下诏命光禄大夫（九大夫之一，从一品）裴仁基当河南剿匪总司令（河南〔黄河以南〕讨捕大使），接受张须陀的部众，迁驻虎牢（河南省荥阳市西北汜水镇）。

翟让命李密独自建立大营，率领他已集结的部队，号称“蒲山公爵营”（李密是贵族出身，一直苦于没有群众，至今才开始拥有实力）。李密军令严整，士卒们遵守命令，即令在盛夏，也好像身上背负霜雪。李密节俭朴实，所得到的金银财宝，全部转发给部属，因此，英雄豪杰也高兴为他效力；很多部下官兵受翟让士卒的欺侮凌辱，因军纪森严，所以都不敢报复。翟让对李密说：“现在，粮秣充足，我很想返回瓦岗（河南省滑县南），你如果不回，你就请便，想到哪里到哪里，从此告别。”翟让率军及辎重东行，李密则西进，抵达康城（河南省禹州市西北)，游说几个城池投降，取得大量军用物资。

翟让不久就后悔，回军追随李密。

16 鄱阳郡（江西省鄱阳县）变民军首领操师乞（操，姓），自称元兴王，定年号始兴，攻克豫章郡（江西省南昌市），命他的同乡林士弘当大将军。

杨广命诉讼监察官（治书侍御史，从五品）刘子翊率军讨伐。操师乞被流箭射中，阵亡，林士弘接管他的部众，跟刘子翊在彭蠡湖（鄱阳湖）会战，刘子翊战败而死。林士弘声势大振，部众有十余万人。

十二月十日，林士弘自称皇帝，国号楚，年号太平；遂夺取九江（江西省九江市）、临川（江西省抚州市临川区）、南康（江西省赣州市）、宜春（江西省宜春市）等郡；各地英雄豪杰，都争先恐后诛杀郡长县长，献出城池，响应投降。林士弘控制地区，北自九江（江西省九江市），南到番禺（南海郡郡政府所在城，广东省广州市），都是他的土地（包括今广东及江西两省）。

17 杨广命右骁卫（十六禁军第九军）将军（从三品）唐公爵李渊，当太原郡（山西省太原市）留守长官（太原留守），命虎贲指挥官（虎贲郎将〔十六禁军府副将军〕，正四品）王威、虎牙指挥官（虎牙郎将，从四品）高君雅，做副留守长官，率军讨伐历山飞变民集团将领甄翟儿，在雀鼠谷（山西省灵石县西南汾水河谷），双方遭遇。政府军才数千人，变民军把李渊包围了好几重；李渊的次子李世民率领精锐部队增援，在敌人万马丛中，把李渊救出重围，正巧步兵主力赶到，合力攻击，大破变民军。

18 杨广对骨肉亲情，十分淡薄，蔡王杨智积（一任帝杨坚三弟杨整之子。参考六〇〇年十二月）一直心怀忧惧，后来患病，拒绝医生诊治，临死，对亲人说："今天我才相信，终于把人头完整的带进地下。"

19 变民军首领张金称、郝孝德、孙宣雅、高士达、杨公卿等，抢劫寇掠黄河以北，攻陷城池，即行屠杀；隋王朝政府军将领，失败逃亡的，一个接连一个。只有虎贲指挥官（虎贲郎将〔十六禁军府副将军〕，正四品）蒲城（陕西省蒲城县）人王辩、清河郡（河北省清河县）郡政府主任秘书（郡丞）华阴（陕西省华阴市）人杨善会，建立很多功劳。尤其杨善会，前后跟变民军七百余战，从没有被击败过。

杨广派畜牧部长（太仆卿）杨义臣，讨伐张金称，张金称在平恩（河北省邱县西南）东北筑营，杨义臣率军直到临清（河北省临西县）之西，紧靠永济运河筑营，距张金称阵地四十华里，深挖壕沟，高建垒墙，不出来接战。张金称每天率军到政府军大营西边，杨义臣下令准备出击，身穿铠甲，跟张金称约定时间会战，可是到时候仍紧闭营垒。夜晚，张金称回营。明天一早，张金称再来炫耀强大的兵力；如此这般，一个月有余，杨义臣坚不出战。张金称认为杨义臣胆怯，不断逼近营垒，对杨义臣侮辱诟骂。杨义臣遂告诉张金称："你明天早上来，我一定出兵。"张金称没有把他看到眼里，慨然允许，不再戒备。当天夜晚，杨义臣挑选精锐骑兵二千人，自馆陶（河北省馆陶县）渡河（永济运河），埋伏停当，等到天色拂晓，张金称率军离营，杨义臣立即攻击营中变民军的家属。张金称得到报告，急回军营救，杨义臣再从后边攻击，张金称大败，和左右侍从逃到永济运河以东。

过了月余，杨善会在一次扫荡战役中，把张金称擒获。政府官员在闹市中竖立木架，把张金称的头绑在上面，把手脚四肢张开绑在两旁，命受过他迫害虐待的仇家，一块块割他的肉吞食。张金称断气之前，一直唱歌（张金称起义，前后六年，参考六一一年十二月）。

杨广任命杨善会当清河郡（河北省清河县）副郡长（通守）。

20 涿郡（北京市）副郡长（通守）郭绚，率军一万余人，讨伐变民首领高士达，高士达自知才干和谋略都不如窦建德，于是擢升窦建德当作战军政官（军司马），把军权全交给他。窦建德请高士达留守大营，保护辎重及眷属，而自己挑选精兵七千人抵抗郭绚，声称跟高士达已经闹翻，背叛逃亡，派人晋见郭绚，请求投降，愿戴罪立功，当政府军的前锋，攻击高士达。郭绚相信，率军追随窦建德，走到长河（山东省德州市），不再戒备。窦建德发动袭击，诛杀及俘虏数千人，砍下郭绚人头，呈献高士达；张金称残余部众，都归附窦建德。

隋政府军将领杨义臣乘胜进抵平原郡（山东省德州市陵城区），打算深入变民军基地高鸡泊（河北省故城县西）扫荡（高鸡泊是窦建德当初起义时的大本营，参考六一一年十二月）。窦建德对高士达说："观察隋政府所有将领，没有人比杨义臣更能作战，而今乘着消灭张金称的余威，杀奔前来，声势之大，不可轻视，请你率军先行躲避，使他想作战而找不到对象，坐在那里消耗岁月，等到他的将士疲惫，斗志消失，然后抓住机会攻击，才可以把他击破。不然的话，恐怕你无法抵挡。"高士达不相信，命窦建德留守大营，保护辎重，而亲自率领精锐部队迎战杨义臣，刚接触时，稍稍获胜，遂大摆筵席，饮酒欢宴。窦建德得到消息，吃惊说：“东海公（高士达）还没有击败敌人，就先骄傲自大，祸事不久就要临头。”

五天之后，杨义臣大破变民军，在阵前斩高士达，乘胜追击，直扑变民军大营，大营留守军队霎时崩溃，窦建德率一百余骑兵逃走，抵达饶阳（河北省饶阳县），趁城池没有戒备，攻克；招兵买马，集结三千余人。

杨义臣既斩高士达，认为窦建德不足挂齿，班师。窦建德返回平原郡（山东省德州市陵城区），收容高士达的残兵败将，安葬死者，为高士达举行追悼大会，军势重新振奋，窦建德自称将军。

最初，变民军擒获隋政府官员及其家庭的子弟，一律诛杀，只窦建德温和的对待他们，因此隋政府官员有时也会献出城池投降，窦建德的声势一天比一天强盛，武装战士多达十余万人。

21 立法院副立法长（内史侍郎）虞世基，因皇帝杨广拒绝听到民变消息，所以各将领及各郡县请求增援的奏章，虞世基统统塞到抽屉里，不据实转报，只报告杨广：“像老鼠一样的小偷，像野狗一样的大盗，郡县政府追逐搜捕，眼看完全消灭，请陛下不要放在心上。”杨广认为真是如此，有时甚至对前来中央求救的使节，加以拷打，斥责他作虚伪陈述。因此，变民充满全国，不断攻陷郡县，杨广都不知道。畜牧部长（太仆卿）杨义臣击破及招降黄河以北变民数十万（指张金称、高士达部众），列出经过，奏报中央，杨广叹息说：“我从来没有听说有盗匪，不知道一下成了这个样子，杨义臣收降的盗匪，怎会这么多？”虞世基回答说：“小股盗匪虽然多，用不着挂心，杨义臣已经把他们荡平，手握重兵，长久在京师（首都大兴）之外，恐怕对国家没有裨益。”杨广说：“你说得对。”命杨义臣班师，遣回所有军队。变民军因此声势再度上升。

诉讼监察官（治书侍御史）韦云起，弹劾虞世基及总监察官（御史大夫）裴蕴：“掌握中央枢要机密，处理内外要务，但对四方报告事变的奏章，却不代转报。盗匪的数目实在很多，反而硬说很少。陛下既然听说盗匪很少，就不会派出大军，以至众寡悬殊，往往不能攻克，反而使政府军失利，使盗匪党羽日趋庞大。请把二人交给有关单位，公正裁定罪状。”最高法院院长（大理卿）郑善果奏称：“韦云起诋毁帝国重要高官，作毫无事实根据的指控，诽谤政府，自以为只有他才是权威。”

于是，调韦云起当最高法院审判官（大理司直，从六品）。

22 杨广到江都郡（江苏省扬州市）之后，江淮（华东地区）各郡官员前往晋见的，杨广什么都不问，只问呈献礼物的厚薄，呈献礼物丰富，则越级擢升当郡政府主任秘书（丞），甚至当郡长；呈献礼物稍薄，则多半停职或免职。江都郡（江苏省扬州市）郡政府主任秘书（郡丞）王世充，呈献铜镜屏风，被升任副郡长（通守）；历阳郡（安徽省和县）郡政府主任秘书（群丞）赵元楷，呈献鲜美奇异的饮食，被升任江都郡郡政府主任秘书（由小郡迁大郡）。从此，郡县政府官员比赛刻薄剥削，务使进贡给皇帝的礼物，盖世豪华。

人民外受变民军劫掠，内被政府逼缴捐税，家无余物，生活难以维持，加以天下饥荒，没有粮食可吃。人民开始时还采摘树叶树皮，或者把稻草捣成粉末，羼杂泥土煮吃，等到所有可以吃的东西吃尽，就互相格杀吞食（人间惨事）。

可是，政府的存粮却十分充足，官员们畏惧法令规定，不敢赈济。

王世充秘密挑选江淮（华东地区）民间美女，呈献给杨广奸淫，因此越发受杨广宠爱。

23 河间郡（河北省河间市）变民首领格谦，有部众十余万人，据守豆子𫐓（山东省惠民县西），自称燕王。

杨广命王世充率军讨伐，斩格谦。格谦部将、勃海郡（山东省阳信县）人高开道，集结残余部众，劫掠古燕国地区（河北省北部），军势再度振作。

24 最初，杨广准备攻击高句骊王国（首都平壤〔朝鲜半岛平壤市〕），武器辎重以及军事设备，都积存涿郡（北京市）；涿郡（北京市）居民殷实丰富，人才辈出，驻军有数万人。而临朔宫（北京市境）又拥有很多珠宝，各路变民军纷纷前来夺取。留守官员、虎贲指挥官（虎贲郎将）赵什住等，无法抵抗，而另一虎贲指挥官（虎贲郎将）、云阳（陕西省泾阳县西北）人罗艺，单独出战，不断击破变民军，威名越来越高，赵什住等暗中猜忌。

罗艺打算背叛隋王朝政府，先散布谣言激怒他的部众，说：“我们讨伐盗匪，屡次建立战功，城中粮食堆积如山，但权力却握在留守官员（赵什住）之手，不肯发放赈济贫民，怎么能够鼓励将士！”大家全都忿怒。

罗艺出征回军，郡政府主任秘书（郡丞）出城迎接问候，罗艺遂把他逮捕，在备战状态下入城。赵什住等恐惧，接受命令。罗艺用府库里的东西赏赐战士，打开粮仓救济贫穷，境内人民全都归附。诛杀不肯共同行动的勃海郡（山东省阳信县）郡长唐祎等数人，声威震动古燕国地区（河北省北部）；甚至远到柳城郡（辽宁省朝阳市）、怀远镇（辽

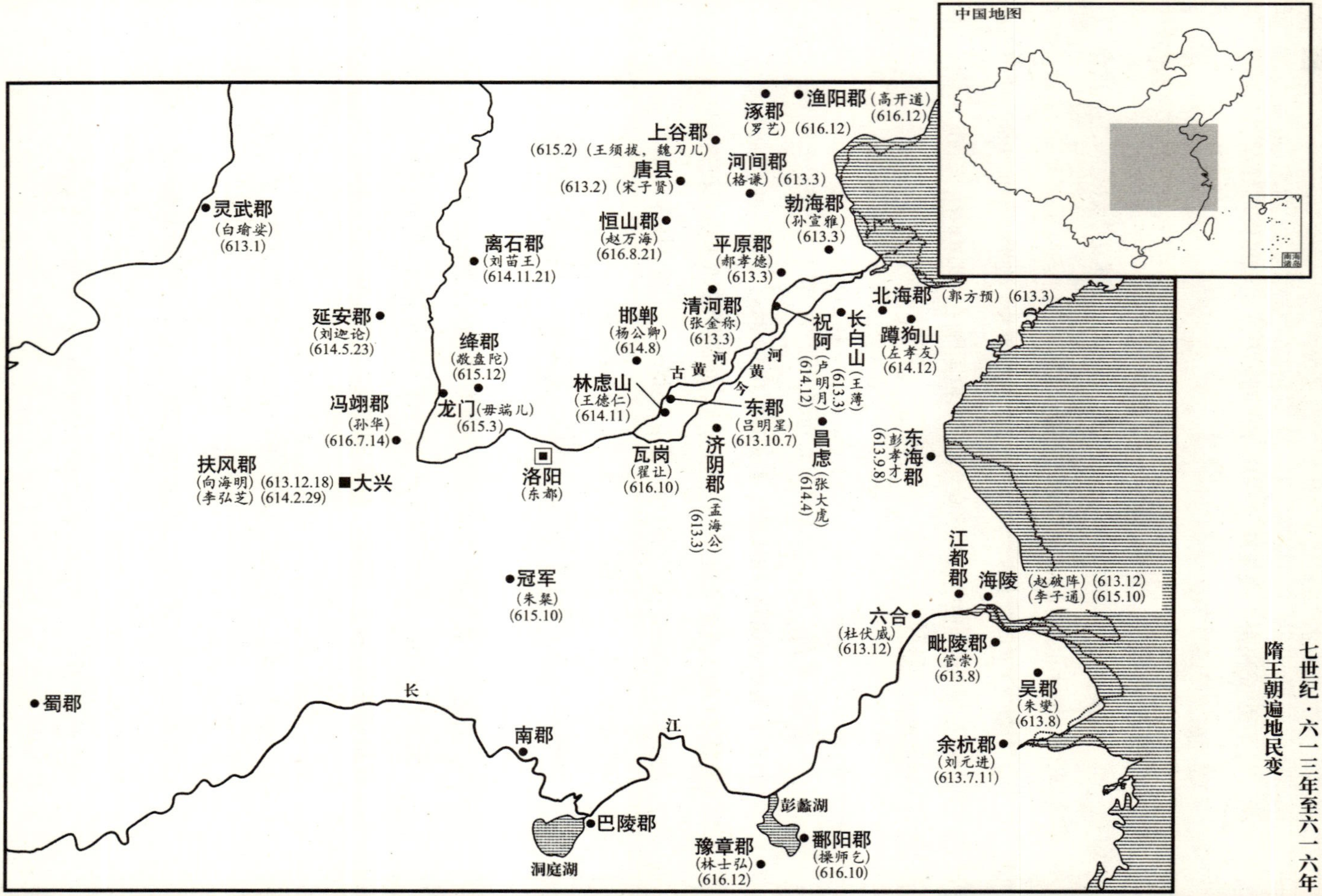

七世纪·六一三年至六一六年
隋王朝遍地民变

中国地图

渔阳郡（高开道）(616.12)
涿郡（罗艺）(616.12)
上谷郡 (615.2)（王须拔，魏刀儿）
河间郡（格谦）(613.3)
唐县 (613.2)（宋子贤）
勃海郡（孙宣雅）(613.3)
恒山郡（赵万海）(616.8.21)
平原郡（郝孝德）(613.3)
灵武郡（白瑜娑）(613.1)
离石郡（刘苗王）(614.11.21)
清河郡（张金称）(613.3)
北海郡（郭方预）(613.3)
延安郡（刘迦论）(614.5.23)
邯郸（杨公卿）(614.8)
祝阿（卢明月）(614.12)
长白山（王薄）(613.3)
蹲狗山（左孝友）(614.12)
绛郡（敬盘陀）(615.12)
古黄河
今黄河
林虑山（王德仁）(614.11)
东郡（吕明星）(613.10.7)
冯翊郡（孙华）(616.7.14)
龙门（毋端儿）(615.3)
昌虑（张大虎）(614.4)
东海郡（彭孝才）(613.9.8)
扶风郡（向海明）(613.12.18)（李弘芝）(614.2.29)
大兴
洛阳（东都）
瓦岗（翟让）(616.10)
济阴郡（孟海公）(613.3)
冠军（朱粲）(615.10)
江都郡
海陵（赵破阵）(613.12)（李子通）(615.10)
六合（杜伏威）(613.12)
毗陵郡（管崇）(613.8)
吴郡（朱燮）(613.8)
蜀郡
长江
南郡
余杭郡（刘元进）(613.7.11)
彭蠡湖
巴陵郡
洞庭湖
豫章郡（林士弘）(616.12)
鄱阳郡（操师乞）(616.10)

宁省沈阳市辽中区），也都归附。

罗艺免除柳城郡郡长杨林甫的职务，改柳城郡为营州，任命襄平郡（辽宁省朝阳市境）郡长邓暠当营州军区总司令（营州总管）；罗艺自称幽州军区（把涿郡改幽州）总司令（幽州总管）。

25 东突厥汗国（瀚海沙漠群）不断侵略隋王朝北疆。杨广命晋阳（太原郡郡政府所在县，山西省太原市）留守长官（晋阳留守）李渊，率太原地区兵马，会同马邑郡（山西省朔州市）郡长王仁恭迎击。

当时，东突厥汗国力量正强，而李渊、王仁恭二人集结的军队，还不满五千人，王仁恭恐惧忧虑。李渊挑选骑兵神射手二千人，训练他们的饮食起居，一举一动，都跟突厥军一样。有时跟突厥军遭遇，抓住机会就命这支别动部队突击，不断传出捷报，突厥相当畏惧。

六一七年 丁丑

隋　大业　十三年
义宁　元年
（皇帝李弘芝四年）
（皇帝刘苗王四年）
（燕国漫天王王须拔三年）
（迦楼罗王朱粲三年）
（楚帝林士弘太平二年）
（长乐王窦建德丁丑元年）
（无上王卢明月元年）
（魏公爵李密元年）
（定杨天子刘武周天兴元年）
（梁帝梁师都永隆元年）
（永乐王郭子和丑平元年）
（西秦霸王薛举秦兴元年）
（凉王李轨元年）
（梁王萧铣鸣凤元年）

1 春季，正月，隋王朝（首都大兴〔陕西省西安市〕）右御卫（十六禁军第十六军）将军（从三品）陈稜，讨伐变民军首领杜伏威，杜伏威率军抵抗，陈稜紧闭营垒，不肯出战，杜伏威送给他妇女穿的衣服，称他“陈姥姥”（娘亲的娘亲，北方称“姥姥”，南方称“外婆”，普通泛指慈祥的年老妇女），陈稜果然被激怒（诸葛亮送给司马懿妇女穿的衣服，司马懿不但没有被激怒，反而套取了更多情报，参考二三四年八月；陈稜却被激怒，小角色到底是小角色），出战，杜伏威奋勇攻击，大破政府军，陈稜仅逃出一命。

七世纪·六一七年 群雄割据

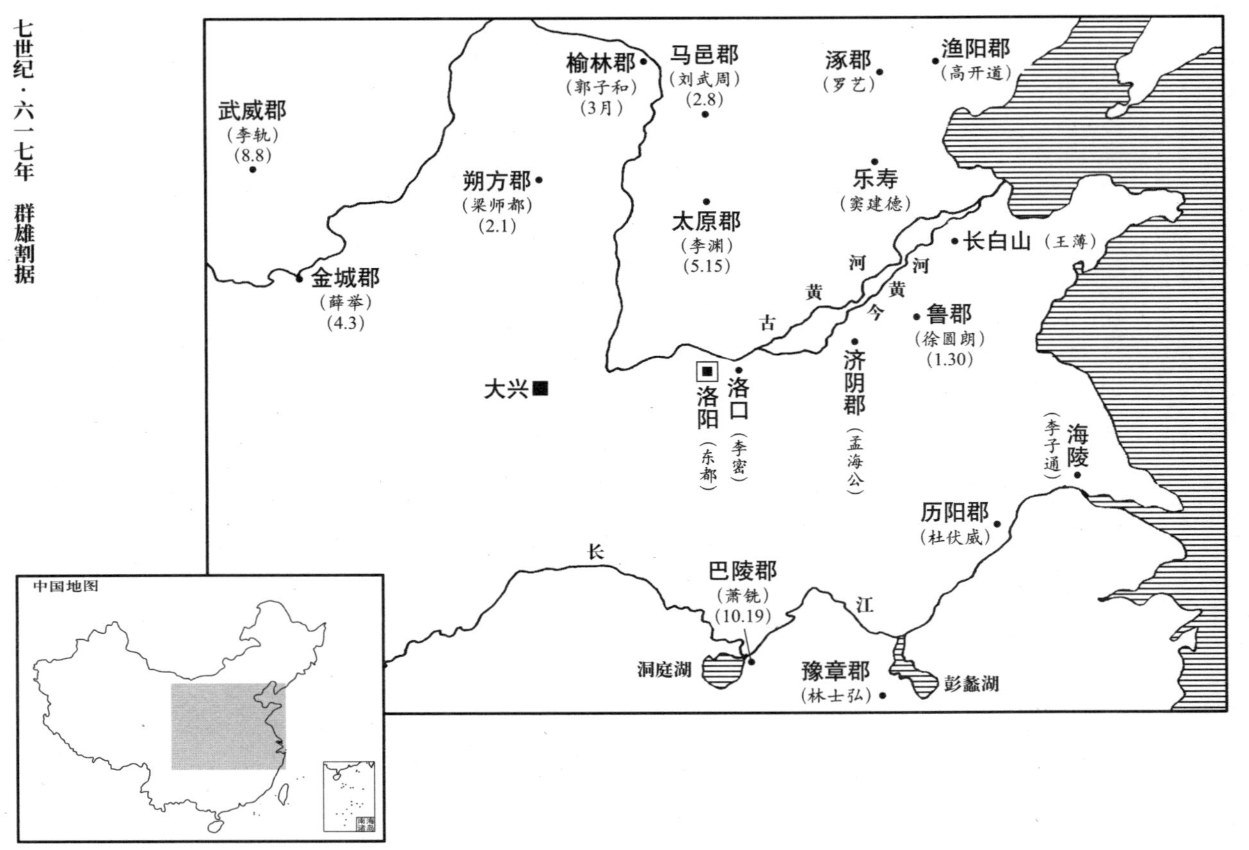

杜伏威乘胜追击，攻克高邮（江苏省高邮市），率军据守历阳郡（安徽省和县），自称军区总司令（总管）；命辅公祏当秘书长（长史），分别派出将领夺取所属各县，军队所到之处，城池全都投降，江淮（华东地区）一些小股的变民军，争相归附。

杜伏威经常选拔敢死队战士五千人，称之为“上募”（上等人选），宠爱和待遇，都十分优厚，遇有攻击作战行动，先命上募兵团出击，战毕检查，伤在背后的人，立即诛杀，因为认定他退走时受到敌人攻击。抢夺到的财产，全部犒赏战士。战士阵亡，则命正妻及小老婆殉葬（人间惨事）。所以人人向前，奋勇无比，没有敌手。

2 正月五日，自称将军的变民首领窦建德，在乐寿（河北省献县）建立高台登极，自称长乐王，设立文武百官，改年号丁丑。

3 正月三十日，鲁郡（山东省济宁市兖州区）变民首领徐圆朗，攻陷东平郡（山东省郓城县），分出兵力夺取土地，东到琅邪郡（山东省临沂市），北到东平郡（山东省郓城县），全部占领，有武装部队二万余人。

4 变民首领卢明月辗转到河南（黄河以南）以及淮北（淮河以北）劫掠，部众号称四十万，自称无上王。

杨广命江都郡（江苏省扬州市）副郡长（通守）王世充讨伐；在南阳郡（河南省邓州市）大破变民军，斩卢明月，变民军星散（卢明月起兵，参考六一四年十二月；前后四年）。

5 二月一日，朔方郡（陕西省靖边县北白城则村）鹰扬指挥官（鹰扬郎将）梁师都，斩郡政府主任秘书（郡丞）唐世宗，夺取郡城，自称

"大丞相"，北方联络东突厥汗国（瀚海沙漠群）。

6 马邑郡（山西省朔州市）郡长王仁恭，大肆收受贿赂，对贫民却不能赈济。郡民刘武周，勇敢侠义，当鹰扬府（禁军征兵府）指挥官（鹰扬府校尉）。王仁恭因他是本郡杰出英豪，十分亲信厚待，命他率亲军驻防内宅。可是刘武周跟王仁恭的小老婆通奸，恐怕事情败露，打算谋反作乱。于是，首先传播信息说："而今，人民饥馑，尸体躺满道路。王郡长却紧闭粮仓，不肯救命，岂是当人民父母官的本意！"激起大家忿怒。

刘武周声称有病，留在家中休息，地方英雄豪杰前来问候，刘武周杀牛献酒，高声宣布说："大丈夫怎么能坐在这里，等候埋葬，而今，粮仓里的粮食都已经腐烂，谁肯跟我一起夺取！"大家全都承诺。

二月八日，王仁恭正在公堂处理公事，刘武周晋见，党羽张万岁等随之而入，大踏脚步登上台阶，斩王仁恭，拿着他的人头出来示众，郡中没有人敢反抗。刘武周于是打开粮仓赈济贫民，用公文书通知所辖各县，各县全都归附；刘武周集结军队有一万余人，自称郡长，派遣使节归附东突厥汗国（瀚海沙漠群）。

7 李密游说翟让说："东都（洛阳，河南省洛阳市）空虚，守军平常都没有训练。越王（杨侗）年龄还小（本年十四岁），留守政府各级官员，互相不服，政令不能统一，军民离心，光禄大夫（九大夫之一，从一品）段达、库藏部长（太府卿）元文都，昏庸不明（二人留守事，参考去年〔六一六〕七月），又没有计谋，以我的推测，他们不是你的敌手。如果你能采纳我的策略，天下在你的军旗指挥之下，就可平定。"乃派党羽裴叔方前往东都（洛阳）探听虚实。留守政府官员发觉，立即开始兴建防御工事，并急行上疏江都郡（江苏省扬州市），报告隋帝（二任炀帝）杨广（本年四十九岁）。

李密对翟让说："局势已经如此，我们不可以不发动攻击，《兵法》说：'先发动，一切在我们控制之中。后发动，则被人控制。'（"先则制于己，后则制于人。"）而今，人民饥饿，洛口仓（河南省巩义市东）的粮食却堆积如山，距离东都（洛阳）有一百华里之遥，你如果亲率大军，进袭洛口仓，东都（洛阳）路远，一定来不及救援，而洛口仓事先又没有防备，夺取它就好像从地上捡起东西一样容易。等到他们得到消息，我们已夺取到手，发放粮食，救济穷苦人民，无论远近，谁不归附！一百万庞大部众，一个早晨就可集结完成，养精蓄锐，以逸待劳，即令他们进攻，我们已有充分准备。然后发出政治号召，招揽天下豪杰，听取计划策略，遴选勇士，交给他们军队，扫除隋王朝皇家的祭坛，推行将军的政令，岂不是一件大事！"翟让说："这是一项英雄谋略，恐怕我不能胜任。但我愿听你的指挥，竭尽全力，请你先行出发，我做你的后卫。"

二月九日，李密、翟让率精锐部队七千人，从阳城（河南省登封市东南）北开拔，翻过方山（河南省荥阳市西南），进入罗口（河南省巩义市西南），攻击兴洛仓（即洛口仓，巩义市东），攻克；打开粮仓各窖，由人民随意搬运；前来运粮的人，扶老携幼，道路上前后相连。

隋政府朝散大夫（九大夫之九，从五品）时德叡，献出尉氏县（河南省尉氏县），响应李密。前任宿城（山东省东平县东）县长祖君彦，也从昌平（北京市昌平区）投奔李密。祖君彦，是祖珽的儿子，学问渊博，记忆力强，文章词藻，敏捷华丽，全国知名。国务院文官部副部长（吏部侍郎）薛道衡，曾经推荐给一任帝（文帝）杨坚，杨坚说："他是不是陷害解律光那个人的儿子（祖珽诬杀斛律光事，参考五七二年五月）？我不需要这种东西！”杨广登极，对祖君彦的文学知名度，尤其嫉妒，祖君彦依照正常程序，任职东平郡（山东省郓城县）郡政府文书员，摄理（检校）宿城（山东省东平县东）县长。祖君彦对自己的才干，深有自信，一直闷闷不乐，希望天下大乱，他好乘机出头。李密很早就听说过他的大名，能得到他辅佐，大为高兴，将祖君彦当作上宾，军中一切书信文告，全委任他处理。

留守东都（洛阳）的越王杨侗，派虎贲指挥官（虎贲郎将）刘长恭、宫廷膳食部副部长（光禄少卿）房崱（音zè〔仄〕），率步骑兵二万五千人混合兵团，讨伐李密。当时东都（洛阳）人民认为李密不过一群为饥饿所逼的盗米贼，乃乌合之众，容易击破，竞相响应政府征召，国立贵族大学（国子）、国立中央大学（太学）、国立四门专科学校（四门）在校学生，以及皇亲国戚、世家贵族子弟，都争相从军，武器精良，军服华丽，旌旗蔽天，锣鼓声音震动大地。刘长恭等攻击变民军的正面，而命河南（黄河以南）剿匪总司令（河南讨捕大使）裴仁基等，率所属部队自汜水（河南省荥阳市西北汜水镇）出动，攻击变民军的背后，约定本月（二月）十一日在洛口仓（河南省巩义市东）南方会师。李密、翟让得悉政府军全部计划。

东都（洛阳）政府军先期抵达，士卒还没有进早餐，刘长恭等驱使大军渡过洛水，在石子河（河南省巩义市东南）以西筑垒布阵，南北十余华里，李密、翟让挑选骁勇战士，分作十队，命四队埋伏在横岭之下，等待裴仁基；六队则挺进到石子河以东，与政府军相对。刘长恭等发现变民军兵力薄弱，大为轻视。翟让首先进击，情势不利，李密率军拦腰搫入，政府军饥饿疲倦，不能支持，大败。刘长恭等脱下耀眼的大将战袍，悄悄逃跑，才保留一命，返回东都（洛阳），士卒被杀十分之五六。越王杨侗赦免刘长恭等，加以安抚。李密、翟让把政府军的铠甲武器及重要物资，全部接收，声威大振。

翟让于是推举李密当盟主，上李密尊贵绰号魏公爵。

二月十九日，设立高坛，李密登极，改称魏公爵元年，大赦。发布命令文书，自称“行军元帅府”，设立秘书长（长史）以下文武百官；魏公爵府则设立“三署（司）”“六禁军（卫）”。命翟让当上柱国（变民集团往往恢复隋王朝初年官制。上柱国，勋官一级）、司徒（三公之二），封东郡公爵，也设置秘书长（长史）以下文武百官，但数目比“行军元帅府”少一半。

李密任命单雄信当左武候（六禁军）大将军，徐世勣当右武候（六禁军）大将军，各率原有部众；房彦藻当元帅府左秘书长（元帅左长史），东郡（河南省滑县）人邴元真当元帅府右秘书长（右长史），杨德方当左军政官（左司马），郑德韬当右军政官（右司马），祖君彦当记录官（记室）；其他变民军首领，都依照等级，分别任官封爵。

于是赵魏地区（河北省南部及河南省北部中部）以南，江淮（华东地区）以北，各地变民军全都响应李密。孟让、郝孝德、王德仁，以及济阴郡（山东省菏泽市定陶区）变民首领房献伯，上谷郡（河北省易县）变民首领王君廓，长平郡（山西省晋城市）变民首领李士才，淮阳郡（河南省周口市淮阳区）变民首领魏六儿、李德谦，谯郡（安徽省亳州市）变民首领张迁、黑社、白社（《新唐书·地理志·亳州》则记载为田黑社，黑社、白社都是绰号），魏郡（河南省安阳市）变民首领李文相，济北郡（山东省聊城市茌平区西南）变民首领张青特，上洛郡（陕西省商洛市商州区）变民首领周比洮、胡驴贼等，全部归附李密。李密也全部加授他们官爵，各率原有部众。设立《百营名册》，遥遥统御。而各地变民前往投奔的，道路上源源不绝，好像流水，李密部众多到数十万。

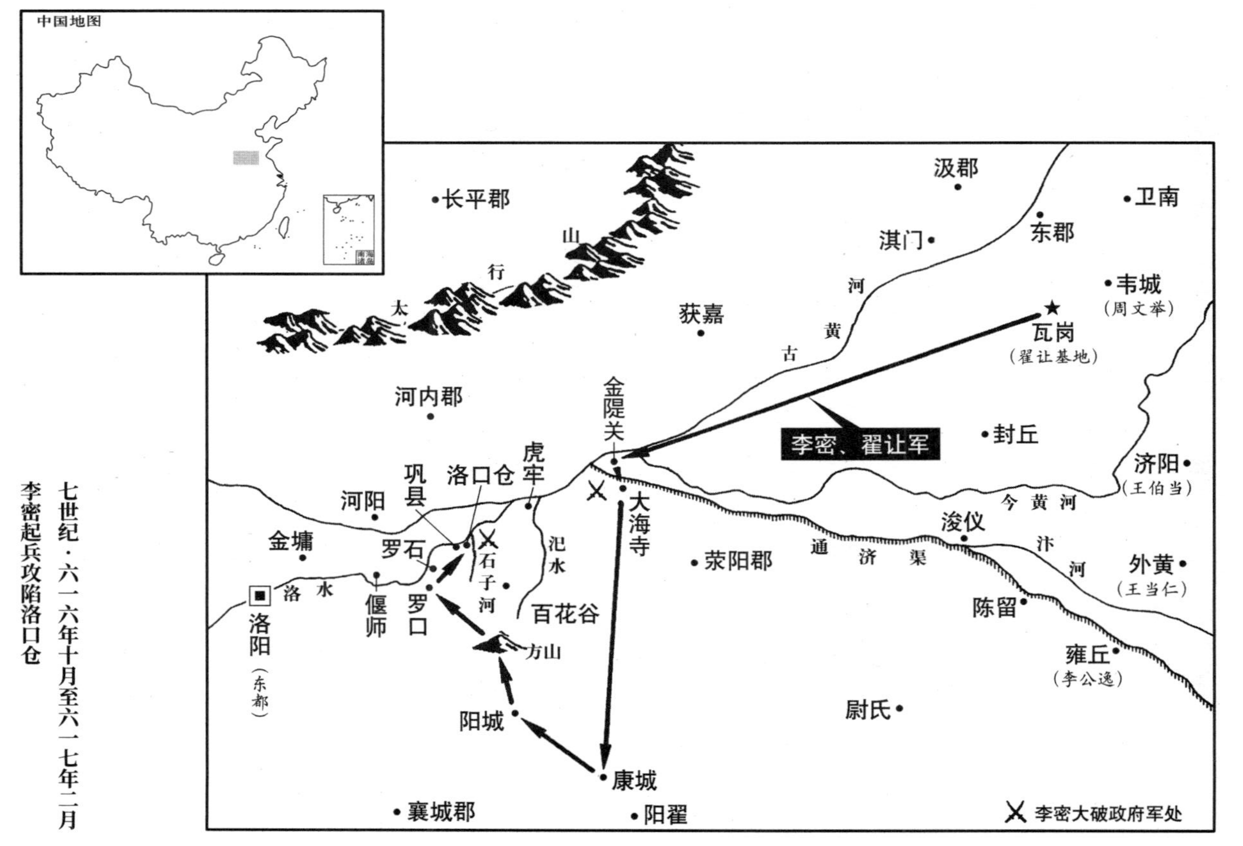

七世纪·六一六年十月至六一七年二月

李密起兵攻陷洛口仓

李密派护军（六禁军府副将军）田茂广，兴筑洛口城（河南省巩义市东），城墙周围四十华里（面积十平方公里），作为“行军元帅府”所在。又派房彦藻率军向东方夺取土地，先后攻克安陆郡（湖北省安陆市）、汝南郡（河南省汝南县）、淮安郡（河南省泌阳县）、济阳（河南省兰考县东北堌阳镇）；黄河以南郡县，大多数归附李密。

8 隋政府雁门郡（山西省代县）郡政府主任秘书（郡丞）、河东郡（山西省永济市）人陈孝意，与虎贲指挥官（虎贲郎将）王智辩，共同讨伐变民首领刘武周，包围刘武周根据地桑干镇（山西省朔州市东南）。

二月二十一日，刘武周联合东突厥汗国（瀚海沙漠群）军，反击，斩王智辩；陈孝意逃回雁门郡（山西省代县）。

三月十七日，刘武周袭击楼烦郡（山西省静乐县），攻破，抢劫汾阳宫（山西省宁武县南管涔山上），俘虏所有宫女，把她们送给东突厥汗国始毕可汗（十一任大可汗）阿史那咄吉，作为贿赂，阿史那咄吉馈赠马匹，作为回报。刘武周的兵势越发强大，又攻陷定襄郡（内蒙古和林格尔县）。东突厥汗国封刘武周当定杨可汗，发给他绣有狼头的大旗，刘武周遂登极称帝，封正妻沮女士当皇后，改年号天兴。任命侍从官杨伏念当国务院左执行长（尚书左仆射），妹夫、同县人苑君璋当最高立法长（内史令）。

刘武周率军包围雁门郡（山西省代县），郡政府主任秘书（郡丞）陈孝意竭尽全力抵抗，抓住机会也出战反击，不断击败刘武周军；可是时间一久，始终没有外援；陈孝意派人从小路千辛万苦前往江都郡（江苏省扬州市）向隋帝杨广求救，都没有消息。陈孝意发誓一死，每天早上和晚上，都面向存放皇帝诏书训令的房间，下跪叩头、流泪哭泣，悲痛之情，感动左右侍从。城池被围攻一百余日，粮食吃完，指挥官（校尉）张伦斩陈孝意，出城投降。

9 朔方郡（陕西省靖边县北白城则村）变民首领梁师都攻克雕阴郡（陕西省绥德县）、弘化郡（甘肃省庆阳市）、延安郡（陕西省延安市），登极称帝，国号称梁，年号称永隆。

东突厥汗国（瀚海沙漠群）始毕可汗（十一任大可汗）阿史那咄吉，也送给梁师都绣有狼头的大旗，称梁师都为大度毗伽可汗。梁师都遂引导东突厥部落，入住河南（黄河河套地区。梁师都定都朔方郡〔陕西省靖边县北白城则村〕），攻破盐川郡（陕西省定边县）。

10 隋政府左翊卫（十六禁军第一军）卫士、蒲城（陕西省蒲城县）人郭子和，因被指控犯罪，贬谪榆林郡（内蒙古托克托县）。正巧榆林郡发生大规模饥荒，郭子和暗中结交敢死勇士十八人，攻击郡城，生擒郡政府主任秘书（郡丞）王才，责备他毫不体恤人民艰苦，斩首；打开粮仓，赈济施舍。郭子和自称永乐王，改年号丑平；尊称老爹为“太公”，任命老弟郭子政当国务院总理（尚书令），另两位老弟郭子端、郭子升当国务院左右执行长（左右仆射）。郭子和有骑兵二千余人，南方联络已称梁帝的梁师都（首都朔方郡），北方附和东突厥汗国（瀚海沙漠群），分别送子弟当人质，作为外援。

始毕可汗（十一任大可汗）阿史那咄吉，封刘武周当定杨天子、梁师都当解事天子、郭子和当平杨天子。郭子和坚决推辞，于是改命郭子和当屋利将军（屋利，突厥语，意义不明）。

11 汾阴（山西省万荣县西南荣河镇）人薛举，侨居金城郡（甘肃省兰州市），骁勇绝伦，家庭富有，财富亿万，结交豪杰，成为西部英雄，

七世纪·六一七年三月　刘武周、梁师都扩张

中国地图
南海诸岛
五原郡
定襄郡
榆林郡
（郭子和）
桑干镇
马邑郡
汾阳宫
雁门郡
梁师都军
朔方郡
楼烦郡
秀容郡
刘武周军
盐川郡
黄
雕阴郡
太原郡
（李渊）
离石郡
西河郡
河
龙泉郡
延安郡
上党郡
文城郡
临汾郡
弘化郡
上郡
长平郡
北地郡
绛郡
河内郡
河东郡
冯翊郡
洛阳
（东都）
扶风郡
弘农郡
大兴

当金城府（禁军征兵府）指挥官（校尉）。当时，陇右（陇山以西）民变纷起，金城县长郝瑗，招兵买马，集合数千人，命薛举率领，出城讨伐。

夏季，四月三日，在出征仪式上，郝瑗刚刚发给他们铠甲，大摆筵席，犒赏将士，薛举和他的儿子薛仁果及同党十三人，就在筵席座位上，劫持郝瑗，当众宣布背叛隋王朝政府。薛举逮捕郡县官员，加以囚禁，大开粮仓，赈济贫民，自称西秦霸王，改年号秦兴，封长子薛仁果为齐公爵、幼子薛仁越为晋公爵，招集各地变民军，劫掠隋政府牧场马匹。

变民首领宗罗睺，率部众归附薛举，薛举封他当义兴公爵。隋政府军将领皇甫绾，率军一万人，驻守枹罕郡（甘肃省临夏市），薛举挑选精锐部队二千人袭击，攻克。岷山（甘肃省舟曲县西）羌族部落酋长钟利俗，率领部众二万人，也归附薛举；薛举声威远播。

薛举改封薛仁果当齐王兼东路大军总指挥官（东道行军元帅）；封薛仁越当晋王兼河州（枹罕郡改河州）州长；封宗罗睺当兴王，做薛仁果的副总指挥。分别出军夺取土地，攻克西平（青海省海东市乐都区）、浇河（青海省贵德县）二郡。

不久，薛举占领陇右（陇山以西）所有土地，部众有十三万。

12 被推举当魏公爵的变民首领李密，命孟让当总司令（总管），封齐郡公爵。

四月九日，夜晚，孟让率步骑兵二千人，攻入东都（洛阳）外城，对丰都市（东区闹市）纵火焚烧，大肆劫掠，天将亮时才撤退。于是东京（洛阳）外城居民，都迁入宫城，政府各机关全住满了难民。巩县（河南省巩义市）县长柴孝和、助理监察官（监察御史，从七品）郑颋，献出城池，投降李密。李密任命柴孝和当护军（六禁军府副将军），郑颋当右秘书长（右长史）。

隋政府河南（黄河以南）剿匪司令（河南讨捕大使）裴仁基，每次击破变民军，所得到的战利品，全部赏赐给将士，可是监军官（监军御史）萧怀静阻止不准，士卒十分怨恨；萧怀静又暗中调查裴仁基有关闲言闲语，都上疏控告。洛口仓城（河南省巩义市东）之役（参考本年〔六一七〕二月），裴仁基不能在指定时间到达，听到刘长恭等战败，大为恐惧，不敢前进，屯兵百花谷（巩义市东南），固守营垒，深怕中央处罚。李密知道他处境狼狈，派人游说，承诺给他高官贵爵。贾务本的儿子贾闰甫（贾务本是张须陀的副司令，参考去年〔六一六〕十月），正在军中，也劝裴仁基投降李密。裴仁基说："那么，萧怀静怎么办？"贾闰甫说："萧怀静好像树枝上的睡鸡，如果不知道随机应变，你只要砍下一刀。"裴仁基接受，派贾闰甫晋见李密，请求投降。李密大喜，命贾闰甫当元帅府大营军事参议官（司兵参军），兼主管机要，使他回报，写信给裴仁基慰问安抚，表示热烈欢迎。裴仁基率军进驻虎牢（河南省荥阳市西北汜水镇），萧怀静秘密上奏隋帝杨广，检举裴仁基阴谋。裴仁基得到消息，斩萧怀静，率领部众献出虎牢，向李密投降。

李密任命裴仁基当上柱国（勋官一级），封河东公爵。裴仁基的儿子裴行俨，勇敢善战，李密任命他也当上柱国（勋官一级），封绛郡公爵。

李密得到两位勇士：秦叔宝及东阿（山东省东阿县）人程咬金，都任命当骠骑将军（秦叔宝，参考六一四年十二月）。李密在军中遴选最骁勇的壮士八千人，分别配给四位骠骑将军，用作自卫，称为"内军"（禁军），经常说："这八千人足抵挡百万雄兵。"

程咬金后来改名程知节。其他变民首领罗士信、赵仁基，都率军归附李密，李密分别任命他们当总司令（总管），仍统御各人旧部。

四月十三日，李密派裴仁基、孟让，率二万余人，袭击回洛东仓（河南省洛阳市偃师区北，参考六〇六年十二月），攻克，遂纵火焚烧天津桥（洛水桥），下令士卒大肆劫掠。东都（洛阳）隋政府军出击，裴仁基等战败，撤退。李密亲自率领部众驻守回洛仓。东都（洛阳）此时军队还有二十余万，登城戒备，敲击木梆，互通声息，将士日夜不脱铠甲。李密攻击偃师（河南省洛阳市偃师区）、金墉（故洛阳城西北角），都不能攻克。

四月十五日，李密返回洛口（河南省巩义市东）。

东都（洛阳）城内粮食缺乏，而绸缎布帛，却堆积如山，甚至把丝绢当作绳子汲水，把布匹当作木柴燃烧煮饭。越王杨侗命人前往回洛仓（河南省洛阳市偃师区北）运粮回城，派军五千人驻守丰都市（东区闹市），五千人驻守上春门（洛阳东面北门），五千人驻守北邙山（洛阳城北）；共分九营，前后呼应，严密防备李密。

四月十七日，李密部将房献伯攻陷汝阴郡（安徽省阜阳市）。隋政府淮阳郡（河南省周口市淮阳区）郡长赵陁（音tuó〔陀〕），献出郡城，投降李密。

四月十九日，李密率部众三万人，回军再占领回洛仓（河南省洛阳市偃师区北），挖掘壕沟，筑高城墙，对东都（洛阳）施加压力。隋政府光禄大夫（九大夫之一，从一品）段达等，率军七万人出城迎战。

四月二十一日，两军在回洛仓北接触，隋政府军败退。

四月二十七日，李密命他的总部幕僚，下达文告，交由郡县传递，斥责杨广十大罪状，总结说："砍光南山（秦岭）的竹子，写不完他的罪状；掘开东海的堤防，流不尽他的凶恶。"由祖君彦执笔。

越王杨侗（时在东都洛阳）派祭祀部主任秘书（太常丞）元善达，辗转穿过变民军控制地区，从小路前往江都（江苏省扬州市），面见杨广，奏报说："李密拥有武装部队百万之多，进围东都（洛阳），盘踞洛口仓（河南省巩义市东），而东都（洛阳）城里没有粮食。陛下如果能够早还，乌合之众，一定四散。不然的话，东都（洛阳）不保。”忍不住呜咽流涕，悲痛不已。杨广脸上也显出心情沉重。虞世基在旁报告说：“越王（杨侗）年纪还小，是他们这班人骗他。如果真的像所说的那么严重，元善达怎么能够走到这里？”杨广勃然大怒，咆哮说：“元善达，你这小子，竟敢在金銮宝殿上，当面侮辱我！”命他穿过变民军控制区，前往东阳郡（浙江省金华市）催运粮草，元善达遂在中途死于变民军之手。从此之后，政府官员人人闭口，没有一个人敢报告一句变民军的消息。

虞世基容貌端庄，做事谨慎，沉默寡言，但所说的话，差不多都深合杨广的心意，因此，也特别受杨广的宠爱，没有人能跟他相比；虞世基的亲友党羽仗恃他的权力，卖官卖爵，贪赃枉法，公开收受贿赂；趋炎附势的人奔走他的家门，热闹得好像菜市场。因此无论政府或民间，对他都十分痛恨。立法院立法官（内史舍人）封德彝谄媚虞世基，因虞世基不太了解文官制度，封德彝暗中为他规划，竭力执行杨广命令和顺从杨广旨意；文武官员的奏章有触怒杨广可能时，都放到一旁，不肯转呈；审理诉讼案件，常引用最严厉的条文，加深诬陷；可是论功行赏时，却又尽量挑剔，使之符合最低条文。所以杨广对虞世基的信任日益增高，隋政府的政治也日益败坏，都是封德彝所作所为。

柏杨曰

隋王朝政治日益败坏，责任在杨广一人，跟虞世基何干？又跟封德彝何干？这不是说摇尾系统鲨鱼群都一身雪白，而是，臣属没有能力颠覆一个王朝，首领才是主凶，主凶才有这种能力。

13 最初，唐公爵李渊娶神武公爵（肃公）窦毅的女儿为妻（参考五八一年二月），生四个儿子：李建成、李世民、李玄霸、李元吉；以及一个女儿（后来唐王朝的平阳公主），嫁给太子宫带刀贴身侍卫（太子千牛备身，正七品下）、临汾郡（山西省临汾市）人柴绍。

李世民聪明、勇敢、果决，见识和胆量都超过常人，看到隋政府开始混乱，暗中有安定天下的大志，一直用低姿态礼贤下士，乐善好施，结交宾客，都能得到他们的欢心。李世民娶右骁卫（十六禁军第九军）将军（从三品）长孙晟的女儿。右勋卫（禁军征兵府）指挥官长孙顺德，是长孙晟的族弟，跟右勋侍指挥官（杨广将“勋卫”改为“勋侍”）池阳（陕西省泾阳县）人刘弘基，都因为躲避辽东（高句骊王国）之役，逃亡到晋阳（山西省太原市），投靠李渊，跟李世民感情亲睦。左亲卫（禁军征兵府）指挥官窦琮，是窦炽的孙儿（窦炽事，参考五八四年八月），也逃亡到太原郡（郡政府晋阳），跟李世民之间，素有怨恨，内心深怀不安，李世民对他特别善待，让他出入自己的卧房，窦琮心才安定。

晋阳宫总管（宫监）猗氏（山西省临猗县）人裴寂、晋阳县长武功（陕西省武功县西）人刘文静，同住在一起，看见发自城上的烽火，裴寂叹息说：“我们身家既贫穷，地位又卑贱，碰到战乱，骨肉离散，怎么能够保命？”刘文静笑说：“大局如此，谁也无可奈何，只要我们二人结合，何必担心贫穷卑贱！”刘文静看到李世民，大为惊异，用尽心机跟他结交，对裴寂说：“他不是一个平常人，豁达大度像刘邦，神采英明像曹操，年纪虽轻，却是一代英雄（本年李世民二十一岁）。”裴寂起初并不同意。

刘文静因为跟李密有亲戚关系，被捕囚禁太原监狱。李世民前去探望，刘文静说：“天下大乱，除非有刘邦、刘秀的才能，不能安定。”李世民说：“你怎么知道没有人具备那种才能？只不过没有人认识他！我来看你，不像小儿女一样，只来诉诉友情，主要的是要跟你商讨大事，你看应该怎么办？”刘文静说：“而今，皇上（杨广）南下游逛江淮（华东地区），李密包围东都（洛阳），盗匪数目以万为单位计算。在这个时候，有真正的天下之主出世，把他们号召在一个旗帜之下，妥善运用，夺取政权，容易的程度如同翻一下手掌。太原居民，都是为了躲避盗贼（变民军）的劫掠，逃难进城，我当县长当了数年，知道他们之中谁是豪杰，一旦招兵买马，至少能集结十万人；你父亲率领的武装部队，至少也有数万，一句话出口，哪个敢不服从？然后，趁隋政府空虚，长驱入关（潼关），向天下发号施令，最多半年，帝王事业就可建立。”李世民笑说：“这番话正合我的心意！”乃动员宾客，暗中部署，李渊并不知道。——李世民恐怕李渊拒绝，犹豫了很久，不敢明言。

李渊跟裴寂是老友，每次在一起长谈，有时一谈就从早上谈到深夜，甚至谈个通宵。刘文静打算要裴寂说服李渊，遂介绍裴寂跟李世民结交。李世民从私人积蓄中，拿出数百万钱，命龙山（即太原）县长高斌廉跟裴寂赌博，一次又一次的输给裴寂，裴寂大喜，遂每天跟李世民厮混在一起，感情亲昵。李世民把大计划告诉裴寂，裴寂赞成。

正巧，东突厥军（瀚海沙漠群）攻击马邑郡（山西省朔州市），李渊派副留守长官高君雅率军，会同马邑郡（山西省朔州市）郡长王仁恭合力抵抗；王仁恭与高君雅出战失利（王仁恭已于本年〔六一七〕二月被杀，本节所言，当是去年〔六一六〕以前的事，因李渊背叛，顺便追述），李渊恐怕受连坐处分，十分忧虑。李世民趁左右无人之际，提醒李渊说：“现在，主上（杨广）无道，人民穷困，晋阳（山西省太原市）城外，都是战场，大人如果坚守小节，则下有盗匪，上有严刑，危亡的日子随时都会来临。

不如顺应民心，发动正义之师，反而可以转祸为福，正是上天赏赐的良机。”李渊大惊说：“你怎么说出这种叛逆的话，我现在就逮捕你，报告天子。”拿起纸笔，表示要写奏章。李世民缓缓说：“我观察天时人事，确实如此，才敢出口。一定要逮捕我，我愿一死。”李渊说：“我怎么忍心逮捕你，但你要谨慎，不可再说。”

明天，李世民再提醒李渊说：“现在盗匪一天比一天增多，遍布天下，大人奉命讨伐，盗匪岂能完全消灭？到了最后，仍免不了有罪。而且世人都传说李家当应验神秘预言书，所以李浑一点罪都没有，一天之间，全族屠杀（参考前年〔六一五〕三月）。大人即令能把盗匪全部消灭，功劳太大就无法赏赐，性命更是危险。只有我昨天所作的建议，才可以解除灾祸，这是万分安全的计策，请不再犹豫。”李渊叹息说：“我昨天晚上一夜都在思考你的话，大有道理。今天，家破人亡，由你；把家变成国，也由你。”

之前，裴寂把晋阳宫的美女，秘密送给李渊奸淫；有一天，李渊跟裴寂在一起饮宴，酩酊大醉，裴寂温和的告诉李渊说：“你家二郎（李世民是次子）暗中训练人马，打算创立大业，正因为我教宫女侍候你，恐怕事情一旦发觉，大家齐被诛杀，才情急智生。大家已经同心，你意下如何？”李渊说：“我儿果真有这种构想，事情已经如此，还有什么办法，只有听他的！”

杨广因李渊及王仁恭不能抵御东突厥汗国，派使节逮捕二人，押送江都（杨广所在，江苏省扬州市），李渊大为恐惧，李世民与裴寂等，再试图说服李渊：“君王昏聩，帝国已乱，一味效忠，没有益处。低级军官战场失利，却把罪状写到你头上，事情急迫，应早定计划。而且，晋阳（山西省太原市）兵强马壮，裴寂积蓄的财产，有万万之多，用它创业，何必担心不成！代王（杨侑）年纪还小（本年十三岁），关中

（陕西省中部）英雄豪杰，纷纷起义，不知道向谁归附？你如果擂动战鼓，挥军西行，把他们收作自己部属，则天下大事，就容易得如同伸手到口袋中把东西拿出来，为什么面对一个孤单使节，由他囚禁，坐在这里等候屠杀！”李渊同意，遂秘密部署，可是正要发动时，杨广却续派使节乘政府驿马车赶到，赦免李渊及王仁恭，使他们官复原职。李渊的阴谋也暂缓下来。

李渊当河东地区（山西省）剿匪司令（河东讨捕使）时（参考前年〔六一五〕三月），请最高法院审判官（大理司直，从六品）夏侯端当副司令。夏侯端是夏侯详的孙儿（夏侯详事，参考四六六年十二月），精通天象、占卜、面相，对李渊说：“而今，玉床星摇动，皇帝的座位不稳（北极五星，第二星象征地上皇帝座位）。参星星座是本年（六〇七）主星，定有真命天子在参星星座含盖地区（即晋阳地区〔山西省太原市〕）崛起，不是你，难道还有别人？主上（杨广）猜疑残忍，尤其忌恨李姓，李浑已经死亡，你如果不知道变通，下一个就轮到你。”李渊同意。

后来，李渊当晋阳（山西省太原市）留守长官，鹰扬府（禁军征兵府）军政官（司马）太原郡（郡政府晋阳）人许世绪，游说李渊：“你的姓氏（李）记载在神秘预言书上，名字又出现民间歌谣之中，手握五个郡的兵马（五郡：太原郡、雁门郡〔山西省代县〕、马邑郡〔山西省朔州市〕、楼烦郡〔山西省静乐县〕、西河郡〔山西省汾阳市〕），处在四面都会受到攻击的地方，发动大事则帝王事业可以成就，呆坐在这里则还没有移动脚步就会灭亡，请你考虑。”总部军械军事参议官（行军司铠）文水（山西省文水县）人武士彟（音yuē〔约〕）、前太子宫左翼禁军人事官（太子左勋卫，正八品）唐宪、唐宪的老弟唐俭，都劝李渊起兵。唐俭对李渊说：“你北方跟蛮夷（东突厥汗国）结盟，南方大量招收英雄豪杰，用来夺取天下，这是子天乙（商王朝一任帝成汤）、姬发（周王朝一任王武王）的事业。”李渊说："我不敢上比子天乙、姬发，就私人说，不过希望活命，就公事说，不过拯救苦难人民，平定祸乱。你要爱惜自己，不要多说话，我将仔细考虑。"唐宪，是唐邕的孙儿（唐邕事，参考五四九年八月八日）。当时，李建成、李元吉仍在河东（李渊家住河东〔山西省永济市〕，李渊命二子在家照顾），所以李渊一直拖延，不敢发动。

刘文静警告裴寂说："先发动控制别人，后发动被别人控制。你为什么不劝唐公爵（李渊）早早起兵，却一直拖延！况且你是行宫总管（宫监），竟然把行宫美女供客人奸淫，你固是死定了，为什么还要害死唐公爵（李渊）！"裴寂十分恐惧，不断催促李渊行动。李渊遂命刘文静伪造一份杨广的诏书，命征集太原（山西省太原市）、西河（山西省汾阳市）、雁门（山西省代县）、马邑（山西省朔州市）四郡二十岁以上、五十岁以下男子，全体入伍充军，在年底以前，抵达涿郡（北京市）集合，出击高句骊王国（首都平壤〔朝鲜半岛平壤市〕）；于是人心沸腾，渴望叛离隋政府的人更多。

后来变民首领刘武周攻陷汾阳宫（山西省宁武县南管涔山上），李世民再提醒李渊说："大人是留守长官，竟然使盗匪进入离宫，如果不早定大计，灾祸立刻来临。"李渊这才集合将领及助理人员，对大家说："刘武周入据汾阳宫，我们不能阻止，一旦问罪，全族屠灭，我们怎么办？"副留守长官王威等，全都恐惧，一再叩头请求因应之法，李渊说："地方政府征集调度军队，一举一动，都要报请中央批准。而今，盗匪在数百华里之内，江都（江苏省扬州市）在三千华里之外，加上道路险恶，又有其他盗匪盘踞。用必须奉命才能行动的守城军队，面对野猪般狂奔的凶猛攻击，我们一定粉碎，进退两难，要我怎么办？"王威等说："你的地位，既是皇亲国戚（李渊的甥女是杨广的小老婆），又是受皇上信任的高官，跟帝国同生共死，同甘共苦，如果要等到奏报中央批准，怎么能来得及！只要可以平定盗匪，就应该专断独行。”李渊立刻用一种不得不勉强接受的态度，提出建议：“那么，我们必须先充实兵力。”命李世民、刘文静、长孙顺德、刘弘基等，到各地招兵买马。人民无论远近，听到消息，纷纷响应，十天半月之间，便集结将近一万人。这才派出密使，去河东（山西省永济市）召回李建成、李元吉；去首都大兴（陕西省西安市）召回柴绍。

两位副留守长官王威、高君雅，看到大军迅速扩张，疑心李渊阴谋叛变，对武士彟（音yuē〔约〕）说：“长孙顺德、刘弘基，都是讨伐辽东（高句骊王国）的逃兵，早就应该处决，怎么能够带领军队！”打算逮捕法办。武士彟说：“二人都是唐公爵（李渊）的宾客，如果那样，一定激起变化。”王威等才打消原意。留守政府大营军事参议官（留守司兵）田德平，打算建议王威等调查招兵买马内情，武士彟说：“剿匪的军队，全隶属唐公爵（李渊），王威、高君雅不过陪坐一旁，有什么力量调查！”田德平也打消原意。

晋阳（山西省太原市）乡长刘世龙，暗中警告李渊说：“王威、高君雅打算利用到晋祠（晋阳城西）祈雨的机会，对你采取行动。”李渊立刻反应。

五月十四日，夜晚，李渊命李世民在晋阳宫城外，设立埋伏。

五月十五日，早晨，李渊与王威、高君雅一同在大厅办公，命刘文静引导开阳府（禁军征兵府）军政官（司马）胙城（河南省延津县东北）人刘政会，站到庭院中，声称有秘密报告，李渊用眼神命王威等去拿诉状，刘政会不肯交出，说：“我告的是两位副留守长官，只有唐公爵（李渊）才可以看。”李渊假装大吃一惊，说：“怎么会有这种事！”等到阅读诉状，宣布说：“王威、高君雅暗中招引突厥（东突厥汗国）前来攻城！”高君雅卷起袖子，大声诟骂说：“这是叛徒谋杀我！”当时李世民的军队已封锁街道，刘文静遂跟刘弘基、长孙顺德等，共同逮捕王威、高君雅，囚禁监狱。

五月十七日，东突厥军（瀚海沙漠群）数万人攻击晋阳（山西省太原市），轻骑兵从外城北门而入，再从外城东门而出。李渊命裴寂等动员军队备战，把所有内城的城门都打开，东突厥无法判断虚实，不敢进逼。而人民遂深信王威、高君雅勾结东突厥。李渊遂斩王威、高君雅示众。李渊派部将王康达率一千余人出城迎战，全军覆没，城中军民大为恐惧。李渊改变战略，于深夜派军秘密出城，第二天早上则举起旌旗，擂动战鼓，从其他道路入城，好像增援部队；东突厥惊疑不定，留在城外两天，大肆抢劫而去。

14 杨广命监门（十六禁军第十一、十二军）将军（从三品）泾阳（陕西省泾阳县）人庞玉、虎贲指挥官（虎贲郎将〔禁军副将军〕，正四品）霍世举，率关内（陕西省中部）武装部队，增援东都（洛阳）。

柴孝和建议魏公爵李密说：“秦地（陕西省中部）山川形势坚固，秦王朝和西汉王朝凭借它完成帝王大业。现在，最好是请翟让留守洛口（河南省巩义市东），裴仁基留守回洛（河南省洛阳市偃师区北），你自己率领精锐部队，西上袭击大兴（陕西省西安市），如果攻克首都，大业的根本已经稳固，兵强马壮，然后再挥军东下，扫平河洛（河南省中部），只要发出一纸文告，天下就会平定。而今，隋政府走失了它的鹿，天下英雄豪杰，都起来捕捉（“鹿”，指政府的控制权），不趁早下手，一定有人在我们之前行动，届时后悔已来不及。”李密说：“这当然是最高谋略，我也曾经想到很久，可是昏君（杨广）仍在，随从护驾的军队仍多，我的部属都是山东（崤山以东）人，看到洛阳（河南省洛阳市）没有到手，谁肯跟我西上？各将领都是盗匪出身，留他们聚在一起，谁也不服谁，一旦内斗，大事就要瓦解。”柴孝和说：“大军既然不能西上，我想从小路秘密前往，看有没有别的机会！”李密同意。柴孝和与数十名骑兵抵达陕县（河南省三门峡市），山区变民归附他的有一万余人。

当时，李密的兵力强大，每次攻入西苑（杨广耗尽民脂民膏所建，参考六〇五年五月），都跟隋政府军缠斗。就在这时候，李密被流箭射中，躺在大营疗养。

五月二十八日，越王杨侗派段达及庞玉等，于夜晚出城，在回洛仓（河南省洛阳市偃师区北）西北筑垒。李密与裴仁基出击，段达等大破李密军，斩杀及俘虏超过一半，李密只好放弃回洛（河南省洛阳市偃师区北），回到洛口（河南省巩义市东）。庞玉、霍世举进军偃师（河南省洛阳市偃师区）。柴孝和刚集结的部众，听到李密败退消息，纷纷逃散。柴孝和轻装匹马，回归李密；杨德方、郑德韬等全都阵亡。李密任命郑颋当左军政官（左司马），荥阳郡（河南省郑州市）人郑乾象当右军政官（右司马）。

15 李建成、李元吉，把他们的老弟李智云，舍弃在河东（山西省永济市），只二人逃回太原（山西省太原市），地方政府逮捕李智云，押送首都大兴（陕西省西安市），斩首。李建成、李元吉在路上遇见柴绍，一同北返。

五月三十日（原文误置于六月），李建成等抵达晋阳（山西省太原市）。

16 刘文静建议李渊跟东突厥汗国（瀚海沙漠群）结盟，利用他们的兵马，增加自己的军威声势。李渊接受；于是亲自写一封信，言辞谦恭，态度卑屈，另加一份厚重的礼品，送给始毕可汗（十一任大可汗）阿史那咄吉，说：“我打算发动正义之师，到达南方迎接主上（杨广）返京（首都大兴），同时再跟贵国缔结姻亲，如同上（六）世纪八〇、九〇年代（一任帝杨坚在位）之时。可汗如果能跟我一同南下，请千万不要抢劫凌虐人民；如果只接受和解，坐等金银财宝，也由可汗选择。”阿史那咄吉看到信，对汗国高级官员说：“杨广这个人，我把他看了个透，如果迎接他回来，第一步一定是先害死唐公爵（李渊），第二步就是出军对我们攻打。假如唐公爵（李渊）自己当皇帝，不管天气怎么炎热，我都愿出军援助。”就把这个意思写信回复李渊。七天后，使节回太原报命，将领们大为兴奋，请李渊接受东突厥的建议，登极称帝，李渊拒绝。裴寂、刘文静都说：“而今，反抗军虽然集结很多，可是缺乏战马，我们虽不需要突厥的军队，但战马必须他们协助，如果因循拖延，恐怕后悔。”李渊说：“各位再想退一步的办法。”裴寂等于是建议：尊称隋帝杨广当太上皇，拥护代王杨侑当皇帝，用以安抚隋王朝官兵（时杨侑留守首都大兴）。然后传令各郡县，改用红白旗帜，向东突厥汗国表示独立之意。李渊说：“这可真正是掩住耳朵偷钟！可是，时局这样，又不得不如此。”批准这项计划，派使节把这项决定，报告阿史那咄吉。

西河郡（山西省汾阳市）拒绝接受李渊的号令。

六月五日，李渊派李建成、李世民，率军攻击；命太原县长（时太原郡城之内设二县：太原、晋阳）、太原人温大有，跟他们同行，吩咐他说：“我的儿子年纪太轻，所以请你主持军事行动，大事是成是败，全看这次出征。”当时士卒来自四面八方，又没有经过训练，李建成、李世民跟他们同甘共苦，遇到敌人更奋勇抢先。道路两旁的蔬菜瓜果，除非出钱购买，决不擅自取食，士卒有偷盗的，一定找出失主赔偿，但也不追究偷盗的是谁，军民都感激喜悦。大军进抵西河郡（山西省汾阳市）城下，城外居民有逃向城里的，一律放行。郡政府主任秘书（郡丞）高德儒紧闭城门坚守。

六月十日，反抗军攻破城池，生擒高德儒到大营，李世民责备他说："你把野鸡硬当作鸾凤，用来欺骗主上（杨广），换取高官（参考前年〔六一五〕三月），我兴起正义之师，正是为了铲除你这一类马屁精！"斩首。其他不杀一人，秋毫无犯，安抚店市商旅，使他们恢复营业，消息传播，远近人民欢欣。李建成等率军回晋阳（山西省太原市），往返只有九天。李渊欣喜说："用这样的威力前进，简直可以横行天下。"遂决定入关（潼关）计划。

李渊大开粮仓，赈济贫民，投军当兵的每天都在增加。李渊命分为三军，三军再分左右两翼，通称"义士"，裴寂等尊称李渊"大将军"。

六月十四日，李渊设"大将军府"，命裴寂当秘书长（长史），刘文静当军政官（司马），唐俭及前任长安（首都大兴西半城）县政府民兵司令（长安尉）温大雅当记录官（记室），温大雅仍然跟他的老弟温大有，共同管理大将军府机密案件，武士彟当军械军事参议官（铠曹），刘政会及武城（山东省武成县）人崔善为、太原郡（山西省太原市）人张道源当民政军事参议官（户曹），晋阳（太原郡郡政府所在县，山西省太原市）县长、上邽（天水郡郡政府所在县，甘肃省天水市）人姜谟当考核军事参议官（司功参军），太谷（山西省晋中市太谷区）县长殷开山当秘书（府掾）；长孙顺德、刘弘基、窦琮及鹰扬指挥官（鹰扬郎将）高平（山西省高平市）人王长谐、天水郡（甘肃省天水市）人姜宝谊、阳屯，分别当左右两翼六军指挥官（左右统军），其他文武官员，依照他们的才干，授予官职。又封世子李建成当陇西公爵、左翼禁军司令官（左领军大都督），指挥左翼三军；

封李世民当敦煌公爵、右翼禁军司令官（大都督），指挥右翼三军；各自设立官属。另命柴绍当右翼禁军府秘书长（右领军府长史），大将军府首席军事参议官（咨议）、谯郡（安徽省亳州市）人刘赡兼西河郡（山西省汾阳市）副郡长（通守）。张道源原名张河，殷开山原名殷峤，都以别名被世人称道。殷开山，是殷不害的孙儿（殷不害以孝行闻名，参考五五四年十二月三日）。

17 魏公爵李密率军再攻东都（洛阳）。

六月十七日，在平乐园（洛阳城东北平乐村）与隋军会战，李密左边骑兵，右边步兵，中间使用强弓，千万战鼓一齐擂动，猛烈冲击，隋军大败，李密再夺回回洛仓（河南省洛阳市偃师区北）。

18 东突厥汗国派柱国（仿效隋帝国官称）康鞘利等，送战马一千匹给李渊，要李渊收购，多少都可以，只看李渊需要；并承诺派大军护送李渊入关（潼关）。

六月十八日，李渊召见康鞘利等，接受始毕可汗（十一任大可汗）阿史那咄吉的赐书，李渊态度卑屈，神色恭敬，馈赠给康鞘利等的礼物，十分丰厚。在一千匹战马中，挑选特别精良的，只买一半。反抗军将领们愿私人出钱买下另一半，李渊说："蛮虏（东突厥汗国）多的是马，而又十分贪财，我们这次一下子买完，他们的马会送来的更多，你们将会财力枯竭，无法再买。我所以买得很少，是表示我们贫穷，同时也表示我们的需要并不十分急迫。我会为你们打算，请突厥（东突厥汗国）暂时赊欠，不要你们破费。"

六月二十六日，灵寿（河北省灵寿县）变民军首领郗士陵，率部众数千人，投降李渊；李渊任命他当镇东将军，封燕郡公爵，仍镇守东方根据地，设立官属，用以号召山东（崤山以东）郡县。

六月己巳日（六月庚辰朔，没有己巳），东突厥使节康鞘利北返。李渊派刘文静前往东突厥汗国请求派军联合行动。秘密吩咐刘文静说："蛮夷骑兵进入隋帝国国土，是隋帝国人民一大灾害。我所以需要突厥军队，只是怕刘武周联合他们，共同制造沿边灾难。而且蛮虏使用骑兵，马匹一面走一面吃草，不需要供应粮秣，只不过姑且用他壮壮声势，超过几百人，就没有用处。"

19 秋季，七月，隋帝杨广派江都郡（江苏省扬州市）副郡长（通守）王世充，率江淮（华东地区）精锐战士；将军王隆率邛黄蛮（四川省西昌市蛮夷），河北（黄河以北）剿匪司令官（河北大使）、祭祀部副部长（太常少卿）韦霁、河南（黄河以南）剿匪司令官（河南大使）虎牙指挥官（虎牙郎将）王辩等；各率所属部队增援东都（洛阳），联合讨伐李密。韦霁，是韦世康的儿子（韦世康事，参考五九五年十月）。

20 七月四日，李渊任命第四子李元吉当太原郡（山西省太原市）郡长、晋阳（太原郡郡政府所在县）留守长官、后方勤务全部由他负责。

七月五日，李渊率武装战士三万人，从晋阳（山西省太原市）出发，在大营门前，与全军盟誓，并传令其他郡县，说明拥护代王杨侑的原意。西突厥小可汗阿史那大奈，也率部众加入（瓜分西突厥，阿史那大奈被移到楼烦郡〔山西省静乐县〕，参考六一二年正月）。

七月六日，李渊派通议大夫（九大夫之七，从四品）张纶，率军镇压稽胡部落（山西省西部及陕西省北部匈奴人）。

七月八日，李渊抵达西河郡（山西省汾阳市），慰劳官员居民，赈济穷苦。居民年七十岁以上的，都授予散官（有官称而无官权），其余青年才俊，则以他们的才干委任官职，李渊当面口试对方的能力，立刻提笔记下所任命的官称，一天之间，任命一千余人；被任命的官员来不及领取任官令，每人只好拿着李渊写的官称纸条而去。

李渊进入雀鼠谷（山西省灵石县西南汾水河谷）。

七月十四日，李渊驻军贾胡堡（山西省汾西县北），南距霍邑（山西省霍州市）五十余华里。代王杨侑派虎牙指挥官（虎牙郎将）宋老生，率精兵二万人，驻守霍邑，左武候（十六禁军第五军）大将军（正三品）屈突通驻守河东郡（山西省永济市），联合拒抗李渊；正巧遇到连绵大雨，李渊无法向前推进；派总部助理（府佐）沈叔安等率老弱残兵回太原押运一个月的粮食。

七月十七日，张纶攻克离石郡（山西省吕梁市离石区），诛杀郡长杨子崇。

刘文静抵达东突厥汗国（瀚海沙漠群），晋见始毕可汗（十一任大可汗）阿史那咄吉，请求派军援助，并且约定："进入大兴城（陕西省西安市）之日，人民土地归唐公爵（李渊），金银财宝则任由突厥抢劫，绝不阻拦。"（在暴政呻吟下的大兴住民，日夜盼望"义师"解救，却不知道义师还没有出动，就先把人民出卖！）阿史那咄吉大喜。

七月十八日，阿史那咄吉派高阶层官员阿史那级失公爵（特勒），先南下晋见李渊，通知他援军已经出发。

李渊写信召唤李密，李密自认兵强马壮，打算自己当盟主，命祖君彦起稿回信说："我跟你虽然不同一个支派（李密的祖先来自辽东郡襄平〔辽宁省辽阳市〕，李渊的祖先本是陇西郡狄道〔甘肃省临洮县〕人），但都是李姓同宗。我知道我的实力不够，只是蒙四海英雄厚爱，推为盟主，希望你帮助提携，同心合力。在咸阳生擒嬴婴（秦王朝三任帝〔秦王〕嬴婴投降，参考前二〇六年十月），在牧野（河南省卫辉市）击毙子受辛（商王朝三十一任帝子受辛被烧死，参考前一一二二年），岂不是一件盛大的事。”并且暗示要李渊率步骑兵数千人，亲自到河内郡（河南省沁阳市），跟李密当面盟誓。

李渊接到复信，笑说：“李密自我膨胀，自认为他是老大，对这种人，靠一封信不能把他唤来。我正要全力对付关中（陕西省中部），如果马上跟他决裂，岂不又制造一个敌国？不如态度谦卑，对他说几句奉承阿谀的话，使他更加骄傲，为我们把守成皋（即虎牢，河南省荥阳市西北汜水镇），套牢东都（洛阳）的军队，使我们得以专心西征。等到关中（陕西省中部）平定，据守险要，培养声威，在旁静看鹬蚌之争，收取渔夫之利（鹬蚌相争，参考五四七年十二月注），并不算晚。”遂命温大雅起稿回信说：“我虽然平凡拙劣，有幸继承祖先的余荫，出京（首都大兴）担任使节，入京掌理禁军（李渊曾任右骁卫〔十二禁军第九军〕将军，参考去年〔六一六〕十二月）；政府危亡，而不能扶持拯救，再通达的贤才，都会对我责备。所以我才大规模集结正义之师，和北方蛮夷（东突厥汗国）和解，共同平定天下，目的仍在保卫隋王朝政府。上天生养人民，一定需要官员管理，当今能够管理人民的人，除了你，还能有谁！我年纪太大，已超过五十岁，志不在此，但我由衷高兴，拥护吾弟（李密）！攀龙麟、附凤翼，盼望吾弟（李密）早日应验神秘预言书（《桃李章》），安定天下万民。你是李姓盟主，但愿因此而蒙你宽容接纳，再把我封到唐国（古唐国在今山西省太原市），荣耀已经满足。在牧野击毙子受辛，我不忍说这种话；在咸阳生擒嬴婴，我也不敢听这项命令。汾晋（山西省）一带，需要安抚镇压，盟津（孟津，河南省洛阳市孟津区东黄河渡口）会盟（周部落酋长姬发攻击商王朝前，在孟津大会各封国国君），恐怕不能先行约定时间。”李密看到复信，十分高兴，命将领们传阅，说：“唐公爵（李渊）如此推许，天下很快就会平定。”从此，李渊、李密间书信来往不断。

阴雨久不停止，李渊反抗军粮食缺乏，向东突厥汗国求援的刘文静还没有回来，有人传言东突厥和定杨天子刘武周（基地马邑郡〔山西省朔州市〕），利用李渊后方空虚，袭击晋阳（太原郡郡政府所在县，山西省太原市）；李渊召集军事会议，打算北返。裴寂等都赞成，说：“宋老生、屈突通，南北联络，据守险要，不容易立即攻破。李密虽然跟我们结盟，但他的奸诈计谋，难以预测。突厥贪婪而没有信义，只认识金银财宝，刘武周，是尊奉蛮夷的人；太原则是一个地区的大城，正义军战士们的家属都在城里，不如回军拯救根据地，再计划以后的行动。”李世民反对，说：“而今，遍地都是庄稼，怎么担心无粮？宋老生轻率急躁，一次战役，就可把他俘虏。李密依恋不舍仓里的存粮，还定不下心厘定长程策略。刘武周外表上事奉突厥，事实上内心互相猜疑，虽然贪图太原，但他怎能忘记他的根据地马邑（山西省朔州市）会受到攻击！我们本来兴起大义，奋不顾身，以救天下苍生，应当先进咸阳（以秦王朝首都咸阳譬喻），号召天下。现在遇到小小挫折，就立刻班师，恐怕正义军战士一旦星散，我们回去困守太原一座孤城，不过是一小撮盗匪而已，有什么办法保命！”李建成也认为如此，可是李渊不接受，下令出发。李世民准备再往劝阻，正巧天晚，李渊已经安睡。李世民不能进去，就在大营外号啕大哭，声音传到寝帐。李渊命李世民进来问话，李世民说：“大军因大义而发动，进攻一定克敌，撤退一定溃散；部众在前面四散逃命，敌人在后面乘机攻击，死亡就在眼前，怎么能不悲痛！”李渊这才醒悟，说：“军队已经出发，怎么办？”李世民说：“右翼各军已经整装，还没有出发。左翼各军虽然出发，走不太远，我亲自前去追他们回军。”李渊笑说：“我的成败都在于你，还多说什么，随你决定。”李世民乃跟李建成乘夜追赶，命左翼各军返回。

七月二十八日，太原的粮秣运到。

21 隋政府武威郡（甘肃省武威市）鹰扬府（禁军征兵府）军政官（司马）李轨，家庭富有，喜爱行侠仗义。变民首领薛举在金城郡（甘肃省兰州市）聚众起兵（参考本年〔六一七〕四月三日），李轨跟同郡人曹珍、关谨、梁硕、李赟、安修仁等商议说：“薛举一定前来抢劫，郡政府官员一个个胆小如鼠，恐怕不能抵挡，我们怎么可以自绑双手，连同妻子儿女被人活捉当奴！不如同心合力起兵反抗，保存河右（河西走廊，甘肃省中部西部），等待天下变化。”大家全都同意，打算推举一个人当首领。可是互相谦让，都不敢承当。曹珍说：“很久以来，神秘预言书上都说：姓李的将当君王，而今，李轨正是我们这一伙，恰巧符合天命。”遂向李轨参拜，尊他当盟主。

七月八日，李轨命安修仁集结所有匈奴酋长（安姓，是凉州〔甘肃省武威市〕望族，汉人及蛮夷一致畏服），李轨则集结汉人民间豪杰，共同起兵，逮捕虎贲指挥官（虎贲郎将）谢统师、郡政府主任秘书（郡丞）韦士政。李轨自称河西大凉王，设立文武属官，仿效隋王朝一任帝（文帝）杨坚时前例。关谨等打算把隋政府官员全部屠杀，瓜分他们的家财，李轨说：“各位既逼我当首领，就应该服从我的号令，我们兴起义军，是拯救天下苍生，竟然谋财害命，岂不是一群盗匪，怎么能成大事！”

于是，任命谢统师当畜牧部长（太仆卿），韦士政当库藏部长（太府卿）。

西突厥汗国将军阿史那阙度，据守会宁川（甘肃省靖远县），自称阙可汗，投降李轨（杨广瓜分西突厥为三，阿史那阙度率所部住会宁川，参考六一二年正月）。

22 变民首领、已称西秦霸王的薛举，登极称秦帝，封他的正妻鞠女士当皇后，儿子薛仁果当皇太子。薛举派薛仁果率军包围天水郡（甘肃省天水市），攻克；薛举从金城郡（甘肃省兰州市）迁居天水郡，定为首都。

薛仁果力大无穷，精于骑马射箭，军中称他为万人敌；然而他性情贪婪、残忍好杀。曾经俘虏庾信的儿子庾立，对他胆敢拒绝投降，大为忿怒，把他悬挂火上，一面烤一面砍下他的四肢，一面慢慢割下他的肉，让士卒吞食（庾信事，参考五四八年十月二十四日）。后来，攻克天水郡，把所有富人召集一堂。头下脚上，颠倒悬挂，用醋灌他们的鼻孔，命他们献出金银财宝。薛举每次都告诫他："你的才干足以完成大事，然而苛刻残暴，对人没有恩情，终有一天会覆灭我建立的帝国和我们薛家满门。"

薛举派晋王薛仁越率军南下剑口（四川省剑阁县北剑门关镇。打算夺取巴蜀〔四川省〕），前进到河池郡（陕西省凤县）。隋政府任命的河池郡郡长萧瑀阻截，薛仁越不能前进，撤退。

薛举再派部将常仲兴西渡黄河，攻击河西大凉王李轨，跟李轨的部将李赟在昌松（甘肃省古浪县西北）会战，常仲兴全军覆没。李轨打算把所有投降的官兵释放，李赟反对，说："我们奋力作战，才得到俘虏，现在再把他们放回，增加敌人数目，我们岂不白费力气，不如全部坑杀。"李轨说："上天如果保佑我，当生擒他们的领袖，这些人终于属于我们。如果不保佑我，留他们没有裨益。"遂全部释放。

没有多久，李轨西攻张掖郡（甘肃省张掖市）、敦煌郡（甘肃省敦煌市）；南攻西平郡（青海省海东市乐都区）、枹罕郡（甘肃省临夏市），前后都攻克（西平郡、枹罕郡，原被薛举攻占，参考本年〔六一七〕四月三日）。河西五郡，全入版图。

23 隋帝杨广下诏命左御卫（十六禁军第十五军）大将军（正三品）、涿郡（北京市）留守长官薛世雄，率古燕王国地区（河北省北部）精锐战士三万人，讨伐变民首领、魏公爵李密；命王世充等将领，都受薛世雄指挥。授权薛世雄：对沿途盗匪，随时剿灭。

薛世雄经过河间郡（河北省河间市），扎营七里井（河间郡城南七华里），已称长乐王的变民首领窦建德的部众，大为恐惧，放弃所占领的城池（时在乐寿〔河北省献县〕，参考本年〔六一七〕正月五日），向南逃走，声称将入豆子䴚（山东省惠民县西，䴚，音gǎng〔港〕），薛世雄认为窦建德对自己畏惧，不再戒备，而窦建德却密谋反击。此时窦建德大营距薛世雄大营一百四十华里，窦建德率敢死队勇士二百八十人，先行出发，主力军随后跟进。窦建德跟他的部下约定，说：“如果夜晚到达，则发动攻击，如果到达时天色已亮，就向薛世雄投降。”当挺进到距薛世雄大营只一华里时，天已微明，窦建德大为惊慌，跟大家讨论是不是就此投降；想不到忽然间大雾弥漫，面对面都难辨识，窦建德大喜说：“上天帮助！”遂突击隋政府军大营，隋军士卒大乱，全都翻出营寨逃走，薛世雄无法禁止，只好与左右侍从数十人，骑马逃回涿郡（北京市），惭愧恚恨，发病而死（年六十三岁）。

窦建德遂包围河间郡（河北省河间市）。

24 八月一日，阴雨终于停止，天气放晴。

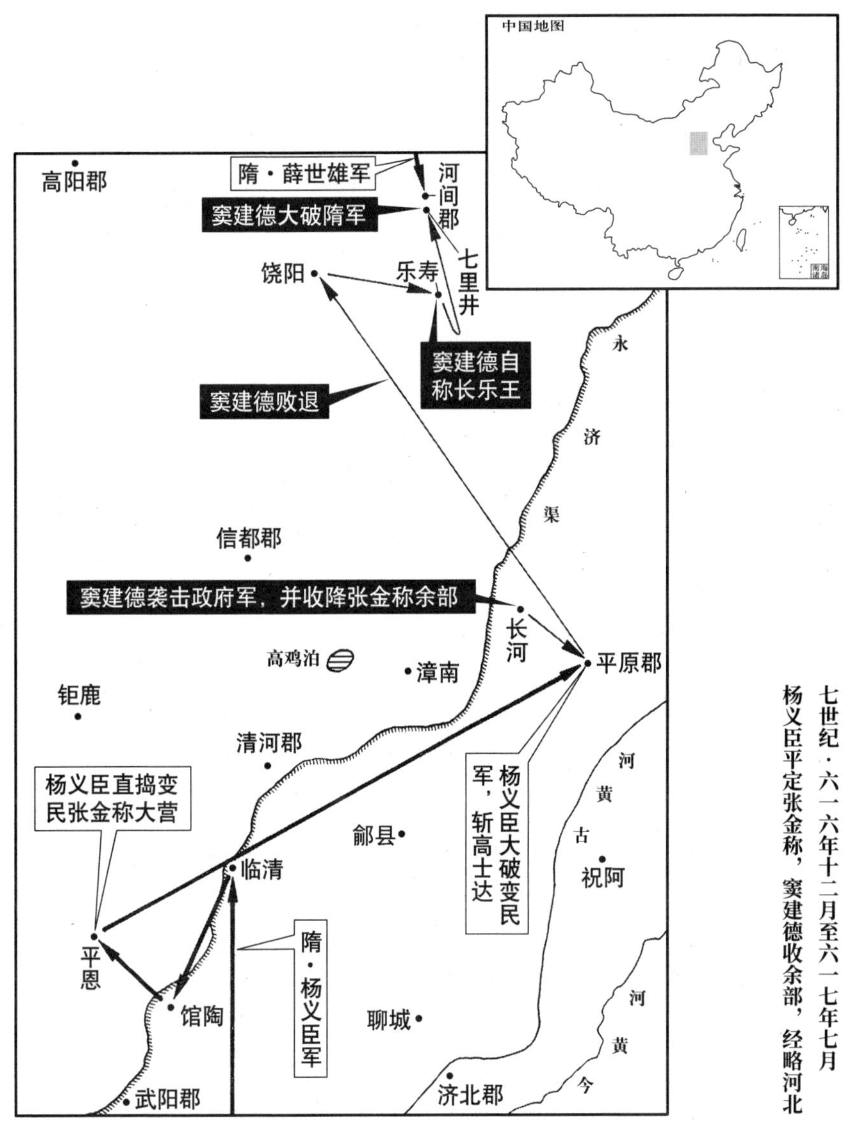

七世纪·六一六年十二月至六一七年七月
杨义臣平定张金称，窦建德收余部，经略河北

八月二日，唐公爵李渊命全军在太阳下曝晒铠甲、武器、衣服装备。

八月三日，天亮，李渊率军沿着东南山麓小路，直向霍邑（山西省霍州市）。李渊恐怕霍邑守将宋老生拒不出战，李建成、李世民说："宋老生有勇而无谋，我们用单薄的兵力挑逗他，他就没有理由不出战。假如他真不出战，固守城池，我们就诬陷他意志动摇，要向我们投降。他怕被左右同僚打小报告，又怎么敢不出战！"李渊说："你们的研判正确，宋老生不能趁我们困在贾胡堡（山西省汾西县北）时，发动攻击，我就知道他是个无能之辈。"

李渊率数百名骑兵先到霍邑（山西省霍州市）东数华里地方，等待步兵主力，命李建成、李世民率数十名骑兵，逼近城下，扬鞭指画，好像即将发动围城，同时又高声诟骂。宋老生果然被激怒，率军三万人，分别从东门、南门出击。李渊派殷开山急往征召后续部队（步兵主力）。后续部队抵达，李渊打算命士卒先吃饭再作战，李世民说："时机不可丧失！"李渊乃跟李建成在城东，李世民在城南分别列阵，发动攻击，李渊、李建成稍向后退，李世民跟鹰扬指挥官（军头）临淄（山东省淄博市东临淄区）人段志玄，从南原（城南）率军赴救，直冲宋老生阵地，攻击他的背后；李世民手杀数十人，两把刀都出现缺口，血流沾满衣袖，甩血再战，李渊军势转盛，乘势大声传呼："已经活捉宋老生！"隋政府军霎时溃败，李渊军先行冲向城门，城门紧急关闭，宋老生被隔在城外，跳下马背，跳入护城壕沟，刘弘基赶上，砍下人头；两军尸体堆积好几华里，天色已晚，李渊下令攻城，当时没有攻城武器，反抗军以血肉之躯，强行攀登，遂把城攻克。

李渊奖赏霍邑（山西省霍州市）之战的功劳，军中文职人员认为：

奴仆从军的战士，似不应跟一般人从军的战士，有同等待遇。李渊说："飞石流箭之下，不分谁贵谁贱，评估功勋的时候，怎么能有等级？应该完全平等。有什么功，受什么赏！"

八月四日，李渊接见霍邑官员及平民，慰劳安抚，都依照西河郡（山西省汾阳市）前例办理，挑选青年壮士从军；关中（陕西省中部）战士打算返回关中（陕西省中部）的，一律加授五品散官（朝请大夫〔九大夫之八，正五品〕、朝散大夫〔九大夫之九，从五品〕），送他们返乡。有人规劝李渊，认为任官太滥，李渊说："隋政府最舍不得官爵，因此失去人心，为什么反而效法！而且，用官位团结人民，岂不比用刀枪好。"

八月八日，李渊进入临汾郡（山西省临汾市），慰问安抚，也依照霍邑（山西省霍州市）前例办理。

八月十二日，李渊住宿鼓山（山西省新绛县北），绛郡（山西省新绛县）副郡长（通守）陈叔达坚守抵抗。

八月十三日，李渊进攻，攻克。陈叔达，是陈帝国四任帝（宣帝）陈顼的儿子（亡国之君陈叔宝的老弟，参考五八二年正月），有才华学问，李渊对他很是礼遇，任命他担任官职。

八月十五日，李渊抵达龙门（山西省河津市）。刘文静、康鞘利，率领东突厥汗国（瀚海沙漠群）军五百人、马二千匹来到。对这批援军缓缓来迟，李渊大为高兴，告诉刘文静说："我们已到黄河，突厥才来，而且人少马多，都是你彻底执行使命的功劳！"

汾阴（山西省万荣县西南荣河镇）人薛大鼎游说李渊："请不要攻击河东郡（山西省永济市），应从龙门（山西省河津市）直接西渡黄河，夺取永丰仓（陕西省潼关县北），发表文告，传递远近，就可以坐在这里等待关中（陕西省中部）投降。"李渊打算听从，可是各将领却一致要求先行攻击河东。李渊命薛大鼎当总部纠查官（察非掾）。

河东（山西省永济市）县政府民政官（户曹）任瓌，建议李渊说："关中（陕西省中部）英雄豪杰，都踮脚盼望正义之师，我在冯翊郡（陕西省大荔县）很多年，很了解当地民间领袖的情形，我愿前去联络，他们一定望风而降。义军自梁山（陕西省韩城市北）渡过黄河，南下韩城（陕西省韩城市），进逼郃阳（陕西省合阳县）。郃阳守将萧造，是一个文官，望见车马扬起的灰尘，就会请求归附。变民首领孙华之辈，也会迎降（孙华，参考去年〔六一六〕七月）。然后擂动战鼓，向西挺进，直接进入永丰仓（陕西省潼关县北），虽然还没有攻克大兴（陕西省西安市），但关中（陕西省中部）可以说已落入掌握。"李渊大为高兴，命任瓌当银青光禄大夫（九大夫之五，从三品）。

当时，关中（陕西省中部）各变民军首领，以孙华最为强大。

八月十八日，李渊抵达汾阴（山西省万荣县西南荣河镇），写信召唤孙华。

八月二十一日，李渊进军壶口（山西省吉县西南），黄河沿岸居民呈献捐助的船舶，每天以一百只为单位计数，李渊遂成立河上舰队。

八月二十四日，孙华从郃阳（陕西省合阳县）轻装东渡黄河，晋见李渊；李渊握住孙华的手，请他上座，嘉奖安慰备至，任命孙华当左光禄大夫（九大夫之二，正二品），封武乡县公爵兼冯翊郡（陕西省大荔县）郡长；对孙华部属中有功人员，李渊授权孙华依照等级任命官职，赏赐非常优厚，命孙华先渡黄河返根据地；然后派左翼指挥官（左统军）王长谐、右翼指挥官（右统军）刘弘基、左翼禁军府秘书长（左领军长史）陈演寿、金紫光禄大夫（九大夫之四，正三品）史大奈（即阿史那大奈，单音字表达复音节较为困难，"阿史那"遂简化为"史"，这跟柔然汗国的"郁久闾"简化为"闾"一样，参考四一三年四月），率步骑兵六千人，自梁山（陕西省韩城市北）

西渡黄河，在黄河西岸扎营，等待大军主力。

李渊命任瓌当招降慰劳特使；任瓌游说韩城，韩城投降，李渊对王长谐说：“屈突通手下精锐部队不少，跟我们相距只五十余华里，却不敢出战，说明他的部队已经动摇。然而屈突通害怕中央对他处罚，又不敢不出战。他如果西渡黄河向你们攻击，则我就进攻他的根据地河东城（山西省永济市），河东城绝不可能守得住。如果他不出战，全力守城，则你们就拆除黄河桥梁（蒲津桥），前面扼住他的咽喉，后面痛击他的脊背，他如果不逃走，就一定被我们生擒。”

25 随从隋王朝皇帝杨广到江都（江苏省扬州市）的骁果勇士（参考六一三年正月），很多人逃亡，杨广忧虑，询问裴矩有什么对策，裴矩说：“人之常情，除非是有婚姻配偶，难以在一个地方久住，请准许官兵在本地婚配。”杨广同意。

九月，杨广征召江都郡境内所有的寡妇、处女，集合在皇宫前面，由将士随意挑选；如果原先就有奸情的，可以自首，准予正式成亲。

26 武阳郡（河北省大名县）郡政府主任秘书（郡丞）元宝藏，献出郡城，投降李密。

九月六日，李密任命元宝藏当上柱国（勋官一级，从一品。这是一任帝杨坚时代的官位），封武阳公爵。元宝藏命他的宾客、钜鹿（河北省巨鹿县）人魏徵，代自己写信向李密道谢，并且请将武阳郡改称魏州（北周帝国及隋王朝初年时便称魏州，参考五八〇年八月）；又愿率部众西攻魏郡（河南省安阳市），南下会合各将领，攻取黎阳仓（河南省浚县境）。李密大喜，即命元宝藏当魏州军区总司令（魏州总管），征召魏徵当总部文教参议

官（元帅府文学参军）、总记录官（掌记室）。 560

魏徵小时候就丧失父亲，家庭贫寒，喜爱读书，心怀大志，行为不合世俗规则，不想办法谋生。最初当道士，元宝藏命他主持文书事务。李密喜爱他的文章辞藻，所以召到总部。

最初，贵乡县（魏州州政府所在县，河北省大名县）县长、弘农郡（河南省灵宝市）人魏德深，处理政事简单清静，并不严厉，但县政有条不紊。辽东之役（东征高句骊王国），中央千方百计征税，使节在道路上奔走不断，要求郡县政府完成任务，人民不堪负担（参考六〇九年十一月）。只有贵乡县（河北省大名县）村里没有骚动，富人与贫民互相帮助，并没有被榨干枯，仍能供应需要。元宝藏接受杨广诏书，讨伐变民，不断向各县征求武器及军用辎重，动不动就警告要军法从事。其他县都把营造工匠聚集在县政府大庭工作，官员轮流监视督促，日夜吵闹，人声喧哗成一片，可是仍不能完成。而魏德深则任凭工匠随意选择场所，县政府安静无声，好像没有什么事情；魏德深特别告诫官员，不可以比邻县制造得更多更好，那样将使人民更加劳苦。然而工匠各自竭尽心力，成绩总是常常居于各县之上，人民爱他如子女之爱父母。元宝藏嫉妒他贤能，派他率军一千余人增援东都（洛阳）。魏德深率领的战士听到元宝藏投降李密消息，思念亲戚，常出东都（洛阳）城门，向东方放声痛哭，仍返城内；有人劝他们也投降李密，都流泪哭泣，说：“我们追随魏县长一起前来，怎忍心舍弃他而去。”

河南（黄河以南）、山东（崤山以东）大水成灾，满山遍野都是饿死的尸体。杨广下诏命开黎阳仓（河南省浚县境）赈济饥民，黎阳仓负责官员却不能迅速发给，饥民饿死的每天有数万之多（人间惨事）。

徐世勣建议李密说：“天下大乱的原因，不过是人民饥馑。我

七世纪·六一七年八月　李轨、薛举割据形势

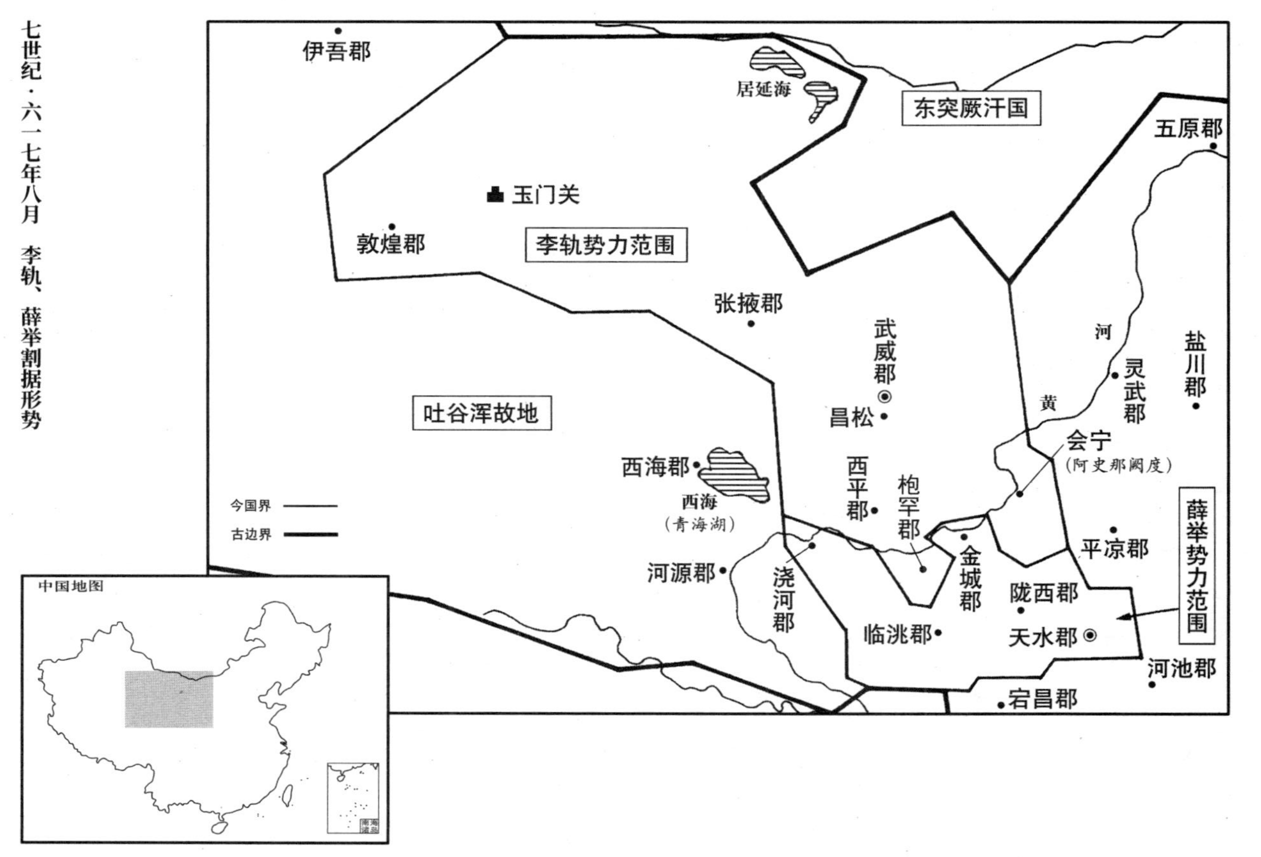

们如果能夺取黎阳仓，大事就可成功。”李密派徐世勣率部众五千人，自原武（河南省阳原县西南原武镇）北渡黄河，会同元宝藏、郝孝德、李文相，以及洹水县（河北省魏县西南）变民首领张升、清河郡（河北省清河县）变民首领赵君德，共同袭击黎阳仓，攻克，立即据守，大开仓门，由饥民任意取食，十天左右，就集结到战士二十余万。武安郡（河北省邯郸市永年区东南广府镇）、永安郡（湖北省武汉市新洲区）、义阳郡（河南省信阳市）、弋阳郡（河南省光山县）、齐郡（山东省济南市），前后相继投降李密。甚至窦建德（时在乐寿〔河北省献县〕）、朱粲（时在山南〔秦岭以南〕一带），已经称王的变民军首领，也都派使节归附李密。李密命朱粲当扬州军区（总部设江苏省扬州市）总司令（扬州总管），封邓公爵。

泰山（东岳，山东省泰安市北）道士徐洪客，向李密呈递条陈，警告说：“大量的部众长久聚在一起，到了最后，粮食吃光，战士则一哄而散。剩留下来的，军心疲惫，厌恶战争，就难以成功。”因之，他建议：“利用开展的时机，趁着一股锐气，沿运河（通济渠及邗沟）东下，直扑江都（江苏省扬州市），活捉暴君（杨广），号令天下。”李密钦佩他的心胸，写信邀他前来，徐洪客始终没有出面，不知道下落。

27 九月七日，李密任命的通议大夫（九大夫之七，从四品）张纶，率军进攻龙泉（山西省隰县）、文成（山西省吉县）等郡，全都攻克，生擒文成郡郡长郑元璹。郑元璹，是郑译的儿子（郑译事，参考五七六年八月）。

28 隋政府河东郡（山西省永济市）守将、左武候（十六禁军第五军）大将军（正三品）屈突通，派虎牙指挥官（虎牙郎将）桑显和，率骁果勇士数千人，趁夜袭击反抗军王长谐等大营，王长谐等迎战，情况不

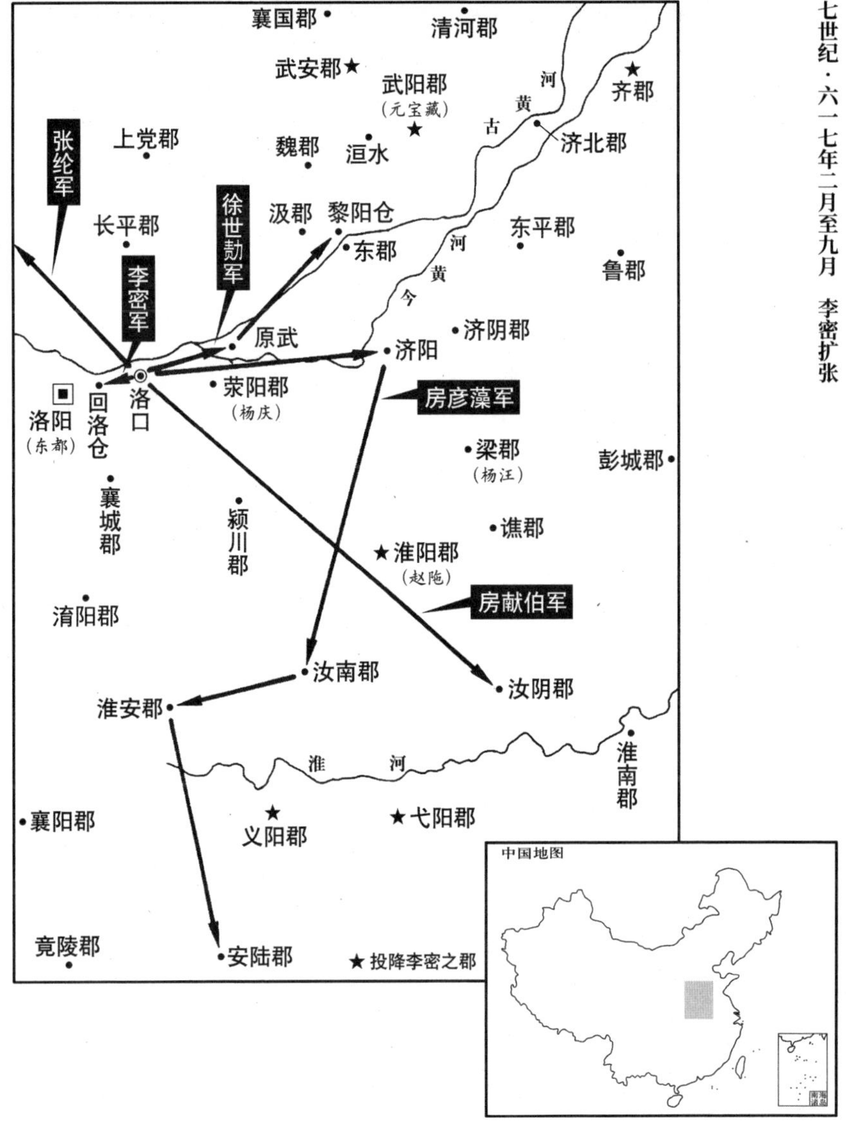

七世纪·六一七年二月至九月　李密扩张

利。孙华、史大奈（阿史那大奈）率游骑兵攻击桑显和背后，大破隋政府军。桑显和逃回郡城，砍断河桥（蒲津桥）。

九月八日，隋政府冯翊郡（陕西省大荔县）郡长萧造，投降李渊。萧造，是萧修的儿子（萧修即萧循，投降西魏事，参考五五二年五月）。

九月十日，李渊率军包围河东郡（山西省永济市），屈突通环城坚守。

李渊的部将及参谋官员等，再推举李渊兼任太尉（领太尉，三公之一），增加属官；李渊接受。当时，河东郡（山西省永济市）还没有攻下，三辅（大大兴地区）英雄豪杰投奔李渊的，每天以千计数。李渊打算率军西攻大兴，但犹豫不能决定。裴寂说："屈突通手握强大部众，固守坚城，我们放弃他而去，如果不能攻下大兴，一旦撤退，则受河东迎头痛击，腹背受到夹攻，情势将险恶万状。不如先行攻克河东郡（山西省永济市），然后西上。大兴依靠河东作为外援，屈突通失败，大兴一定陷落。"李世民说："不然。军事行动必须神速，我们拥有连战连胜的余威，安抚接纳庞大的归附部众，擂起战鼓，向西挺进，大兴人民望风震恐，智囊来不及施展谋略，勇士无法临机决断；夺取城池，犹如摇掉树上的枯叶。如果逗留在坚城之下，自己把自己陷于疲敝之境，使大兴得以有充分的时间进行阴谋，严阵等待。而我们却坐在这里消磨岁月，一旦士气沮丧，军心离散，大势就一去不返。而且，关中（陕西省中部）纷纷起义的将领，都没有隶属，不可不早早招收旗下。屈突通不过一个只能自守巢穴的强盗，不必忧虑。"

李渊对二人的意见，全都采纳，把各将领留下来围攻河东郡（山西省永济市），而自己亲率大军，渡黄河西上。

朝邑（陕西省大荔县东）县政府司法官（法曹）、武功（陕西省武功县西）

人靳孝谟，献出蒲津（陕西省大荔县东黄河渡口）、中潬（蒲津桥头城）二城（潬，音tān〔滩〕），向李渊投降。华阴（陕西省华阴市）县长李孝常，献出永丰仓（陕西省潼关县北），也向李渊投降，用物资供应河西（陕西省东部）各路反抗军。李孝常，是李圆通的儿子（李圆通事，参考五八〇年七月）。

首都大兴特别市（京兆）所属各县，多派使节晋见李渊，请求投降。

29 隋政府援军王世充、韦霁、王辩，以及河内郡（河南省沁阳市）副郡长（通守）孟善谊、河阳（河南省孟州市）民兵司令（都尉）独孤武都，各率所属部队，在东都（洛阳）会师，只有王隆（率邛黄蛮）没有在约定日期抵达。

30 九月十一日，越王杨侗派虎贲指挥官（虎贲郎将）刘长恭等，率守城部队，庞玉率偃师（河南省洛阳市偃师区）民兵，与王世充等会师，共十余万人，进攻李密据守的洛口（河南省巩义市东）。隋政府军与李密反抗军，中隔洛水，互相对峙。杨广下诏命各军都受王世充指挥。

关于王世充与李密的对峙，《资治通鉴》处理，最为平实。《略记》说："王世充攻击李密，所向无敌，没有一次不能摧毁，传递捷报的文书，相继不断，人民欢欣，路上都有歌声。"《蒲山公传》说："自秋季僵持到冬季，凡三十余战，王世充大多失败。"《河洛记》说："四十余战，王世充没有功绩。"

这些史料给我们启示：对一件事情的探讨，不但不能听一面之词，甚至在你听了三面之词后，仍不能了解真相，古代事情简单，尚有如此针锋相对的记载，时至二十一世纪，资讯多如倾盆大雨，要作正确判断，更需要智慧。

杨广再派江都郡（江苏省扬州市）摄理主任秘书（摄江都郡丞）冯慈明，前往东都（洛阳），中途被李密的纠察官员擒获，李密早就听说过冯慈明的大名，特别请他上座，慰劳问候，礼貌情意十分诚恳，因而询问说："隋王朝的福气已尽，你能不能和我共同建立功业？"冯慈明说："你们李家几代，都事奉先帝（一任帝杨坚），荣华富贵，应有尽有，你却不能好好的保护门第，竟跟杨玄感一块造反，幸而逃出罗网，活到今天，所图谋的只不过反咬一口，不知道你的用意何在？王莽（参考二三年九月）、董卓（参考一九二年四月）、王敦（参考三二四年七月）、桓玄（参考四〇四年五月），并不是不强盛，一旦失败，全族受到屠灭惩罚，罪状连累祖宗。我只求一死，不敢听你的吩咐。"李密大怒，把他囚禁。冯慈明说服看守他的狱卒席务本，席务本暗中释放他逃亡。冯慈明命席务本携带他的奏章，前往江都郡（江苏省扬州市），又写信给东都（洛阳），陈述变民军的形势。冯慈明逃到雍丘（河南省杞县），被李密的部将李公逸捕获，李密钦佩冯慈明的正直，又把他释放。冯慈明走到营门，翟让把他杀掉。冯慈明，是冯子琮的儿子（冯子琮死于北齐帝国琅邪王高俨之难，参考五七一年七月）。

李密攻击洛口仓（河南省巩义市东）时（参考本年〔六一七〕二月），箕山府（禁军征兵府）指挥官（郎将）张季珣，固守洛口仓，不肯放弃（移箕山、公路二府到洛口仓，参考去年〔六一六〕七月）；李密因他势单力弱，派人劝他出降，张季珣用尽所有脏话，诟骂李密，李密大怒，派军攻击，仍不能攻克。当时李密部众数十万停在洛口仓城下，而洛口仓城四面全是悬崖绝壁，守军不过只数百人，但张季珣意志坚决固执，誓死不屈。然而，被围困的时间一久，粮食吃完，饮水枯竭（城在台地之上，水源易被切断），士卒开始瘦弱病倒，张季珣安抚慰问，始终没有人叛离。自三月直到本月（九月），无法支持，城遂陷落。

张季珣见到李密，不肯跪拜，说："天子（杨广）的部属，怎么能跪拜盗匪！"李密仍打算劝他投降，万般劝解开导，张季珣都不接受，最后，李密才把他斩首（年二十八岁）。张季珣，是张祥的儿子（汉王杨谅兵变时，张祥守井陉，参考六〇四年八月）。

31 九月十二日，李渊率各路人马西渡黄河。

九月十六日，李渊抵达朝邑（陕西省大荔县东），住长春宫（大荔县东），关中（陕西省中部）知识分子及普通平民，归附他的好像在赶市集。

九月十八日，李渊派世子李建成、军政官（司马）刘文静，率王长谐等各军数万人，进驻永丰仓（陕西省潼关县北），把守潼关，防备东方（洛阳）军队；慰劳特使（慰抚使）窦轨等受他节制。敦煌公爵李世民，率刘弘基等各军数万人，前往渭北（渭水以北）地区，夺取土地；慰劳特使（慰抚使）殷开山等受他节制。窦轨，是窦琮的老哥（窦琮，参考本年〔六一七〕四月）。

冠氏（山东省冠县）县长于志宁、安养（湖北省襄阳市汉水北岸）民兵司令（尉）颜师古，以及李世民妻子的老哥长孙无忌，前往长春宫（陕西省大荔县东）晋见李渊。颜师古本名颜籀，但以别名为世人所知。于志宁，是于宣敏的侄儿（于宣敏，参考五八一年九月）。颜师古，是颜之推的孙儿（颜之推，参考五七三年二月），都因文学上的造诣，享有知名度；长孙无忌则有才干谋略。李渊都以礼相待，任用他们当官，命于志宁当记录官（记室），颜师古当朝散大夫（九大夫之九，从五品），长孙无忌

当渭北（渭水以北）大军司令部收发官（渭北行军典签）。 568

河东郡（山西省永济市）守将屈突通，得到李渊已渡黄河西上消息，命鹰扬指挥官（鹰扬郎将）汤阴（河南省汤阴县）人尧君素兼河东郡副郡长（通守），派他防守蒲阪（河东郡郡政府所在县，山西省永济市），而亲自率军数万人，增援大兴，但被反抗军刘文静阻截，不能前进。隋王朝将军刘纲守卫潼关，驻防民兵南大营（都尉南城），屈突通打算前往投靠，王长谐先行率军击斩刘纲，占领民兵南大营（都尉南城），拒抗屈突通，屈突通只好退到民兵北大营（都尉北城）。李渊派部将吕绍宗等攻击河东郡（山西省永济市），不能攻克。

柴绍自大兴（陕西省西安市）前往太原（山西省太原市）时（参考本年〔六一七〕五月），对他的妻子李女士（后封平阳公主）说："你老爹就要叛离政府，我们一起逃一定逃不掉，留下来又大祸临头，你说怎么办？"李女士（平阳公主）说："你只管快走，一个妇女，容易躲藏，我自己会想办法。"柴绍遂即动身。李女士（平阳公主）回到鄠县（陕西省西安市鄠邑区）别墅，变卖家产，聚集部众。李渊的堂弟李神通正在大兴（陕西省西安市），逃亡到鄠县（陕西省西安市鄠邑区）山中，跟大兴（陕西省西安市）大侠史万宝等聚众起兵，响应李渊。西域（新疆及中亚东部）商人何潘仁，流窜司竹园（陕西省周至县东），干起打家劫舍勾当，有部众数万人，劫持前国务院事务秘书长（尚书右丞）李纲，当他的秘书长（长史）。李女士（平阳公主）派她的家奴马三宝，前往游说何潘仁，陪同何潘仁一起投奔李神通，联合攻击鄠县（陕西省西安市鄠邑区），攻克。

李神通的部众已超过一万，自称关中地区大军作战总司令（关中道行军总管），命前乐城（广东省德庆县东）县长令狐德棻当记录官。令狐德棻，是令狐熙的儿子（令狐熙事，参考五九五年十二月）。李女士（平阳公主）又派马三宝游说变民首领李仲文、向善志、丘师利等，他们都率领部众归附。李仲文，是李密的堂叔。丘师利，是丘和的儿子（丘和以呈献精美食品，受杨广宠爱，参考六〇七年六月）。

西京（大兴）留守长官不断派军征剿何潘仁等，都被何潘仁等击败。李女士（平阳公主）夺取土地，军锋所到之处：盩厔（陕西省周至县）、武功（陕西省武功县西）、始平（陕西省兴平市），全都攻克，部众多达七万人。左亲卫指挥官（左亲卫，正七品）段纶，是段文振的儿子（段文振，参考六一二年二月），娶李渊的女儿（后封高密公主）为妻，也在蓝田（陕西省蓝田县）聚众起兵，有一万余人。等到李渊渡黄河而西，李神通、李女士（平阳公主）、段纶，都派出使节迎接李渊。李渊任命李神通当光禄大夫（九大夫之一，从一品），李神通的儿子李道彦当朝请大夫（九大夫之八，正五品），段纶当金紫光禄大夫（九大夫之四，正三品），命柴绍率骑兵数百名往南山（秦岭）迎接李女士（平阳公主）。何潘仁、李仲文、向善志及关中（陕西省中部）各变民首领，都投降李渊。李渊一一去信慰劳，加授他们官位，使他们各自驻扎原来的基地，接受敦煌公爵李世民的指挥。

隋王朝国务院司法部长（刑部尚书）兼首都大兴市长（领京兆内史）卫文升，年纪已老，得到李渊领兵杀奔大兴（陕西省西安市）消息，忧虑恐惧，卧病在床，不能执行职务，只有左翊卫（十六禁军第一军）将军（从三品）阴世师、首都大兴市政府主任秘书（京兆郡丞）骨仪，在代王杨侑名义领导之下，环城拒守。

九月二十一日，李渊前往蒲津（陕西省大荔县东黄河渡口）。

九月二十二日，李渊从临晋（陕西省大荔县北）南渡渭水，前往永丰仓（陕西省潼关县北）慰劳反抗军，大开仓门，救济饥民。

九月二十三日，返长春宫（陕西省大荔县东）。

九月二十四日，李渊大军进驻冯翊郡（陕西省大荔县）。

李世民所到的地方，官民以及变民首领投靠他的，像河水般川流不息，李世民在其中选出有才干的人物，作为自己的部属。李世民大营驻扎泾阳（陕西省泾阳县），可以作战的武装部队有九万人。李女士（平阳公主）率精锐战士一万余人，在渭北（渭水以北）跟李世民会师，跟她丈夫柴绍分别设立总部，号称“娘子军”。

最初，被称为“奴贼”的平凉郡（宁夏固原市）变民军数万人，包围扶风郡（陕西省宝鸡市凤翔区）郡长窦琎，几个月不能攻克，而“奴贼”变民军粮食吃完。丘师利派他的老弟丘行恭率五百人携带粮食酒肉，前往“奴贼”变民军大营，变民军首领（白瑜娑）作揖迎接，丘行恭挥刀砍下他的人头，责备变民军士卒说：“你们都是皇家臣民，怎么拥护一个家奴当领袖？使天下人称你们是‘奴贼’？”大家俯伏在地说：“我们愿拥护你！”丘行恭遂即率领他们跟丘师利会合，到渭北（渭水以北）晋见李世民，李世民任命丘师利当光禄大夫（九大夫之一，从一品）。窦琎，是窦琮的堂侄（窦琮事，参考本年〔六一七〕四月）。隰城（西河郡郡政府所在县，山西省汾阳市）民兵司令（尉）房玄龄，到军营大门晋见李世民，李世民跟他一见如故，命他当记录军事参议官（记室参军），作为自己的智囊。房玄龄也认为遇到知己，竭尽心力，凡是认为对的事情，一定毫无保留的去做（房玄龄预测隋王朝覆亡，参考六〇〇年十二月）。

李渊命刘弘基、殷开山，分别率军向西方扶风郡（陕西省宝鸡市凤翔区）一带夺取土地，拥有战士六万人，南渡渭水，驻军长安故城（西汉王朝首都），城中隋政府军出战，刘弘基迎击，击破隋政府军。

李世民率军前往司竹（陕西省周至县东），李仲文、何潘仁、向善志，都率部众追随，进驻阿城（秦王朝阿房宫故址，陕西省西安市西），武装战士十三万，军令森严，对民间秋毫无犯。

九月二十七日，李世民从盩厔（陕西省周至县）派使节报告李渊，请指示包围大兴（陕西省西安市）日期。李渊说：“屈突通已向东走，不能再回头向西，我已不必担心。”乃命李建成遴选永丰仓（陕西省潼关县北）守军勇士，自新丰（陕西省西安市临潼区新丰街道）直指长乐宫（西汉王朝故宫），李世民率新归附的各变民军，北上进驻长安故城（西安王朝长安城，在大兴城西北），等候下一个命令。延安郡（陕西省延安市）、上郡（陕西省富县）、雕阴郡（陕西省绥德县），都向李渊投降（延安郡及雕阴郡，之前已被另一变民首领梁师都攻陷，参考本年〔六一七〕三月。如今隋政府收复）。

九月二十八日，李渊率大军西上，沿途凡是隋政府兴筑的离宫、园林、庭苑，一律拆毁，所有宫女，都被释放，交还她们的亲属。

冬季，十月四日，李渊抵达大兴（陕西省西安市），在春明门（大兴东城三门的中门）外西北扎营，各路人马全都集合，共约二十余万。李渊命将士严守营寨，不准进入村落蹂躏人民。李渊不断派使节到城下，向卫文升等解释自己的立场——仍然拥护隋王朝政府；卫文升等不理。

十月十四日，李渊下令各军围城。

十月十七日，李渊迁住安兴坊（大兴东城南头门名安兴门，安兴坊应在安兴门外）。

32 巴陵郡（湖南省岳阳市）司令官（校尉）鄱阳郡（江西省鄱阳县）人董景珍、雷世猛，初级军官（旅帅）郑文秀、许玄彻、万瓒、徐德基、郭华，沔阳郡（湖北省仙桃市）人张绣等，阴谋发动兵变，夺取郡城，背叛隋王朝政府，大家公推董景珍当盟主。董景珍说：“我出身寒微卑贱，不会被人敬畏。罗川（湖南省汨罗市）县长萧铣，是南梁帝国皇家后裔，宽厚仁爱，恢宏大度，最好是拥护他，才能满足大家的愿望。”于是派人前往罗川（湖南省汨罗市）报告萧铣。萧铣大喜，接受，对外宣称讨伐变民军，招兵买马，集结数千人。萧铣，是萧岩的孙儿（萧岩，南梁七任帝〔宣帝〕萧詧的曾孙，于五八七年九月逃奔陈帝国，于五八九年二月被隋政府军诛杀；参考各该年月）。

正巧，颍川郡（河南省许昌市）变民军首领沈柳生，攻击罗川（湖南省汨罗市），萧铣出战失利，遂告诉部属说：“而今，天下人全都叛变，隋政府号令已不能推行，巴陵郡（湖南省岳阳市）豪杰聚众起兵，打算拥护我当盟主。如果接受他们的请求，领导江南（长江以南），足可以使梁国（南梁帝国）中兴，用此游说沈柳生，沈柳生也会追随我们。”部属大为高兴，接受他的命令，于是萧铣自称梁公爵，废除隋王朝官服颜色及旗帜，恢复南梁帝国的官服颜色及旗帜。沈柳生果然率部众归降，萧铣任命沈柳生当车骑大将军。

萧铣背叛隋政府才五天，远近前来归附的已达数万人，遂率军前往巴陵郡（湖南省岳阳市）。巴陵郡变民军首领董景珍派徐德基，率郡中豪杰数百人，出城迎接，还没有晋见萧铣；沈柳生和他的智囊们商议说：“是我们先拥护萧公的，功勋应列第一。而今巴陵各将领，官位都很高，部队又比我们多，如果这样进城，反而居他们之下，受他们压制。不如诛杀徐德基，把其他来人当作人质，独自挟持梁公爵（萧铣），夺取郡城，那么就没有一个人比我们更大。”遂斩徐德基，进帐报告萧铣，萧铣大惊说：“我只希望扫除祸乱，再过太平日子，而今忽然自相残杀，我不能当你们的盟主！”遂徒步走出军营大门。沈柳生大为恐惧，俯伏地上请求处罚，萧铣责备他，特予赦免；于是列队入城。董景珍警告萧铣，说：“徐德基是最早起义的功臣，沈柳生竟无缘无故，擅自把他斩首，对这种人如果不杀，以后怎么能维持纪律？而且沈柳生当盗匪的日子太久，现在虽然加入义军行列，凶暴荒悖的性情不改，和他们同住在一个城中，势必发生变乱。今天如果不逮捕他，将失去机会，后悔就来不及。”萧铣也接受。

董景珍遂逮捕沈柳生，斩首，他的部众四散逃走。

十月十九日，萧铣建筑高坛，焚烧柴火，火焰上达天际，萧铣自称梁王，改年号鸣凤。

33 十月二十五日，王世充在夜色掩护下，渡过洛水，进驻黑石（河南省巩义市南）。明天（十月二十六日），留一部分军队守卫大营，而自己率领精兵，在洛水北岸列阵。李密得到消息，率军也渡洛水迎战，结果大败，柴孝和落水淹死。

李密率手下精锐骑兵再南渡洛水，命其他残余部队撤退到月城（洛口仓附近新筑偃月城），王世充追击，把月城团团围住。李密从洛南（洛水南）快马加鞭，直扑黑石（河南省巩义市南），黑石营守军恐惧，一连燃起六炷烽火，向王世充告急，王世充解除月城包围，狼狈回军援救。李密回军迎头痛击，大破王世充军，杀三千余人。

34 十月二十七日，李渊命包围大兴（陕西省西安市）的反抗军，开始攻城，下令：“不准侵犯隋王朝皇家七庙（事实上杨广荒淫，始终无暇兴建七庙，参考六〇七年六月），及代王（杨侑）皇室，如有人违背，屠灭三族。”孙华身中流箭，阵亡。

十一月九日，鹰扬指挥官（军头）雷永吉首先攀上城墙，于是，攻克大兴（陕西省西安市）。隋王朝代王杨侑，身在东宫（太子宫），左右侍从人员全都逃散，只有皇家教师（侍读）姚思廉在旁陪伴。反抗军将登殿堂，姚思廉厉声叱喝说：“唐公爵（李渊）起义出兵，为的是辅佐皇家，各位不可以没有礼貌。”大家吓了一跳，列阵站在庭下。李渊到东宫（太子宫）迎接杨侑，送到大兴后殿暂住，让姚思廉扶住杨侑，一直扶到顺阳阁下，流泪哭泣，叩拜而别。姚思廉，是姚察的儿子（姚察事，参考五八九年四月）。李渊回来后，居住长乐宫（旧长安城），跟人民约法十二条，撤销隋政府所有苛刻法令（《大业律》，参考六〇七年四月）。

李渊当初聚众起兵时，西京（大兴）留守长官挖掘李渊的祖坟，拆毁李家五庙（皇帝立祖先七庙，公爵立祖先五庙）。现在，留守长官卫文升已死。

十一月十一日，李渊逮捕副留守长官阴世师、骨仪等，指控他们贪赃枉法、暴虐苛刻，而且拒抗正义之师，一律斩首（《隋书·阴寿传》附传称：“阴世师少有志节气概，性情忠厚，精通军事。骨仪刚正耿直，立场坚决，不易动摇；当时，政治混乱，贿赂公行，知识分子全都变节，只骨仪清廉，特立独行。”李渊为了报复祖坟被掘之仇及杀子之恨，诬以恶名）。处决的有十余人，其他人全不追究。

马邑郡（山西省朔州市）郡政府主任秘书（郡丞）、三原（陕西省三原县）人李靖，过去跟李渊之间，结有私仇，李渊占领三原城时，逮捕李靖，就要斩首。李靖大声呼喊，说：“你兴正义之师，准备平暴定乱，为什么因私人怨恨，诛杀勇士！”李世民也一再请求，李渊才把他释放。李世民遂把他请到总部，担任官职。李靖从小有雄心大志，文武双全，他的舅父韩擒虎常摸着他的头说：“当今之世，可以谈大军战略的，只有这个孩子。”（韩擒虎，参考五八一年三月。）

35 王世充自洛北（洛水以北）战败，紧闭营门，拒不出战，

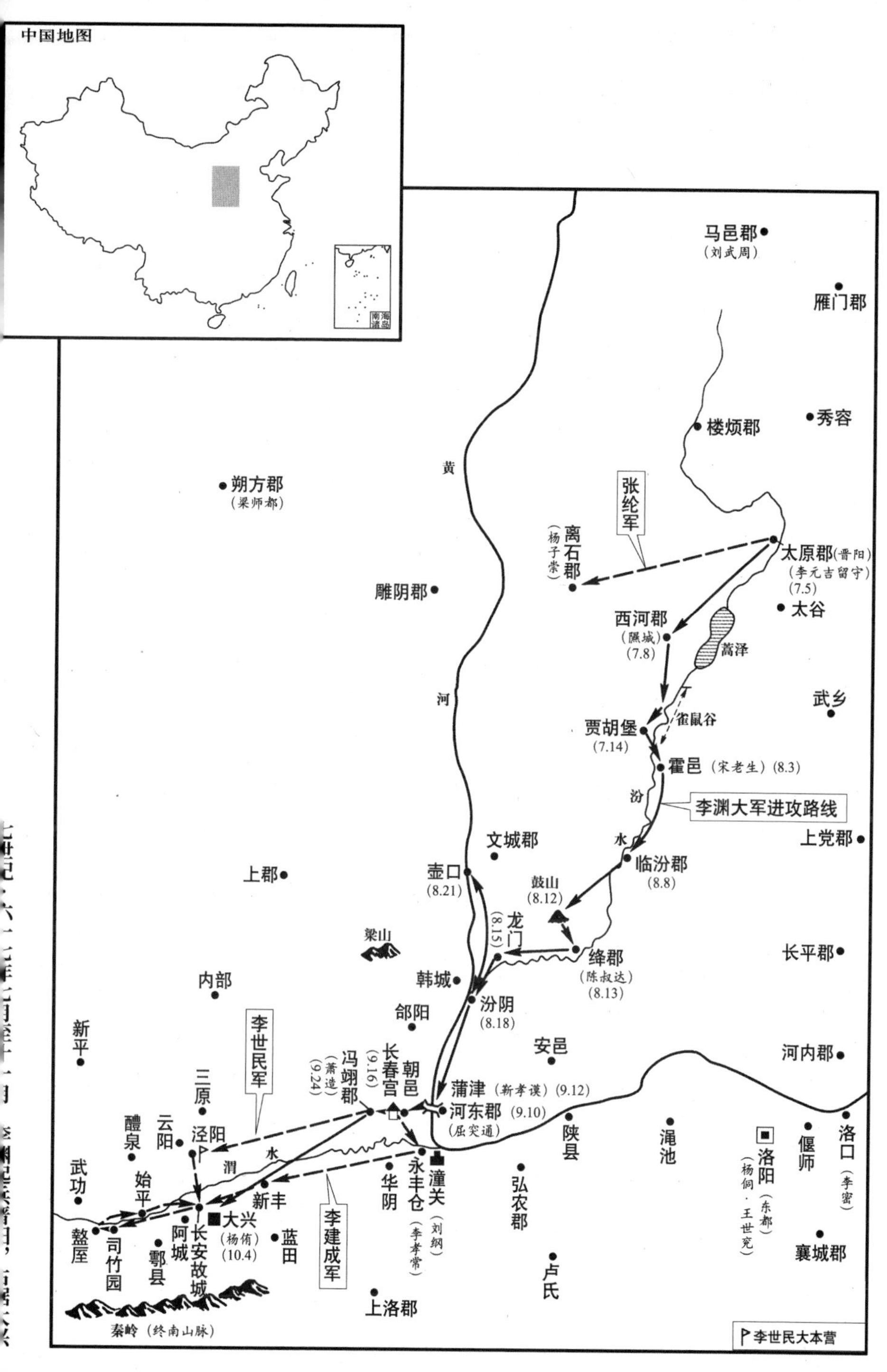

中国地图
南海诸岛
马邑郡
（刘武周）
雁门郡
楼烦郡
秀容
黄
河
朔方郡
（梁师都）
张纶军
离石郡
（杨子崇）
太原郡（晋阳）
（李元吉留守）
(7.5)
太谷
雕阴郡
西河郡
（隰城）
(7.8)
嵩泽
雀鼠谷
武乡
贾胡堡
(7.14)
霍邑（宋老生）(8.3)
汾
水
李渊大军进攻路线
上党郡
文城郡
临汾郡
(8.8)
上郡
壶口
(8.21)
鼓山
(8.12)
龙门
(8.15)
梁山
绛郡
（陈叔达）
(8.13)
长平郡
内部
韩城
汾阴
(8.18)
郃阳
新平
李世民军
安邑
河内郡
冯翊郡
（萧造）
(9.24)
长春宫
(9.16)
朝邑
蒲津（新孝谟）(9.12)
三原
河东郡 (9.10)
（屈突通）
醴泉
云阳
泾阳
陕县
渑池
洛阳
（东都）
（杨侗·王世充）
偃师
洛口
（李密）
渭
水
武功
始平
新丰
华阴
永丰仓
（李孝常）
潼关
（刘纲）
弘农郡
盩厔
司竹园
鄠县
阿城
长安故城
大兴
（杨侑）
(10.4)
蓝田
李建成军
卢氏
襄城郡
上洛郡
秦岭（终南山脉）
李世民大本营

越王杨侗派使节前往安抚慰劳，王世充惭愧恐惧，于是，向李密挑战。

十一月九日，王世充与李密夹石子河（河南省巩义市东南洛水支流）列阵，李密营垒相连，南北十余华里。翟让首先发动攻击，失利，向后撤退；王世充追击，王伯当、裴仁基从两旁横切而入，把王世充后军隔断；李密率中军主力突袭，王世充大败，向西逃走。

翟让的军政官（司马）王儒信，劝翟让自己当国务院总理（大冢宰），总揽全局，剥夺李密大权，翟让拒绝。翟让的老哥、柱国（勋官二级，正二品）、荥阳公爵翟弘，粗鲁而愚蠢，对翟让说："皇帝，你应该自己当，怎么能送给别人！你不干，我干。"翟让纵声大笑，并不在意，但李密听到后，十分厌恶。总司令（总管）崔世枢，最初在鄢陵（河南省鄢陵县）起义，归附李密时，翟让把他逮捕，囚禁在自己私宅，勒索贿款，崔世枢千方百计搜刮，都不能达到翟让所要的数目，翟让大怒，就要苦刑拷打。翟让邀请元帅府记录官（记室）邢义期在一起聚赌，邢义期推拖迟延，没有前来，翟让打他八十军棍。翟让警告左秘书长（左长史）房彦藻说："你前些时攻破汝南郡（河南省汝南县，参考本年〔六一七〕二月），抢劫了大量金银财宝，只送给魏公爵（李密），一点也不分给我！魏公爵（李密）是我教他干的，大事如何，可不一定！"房彦藻恐惧，把情况报告李密，遂联合左军政官（左司马）郑颋，一同警告李密说："翟让贪婪刚愎，没有仁爱之心，眼中更没有君王，应该早作打算。"李密说："现在局势还没有稳定，而竟然自相残杀，给远近一个什么榜样？"郑颋说："毒蛇咬手，勇士砍断手腕，为的是保全性命。如果翟让先发动，后悔已来不及。"李密同意，于是摆设酒席，宴请翟让。

十一月十一日，翟让跟老哥翟弘及侄儿、宰相府秘书长（司徒府长史）翟摩侯，一同到李密那里。李密跟翟让、翟弘、裴仁基、郝孝德共坐一席，单雄信等站在翟让身旁侍卫；房彦藻、郑颋则来往张罗。李密说："今天宴请高官，不需要那么多人，左右只留几个侍候就够了。"李密左右侍卫全部退出，而翟让的侍卫仍留在那里。房彦藻报告李密说："大家都在作乐，天气这么寒冷，宰相（司徒翟让）左右侍卫，请赏赐他们几杯老酒。"李密说："你去请示宰相（司徒翟让）！"翟让说："好极！"房彦藻遂引导翟让左右侍卫，也全部退出。只有李密手下勇士蔡建德，手拿单刀，站在一旁侍候。这时，还没上菜，李密拿出一把良弓，交给翟让试射；翟让刚刚把弓拉满，蔡建德突然从后面猛砍，翟让栽倒床前，从半砍断的脖子中发出牛吼般的声音，于是，连同翟弘、翟摩侯、王儒信，全部诛杀。

徐世勣逃走，守门卫士挥刀砍伤他的脖子，王伯当从远处大声喝止。单雄信叩头请求饶命，李密把他释放。翟让左右惊恐骚动，不知道做什么才好；李密高声宣布："我跟各位一同起义，目的本来是除暴平乱。可是宰相（司徒翟让）凶恶残忍，欺侮同僚，不分上下。而今，只诛杀翟姓一家，跟各位没有关系。"把徐世勣扶到营帐之下，亲自给他敷药。翟让的直属部众打算解散，李密派单雄信前去解释安慰，不久，李密单人匹马进入翟让营地，解释沟通，命徐世勣、单雄信、王伯当，分别接管翟让的部众，内外完全安定。

翟让性格残忍，翟摩侯猜疑嫉妒，王儒信贪污横行，所以他们被杀之日，部属中没有一个人对他们的惨死哀伤。然而，李密的将领和辅佐，却开始失去安全感。

最初，王世充预测翟让和李密，绝对不会长期和睦，希望他们互相攻击，他好加以利用。等听到翟让死讯，大失所望，叹息说：

“李密天资聪明，做事果断，将来是一条龙或是一条蛇，难以预料。”

36 十一月十五日，李渊准备法驾（皇帝出门二级仪队），迎接隋王朝代王杨侑到大兴殿，登皇帝宝位（三任恭帝），杨侑本年十三岁，大赦，改年号义宁（之前是大业十三年，之后是义宁元年），遥尊祖父杨广为太上皇。

十一月十七日，李渊自长乐宫入大兴城（陕西省西安市）。杨侑授予李渊：皇帝诛杀时专用铜斧（假黄钺）、代表皇帝全权的符节（使持节），当全国各军区最高司令长官（大都督内外诸军事）、国务院总理（尚书令）、大丞相，晋封唐王。把武德殿改作丞相府，唐王发布的“教令”改称“命令”，每天到虔化门（大兴殿前东厢）办公。

十一月十八日，榆林郡（内蒙古托克托县）、灵武郡（宁夏灵武市）、平凉郡（宁夏固原市）、安定郡（甘肃省泾川县）各郡，都派使节前来归附（此时榆林郡是永乐王郭子和的根据地，归附李渊之记载，或许有误）。

十一月十九日，杨侑下诏：帝国所有军事或政治机要事务，无论大小；文武官员的任命，无论位置高低，以及法令的制定、功罪的赏罚，全由丞相府处理；只有到郊外祭祀天地和一年四季的祭祀皇家祖先，才向皇帝奏报。

李渊设置丞相府官属，命裴寂当秘书长（长史），刘文静当军政官（司马）。何潘仁派使节李纲进京（首都大兴）晋见，李渊留下李纲当丞相府总务官（丞相府司录），专门负责官员任免事宜。又任命前国务院文官部考核司司长（考功郎中〔此时仍称“考功郎”〕·从五品）窦威，当机要军事参议官（司录参军），命他制定礼节仪式。窦威，是窦炽的儿子（窦炽事，参考五八四年八月）。

李渊用光了库藏赏赐立功人士，以致政府正常开支没有财源，右光禄大夫（九大夫之三，从二品）刘世龙呈献计策，办法是：“义军数万人，集中京师（首都大兴），木柴草料价格昂贵，绸缎布匹价格便宜，请把大兴城中主要六条大街上的道路林木，以及皇家林苑中的树木，砍伐下来当作木柴出售，用来交换绸缎布匹，估计可换到数十万匹。”李渊接受。

十一月二十二日，李渊命李建成当唐王世子（唐王爵位合法继承人）；命李世民当首都大兴市长（京兆尹），封秦公爵；封李元吉当齐公爵。

37 河南（黄河以南）各郡全归附李密，只有荥阳郡（河南省郑州市）郡长、郇王杨庆，梁郡（河南省商丘市）郡长杨汪，仍效忠杨广，坚守不屈。

李密写信给杨庆招降，向他分析利害，警告说：“大王身家，原在山东（崤山以东），本来姓郭，并不是杨姓一家。灵芝被焚烧，野草固会叹息，但两者的事实，完全并不一样。”最初，杨庆的祖父杨元孙，幼时老爹去世，跟随娘亲郭女士，回到舅父家长大。等到杨忠追随宇文泰在关中（陕西省中部）起兵（参考五三四年闰十二月），杨元孙正在邺城（当时东魏首都，河北省临漳县西南邺城镇），恐怕被高欢（东魏丞相）诛杀，遂改姓娘亲的姓——郭，所以李密才这样说。杨庆接到信，大为惶恐，遂即献出郡城（管城，河南省郑州市），向李密投降，并恢复姓郭（这可真是一件奇事，杨庆只不过为了紧急避难，暂改姓郭，何至“本来姓郭”？李密不知所云，杨庆更一盆浆糊）。

38 十二月七日，隋王朝西京（大兴）政府（皇帝杨侑），追赠唐王李渊的祖父李虎绰号景王，老爹李昞绰号元王，正妻窦女士（窦毅的女儿）绰号穆妃。

39 称秦帝的薛举（首都天水郡），派皇太子薛仁果攻击扶风郡（陕西省宝鸡市凤翔区）；称楚帝的李弘芝及称唐王的唐弼（唐弼拥护李弘芝事，参考六一四年二月），据守汧源（陕西省陇县）抵抗。薛举派使节游说唐弼，唐弼遂斩李弘芝，投降薛举。薛仁果乘唐弼没有戒备，发动袭击，大破唐弼军，合并唐弼所有部众。唐弼率数百名骑兵，投奔扶风郡（陕西省宝鸡市凤翔区），请求投降，扶风郡郡长窦琎，诛杀唐弼。

薛举的势力更加强大，声称拥有大军三十万人，计划夺取大兴（陕西省西安市）；听说丞相李渊已平定大兴，遂包围扶风郡（陕西省宝鸡市凤翔区），李渊派李世民率军攻击薛仁果；又派姜谟、窦轨同时由散关（陕西省宝鸡市西南）出发，安抚陇右（陇山以西）；左光禄大夫（九大夫之二，正二品）李孝恭，安抚山南（秦岭以南）；丞相府民政官（府户曹）张道源，安抚山东（崤山以东）。李孝恭，是李渊的堂侄。

十二月十七日，李世民在扶风郡（陕西省宝鸡市凤翔区）攻击薛仁果，大破薛仁果军，追击到陇坻（陇山）才回。薛举大为恐惧，问他的部属说：“自古以来，皇帝有没有投降的？”宫廷监督官（黄门侍郎，正四品）钱塘（浙江省杭州市）人褚亮说：“赵佗归附西汉王朝（参考前一九六年五月），刘禅在晋王朝当官（参考二六四年三月）。近代则有萧琮（参考五八七年九月），子孙迄今仍享荣华富贵，把灾祸化成福气，古时候就有。”军械供应部长（卫尉卿，从三品）郝瑗急步向前，说：“陛下不应该问这种话，褚亮的回答又何等荒谬悖逆！从前，刘邦不断被击败（参考前二〇五年四月），刘备甚至连妻子儿女都保不住（参考二〇八年九月），而终于建立大业，陛下怎么可以因一次战役失利，就作亡国打算。”薛举也后悔说：“我不过姑且试探一下各位的态度！”厚重的赏赐郝瑗，当作智囊。

40 十二月十九日，平凉郡（宁夏固原市）留守长官张隆。

十二月二十一日，河池郡（陕西省凤县）郡长萧瑀，以及扶风郡（陕西省宝鸡市凤翔区）、汉阳郡（甘肃省礼县南），前后相继归附西京（大兴）政府（三任帝杨侑）。

唐王李渊命窦琎（扶风郡郡长）当国务院工程部长（工部尚书），封燕国公爵；萧瑀当国务院内政部长（礼部尚书），封宋国公爵。

41 姜谟、窦轨大军出散关（陕西省宝鸡市西南）后，进抵长道（甘肃省礼县东），被薛举的军队击败，撤退。

李渊派通议大夫（九大夫之七，从四品）醴泉（陕西省礼泉县）人刘世让，收容唐弼的残余部众，想不到跟薛举的军队突然相遇，刘世让战败，被薛举俘虏。

42 隋王朝西京（大兴）政府（皇帝杨侑）将领李孝恭，击败变民军首领朱粲（时在山南〔秦岭以南〕一带），其他将领主张诛杀全部俘虏，李孝恭说："不可以，如果这样，从此之后，谁还敢投降！"于是从金川（西城郡郡政府所在县，陕西省安康市）南下，进入巴蜀（四川省），政治号召的文告所到的地方，归附的有三十余郡。

43 隋王朝左武候（十六禁军第五军）大将军（正三品）屈突通，跟西京（大兴）政府丞相府军政官（司马）刘文静相持一月有余，屈突通再命桑显和乘夜攻击刘文静大营，刘文静跟左光禄大夫（九大夫之二，正二品）段志玄竭力苦战，桑显和战败，单人匹马逃走，部众全被俘虏，屈突通越发窘困。有人建议他投降，屈突通哭泣说：“我一身事奉两位领袖（杨坚、杨广），他们对我照顾和恩惠，都很优厚，拿别人的薪俸而不管别人的灾难，我不能做。”常常摸着自己的脖子，慷慨激昂说：“迟早要为国家承受一刀！”慰劳勉励将士，没有一次不痛哭流涕，部众也因此十分感动。

丞相李渊派屈突通的家仆前往劝降，屈突通立即把家仆斩首。后来，听说大兴（陕西省西安市）陷落，家属全被李渊俘虏，遂命桑显和留下来镇守潼关，率军东下，打算前往洛阳（河南省洛阳市）。屈突通刚刚出发，桑显和就献出城池，向刘文静投降。刘文静派窦琮等，率轻装备骑兵，会同桑显和，东下尾追，而在稠桑（河南省灵宝市北）追上。屈突通结成阵势，坚守不动，窦琮派屈突通的儿子屈突寿，前往解释，屈突通诟骂说：“这个蠡贼从哪里冒出来！过去我跟你是父子，今天我跟你是仇敌！”命左右射箭。桑显和告诉屈突通的部众说：“现在，京师（首都大兴）已经陷落，你们都是关中（陕西省中部）人，要到哪里去！”大家全都放下武器投降。屈突通知道不能幸免，跳下马背，向东南叩拜，号啕大哭说：“我的力量已经用尽，并不敢辜负国恩，天地神灵，全都知道。”士卒遂捉住他，送到大兴（陕西省西安市）。李渊任命他当国务院国防部长（兵部尚书），封蒋公爵，兼秦公爵（李世民）元帅府秘书长（长史）。

李渊派屈突通到河东郡（山西省永济市）城下，劝守将尧君素投降，尧君素看见屈突通，唏嘘叹息，无限悲痛，屈突通也哭泣流泪，衣襟全湿，对尧君素说：“我的军队已经失败，义军旌旗所到之处，人民纷纷响应。时局已经如此，你最好早早归降。”尧君素说：“你是国家的高官，领袖（杨广）把关中（陕西省中部）委任给你，代王（杨侑）更依靠你保护皇家祭坛，怎么可以辜负国家，偷生投降，反而更替别人充当说客？你胯下的马，就是代王（杨侑）的赏赐，你还有什么脸面骑它！”屈突通说：“老天，君素，我力量枯竭，今天才到此地。”尧君素说：“我的力量还没有枯竭，何必说那么多！”屈突通十分惭愧，退走。

44 东都（洛阳）米价，每斗三千钱，人民饿死十分之二三（人间惨事）。

45 十二月二十四日，王世充士卒有逃奔李密的，李密问：“王世充在做什么事？”士卒说：“最近看到他更加扩大招兵买马，一再用酒肉宴请将士，不知什么缘故。”李密对裴仁基说：“我几乎落入王世充这奴才的陷阱，你知不知道，我们很久没有发动攻击，王世充的粮秣却将要吃完！向我们挑战，我们不理，所以才招兵买马，不过是打算趁月终天黑，偷袭粮仓城（不知道是哪个粮仓城，洛口仓？或回洛仓），应该火速戒备。”命平原公爵郝孝德、琅邪公爵王伯当、齐郡公爵孟让，率军进入粮仓城旁边阵地，埋伏等待。当天晚上，三更（十一时至次日一时），王世充军果然抵达，王伯当首先遭遇，迎战，不利。王世充军攀城而上，守城总司令（总管）鲁儒把他们击退。王伯当重新集结部众，反击，王世充大败，骁将费青奴阵亡，士卒被杀和落水淹死的，有一千余人。

王世充不断攻击李密，不能取胜；越王杨侗派使节慰劳，王世充诉苦说他的军队太少，而且屡次作战，已疲惫不堪。杨侗派出七万人，加强王世充的兵力。

46 隋王朝西京（大兴）政府（三任帝杨侑）将领刘文静等，率军

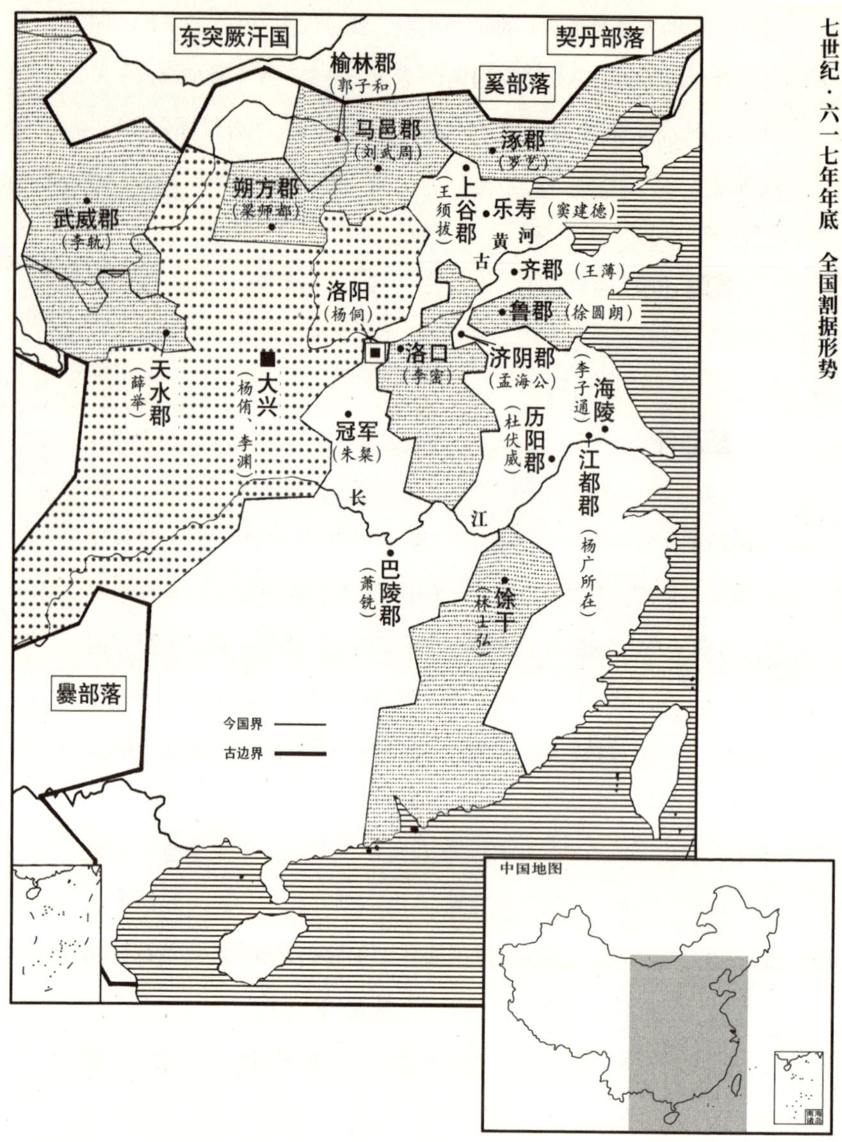

七世纪·六一七年年底 全国割据形势

东下夺取土地，占领弘农郡（河南省灵宝市）；新安（河南省新安县）以西，全部平定。

十二月二十八日，唐王李渊派云阳（陕西省泾阳县西北）县长詹俊、武功（陕西省武功县西）民兵司令（县正，从九品到流外）李仲衮，南下夺取巴蜀（四川省）土地，完全纳入版图。

47 十二月二十九日，方与（山东省鱼台县）变民首领张善安，攻陷庐江郡（安徽省合肥市），渡长江南下，前往豫章郡（江西省南昌市）投奔已称楚帝的林士弘（参考去年〔六一六〕十二月），林士弘怀疑张善安来意不善，把他安置在南塘（南昌市南），张善安怨恨，发动偷袭，击破林士弘军，纵火焚烧豫章（南昌市）城郭，退走。林士弘迁都南康郡（江西省赣州市）。

已称梁王的萧铣（首都巴陵〔湖南省岳阳市〕），派部将苏胡儿袭击豫章郡（江西省南昌市），攻克。林士弘迁到馀干（江西省余干县）自保。

江都政变

导读

六一八年的江都政变，有划时代的意义。中国帝王被杀，不自杨广先生开始，但杨广之被杀，却是人民自救——聚众起兵、反抗暴政的结果。也是历史上第一次，人民自救转变为官员和军人自救的结果。

杨广在被逮捕后，仍不认为自己有罪；在承认自己有罪后，曾困惑的问："我虽对人民有罪，但对你们却恩重如山！"这是一种显明的"养狗政策"，暴君们都喜欢这一套，认为全国人民反对我都没有关系，只要我的看门狗肥而且壮，你们就束手无策。问题在于，一旦人民的忿怒超过临界点，再肥再壮的狗都挡不住厄运闯进大门。更危险的是，最忠实可靠的狗，到时候都会反扑过来，咬断领袖的咽喉。

杨广先生能力的高强，使人惊骇，他只用短短十三年时间，就摧毁他老爹杨坚建立起来的强大无比的帝国；更只用五六年时间，就能逼使忠心耿耿的猛将勇士反叛，没有人能做得到这些，而杨广做到，他的奖状是一条绞绳。

柏杨　一九八七·一二·一五

目录

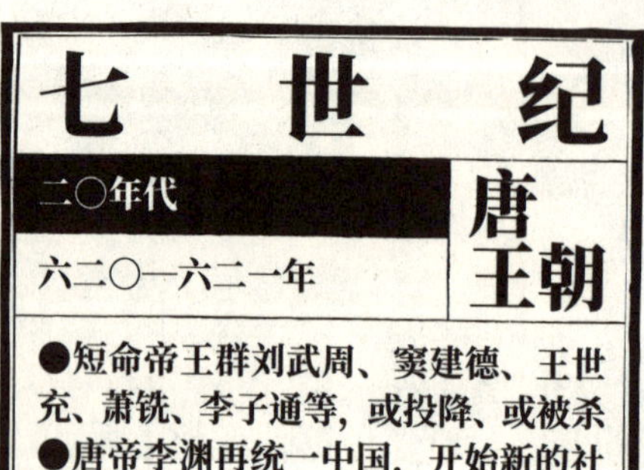

隋王朝

- 杨广被绞死。
- 隋王朝亡。
- 唐王朝兴。

- 波斯大军进攻东罗马，距首都君士坦丁堡一英里。
- 高句骊王国向日本呈献隋帝国俘虏及辎重。

六一八年 戊寅

隋　大业　十四年
　　义宁　二年
　　皇泰　元年
唐　武德　元年
（燕国漫天王王须拔四年）
（楚帝朱粲昌达元年）
（楚帝林士弘太平三年）
（夏王窦建德丁丑二年·五凤元年）
（梁帝萧铣鸣凤二年）
（魏公爵李密二年）
（定杨天子刘武周天兴二年）
（梁帝梁师都永隆二年）
（秦帝薛举秦兴二年）
（秦帝薛仁果元年）
（凉帝李轨安乐元年）
（许帝宇文化及天寿元年）
（魏帝魏刀儿元年）
（燕王高开道始兴元年）
（大乘帝高昙晟法轮元年）
（永乐王郭子和丑平二年）

1 春季，正月一日，隋王朝（首都大兴〔陕西省西安市〕）西京政府皇帝（三任恭帝）杨侑（本年十四岁）下诏，命唐王李渊上殿时不解佩剑，不脱木屐（剑履上殿），奏事时不称姓名（赞拜不名）。

李渊既攻克大兴（陕西省西安市），写信通知各郡县，于是东到商洛（陕西省丹凤县），南到巴蜀（四川省）；各地郡长县长、变民首领，以及氐民族和羌民族部落酋长，争相派遣子弟前往大兴，请求归降；有关单位撰写回复他们的公私文书，每天以百为单位计算。

2 王世充既得到东都（洛阳，河南省洛阳市）军队（越王杨侗增援王世充十余万人，参考去年〔六一七〕九月十一日），遂进攻洛北（洛水以北），击败魏公爵李密（首都洛口〔河南省巩义市东〕），向前推进，驻扎巩县（河南省巩义市）北郊。

正月十五日，王世充命各军分别建造浮桥，渡洛水攻击李密，浮桥先建造完成的，先行过河，各军前后出发，行动错乱，不能一致。虎贲指挥官（虎贲郎将）王辩攻破李密大营外围栅栏拒马，李密军惊恐骚动，马上就要崩溃，可是王世充并不知道，竟吹起号角收兵，李密遂率敢死队乘机反击，王世充大败，士卒们为了争夺浮桥逃命，淹死的有一万余人，王辩战死，王世充侥幸逃生，洛北（洛水以北）隋政府各军，全部瓦解。王世充不敢返东都（洛阳），一直向北投奔河阳（河南省孟州市）。当夜（正月十五日），狂风暴雨，天气严寒，士卒渡黄河时，浑身湿透，途中冻死的以万为单位计算。最后，王世充只带数千人抵达河阳（河南省孟州市），自己到监狱囚禁，请求定罪。越王杨侗派使节特赦，命王世充回东都（洛阳），赏赐给他金银、绸缎、美女，百般安慰。王世充集合残兵败将，勉强有一万余人，驻扎含嘉城（洛阳北城内），不敢再出作战。

李密乘胜夺取金墉城（故洛阳城西北角，在今洛阳之东。贾南风吞金屑酒处，参考三〇〇年四月），整修城门、城墙、房屋、官舍，把总部迁到城中。征锣战鼓之声，传到东都（洛阳）城内。不久，李密军队扩张到三十万，在邙山（洛阳城北）北麓列阵，向南紧逼洛阳上春门。

正月十九日，隋政府金紫光禄大夫（九大夫之四，正三品）段达、国务院财政部长（民部尚书）韦津，联合出军抵抗；段达远远望见李密军容强盛，心中恐惧，先行回军，李密挥军追击，隋政府军立刻崩溃，韦津阵亡。于是偃师（河南省洛阳市偃师区）、柏谷（河南省宜阳县南），

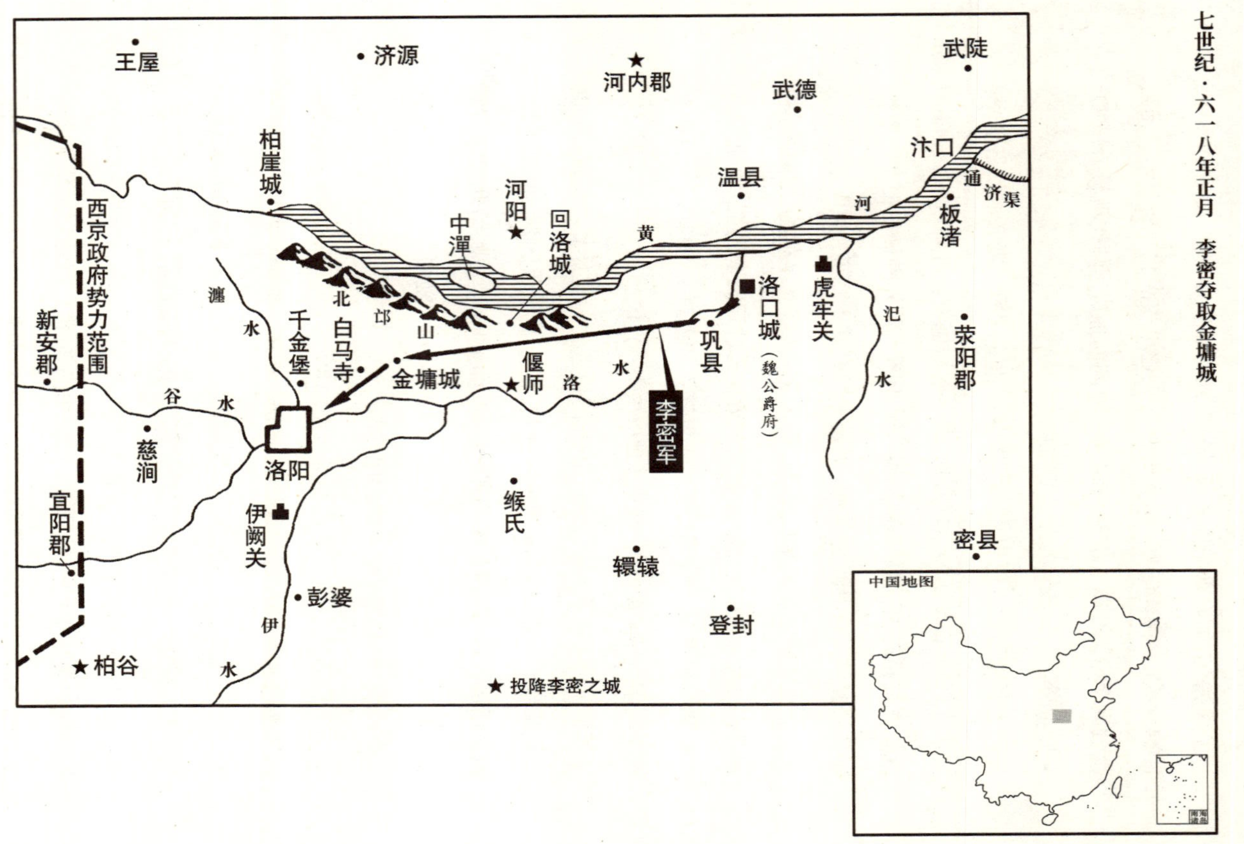
七世纪·六一八年正月 李密夺取金墉城
王屋
济源
河内郡
武德
武陟
汴口
通济渠
板渚
温县
河
黄
河阳
中潬
回洛城
柏崖城
西京政府势力范围
新安郡
瀍
水
千金堡
北
白马寺
邙
山
金墉城
偃师
洛
水
巩县
洛口城
（魏公爵府）
虎牢关
汜
水
荥阳郡
李密军
谷
水
慈涧
洛阳
伊阙关
缑氏
宜阳郡
辗辕
密县
彭婆
伊
水
登封
柏谷
投降李密之城
中国地图

以及河阳（河南省孟州市）民兵司令（都尉）独孤武都、摄理（检校）河内郡（河南省沁阳市）主任秘书（丞）柳燮、国务院国防部图籍司长（职方郎）柳续等，分别率武装部队，向李密投降。其他著名的变民军首领：窦建德（时在乐寿〔河北省献县〕）、朱粲（时在山南〔秦岭以南〕一带）、孟海公（时在济阴郡周桥〔山东省菏泽市定陶区东南〕）、徐圆朗（时在鲁郡〔山东省济宁市兖州区〕）等，都派使节携带拥护李密早日登极称帝的奏章晋见；李密的部属裴仁基等也上疏请李密早日确定皇帝位号。李密说：“东都（洛阳）还没有平定，不可以谈这件事。”

3 正月二十二日，隋王朝西京政府（大兴）唐王李渊，命世子（王位合法继承人）李建成当左翼元帅，秦公爵李世民当右翼元帅，率领各路人马十余万人，增援东都（洛阳）。

4 东都（洛阳）粮食缺乏，库藏部长（太府卿）元文都等，招募自带伙食的义务守城军，一律任命为散官二品。于是手拿象牙笏版上朝的商人，多到无法计算（西魏帝国以来，五品以上官员用象牙笏版，参考五八一年二月）。

5 二月四日，唐王李渊派祭祀部长（太常卿）郑元璹，率军从商洛（陕西省丹凤县）出发，前往南阳郡（河南省邓州市）开拓疆域，左领军府（十六禁军第十一军）军政官（司马，从六品）安陆郡（湖北省安陆市）人马元规，前往安陆郡、南郡（湖北省江陵县）、襄阳郡（湖北省襄阳市）一带，夺取土地。

6 李密派房彦藻、郑颋等，从黎阳（河南省浚县）向东推进，分道招抚宣慰州县。任命梁郡（河南省商丘市）郡长杨汪当上柱国（勋官一级〔旧制〕，从一品）、宋州军区（梁郡改宋州）总司令（宋州总管），李密亲笔写信给杨汪，说：“从前，我在雍丘（河南省杞县）时候，你曾经对我缉拿搜捕（李密妹夫、岳父被杀，参考前年〔六一六〕十月），然而，射中带钩（管仲射中姜小白带钩，参考二五八年十月注），砍断衣襟（勃鞮砍断姬重耳衣襟，参考四〇二年二月注），我不敢跟姜小白、姬重耳相比，但我愿效法。”杨汪也派使节向李密示好，李密尽量笼络（杨汪坚守梁郡，参考去年〔六一七〕十一月二十二日）。房彦藻写信招请长乐王窦建德（首都乐寿〔河北省献县〕），请窦建德晋见李密，窦建德回信，措辞谦卑，礼貌周到，但借口罗艺（总部幽州〔北京市〕）将向南侵袭，自己必须留下来保卫北疆。房彦藻返回，走到卫州（河南省淇县东），受到变民军首领王德仁狙击，被杀。

王德仁有部众数万人，盘踞林虑山（河南省林州市西北），向四方抢劫抄掠，成为几个州的灾害（王德仁据林虑山，参考六一四年十一月）。

7 三月四日，隋王朝西京政府（大兴）任命齐公爵李元吉当镇北将军、太原道（山西省太原市）大军元帅、十五郡军区司令长官（太原道行军元帅、都督十五郡诸军事），全权处理军事。

8 隋帝（二任炀帝）杨广（本年五十岁），自从到了江都（江苏省扬州市），荒唐淫乱，达到巅峰，宫内有一百余房，全都十分舒适豪华，住满美女，每天由一房做东，宴请杨广。江都郡郡政府主任秘书（郡丞）赵元楷，负责供应酒肉，杨广跟萧皇后，以及他心爱的小老婆，一房挨一房吃喝欢宴，酒杯从不离口，跟随他的一千余位小老婆群，也常常一齐酩酊大醉。实际上杨广也晓得天下已经大乱，所以心情烦躁，无法安宁；退朝之后，就扎上头巾，穿上短衣短裤，

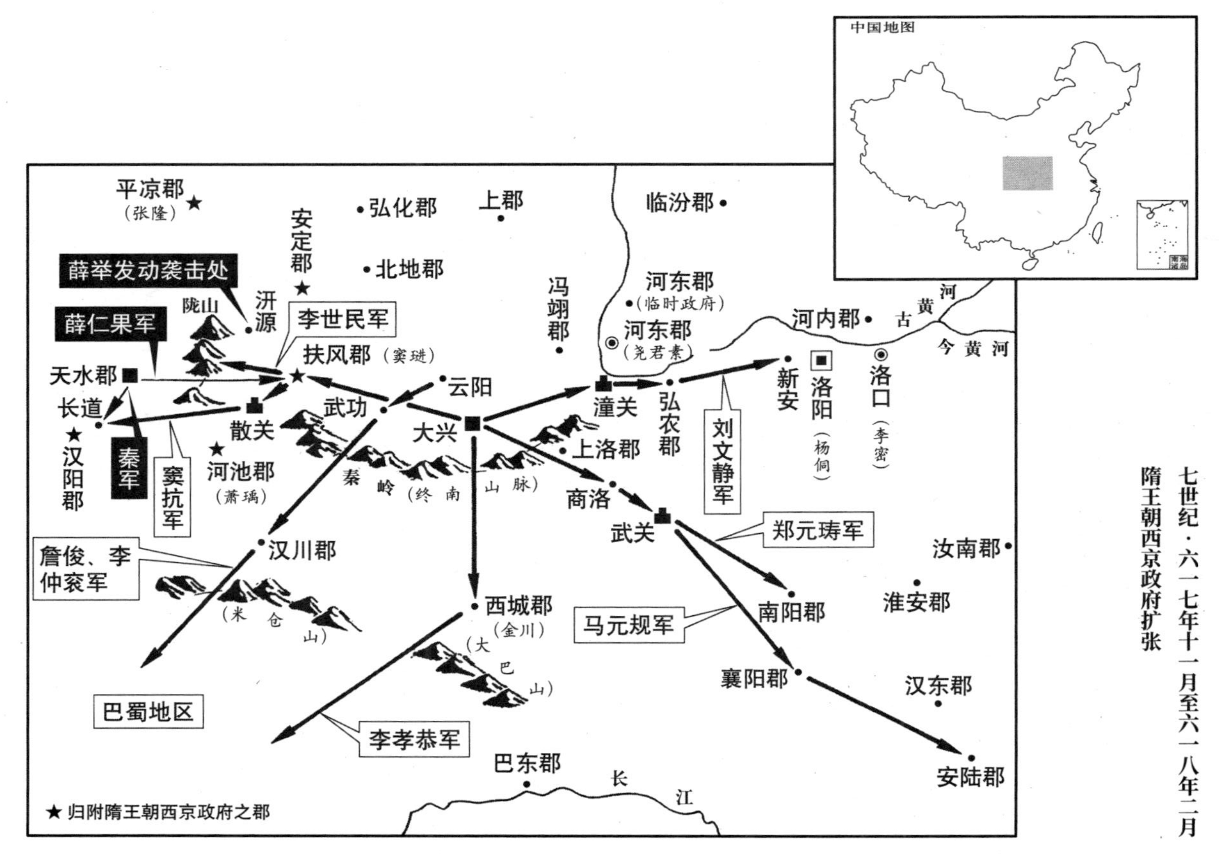

七世纪·六一七年十一月至六一八年二月
隋王朝西京政府扩张

提着手杖，遍游宫里的亭台楼阁，直到夜晚才停；急于欣赏各种景致，唯恐怕没有看够。

杨广自己也会占卜算卦，喜爱东吴（太湖流域及钱塘江流域）方言，经常在夜晚摆下筵席，仰头观看星座，对萧皇后说："外边恐怕有很多人要害'侬'（东吴人自称"侬"，"我"的意思），然而，侬至少也会封长城公爵，你至少也会当沈皇后那个角色（长城公爵陈叔宝，参考六〇四年十一月；沈皇后，陈叔宝正妻沈婺华），不必烦恼，一起共同欢乐饮酒！"遂满斟酒杯，沉醉不醒。杨广也曾经拿着镜子自照，回身对萧皇后说："好脖子，谁要来砍？"萧皇后惊惶询问缘故，杨广笑说："富贵贫贱，痛苦欢乐，轮流交替，何必悲伤。"

杨广知道中原已经大乱，没有心情回到北方，打算迁都丹阳郡（江苏省南京市），保守江东（太湖流域及钱塘江流域），命文武百官在金銮宝殿朝会时讨论，立法院副立法长（内史侍郎）虞世基等，都认为是最好的计划。右候卫（十六禁军第六军）大将军（正三品）李才，极力反对，主张杨广应返回大兴（陕西省西安市），跟虞世基发生激烈争论，李才愤愤退出。监督院文书员（门下录事，正八品）、衡水（河北省衡水市）人李桐客说："江东（太湖流域及钱塘江流域）低洼潮湿，地势险恶，可耕地太少，对内奉养皇家，对外供应三军，人民无法负荷，恐怕最后同样会发生变乱。"监察官（御史，从九品）弹劾李桐客诽谤政府。三公及部长级官员迎合杨广心意，一致说："江东人民盼望圣驾巡视，为时已久，陛下南渡长江，亲自安抚人民，这可是姒文命（夏王朝一任帝）的事业（传说姒文命南巡，在会稽〔浙江省绍兴市〕扩大接见各封国国君）。"杨广遂下令兴筑丹阳宫，打算迁都。

这时，江都（江苏省扬州市）粮食已经吃完，护驾的骁果武士，差不多都是关中（陕西省中部）人，长期客居在外，想念故乡；发现杨广已无意西还，很多人暗中计划背叛杨广逃走。禁卫指挥官（郎将）窦贤首先率领他的部属向西逃亡。杨广派骑兵追击，斩窦贤，可是逃亡的人并不能禁止，杨广忧虑。虎贲指挥官（虎贲郎将）扶风郡（陕西省宝鸡市凤翔区）人司马德戡，一向受杨广的宠爱信任，杨广命他率领骁果武士，驻扎东城；司马德戡跟他的好友、另一虎贲指挥官（虎贲郎将）元礼，以及直阁将军（从四品）裴虔通商量说："现在，骁果武士，人人都想逃亡，我打算报告，又怕先被诛杀；如果不报告，事情一旦发生，也不免全族被屠，如何是好？又听说关内（陕西省中部）已经沦陷，李孝常献出华阴（陕西省华阴市）叛变（参考去年〔六一七〕九月十日），皇上逮捕李孝常的两个老弟，打算处死。我们家属都在那里，怎么能没有这种忧虑！"二人大为恐惧，说："事已如此，我们怎么办？"司马德戡说："骁果武士如果有逃亡的，不如和他们一起逃亡！"二人都说："对极。"于是互相结交同志，立法院立法官（内史舍人）元敏、虎牙指挥官（虎贲郎将）赵行枢、鹰扬指挥官（鹰扬郎将）孟秉、监督院（门下省）符节保管管理官（符玺郎，从六品）牛方裕、监督院（门下省）事务管理官（直长，正七品）许弘仁、薛世良，宫廷总管署（殿内省）皇城城防指挥官（城门校尉，正六品）唐奉义、祭祀部副总医师（医正）张恺、勋卫指挥官（勋侍，从七品）杨士览等，都参加他们的行动，日夜聚在一起，即令在大庭广众中，也公开讨论叛变逃亡计划，既不畏惧，也不躲避。有宫女报告萧皇后说："外面有人准备谋反！"萧皇后说："随你报告皇上。"宫女报告杨广，杨广大怒，认为宫女不可以说这种话，斩宫女。以后，宫女们再报告萧皇后，萧皇后说："天下事一旦弄到今天这个地步，没有人能够挽救，何必多说，徒使皇上忧愁。"自此之后，再没有人通风报信。

赵行枢跟建筑部副部长（将作少监）宇文智及，一向友好；杨士览，是宇文智及的外甥，二人把逃亡计划告诉宇文智及，宇文智及大为高兴。司马德戡等约定三月十五日结队向西逃亡。宇文智及说："领袖（主上）虽然无道，但威望仍在，命令仍有人执行，你们逃亡，正如同窦贤，自己找死。而今，上天已决心消灭隋王朝政府，英雄好汉，纷纷起事；同心逃亡的已数万人，用这些人去做一件大事，这是帝王局面。"司马德戡等赞成。赵行枢、薛世良，建议拥护宇文智及的老哥、右屯卫（十六禁军第十四军）将军（从三品）、许公爵宇文化及当领袖，大家同意，盟约签订之后，才报告宇文化及。宇文化及反应迟钝，而又胆小如鼠，听到政变计划，脸色大变，浑身淌汗，但最后仍是接受。

司马德戡命许弘仁、张恺进入备身府（十六禁军第八、第十军），告诉他所认识的骁果武士，说："皇上听说骁果武士打算叛逃，正在酿制大量毒酒，打算利用宴会时机，全都毒死，只跟南方人留在江都（江苏省扬州市）。"骁果武士大为恐惧，互相转告，政变的阴谋越发积极。

三月十日，司马德戡召集全体骁果军官，告诉他们将有什么行动，大家异口同声说："全听将军命令。"当天（三月十日），忽然刮起大风，天气阴暗，白昼如同黄昏，下午五时后，司马德戡偷出皇家御厩马匹，武器早已暗中准备妥当；晚上，元礼、裴虔通等，在皇宫殿阁值班，负责殿内安全；唐奉义负责城门安全，跟裴虔通相约，所有城门仅只半掩，而不下键上锁。三更（十一时至次日一时）时分，司马德戡在东城集结数万人，燃起火把，跟城外部队互相呼应。

杨广在宫中看到火花，且听到外面人声喧哗，问发生什么事？裴虔通回答说："草料库失火，正会同城外的人灌救！"当时，宫内跟外界隔绝，杨广相信。宇文智及跟孟秉，在宫城外集结军队一千余人，劫持候卫府（十六禁军第五、六军）虎贲指挥官（虎贲郎将）冯普乐，派军分别把守街巷。燕王杨倓发觉情势变化（杨倓，代王杨侑的老弟，参考六〇六年八月），深夜，从芳林门侧的水洞，进入宫墙，走到玄武门，假装有病，说："我突然得了急病，马上要死，请准许我见祖父（杨广）一面。"裴虔通等当然不会替他转报，立即把他逮捕囚禁。

三月十一日，天还没有亮，司马德戡把军队交给裴虔通，接替宫城各门卫士岗位。裴虔通从城门率领数百名骑兵，进入成象殿，护殿士卒大声传话说："有贼！"裴虔通立即后退，下令关闭所有城门，只开东门，驱逐殿内所有禁军卫士出城，大家发现情形不对，纷纷放下武器逃走。右屯卫（十六禁军第十四军）将军（从三品）独孤盛对裴虔通说："哪里来的军队，怎么有点奇怪！"裴虔通说："情势所逼，与你毫不相干，请特别谨慎，不要乱动！"独孤盛大骂说："老贼！你说的是什么话！"来不及披挂铠甲，就率领左右侍从十余人拒战，被乱兵格杀。独孤盛，是独孤楷的老弟（独孤楷事，参考六〇二年七月）。御前带刀贴身卫士（千牛，正六品）独孤开远，率殿内护殿士卒数百人，前往宫城玄览门，敲门呼喊说："军队武器，全都整齐，仍可以击破盗匪。陛下如果出来亲自督战，人心自然平定。不然，大祸临头。"门里一片沉寂，竟无人答应；士卒遂稍稍逃散。政变军捕获独孤开远，敬佩他的忠义，把他释放。从前，杨广挑选勇敢健壮的官奴数百人，命他们防守玄武门，称之为"给使"，用以防备非常事变，对待他们十分优厚，甚至把宫女赏赐给他们。宫廷女管理员（司宫）魏女士，深受杨广信任，宇文化及跟她交结，由她充当内应。那天（三月十一日），魏女士假传圣旨，任由"给使"出宫，所以仓猝之间，没有一个人留在岗位上。

司马德戡等率军从玄武门进入宫城，杨广听到政变消息，急忙脱下皇帝衣服，换上普通服装，逃到西阁。裴虔通跟元礼率军攻击东阁，魏女士把门打开，政变军进入宫中小巷（永巷），询问说：“皇上在哪里？”有一个美女出来，指指西阁。指挥官（校尉）令狐行达，拔刀直进，杨广隔着窗子，问令狐行达说：“你是不是打算杀我？”令狐行达说：“不敢，只是打算请你西返！”遂挟住杨广，走下阁楼。杨广当晋王的时候（六世纪八〇、九〇年代），裴虔通是他的左右亲信，现在，杨广一看到裴虔通，就说：“你难道不是我的老友？有什么怨恨，一定要谋反？”裴虔通说：“我不敢谋反，只为了将士们想回自己家乡，打算请你回京（首都大兴）而已。”杨广说：“我正是要回京（首都大兴），只因上江（长江中上游）运粮船还没有到，才一直拖延，现在就和你一同动身！”裴虔通派军队看管杨广。 600

天亮（仍是三月十一日），孟秉派武装骑兵迎接宇文化及，宇文化及害怕得抖成一团，说不出话，有人前来晋见，宇文化及只会手扶马鞍，不敢抬头，连称：“罪过！”等到了城门，司马德戡晋见，把宇文化及引到金銮宝殿，尊称他“丞相”。裴虔通对杨广说：“文武百官都在金銮宝殿，陛下必须亲自出去慰劳。”把自己所骑的马拉过来，逼杨广上马，杨广嫌马鞍和缰绳破旧，不肯上马，裴虔通命换一副新鞍新缰，杨广才上马。裴虔通一手拉缰，一手提刀，走出宫门，政变军大为兴奋，呐喊号叫，声音震动大地。宇文化及大声斥责说：“把这个东西弄出来干什么？还不带回去下手！”杨广问：“虞世基在哪里？”政变军将领马文举说：“已砍下人头。”政变军再把杨广拉到寝殿，裴虔通、司马德戡等，钢刀出鞘，站在一旁。杨广叹息说：“我有什么罪？这样待我！”马文举说：“陛下背弃皇家祖庙，不停的出巡游逛，对外不断发动战争，对内极尽所能的奢侈荒淫，使全国青年死在刀箭之下，妇女儿童的尸体填满水沟山谷，人民失业，盗贼遍地；专门信任花言巧语的摇尾分子，粉饰太平，拒绝规劝，怎么能说你没有罪？”杨广说：“我实在辜负人民，但对于你们，荣华富贵，应有尽有，而且都到顶点，为什么这个样子？今天的事，谁是首领？”司马德戡说：“普天之下，全都怨恨，岂止一个人！”宇文化及又派封德彝条条宣布杨广的罪状，杨广说：“你乃是知识分子，怎么也做这种事！”封德彝感到惭愧，退走。杨广最疼爱的幼子、赵王杨杲（参考六〇八年四月），年十二岁，在杨广身旁悲号哀哭不停，裴虔通举刀一挥，砍下杨杲人头，鲜血喷到杨广衣服上。政变军就要向杨广动手，杨广说：“皇帝自有皇帝的死法，怎么可以死于刀锋，把毒酒拿给我！”马文举等拒绝，令狐行达抓住杨广领口，猛的一按，按得杨广跌撞坐下。杨广发现他已绝望，于是解下自己的丝巾，交给令狐行达；令狐行达遂用那条丝巾，把杨广绞死（年五十岁）。最初，杨广自知大难会随时临头，经常携带一瓶毒药，对他所有心爱的小老婆说：“盗匪如果打进来，你们应该先喝下，然后我喝。”等到政变发生，找人去拿毒酒，左右侍从早就四散逃走，竟无法拿到。萧皇后跟宫女、宦官，拆掉漆床上的木板，做一个棺材，把杨广和赵王杨杲，一起浮厝在西院流珠堂。

魏徵曰

杨广在少年时代，就有美好的声誉，南方平定吴会（陈帝国），北方击退突厥汗国，兄弟群中，只他拥有威望及军功。于是，他开始虚情假意，伪装善良，暗藏奸诈，因而取得娘亲独孤皇后的欢心，排除老爹杨坚（一任文帝）的顾虑。上天既决定要使中国混乱，杨广遂登上太子宝座，更攀登皇帝高位，继承祖先基业。土地面积之广，超过三代（夏商周）；声威传播之远，可汗叩头；使最南方的越裳部落（泛指今东南亚一带，如林邑王国、真腊王国，赤土王国等），经过几重翻译，都向隋王朝归附。从此，金钱像是泉源，从都城溢出四流；粮食堆积如山，全都委弃边塞。 602

杨广仗恃富有强大，想满足自己无穷无尽的欲望。瞧不起商、周王朝政治制度，认为格局太小；崇拜秦、两汉王朝的扩张，认为规模宏大。自觉才气纵横，所以随时炫耀，然而骄傲狠毒，内心又险恶暴躁。外表故意做出沉默寡言模样，衣服华丽高贵，掩饰他的阴险；铲除规劝他的官员，遮盖他的过错。淫乱荒唐，毫无节制，法令规章，越来越多。教育使人弃绝四维（礼义廉耻），刑法常用五种酷刑。杨广像锄草一样，锄掉兄弟骨肉；像杀猪一样，杀尽忠良贤臣。受到赏赐的人，看不见他们的功勋；而被诛杀的人，没有人知道自己犯了什么罪。

因骄傲忿怒，不断发动战争，不断出击；因贪婪炫耀，不断兴起土木工程，永不停息。屡次前往朔方（山西省北部），三次驾临辽左（辽宁省），旌旗飘扬一万华里，征收捐税的手段百种。奸猾的官员欺凌压榨，人民无法承担。杨广更用紧急命令和恶毒条款，加重惩处，严厉刑罚和恐怖拷打，罩向人民；再动员军队，用它的声威，残酷镇压。从此，四海之内一片骚动，人民求生不能。

不久，杨玄感在黎阳（河南省浚县）掀起战乱，突厥汗国在雁门（山西省代县）发动包围。杨广却抛弃中原，远走扬越（古扬州，指江苏省中部南部及江南地区），地痞流氓乘着这个机会，纷纷聚众起兵，强大的与弱小的变民集团，互相厮杀，关塞紧闭，桥梁阻绝，交通中断。杨广乘坐的车轿，一去不返。再加上军队屠杀，人民饿死，逃出故乡，流亡道路之上，辗转死在水沟山谷，占全国十分之八九。

于是，变民集团聚集山间水上，像刺猬的毛一样，遍地都是。力量大的控制地区跨越数州或数郡，有的称帝，有的称王。力量小的则千人百人，集结成群，攻击城池，抢劫村落。鲜血横流，汇成河川湖泊；死人纵横，如同乱麻。燃火煮饭的人来不及打碎尸体骨骼，饥饿难忍的人来不及跟别人交换幼儿。茫茫大地，同时成为麋鹿游荡的场所；芸芸众生，全都成了毒蛇野猪的食物；四面八方，千里万里，向中央纷纷禀报求救，而杨广仍认为不过是一些老鼠般小贼和一些偷窃强盗，不必担心。上下互相蒙蔽，拒绝面对现实。

杨广振起蜉蝣的两翅，在夜间也去享受快乐，等到土崩鱼烂，罪恶满盈，普天之下，没有一个不变成仇人，左右平常最忠心的侍卫，都成了敌国。杨广却始终不能觉悟，跟嬴胡亥（秦王朝二任帝）的命运一样，以全国最高领袖之尊，死在一个凡夫之手。亿兆人民，没有一个感激杨广，全国九州，也没有一个发动军队勤王。儿子弟侄，同被屠杀，骨骸抛弃，无人掩埋，帝国王朝覆灭，皇家本支及旁支，全都杀光（参考六〇四年七月“王鸣盛曰”文），人类自从有文字以来，直到今天（六三六年），天崩地裂，人民涂炭，自身被杀，家国灭绝，还从来没有比这更悲惨的景象。《尚书》说：“老天作恶，还可逃避；自己作恶，不可原谅。”《左传》说：“是吉是凶，由自己决定，魔鬼不会无中生有。”又说：“战争，好像是火，如果不把它扑灭，会把自己烧死。”观察隋王朝政府的存亡，这些话已经应验。

杨广天生的大头症，患有一种肤浅而又强烈的炫耀狂。他所以在一个地方总是坐不住，就因为他总是想去另一个新的地方，向新的对象，炫耀他的财富、权力和炫耀他压根所没有的仁义道德。

引起杨广败亡的直接导火线——辽东三次战役，起因非常简单，他不过渴望在高句骊国王高元面前，满足一下大头症，偏偏高元不肯给他这个机会，一种失落感使杨广发疯。高元所以不肯亲身晋见，当然是怕杨广突然翻脸，留住他不放回国。那是不了解杨广身患大头症的缘故，根据他的病历表，我们可以肯定，高元如果到中国晋见，像突厥可汗阿史那染干那样，作卑屈的表演，他所得到的馈赠（都是中国人民的血汗），一定多得使他吃惊。

杨广当了十五年皇帝，死时才五十岁，他的故事像一则《伊索寓言》：一个农夫牵一匹驴子走过悬崖，牵它靠里面一点，驴子坚决不肯，它越向外挣扎，终于跌下深谷，粉身碎骨。农夫探头说："你胜利了。"杨广曾经向人表示："我天性不喜欢听相反的意见，对所谓敢言直谏的人，尤其不能忍耐。"杨广也跟那匹驴子一样，最后大获全胜。

然而，杨广给我们一项最大的贡献，却是他挺身为我们作证：权力制衡是多么重要！小人物不断往上攀爬，往往会成为"两截人"，有权前是一种人，有权后立刻异化，变成另外一种人，嘴脸完全不同。杨广在掌握政权之前，受他律和自律的内外控制，给人的印象是喜爱读书，会作文章，沉默寡言，每一发言都十分中肯，殷勤、节俭、敦厚、朴实、谦虚、恭敬，集人间最好美德于一身；想不到一旦取得权力，他律解除，自律瓦解，邪恶的心灵无法产生高贵情操，长期被压制的兽性，遂像火山一样爆发，任何事物都阻挡不住他奔向绞绳。如果隋王朝是一个民主法治的社会，或是一个有制衡的社会，杨广的大头症，将永不会发作到不可收拾的地步，甚至，他可能成为一位英明的首领，中国人也可能免除那么多悲惨遭遇。我们与其痛恨杨广，不如痛恨中国人并没有从杨广的暴行中，引发出权力制衡的沉思，反而一直酱在圣君贤相的诉求中，原地盘旋，直到二十世纪，西方把民主法治思想传入，我们还竭力拒抗。

杨广每次出游，都携带老弟、蜀王杨秀（杨广四弟）同行，此时正囚禁在骁果武士大营（杨秀被贬作平民，参考六〇二年十二月）。宇文化及既诛杀杨广，打算拥护杨秀继任皇帝，政变集团首领人物都表示反对，于是诛杀杨秀和他的七个儿子。接着又诛杀齐王杨暕（杨广的次子）和他的两个儿子，以及燕王杨倓；隋王朝杨姓皇族，以及皇亲国戚，不管是婴儿或是老人，一律处死。只剩下秦王杨浩（杨广三弟杨俊的儿子），因跟宇文智及平日常有来往，宇文智及设计保全杨浩。齐王杨暕从来得不到老爹杨广的宠爱（参考六〇八年四月），一直互相猜忌；当杨广听到变乱消息时，情况不明，回头对萧皇后说："莫非是阿孩（杨暕乳名）！"后来，宇文化及派人到齐王府诛杀杨暕，杨暕认为是杨广逮捕他，哀求说："钦差大臣请不要下手，孩儿不负老爹！"政变军也不回答，把他拖到大街上，斩首，杨暕竟不知道杀他的到底是谁；父亲与儿子之间的误会，到死都不能解开（杨暕年三十四岁）。政变军又诛杀立法院副立法长（内史侍郎）虞世基、总监察官（御史大夫）裴蕴、左翊卫（十六禁军第一军）大将军（正三品）来护儿、皇家图书院长（秘书监）袁充（年七十五岁）、右翊卫（十六禁军第二军）将军（从三品）宇文协、御前带刀贴身卫士（千牛）宇文皛（音xiǎo〔小〕）、梁公爵萧钜等以及他们的儿子。萧钜，是萧琮的侄儿（参考六一〇年正月）。

政变将爆发时，江阳（江都郡郡政府所在县）县长张惠绍，飞奔向裴蕴告密，裴蕴遂跟张惠绍密谋：打算假传圣旨，命江都城里军队逮捕宇文化及等，并前往宫门援救杨广。计议已定，派人报告虞世基，虞世基怀疑告密者的消息不确实，把这项建议压住，不许行动。转眼之间，政变爆发，裴蕴叹息说：“跟虞世基这种人谈计谋，果然误了大事。”虞世基族人虞伋，对虞世基的儿子、监督院符节保管管理官（符玺郎，从六品）虞熙说：“时局已到这个地步，我打算帮助你渡江（长江）向南方逃难，死在一起有什么裨益。”虞熙说：“抛下父亲，背弃君王，去哪里求生？你的关心，使我感激，从此永别！”虞世基的老弟虞世南（参考六一三年八月），抱住虞世基哭泣，请求代替老哥一死，宇文化及不准。宫廷监督官（黄门侍郎）裴矩早就看出会发生大乱，所以采取低姿态，即令对待仆人差役，都十分礼貌优厚，而又建议替骁果武士娶妻（参考去年〔六一七〕八月），所以等到政变爆发，政变集团都说：“不是裴矩的罪！”一会工夫，宇文化及抵达，裴矩在马前下跪，向宇文化及叩头，因之才免一死。 606

宇文化及因苏威并没有参与政府，也饶他一命（苏威被罢黜，参考前年〔六一六〕五月）。苏威的声誉及地位，一向很高，前往晋见宇文化及；宇文化及集结部众，接见苏威，对他特别礼遇。文武百官都到金銮宝殿祝贺，只有初级宫廷监督官（给事郎，从五品）许善心一个人不到。许弘仁飞奔告诉他：“天子（杨广）已死，宇文将军（宇文化及）摄政，政府所有官员都已集合，无论天道循环，或人事代谢，都有终结接替，这跟叔父有什么相干，使你生气。”许善心大怒，不肯前去。许弘仁转身上马，流泪辞别。宇文化及派人到许善心家，把他捆绑到金銮宝殿，过了一会，又把他释放，许善心也不叩头谢恩，站起来就走，宇文化及大怒说：“这个人可真是负气！”命把他再捕回，斩首（年六十一岁）。许善心的娘亲范女士，年已九十二岁，抚摸棺材，没有一声哀哭，只说：“你能为国家的灾难而死，真是我的儿子。”自此躺在床上绝食十余日，逝世。隋王朝西京政府（大兴）唐王李渊入关（潼关）时，张季珣的老弟张仲琰当上洛（陕西省商洛市商州区）县长（张季珣死事，参考去年〔六一七〕九月十一日），率官民登城坚守，部属们把他诛杀后投降。宇文化及发动政变，张仲琰的老弟张琮，当御前带刀贴身卫士（千牛左右），宇文化及把他诛杀。兄弟三人，都为国牺牲，当时世人都感惭愧。

宇文化及自称大丞相，总管全国文武官员。宣称奉萧皇后命令，由秦王杨浩继任皇帝（四任），住在另外一宫，只不过执行宇文化及的命令下诏和在公文书上签字而已，但宇文化及仍派军严密看守。宇文化及任命他的老弟宇文智及当国务院左执行长（左仆射），宇文士及当立法院最高立法长（内史令），裴矩当国务院右执行长（右仆射）。

9 三月十日，隋王朝西京政府（大兴）改封秦公爵李世民为赵公爵。

三月二十三日，西京政府（大兴）皇帝（三任恭帝）杨侑下诏，命拨出十个郡，增加唐国的封地，仍命唐王李渊当相国，总管文武百官；唐国设置丞相，以及丞相以下官属；又加授李渊“九锡”（九锡，参考四年）。李渊告诉他的官属说：“这是马屁精出的馊主意，我掌握政府大权，却加授自己富贵荣华，怎么可以？如果要走曹魏帝国、晋王朝‘禅让’那条路，不过一连串复杂的仪式礼节，既骗上天，又欺人世。查考实际，他们的行为还不如五霸（齐国十六任国君桓公姜小白、晋国二十四任国君文公姬重耳、秦国九任国君穆公嬴任好、楚王国六任王庄王芈侣、吴王国六任王吴光），而所追求的美名，却想超过三王（夏王朝一任帝〔禹〕姒文命、商王朝一任帝〔汤〕子天乙、周王朝一任王〔武王〕姬发），我不但觉得可笑，还觉得可耻。”有人说：“这是历代兴亡遵循的轨道，怎么可以废除！”李渊说：“伊祁放勋（尧）、姚重华（舜）、子天乙（汤）、姬发（武），

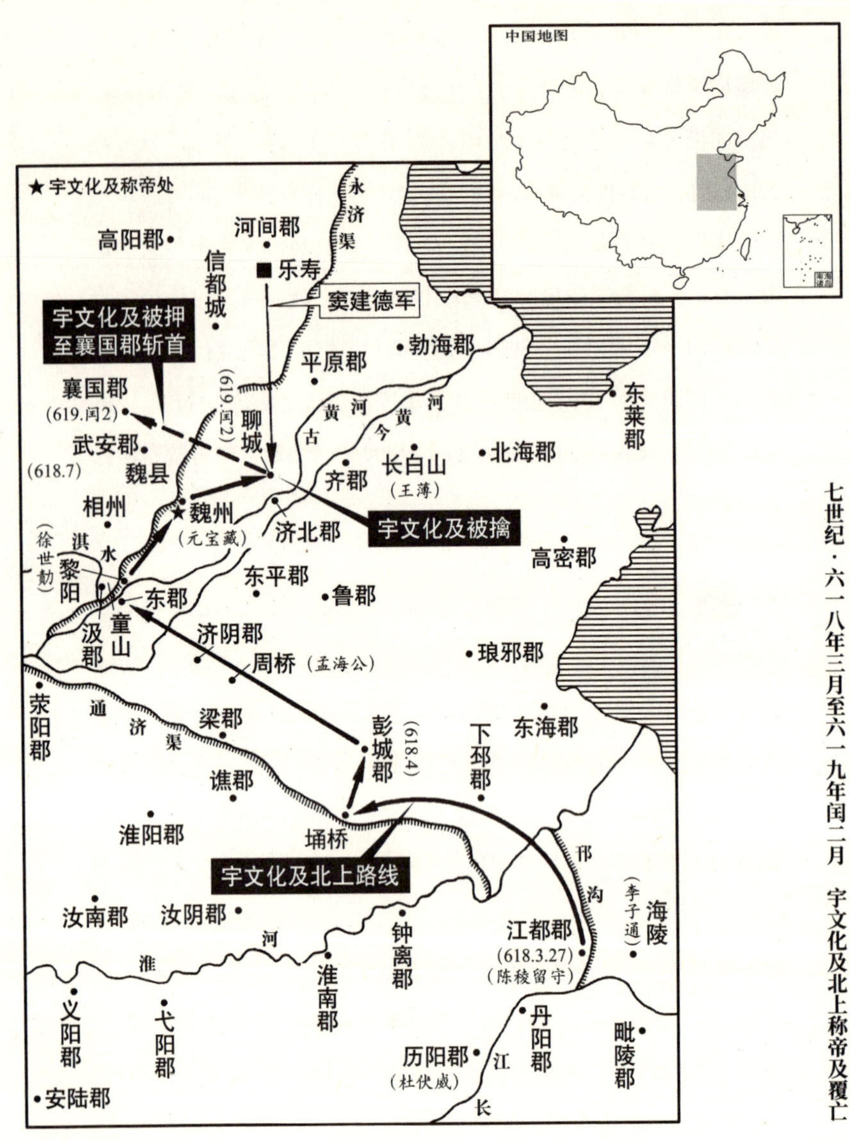

七世纪·六一八年三月至六一九年闰二月　宇文化及北上称帝及覆亡

各人有各人所处的时代，虽然取得政权的方法不一样，但有一点是一样的：诚心诚意的顺应天意，满足人心。从来没有听说姒文命（夏）、子天乙（商）一定要效法伊祁放勋（唐）、姚重华（虞）那种禅让。如果领袖（杨侑）了解内情，他一定不肯批准；如果他年幼无知，是我自己哄抬自己，再自己出面推辞，平生不会做这种事。”但仍把丞相府改为相国府，其他像“九锡”之类特殊荣耀，全退回给有关机关。

10 隋王朝流亡政府（四任帝杨浩）大丞相宇文化及，命左武卫（十六禁军第三军）将军（从三品）陈稜，当江都郡（江苏省扬州市）郡长，担任留守长官。

三月二十七日，宇文化及下令全面戒严，声称准备返首都大兴（陕西省西安市），萧皇后及小老婆群都依照从前杨广在世时出游那种方式，集合成为御营，营前另建篷帐，大丞相宇文化及在里面处理公务，仪队、警卫、军队，进入备战状态，都跟杨广当年一样（杨广龙舟队伍的排场，参考六〇五年八月）。宇文化及命搜刮江都（江苏省扬州市）船舶，取道彭城郡（江苏省徐州市）水路西返。认为骁果武士司令官（折冲郎将，正四品）沈光勇敢，宇文化及命他率“给使营”（官奴组成），负责御营安全。

庞大西返部队抵达显福宫，虎贲指挥官（虎贲郎将）麦孟才、虎牙指挥官（虎牙郎将）钱杰，跟沈光秘密商量，说：“我们受先帝（杨广）的厚恩，而今低头事奉仇敌，被他驱使，有什么面目活在人间？我一定要诛杀他，即令是死，也无怨恨。”沈光流泪说：“这正是我对将军的期许。”麦孟才乃集结有恩情的故旧老友或老部属，率领他所指挥的数千人，约定明天（三月二十八日）早晨出发时，袭击宇文化及。想不到消息泄漏，宇文化及和他的心腹将领，于深夜逃出营外，而留人告诉司马德戡等，命他们讨伐。沈光听到营里人声喧哗，知道已被发觉，立即袭击宇文化及营帐，帐中已空无一人，却撞见立法院副立法长（内史侍郎）元敏，沈光条条列举他的罪状，斩元敏。司马德戡率军进入，包围御营，诛杀沈光（年二十八岁），沈光部下数百人，全都战死，没有人投降，麦孟才也被诛杀。麦孟才，是麦铁杖的儿子（麦铁杖死于辽东城下，参考六一二年三月）。

11 武康（浙江省德清县西武康镇）人沈法兴，世代是郡中著名的大族，有数千家之多。沈法兴当吴兴郡（浙江省湖州市）郡长，听到宇文化及诛杀杨广消息，遂聚众起兵，借口讨伐宇文化及（《新唐书·沈法兴传》：沈法兴正在外攻击东阳郡〔浙江省金华市〕变民首领楼世干），回军到乌程（吴兴郡郡政府所在县），已拥有精锐部队六万人，遂进攻余杭郡（浙江省杭州市）、毗陵郡（江苏省常州市）、丹阳郡（江苏省南京市），全都攻克；占领江表（太湖流域及钱塘江流域）十余郡，自称江南道（长江以南）总司令官（大总管），代表皇帝行使职权，设置文武百官。

12 隋王朝陈国公爵窦抗，是唐王李渊正妻窦女士的老哥。杨广未死时，派他到灵武郡（宁夏灵武市）巡视长城（一任帝杨坚时筑，参考五八五年十月），听到李渊已控制关中（陕西省中部）。

三月二十八日，窦抗率灵武（宁夏灵武市）、盐川（陕西省定边县）等数郡归附。

13 夏季，四月，稽胡部落（山西省西部及陕西省北部地区匈奴人）攻击富平（陕西省富平县），被隋王朝西京政府（大兴）将军王师仁击破。

稽胡部落另派五万余人攻击宜春（应是宜君，陕西省宜君县），相国府首席军事参议官（相国府咨议参军）窦轨，率军讨伐，在黄钦山（陕西省铜川市耀州区西北）会战；稽胡部落占领高地，顺风纵火，西京政府军稍微后退，窦轨斩部将十四人，擢升低级军官代替，整军再战，窦轨亲率数百名骑兵，在后督战，下令说："听到战鼓声而不前进的，我就在背后诛杀！"马上擂动战鼓，将士争先恐后，扑向敌阵，稽胡部落万箭俱发，不能阻止，遂大败，被俘男女二万人。

14 隋王朝西京政府（大兴）唐王李渊的世子李建成等，增援军抵达东都（洛阳），驻防芳华苑。东都（洛阳）紧闭城门，不出军接应；李建成派人前往解释，东都（洛阳）也不反应。变民首领、魏公爵李密（首都金墉城〔故洛阳城西北角〕）攻击西京政府军，但只作轻微接触，就各自撤退。东都（洛阳）城中很多人打算响应西京政府军，赵公爵李世民说："我们新近平定关中（陕西省中部），根基还不稳固，即令得到东都（洛阳），也无法守卫。"遂不接受。

四月四日，西京政府军班师，李世民说："城中发现我们撤退，必定尾追！"于是在三王陵（洛阳城西南）设置三道埋伏，严阵等待，东都（洛阳）留守政府光禄大夫（九大夫之一，从一品）段达，果然率一万余人追赶，遇到埋伏，大败。李世民回军反击，直抵洛阳城下，杀四千余人，遂设置新安（河南省新安县）、宜阳（河南省宜阳县西）二郡。命大军作战司令（行军总管）史万宝、盛彦师，率军镇守宜阳（河南省宜阳县西）；吕绍宗、任瓌，率军镇守新安（河南省新安县），班师。

15 最初，五原郡（内蒙古五原县）副郡长（通守）栎阳（陕西省西安市临潼区北栎阳街道）人张长逊，因中国大乱，遂把郡城呈献给东突厥汗国（瀚海沙漠群），投降；东突厥封张长逊当割利公爵（特勒）。

秦帝薛举（首都天水〔甘肃省天水市〕）的军械供应部长（卫尉卿）郝瑗，游说薛举，跟梁帝梁师都（首都朔方〔陕西省靖边县北白城则村〕）及东突厥汗国，三方面联军夺取大兴（陕西省西安市）；薛举接受。

当时，东突厥十任大可汗（启民可汗）阿史那染干的儿子阿史那咄苾，称莫贺咄将军（咄设），在五原郡（内蒙古五原县）以北，设立大营。薛举派使节跟阿史那咄苾讨论攻击关中（陕西省中部）策略，阿史那咄苾应允。

唐王李渊得到消息，派水利部长（都水监）宇文歆，携带大批礼物，贿赂阿史那咄苾，并为他分析利害，劝他不要出兵；更进一步游说阿史那咄苾，送张长逊到西京（大兴）晋见，而且把五原郡（内蒙古五原县）归还中国；阿史那咄苾全部接受（这是一次重大的外交胜利）。

四月五日，武都（甘肃省陇南市武都区）、宕渠（四川省渠县）、五原（内蒙古五原县）等郡，全都归降。李渊遂即任命张长逊当五原郡郡长。张长逊伪造一份隋帝（三任恭帝）杨侑的诏书，送给阿史那咄苾，表示完全洞悉他联军南侵的阴谋。阿史那咄苾遂拒绝薛举、梁师都的使节，不准他们入境。

16 四月二十四日，隋王朝西京政府（大兴）唐王李渊的世子李建成等，率军由东都（洛阳）返回首都大兴。

17 东都（洛阳）留守政府的号令，出不了城门，人心浮动，朝议郎（散官〔旧制〕，正六品上）段世弘等秘密计划响应西京政府（大兴）军，而西京政府军已经撤退，于是派人邀请李密（时在金墉城），约定四月二十日夜晚，迎接李密入城。事情被发觉，越王杨侗命王世充逮捕段世弘等诛杀。李密听到城中内应已被消灭，不敢再进，回军。

18 隋王朝流亡政府（四任帝杨浩）大丞相宇文化及，率部众十余万，占据六宫，豪华奢侈，跟杨广时代完全相同。宇文化及每次在御帐中，面向南方而坐（只有帝王才面向南方而坐），有人进帐请示时，他一句话也不说，直等到下班离帐，才把各种请示文件取出来，跟唐奉义、牛方裕、薛世良、张恺等，一起讨论裁决。而把隋帝（四任）杨浩，交给国务院（尚书省），由国务院派卫士十余人严密看管；另派一位助理员（令史）送文件教杨浩签字，文武百官也不向杨浩朝见。抵达彭城郡（江苏省徐州市）后，运河不通（通济渠经彭城郡南境的埇桥〔安徽省宿州市〕），于是，再向民间搜刮车辆和牛只，共两千辆，用来装载宫女、珠宝，而武器铠甲，则全由士卒自己背负，道路遥远，身心疲惫，大家开始怨恨。

司马德戡暗中对赵行枢说："你大大的害了我（赵行枢建议拥护宇文化及当领袖），消灭灾乱，必须有英明的领导。宇文化及昏庸愚昧，一群卑劣的小人物又包围在他身旁，事情一定失败，有什么办法？"赵行枢说："这全看我们，罢黜他有什么困难！"最初，宇文化及掌握政权，封司马德戡当温国公爵，加授光禄大夫（九大夫之一，从一品），因他单独统御骁果武士，心里猜忌。所以，几天之后，宇文化及重新调整官职兵权，命司马德戡当国务院内政部长（礼部尚书），外表看起来升他高官，实际上是剥夺他的军权。司马德戡十分怨恨，把所获得的赏赐，统统用来贿赂宇文智及；宇文智及向宇文化及建议，才命司马德戡率后卫军一万余人，在后随从。于是司马德戡、赵行枢，跟将领李本、尹正卿、宇文导师等密商，准备用后卫军袭斩宇文化及，另行拥护司马德戡当盟主。派人前往联络变民首领孟海公（孟海公根据地在济阴郡周桥〔山东省菏泽市定陶区东南〕），作为外援，遂拖延下去，没有立即发动，一直在等候孟海公回信。许弘仁、张恺听到这项消息，报告宇文化及，宇文化及派宇文士及假装出去打猎，前往后卫军，司马德戡不知道密谋已经泄漏，出营迎接，宇文士及遂把他逮捕。宇文化及责备他说："我跟你同心合力，平定海内，可以说九死一生。而今大事刚刚完成，正是共享荣华富贵的时候，你为什么又要谋反？"司马德戡说："我们所以诛杀昏君（杨广），是因无法忍受他的荒淫暴虐；拥护阁下，希望救我们逃出水火，想不到阁下所作所为，比昏君更为严重。人心逼迫，不得不如此。"宇文化及下令绞死司马德戡，连同他的党羽，诛杀十余人。

变民首领孟海公畏惧宇文化及的强大，率领部众，满载酒肉迎接。

李密据守巩洛（河南省巩义市一带），拒抗宇文化及，宇文化及无法西上，率军前往东郡（河南省滑县），东郡副郡长（通守）王轨，献出郡城投降。

19 四月二十七日，李密的部将井陉（河北省井陉县西北）人王君廓，率领他的部众，投降隋王朝西京政府（大兴）。

王君廓本来是变民首领（参考去年〔六一七〕二月），有部众数千人，跟其他变民首领韦宝、邓豹联合，驻军虞乡（山西省永济市东虞乡镇）。李渊及李密分别派人招降，韦宝、邓豹打算追随李渊，王君廓假装同意，趁二人没有戒备，发动袭击，把二人击斩，夺取二人的粮秣辎重，投奔李密。可是李密对他并没有特别礼遇，王君廓遂再投降李渊。李渊任命他当上柱国（勋官一级〔旧制〕，从一品），代理河内郡（河南省沁阳市）郡长（遥领）。

20 梁王萧铣（首都巴陵郡〔湖南省岳阳市〕）宣布称帝，设立文武百官，一切遵循南梁帝国典章制度。追尊叔父萧琮（南梁帝国末任〔九〕帝）绰号孝靖皇帝、祖父萧岩绰号河间（忠烈）王、老爹萧璿绰号文宪王。把董景珍等功臣七人，都封王爵。派宋王杨道生攻击南郡（湖北省江陵县），攻克，遂迁都江陵（南郡郡政府所在县），整修南梁帝国旧有的皇家祖庙和皇家墓园（南梁自七任帝萧詧以降，都定都江陵，参考五五五年正月）。任命岑文本当立法院主任立法官（中书侍郎〔南梁帝国的官制〕），主管公私文书及政府机要。又派鲁王张绣前往岭南（南岭以南）夺取土地；隋政府将领张镇周、王仁寿等率军抵抗；但不久得到杨广被杀消息，就都向萧铣投降。钦州（广西钦州市）州长宁长真（参考五九七年冬季），也献出郁林郡（广西贵港市东）、始安郡（广西桂林市），归附萧铣。

汉阳郡（甘肃省礼县南）郡长冯盎（参考六〇一年十一月），献出苍梧郡（广东省封开县）、高凉郡（广东省阳江市）、珠崖郡（海南省海口市琼山区）、番禺（南海郡，广东省广州市），归附已称楚帝的变民首领林士弘（首都馀干〔江西省余干县〕。林士弘称帝时，岭南〔南岭以南〕一带已经归附，参考前年〔六一六〕十二月。或是之后又有变化）。萧铣、林士弘，都派人游说交趾郡（越南河内市）郡长丘和，丘和拒绝（丘和，参考六〇四年八月）。萧铣派宁长真率领岭南（南岭以南）部队，乘船舰攻击，丘和打算出城迎降，司法参谋官（司法书佐）高士廉建议丘和说："宁长真人数虽多，可是孤军远征，不能久停，我们城里现有的兵力，足可以抵挡，为什么听见风声，就被他控制！"丘和采纳，任命高士廉当军政官（司马），率水陆联合军团迎战，大破宁长真军。宁长真仅逃出一命，部众全被俘虏。可是不

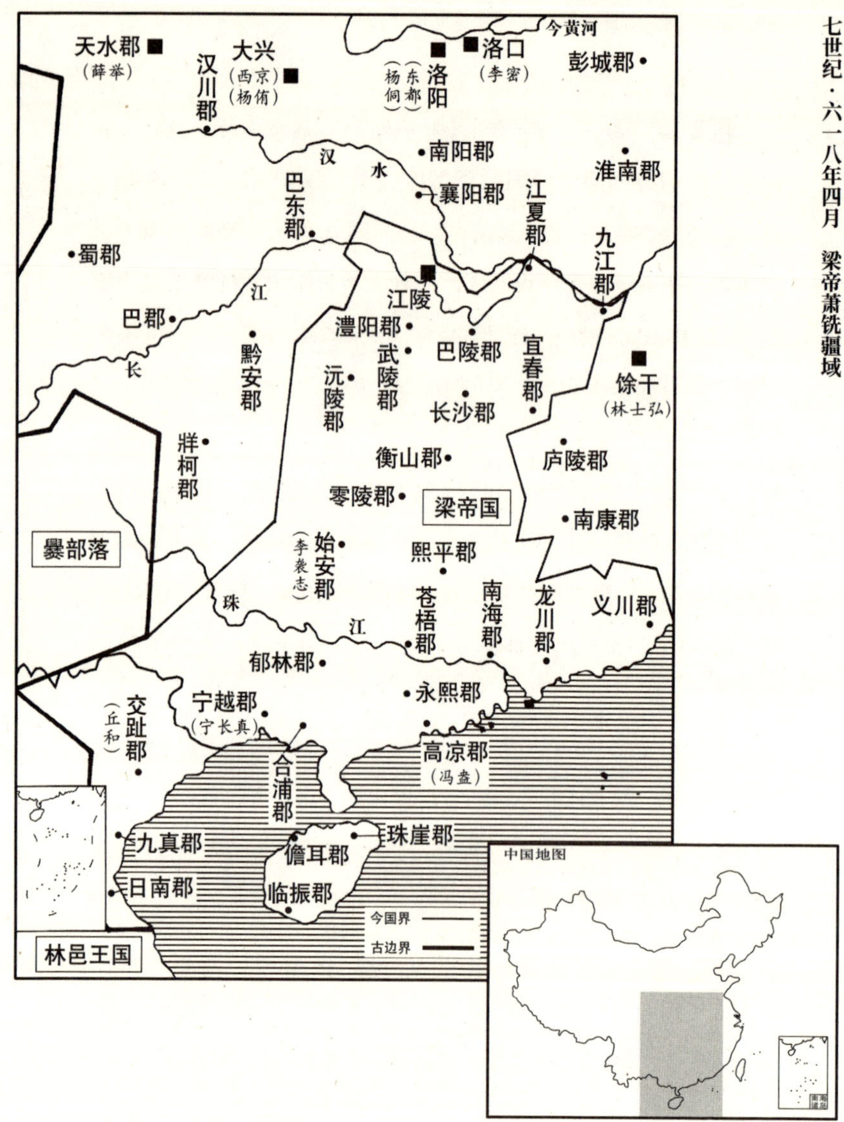

七世纪·六一八年四月　梁帝萧铣疆域

久，有骁果武士从江都（江苏省扬州市）逃到交趾郡（越南河内市），带来杨广被杀消息，丘和遂献出郡城，投降萧铣。高上廉，是高劢的儿子（高劢事，参考五七六年十二月）。

始安郡（广西桂林市）郡政府主任秘书（郡丞）李袭志，是李迁哲的孙儿（李迁哲事，参考五五四年五月）。隋王朝末期，李袭志拿出他的家产，招募勇士，集结三千人，用以保卫郡城。萧铣、林士弘、曹武彻，不断进攻，都不能攻克。后来，李袭志听到杨广被杀消息，率城中军民哀悼三天。有人游说李袭志，说："你是中州（中原）贵族（李袭志的祖先是陇西郡狄道〔甘肃省临洮县〕人，后来迁住金州安康〔陕西省安康市〕，此处云中原人，可能是李袭志炫耀门户），很久以来，当本郡郡长，无论中原人或蛮夷，都诚心悦服。而今隋王朝已没有领袖，四海之内，像滚水般翻动沸腾，以你的威望和对人民的恩德，在岭南（南岭以南）发号施令，赵佗的事业（参考前一九六年五月），可以坐在那里完成。"李袭志忿怒说："我们李家，世代忠贞，如今江都（已故隋帝杨广所在，江苏省扬州市）虽然覆没，政府仍然存在，赵佗狂妄僭越，怎么能羡慕效法！"打算诛杀说话的人，大家才不敢再发表意见。这样坚守两年，外面没有援军，城池陷落，被中兴的梁国皇帝萧铣俘虏。萧铣命李袭志当国务院工程部长（工部尚书），摄理桂州军区（总部设广西桂林市）总司令（检校桂州总管）。梁国版图：东到九江郡（江西省九江市），西到三峡（湖北及重庆交界），南到交趾（越南北部），北到汉川（汉水以南）；拥有常备军四十余万。

21 杨广被杀的消息传到西京大兴（陕西省西安市），唐王李渊恸哭，十分伤心，说："我面向北方事奉人主，道路隔绝，不能解救，又怎么敢忘记悲哀。"

22 五月，隋王朝西京政府（大兴）山南（秦岭以南）安抚慰劳特使（山南抚慰使）马元规，在冠军（河南省邓州市西北冠军村）攻击自称迦楼罗王的变民军首领朱粲，大破朱粲军（朱粲转战山南，参考六一五年十月）。

23 变民军首领王德仁（时在林虑〔河南省林州市〕）击斩魏公爵李密（首都金墉城）的特使房彦藻（参考本年〔六一八〕二月），李密派徐世勣讨伐，王德仁战败。

五月十日，王德仁与武安郡（河北省邯郸市永年区东南广府镇）副郡长（通守）袁子干，一同投降隋王朝西京政府（大兴），隋帝（三任恭帝）杨侑下诏任命王德仁当邺郡（河北省临漳县西南邺城镇）郡长。

24 五月十四日，隋王朝三任帝杨侑，把皇帝宝座禅让给唐王李渊，杨侑返回代王府居住。

五月二十日，唐王李渊（本年五十三岁）在太极殿（大兴殿）登极称帝（一任高祖。一个历时二百七十六年，可以和西汉、东汉王朝媲美的唐王朝开始），派国务院司法部长（刑部尚书）萧造，在大兴南郊，禀告上天，大赦，改年号武德（之前是隋义宁二年，之后是唐武德元年）。撤销郡政府，恢复州政府，郡长（太守）一律转任州长（刺史）。推演五行（金木水火土）的运转关系，认为“土”是唐王朝的幸运标志，所以黄色最为高贵（六〇七年改州为郡〔参考该年四月〕，施行十二年，今又改郡为州）。

25 杨广被杀消息传到东都洛阳（河南省洛阳市）。

五月二十四日，东都（洛阳）留守长官府官员，拥护越王杨侗（本年十五岁）登极称帝（五任），大赦，改年号皇泰（之前是大业十四年，之后是皇泰元年）。

当时，在金銮宝殿宣布诏书，因正处战争状态，无论官员或皇家眷属，当天就脱下丧服。杨侗追尊祖父杨广绰号明皇帝，庙号世祖；追尊老爹元德太子杨昭绰号成皇帝，庙号世宗；尊称娘亲刘良娣为皇太后。任命段达当最高监督长（纳言），封陈国公爵；王世充也当最高监督长（纳言），封郑国公爵（隋王朝监督院〔门下省〕设最高监督长〔纳言〕二人）；元文都当最高立法长（内吏令），封鲁国公爵；皇甫无逸当国务院国防部长（兵部尚书），封杞国公爵。又任命卢楚也当最高立法长（内史令。最高立法长〔内史令〕也是二人），郭文懿当副立法长（内史侍郎），赵长文当宫廷监督官（黄门侍郎），共同领导政府。当时号称“七贵”。

杨侗面貌清秀，眉目如画，温和厚重，性情慈爱，仪态庄严。

26 五月二十七日，东突厥汗国（瀚海沙漠群）始毕可汗（十一任大可汗）阿史那咄吉，派公爵（特勒）阿史那骨咄禄，朝见新建立的唐王朝政府，唐帝（一任高祖）李渊在太极殿摆设酒席欢宴，演奏九部音乐。

当时，隋朝难民很多逃到东突厥汗国。东突厥强盛，东自契丹部落（辽河上游）、室韦部落（内蒙古东北部），西至吐谷浑汗国（青海省）、高昌王国（新疆吐鲁番市东），都对东突厥臣服，武装战士多达一百余万。李渊最初聚众起兵时，突厥援助人员、武器、马匹、粮秣，前前后后赠送的，多到无法计算（参考去年〔六一七〕七月十八日）。突厥官员仗恃这项功劳，态度倨骄傲慢，每次派使节到大兴（陕西省西安市），都凶暴蛮横，李渊都特别容忍。

五月二十八日，李渊命裴寂、刘文静等，修订法律判例。设立国立贵族大学（国子）、国立中央大学（太学）、国立四门专科学校（四

门)，共招收学生三百余名。州县学校也各自分别招收学生。 620

六月一日，李渊任命赵公爵李世民当国务院总理（尚书令），黄台公爵李瑗当国务院司法部副部长（刑部侍郎），相国府秘书长（相国府长史）裴寂当国务院右执行长（右仆射）兼总国务官（知政事），军政官（司马）刘文静当最高监督长（纳言），总务官（司录）窦威当最高立法长（内史令），李纲当国务院内政部长（礼部尚书），裁决文官任免（参掌选事），管理官（掾）殷开山当国务院文官部副部长（吏部侍郎），助理官（属）赵慈景当国务院国防部副部长（兵部侍郎），韦义节当国务院内政部副部长（礼部侍郎），主任秘书（主簿）陈叔达、博陵郡（河北省定州市）人崔民干，共同当宫廷监督官（黄门侍郎，正四品），唐俭当副立法长（内史侍郎），机要军事参议官（录事参军）裴晞当国务院左秘书长（尚书左丞）；再任命隋王朝国务院财政部长（民部尚书）萧瑀当最高立法长（内史令），国务院内政部长（礼部尚书）窦琎当国务院财政部长（民部尚书），蒋公爵屈突通当国务院国防部长（兵部尚书），长安（首都长安西半城）县长独孤怀恩当国务院工程部长（工部尚书）。李瑗，是李渊的侄儿。独孤怀恩，是李渊的表兄弟。

李渊待裴寂特别优厚，所有官员都不能跟他相比，李渊赏赐裴寂的服装和珍贵玩物，多到无法记载，而又命宫廷总管署膳食管理官（尚食奉御，正五品），每天把皇帝吃的御餐，同样的送一份给裴寂，李渊出席金銮宝殿朝会时，一定拉裴寂坐在身旁，回皇宫时，一定教裴寂进入卧房。对裴寂的建议，没有一次拒绝，只称他“裴总管”（裴寂曾任晋阳宫总管〔宫监〕，参考去年〔六一七〕四月），而不呼唤他的名字。把普通行政工作，交给萧瑀，不论事情大小，统由萧瑀处理，萧瑀也小心谨慎，竭尽全力，纠举错误，处罚过犯，官员对他都很敬畏；很多人攻击他，他始终不作分辨。李渊曾经颁发命令，而立法院（内史省）却不立即颁布施行，李渊责备萧瑀动作迟缓，萧瑀回答说："本世纪（七）〇〇年代后期及一〇年代初期（杨广在位），立法院（内史）公布皇上所下命令，有时候前后相反，有关单位不知道应遵照哪一个，所以公布容易，施行困难，我在立法院（内史）的时间很久（萧瑀在隋王朝时就任副立法长〔内史侍郎〕，参考六一五年八月），看到过太多这类情事。而今，帝国基础渐渐奠立，每一件事都会影响安危，远方人士如果发生怀疑猜忌，恐怕伤害我们政府的成长，所以我每接到一个手令，一定详细研究审查，必须确定它跟从前的手令不相违背，才敢公布。延误的过错，原因在此。"李渊说："你用心这么仔细，我还有什么担心！"

最初，李渊派马元规到山南（秦岭以南）招降（参考本年〔六一八〕二月四日），南阳郡（河南省邓州市）郡政府主任秘书（郡丞）河东（山西省永济市）人吕子臧，坚守郡城，拒绝接受，马元规几次派使节前往解释，都被吕子臧斩首。后来，等到杨广被杀，吕子臧发布死讯，穿上丧服，完成哀悼礼节之后，才请求投降。李渊命他当邓州（南阳郡改）州长，封南郡公爵。

李渊命废除隋政府所颁法令规章（《大业律》），另行公布唐政府法令规章（隋王朝制《大业律》，参考六〇七年四月）。

李渊每天朝会时，都自称名字，还邀请高阶层官员同坐在一个席垫之上。刘文静劝告说："从前，王道有句话：'如果太阳跟地下万物一模一样，人民还怎么能仰望日光普照（参考三一八年三月）？'如今尊贵的陛下和卑贱的臣属，竟没有分别，不是正常现象。"李渊说："从前，刘秀（东汉王朝一任帝）跟老友严光（参考二九年十二月），同睡一床，严光把脚压到刘秀肚子上（《后汉书 · 严光传》："刘秀把严光接到内室，谈论往事旧情，整整一天，相聚一起，刘秀从容问说：'我比从前怎么样？'严光说：‘陛下比从前略微有点进步。’晚上，同榻而眠，严光的脚压到刘秀肚子上。明天，天文台长〔太史〕奏报：‘客星侵犯帝座，来势紧急！’刘秀笑说：‘是我跟老友严光睡在一起！”）而今，各位高阶层官员全都德高望重，又是我平生好友，当年欢聚之情，怎么可以忘记，你不要在意。”

柏杨曰

君王偶尔流露一点人性，不但没有人赞美，反而如刘文静之类马屁精，为了自己的一点官运，不惜砍掉那点人性，务使君王僵硬得像一个干尿橛。

这种自我作贱，并要求别人也跟着自我作贱的思想，是民主政治道路上的绊马索。

27 六月五日，隋王朝所属安阳（河南省安阳市）县长吕珉，献出相州（州政府设安阳），向唐政府投降。

唐政府任命吕珉当相州州长。

28 六月六日，唐帝李渊（首都长安。唐王朝把大兴城改称长安，一切恢复从前），把四代祖先的牌位，送进皇家祖庙（太庙）。

李渊追尊高祖父李熙绰号宣简公爵，曾祖父李天赐绰号懿王，祖父李虎绰号景皇帝、庙号太祖，祖母梁女士绰号景烈皇后，老爹李昞绰号元皇帝、庙号世祖，娘亲独孤女士绰号元贞皇后。追赠正妻窦女士绰号穆皇后。每年祭祀昊天上帝、土地神仙、神州（中国古九州地区）地仙，由祖父李虎分享香火。感生帝（含枢纽。参考五六一年正月）祭祀、皇家大会堂总祭，由老爹李昞分享香火。

六月七日，李渊封世子李建成当皇太子、赵公爵李世民当秦王、齐公爵李元吉当齐王；皇族黄国公爵李白驹当平原王、蜀国公爵李孝基当永安王、柱国（勋官二级〔旧制〕，正二品）李道玄当淮阳王、长平公爵李叔良当长平王、郑公爵李神通当永康王、安吉公爵李神符当襄邑王、柱国（勋官二级〔旧制〕，正二品）李德良当新兴王、上柱国（勋官一级〔旧制〕，从一品）李博乂当陇西王、上柱国（勋官一级〔旧制〕，从一品）李奉慈当勃海王。李孝基、李叔良、李神符、李德良，都是李渊的堂弟。李博乂、李奉慈，都是侄儿。李道玄，是堂侄。

29 六月十日，秦帝薛举（首都天水）攻击唐政府所属泾州（甘肃省泾川县），李渊命秦王李世民担任元帅，率八个总司令（总管）的军队抵抗。

30 唐帝李渊派畜牧部长（太仆卿）宇文明达，前往山东（崤山以东）招抚，命永安王李孝基当陕州军区（总部设河南省三门峡市）总司令（陕州总管）。当时，天下大乱还没有平定，凡是边疆或形势重要各州，都设立军区总司令部（总管府），统御几个州的军队（军区总司令部制度已废，参考六〇五年正月。如今恢复）。

六月十二日，李渊封逊位的隋王朝三任帝杨侑当酅国公爵（酅，音xī〔西〕），下诏说："近世以来，改朝换代，前代皇家亲族，都要全被屠灭。王朝的兴亡，岂在人力（指全是天意）！隋王朝皇族蔡王杨智积等子孙，都交给有关单位，依照他们的才能任用（杨智积，是隋王朝一任帝杨坚老弟杨整的儿子，参考前年〔六一六〕十二月）。"

31 隋王朝东都政府（洛阳）发现宇文化及（隋流亡政府大丞相）率军西进，全城震动，上下恐惧。有个名叫盖琮的人，上奏章给隋帝（五任）杨侗，建议游说魏公爵李密（首都金墉〔旧洛阳城西北角〕）跟东都政府（洛阳）合作，共同抵抗宇文化及。元文都对卢楚等说：“如今大仇（指杨广被杀）不能报，而兵力又单薄，如果能赦免李密，命他攻击宇文化及，两个盗匪互相残杀，我们就有机可乘。宇文化及既被击破，李密的军队也筋疲力尽。再加上他的将士贪图我们升官晋爵的赏赐，就很容易挑拨离间，连李密一并都能生擒活捉。”卢楚等都认为可以这么做，即命盖琮当高级监督官（通直散骑常侍，正四品），携带杨侗的诏书，前往游说李密。

32 六月二十三日，隋王朝信都郡（河北省衡水市冀州区）郡政府主任秘书（郡丞）东莱郡（山东省莱州市）人麴稜，向唐政府投降，唐政府命他当冀州（信都郡改）州长。

33 六月二十四日，唐政府万年县（首都长安东半城）司法官（法曹）武城（河北省故城县西南）人孙伏伽，上书唐帝李渊，指出：“隋王朝因为拒绝听到自己的过错，而告灭亡（事实直到本年〔六一八〕为止，隋王朝还没有亡，但站在唐政府立场，就硬说隋王朝已亡），陛下真龙天子，在晋阳（山西省太原市）腾飞，无论远近，群起响应，不到一年，就登上皇帝宝座。大家都知道陛下得来是如此容易，却不知道隋王朝失去天下也同样毫不困难。所以我认为应改善使隋王朝翻覆的车辙，充分了解民心。身为领袖者的一言一行，都不可以不特别谨慎。我曾经看见，陛下今天登位，明天就有人呈献雏鹞，这乃是少年时代的玩艺，圣明的君王怎么会有这种需要！而各种歌舞演艺、特技杂耍，都是使国家灭亡的淫荡声音。近来，祭祀部（太常）向民间借用妇女穿的长裙及短袄五百余套，充当歌女的衣服，打算五月五日在玄武门（宫城北面中门）外演出，这也不是一种使子孙可以效法的行为。

像这样的动作，都应该废除。无论是好习惯或坏习惯，都出于早晚不停的累积，最后使人在品质上改变。皇太子（李建成）和各位亲王左右幕僚，应该谨慎人选。如果家门之内，不能和睦，或平时从不做善事，专门喜爱奢侈豪华，迷恋声色犬马，都不可使他们接近皇太子和各亲王。从古到今，骨肉猜忌，互相仇恨，甚至败家亡国，没有一个不是因为有人在左右挑拨离间造成，但愿陛下慎重。”李渊看到奏章，大为高兴，下诏褒扬，擢升孙伏伽当诉讼监察官（治书侍御史，从五品），赏赐布三百匹，再把孙伏伽的奏章，远近传观。（玄武门外热闹到底禁止了没有，没有记载，而只记载孙伏伽建言之勇和李渊容忍之量，至于事情如何，却不关心，这是传统史学家的特征。）

六月二十八日，最高立法长（内史令）延安公爵（靖公）窦威逝世。李渊命建筑部长（将作大匠）窦抗兼最高监督长（兼纳言），宫廷监督官（黄门侍郎）陈叔达代理最高监督长（判纳言）。

34 隋王朝流亡政府（四任帝杨浩）大丞相宇文化及，把军用装备留在滑台（河南省滑县），命王轨（东郡〔郡政府滑台〕郡长）当国务院司法部长（刑部尚书），驻军守卫，自己率大军北上，直往黎阳（河南省浚县）进发。李密部将徐世勣据守黎阳（河南省浚县），畏惧宇文化及的声势，率军坚守仓城（黎阳仓保护城。徐世勣夺取黎阳仓，参考去年〔六一七〕九月六日）。宇文化及渡黄河，进入黎阳（河南省浚县），派军包围徐世勣。李密率步骑兵二万人混合兵团，驻扎清淇（河南省淇县东南），跟徐世勣用烽火联络，互相辉映，深挖壕沟，高筑营寨，不和宇文化及交战。宇文化及每次进攻黎阳仓保护城，李密就派军攻击他的后背。有一次，李密与宇文化及隔着淇水（古黄河支流）对话，李密举出一条条罪状，责备说：“你们宇文家本是匈奴人的家奴，姓破野头

（破野头随主人姓，才改宇文〔参考五五四年正月〕，故与北周帝国宇文皇族，不是一族），父子兄弟，都受隋王朝的厚恩，荣华富贵，一连几世，政府中还找不出第二家。领袖（杨广）品德有亏，你不能牺牲生命规劝匡正，反而成为叛逆，谋杀君王，还要篡夺宝座。不效法诸葛瞻的忠诚（参考二六三年十月），反而学习霍禹的恶行（参考前六六年），天下虽大，对你都不会收容，你将往哪里逃！如果能早日投降，至少还可以保留你的后裔子孙。”宇文化及低着头不言不语，看着地面，过了很久，忽然眼如铜铃，高声大叫说：“我跟你要说的是厮杀，谁要听你那一套书上的话！”李密对左右侍从说：“宇文化及蠢到这种程度，却异想天开企图称帝称王，看我折一根树枝把他赶得走投无路！”宇文化及大肆修筑攻城武器，逼近黎阳仓保护城，徐世勣到城外挖凿深沟，坚守城池，宇文化及被深沟阻挡，不能接近城墙。徐世勣更在深沟中挖掘地道，不断出军反攻宇文化及，宇文化及大败；李密军焚毁宇文化及所有攻城武器。

当时，李密跟东都（洛阳）对峙日久，东方又要拒抗宇文化及，一直恐惧东都（洛阳）出兵，将受前后夹击。所以，一见到盖琮来到，大喜过望，遂上疏给杨侗，请求归降，并愿讨伐宇文化及赎罪，于是派元帅府机要军事参议官（元帅府记室参军）李俭、上开府（勋官五级〔旧制〕，从三品）徐师誉等，押送掳自宇文化及的雄武指挥官（雄武郎将）于洪建，到东都（洛阳）朝见。杨侗下令把于洪建绑到左掖门外诛杀，用当年（六一四）诛杀斛斯政的酷刑（如果东都〔洛阳〕不跟李密合流，于洪建此时正是李密的贵宾，人世变局，往往如此）。元文都认为李密的投降出于真心诚意，就大肆装修宣仁门东侧的宾馆。杨侗接见李俭等，任命李俭当农林部长（司农卿），徐师誉当国务院事务秘书长（尚书右丞），派遣仪仗队作为前导，乐队跟随，从金銮宝殿返回宾馆，赏赐璧玉绸缎，及醇酒美肴，皇宫与宾馆间，宦官来往不断。杨侗正式任命李密当太尉（三公之一）、国务院总理（尚书令）、东南道中央特遣全权政府总监及大军元帅（东南道大行台行军元帅），封魏国公爵；命他先讨伐宇文化及，然后到东都（洛阳）辅佐中央。再任命徐世勣当右武候（十六禁军第六军）大将军（正三品）。同时下诏称赞李密的忠诚，强调说："军事行动的裁定及谋略，一律接受魏国公爵（李密）指挥。"

元文都对于跟李密和解，大为喜悦，认为天下灾难马上可以消除，就在上东门（洛阳东城北头门）摆设宴席，饮酒作乐，自陈国公爵段达以下，都翩翩起舞；但郑国公爵王世充严肃的对皇家生活记录官（起居郎〔二任帝杨广的官制无此官〕）崔长文说："竟把政府的官职爵位，拿去送给盗匪，他们想干什么！"元文都等也疑心王世充打算把洛阳献给宇文化及，因此二人开始猜疑，但是外表仍然保持和睦，假装亲密。

秋季，七月，杨侗派最高法院院长（大理卿）张权、藩属事务部长（鸿胪卿）崔善福，携带诏书，往见李密，诏书说："今天之前，双方争战，使节到达之后，双方心意已互相了解。中央政府的重大任务，等候你辅助推动，讨伐叛逆的大军，完全由你指挥。"张权等到达李密大营，李密面向北方叩拜，接受诏书。李密既没有西方的顾虑，于是把所有的精锐部队，投入东战场对付宇文化及。李密知道宇文化及的军粮就要吃完，就采取低姿态，跟宇文化及和解。宇文化及大喜，遂放任他的军队大吃大喝，认为李密定会供应。正巧，李密部属中有人犯罪逃亡，投奔宇文化及，把李密的阴谋泄漏，宇文化及暴跳如雷，而粮食也刚刚吃完，于是，挥军渡永济运河，向童山（河南省滑县北）李密大营，发动猛烈突击，自上午七时直到下午七时，杀声不绝，李密被流箭射中，从马背栽下，休克昏厥；左右侍从，都四散逃命，而追兵就要赶到，只剩下秦叔宝一人奋勇保护，李密得以逃出一死。秦叔宝再集结残兵败将，竭力抵抗，终于把宇文化及击退。

宇文化及进入汲郡（河南省淇县东），搜刮粮食，又派使节前往东郡（河南省滑县），逮捕官员平民，苦刑拷打，逼他们缴纳粮食。东郡副郡长（通守）王轨等无法承受这种暴行，派立法院助理立法官（内史省通事舍人，从六品）许敬宗，晋见李密，请求投降，李密任命王轨当滑州军区（东郡改滑州）总司令（滑州总管），留许敬宗当元帅府机要秘书（元帅府记室），跟魏徵共同主管文书。许敬宗，是许善心的儿子（许善心被杀，参考本年〔六一八〕三月十一日）。

房公爵苏威，居住东郡（河南省滑县），随着大众一同归降李密，李密认为他是隋王朝的高官，特别虚心谦卑相待。苏威看到李密，并不谈国家的灾难，而只三跪九叩，对李密说："再想不到，今天能见英明！"时人对他这种卑鄙行为，都看不起。

宇文化及听到王轨叛变，大为恐惧，遂撤出汲郡（河南省淇县东），率军北上，打算夺取北方各郡，他的部将陈智略，率岭南（南岭以南）骁果勇士一万余人，樊文超率江淮（华东地区）短矛勇士，张童儿率江东（太湖流域及钱塘江流域）骁果勇士数千人，都投降李密。樊文超，是樊子盖的儿子（樊子盖以对无辜人民残暴闻名于世，参考六一三年八月）。但宇文化及残余部众仍有二万人，于是继续北上，前往魏县（河北省大名县西南）。李密知道宇文化及已没有作为，遂西返巩洛（巩县〔河南省巩义市〕及洛口城〔巩义市东〕），留下徐世勣防备宇文化及反扑。

35 七月二日，唐政府宜州（陕西省铜川市耀州区）州长周超，攻击迦楼罗王朱粲（首都冠军），大破朱粲军。

36 七月四日，梁帝梁师都（首都朔方〔陕西省靖边县北白城则村〕）攻击灵州（宁夏灵武市），唐政府征兵府司令（骠骑将军）蔺兴粲，击破梁师都军。

37 西突厥汗国阙可汗（小可汗）阿史那达度，派使节前往唐政府首都长安归降。

最初，阿史那达度归降凉王李轨（首都武威），隋王朝西部蛮夷绥靖主任（西戎使者）曹琼，据守甘州（甘肃省张掖市），多方引诱，阿史那达度转而归降曹琼，共同抵抗李轨，被李轨击败，逃亡到达斗拔谷（即大斗拔谷，甘肃省山丹县南），跟吐谷浑汗国（青海省）互相支援（之前，李轨已把张掖郡〔后改甘州〕纳入势力范围，参考去年〔六一七〕七月。吐谷浑复国，参考明年〔六一九〕二月）。现在，再归附唐政府，但不久，被李轨消灭。

38 秦帝薛举（首都天水）进逼高墌（甘肃省泾川县东。墌，音zhǐ〔纸〕），斥候兵出现豳州（陕西省彬州市）、岐州（陕西省宝鸡市凤翔区），唐政府秦王李世民，深挖壕沟，高筑营垒，拒绝应战。正巧，李世民染上疟疾，就把军队交给最高监督长（纳言）兼大军秘书长（长史）刘文静、军政官（司马）殷开山，警告他们说："薛举一支孤军，深入我们国土，粮食不足，士卒疲惫，如果前来挑战，千万不可迎击。等我的病痊愈，再为你们破敌。"殷开山退出后，对刘文静说："大王（李世民）担心你不能完成任务，所以才吩咐这段话。盗匪（指薛举）听说大王（李世民）有病，对我们一定瞧不到眼里，我们应该展示武力给他们看看。"于是在高墌（甘肃省泾川县东）西南列阵，认为人多势强，竟没有戒备。

薛举暗中调动军队，向唐军背后发动突袭。

七月九日，秦军在浅水原（陕西省长武县北）击败唐军，唐军八个军区总司令（总管）同时溃败，士卒死亡十分之五六，大将军（勋官四级〔旧制〕，正三品）慕容罗睺、李安远、刘弘基，全都被杀。李世民率军返首都长安（陕西省西安市）。薛举遂占领高墌；收集唐政府军的尸体，筑成高台。刘文静等因此被开除官籍。 630

七月十二日，榆林郡（内蒙古托克托县）变民首领、永乐王郭子和（参考去年〔六一七〕三月），派遣使节到唐政府请求归降，唐政府任命他当灵州军区（总部设宁夏灵武市）总司令（灵州总管）。

39 隋王朝东都政府（洛阳）魏公爵李密，每次战胜，都派使节向隋帝（五任）杨侗奏报捷音，东都政府官员十分高兴；只有王世充告诉他的部属，说："元文都一帮不过舞文弄墨之辈，我观察这种形势，一定被李密生擒活捉。而且，我们官兵不断跟李密作战，杀死他们的父兄子弟，前后已经够多！一旦当他们的部下，我们势必一个不留。"用以激怒他的部众。

元文都得到消息，大为恐惧，遂跟卢楚等秘密定计，准备趁王世充朝见时，伏兵把他诛杀。段达性情愚昧而又胆小如鼠，恐怕事情万一不成，于是派他的女婿张志，把卢楚等的阴谋，告诉王世充。

七月十五日，午夜三更（十一时至次日一时），王世充率军袭击含嘉门。元文都听到事变，急入皇宫，请杨侗出登乾阳殿（东都宫正殿），派军守卫，命各将领关闭宫门抵抗。将军跋野纲（跋野，复姓）率军出战，遇到王世充，下马投降；将军费曜、田阇，在宫门外迎击，情势不利。元文都亲自率领宫中禁军，打算出玄武门，袭击王世充的背后，宦官署总监（长秋监〔杨广官制称"长秋令"〕）段瑜，声称一时找不到钥匙，时间遂被延误，而天色将明。元文都再打算率军出太阳门(宫城东门)迎击，等折回乾阳殿，王世充已从太阳门进入宫城。皇甫无逸抛弃娘亲和妻子儿女，砍开右掖门(宫城西门)，西奔长安(唐首都，陕西省西安市)。卢楚躲到宫廷膳食部皇家烹饪局（太官署），王世充的党羽把他捕获，押解到兴教门(皇宫南面三门东首门)，晋见王世充，王世充下令乱刀砍死；遂进攻紫微门。

杨侗派人登上紫微观（紫微门门楼），询问王世充："带兵来干什么？"王世充下马道歉，说："元文都、卢楚等，无缘无故要把我害死。请诛杀元文都，我甘愿受罚。"段达在杨侗旁，命将军黄桃树逮捕元文都，送给王世充。元文都对杨侗说："我今天早上死，晚上就会轮到陛下。"杨侗大哭，命他出城，元文都一出兴教门，政变军乱刀齐下，像砍卢楚一样，把他砍死；并诛杀卢楚、元文都所有儿子。段达又传达杨侗训令，大开宫门，迎接王世充入宫。王世充派他的部属接管所有宫廷侍卫，然后到乾阳殿晋见杨侗，杨侗对王世充说："你专权独断，擅自诛杀，可曾奏报？岂是做臣属的道理！你仗恃手握兵权，可敢杀我！"

柏杨曰

国剧中有《打渔杀家》一戏，当男主角萧恩携带女儿去诛杀恶霸复仇，准备再入江湖，临出发时，女儿把门锁好，又担心家具被人拿走，徘徊之间，萧恩长叹一声，说："我那不明白的儿啊！"使人悲伤。本年(六一八)，杨侗小娃不过十五岁，从没有面对过社会，纯洁得一如萧恩之女，所以竟然说出："你可敢杀我！"我们也忍不住长叹一声，说："你这个不明白的孩子啊。"

专制制度下的政治斗争，权在人在，权亡人亡，血腥扑面，立竿见影。失败的一方，逃生是例外，遇害是正常。面目如画的杨侗，又怎能了解？而我们对专制政治之所以深恶痛绝的原因，也正在此。

王世充伏地叩头，流泪悲哭，道歉说："我蒙先帝（杨广）提拔，即令粉身碎骨，都无法报答。元文都等心怀奸诈，打算召唤李密，危害帝国，痛恨我不肯合作，日积月累，对我猜忌。我为了救命，没有时间先行奏报。如果心有诡诈，辜负陛下，天地日月，可作见证，使我满门抄斩，一人不留。"声泪俱下。杨侗认为王世充出于至诚，命他升殿，面谈很久，遂即一同到后宫晋见皇太后刘女士；王世充解开头发（传统男子一向束发），披散两肩，指天发誓，誓言不敢怀有二心。杨侗遂命王世充当国务院左执行长（左仆射）、全国各军区总司令长官（总督内外诸军事）。

将近中午（七月十六日），又捕获赵长文、郭文懿，斩首。王世充巡城，向官员及武装部队解释诛杀元文都、卢楚的原因。王世充遂自含嘉殿移居国务院（尚书省），渐渐广结党羽，作威作福。任用他的老哥王世恽当最高立法长（内史令）；而自己入居皇宫，王家子弟们分别掌握军权，把行政部门分为十类，全由他的党羽主持。声势震动内外，没有人不向他归附。

隋帝杨侗整天呆坐在那里，无事可做。

40 李密打算前往东都（洛阳）朝见，走到温县（河南省温县），听到元文都等被杀消息，遂返基地金墉（旧洛阳城西北角）。

东都（洛阳）粮食缺乏，饥馑严重，私人铸的钱币，既多又劣，多数人都使用锡钱，钱薄得像一条细线，一斛米卖八九万钱。

最初，李密曾经是儒家学者徐文远的学生。徐文远任职隋王朝东都政府（洛阳）国立贵族大学校长（国子祭酒，从三品），亲自出城砍柴，被李密的军队俘虏。李密请徐文远面向南方而坐，李密仍以学生身份，面向北方叩头。徐文远说：“我既然受你的大礼参拜，怎敢闭口不言！不知道你的志向是什么，如果想效法伊尹、霍光，接续断绝的皇统，扶持倾危的政府，我虽然年迈迟暮，仍愿竭尽全力。如果想效法王莽、董卓，利用国家危机，夺取利益，你就根本用不上我。”李密叩头说：“昨天接到中央命令，命我位居上公（太尉，是三公之一），希望尽心尽力，拯救国家灾难，这是我本来的志愿。”徐文远说：“你是著名高官的儿子，迷失方向到今天这个地步，如果在没有走得太远的时候回头，仍不失为忠义之士。”

后来，王世充诛杀元文都等，李密再请徐文远指教，徐文远说：“王世充，也是我的学生，他这个人残忍凶暴，心胸狭窄；既然创造了这个机会，一定另有打算；你从前的抱负，恐怕无法成功。除非击破王世充，不可以前往东都（洛阳）朝见。”李密说：“我最初认为先生不过一介书生，不懂时事，而今坐在这里决定大计，竟如此英明！”徐文远，是徐孝嗣的玄孙（徐孝嗣被南齐帝国六任帝萧宝卷毒死，参考四九九年十月）。

41 七月十七日，唐帝李渊下诏，命把隋王朝各地所有离宫和游逛地方的设施，全部废除（杨广广设行宫，参考六〇五年三月）。

七月二十五日，李渊派黄台公爵李瑗，前往山南（秦岭以南）安抚慰勉。

七月二十六日，李渊任命隋王朝东都政府（洛阳）右武卫（十六禁军第四军）将军（从三品）皇甫无逸，当国务院司法部长（刑部尚书）。

42 隋王朝河间郡（河北省河间市）郡政府主任秘书（郡丞）王琮，坚守郡城，拒抗所有变民军的攻击。长乐王窦建德（首都乐寿）也曾围攻一年有余，不能攻克（窦建德围河间，参考去年〔六一七〕七月）。后来，王琮得到杨广被杀消息，率领官民祭祀追悼，城墙上的战士都放声痛哭。窦建德派使节前去致哀，王琮遂请使节转达他的归降请求，窦建德向后撤退三十华里，准备饮食接待。王琮谈到隋王朝之亡，匍匐在地，痛哭流泪，窦建德也陪同哭泣。各将领要求说："王琮长期跟我们对抗，我们的伤亡很重，他力量枯竭，不得不降，请把他烹杀。"窦建德说："王琮，是一位忠臣，我正要对他奖赏，用来勉励世人应该如何侍奉君王，怎么可以杀他！从前，我们在高鸡泊（河北省故城县东）当强盗，或许可以乱杀。而今，我们打算安抚人民，平定天下，怎么能残害忠良！"下令军中："先前跟王琮有仇，而敢轻举妄动的，屠灭三族。"任命王琮当瀛州（河间郡改瀛州）州长。于是河北（黄河以北）各郡县得到消息，争相归附窦建德。 634

从前，窦建德攻陷景城（河北省沧州市西），生擒县政府民政官（户曹）河东（山西省永济市）人张玄素，打算处死，县民一千余人哀号哭泣，请求替他受刑，说："张民政官清廉公正，没有人能和他相比，大王把他杀掉，用什么鼓励别人去做善事？"窦建德遂把张玄素释放，命他当诉讼监察官（治书侍御史），张玄素坚决推辞。等到江都（江苏省扬州市）政变消息传来，窦建德再命他当宫廷监督官（黄门侍郎），张玄素才接受。

饶阳（河北省饶阳县）县长宋正本，学问渊博，富有才华，向窦建德呈献平定河北（黄河以北）策略，窦建德把他当作智囊，遂定都乐寿（河北省献县），住处称金城宫，设置文武百官（乐寿原本就是窦建德基地，参考去年〔六一七〕正月五日）。

43 八月，秦帝薛举（首都天水）派太子薛仁果，围攻宁州（甘肃省宁县），唐政府任命的州长胡演，把薛仁果击退。郝瑗向薛举建议说：“而今，唐军刚被打败，关中（陕西省中部）人心骚动，正应该乘胜追击，直取长安（唐首都，陕西省西安市）。”薛举同意，不料薛举患病，计划中止。

八月九日，薛举逝世。太子薛仁果继承帝位（二任），驻军折墌城（甘肃省泾川县东。墌，音zhǐ〔纸〕），追尊薛举绰号武皇帝。

44 唐帝李渊，打算联合凉王李轨（首都武威），共同对付秦陇（秦帝薛仁果疆域），派密使前往凉州（即武威郡，甘肃省武威市），向李轨招降慰问，写信给李轨，把他称作堂弟。李轨大为高兴，命老弟李懋到长安（唐首都，陕西省西安市）朝贡。李渊任命李懋当大将军（勋官，正三品）；命藩属事务部副部长（鸿胪少卿）张俟德，携带正式皇家人事命令，前往任命李轨当凉州军区（武威郡改凉州）总司令（凉州总管），封凉王。

最初，唐政府任命安阳（河南省安阳市）县长吕珉当相州（州政府设安阳）州长（参考本年〔六一八〕六月五日）；而命相州州长王德仁当岩州（林虑改，河南省林州市）州长（当时称邺郡郡长，参考本年〔六一八〕五月十日）；王德仁大为怨恨。

八月十二日，王德仁引诱山东（太行山以东）特使（山东大使）宇文明达进入林虑山（林州市西北）诛杀，遂背叛唐政府（首都长安），归降隋王朝东都政府（洛阳）。

八月十七日，唐政府（首都长安）命秦王李世民当元帅，西击秦帝薛仁果（首都天水）。

八月二十五日，临洮（甘肃省临潭县）等四个郡，归降唐政府。

45 隋王朝江都郡（江苏省扬州市）郡长陈稜，找到二任帝杨广的灵柩，又找到宇文化及留下来的皇帝专用车辆及乐器，勉强凑和成一组天子丧葬仪队，把杨广埋在江都宫西郊吴公台（扬州市西北雷塘西侧）下，被杀的其他王爵公爵高官尸体，都埋在杨广墓旁。

46 隋王朝流亡政府（四任帝杨浩）大丞相宇文化及，离开江都（江苏省扬州市）时，任命变民军首领杜伏威，当历阳郡（安徽省和县）郡长（杜伏威占领历阳，参考去年〔六一七〕正月），杜伏威拒绝，而上书东都政府（洛阳）皇帝（五任）杨侗，杨侗命杜伏威当东方军区总司令官（东道大总管），封楚王。

变民军首领沈法兴（参考本年〔六一八〕三月二十七日）也上书杨侗，自称最高指挥官（大司马）、主管政府机要（录尚书事）、天门公爵（大司马、录尚书事，都是南北朝中，南朝的官制），代表皇帝行使职权，设置文武百官，任命陈杲仁当宰相（司徒），孙士汉当最高监察长（司空），蒋元超当国务院左执行长（左仆射），殷芊当国务院左秘书长（左丞），徐令言当国务院右秘书长（右丞），刘子翼当国务院文官部考选司长（选部侍郎），李百药当公爵府秘书官（府掾）。李百药，是李德林的儿子（李德林为一任帝杨坚怨恨事，参考五九〇年四月）。

47 九月，隋王朝襄国郡（河北省邢台市）副郡长（通守）陈君宾，归降唐政府，被任命当邢州（襄国郡改邢州）州长。陈君宾，是陈伯山的儿子（陈伯山，是陈帝国二任帝陈蒨的儿子，参考五六〇年七月）。

48 唐政府虞州（山西省运城市东北安邑街道）州长韦义节，攻击隋王朝河东郡（山西省永济市）副郡长（通守）尧君素，很久不能攻克，连续受到挫败。

九月十日，唐政府命国务院工程部长（工部尚书）独孤怀恩，接替韦义节。

49 李密诛杀翟让后（参考去年〔六一七〕十一月），开始对自己的智慧和魄力，沾沾自喜，也不再体恤他的部属。仓库存粮虽多，但财政困难，缺少钱币和绸缎，战士们有功，无法赏赐；而对新近归附的人，却过分优待，旧人相当怨恨。徐世勣曾经在一个宴会上，讽刺李密这些缺点，李密大不高兴，派徐世勣出镇黎阳（河南省浚县），外表是重用他，实际是对他疏远。

李密打开洛口仓（河南省巩义市东）散发粮食，并没有设立警卫，也没有负责官员，不需要证明文件，任何人都可以进仓搬运粮食，想搬运多少就搬运多少，有些贪婪之辈，拼命的搬，离开之后，却拿不动，就抛弃在大街小巷；自仓城到外城郭门，地上粮食堆积，厚达数寸，受人马车辆践踏；各地变民军连同他们的家眷，前来取米维生的，将近一百万人，大家没有瓦罐木盆，就用荆条编的箩筐淘米，稻米大量漏出，洛水两岸十华里之间，一眼望去，犹如白色沙滩。李密大喜，对贾闰甫说："这真可以称之为'足食'！"贾闰甫回答说："国家的基础是人民，人民的主宰是粮食。人民所以扶老携幼，像流水一样的前来投奔，因为主宰他们生命的粮食在我们这里。而主管官员对如此珍贵物品，竟毫不爱惜，让它这样糟蹋，我恐怕一旦粮食吃完，人民星散，你跟谁共同完成大业！"李密感谢贾闰甫的警告，命他兼任粮仓军事参议官（判司仓参军事）。

李密认为隋王朝东都政府（洛阳）军队不断被击败，力量微弱，内部文武官员又自相残杀，早晚定会陷落。东都（洛阳）王世充既然夺取大权，对战士优厚赏赐，整修武器装备，秘密计划消灭李密。当时，东都（洛阳）隋军缺少粮食，而李密军缺少衣服，王世充要求互通有无，李密考虑的结果，认为不应该同意。可是秘书长（长史）邴元真等却可在这项互相交易中得到好处，所以建议李密接受，李密只好接受。从前，东都（洛阳）人士投降李密的，每天以一百为单位计数，既得到李密的粮食，投降的越来越少，李密后悔，立刻中止。

李密击破宇文化及后，回军，精兵良马多半死在沙场，未死的士卒，也疲病交集（七月童山之战，史书平淡数语，竟如此激烈。宇文化及虽然愚劣，不足挂齿，但官兵全是骁果武士，诚不可当）。王世充打算利用李密这项危机，发动攻击，但怕人心涣散，于是大肆宣传说：左翊卫军（十六禁军第一军）卫士张永通，曾经三次梦见姬旦（周公），姬旦在梦中命张永通转告王世充：应该攻击变民集团。于是，王世充给姬旦盖了一座庙，每次出兵，都先到姬旦庙祈祷。不仅如此，王世充又命巫法师宣称：姬旦命王世充立即进攻李密，一定立下大功，否则瘟疫流行，士卒死光。王世充的部队大多是南方人，迷信这项妖言，纷纷要求出战。王世充严格挑选精锐，集结战士二万余人，战马二千余匹。

九月十日，王世充发动攻击，军旗上都有“永通”二字，阵容强大。

九月十一日，王世充抵达偃师（河南省洛阳市偃师区），在通济运河南岸扎营，运河上兴建三座桥梁（通济渠于今河南省荥阳市北注入黄河，并不经过偃师。应是“洛水”之误）。李密留王伯当防守金墉（故洛阳城西北角），亲自率精锐部队，向偃师东进，封锁邙山（洛阳城北）要道，严阵以待。

李密召集各将领举行军事会议，裴仁基说：“王世充倾巢而出，洛阳一定空虚，我们可派出一支军队，控制险要，使他无法再向东推进，然后挑选精锐战士三万人，沿洛水西上，逼近东都（洛阳），王世充如果回军，我们就按兵不动；他如果再出，我们就再进逼，如此，我们掌握主动，而他疲于奔命，一定可以将他击破。”李密说：“你的策略好极，然而，今天的东都（洛阳）军，有三项难以抵挡：武器精良，其一；决心深入我们心脏，其二；为了夺取粮食而战，其三。我们只要登城坚守，储蓄精力，等他上门。他想战不能战，想走没有路，不出十天，王世充的人头就送到我们军旗之下。”但陈智略、樊文超、单雄信，都说：“王世充的人数很少，而且不断受到挫败，胆都吓破，《兵法》说：‘人数超过敌人两倍，就应攻击’，何况我们超过他不仅两倍！而且，江淮（华东地区）新近归附我们的勇士，都希望抓住这个机会，建立功勋；趁他们战志高昂而使他们作战，可以发挥最大效果。”各将领随声附和，慷慨激昂，主张采取攻势的占十分之七八，李密为了顺从大多数人的意见，决心出战。裴仁基苦苦劝阻，李密不接受，裴仁基跺脚叹息说：“你一定后悔。”魏徵告诉秘书长（长史）郑颋（音tǐng〔挺〕）说“魏公爵（李密）在上次战役中虽然转败为胜，但勇将锐卒，多数战死；仍存在的人，士气低落；这两种情况，在克服之前，不能应战。而且王世充缺乏粮食，士卒宁愿死在疆场，难以跟这种军队硬碰硬较量。不如深挖壕沟，高筑城墙，用守势抵抗他的攻击，不过十天半月，王世充的粮食吃光，非撤退不可，届时加以追击，一定获得胜利。”郑颋说：“这是老生常谈！”魏徵说：“这是奇计妙策，怎么叫老生常谈！”把袖子一拂，站起来就走。

程知节率内翼骑兵部队，跟李密一同在北邙山（洛阳城北）上筑营，单雄信率外翼骑兵部队，在偃师（河南省洛阳市偃师区）城北筑营。

王世充派数百名骑兵渡通济运河(应是洛水)，攻击单雄信大营，李密派裴行俨与程知节增援单雄信。裴行俨抢先攻击敌阵，被流箭射中，从马上栽到地面；程知节奔上援救，格杀数名敌兵，王世充军不敢向前，程知节遂抱起裴仁俨，共跨一匹马返营，途中不断受王世充骑兵追逐，有一名骑兵一矛刺出，洞穿程知节铠甲，程知节转身抓住长矛，把矛杆折断，格杀追击的敌骑，终于跟裴仁俨一同逃出性命。正巧日落天暮，双方各自收兵。李密部下勇将孙长乐等十余人，都身受重创。

李密不久之前才击破剽悍的宇文化及，对王世充心存轻视，所以军营四周，不建城垒，没有防备。王世充乘夜派二百余名骑兵，暗中进入北邙山(洛阳城北)，潜伏水涧山谷之中，下令全军喂饱战马，早餐就在床头进食。

九月十二日，黎明，隋军将发动攻击，王世充向他的部众盟誓，说："今天之战，不但争一个胜负，而我们的生死，也在此一役，如果胜利，荣华富贵当然到手，如果不能胜利，没有一个人能逃过浩劫。所保卫的是自己生命，不仅单是保卫帝国，各位互相勉励。"天色亮后，率军进逼李密。李密出营应战，还没有列阵，王世充投出所有军队攻击，他所率部队，都是江淮(华东地区)勇士，杀出杀入，凶悍如飞。王世充事先准备一个面貌跟李密十分相似的人，用绳索捆绑，藏在隐密地方，等到大战正烈，命人把他牵着走过阵前，一齐鼓噪说："已捉住李密！"士卒都高呼万岁。埋伏水涧山谷间的伏兵，适时发动，居高而下，直扑李密御营，纵火焚烧篷帐房舍。李密的大军，霎时崩溃，部将张童仁、陈智略，都投降王世充。李密率一万余人奔向洛口(河南省巩义市东)。

入夜，王世充包围偃师(河南省洛阳市偃师区)，郑颋镇守偃师，他的部将翻城而出，迎接王世充进城。最初，王世充的家属留在江都（江苏省扬州市），随宇文化及抵达滑台（河南省滑县），又随王轨投降李密，李密把他们安置在偃师，打算招降王世充。现在，偃师城破，王世充看到他的老哥王世伟、儿子王玄应、王玄恕、王玄琼等，又俘获李密的将领及幕僚裴仁基、郑颋、祖君彦等数十人。王世充于是整顿军队，指向洛口（河南省巩义市东），擒获邴元真的妻子儿女、郑虔象的娘亲，以及李密各将领的子弟，王世充向他们一一安抚慰问，命他们暗中召唤父兄归降。

最初，邴元真在县政府当一名小职员，因贪污犯罪，逃亡，投奔瓦岗（河南省滑县东）变民军首领翟让，翟让因邴元真曾在政府机关当过职员，就命他负责文书工作。等李密设立总部，精选幕僚，翟让推荐邴元真当秘书长（长史），李密不得已，只好接受（这是去年〔六一七〕二月间的事），但军事计划，都不让他参与。李密在西方拒抗王世充，留邴元真镇守洛口仓（河南省巩义市东）。邴元真贪婪卑鄙，宇文温警告李密说："不杀邴元真，他一定会给你制造灾难。"李密不答话。邴元真听到消息，就暗中准备背叛；杨庆（郭庆，荥阳郡〔河南省郑州市〕郡长）得到报告，通知李密，李密固然一直都有疑心，而现在，李密将进入洛口城（河南省巩义市东），邴元真早已暗中派人迎接王世充。李密掌握这个情报，故意不作反应，而跟大家秘密会商，准备等王世充军队一半渡过洛水时，然后攻击。再也想不到，王世充大军抵达洛水对岸时，李密所派负责监视的斥候骑兵，竟没有发觉，等到发觉，通知李密攻击时，王世充大军已全部渡过洛水。单雄信等将领又在这个时候，备战自守，拒绝接受李密号令。李密知道已无法支持，即率直属轻骑兵部队，东奔虎牢（河南省荥阳市西北汜水镇），邴元真遂献出洛口城（河南省巩义市东），投降王世充。

最初，单雄信骁勇敏捷，精于马上使用长矛，威名压盖其他将领，军中给他起了一个绰号“飞将”。房彦藻认为单雄信聪明伶俐，从不执着效忠的对象，随时都会背叛，建议李密把单雄信除掉。李密爱惜他的才干，不忍下手。等到李密战场失利，单雄信果然率领部众，投降王世充。

李密打算投奔黎阳（河南省浚县），有人警告说：“格杀翟让的时候，徐世勣差一点就死（参考去年〔六一七〕十一月），而今你打了败仗，前去依靠，怎么能够安全！”当时，王伯当放弃金墉（旧洛阳城西北角），退守河阳（河南省孟州市），李密遂投奔河阳，召集军事会议，准备南以黄河为界，北以太行山为界，东方连接黎阳（河南省浚县），先求安定，再图发展。各将领异口同声说：“大军刚刚溃败，人心惶恐，如果继续停留在这里，恐怕纷纷逃亡，用不了几天，都会逃光。人心已去，不愿再战，难以成功。”李密说：“我所仗恃的是大家拥护，大家既然不愿继续作战，我已走到绝路。”打算自杀向大家赔罪，王伯当抱住李密，哭号昏迷，大家也都悲哀流泪。李密说：“各位如果不见弃的话，我们就一同投奔关中（陕西省中部，指唐政府）。我虽然没有功劳，但可以保证各位都能享受荣华富贵。”总部秘书（府掾）柳燮说：“明公（李密）与唐公爵（李渊）乃李姓同族，同时又有从前的友好盟约（参考去年〔六一七〕七月十八日），虽然没有和他并肩作战，然而在东方阻截东都（洛阳），断绝隋政府西上增援之路，使唐公爵（李渊）不经过战争就夺取大兴（隋西京，陕西省西安市），应是你的功劳。”大家一致说：“确实如此。”李密又对王伯当说：“将军的家族庞大，怎么能再跟我同行？”王伯当说：“从前，萧何率领他萧家子弟，追随刘邦（参考前二〇九年九月），我恨不得兄弟们全都参加，怎么会因你今天军事上失利，轻率走开？纵然在荒野被分

七世纪·六一八年九月
偃师之战·李密大败，投奔西京

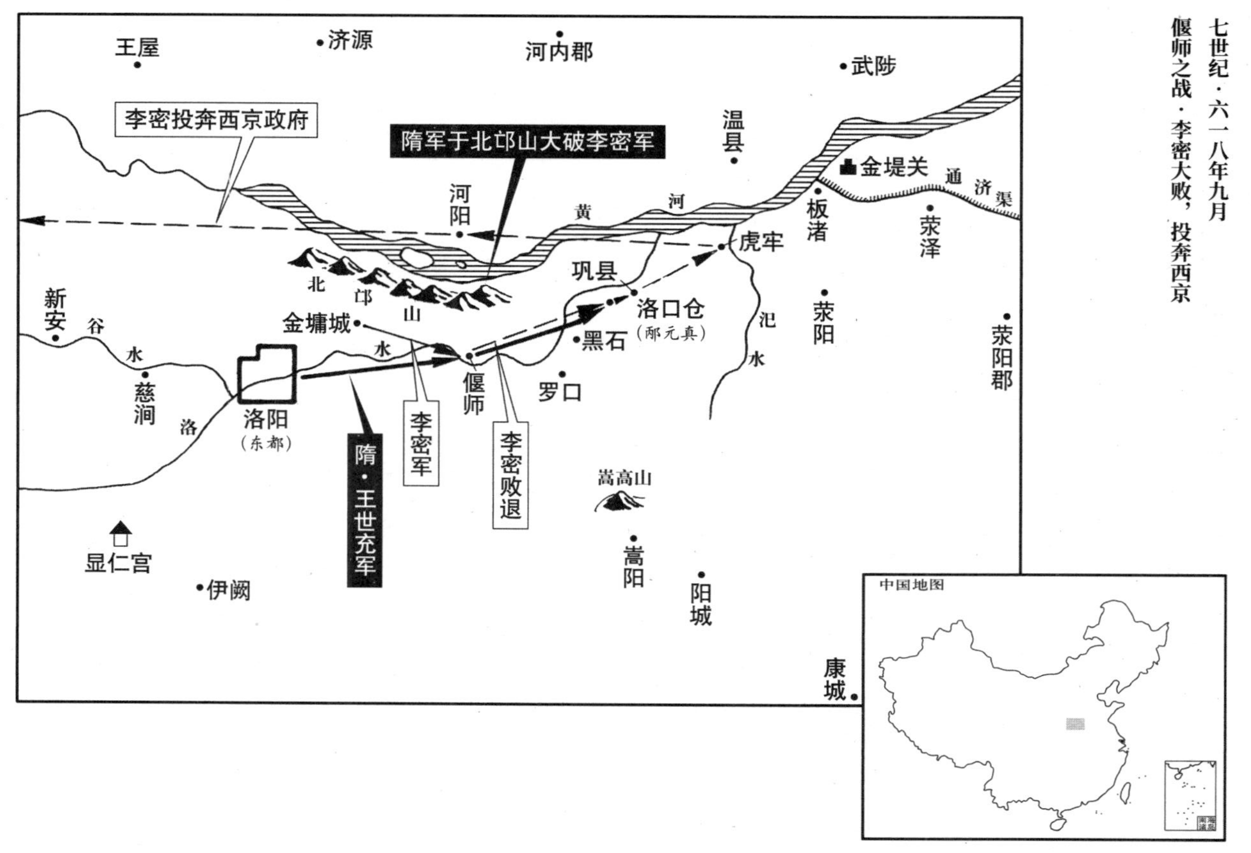

尸，也心甘情愿。”左右人员无不感动；于是，追随李密入关（潼关）的，有二三万人。李密既去，他所属的将领、元帅，以及州县政府，大多投降隋王朝东都政府（洛阳）。迦楼罗王朱粲（首都冠军〔河南省邓州市西北冠军村〕），也派使节投降，隋王朝东都政府（洛阳）皇帝（五任）杨侗，封朱粲当楚王（朱粲原臣属李密，参考本年〔六一八〕正月）。

50 九月十二日，唐政府秦州军区（总部设甘肃省天水市）总司令（空头官衔。此时秦州〔天水郡〕属薛仁果）窦轨，攻击秦帝（二任）薛仁果，失利。

征兵府司令（骠骑将军）刘感，镇守泾州（甘肃省泾川县），薛仁果包围州城，城中粮食吃完，刘感杀掉所骑的爱马，分给将士进餐，而刘感自己不吃一口，只把马骨头煮汁，羼拌碎木屑吞食；州城有很多次都几乎陷落，正巧长平王李叔良率军抵达泾州（甘肃省泾川县），薛仁果宣称他的军粮已尽，率军向南撤退。

九月十三日，薛仁果命高墌（甘肃省泾川县东）人假装献出高墌城（墌，音zhǐ〔纸〕），向李叔良诈降，李叔良派刘感率军前往接应。

九月十七日，刘感抵达高墌城下，敲门，城里的人说：“盗匪（秦军）已经逃掉，你们可翻城进来！”刘感命纵火烧门，城上的人用水灌下扑灭。刘感发觉是一个圈套，立即命步兵先行撤退，亲率精锐部队担任后卫。转眼之间，城上燃起三柱烽火，秦帝薛仁果率军自南原蜂拥而至，在百里细川（甘肃省灵台县达溪河支流）向唐军攻击，唐军大败，刘感被秦军生擒。于是薛仁果再包围泾州（甘肃省泾川县），命刘感告诉守军说：“援军已经失败，不如早早投降。”刘感承诺，既到城下，刘感高声呼喊，说：“盗匪（秦军）饥饿，灭亡就在早晚，秦王（李世民）率大军数十万人，从四面八方，正向这里集中，你们不要担忧，努力奋发。”薛仁果大怒，把刘感捆绑城下，用土埋到膝盖，然后骑马来回射箭，刘感更是大声诟骂，直到断气。李叔良登城固守，仅能自保。刘感，是刘丰生的孙儿（刘丰生死于颍川，参考五四九年四月）。

九月十八日，唐政府陇州（陕西省陇县）州长、陕县（河南省三门峡市）人常达，在宜禄川（陕西省长武县）攻击薛仁果，杀一千余人。

51 唐帝李渊（首都长安）派堂侄襄武公爵李琛、祭祀部长（太常卿）郑元璹，护送一批歌舞女郎，馈赠给东突厥汗国（瀚海沙漠群）始毕可汗（十一任大可汗）阿史那咄吉。

九月二十日，阿史那咄吉派公爵阿史那骨咄禄，再到唐政府报聘。

52 九月二十一日，白马（河南省滑县）道教道士傅仁均，制成《戊寅历》，奏报唐政府，唐政府批准施行。（之前，隋政府用《张胄玄历》〔《开皇历》〕，参考五九七年四月；之后，六〇四年改用刘焯《皇极历》、六〇八年改用《大业历》〔此二历，《资治通鉴》皆无记载〕。如今再改用《戊寅历》。）

53 秦帝薛仁果（首都天水）不断攻击常达，无法取胜，就派他的部将仵士政（仵，姓。音wǔ〔午〕），率数百人向常达诈降，常达待他十分优厚。

九月二十三日，仵士政抓住一个机会，令他的部属劫持常达，裹挟城中军队二千人，投降薛仁果。常达见薛仁果，言词态度，毫不屈服，薛仁果敬佩他的壮烈，把他释放。被称“奴贼”的将领张贵，问常达说：“你可认识我？”常达说：“你是逃亡的‘奴贼’，我当然认识！”张贵大怒，打算格杀常达，幸有人在旁解救，常达保住一命。

54 九月二十九日，唐帝李渊追赠隋王朝二任帝杨广绰号：炀帝。

55 隋王朝流亡政府（四任帝杨浩）大丞相宇文化及，率部众抵达魏县（河北省大名县西南），张恺（参考本年〔六一八〕三月）等打算除掉他，而密谋泄漏，宇文化及斩张恺等人，于是亲信心腹，全都杀光，军事力量更日益削弱，兄弟束手无策，再没有其他方法自救，只好每天聚在一起饮酒，由歌舞女郎在旁演奏。宇文化及每次喝醉，都怪宇文智及说："干这桩事，当初我并不知情，都是你的安排，强迫我当头头。而今干什么都不能成功，兵马天天逃散，头上又罩着'谋害君王'的罪名，天下之大，没有人接纳。弄得全族屠灭，岂不都由于你！"抱住他的两个爱子哭泣。宇文智及大怒说："当事情顺利的时候，你怎么不说这种话，现在眼看失败，却打算把罪状归到我身上，为什么不杀掉我投降窦建德！"反反复复，不断争吵，说话不分长幼，酒醒了再把自己灌醉，每天如此，部众很多逃亡，宇文化及知道一定失败，叹息说："人生终有一死，难道没有当皇帝的一天！"于是，毒死杨浩（年龄不详），宇文化及就在魏县（河北省大名县西南）登极称帝，国号许（宇文化及封许公爵），改年号天寿，设立文武百官。

56 冬季，十月一日，日蚀。

57 十月七日，唐帝李渊设宴招待东突厥阿史那骨咄禄公爵，请阿史那骨咄禄登上御座，跟自己并肩而坐，表示优待和宠爱。

李密西上，将到长安（唐首都，陕西省西安市），李渊派出欢迎及招待的使节，一个接连一个在路上奔驰。李密大喜，对他的部属说："我拥有百万大军，一旦解除武装，回归唐政府，山东（崤山以东）一连数百个城池，知道我在这里，派人前往征召，也会全部回归。比起东汉王朝的窦融，功劳并不算小，难道不给我一个宰相级（台司）的位置（窦融回归事，参考三六年十二月）？"

十月八日，李密抵达长安，有关单位的供应和接待，不再周到，李密部属士卒，甚至整天得不到饮食，大家开始怨恨。不久，李渊任命李密当宫廷膳食部长（光禄勋）、上柱国（勋官一级〔旧制〕，从一品），封邢国公爵。李密既不满意，而政府官员对他又很轻视，掌握权柄的人有的更来索取贿赂，李密心里大大不是滋味。只有李渊对他仍亲爱礼敬，称呼他"老弟"，把表妹独孤女士，嫁给李密为妻。

十月九日，李渊命右翊卫（禁军）大将军（正三品）淮安王李神通，当山东道（崤山以东）安抚特使（山东道安抚大使），山东（崤山以东）所有兵马，都受他指挥；再命宫廷监督官（黄门侍郎）崔民干当副特使。

邓州（河南省邓州市）州长吕子臧，跟抚慰特使（抚慰使）马元规（李渊派马元规事，参考本年〔六一八〕二月四日），攻击迦楼罗王朱粲（首都冠军），大破朱粲军。吕子臧警告马元规："朱粲新近战败，上下怕成一团，我们应全力攻击，一次就可以把他消灭，如果因循迟延，他们部众稍稍集结，力量强大而粮食吃尽，就会以死和我们相拼，灾祸恐怕难以抵挡。"马元规不同意。吕子臧请求率自己的部属单独出战，马元规也不准。不久，朱粲集合残兵败将，声势大震，就在冠军（河南省邓州市西北冠军村）自称楚帝，改年号昌达，进攻邓州（河南省邓州市）。

吕子臧捶胸叹息，对马元规说：“我老汉今天被你害死在这里！”朱粲包围南阳（邓州原称南阳郡），正巧阴雨不止，城墙倒塌。吕子臧的亲信劝吕子臧投降，吕子臧说：“天子所派的地方大员，怎么可以投降盗贼！”率部属出城攻入敌阵，战死。不久，州城陷落，马元规被杀。

58 十月十二日，王世充收集李密遗留下来的美女、珠宝及降卒十余万人，凯旋而回，把战利品陈列在东都（洛阳）宫门之下。

十月十四日，隋王朝东都政府（洛阳）皇帝（五任）杨侗，下诏大赦。

十月十五日，杨侗擢升王世充当太尉（三公之一）、国务院总理（尚书令）、全国各军区总司令长官（总督内外诸军事）；特准设立“太尉府”（“太尉”是最高荣誉官，位尊而无权，不开府，不设官属），任命文武官属，精选适当人物担任。王世充因裴仁基父子骁勇，对他们深为礼敬。徐文远再回东都（洛阳），看见王世充，一定先行叩拜。有人问他说：“你见李密时态度倨傲（参考本年〔六一八〕七月），对王世充却这么恭敬，什么原因？”徐文远说：“李密是正人君子，有包容的雅量，王世充乃一卑鄙的小人物，对故友旧人，照样下手，我怎么敢冒犯！”

59 李密所属总司令（总管）李育德，献出武陟（河南省武陟县。陟，音zhì〔至〕），投降唐政府；唐政府命李育德当陟州（武陟县改陟州）州长。李育德，是李谔的孙儿（李谔，参考五八四年九月）。其他将领：刘德威、贾闰甫、高季辅等，有的献出城池，有的率领部众，陆续向唐政府归附。

最初，北海郡（山东省青州市）变民首领綦公顺（綦，姓），率部众三万人，攻击郡城，已经攻克外城，继续进攻内城，城中粮食已经吃完，綦公顺自认为马上就可攻破，不再戒备。明经科及格学者刘兰成，集结城中骁勇青年一百余人，出城袭击（中国科举制度，从隋王朝开始，以后相沿到二十世纪清王朝灭亡，才随之灭亡。其中改变甚多，但最主要者有二，一是“进士科”，考试及格者称“进士”，一是“明经科”，考试及格者称“明经”。明经，即“明了儒家学派经典”之意，犹如二十世纪博士、硕士、学士学位一样，是一种资格标志），城中军队追随在后，綦公顺大败，放弃大营逃走，郡城遂获得保全。郡政府高官及有声望的豪门巨族，武装城中居民，分成六军，各自率领一军，刘兰成也率领一军。有一位宋书佐（书佐，官名，即从前的“参军”），挑拨离间说：“刘兰成深受人民拥护，一定对各位不利，不如把他诛杀！”大家不忍下手，只是剥夺刘兰成的兵权，把军队交给宋书佐。刘兰成恐怕大祸终要临头，出城逃亡，投奔綦公顺。綦公顺军中欢欣鼓舞，打算拥护他当领袖，刘兰成坚决辞让，綦公顺乃命他当秘书长（长史），军事行动都由他决定。住了五十余天，刘兰成在军中挑选健壮勇士一百五十人，前往北海郡（山东省青州市）抢劫抄掠。在距郡城四十华里处，留下十个人，命他们大量割草，分成一百余堆；距郡城二十华里处，又留下二十人，各人手拿大旗；距郡城五六华里处，又留下三十人，在险要地方埋伏；刘兰成亲自率十个人，夜晚前进，距郡城一华里许处埋伏；剩下的八十人，分别布置，约定：只要听见鼓声，就抢夺人口家畜，急行逃走，并及时燃烧草堆。明天早晨，城中守军远望没有尘烟，居民纷纷出城砍柴牧羊。中午时候，刘兰成率十人直扑城门，城上锣鼓大作，刘兰成部属听到，伏兵四起，抢夺牲畜一千余头，又俘虏砍柴和牧羊的人，撤退。刘兰成估计大家已经去远，才缓缓而归。城中虽然出军，可是恐怕变民军埋伏，不敢急追；又见前面大旗飞舞、火烟弥漫，更不敢前进。不久，城中发现刘兰成只不过一小撮人，大为后悔没有穷追猛打。这样过了一个月有余，刘兰成谋取郡城，改率二十人直扑城门，城中军民竞相出城追逐，还没有追逐十华里，綦公顺大军赶到，城中军民飞奔回城，綦公顺进军包围。刘兰成出面召唤，城中居民争相出城投降。刘兰成安抚老弱，慰劳幼小；对郡政府官员十分礼遇；见到宋书佐，也跟过去一样相待，并给他旅费，送他出境，内外平安。

当时，海陵（江苏省泰州市）变民首领臧君相，听说綦公顺占领北海郡（山东省青州市），率部众五万人，前来夺取。綦公顺的人马太少，大为恐惧。刘兰成替綦公顺拟定战略，说："臧君相现在距我们还相当远，一定没有戒备，请你率军加倍速度前进，袭击他的大营。"綦公顺接受，亲率骁勇将士五千人，携带干粮，加倍速度前进，将要接近时，刘兰成与敢死勇士二十人，充当斥候前行，距臧君相大营五十华里，看见臧君相士卒抢劫过后，身负肩挑抢劫到的东西回营，刘兰成跟他的部属，担着蔬菜、粮食、锅碗炉灶，假装也是臧君相的士卒，寻找空隙，一面走一面刺探军情，于是获知暗号，以及主将姓名；天色已晚，刘兰成跟臧君相士卒，并肩进入营区，挑着担子，绕营巡查一圈，完全了解实地情况，又得到夜晚巡查口令。然后找一个空地，烧起炉灶，煮饭进餐，等到三更（十一时至次日一时），忽然集结在主将帐前，乱刀齐下，格杀一百余人，臧君相军惊骇骚动，而綦公顺率大军适时赶到，猛烈攻击，臧君相仅逃出一命。綦公顺俘虏及斩杀数千人，掳掠臧君相的军资、辎重、粮食、铠甲、武器，班师。从此，綦公顺变民集团势力强大。李密据守洛口（河南省巩义市东）时，綦公顺率军归附李密。李密失败，再归附唐政府。

60 隋王朝末年时，各地变民纷纷聚众起兵，冠军（河南省邓州市西北冠军村）县政府武器管理官（司兵）李袭誉，游说西京（大兴）留守长官阴世师，派军控制永丰仓（陕西省潼关县北），发放粮食，赈济贫穷人民，拿出库藏的金银财宝，赏赐战士，传令郡县，一同讨伐变民军。阴世师不能接受；李袭誉再请求到山南（秦岭以南）招兵买马，阴世师同意。李渊攻克大兴（隋西京，陕西省西安市），把李袭誉从汉中（陕西省汉中市）召回，担任库藏部副部长（太府少卿）。

十月二十四日，李渊承认李袭誉是皇族一分子，将名字列入皇家族谱，移送皇族事务部（宗正）存证。李袭誉，是李袭志的老弟（李袭志，守始安，参考本年〔六一八〕四月）。

61 十月二十五日，楚帝朱粲（首都冠军〔河南省邓州市西北冠军村〕）攻击淅州（河南省西峡县）。唐政府派祭祀部长（太常卿）郑元琦，率步骑兵一万人反击。

62 本月（十），唐政府任命最高监督长（纳言）窦抗，当左武候（十六禁军第五军）大将军（正三品）。

63 十一月四日，凉王李轨（首都凉州）登极改称凉帝，年号安乐。

64 十一月七日，李密任命的滑州军区（总部设河南省滑县）总司令（滑州总管）王轨，献出滑州，归降唐政府（王轨降李密事，参考本年〔六一八〕七月）。

65 秦帝薛仁果（首都天水）当太子的时候，跟很多将领都不和睦，后来登上皇帝宝座，各将领内心都很猜疑恐惧。郝瑗哭悼薛举，悲哀过度，一病而死，因之国势逐渐没落（郝瑗是薛举的智囊，参考去年〔六一七〕十二月）。唐政府（首都长安）秦王李世民，率军抵达高墌（甘肃省泾川县东。墌，音zhǐ〔纸〕），薛仁果命宗罗睺率军抵抗，宗罗睺不断挑战，李世民紧闭营门不出，各将领都请迎战，李世民说："我们刚刚受到挫败（指浅水原之役，参考本年〔六一八〕七月），士气不振，盗匪（薛仁果）仗恃最近的胜利，对我们相当轻视，自应该关闭营垒，等待时机。他们骄傲，我们奋发，可以在一次战役中，把他克制。"于是下令军中："胆敢请求攻击的，斩首！"对峙六十余日，薛仁果的粮食吃完，部将梁胡郎等，率领部队向唐军投降。李世民知道秦军将领已经离心，命大军作战司令（行军总管）梁实，驻军浅水原（陕西省长武县北），作为诱饵。宗罗睺果然大喜，出动所有精锐部队，猛烈进攻，梁实坚守险要，不出应战，而营中缺水，人马滴水不进，长达数日之久，而宗罗睺攻势更加猛烈。李世民揣测秦军已经疲惫，对各将领说："作战时候已到！"天色将亮，命右武候（禁军）大将军（正三品）庞玉，在浅水原列阵，宗罗睺集中兵力攻击庞玉，庞玉应战，几乎不能支持；李世民亲率大军，在浅水原北突然出现，宗罗睺率军反击。李世民率骁勇骑兵数十人，首先攻入敌阵，内外奋勇攻击，呐喊声震动天地，宗罗睺军崩溃，被杀数千人。李世民率二千余名骑兵追击，窦轨拉住马缰，苦苦劝阻，说："薛仁果仍据守坚城，虽然击破宗罗睺，但绝不可以轻率前进，请按兵不动，静观变化。"李世民说："我考虑很久，现在正是破竹的形势，只要追击，一切可以迎刃而解，机不可失，舅父不必多说！"遂前进。

薛仁果在城下列阵，李世民在泾水旁扎营（泾水流经浅水原北），薛仁果属下勇将浑干（浑，姓）等数人，就在阵前向唐军投降。薛仁果恐惧撤退，回城坚守，傍晚，唐政府大军随后赶到，包围高墌城（甘肃省泾川县东）。午夜时候，守军将士争相从城上下来投降。薛仁果无计可施。

十一月八日，薛仁果出城投降，李世民接收精锐士兵一万余人，居民男女五万人。

各将领都向李世民道贺，乘机提出疑问，说："大王第一次攻击，就获得胜利，竟然不带步兵，不带攻城武器，只率轻装备骑兵，直抵高墌（甘肃省泾川县东）城下，大家都认为不可能攻克，却终于攻克，什么缘故？"李世民说："宗罗睺的部众，都是陇外（陇山以西）人，将领骁勇，士卒剽悍，必须出其不意，才能把他击破，所以斩杀及俘虏，并不太多。如果情势稍缓，他们都撤退到城里，薛仁果加以安抚重用，就不容易制服；所以我才急于进攻，他们一旦四散，就纷纷逃回陇外（陇山以西），自会引起高墌惊恐，薛仁果胆裂，来不及仔细思考，只能仓猝反应，因此把他攻克。"大家心服口服。李世民所俘虏的降卒，全交给薛仁果的兄弟及宗罗睺、翟长孙等率领，跟他们在一起打猎射箭，丝毫没有猜忌，变民军首领们畏惧声威，感激恩德，都愿为他牺牲。李世民听说褚亮的名声，到处寻找，终于找到，对他很是礼遇，命他当王府教育官（王府文学）。

唐帝李渊派使节告诉李世民说："薛举父子，杀死我们很多士卒，定要把他的同党全部诛杀，安慰冤魂。"李密劝阻说："薛举凶暴，滥杀无辜，灭亡的原因在此，陛下何必怨恨！诚心归附的人，不可以不安抚。"李渊才改命只斩领头的人，其他全都赦免。

李渊派李密前往豳州（陕西省彬州市）迎接秦王李世民。李密一向自负智慧谋略和所建立的功业，即令面对李渊，也掩饰不住傲慢脸色，可是，一见李世民，不觉震惊佩服，私下对殷开山说："真是

七世纪・六一八年七月至十一月
折墌城之战・李世民击破薛仁果

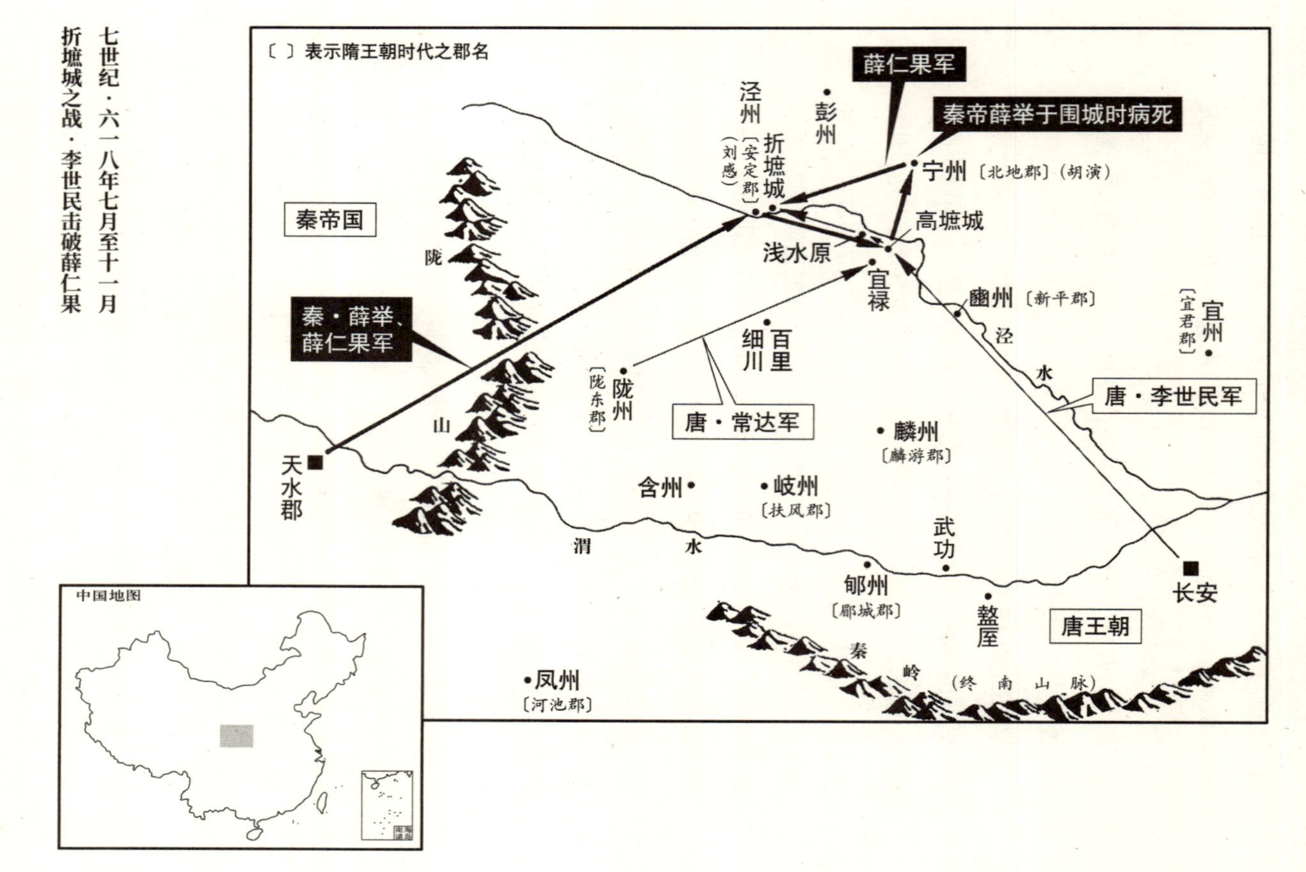

英明领袖，不这样，又如何平定祸乱！”

李渊下诏，命编制外高级监督官（员外散骑常侍）姜谟，当秦州（天水郡改称，甘肃省天水市）州长；姜谟用恩德诚信安抚居民，变民们全都回归自首，社会安定。

66 黎阳（河南省浚县）守将徐世勣，据有李密旧有地区（看这种情形，李密如不仓惶西走，仍有复兴可能），还没有归属。魏徵随李密前往长安（唐首都，陕西省西安市），很久不被政府重视，乃自己请求前往山东（崤山以东）招抚，李渊命他当皇家图书院主任秘书（秘书丞，正五品），乘政府驿马车前往黎阳（河南省浚县），写信给徐世勣，劝他早降。徐世勣遂决定向西方归附，对秘书长（长史）阳翟（河南省禹州市）人郭孝恪说：“这里的人民和土地，都是魏公爵（李密）所有，我如果上疏呈献给唐政府，是利用领袖失败机会，把它当作自己的功劳，去博取荣华富贵，这种行为十分可耻。而今应开列郡县、户籍、人口、军队、马匹的数目，报告魏公爵（李密），由他自己呈献。”乃派郭孝恪前往长安，一面运送粮食，供应淮安王李神通（李神通安抚山东事，参考本年〔六一八〕十月九日）。李渊听说徐世勣的使节抵达，却没有奏章，而仅有报告呈递李密，大为惊奇。召见郭孝恪，郭孝恪把徐世勣的本意作一说明，李渊叹息说：“徐世勣不忘恩，不求功，是真正忠臣！”赐徐世勣姓李。命郭孝恪当宋州（河南省商丘市）州长（空头官衔，此时宋州属隋王朝东都政府〔洛阳〕），派他会同李世勣（徐世勣），一同谋取虎牢（河南省荥阳市西北汜水镇）以东土地，所得到的郡县，由他们全权委任官吏。

十一月十二日，独孤怀恩攻击据守蒲阪（山西省永济市）的河东郡（郡政府蒲阪）副郡长（通守）尧君素，大军作战司令（行军总管）赵慈景，娶李渊的女儿桂阳公主，被尧君素擒获。尧君素下令就在城外把赵慈景斩首，表示决不投降。

十一月二十二日，秦王李世民，班师返抵长安（唐首都，陕西省西安市），把薛仁果绑到街市斩首；赏赐常达绸缎三百段（四匹为一段；但唐制，凡赐十段，包括绢〔粗厚绸缎〕三匹、布〔棉织品〕三匹、绵〔丝棉〕四包）。追封刘感为平原郡公爵，绰号忠壮公。在金銮宝殿上，把仵士政乱棍打死。因“奴贼”张贵尤其淫虐凶暴，腰斩。李渊犒劳将士，顺便对文武百官说：“我在各位辅佐之下，建立帝王大业，天下能够太平，我们就能够永葆荣华富贵，王世充（隋东都政府太尉）成功的话，各位难道还有后代子孙！像薛仁果君臣之类，应该是前车之鉴。”

十一月二十八日，李渊任命刘文静当国务院财政部长（民部尚书），兼中央驻陕东道特遣政府左执行长（领陕东道行台左仆射）；恢复殷开山爵位（二人都因浅水原之败开除官籍）。

67 李密习惯于高高在上的骄傲富贵生活，而又自认为主动归附唐王朝，有很大功劳，唐政府对他的酬庸，距离他的希望太远，一直闷闷不乐。有一次，中央举行扩大会报，李密身为宫廷膳食部长（光禄勋），负责筹划上菜递酒工作，深感羞辱。出宫后，告诉左武卫（禁军）大将军（正三品）王伯当，王伯当心里也有一种失望情绪，乘势对李密说：“天下大势，都在你的胸襟之中，而今，东海公爵（徐世勣）在黎阳（河南省浚县），襄阳公爵（张善相）在罗口（河南省巩义市西南），河南（黄河以南）可以调动的兵马，计算得出来，怎么能这样待下去！”李密大喜，于是向李渊建议说：“我凭空接受陛下赏赐宠爱荣耀，坐在京师（首都长安），没有一点回报。山东（崤山以东）各地变民军首领，都是我从前的部属（参考去年〔六一七〕二月），请让我前去安抚招降，仗恃国家威望，生擒王世充，如同从地上捡起一根草！”李渊也听说李密从前将领，大多不肯顺从王世充，正打算派李密前往争取他们归附。但文武官员多半反对，劝阻说：“李密性情狡猾，喜爱谋反，如今派他前往，就好像把鱼投到大海，把虎放回深山，一定不再回来。”李渊说：“帝王自是上天注定，不是随便一个小娃就能夺取，即令他叛变逃走，也不过‘蒿箭射入蒿草’（当是七世纪谚语，蒿草遍地皆是，既无用处，又不值钱，但制成箭杆，就成了受人尊重的武器。蒿箭射入蒿草，弃贵就贱，回到原状）。而且他们互斗，我们正可以坐在这里等候成果。”

十二月一日（原文误置于十一月），李渊正式命李密前往山东（崤山以东）号召旧日部众，李密请求携带贾闰甫同行，李渊批准。在为李密饯行时，李渊命李密、贾闰甫一同登上御座，坐在自己身旁，李渊亲递饭菜，又向他们敬酒，说：“我们三人同时喝下这杯酒，向神灵表明三人一心。希望你们好好建立功名，不要让我失望。大丈夫一言出口，千两黄金都不能改变。确实有人坚决反对我弟（李密）前往，我一颗赤心待你，任何人都无法挑拨离间。”李密、贾闰甫叩头接受。李渊又派王伯当当李密的副手，一同启程。

68 长乐王窦建德，定都乐寿（河北省献县），忽然有五只大鸟降临，数万只小鸟随从，停留一天余才飞走。窦建德认为是一种祥瑞，遂改年号五凤（之前是丁丑二年，之后是五凤元年）。

一位宗城（河北省威县东）人得到一个墨色的上尖下方玉器（玄圭），呈献窦建德。宋正本和景城（河北省沧州市西）县政府主任秘书（丞）会稽（浙江省绍兴市）人孔德绍，都说：“昊天上帝当初赏赐给姒文命（夏王朝一任帝禹帝）的，就是这种宝物（事实上赏赐给姒文命“玄圭”的，不是昊天上帝，而是黄帝王朝六任帝伊祁放勋)，请改国号称夏。”窦建德批准。命宋正本当最高监督长(纳言)，孔德绍当立法院副立法长(内史侍郎)。

最初，燕国漫天王王须拔，劫掠幽州(北京市)，被流箭射死；他的部将、绰号历山飞的魏刀儿，接管王须拔的部众，据守深泽(河北省深泽县)，辗转劫掠冀州(信都郡，河北省衡水市冀州区)、定州(高阳郡，河北省定州市)之间，部众多达十万，于是自称魏帝(王须拔、魏刀儿起兵事，参考六一五年二月)。窦建德假装跟他结盟，魏刀儿不再严密戒备，窦建德发动袭击，把他击破，遂包围深泽(河北省深泽县)；魏刀儿的部将生擒魏刀儿投降，窦建德把魏刀儿斩首，吞并他所有部众。

易州(上谷郡，河北省易县)、定州(河北省定州市)都投降窦建德，只有冀州(河北省衡水市冀州区)州长麹稜不降。麹稜的女婿崔履行，是崔暹的孙儿(崔暹事，参考五四三年正月)，声称他有奇异法术，可以使攻城的军队自己溃败，麹稜深信不疑。不久，窦建德攻城，崔履行命守军士卒全都坐下，不可以擅自迎战，警告说：“盗匪(窦建德军)就是爬上城墙，你们也不要害怕，我有法术教他们自相捆绑双手。”于是，建立高台，夜晚，焚烧呈递昊天上帝的奏章，祭祀神灵，然后崔履行身穿麻布丧服，手拿竹杖，登上北城门楼，纵声大哭；又命妇女登上各家屋顶，向四方掀动衣裙。夏军攻势猛烈，麹稜将要出战，崔履行坚决阻止。不久，州城陷落，而崔履行的哭声还没有停止。窦建德召见麹稜说：“你是忠臣！”优厚相待，命他当最高立法长(内史令)。

69 十二月二日，唐帝李渊任命秦王李世民当太尉(三公之一)、“使持节”、中央驻陕东道特遣全权政府总监(陕东道大行台)；蒲州(桑泉，山西省临猗县西临晋镇)、河北(黄河以北)各军区武装部队，全受指挥（蒲州原指河东郡〔蒲阪，山西省永济市〕，但因郡城仍不投降唐政府，遂把州政府暂设于桑泉）。

70 十二月三日，西突厥曷娑那可汗（一任大可汗）阿史那达漫，脱离许帝宇文化及（首都魏县），投奔唐政府（阿史那达漫被逼随杨广出游，参考六一二年正月）。

71 隋王朝河东郡（山西省永济市）副郡长（通守）尧君素，保卫郡城（蒲阪）。唐帝李渊派吕绍宗、韦义节、独孤怀恩，相继进攻，都不能攻克，但包围圈越发紧缩，尧君素制造木鹅，把奏章装到木鹅脖子里，详细分析世局，顺黄河漂流而下。河阳（河南省孟州市）隋军捞起来，呈报东都政府（洛阳）。隋帝（五任）杨侗看到，只有叹息，无可奈何，最后，擢升尧君素当金紫光禄大大（九大夫之四，正三品）。

庞玉、皇甫无逸（参考本年〔六一八〕七月）脱离东都政府（洛阳），投奔唐王朝（首都长安），李渊先后派他们到河东（山西省永济市）城下，向尧君素陈述利害，尧君素拒绝。李渊又赏赐金券，承诺永远赦免他的死罪。尧君素的妻子也到城下，对他说："隋王朝已经灭亡，你何必自找痛苦。"尧君素说：天下名分和大义，不是你们妇女所能知道。"拉弓射箭，弦声响处，妻子倒地而死。尧君素自己也知道没有希望，然而立志一死，每谈到国家大事，没有一次不悲痛哭泣，对将士说："领袖（杨广）当亲王的时候，我就事奉他，在大义上不得不死。如果隋王朝终于结束，天心另选君王，我自当把头砍掉，交给各位，任凭各位拿它去换荣华富贵。现在城池坚固，粮食及军用物资，都十分丰富，前途仍不能肯定，不可以横生二心！"尧君素性情严厉清廉，有控制群众的能力，所以部属不敢背叛。然而，长久下来，粮食耗尽，居民互相格杀吞食（人间惨事）。又掳获外面的人，稍微知道杨广已被诛杀。

十二月六日，尧君素左右侍从官员薛宗、李楚客，刺死尧君素，投降唐军，把尧君素的人头送到长安（唐首都，陕西省西安市）。

之前，尧君素派朝散大夫（九大夫之九，从五品）解县（山西省运城市西南解州镇）人王行本，率精锐战士七百人，驻扎别的地方。王行本得到尧君素危急消息，回来营救，已来不及，遂搜捕薛宗、李楚客等同党数百人，全部诛杀，再登城拒守。唐军独孤怀恩率军再行包围。

72 十二月七日，隋王朝襄平郡（辽宁省朝阳市东北）郡长邓暠，献出柳城（营州，辽宁省朝阳市）、北平（河北省卢龙县）二郡，投降唐政府（邓暠原是罗艺部属，参考前年〔六一六〕十二月），唐政府任命邓暠当营州军区（总部设辽宁省朝阳市）总司令（营州总管）。

十二月十一日，唐政府祭祀部长（太常卿）郑元璹，在商州（陕西省商洛市商州区）攻击变民首领、楚帝朱粲（首都冠军），大破朱粲军。

73 最初，许帝宇文化及（首都魏县），派使节向据守幽州（北京市）的变民首领罗艺招降，罗艺说："我是隋王朝的官员。"斩使节，发布杨广死亡消息，哀悼三天。夏王窦建德（首都乐寿）、变民高开道（时在渔阳一带），也各派使节招降，罗艺说："窦建德、高开道，都是巨盗。我听说唐公爵（李渊）已平定关中（陕西省中部），得到人民拥护，这才真是我的领袖，我将向他归附，胆敢破坏这项决定的，斩首！"正巧，唐政府（首都长安）派张道源安抚山东（崤山以东）人民（参考去年〔六一七〕十二月七日），罗艺呈递奏章，连同渔阳（天津市蓟州区）、上谷（河北省易县）等郡，向唐政府投降。

十二月十三日，李渊下诏任命罗艺当幽州军区（总部设北京市）总司令（幽州总管）。薛万均，是薛世雄的儿子（薛世雄死事，参考去年〔六一七〕七月），跟老弟薛万彻，都因勇敢而又有智谋，做罗艺亲信。李渊下诏命薛万均当上柱国（勋官一级〔旧制〕，从一品），封永安郡公爵（从一品），薛万彻当车骑将军（正五品），封武安县公爵（从一品）。

夏王窦建德（首都乐寿）既攻克冀州（河北省衡水市冀州区），军威更为强大，率部众十万人，攻击幽州（北京市）。罗艺打算出城迎战，薛万均说："他们人多，我们人少，如果短兵器相接，恐怕失败，不如派出老弱残兵出城，在河边列阵，他们一定渡水攻击，请准许我率精锐骑兵一百人，在城旁埋伏，等他们渡过一半时，发动攻击，就非胜利不可。"罗艺听从。窦建德果然率军渡水，薛万均突袭，大破窦建德军。窦建德竟无法进到幽州（北京市）城下，就分别派兵劫掠霍堡（天津市武清区西）、雍奴（天津市武清区）等县，罗艺再加拦击，把夏军击败。双方对峙一百余日，窦建德不能取得胜利，回军乐寿（夏首都，河北省献县）。

罗艺俘获隋王朝巡察署（谒者台）巡察员（通直谒者）温彦博，任命他当军政官（司马），罗艺归附唐政府，温彦博竭力促成。李渊下诏命温彦博当幽州总部秘书长（幽州总管府长史），不久，征召到中央当立法院副立法长（中书侍郎。此时应仍称"内史侍郎"）。他的老哥温大雅当时是监督院宫廷监督官（黄门侍郎，正四品），跟温彦博对门而居，同时主管政府机要，世人认为非常荣耀。

74 唐帝李渊封西突厥曷娑那可汗（一任大可汗）阿史那达漫当归义王。阿史那达漫呈献大粒珍珠，李渊说："珍珠当然是贵重宝贝，然而我认为大王的赤胆忠心，才最贵重，珍珠毫无用处。”竟退还给阿史那达漫。

75 十二月十五日，唐帝李渊前往周氏陂（陕西省西安市高陵区境），重访从前住过的住宅（陕西省西安市高陵区西十里店，有李渊故居。六二三年，命名龙跃宫）。

76 最初，羌民族部落酋长旁企地（旁，姓），率他的部众归附秦帝薛举（羌民族部落归附薛举，参考去年〔六一七〕四月）。薛仁果失败后，旁企地投降唐政府，被强迫留在长安（唐首都，陕西省西安市）。旁企地大不高兴，率领他的部众数千人叛走，逃到南山（秦岭），奔往汉川（即汉中，陕西省汉中市），所经过的地方，奸淫烧杀，抢夺劫掠。武候（禁军）大将军庞玉攻击，被旁企地击败。

旁企地抵达始州（普安郡改，四川省剑阁县），掳获美女王女士，一同饮酒，酩酊大醉，睡在野外。王女士拔出旁企地的佩刀，砍下他的人头，送到梁州（汉川郡改，陕西省汉中市），羌部落遂告溃散。李渊下诏封王女士为崇义夫人。

77 十二月二十二日，隋王朝东都政府（洛阳）太尉（三公之一）王世充，率军三万人，包围谷州（新安郡改，河南省新安县），唐政府谷州州长任瓌，把他击退。

78 唐帝李渊命李密把一半部众留在华州（陕西省渭南市华州区），而率另一半部众出关（潼关）。秘书长（长史）张宝德被安排在出关行列之中，恐怕李密一去不返，自己受到牵连，于是呈递亲启密奏，指出李密一定背叛。李渊的心意遂中途更改，决定召回李密；但又怕李密惊恐生变，乃下令慰劳，命李密的部众继续缓缓前进，而只征召李密一人返京（首都长安），接受另一任务。

李密这时已抵达稠桑（河南省灵宝市北），接到训令，对贾闰甫说："皇上派我出去，无缘无故，又教我返回。皇上前些时曾说：'有人坚决反对！'现在证明皇上已相信这种挑拨离间。我如果返回，难逃一死。不如攻破桃林县（河南省灵宝市东北），收集当地军队和粮食，北渡黄河。等到消息传到熊州（宜阳郡改，河南省宜阳县西），我们已远走高飞。只要能进入黎阳（河南省浚县），大事定可成功，你意下如何？"贾闰甫说："领袖（李渊）待你，十分优厚，何况领袖的姓名（"李渊"），在神秘预言书上出现（指《桃李章》，参考前年〔六一六〕十月），天下终于会归于统一。你既已投降作为部属，怎么可以再有二心？任瓌、史万宝分别据守熊（河南省宜阳县西）、谷（河南省新安县）二州，我们早上发动，他们大军晚上就到，即令攻克桃林县（河南省灵宝市东北），军队岂能一时集结？一旦被指为'叛逆'，有谁愿意接纳？为你着想，不如接受中央训令，表明并没有异念，小报告诬陷的话，自会绝迹。如果一定盼望前往山东（崤山以东），慢慢再想办法。"李密大怒说："唐政府使我跟周勃、灌婴站在同一行列，我怎么能够忍受（周勃、灌婴事，参考前一八〇年八月）！至于神秘预言书的应验，我的条件跟李渊一样（二人都姓李）。李渊没有把我杀掉，随我的意前往东方，正恰恰证明'帝王永不会死'。即令唐政府平定关中（陕西省中部），山东（崤山以东）最后仍然归我，上天赏赐的东西，我不去拿，怎么反而捆住双手，去投靠别人！你是我的心腹，竟有这种想法，如果你不能跟我一条心，我只好杀了你再走！"贾闰甫流泪说："你虽然应验神秘预言书，可是近来观察时局，情势已有改变。四海之内四分五裂，每个人都想自己出头，力量强大的人，才能领导。你刚刚逃出来，狼狈不堪，谁肯听从你的命令？而且，自从诛杀翟让之后（参考去年〔六一七〕十一月），人们都认为你忘恩负义，今天谁又肯把手里的军队，再交给你？你的旧部为了担心你的抢夺，势将联合在一起，共同抗拒。一旦失势，天下之大，没有容身之地！除非身受重恩的人，谁肯如此直言冒犯！请你再三考虑，只恐怕大福不会再临。假如你有安身之处，我又何必在乎一死！”李密老羞成怒，拔刀要杀贾闰甫，王伯当等一再请求，才算停止。贾闰甫遂逃奔熊州（河南省宜阳县西）。王伯当也劝阻李密，认为不可以，李密不接受；王伯当叹息说：“义士的忠心，不因存亡而改变，你一定不接受的话，我当同你死在一起，只恐怕我的死对你毫无帮助。”

李密遂逮捕唐政府所派的使节，斩首。

十二月三十日，凌晨，李密告诉桃林（河南省灵宝市东北）县长说：“接到诏书，暂时返回京师（首都长安），至于我的家属，请让她们借住县政府宿舍！”遂挑选勇士数十人，改穿妇女衣服，头蒙面纱，裙下暗藏利刀，假装是妻子和小老婆，李密亲自率他们进入县政府宿舍，刹那之间，全副武装杀出，遂占领县城，裹挟部众，直奔南山（熊耳山），沿险要道路向东进发，一面派人飞奔通知旧部、现任伊州（襄城郡改，河南省汝州市）州长襄城（河南省襄城县）人张善相，命他派军接应。

唐政府右翊卫（禁军）将军（从三品）史万宝，镇守熊州（河南省宜阳县西），对大军作战司令（行军总管）盛彦师说：“李密，是一个剽悍的盗匪，又有王伯当做他的参谋，而今决计叛变，恐怕难以抵挡。”盛彦师笑说：“请交给我战士数千人阻截，一定砍下他的人头。”史万宝说：“你怎么有那么大的把握！”盛彦师说：“军事行动，讲究欺诈，现在不能禀告。”即率军越过熊耳山（河南省西部大山），封锁南方的道路，命弓箭手埋伏两旁高地，步兵手拿刀盾，埋伏水涧山谷。下令说：“等盗匪（李密等）走到一半，同时攻击。”有人问道：“听说李密打算东向洛州（洛阳，隋东都政府），你却进入深山，什么原因？”盛彦师说：“李密声称前往洛州（洛阳），不过是一种烟幕，实际上打算出人意料，直去襄城郡（伊州，河南省汝州市），投奔张善相。如果盗匪先进入谷口，我们在后面追击，山路既窄又险，无法施展威力，他们只要派一位勇将作为后卫，就没有人能够克制。而今，我先进入谷口，必定把他生擒活捉。”

李密既穿过陕州（河南省三门峡市），认为以后的行程再不用担心，率领部队缓缓前进，果然翻过熊耳山南下，正走入盛彦师的口袋阵地。盛彦师发动埋伏，李密部众被拦腰切断，首尾不能相救，盛彦师遂斩李密（年三十七岁）及王伯当，把人头传送长安（唐首都，陕西省西安市）。盛彦师因功被封葛国公爵，仍镇守熊州（河南省宜阳县西）。

隋王朝政治混乱，杨广荒淫，搜刮中国，远征辽东（高句骊王国）。内有贤良干部治国，外没有优秀官员理民。两京（西京大兴、东都洛阳）空虚，人民疲惫。李密为了拯救大众，首先背叛，心存谋略，身挡刀箭，占领巩洛（洛口仓，河南省巩义市东），号称拥有百万雄师。窦建德之辈，都向他归附。甚至受李渊推许，假装拥护，岂不伟大。偃师（河南省洛阳市偃师区）之役虽然失败，部众仍有数万，假如胸无猜忌，心怀坦荡，急赴黎阳（河南省浚县），用徐世勣当元帅，用魏徵当智囊，前途是成是败，不敢确定。

至于天意已有所归，大势已去，比起陈涉，已算幸运（陈涉即陈胜，参考前二〇八年十二月）。开始时第一个起兵（此指辅助杨玄感起兵），到最后又甘心向人投降，这种计策，岂不陷于危机四伏！而又不能心服口服，竭尽忠诚，事奉君王，竟然背叛，结果不过一个狂人而已。不采纳王伯当的话，遂身受桃林（河南省灵宝市东北）大祸。曾经有人把李密比作项羽（西楚王国一任王），即令文武才干有余，而雄壮勇猛、刚毅果断，却差得太远。杨素既然欣赏李密的才干，理应为帝国培养人才，却把他交给白痴儿子（杨玄感），终于煽动全族屠灭的灾祸，岂是恰当？

有人把李密比作项羽，完全不对。项羽兴起，只五年工夫，统一全国。李密兵连祸结，数十数百战，不能攻克东都（洛阳）。最初，杨玄感之役，李密第一个劝他西取关中（参考六一三年六月），可是等自己当主帅，却不能擂鼓西上，无怪灭亡。

至于李密礼贤下士，只是田横之辈（田横，参考前二〇二年五月）。比起陈涉（陈胜），要胜过太多。即令李密不叛，他的雄才大略，唐政府对他也不可能容纳。

李世勣（徐世勣）在黎阳（河南省浚县），李渊派使节携带李密的人头，让他过目，告诉他李密叛逃情形。李世勣面向北方，叩拜号哭，上疏中央，请求准许安葬李密，李渊命把李密的尸体交给李世勣。李世勣换穿丧服，仍用君王与臣属的礼仪，排列盛大护卫仪队，全军都穿白衣，把李密葬在黎阳山（河南省浚县东南大伾山）南。李密一向得将士爱护，哭悼的人很多哀痛过度，口吐鲜血。

79 隋王朝右武卫（十六禁军第四军）大将军（正三品）李景，镇守

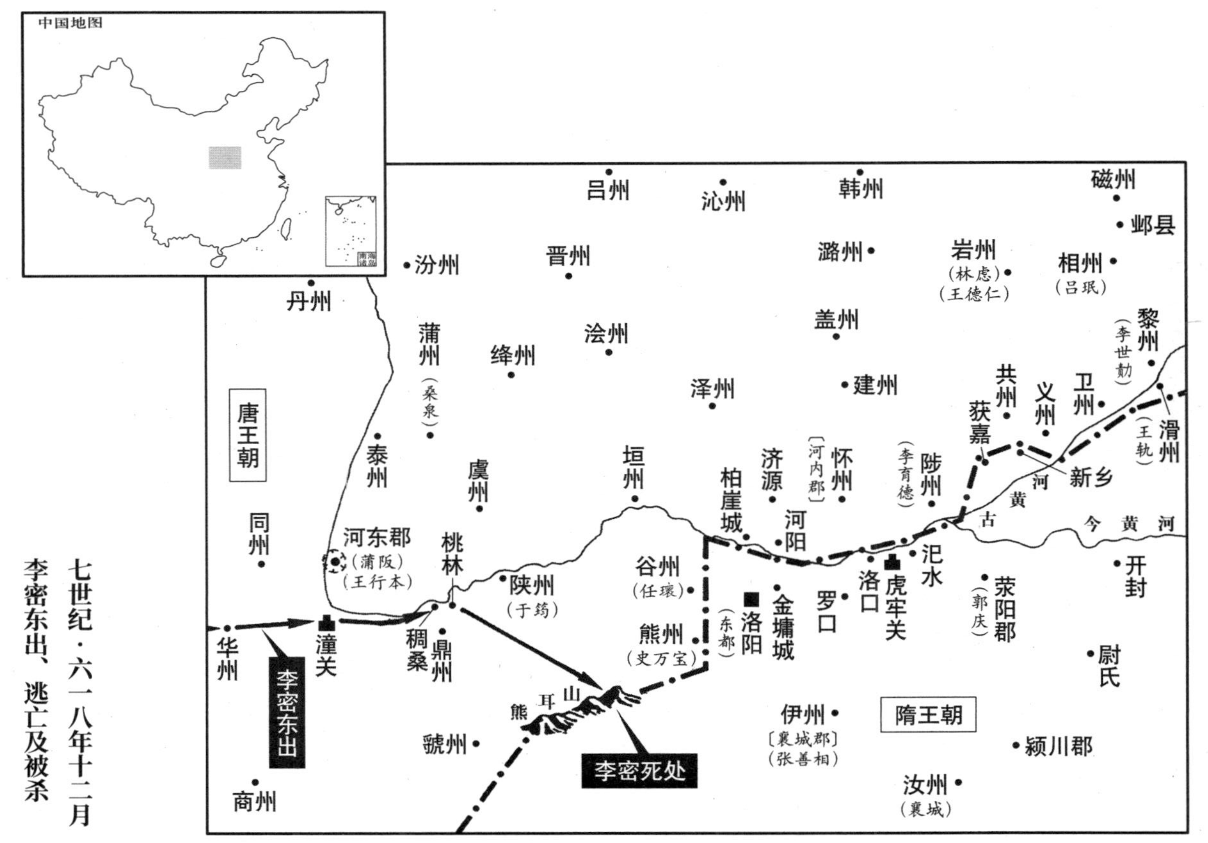

七世纪·六一八年十二月
李密东出、逃亡及被杀

北平郡（河北省卢龙县），变民首领高开道把他包围，一年有余，不能攻克（高开道起兵，参考前年〔六一六〕十二月）。辽西郡（辽宁省凌海市）郡长邓暠率军增援，李景率军撤退到柳城郡（辽宁省朝阳市）。后来，在返回幽州（北京市）途中，被变民军格杀。

高开道遂占领北平郡（河北省卢龙县），攻陷渔阳郡（天津市蓟州区），拥有战马数千匹，部众将近一万人，于是自称燕王，改年号始兴，建都渔阳（天津市蓟州区）。

怀戎（河北省涿鹿县）佛教和尚高昙晟，利用县长摆设斋席（素食）宴请佛教徒，知识分子及居民云集的机会，高昙晟跟和尚五千人（一个小县，赴斋的和尚就有五千人，可惊），裹挟赴斋宴的客人，起兵反抗政府，格杀县长及镇守地方的将领。高昙晟自称大乘皇帝，封尼姑静宣当邪输皇后，改年号法轮。派使节召唤高开道投降，封高开道当齐王。高开道率部众五千人归附，数月之后，高开道击斩高昙晟，吞并他所有兵力。

80 唐政府有人犯法，还不到死罪程度，唐帝李渊下令斩首。助理监察官（监察御史，从七品）李素立劝阻说：“国家法律，帝王与平民应共同遵守。法律随便可以破坏，人们的手脚就没有地方可放。陛下刚刚建立大业，为什么先行毁法？我是国家的一位执法人员，不敢接受诏书。”李渊听从他的建议，从此对他宠爱有加，命主管单位擢升他当清高而又重要的七品官员。主管单位拟定京畿总卫戍司令部户政官（雍州司户），李渊说：“这个官虽重要却不清高。”主管单位再拟定皇家图书院图书管理官（秘书郎，从五品），李渊说：“这个官虽清高却不重要。”于是擢升他当执法监察官（侍御史，正七品）。李素立，是李义深的曾孙（李义深是北齐帝国人）。

李渊任命一位歌舞艺人、胡人安比奴，当中级监督官（散骑侍郎，正五品）。国务院内政部长（礼部尚书）李纲劝阻说："自古以来，歌舞艺人没有资格跟官员并列，即令贤能如师旷、师襄，子孙们也都一直继承祖业（师旷，参考五四七年十二月注。师襄，春秋时代鲁国人。《论语》称击磬襄，《家语》称师襄子，孔丘曾向他学琴）。只有北齐帝国末期，封曹妙达王爵（参考六〇六年十二月），命安马驹当'开府'，国家领导人，都应引以为戒（北齐五任帝高纬大封官爵，参考五七五年二月）。而今天下仅初步安定而已，对血战沙场功臣的赏赐还不普遍，才干高超，学问丰富的人，还被埋没在荒村，却先擢升一个歌舞演艺的胡人当五品高官，使他身上的佩玉发出响声，系着印信的丝带拖到地面，在金銮宝殿上走来走去，不是给后世的一个好榜样。"李渊不肯，说："人事命令已经发表，不可以撤销。"

开创基业的帝王，每一次发号施令，都要考虑到子孙将来定会效法。一件事不合理，都会成为灾祸的开端。现在高祖皇帝（李渊）说："人事命令已经发表，不可以撤销！"假如任官恰当，当然很好；假如任官错误，为什么不可以撤销！

当一个领袖，怎能够不把"人事命令已经发表"这句话，作为鉴戒。（陈岳，唐末人，著作《唐书》〔非新旧《唐书》，今已佚〕，叙述一任帝李渊至十五任帝李恒之历史。）

81 凉帝李轨（首都凉州）国务院文官部长（吏部尚书）梁硕，有智慧谋略，李轨一直倚靠他，当作智囊。

梁硕发现胡人的势力，越来越膨胀，暗中警告李轨应加防范，因此跟胡人、国务院财政部长（民部尚书）安脩仁，互相厌恶，感情不睦。李轨的儿子李仲琰，曾经拜访梁硕，梁硕对他没有表示特别恭敬，李仲琰大不高兴，乃跟安脩仁联合，共同向李轨打小报告，诬陷梁硕，称他谋反；李轨遂毒死梁硕。

有一位胡人巫法师告诉李轨说："上天会从天上送下一位玉女！"李轨相信，征调民夫兴建高台，等候玉女下降，大为劳民伤财（西部地区本来就最贫穷，参考六〇九年六月）。河右（河西走廊，甘肃省中部西部）饥馑，人民互相格杀吞食（人间惨事），李轨倾家破产赈济，力量仍然不够，打算开仓发放粮食，召集文武百官讨论，曹珍等都说："人民是国家的基础，怎么可以爱惜粮食，而坐在这里眼看他们饿死！"谢统师等都是隋王朝时的官员（谢统师被李轨逮捕事，参考去年〔六一七〕七月），对李轨并不心服，暗中跟胡人结合，挑拨离间，排斥李轨的忠心干部，于是诟骂曹珍说："饿死的都是老弱，健壮勇士怎么会饿死？国家存粮是用来应付紧急情况，怎么可以去喂那些老弱！执行长（仆射曹珍）只知道自己收买民心，却不为国家着想，不是忠臣。"李轨同意。因此，知识分子及平民，无不对李轨怨恨离心。

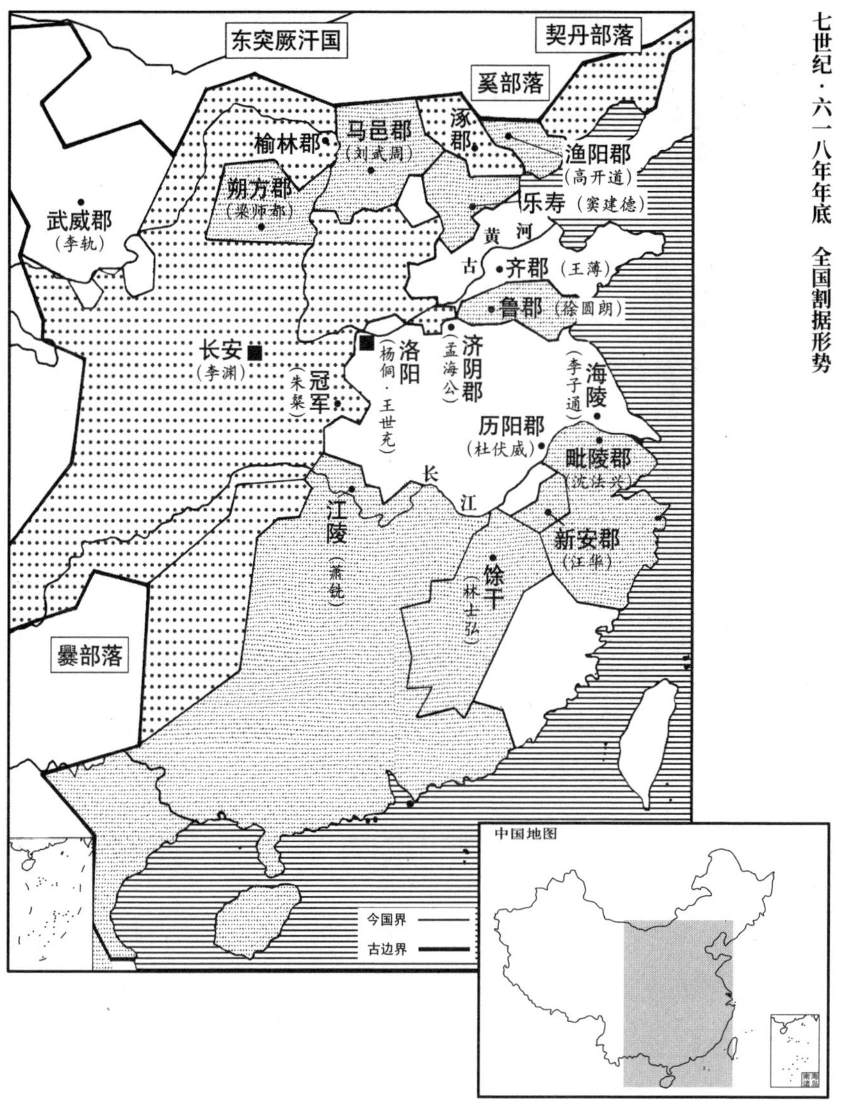

七世纪·六一八年年底　全国割据形势

六一九年 己卯

隋　皇泰　二年
唐　武德　二年
（楚帝朱粲昌达二年）
（楚帝林士弘太平四年）
（夏王窦建德五凤二年）
（定杨天子刘武周天兴三年）
（梁帝梁师都永隆三年）
（凉帝李轨安乐二年）
（梁帝萧铣鸣凤三年）
（许帝宇文化及天寿二年）
（燕王高开道始兴二年）
（郑帝王世充开明元年）
（突利可汗刘季真元年）
（梁王沈法兴延康元年）
（吴帝李子通明政元年）
（魏王吕崇茂元年）

1 春季，正月二日，隋王朝东都政府（洛阳，河南省洛阳市）太尉（三公之一）王世充，把中央所有高级官员及具有知名度人士，都任命当太尉府的官属；杜淹、戴胄，都包括在内。戴胄，是安阳（河南省安阳市）人。

将军王隆率屯卫（十六禁军第十三、十四军）将军（从三品）张镇周、水利部副部长（都水少监，从四品）苏世长等山南（秦岭以南）各军，终于抵达东都（杨广派王隆率邛黄蛮增援东都事，参考前年〔六一七〕七月，今始抵达。张镇周刚投降梁帝萧铣，参考去年〔六一八〕四月）。

王世充大权在握，事情无论大小，全由太尉府裁决；中央其他所有机关，一片冷清。王世充在太尉府门前竖立三个木牌：一、征求有知识见解，能够担负重责大任的人；二、征求有勇气智谋，能够冲锋陷阵的人；三、征求身受冤枉，没有渠道申诉的人。于是，呈献计谋或上书陈情的，每天有数百人，王世充都亲自接见，一一交换意见，殷勤慰问，于是人人高兴，都认为言听计从。事实上，王世充什么事都没有做。王世充甚至对低微的士卒仆役之辈，都甜言蜜语，使他们心情欢悦，但并没有实质恩惠。

骑兵总司令（马军总管）独孤武都，是王世充的亲信；他的堂弟、京畿安全署总安全官（司隶大夫，正四品）独孤机，跟国务院工程部山林司长（虞部郎）杨恭慎、前勃海郡（山东省阳信县）秘书官（勃海主簿）孙师孝、步兵总司令（步兵总管）刘孝元、李俭、崔孝仁，密谋迎接唐王朝（首都长安〔陕西省西安市〕）军队入城，由崔孝仁游说独孤武都说："王公（王世充）只会做出小儿女们那种小动作，取悦一些白痴。实际上他贪婪卑鄙，凶暴残忍，从不照顾亲信故旧，怎么能够建立大业？神秘预言书上明白记载，帝王应归李家，人人皆知。唐政府（首都长安）在晋阳（山西省太原市）崛起，立刻就控制关内（陕西省中部），军队所到之处，通行无阻，英雄豪杰，纷纷归附。李渊待人接物，心胸宽大坦荡，奖励善行，酬报功劳，不记从前的怨恨，据优厚形势，争夺天下，谁能抵挡！我们投靠错了地方，坐在这里等待屠灭。而今，任瓌的军队就在新安（唐政府谷州，河南省新安县），他是我的老友，如果派出密使，请他率军于深夜抵达城下，我们同作内应，开门放他进来，事情就可成功。"

独孤武都同意，可是事情泄漏，王世充把他们全部斩首。杨恭慎，是杨达的儿子（杨达事，参考六一二年五月）。

2 正月三日，唐帝（一任高祖）李渊（本年五十四岁），命秦王李世民，出镇长春宫（陕西省大荔县东）。

3 许帝宇文化及（首都魏县）攻击魏州军区（总部设河北省大名县）总司令（魏州总管）元宝藏，历时四十天，不能攻克。魏徵前去游说（魏徵本是元宝藏部属，参考前年〔六一七〕九月）。

正月七日，元宝藏献出州城，向唐政府投降。

正月十八日，唐政府淮安王李神通，攻击宇文化及据守的魏县（河北省大名县西南），宇文化及无法抵抗，向东逃往聊城（山东省聊城市）。李神通进入魏县，诛杀及俘虏二千余人，率军追击宇文化及，包围聊城（山东省聊城市）。

4 正月二十四日，唐政府（首都长安）任命陈叔达当最高监督长（纳言）。

5 正月二十六日，李密任命的伊州（河南省汝州市）州长张善相（参考去年〔六一八〕十二月三十日），投降唐政府。

6 楚帝朱粲有部众二十万人，抢夺劫掠汉水、淮河一带（河南省南部及湖北省北部），飘忽不定，每次攻破州县，还没有把仓库里的粮食吃完，就再他往；临走时，把不能带走的东西，全部焚烧。朱粲的部众又不自己耕种，人民饿死的尸体，堆积如山（人间惨事）。到了最后，已经没有多余的粮食可供抢夺，军中粮食缺乏，朱粲乃鼓励士卒煮吃妇女、婴儿，声称：“人肉才是最美味的肉，只要别的地方有人，我们何必担心饿肚！”隋王朝国史编撰助理官（著作佐郎，正七品）陆从典、主任巡察官（通事舍人，从六品。此时属巡察署〔谒者台〕）颜愍楚，因案被中央政府贬到南阳郡（河南省邓州市），开始时，朱粲请他们做他的贵宾，后来军中无粮，二人全家老幼，都被朱粲煮吃。颜愍楚，是颜之推的儿子（颜之推事，参考五七三年二月）。朱粲又下令给所属各城村镇，运送老年人和幼童到大营，供士卒吞食；各城村镇不能接受，相继背叛。

受暴政迫害的人，并不每个人都值得同情；反抗暴政的人，也并不每个人都值得尊敬。有时候，被迫害的人或反抗暴政的人，反而更加凶恶，必须仔细区分。当然不能一棍子打落一船人，但也不能只因他们都是从天上下来的，就不去辨认谁是天使？谁是撒旦？

淮安郡（河南省泌阳县）土豪杨士林、田瓒，聚众起兵，攻击朱粲，各州纷纷响应，朱粲在淮源（河南省信阳市西北）迎战，大败，率残余部众数千人，逃往菊潭（河南省内乡县）。杨士林，是蛮夷的一位酋长，隋王朝末年，当鹰扬府（征兵府）指挥官（校尉），格杀郡长，占领郡城（淮安郡城〔河南省泌阳县〕）；驱逐朱粲后，正月二十九日，杨士林率汉东（湖北省随州市）等四个郡，派使节前往晋见唐政府任命的信州军区（总部设重庆市奉节县）总司令（信州总管）庐江王李瑗，请求投降。唐帝李渊下诏，命杨士林当显州道（淮安郡改显州）中央特遣政府总监（显州道行台），杨士林命田瓒当秘书长（长史）。

七世纪·六一八年十月至六一九年正月
朱粲称楚帝，剽掠山南，兵败降唐

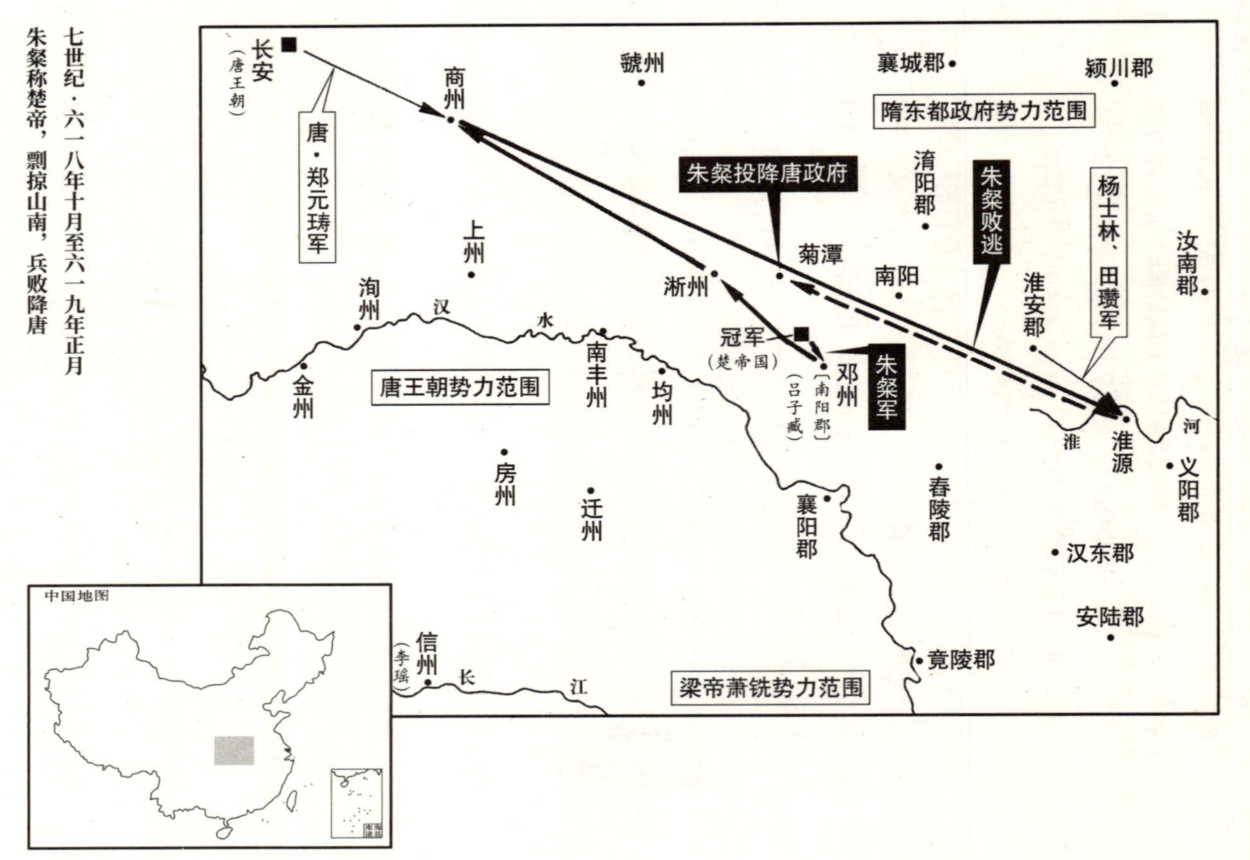

7 最初，隋王朝东都政府（洛阳）太尉（三公之一）王世充，诛杀元文都、卢楚（参考去年〔六一八〕七月十五日），忧虑人心不服，所以对隋帝（五任）杨侗（本年十六岁）谄媚逢迎，礼貌十分谦卑恭敬。又请求当刘太后（刘良娣）的义子，尊称刘太后尊贵绰号：圣感皇太后。

然而，不久，王世充认为已经控制全局，就逐渐傲慢。有一次，王世充参加宫中宴会，回家后大肆呕吐，疑心中毒，从此不再朝见。杨侗知道王世充终会背叛，但没有力量制裁，唯一的办法是，取出皇宫库藏各种绫罗绸缎，大量制造幡花（幡，音fān〔翻〕）；又取出宫内贵重首饰及古董玩物，命佛教和尚施舍给穷人，以求上天赐福。王世充派部属张绩、董濬，把守宫城章善、显福二门，宫中东西，连一根线都不准拿出。

本月（正月），王世充命人向他呈献金印及宝剑，又声言黄河忽然澄清，打算向大家夸耀，作为自己的祥瑞。

8 唐帝李渊派金紫光禄大夫（九大夫之四，正三品）武功（陕西省武功县西）人靳孝谟，前往边疆各郡安抚招降，被梁帝梁师都（首都朔方〔陕西省靖边县北白城则村〕）掳获。靳孝谟用最肮脏的话诟骂梁师都，梁师都把他诛杀。

二月，李渊下诏追封靳孝谟爵位武昌县公爵，绰号忠公。

9 唐政府开始制定《田赋、劳役代金及捐税条例》（《租庸调法》），全国每一个成年男子，每年应向政府缴纳谷米二石、绸缎二匹、棉花三两，除此之外，政府不准多加征收。

二月十六日，李渊下诏："李姓皇族当官的，在同等级官职中，位在其他官员之上；没有当官的，免除田赋、捐税及劳役代金。每州设皇族最高考选官（宗师）一人负责管理，所有皇族集中住在一起，不准跟平民杂居。”

10 唐政府藩属事务部副部长（鸿胪少卿）张俟德，抵达凉国（参考去年〔六一八〕八月九日）。凉帝李轨（首都凉州〔甘肃省武威市〕）召集文武百官，在金銮宝殿举行御前会议，说：“唐政府的皇帝，是我的堂兄，而今已在京师（首都长安）登极（李渊称呼李轨堂弟，参考去年〔六一八〕八月九日）。同姓的人不可以自相竞争，我打算撤销皇帝称号，接受唐王朝的封爵，是不是可以？”国务院执行长（尚书仆射）曹珍说：“隋王朝走失了他的鹿，天下人纷纷追捕，称王也好，称帝也好，何止一人！唐政府在关中（陕西省中部）当皇帝，凉政府在河右（河西走廊）当皇帝，谁也不妨碍谁。而且，陛下已是天子，为什么要自贬身价！如果小国必须事奉大国，请依照萧詧（南梁帝国七任帝）事奉西魏帝国前例（参考五五五年正月）。”李轨接受。

二月二十八日，李轨派国务院政务秘书长（尚书左丞）邓晓，到长安（唐首都，陕西省西安市）晋见李渊，呈递国书；李轨自称“皇堂弟大凉皇帝臣李轨”，拒绝接受唐政府的官职爵位。李渊大怒，软禁邓晓，不放他回国；并且，开始讨论出军讨伐李轨。

最初，隋王朝二任帝杨广亲征吐谷浑汗国（青海省），步萨钵可汗（十七任）慕容伏允，率数千骑兵，投奔党项（参考六〇九年六月）；杨广封慕容伏允的儿子慕容顺，继任可汗，命他接管汗国的残余部众，但无法进入他的国土，折返。

后来，隋王朝大乱，慕容伏允收回失地，再建汗国。李渊篡位，慕容顺从江都（江苏省扬州市）逃到长安（唐首都，陕西省西安市），李渊派使节跟慕容伏允和解，命他攻击凉帝李轨（首都凉州），承诺送回慕容顺。慕容伏允大喜，出军攻击李轨，不断派使节向唐政府进贡，并请求释放慕容顺，李渊遂送慕容顺回国。

11 闰二月，楚帝朱粲（流亡不定）派使节向唐政府请求投降。李渊下诏封朱粲当楚王，准许他设立官属，代表皇帝行使职权。

12 许帝宇文化及用贵重珠宝引诱沿海各变民军，变民军首领王薄接受，率军进入聊城（山东省聊城市）协防（王薄基地在长白山〔山东省邹平市南〕，参考六一一年十二月）。

夏王窦建德（首都乐寿）对他的臣属说："我是隋王朝的人民，隋王朝皇帝是我的君王。而今宇文化及害死君王，就是我的仇敌，不可不加讨伐！"率军向聊城进发。

唐政府（首都长安）淮安王李神通包围聊城（参考本年〔六一九〕正月十八日），宇文化及粮食吃完，请求投降，李神通拒绝，副安抚特使（安抚副使）崔民干（参考去年〔六一八〕十月九日）劝李神通接受，李神通说："我军士卒出征的时间太久，盗匪（宇文化及）粮食吃完，计谋枯竭，早晚之间，就可攻克，我要用强大的武力摧毁城池，展示唐政府的声威；掳获他们的金银财宝，散发给我们将士。如果接受他们投降，用什么劳军？"崔民干说："窦建德马上就到，如果宇文化及还没有平定，内外同受攻击，我们一定失败。用不着作战就可以夺取一个城池，功劳得来十分容易，何至于只不过为了贪图金银财宝，而不接受！"李神通老羞成怒，逮捕崔民干，囚禁大营。

不久，宇文士及从济北郡（山东省聊城市茌平区西南）运来粮食接济，宇文化及军势稍稍振作，遂拒绝投降，继续抵抗。李神通督

战，命各军攻城，贝州（清河郡改，河北省清河县）州长赵君德，第一个攀
上城垛，奋勇先登，李神通恐怕他立下这项功劳，敲锣收兵，赵君德大声诟骂跳下，聊城（山东省聊城市）遂无法攻克。而夏王窦建德马上就要抵达，李神通只好率军退走。

宇文化及出战，窦建德迎头痛击，连战连胜，宇文化及再退回聊城（山东省聊城市）坚守。窦建德四面八方猛攻，协防的变民军首领王薄，大开城门，迎接夏军。窦建德进城，生擒宇文化及，晋见隋王朝萧皇后（杨广正妻），自己称“臣”，身穿白色服装追悼杨广，至为悲哀；掳获皇帝使用的各种印信（包括传国玉玺）和护卫仪队。窦建德安抚隋王朝旧有官员，逮捕宇文化及的党羽宇文智及、杨士览、元武达、许弘仁、孟景，在隋王朝官员面前，把杨士览等斩首，人头悬挂大军营门之外；用囚车载着宇文化及和宇文化及的两个儿子宇文承基、宇文承趾，押解襄国（邢州，河北省邢台市），斩首（襄国郡时属唐政府〔首都长安〕）。宇文化及临斩时，没有其他的话，只说：“我不辜负夏王（窦建德）。”

柏杨曰

宇文化及不过一只富贵惯了的猪，有权有势的家族中，往往多的是这种子弟，只是宇文化及做出了一件受万人欢呼的神圣大事——绞死暴君杨广。

可惜他这一辈子只做对了这一件事，对一个英雄人物而言，已难抵抗当时封建势力的重压，何况一猪？当初众人起义时，如果不选择他当领袖，而选择一位豪杰，以手下骁果武士的善战和思乡心切，有很大的可能性开创一个新的局面，想不到，大家被宇文化及的官位迷住了心智，认为“既然当那么大的官，一定有那么大的本领”。却忽略了官场之中，官位和能力，不成正比。

一头猪，纵然当上高官，甚至当上领袖，甚至幸运的还创下一点奇迹，但他仍然是一头猪！

窦建德每次战争胜利，攻克城池，掳获的金银财宝，都分赏给将士，自己不取分文。日常生活简单朴素，从不吃肉，只吃蔬菜和糙米饭；妻子曹皇后，仍穿布衣，不穿绸缎，所用婢女，才十几人。后来击破宇文化及，得到隋王朝皇宫美女，多到以千为单位计算，窦建德立刻遣散。命隋王朝宫廷监督官（黄门侍郎）裴矩当夏政府国务院左执行长（左仆射），负责文武官员的任免和升迁调补，另命隋王朝国务院国防部副部长（兵部侍郎）崔君肃当夏政府最高监督长（侍中），隋王朝宫廷供应总监（少府令）何稠当夏政府国务院工程部长（工部尚书），隋王朝国务院事务副秘书长（右司郎中〔应称“右司郎”〕）柳调当夏政府国务院政务秘书长（左丞），虞世南当宫廷监督官（黄门侍郎），欧阳询当祭祀部长（太常卿）。欧阳询，是欧阳纥的儿子（欧阳纥叛变，参考五六九年九月）。其他隋王朝官员，窦建德都依据他们的才干，授予官职，交付工作。有不愿留下来，打算前往关中（唐王朝政府）及东都（隋王朝东都政府）的，也都尊重各人意愿，供给食物及旅费，派兵护送出境。

隋王朝最后一批骁果武士，将近一万人，窦建德也命解散，随他们四方投奔。又跟王世充和解，派人到东都洛阳（河南省洛阳市）上疏隋帝杨侗，杨侗封窦建德当夏王（窦建德自称夏王，因自称而加封）。

窦建德跟其他变民首领一样，当初不过是一撮盗匪，后来虽然建立夏王国，却一团乱糟，没有文物制度。裴矩遂制定朝见仪式，宣布法律条例，窦建德大为兴奋，常常询问裴矩礼仪方面大事。

13 闰二月四日，唐帝李渊考核文武百官，评鉴结果：李纲、孙伏伽，高居第一名。因此摆设筵席，对裴寂等说："隋政府因领袖骄傲，部属谄媚，导致灭亡。我自登上皇帝宝座，直到今天，时常虚心要求各位进言规劝。然而，只有李纲算是尽了忠心，孙伏伽也可算是诚实正直（李纲事，参考六〇〇年十月，孙伏伽事，参考去年〔六一八〕六月二十四日）。其余的人仍存着旧日风气，只会低着眉头，不会说一句实话，岂是我的盼望？我待你们如同儿子，你们也应该把我当作父亲，有什么意见，一定陈诉，不要隐藏。"下令抛弃君臣之间的拘束，像朋友一样的尽情欢乐，然后结束。

李渊派总监察官（御史大夫）段确，担任使节，前往视察新近投降的朱粲部众。

14 最初，隋王朝时，李渊当宫廷副总管（殿内少监，从四品），宇文士及当宫辇管理官（尚辇奉御，正五品），李渊跟他的感情亲密。宇文士及随从宇文化及北上抵达黎阳（河南省浚县），李渊亲笔写信给宇文士及，教他前来长安（唐首都，陕西省西安市）。宇文士及秘密派家里童奴，从小路前往长安，晋见李渊问安；又托使节呈献金环（"环"音"还"，古人常借金环、玉环之类，表示一定回归）。宇文化及抵达魏县（河北省大名县西南），军势每天都在萎缩，宇文士及劝老哥投奔唐政府，宇文化及不肯，宇文士及遂托最高立法长（内史令）封德彝，说服宇文化及，派宇文士及前往济北郡（山东省聊城市茌平区西南）督运粮秣，同时在外观察时局变化。宇文化及登极称许帝之后，封宇文士及当蜀王。宇文化及被杀，宇文士及跟封德彝从济北郡（山东省聊城市茌平区西南）西奔长安（唐首都，陕西省西安市）归降。当时，宇文士及的妹妹当李渊的昭仪（小老婆群第五级），由于这些缘故，李渊任命宇文士及当上仪同

（散官，从四品上）。

李渊因封德彝是隋王朝旧人，而又奸巧谄媚，不肯尽忠，接见时对他一阵讥诮责备，没有赏赐任何官职，就遣送他返回旅舍（封德彝谄媚杨广，参考前年〔六一七〕四月）。封德彝遂上条陈，呈献秘密策略，李渊大为高兴，命他当立法官（内史舍人，从五品），不久，再擢升他当立法院副立法长（侍郎，正四品）。

15 闰二月十四日，隋王朝夷陵郡（湖北省宜昌市西）郡政府主任秘书（郡丞）安陆（湖北省安陆市）人许绍，率领黔安（重庆市彭水县）、武陵（湖南省常德市）、澧阳（湖南省津市市）等郡，归降唐政府。许绍小时候跟李渊是同学，李渊下诏命许绍当峡州（夷陵郡改峡州）州长，封安陆公爵。

闰二月十六日，唐帝李渊任命李世勣（徐世勣）当黎州军区（黎阳县〔河南省浚县〕改黎州）总司令。

16 闰二月十七日，唐政府征兵府司令（骠骑将军）张孝珉，率精锐突击队一百人，袭击隋王朝东都政府（洛阳）所属汜水县（河南省荥阳市西北汜水镇），进入外城，凿沉运粮船一百五十艘。

17 闰二月十九日，隋王朝东都政府（洛阳）太尉（三公之一）王世充，攻击唐王朝谷州（河南省新安县）。王世充命秦叔宝当龙骧大将军，程知节当将军，待他们特别优厚。然而二人对王世充的诈伪，却十分厌恶。程知节对秦叔宝说："王公（王世充）气量狭窄，见识肤浅，而又信口胡扯，动不动就发誓诅咒，不过一个老巫婆而已，岂是铲除祸乱、恢复正义的英明领袖！"

王世充与唐军在九曲（河南省宜阳县北）会战，秦叔宝、程知节分别率军列阵，二人率领亲信骑兵卫士，共数十人，突然间离开阵地，向西狂奔一百余步，下马，回头向王世充叩拜说：“我们受你的特殊礼遇，一直思量为你效力，作为回报。可是你性情猜忌，喜爱听信鲨鱼群挑拨离间的谗言，不是我们托身的地方，如今不能再事奉你，请准许我们从此告辞。”说罢，翻身上马，飞奔唐军阵地投降，王世充不敢追击。李渊把秦叔宝、程知节配给秦王李世民。李世民早就知道二人的威名（参考前年〔六一七〕四月），对二人至为优待，命秦叔宝当骑兵总司令（马军总管），程知节当左翼第三亲军指挥官（左三统军）。

当时，王世充所属猛将中，又有征兵府司令（骠骑将军）武安（河北省武安市）人李君羡、征南将军临邑（山东省济南市济阳区西）人田留安，厌恶王世充的为人，也率领部众，归降唐政府（首都长安）。李世民把李君羡安置在自己左右，命田留安当右翼第四亲军指挥官（右四统军）。

王世充把陟州（河南省武陟县）州长李育德的老哥李厚德，囚禁获嘉（河南省获嘉县）监狱（李育德刚归附唐政府，参考去年〔六一八〕十月）。李厚德跟守将赵君颖，驱逐殷州（获嘉县改殷州）州长段大师，献出州城，归降唐政府（首都长安），唐政府任命李厚德当殷州州长。

18 夏王窦建德（首都乐寿）攻陷邢州（河北省邢台市），生擒唐政府邢州军区总司令（邢州总管）陈君宾（陈君宾投降唐政府，参考去年〔六一八〕九月）。

19 唐帝李渊派宫廷总管（殿内监）窦诞、右卫（禁军）将军（从三品）宇文歆，协助并州军区（总部设山西省太原市）总司令（并州总管）齐王李元吉（李渊第四子），镇守晋阳（并州州政府所在县，山西省太原市）。窦诞，是窦抗的儿子（窦抗，是窦皇后的老哥，参考去年〔六一八〕三月二十七日），娶李渊的女儿襄阳公主。

李元吉骄傲奢侈，奴仆、宾客、婢女、小老婆群，合在一起有数百人。李元吉最喜欢她们身披铠甲，用真刀真枪作战斗演习，以致很多人死的死、伤的伤，李元吉自己也曾经受创；奶娘陈善意苦苦规劝，李元吉酒醉之后，勃然大怒，命勇士用拳脚把她殴打到死。李元吉还喜爱打猎，经常装满捕兽工具三十车，说："我宁愿三天不吃饭，不能一天不打猎。"时常和窦诞出去游逛狩猎，蹂躏农家田园庄稼；又放纵左右侍卫夺取人民的财产。李元吉又常到街市射人，观察对方如何躲避他的利箭。夜晚，大开府门出去，到别的地方奸淫民间妇女。人民悲愤，宇文歆不断劝告，李元吉不理。宇文歆乃上疏报告实况。

闰二月二十二日，唐帝李渊免除李元吉官职。

闰二月二十三日，陟州（河南省武陟县）州长李育德，攻陷隋王朝河内郡（河南省沁阳市）境内村落堡寨三十一所。

闰二月二十五日，王世充派他的侄儿王君廓（非变民首领王君廓〔参考去年〔六一八〕四月二十七日〕）攻击陟州（河南省武陟县），李育德把他击退，杀一千余人。李厚德回家探望父母疾病，命李育德驻守获嘉（河南省获嘉县），王世充集合大军攻击。

闰二月二十七日，获嘉陷落，李育德及老弟三人，全都战死。

20 闰二月二十九日，变民首领李公逸献出雍丘（河南省杞县），归降唐王朝政府，唐政府命李公逸当杞州军区（雍丘县改杞州）总司令

（杞州总管），命李公逸族弟李善行当杞州州长。

21 隋王朝国务院文官部副部长（吏部侍郎）杨恭仁，随从宇文化及前往河北（黄河以北）。宇文化及失败，唐政府魏州军区（总部设河北省大名县）总司令（魏州总管）元宝藏把他擒获。

闰二月二十九日，把杨恭仁送到长安（唐首都，陕西省西安市），李渊跟杨恭仁是老友，于是命他当宫廷监督官（黄门侍郎），不久，再命他当凉州军区（总部设甘肃省武威市）总司令（空头官衔。此时凉州属凉帝李轨）。

杨恭仁对边疆事务，十分熟悉，了解羌人、胡人的实际情况；汉人或羌胡人，对他全都心悦诚服，自葱岭（帕米尔高原）以东，各国纷纷入贡。

22 东突厥汗国（瀚海沙漠群）始毕可汗（十一任大可汗）阿史那咄吉，打算率他的部众，渡黄河前往夏州（即朔方，陕西省靖边县北白城则村）。梁帝梁师都（首都朔方〔陕西省靖边县北白城则村〕）出军会师，配备骑兵五百名给定杨天子刘武周（首都马邑〔山西省朔州市〕），打算越过句注山（山西省代县西北），直接攻击太原（山西省太原市）。不巧，阿史那咄吉逝世，儿子阿史那什钵苾，年纪还小，不能继承宝座，汗国贵族遂拥护阿史那咄吉的老弟阿史那俟利弗将军继位，称处罗可汗（十二任大可汗）。阿史那俟利弗命侄儿阿史那什钵苾当尼步将军，派他住在汗国的稍东地区，正在幽州（北京市）北方。

之前，唐帝李渊派右武候（禁军）将军（从三品）高静，携带金银财宝，前往东突厥汗国呈献，走到丰州（内蒙古五原县），接到阿史那咄吉逝世消息，李渊下令停止前进，金银财宝交给州政府库存。阿史那俟利弗得到消息，大为光火，率军南下，丰州军区总司令（丰州总管）张长逊派高静携带金银财宝出塞，当作是唐政府致送的奠仪；阿史那俟利弗才撤退。

23 三月一日，梁帝梁师都（首都朔方）攻击唐王朝（首都长安）灵州（宁夏灵武市），州政府秘书长（长史）杨则，把他击退。

24 三月三日，隋王朝东都政府（洛阳）太尉（三公之一）王世充，进攻唐政府谷州（河南省新安县），熊州（河南省宜阳县西）州长史万宝应战，失利。

三月十一日，隋王朝北海郡（山东省青州市）副郡长（通守）郑虔符、文登（山东省威海市文登区）县长方惠整及东海郡（江苏省连云港市）、齐郡（山东省济南市）、东平郡（山东省郓城县）、任城（山东省济宁市）、平陆（山东省汶上县西）、寿张（山东省梁山县）、须昌（山东省东平县）变民首领王薄等，全都献出土地，归降唐政府。

王世充出动大军攻击新安（谷州州城），表面上展示奋发图强，实际上是跟文武官员中的摇尾系统，秘密会商如何篡位称帝。李世英坚决反对，说：“四方人士所以奔来归附东都（洛阳），是认为你能够使隋王朝中兴。如今全国九州之地（古九州），你连一个州都没有肃清，就迫不及待正位称帝，恐怕远方的人都会叛离逃走！”王世充说：“你的话对极。”秘书长（长史）韦节、杨续等说：“隋王朝气数已尽，灭亡理所当然。建立非常重大的事业，不可以跟平凡的人讨论。”天文台长（太史令，从五品）乐德融说：“从前，长星出现，是废除老旧，呈现新境的征候（参考四二〇年正月注）。本年（六一九）的岁星在角、亢；亢，象征故郑国（河南省中部）地区（角、亢、岁星，一概不懂）。如果不迅速顺应天心，恐怕王气会逐渐减弱。”王世充听从。

野战参谋官（外兵曹参军）戴胄，警告王世充说：“君王和臣属，犹如父亲跟儿子，有福同享，有难同当，你最好竭尽忠心，报答国家，家国都获得平安。”王世充假装完全同意，并赞扬他的忠心，把他打发走。于是，王世充考虑先行接受九锡（九锡，参考四年），戴胄仍不断劝阻，王世充大怒，贬他出任郑州（河南省荥阳市西北汜水镇）秘书长（长史），命他跟侄儿王行本（非蒲阪守将王行本，参考去年〔六一八〕十二月六日），同去镇守虎牢（郑州州政府所在城。此时虽仍挂着隋王朝招牌，但已开始恢复设置“州”，不再严格遵守一直以来的郡县制度）。乃派段达等向隋帝杨侗，请求加授九锡。杨侗说：“郑公爵（王世充）最近平定李密，已擢升太尉（参考去年〔六一八〕十月十五日），直到今天（不过半年），并没有别的功劳！等到天下太平，再讨论不晚。”段达说：“太尉（王世充）想要！”杨侗仔细瞅着段达，说：“随你！”

三月十二日，段达等宣布：遵奉杨侗诏书，命王世充当相国，假黄钺（使用皇帝诛杀专用的铜斧），总管文武百官，封郑王，加九锡（参考四年）。郑国设立丞相，以及各种官属。

25 最初，许帝宇文化及命隋政府最高法院院长（大理卿）郑善果，当国务院财政部长（民部尚书），一直追随到聊城（山东省聊城市），在与夏王窦建德会战时，郑善果出阵督战，被流箭射中。窦建德攻克聊城，王琮擒获郑善果，责备他说：“你是著名的官宦之家（郑善果是郑译的侄儿，参考六一三年六月；郑译是隋王朝开国功臣），隋政府的高官，怎么能替杀主的盗贼（宇文化及）拼命？还苦战到遍体鳞伤！”郑善果大为羞惭，打算自杀，宋正本飞奔前去劝止。但窦建德不再理他，郑善果遂投奔相州（河南省安阳市），唐政府淮安王李神通把他送到长安（唐首都，陕西省西安市）。

三月十三日，郑善果到达长安，唐帝李渊对他十分优待，命他当太子宫总管（左庶子），摄理副立法长（检校内史侍郎）。

26 唐政府齐王李元吉，发动并州（山西省太原市）士绅父老，前往长安宫门，挽留李元吉继任。

三月十五日，李渊命李元吉再当并州军区（总部设山西省太原市）总司令（并州总管）。

三月十九日，淮南（淮河以南）五个州派使节向唐政府归降。

27 三月二十二日，定杨天子刘武周（首都马邑〔山西省朔州市〕）攻击唐政府并州（山西省太原市）。

28 三月二十三日，唐政府营州军区（总部设辽宁省朝阳市）总司令（营州总管）邓暠，攻击燕王高开道（首都渔阳〔天津市蓟州区〕），击败燕军。

29 三月二十五日，隋王朝东都政府（洛阳）相国王世充，派将领高毗，攻击义州（河南省卫辉市）。

东都（洛阳）道士桓法嗣，向王世充呈献《孔子闭房记》，声称："相国（王世充）当代替隋王朝当天子。"王世充大为高兴，命桓法嗣当议论国务官（谏议大夫，从四品）。王世充命捕捉各式各样飞鸟，用绸缎拴到脖子上，上写各种祥瑞，然后释放，下令有人捉到这种鸟前来呈献的，一律任官封爵。于是，段达传达杨侗的命令，加授王世充特殊礼遇，王世充上疏辞让三次，最后才表示他不得不接受。文武百官遂劝他早日登极，并在国务院议事厅（都堂）设立座位。最高监督长（纳言）苏威，年纪已老，王世充特别准许他不必朝见，又因苏威是隋王朝重要高官，为了向知识分子及平民炫耀自己受爱戴的程度，文武百官每次劝进，都把苏威列为第一名。在政府公布特殊礼遇的那天，王世充亲自把苏威扶到文武百官位置之上，然后自己再面向南方坐定，接受叩拜。

30 夏季，四月，定杨天子刘武周（首都马邑）率东突厥军（瀚海沙漠群）挺进到黄蛇岭（山西省晋中市榆次区北），威力强大。唐政府（首都长安）齐王李元吉派车骑将军张达，率步兵试探攻击；张达因士卒太少，无法应战，李元吉强制执行，果然全军覆没。张达愤怒痛恨。

四月二日，张达引导刘武周袭击榆次（山西省晋中市榆次区），攻陷。

31 唐政府副监督长（散骑常侍，从三品）段确，嗜好饮酒，奉命前往菊潭（河南省内乡县）慰劳朱粲（朱粲降唐及派段确慰劳，参考本年〔六一九〕闰二月）。

四月三日，段确趁几分酒意，侮辱朱粲说："听说你喜欢吃人肉，不知人肉是什么滋味？"朱粲说："醉人肉的滋味跟糟猪肉一样。"段确大怒，诟骂说："你这个蠢贼，到了京师（首都长安），一个奴才罢了，还能吃人？"朱粲就在宴席上把段确和他的侍从数十人，全都拿下，用大锅煮死，让左右党徒分吃他们的肉。

朱粲于是屠杀菊潭（河南省内乡县）所有居民，向隋王朝东都政府（洛阳）归降，相国王世充任命朱粲当龙骧大将军。

32 王世充决心篡夺隋王朝政权，命秘书长（长史）韦节、杨续等，及祭祀部礼仪官（太常博士，从七品）衡水（河北省衡水市）人孔颖达，制定禅让仪式，派段达、云定兴等十余人，进宫报告隋帝杨侗说："上天的心意经常改变，郑王（王世充）的功劳品德极高，希望陛下踏上伊祁放勋（唐尧）、姚重华（虞舜）的足迹！"杨侗把膝盖收回，双手抵案，怒容满面说："天下，是高祖（一任帝杨坚）的天下，如果隋王朝命运还没有完，这种话不应出口。如果上天的心意一定改变，还要什么'禅让'！你们有的在我曾祖父（杨坚）时就是部属（如云定兴），有的官爵已到顶峰，竟然说出这种话，我还盼望什么？"声色严厉，出席朝会的官员，都汗流浃背。退朝后，杨侗面见娘亲，泣不成声。王世充再派人告诉杨侗："现在四海还没有安宁，帝王必须是年纪较大的人，才可领导。等到天下太平，我会把政权归还给你，一定实践以前誓言。"（王世充宫中披发立誓，参考去年〔六一八〕七月十五日。）

四月五日，王世充宣称，杨侗有令：把帝位禅让给郑王（王世充）。王世充派他的老哥王世恽，把杨侗囚禁在含凉殿。禅让过程中，虽然王世充三次上疏辞让，杨侗三次下诏敦劝，事实上杨侗什么都不知道（隋王朝于五八一年建立，共五任皇帝，本年〔六一九〕覆亡，历时三十九年）。

王世充派各将领率军进入皇宫，整顿清扫，又命法术师点燃芦苇火把，用煮桃木的水洒到政府各院部，洗涤驱除邪气。

33 隋王朝残余的武装部队军官和残余的郡县，以及变民军首领，前后相继，向唐政府归降。唐帝李渊下诏任命王薄当齐州军区（齐郡改，总部设山东省济南市）总司令（齐州总管）、伏德当济州军区（济北郡改，总部设山东省聊城市茌平区西南）总司令（济州总管）、郑虔符当青州军区（北海郡改，总部设山东省青州市）总司令（青州总管）、綦公顺当潍州军区（北海县改，总部设山东省潍坊市）总司令（潍州总管）、王孝师当沧州军区（勃海郡改，总部设河北省盐山县西南）总司令（沧州总管）。

四月六日，唐政府派最高法院院长（大理卿）新乐（河北省新乐市）人郎楚之，安抚慰问山东（崤山以东）人民；皇家图书院长（秘书监）夏侯端，安抚慰问淮左（淮东，淮河下游）人民。

34 四月七日，王世充乘坐皇帝专用的法驾仪队，入宫，登极称帝（郑帝）。

四月八日，郑政府（首都洛阳）大赦，改年号开明。

35 四月九日，隋王朝御卫（十六禁军第十五、十六军）将军（从三品）陈稜，献出江都郡（江苏省扬州市），归降唐政府（首都长安）。唐政府任命陈稜当扬州军区（江都郡改扬州）总司令（扬州总管）。

36 四月十日，郑帝王世充（首都洛阳）封儿子王玄应当太子，王玄恕当汉王，其余王世充的兄弟和王姓皇族十九人，都封亲王。封亡国之君杨侗当潞国公爵。任命苏威当太师（三师之一）、段达当司徒（三公之二）、云定兴当太尉（三公之一）、张仅当司空（三公之三）、杨续当最高监督长（纳言）、韦节当最高立法长（内史）、王隆当国务院左执行长（左仆射）、韦霁当右执行长（右仆射）、齐王王世恽当国务院总理（尚书令）、杨汪当国务院文官部长（吏部尚书）、杜淹当文官部副部长（少吏部）、郑颋当总监察官（御史大夫）。王世恽，是王世充的老哥。

王世充又任命国立贵族大学副教授（国子助教，从七品）吴郡（江

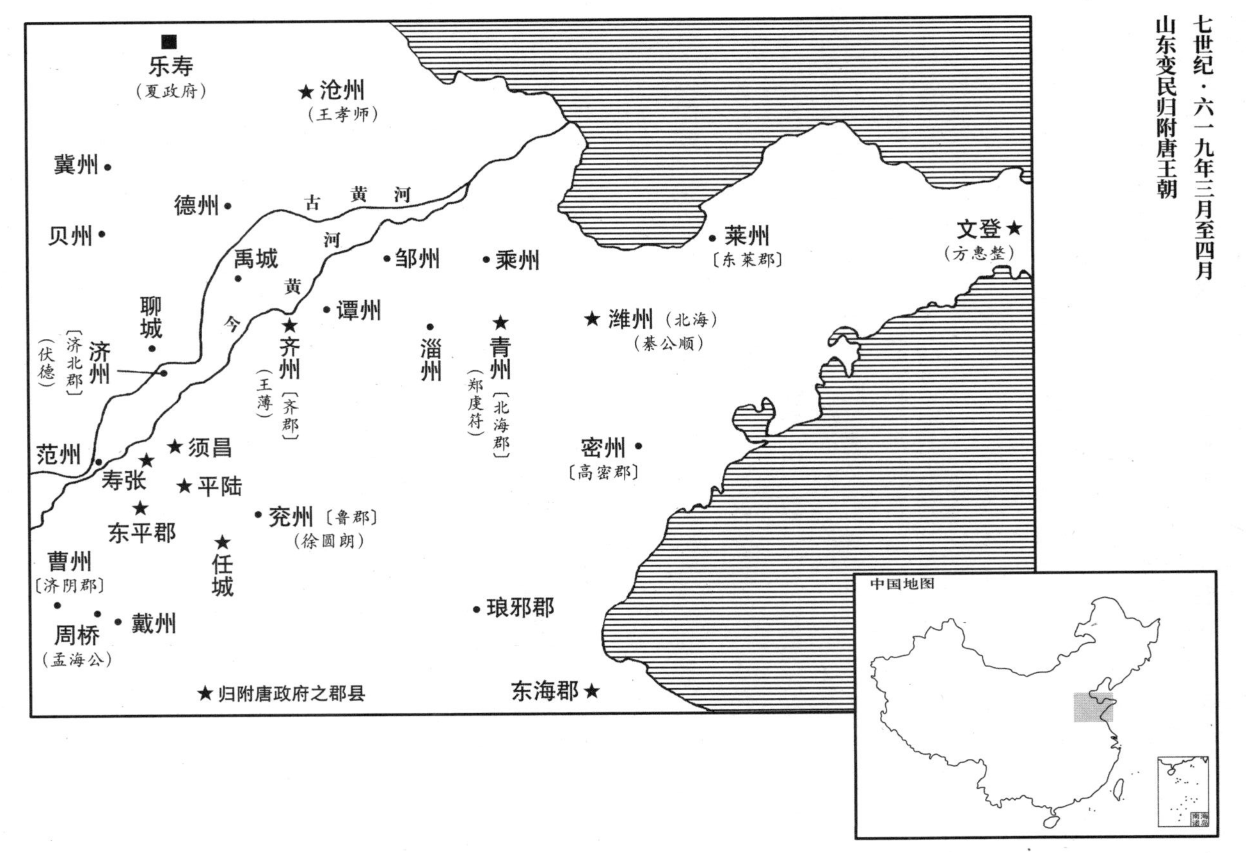

七世纪·六一九年三月至四月
山东变民归附唐王朝
乐寿
（夏政府）
★沧州
（王孝师）
冀州
德州
贝州
古黄河
今黄河
禹城
聊城
济州
〔济北郡〕
（伏德）
★齐州
〔齐郡〕
（王薄）
邹州
乘州
谭州
淄州
★青州
〔北海郡〕
（郑虔符）
★潍州（北海）
（綦公顺）
莱州
〔东莱郡〕
文登★
（方惠整）
密州
〔高密郡〕
范州
★须昌
★寿张
★平陆
★东平郡
兖州〔鲁郡〕
（徐圆朗）
★任城
曹州
〔济阴郡〕
周桥
（孟海公）
戴州
琅邪郡
东海郡★
★归附唐政府之郡县
中国地图

苏省苏州市）人陆德明当汉王（王玄恕）王师（从三品），命王玄恕亲自到陆德明家行礼，呈缴学费。陆德明认为是奇耻大辱，吞服巴豆散（泻药），躺在床上害病，王玄恕到他家中，跪在床前听候教训，陆德明当面拉屎，不跟王玄恕说一句话。陆德明本名陆朗，用别名行世。

王世充在宫城及玄武门（禁宫北门）等处，分别设立座位，他没有固定的办公地点，随时都会在各处出现，亲自接受奏章。有时轻装骑马，穿过街市，也不戒严净街，人民望见，只要躲开就可。王世充手按缰绳，缓缓前进，告诉两侧市民说："从前，皇帝居住九重深宫之中，下面的事情无法使皇帝知道。我，王世充，并不是贪图帝王宝座，只是要拯救灾难，就好像一州的州长，亲自处理日常事务，自当跟官民人等，共同讨论时政，而仍恐怕各位受门禁阻挡，所以在门外设立座位，听取报告，各位有什么意见，应该尽量陈述。"又下令：西朝堂接受冤案控诉，东朝堂接受对政府的批评。

于是，上疏呈献策略的，或谈论时政的，每天有数百人之多，文书既不胜其繁，又无法每一篇都读。几天之后，王世充不再出宫。

37 夏王窦建德（首都乐寿〔河北省献县〕）听说王世充罢黜杨侗，自己称帝，遂跟东都（洛阳）断绝关系，自己开始建立天子旌旗，出宫时戒严，回宫时净街，命令改称诏书。追赠杨广绰号闵帝。

隋王朝齐王杨暕死后（死于江都政变，参考去年〔六一八〕三月十一日），生下遗腹子杨政道，窦建德封杨政道当郧公爵。

窦建德仍依靠东突厥汗国（瀚海沙漠群），以壮声势。隋王朝义成公主派使节迎接萧皇后及南阳公主，窦建德派一千余名骑兵护送；并把宇文化及的人头呈献义成公主。

38 四月十八日，定杨天子刘武周（首都马邑）大军包围并州（山西省太原市），唐政府（首都长安）齐王李元吉把他击退。

四月二十日，唐帝李渊命祭祀部长（太常卿）李仲文，率军增援并州（山西省太原市）。

39 郑帝王世充（首都洛阳）所属将军丘怀义，住监督院宫内署（门下内省），邀请越王王君度、汉王王玄恕、将军郭士衡，与歌舞演艺女郎、小老婆群，挤在一起饮酒赌博，执法监察官（侍御史，正七品）张蕴古弹劾，王世充大怒，命散手仪仗队（东西廊下卫士）逮捕王君度、王玄恕，打数十耳光，再带到东上阁，各打数十棍。但不责备丘怀义、郭士衡。赏赐张蕴古绸缎一百匹，升任太子宫总务官（太子舍人，从六品）。王君度，是王世充的侄儿。

王世充每天主持朝会，态度殷勤，所作训示，一再重复，没有重点，啰啰嗦嗦，千头万绪，连侍卫人员都疲惫不能支持；政府各单位奏报时，对王世充言词的纠缠不清，都累得听不下去。总监察官（御史大夫）苏良警告说："陛下说话太多，却没有要领，只要直说结论就可以了，怎么会有那么多不相干的话！"王世充沉默很久，也不责罚苏良；他也知道自己的毛病，只因性格如此，始终无法改善。

郑军不断攻击伊州（河南省汝州市），伊州军区总司令（伊州总管）张善相抵抗，粮食吃完，唐政府援军不到（张善相刚投降唐政府，参考本年〔六一九〕正月二十六日）。

四月二十五日，伊州州城陷落，张善相用最肮脏的话诟骂王世充，被杀。唐帝李渊得到报告，叹息说："我辜负张善相，张善相不辜负我！"封张善相的儿子当襄城郡公爵。

五月，郑军攻陷义州（北义州，河南省武陟县西），再攻西济州（河南省济源市）。李渊派右骁卫（禁军）大将军刘弘基，率军增援。 696

40 凉帝李轨（首都凉州）部将安脩仁的老哥安兴贵，在唐政府供职，上疏请求回去游说李轨，向李轨分析祸福利害。唐帝李渊说："李轨拥有强大兵力，又据守险要，南连吐谷浑汗国（青海省），北连东突厥汗国（瀚海沙漠群），我出动大军，还恐怕不能攻克，靠几句空话，他岂能接受？"安兴贵说："我们安家世居凉州（古凉州地区，甘肃省中部西部），几代拥有声望，得到汉人和蛮夷的敬畏。老弟安脩仁，深受李轨信任，安家子弟掌握机要的以十为单位计算。我前去游说，李轨如果采纳我的意见，固然很好。如果拒绝，我在他身边下手，比较容易。"李渊遂派他前往。

安兴贵抵达武威（凉州州政府所在城，甘肃省武威市），李轨任命他当左右卫（禁军）大将军。安兴贵乘机游说李轨："凉国面积，不过一千里，土地贫瘠，人民穷困。唐政府从太原（山西省太原市）起事，夺取秦函（陕西省中部），控制中原，战无不胜，攻无不取，这是上天旨意，不是人力所能办到。不如献出河西（河西走廊）归附，则窦融的功勋（参考三六年十二月），再见于今日。"李轨说："我据守坚固的山河，他们虽然强大，对我有什么办法！你从唐政府那里过来，所以要当唐政府的说客？"安兴贵道歉说："我听说：富贵不回故乡，好像穿锦绣衣裳，却在夜晚走路（项羽语，参考前二〇六年十二月），我全家蒙陛下赏赐荣耀俸禄，怎么肯附和唐政府？只是献出我愚昧的忧虑，如何裁决，还在陛下！"

安兴贵退下后，跟安脩仁秘密结合胡人，起兵攻击李轨，李轨出城反击，失败，退回城中坚守。安兴贵绕城呼唤："大唐政府派我来诛杀李轨，敢帮助他的，屠灭三族。”城中军民争相逃出，投奔安兴贵。李轨计谋枯竭，带着皇后妻子，登玉女台（李轨筑玉女台，参考去年〔六一八〕十二月），摆设筵席，互相敬酒诀别。

五月十三日，安兴贵生擒李轨，奏报李渊，河西（河西走廊，甘肃省中部西部）完全平定。

凉政府使节邓晓，正在长安（参考本年〔六一九〕二月二十八日），在金銮宝殿上，欢呼祝贺，李渊说：“你当人的使节，听到亡国消息，没有悲哀，却大为欢喜，为的是拍我的马屁。不尽忠李轨，怎么能尽忠我！”对邓晓终身不再录用。

李轨被押送长安（唐首都，陕西省西安市），连同他的儿子和老弟，全部斩首。唐政府任命安兴贵当右武候（禁军）大将军（正三品）、上柱国（勋官，从一品），封凉国公爵，赏赐绸缎一万段；安脩仁当左武候（禁军）大将军，封申国公爵。

41 隋王朝末年，离石郡（山西省吕梁市离石区）胡人刘龙儿，拥有军队数万人，自称刘王，封他的儿子刘季真当太子。后来，虎贲指挥官（虎贲郎将）梁德，击斩刘龙儿。

本年（六一九），刘季真跟老弟刘六儿，再聚众起兵，引导定杨天子刘武周（首都马邑）部众，攻陷石州（离石郡改石州），格杀州长王俭。刘季真自称突利可汗，封刘六儿当拓定王。刘六儿派使节向唐政府请求投降。唐帝李渊任命刘六儿当岚州军区（总部设山西省岚县，此时应称东会州）总司令（岚州总管）。

42 五月十五日，唐政府任命秦王李世民当左武候（禁军）大将军，“使持节”，凉甘九州军区司令长官（凉甘等九州诸军事）、凉州军区（总部设甘肃省武威市）总司令（凉州总管），原职太尉（三公之一）、国务院总理（尚书令）、京畿总卫戍司令（雍州牧）、中央驻陕东道特遣政府总监（陕东道行台），仍然保留（凉甘九州：凉州〔甘肃省武威市〕、甘州〔甘肃省张掖市〕、瓜州〔甘肃省敦煌市〕、鄯州〔青海省海东市乐都区〕、肃州〔甘肃省酒泉市〕、会州〔甘肃省靖远县〕、兰州〔甘肃省兰州市〕、河州〔甘肃省临夏州〕、廓州〔青海省化隆县〕）。

唐政府再派宫廷监督官（黄门侍郎）杨恭仁，安抚慰劳河西（凉帝李轨版图）人民。

43 五月十九日，定杨天子刘武周（首都马邑）攻陷平遥（山西省平遥县）。

44 五月二十六日，唐政府（首都长安）梁州军区（总部设陕西省汉中市）总司令（梁州总管）、山东道（崤山以东）安抚副特使（山东道安抚副使）陈政，被部下格杀，部下带着他的人头投奔郑帝王世充（首都洛阳）。陈政，是陈茂的儿子（陈茂事，参考五九〇年四月）。

45 郑帝王世充因国务院内政部长（礼部尚书，正三品）裴仁基、左辅大将军（新设）裴行俨，都有威望，心中猜忌。裴仁基父子得到这项消息，大为恐惧，乃跟国务院政务秘书长（尚书左丞，正四品）宇文儒童，以及宇文儒童的老弟、宫廷总管署膳食副管理官（尚食直长，正七品）宇文温，副监督长（散骑常侍，从三品）崔德本，共同密谋诛杀王世充跟他的同党，拥护杨侗复位。消息泄漏，王世充屠杀他们的三族。

齐王王世恽告诉王世充说：“宇文儒童等谋反，正因为杨侗还在人世，不如趁早把他除掉。”王世充同意，派侄儿唐王王仁则和家奴梁百年，用毒酒毒死杨侗。杨侗说：“请再向太尉（王世充）请示，依他过去的誓言，不会到这种地步。”梁百年打算替杨侗向王世充求证，王世恽不准。杨侗又请求向娘亲刘太后告别，王世恽也不准。杨侗小娃命摆设香案，向佛祖行礼，祈求说：“愿从今以后，不再生帝王家！”（刘準语，参考四七九年四月）服下毒药，仍不能死，王世恽下令用绢布绞死（年十六岁），王世充追赠他绰号：恭皇帝。

王世充任命老哥楚王王世伟当太保（三师之三）、齐王王世恽当太傅（三师之二）兼国务院总理（领尚书令）。

46 六月三日，夏王窦建德（首都乐寿）攻克沧州（河北省盐山县西南）。

47 最初，易州（河北省易县）变民首领宋金刚，有部众一万余人，跟魏帝魏刀儿结盟。后来，魏刀儿被夏王窦建德消灭（参考去年〔六一八〕十一月），宋金刚曾往增援，被窦建德击败，率残余部众四千人，向西投奔定杨天子刘武周（首都马邑〔山西省朔州市〕）。刘武周知道宋金刚是一员悍将，善于用兵，得到他大为欢喜，称他宋王，把军事全交给他，把家产的一半也分给他作为见面礼物。宋金刚也用心结交，跟自己的妻子离婚，娶刘武周的妹妹为妻。遂游说刘武周夺取晋阳（并州州政府所在县，山西省太原市），南下统一全国。刘武周命宋金刚当中央驻西南道特遣全权政府总监（西南道大行台），率军三万人，攻击并州（山西省太原市）。

六月十日，定杨军逼近介州（山西省介休市），佛教和尚道澄用佛幡（佛教旗帜）把定杨军缒送到城里，城遂陷落。唐帝李渊命左武卫（禁军）大将军姜宝谊、大军作战司令（行军总管）李仲文迎战。

定杨将领黄子英，来往雀鼠谷（山西省灵石县西南汾水河谷）之间，不断派出少数军队挑战，双方刚刚接触，黄子英就假装无法取胜，退走；如此再三重复，姜宝谊、李仲文确信对方无力作战，出动全部兵力追击，进入埋伏阵地，唐军大败；姜宝谊、李仲文全被俘虏；但不久二人又逃回来，李渊再派二人率军攻击刘武周。

48 六月十二日，东突厥汗国（瀚海沙漠群）派使节到唐政府，通知始毕可汗（十一任大可汗）阿史那咄吉逝世消息，唐帝李渊在长乐门（长安宫城南面中门）举行哀悼祭礼，停止朝会三日，命文武百官前往突厥使节所住的宾馆吊丧。

李渊又派立法官（内史舍人）郑德挺，出使东突厥汗国，赠送葬仪绸缎三万段。

49 唐帝李渊对定杨天子刘武周深入国土，深感忧虑，国务院右执行长（右仆射）裴寂，自告奋勇前往拒战。

六月二十六日，李渊命裴寂当晋州道（山西省临汾市）大军作战司令（晋州道行军总管），攻击刘武周授予处理各种事务全权。

50 秋季，七月，唐政府（首都长安）开始设立十二军，把关内（陕西省中部）各征兵府，分别配备给各军，各军都使用天上星辰的名字（参旗军〔万年道，首都长安东半城〕、鼓旗军〔长安道，首都长安西半城〕、玄戈军〔富平道，陕西省富平县〕、井钺军〔醴泉道，陕西省礼泉县〕、羽林军〔同州道，陕西省大荔县〕、骑官军〔华州道，陕西省渭南市华州区〕、折威军〔宁州道，甘肃省宁县〕、平道军〔岐州道，陕西省宝鸡市凤翔区〕、招摇军〔豳州道，陕西省彬州市〕、苑游军〔西麟州道，陕西省麟游县〕、天纪军〔泾州道，甘肃省泾川县〕、天节军〔宜州道，陕西省铜川

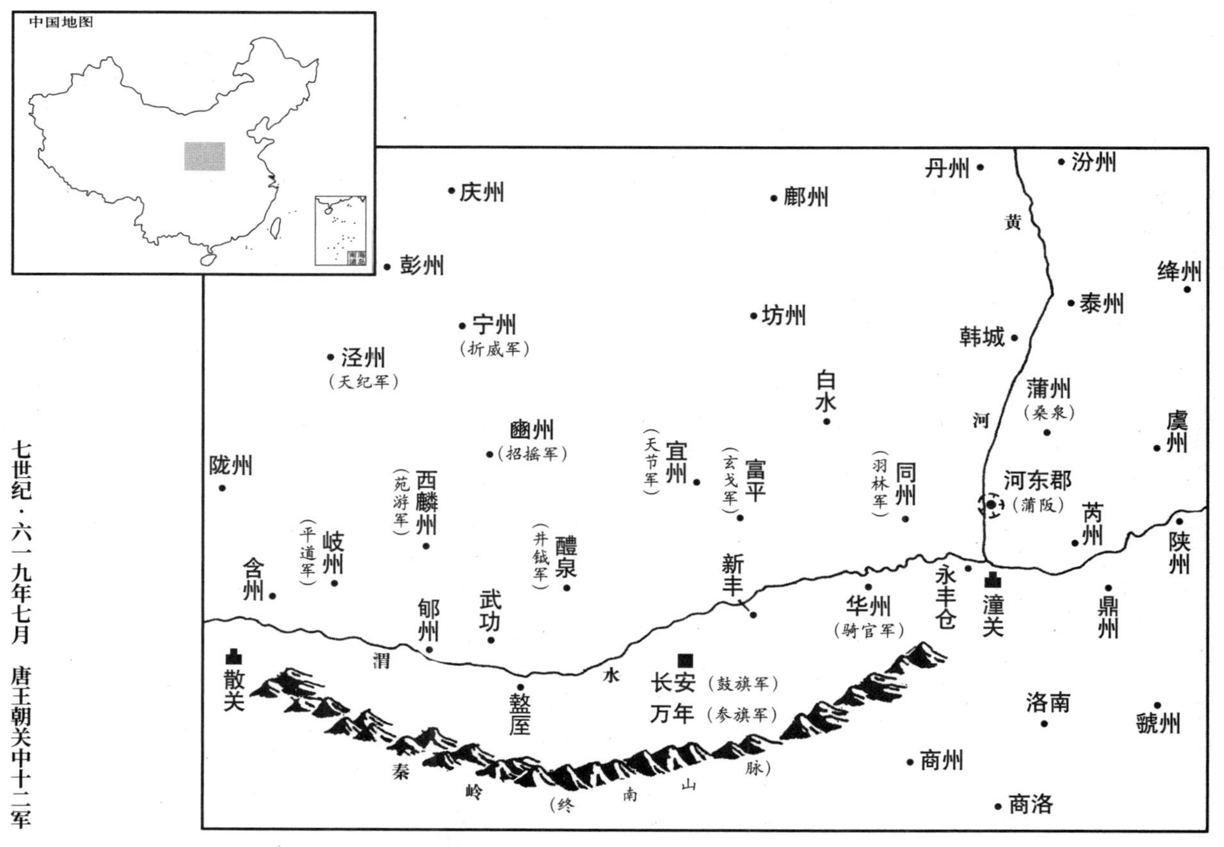

七世纪·六一九年七月　唐王朝关中十二军

市耀州区〕），各道征兵府称“车骑府”，每军设将军一人、副将军一人，由有威望的将领担任，平时耕田，战时出征。于是兵强马壮，所向无敌。

海岱（东海至泰山）变民首领徐圆朗，呈献几个州的土地，向唐政府归降（徐圆朗据鲁郡〔山东省济宁市兖州区〕起兵，参考前年〔六一七〕正月三十日）。唐政府命徐圆朗当兖州军区（鲁郡改兖州）总司令（兖州总管），封鲁国公爵。

51 郑帝王世充（首都洛阳）派将领罗士信，攻击谷州（河南省新安县），罗士信率部众一千余人，向唐政府投降。

最初，罗士信是李密麾下的将领，在一场攻击王世充的战役中失败，被王世充俘虏。王世充待他十分优厚，跟他同住一起，同桌进餐。可是不久邴元真等投降（参考去年〔六一八〕九月），王世充待他们跟待罗士信一样，罗士信认为受到羞辱。正巧，罗士信有匹骏马，王世充的侄儿赵王王道询打算索取，罗士信拒绝，王世充强迫罗士信把马交给王道询。罗士信大怒，遂向唐政府投降。

唐帝李渊听说罗士信投降消息，大喜，派使节迎接慰劳，赏赐绸缎二万匹，立即供应他所属部队粮食，任命罗士信当陕州道（河南省三门峡市）大军作战司令（行军总管）。

郑政府左龙骧将军、临泾（甘肃省镇原县）人席辩，跟同阶级的将领杨虔安、李君义，率各人部队，归降唐政府。

七月十日，王世充派将领郭士衡，再进攻谷州（河南省新安县），被州长任瓌击败，士卒全被俘被杀。

52 七月十八日，唐政府大军作战司令（行军总管）刘弘基，派将领种如愿，袭击郑政府军据守的河阳城（河南省孟州市），摧毁黄河大桥，撤退。

53 七月十九日，西突厥汗国（新疆及中亚东部）叶护可汗（三任大可汗）阿史那统、高昌王国（新疆吐鲁番市东）国王（十三任）麴伯雅，分别派使节到唐政府进贡。

最初，西突厥曷娑那可汗（一任大可汗）阿史那达漫，到隋王朝政府朝见，隋政府留下他不放回国；汗国贵族遂拥护阿史那达漫的叔父阿史那射匮，称射匮可汗（二任大可汗，参考六一一年十月）。阿史那射匮是东突厥达头可汗（小可汗）阿史那玷厥的孙儿，继承大可汗宝座后，开疆拓土，东到金山（新疆阿尔泰山），西到西海（咸海），跟东突厥汗国（瀚海沙漠群）对抗，在龟兹王国（新疆库车市）三弥山（新疆拜城县东北天山山脉西段一峰）设立中央政府。阿史那射匮逝世，儿子阿史那统亲王继位。阿史那统有勇有谋，北方吞并铁勒汗国（西伯利亚贝加尔湖一带），战斗部队数十万人，占领乌孙王国旧有疆域（新疆西北部及中亚巴尔喀什湖东南），把中央政府迁到石国（中亚塔什干市）北方的千泉（中亚吉尔吉斯山北）。西域（新疆及中亚东部）各国都向西突厥汗国称臣，阿史那统分别派出总督（吐屯）管理，并向各国征收田赋捐税。

54 七月二十五日，定杨天子刘武周（首都马邑）部将宋金刚，攻击浩州（山西省汾阳市），十天后撤退。

55 八月一日，唐政府（首都长安）酅（酅，音ㄒㄧ〔西〕）国公爵（隋王朝三任帝）杨侑逝世（年十五岁），绰号恭皇帝（王世充给杨侗〔五任帝〕的绰号也是恭皇帝，小兄弟二人的遭遇，何等相似）；没有儿子，唐政府命杨侑的远房堂侄杨行基继承爵位。

56 夏王窦建德（首都乐寿）率军十余万，向洺州（河北省邯郸市永年区东南广府镇）进发。唐政府淮安王李神通率各军退守相州（河南省安阳市）。

八月三日，窦建德军抵达洺州城下。

57 八月十日，唐政府将军秦武通率军抵达洛阳（河南省洛阳市），击败郑政府（首都洛阳）将领葛彦璋。

58 八月十一日，夏王窦建德攻克洺州（河北省邯郸市永年区东南广府镇），唐政府军区总司令（总管）袁子干投降（袁子干归附李渊，参考去年〔六一八〕五月十日）。

八月十九日，窦建德率军直指相州（河南省安阳市），淮安王李神通听到消息，率各路人马再撤退到黎阳（河南省浚县），投奔李世勣（徐世勣）。

59 梁帝梁师都（首都朔方〔陕西省靖边县北白城则村〕）跟东突厥（瀚海沙漠群）会师，率骑兵数千名，攻击延州（陕西省延安市），唐政府大军作战司令（行军总管）段德操兵力单薄，无法抵挡，紧闭城门，拒绝应战，等待梁师都的军队稍稍疲惫。

九月一日，段德操派作战副司令（副总管）梁礼，率军反击。梁师都跟梁礼激烈会战时，段德操率轻装备骑兵，大量竖立军旗，袭击梁军背后，梁军溃败，段德操向北追击二百华里，攻陷魏州（陕西省清涧县东），俘虏男女二千余人。段德操，是段孝先的儿子（段孝先即段韶，参考五三一年十月）。

60 梁帝萧铣（首都江陵〔湖北省江陵县〕）派部将杨道生，攻击峡州（湖北省宜昌市西），唐政府任命的州长许绍把他击败。萧铣又派将领陈普环，率舰队西上峡州（湖北省宜昌市西），计划夺取巴蜀（四川省）。许绍派他的儿子许智仁及总参谋官（录事参军）李弘节等，追击到西陵（湖北省宜昌市西陵区），大破梁军舰队，俘虏陈普环。萧铣派军驻防安蜀城（宜昌市长江西岸）及荆门城（湖北省宜都市西北长江南岸）。

最初，唐帝李渊派开府（散官，正四品上）李靖前往夔州（信州改称，重庆市奉节县）对付萧铣。李靖抵达峡州（湖北省宜昌市西），受到萧铣部队的阻截，很久不能前进。李渊对李靖的延迟逗留，大为忿怒，密令许绍诛杀李靖，许绍爱惜李靖的才干，上疏请求宽恕，李靖才逃一死。

61 九月四日，夏王窦建德（首都乐寿）攻克相州（河南省安阳市），诛杀唐政府任命的州长吕珉（吕珉降唐，参考去年〔六一八〕六月五日）。

62 唐政府国务院财政部长（民部尚书）鲁公爵刘文静，自认为才干和功劳，都在裴寂之上，但官位却在裴寂之下，心里大不高兴。每次讨论国事时，裴寂认为对的，刘文静一定认为是错，很多次凌辱裴寂，因此二人感情破裂。

刘文静跟他的老弟、高级监督官（通直散骑常侍，正四品）刘文起在一块饮酒，三杯下肚，越想越气，拔出佩刀猛砍柱子，说：“看我哪一天砍下裴寂的人头。”刘文起家里不断有难以解释的怪事发生，召请巫法师在星光之下，披头散发，口衔利刀，镇邪伏妖。刘文静有一个小老婆，因受冷落，遂教她的老哥向皇帝李渊紧急检举。李渊逮捕刘文静，交付司法机关审理，派裴寂、萧瑀调查案情，刘文静说：“当初太原（山西省太原市）起义，我被任命担任军政官（司马），地位声望跟秘书长（长史裴寂）大略相同。而今裴寂当国务院执行长（仆射），拥有豪华住宅，我的官位和赏赐，都跟平常人没有分别，东征西讨，娘亲留在京师（首都长安），连一个躲避风雨的地方都没有，当然失望，酒后不能控制，说出怨言。”李渊告诉文武百官说：“看刘文静的供词，叛变证据，十分确凿。”李纲、萧瑀都认为刘文静绝没有谋反之意；秦王李世民也一再替他辩护，说：“从前在晋阳时，还是刘文静最先提出非常的策略，再告诉裴寂（参考前年〔六一七〕四月）。等到攻克京师（首都长安），信任及待遇，相差太大，刘文静失望是有的，但绝不是谋反。”但裴寂警告李渊说：“刘文静才干谋略，实超过常人，而又粗心大意，轻于冒险，而今，天下还没有全部平定，留下他定有后患。”

李渊一向听信裴寂，犹豫延迟了很久，最后仍是采取裴寂的建议。

九月六日，斩刘文静（年五十二岁）、刘文起，家产没收。

63 变民首领沈法兴攻克毗陵后（沈法兴陷毗陵〔江苏省常州市〕，参考去年〔六一八〕三月二十七日），认为长江、淮河以南地方，只要用手一挥，便可平定，遂自称梁王，建都毗陵，改年号延康，设立文武百官。但沈法兴性情残忍，只知道杀戮镇压，将士们小有过失，就立即斩首，因此他的部属对他离心离德，心怀怨恨。

当时，江淮（华东地区）割据情形是：杜伏威据守历阳（安徽省和县）、陈稜据守江都（江苏省扬州市）、李子通据守海陵（江苏省泰州市），都有夺取江表（太湖流域及钱塘江流域）的雄心。沈法兴军不断被击败，正巧，李子通包围江都，陈稜分别送人质给沈法兴及杜伏威，请求援助，沈法兴派他的儿子沈纶，率军数万人，会同杜伏威；联合往救。杜伏威驻扎清流（安徽省滁州市），沈纶驻扎扬子（江苏省扬州市南长江渡口），相距数十华里（二地航空距离一百一十公里）。李子通的最高监督长（纳言）毛文深献计，招募江南（长江以南）勇士，伪装沈纶的军队，于夜晚袭击杜伏威军营，杜伏威大怒，也派军袭击沈纶。于是二人互相猜疑，谁都不敢先行出战。李子通遂得以集结精锐部队进攻江都，终于攻陷，陈稜投奔杜伏威。

李子通进入江都（江苏省扬州市），挥军攻击沈纶，把他击败，杜伏威也率军撤退。李子通就在江都登极，称吴国皇帝，改年号明政。丹阳（江苏省南京市）变民首领乐伯通率部众一万余人投降，李子通命乐伯通当国务院左执行长（左仆射）。

杜伏威则向唐政府归降。

九月十二日，唐政府任命杜伏威当淮南（淮河以南）安抚特使（淮南安抚大使）和州军区（历阳郡改和州）总司令（和州总管）。

64 唐政府（首都长安）晋州道（山西省临汾市）大军作战司令（晋州道行军总管）裴寂，出击定杨天子刘武周（首都马邑），进抵介休（山西省介休市），宋金刚守城抵抗；裴寂驻军度索原（山西省灵石县东），饮用山涧溪水；宋金刚切断水源，唐军士卒无水可饮，开始干渴。裴寂打算把大营移到有水的地方，宋金刚挥军进攻，唐军崩溃，有的被杀，有的逃亡，几乎不剩一人，裴寂一天一夜工夫，骑马飞奔到晋州（山西省临汾市）。

之前，定杨天子刘武周不断派军攻击西河（山西省汾阳市），浩州

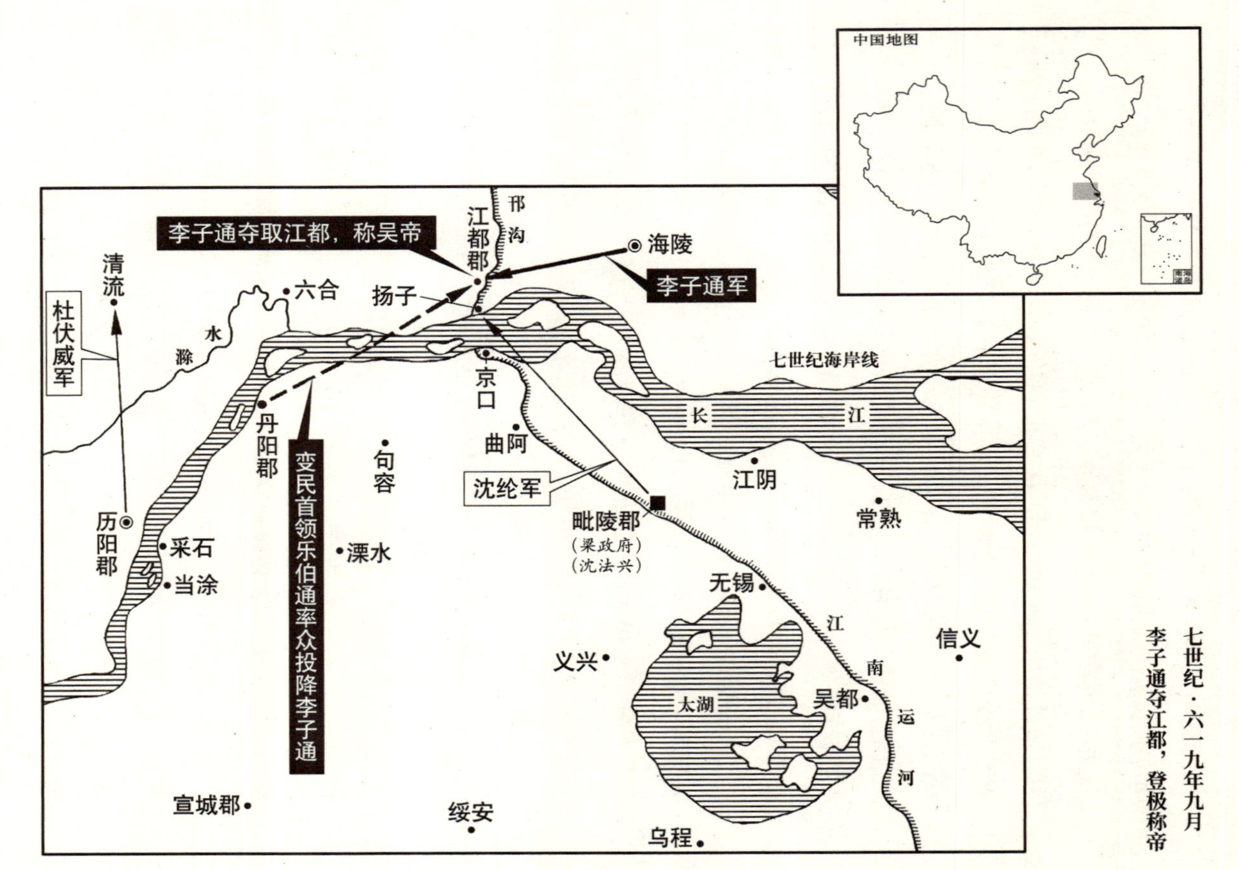

七世纪·六一九年九月
李子通夺江都，登极称帝

(州政府西河)州长刘赡拒抗。唐政府派李仲文率军增援，共同守卫西河(山西省汾阳市)。后来，裴寂战败，晋州(山西省临汾市)以北城池，全都丧失，只有西河一城固守。姜宝谊再被宋金刚俘虏，仍打算逃回，宋金刚把他诛杀。裴寂上疏请求处分，唐帝李渊下诏勉励，仍命他镇守安抚河东地区(山西省)。

刘武周进逼并州(山西省太原市)，齐王李元吉告诉他的军政官(司马)刘德威说："你率领老弱残兵守城，我率领精锐部队出战！"

九月十六日，夜晚，李元吉携带他的妻子和小老婆群，放弃州城，奔回长安(唐首都，陕西省西安市)。李元吉刚走，刘武周大军已到城下，晋阳(并州州政府所在县，山西省太原市)民间豪杰薛深打开城门，迎接刘武周军入城。

李渊得到消息，大怒，对国务院内政部长(礼部尚书)李纲说："元吉年幼(本年十九岁)，不懂时事，所以特派窦诞、宇文歆在身旁辅佐。晋阳(山西省太原市)精锐部队数万，粮食足可支持十年。开创帝王大业的圣地，一天之间，就被放弃。听说是宇文歆出的主意，我要杀掉他。"李纲说："大王(李元吉)年少骄傲，喜好安逸，窦诞从没有一句规劝的话，反而为大王遮盖掩饰，以至激起知识分子及平民的忿怒怨恨，今天的失败，是窦诞的罪过。宇文歆所作规劝，都一一奏报有案(参考本年〔六一九〕闰二月)，大王并不接受，他是一个忠臣，怎么可以杀他！"明天，李渊在金銮宝殿上召见李纲，请他坐在自己身边说："有了你，我才不至于滥用刑罚！元吉自己不学好，不是两个人的力量所能管教。"连同窦诞一齐赦免。军械供应部副部长(卫尉少卿)刘政会在太原(并州州政府所在的另一县)，被刘武周俘虏，刘政会秘密呈递奏章，分析刘武周形势。

刘武周迁都太原(晋阳，山西省太原市)，派宋金刚进攻晋州(山西省

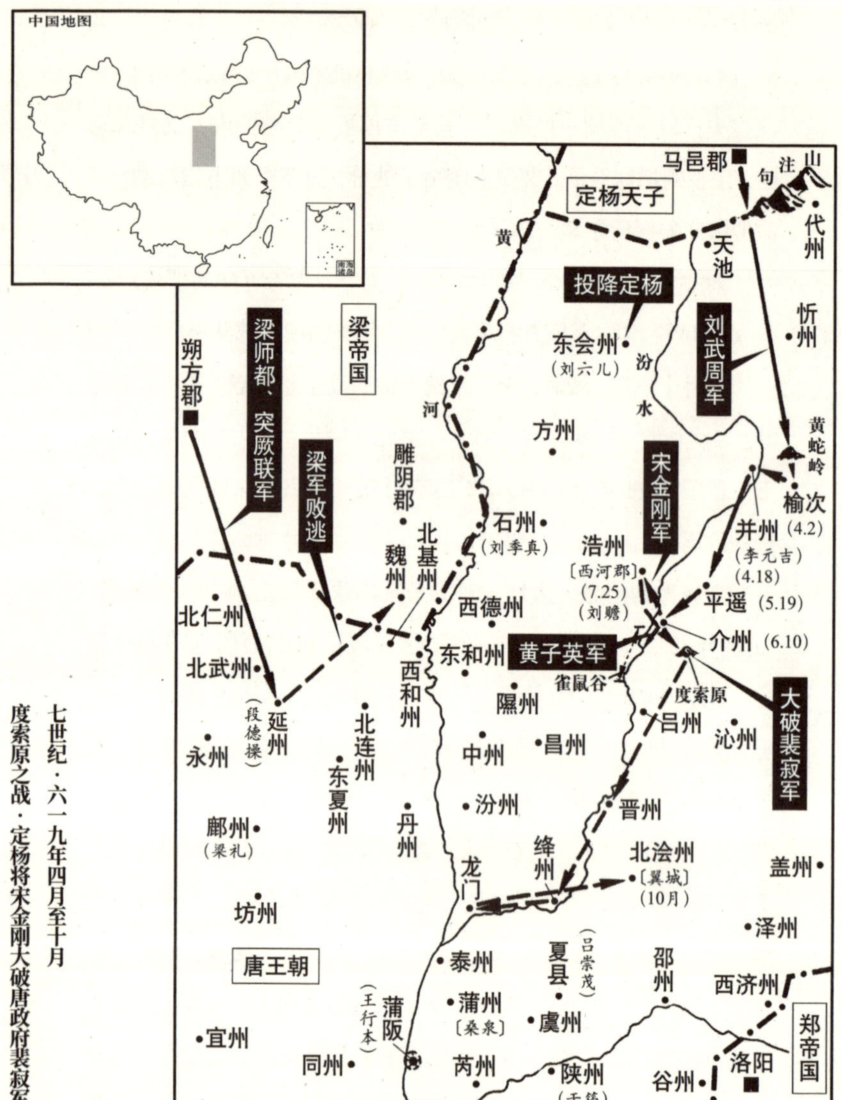

七世纪·六一九年四月至十月

度索原之战·定杨将宋金刚大破唐政府裴寂军

临汾市），攻克，俘虏唐政府右骁卫（禁军）大将军刘弘基，刘弘基逃回。宋金刚进逼绛州（山西省新绛县），攻克龙门（山西省河津市）。

65 西突厥曷娑那可汗（一任大可汗）阿史那达漫，跟东突厥互相仇视，阿史那达漫身在长安（唐首都，陕西省西安市），东突厥处罗可汗（十二任大可汗）阿史那俟利弗派使节到长安，要求唐政府诛杀阿史那达漫，唐帝李渊拒绝（李渊封阿史那达漫当归义王，参考去年〔六一八〕十二月十三日）。文武官员都说："为了保护一个人，而失去一个友邦，定有后患。"秦王李世民说："人们走投无路，前来依靠，把他杀掉，不仁不义。"

李渊拖延了很久，无法抵抗东突厥的压力，万不得已。

九月二十一日，李渊邀请阿史那达漫入宫欢宴，然后把他送到立法院（中书省），交给东突厥使节，任由他们格杀。

66 唐政府国务院内政部长（礼部尚书）李纲，兼太子宫总管（领太子詹事），太子李建成开始时对他还很礼敬。可是久而久之，李建成渐渐亲近一些卑劣的小人物，对秦王李世民所建立的大功，既厌恶又猜忌，李纲屡次规劝，李建成都不接受，李纲于是请求退休，唐帝李渊诟骂说："你肯当何潘仁的秘书长（西域商人何潘仁，参考前年〔六一七〕九月十八日），为什么不屑于当我的部长？而且我正要你辅佐建成，你非走不可，是为了什么？"李纲叩头说："何潘仁，不过一个蟊贼，每次想乱杀人，我一规劝，他就停止，当他的秘书长（长史），一点也不惭愧。陛下是创业的英明领袖，我自问没有才干，所说的话，全都像把水泼到石头上（石头毫不吸收），规劝太子（李建成）的话，情形也是一样。我怎么敢长期污染政府和东宫（太子宫）？"李渊说：“我知道你是正直之士，勉强留下来，帮助我儿！”

九月二十三日，李渊擢升李纲当太子少保（太子三少之三），原官国务院内政部长（礼部尚书）、太子宫总管（詹事），仍然保持。李纲再上疏指摘李建成酗酒，没有节制，相信挑拨离间的谗言，不念兄弟之情。李建成大不高兴，行为依然如故，不能更改。李纲心情忧伤难解。本年（六一九），坚称自己年老多病，呈请辞职，李渊解除他的国务院内政部长（礼部尚书）职务，仍保留太子少保（太子三少之三）。

67 唐政府淮安王李神通（时驻相州〔河南省安阳市〕），派慰劳安抚特使（慰抚使）张道源，镇守赵州（河北省柏乡县）。

九月二十五日，夏王窦建德（首都乐寿）攻陷赵州，俘虏张道源及军区总司令（总管）张志昂。窦建德认为二人以及邢州（河北省邢台市）州长陈君宾，不早早投降，打算把三人诛杀，国立贵族大学校长（国子祭酒）凌敬劝阻说：“每个臣属都效忠他的君王，他们坚守城池，不肯屈服，正是忠臣，大王如果诛杀，将怎么激励你的部下！”窦建德发火说：“我已到城下，他们还不投降，力量枯竭被俘，怎么可以放过！”凌敬说：“大王派大将高士兴在易水（流经河北省易县南）抗拒幽州（北京市）罗艺，罗艺刚到，高士兴就出来投降，大王认为怎么样？”窦建德醒悟，把三人释放。

68 九月三十日，梁帝梁师都（首都朔方）再攻延州（陕西省延安市），唐政府大军作战司令（行军总管）段德操把他击破，杀二千余人，梁师都率一百余骑兵撤退。段德操因功被擢升柱国（勋官，正二品），封平原郡公爵。鄜州（陕西省富县）州长、鄜城公爵（壮公）梁礼战死。

69 冬季，十月四日，唐政府加授凉州军区（总部设甘肃省武威市）总司令（凉州总管）杨恭仁，当最高监督长（纳言）；赏赐幽州军区（总部设北京市）总司令（幽州总管）燕公爵罗艺姓李，晋封燕郡王。

十月六日，李艺（罗艺）在衡水（河北省衡水市）击破夏王窦建德（首都乐寿）。

十月八日，唐政府命左武候（禁军）大将军（正三品）庞玉，当梁州军区（总部设陕西省汉中市）总司令（梁州总管）。当时，集州獠（四川省南江县獠部落）背叛唐政府，庞玉出军镇压，獠部落据守险要，唐军不能前进，而粮食又快吃完。服从政府的熟獠（汉化獠人）和反抗军的生獠（没有汉化的獠人），原本都是乡里亲戚，关系密切，纷纷强调战乱无法平息，请庞玉撤退。庞玉扬言说："秋季庄稼就要成熟，我将下令禁止人民收割，一切供应军队，非等到盗贼平定，绝不回去。"熟獠听到这个消息，大为恐惧，说："政府军如果不走，征收粮食，我们都将饿死。"熟獠中的勇士遂进入生獠大营，跟亲友密谋，最后，击斩反抗军首领，投降，党羽星散。庞玉追击，全部消灭。

70 定杨天子刘武周（首都太原）部将宋金刚，进攻浍州（北浍州，山西省翼城县），攻克，兵锋锐不可当。唐政府晋州道（山西省临汾市）大军作战司令（行军总管）裴寂，性情懦弱，胆小如鼠，不是将帅的材料，无法应付军事危机，唯一的办法只有坚壁清野，不断派出使节，催促虞州（山西省运城市东北安邑街道）、泰州（山西省万荣县西南荣河镇）人民进入城池，焚烧村落所有积蓄；人民惊恐怨恨，社会骚动，都想反抗。

夏县（山西省夏县）人吕崇茂，聚众起兵，自称魏王，响应刘武周。裴寂攻击吕崇茂，被吕崇茂击败。唐帝李渊派永安王李孝基、国务院工程部长（工部尚书）独孤怀恩、陕州军区（总部设河南省三门峡市）

总司令（陕州总管）于筠、副立法长（内史侍郎）唐俭等，率军讨伐。

当时，隋王朝残余将领王行本，据守蒲阪（山西省永济市），仍不屈服（尧君素死及王行本守城事，参考去年〔六一八〕十二月），也跟刘武周呼应，关中（陕西省中部）震骇。李渊下令说："盗贼声势竟如此嚣张，难以竞争，不妨放弃河东（山西省），只守关西（函谷关以西）。"秦王李世民上疏说："太原（山西省太原市）是帝王大业发祥之地，国家根本所在。河东（山西省）物产丰富，人民殷实，是京师（首都长安）繁荣的资源，如果一举把它抛弃，我私下会感到愤慨和遗憾。请拨付给我精锐部队三万人，一定可以消灭刘武周，收复汾晋（山西省）。"

李渊于是集结关中（陕西省中部）所有军队，增加李世民兵力，命他攻击刘武周。

十月二十日，李渊亲自到华阴（陕西省华阴市）长春宫（陕西省大荔县东），给李世民饯行。

71 夏王窦建德（首都乐寿）率军向卫州（河南省淇县东）前进。窦建德每次行军，都分三路，辎重及老幼位居中央，步骑兵左右保护，相距大约三华里，窦建德则自率一千余骑兵作为先锋；越过黎阳（黎州州政府所在县，河南省浚县）三十华里，李世勣（徐世勣）派骑兵将领丘孝刚，率骑兵三百担任斥候，丘孝刚一向骁勇善战，精于骑马及使用长矛；在侦察中跟窦建德相遇，遂发动攻击，窦建德败退，幸好右翼军增援，击斩丘孝刚。

窦建德被这项突袭激怒，回军进攻黎阳（河南省浚县），攻克。生擒唐政府淮安王李神通、李世勣（徐世勣）的老爹李盖（徐盖）、魏徵及李渊的妹妹同安公主。唯有李世勣（徐世勣）率数百名骑兵逃出，渡黄河南下，在外数天，因老爹被掳，只好回去向窦建德投降。卫州（河南省淇县东）听说黎阳陷落，也跟着投降。

窦建德任命李世勣（徐世勣）当左骁卫（禁军）将军，仍用他镇守黎阳，但把李世勣（徐世勣）的老爹李盖（徐盖）带在身边充当人质。另行任命魏徵当皇家生活记录官（起居舍人，从六品）。

唐政府滑州（河南省滑县）州长王轨的家奴，刺杀王轨，携带人头投降窦建德。窦建德说："家奴害死主人，是大逆不道，我为什么接受！"下令将家奴斩首，把王轨的人头送回滑州。滑州官员和人民无不感激钦佩，当日就请求投降。于是相邻的州县以及变民首领徐圆朗（时在兖州〔山东省济宁市兖州区〕）等，都望风归附。

十月二十四日，窦建德返洺州（河北省邯郸市永年区东南广府镇），兴筑万春宫，迁都于此（自乐寿〔河北省献县〕迁都洺州）。而把淮安王李神通软禁在下博（河北省深州市东南下博村），当作客人礼敬。

72 唐政府大军作战司令（行军总管）罗士信，率敢死队于夜晚攻入洛阳（郑帝王世充首都，河南省洛阳市）外城，纵火焚烧清化里，撤退。

十月二十七日，罗士信攻克青城堡（青城宫城堡）。

73 郑帝王世充（首都洛阳）亲自率军夺取土地，进抵滑台（滑州州政府所在城，河南省滑县），逼近黎阳（河南省浚县）。尉氏（河南省尉氏县）城防司令（城主）时德叡、汴州（河南省开封市）州长王要汉、亳州（安徽省亳州市）州长丁叔则，都派使节向王世充投降。王世充命时德叡当尉州（尉氏县改）州长。王要汉，是王伯当的老哥（王伯当忠于李密，参考去年〔六一八〕九月）。

最初，唐政府派皇家图书院长（秘书监）夏侯端，宣慰淮左（淮东，淮河下游）人民（参考本年〔六一九〕四月六日），抵达黎阳（河南省浚县）时，李

七世纪·六一九年六月至十月　夏王窦建德扩张

中国地图

易水　易州　拒马河　唐·罗艺军　永济渠　夏·窦建德军

定州　瀛州　景城　燕州　岳州　井州　观州　深泽　深州　饶阳　廉州　乐寿（夏政府）　下博　恒州

太行山　赵州（9.25）　衡水（10.6）　沧州（6.3）　冀州　德州

东龙州　起州　邢州　和州　封州　贝州　古黄河　谭州

温州　紫州　洺州（8.11）（10.24迁都于此）　齐州（王薄）　济州　今黄河

磁州　魏州　魏县　岩州　相州（9.4）　生擒李神通、魏徵等

黎阳　卫州　澶渊　范州　兖州（徐圆朗）　东平郡　共州　义州　滑州　任城

获嘉　新乡　兴州　胙州

★投降夏政府之州
☆夏军之前已攻占之城

世勣（徐世勣）派兵护送，自澶渊（河南省濮阳市）南渡黄河，发布文告，影响所及，于是，东到东海，南到淮河，二十余州都派使节向唐政府投降（此疆域原属李密，李密失败后，各州一直维持割据状态）。夏侯端继续南下，走到谯州（安徽省宿州市南蕲县镇），就在此时，汴州、亳州降附郑帝王世充，归路遂被切断。夏侯端素来受部属拥护，所率领的部众二千人，虽然粮食已经吃完，仍不忍心抛弃他而去。夏侯端坐在荒草沼泽里，杀掉马匹供应他的部属，泣不成声说："你们家乡都已投降盗匪（王世充），只因我们有同事之情，你们才不忍心把我扔下不管。我身奉皇上使命，不可以追随各位。但各位家中有妻有子，也不可以效法我的行径。不妨砍下我的人头，去归附盗匪（王世充），一定会得到重赏。"大家流泪说："你并不是李姓皇家的亲属，只因忠于大义，所以决心一死。我们虽然卑贱，同样是人，怎么可以出卖你而自己求利！"夏侯端说："你们如果不忍心动手，我就自杀！"大家抱住他劝解，继续前进。在荒山中摸索，历时五天，饿死以及被郑军攻击逃亡失散的，超过大半，最后只剩五十二人，仍跟他同走，沿途采摘野绿豆生吃。

夏侯端所携带的皇帝符节，始终没有离开自己，屡次要护送人员散去，自求生路，大家都不接受。此时，河南（黄河以南）地区都归降郑帝王世充，只杞州（河南省杞县）州长李公逸，仍然为唐政府坚守，派兵迎接夏侯端，住进宾馆，供给日常用品（李公逸归附唐政府，参考本年〔六一九〕闰二月）。王世充派使节召唤夏侯端，并脱下身上的衣服相赠，又致送人事任命状，封夏侯端当淮南郡公爵，任国务院文官部副部长（尚书少吏部）；夏侯端在使节面前把任命状烧掉，把衣服撕碎，说："我，夏侯端，是天子（李渊）的特使，怎么会接受王世充的官职！你要我去，除非砍下我的人头！"遂把符节分解，揣到怀里，把匕首绑到竹竿上，从山中向西前行；山中没有道路，夏侯端踏着荆棘，日夜不停的徒步冒险，好不容易才到宜阳（唐政府熊州，河南省宜阳县西）。随从的人从悬崖掉下跌死，失足落水淹死，沿途被虎狼吞食，残余的五十二人中，又丧亡一半。侥幸生存的，鬓发全都脱落，狼狈不成人形。夏侯端前往宫门晋见唐帝李渊，只强调没有立功，请求处分，始终不肯诉说艰苦经历，李渊命他仍当皇家图书院长（秘书监）。

同样情形，最高法院院长（大理卿）郎楚之，安抚山东（崤山以东。参考本年〔六一九〕四月六日），被夏王窦建德（首都洺州）俘获，郎楚之不肯屈服，最后也得以返回。

郑帝王世充（首都洛阳）派堂弟王世辩，征调徐州（江苏省徐州市）、亳州（安徽省亳州市）的军队，进攻雍丘（河南省杞县），李公逸派使节前往长安（唐首都，陕西省西安市）求救。李渊因当中被王世充隔断，无法增援。李公逸乃留他的部将李善行，继续固守雍丘（河南省杞县），自己率轻装备骑兵西奔长安，到达襄城（河南省襄城县），被郑国伊州（河南省襄城县）州长张殷掳获。王世充质问他："你穿过郑国国土，去效忠唐国，道理何在？"李公逸说："天下之大，我只知道唐国，不知道郑国！"王世充大怒，斩李公逸。李善行无法坚守孤城，也被俘获。唐帝李渊封李公逸的儿子当襄邑公爵。

74 十月二十九日，李渊前往华山（西岳，陕西省华阴市南）祭祀。

75 十一月十四日，定杨天子刘武周（首都太原）进攻浩州（山西省汾阳市）。

唐政府（首都长安）秦王李世民率军自龙门（山西省河津市西黄河断

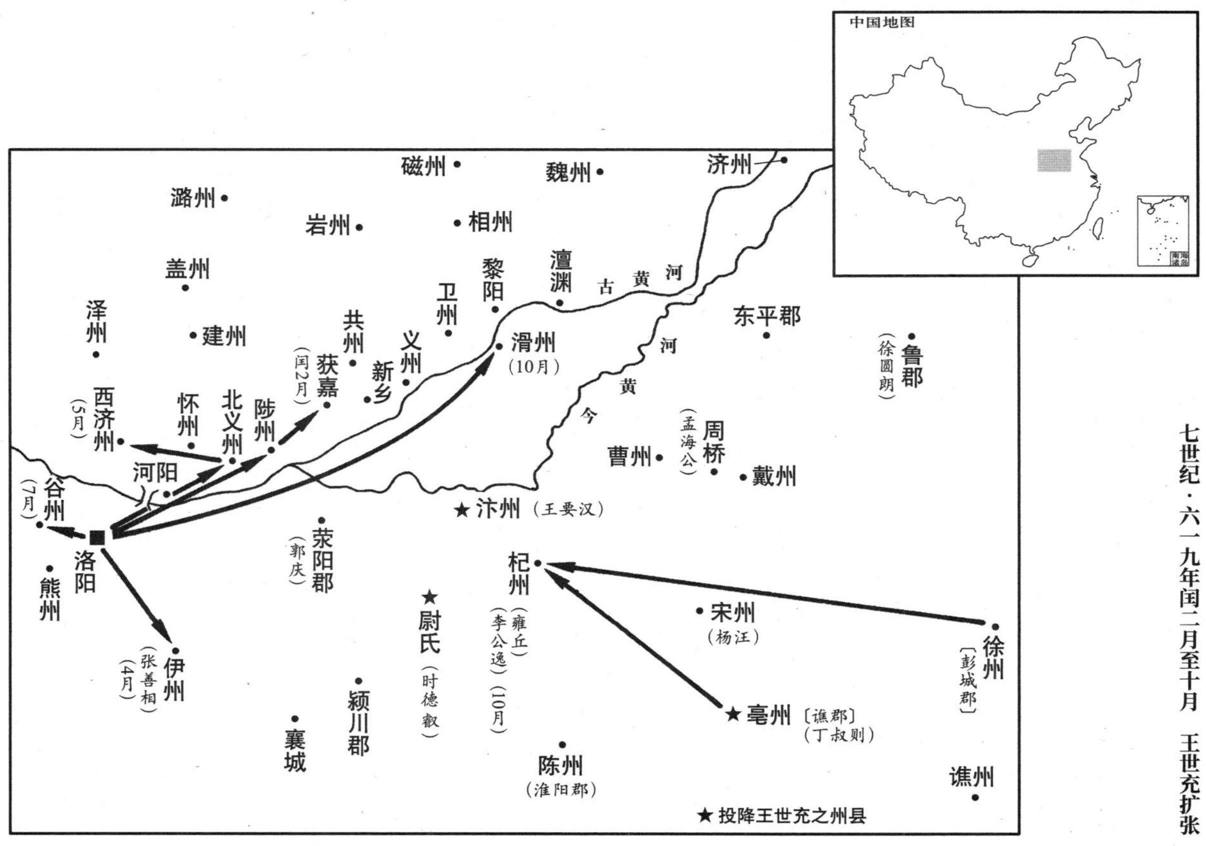

七世纪·六一九年闰二月至十月　王世充扩张

崖），趁黄河结冰正坚，踏冰西渡，驻扎柏壁（山西省新绛县南），跟宋金刚对峙。当时，河东（山西省）各州县在战乱、杀戮、掳掠之后，仓库一空，人心恐惧不安，都聚集城堡，村落荒芜，唐军既抢夺不到东西，军粮遂开始缺乏。李世民发出号召文告，人民听说大军元帅是李世民，没有人不向他归附，消息从近处向远处传播，前来投奔的每天都在增加。然后，李世民渐向他们征收粮食，军中给养才告充实，于是休养士卒，喂饱战马，只派少数部队，利用空闲劫掠，主力则坚守营垒，拒不出战，宋金刚的锐气开始衰退。

李世民曾经率少数骑兵，亲往侦察敌阵，骑兵四散，李世民单独跟一个武士登上丘陵，因疲倦已极，竟双双入睡。霎时间，定杨大军从四面八方包围上来，李世民还没有发觉，正巧一条蛇追赶一只老鼠，老鼠情急逃窜，撞到武士脸上，武士惊醒，遂唤起李世民，一同跳上马背（对这件事，除了说李世民运气好之外，无法解释），狂奔一百余步，定杨军已经追到，李世民翻身用大羽箭射击，一箭把定杨军最领先的勇将射死，其他士卒才向后撤退。

76 李世勣（徐世勣）打算再投奔唐政府，又怕夏王窦建德把他的老爹杀害，跟郭孝恪商量，郭孝恪说："我们新近才归附窦家，一举一动，都受猜疑，最好是先建立功劳，取得他们信任，然后才可以行动。"李世勣同意。于是袭击郑政府（首都洛阳，皇帝王世充）所属的获嘉（河南省获嘉县），攻克，俘获大量人员物资，呈献窦建德；窦建德因此把他当作亲信。

最初，漳南（河北省故城县东）人刘黑闼（音tà〔踏〕），从小骁勇机智，跟窦建德友善（二人同乡），后来参加变民军，辗转追随郝孝德（参考六一三年三月）、李密、王世充。王世充命他当骑兵司令，但他每次看到王世充所作所为，都忍不住暗中失笑。王世充命刘黑闼驻防新乡（河南省新乡市），李世勣（徐世勣）把他生擒，献俘给窦建德。窦建德任命他当将军，封汉东公爵，经常派他率游击部队，发动偷袭，有时甚至暗中进入敌人地区，窥探军情，一有机会，就奋勇突击，经常胜利掳掠而回。

77 十二月二十五日，唐帝李渊前往华山（西岳，陕西省华阴市南）打猎。

78 唐政府（首都长安）陕州军区（总部设河南省三门峡市）总司令（陕州总管）于筠，建议永安王李孝基：应立即向变民首领、魏王吕崇茂（基地夏县）发动猛烈攻击，独孤怀恩请求先制造攻城器具，然后再行进攻，李孝基同意。吕崇茂向宋金刚求救，宋金刚派部将、善阳（马邑郡郡政府所在县，山西省朔州市）人尉迟敬德、寻相（寻，姓）率军突然进驻夏县（山西省夏县），李孝基腹背受敌，大败。李孝基、独孤怀恩、于筠、唐俭及大军作战司令（行军总管）刘世让，全被俘虏。尉迟敬德，原名尉迟恭，以别名行世。

唐帝李渊征召裴寂返回中央，责备他丧师辱国的罪状，交付有关单位审判。但不久就把他释放，待他更厚。

尉迟敬德、寻相，将回浍州（北浍州，山西省翼城县），秦王李世民派国务院国防部长（兵部尚书）殷开山、大军作战司令（总管）秦叔宝等，在美良川（山西省夏县北）狙击，大破定杨军，杀二千余人。不久，尉迟敬德、寻相，暗中率精锐骑兵增援仍固守蒲阪（山西省永济市）的隋王朝残余将领王行本。李世民亲率步骑兵三千人，夜间从小路向安邑（即虞州，山西省运城市东北安邑街道）进发，拦腰攻击，大破定杨军。

尉迟敬德、寻相仅逃出一命。李世民把二人的部众全部俘虏，再回柏壁（山西省新绛县南）。

唐军各将领都要求跟宋金刚决战，李世民说："宋金刚孤军深入，定杨天子的精兵猛将，全部集中在此。刘武周进驻太原（山西省太原市），依靠宋金刚的遮蔽保护。宋金刚军中没有积蓄，全仗抢夺粮食维持，所以他盼望速战速决，我们偏偏紧闭营垒，养精蓄锐，不理会任何挑战，对他们的士气将是一个挫折，然后分兵攻击汾州（山西省吉县）、隰州（山西省隰县），直冲他的心脏，等到他粮食吃完，计谋枯竭，自然逃走。应当等待机会，现在不应寻求决战。"

李孝基计划逃走，刘武周把他斩首。

79 李世勣（徐世勣）再派人向夏王窦建德（首都洺州）建议，说："曹州（山东省菏泽市定陶区）、戴州（山东省成武县），户口充实，现在被变民首领孟海公占领，孟海公跟郑政府（首都洛阳，皇帝王世充）外貌合作，内心疏离，用大军施加压力，可以马上夺取。如果能生擒孟海公，逼迫徐州（江苏省徐州市）、兖州（山东省济宁市兖州区），河南（黄河以南）可以不经过战争，就可一扫而平。"

窦建德同意，打算亲自率军到河南（黄河以南）夺取土地。于是先派中央特遣政府总监（行台）曹旦等，率军五万人，南渡黄河，李世勣（徐世勣）率军三千人，跟曹旦会师。

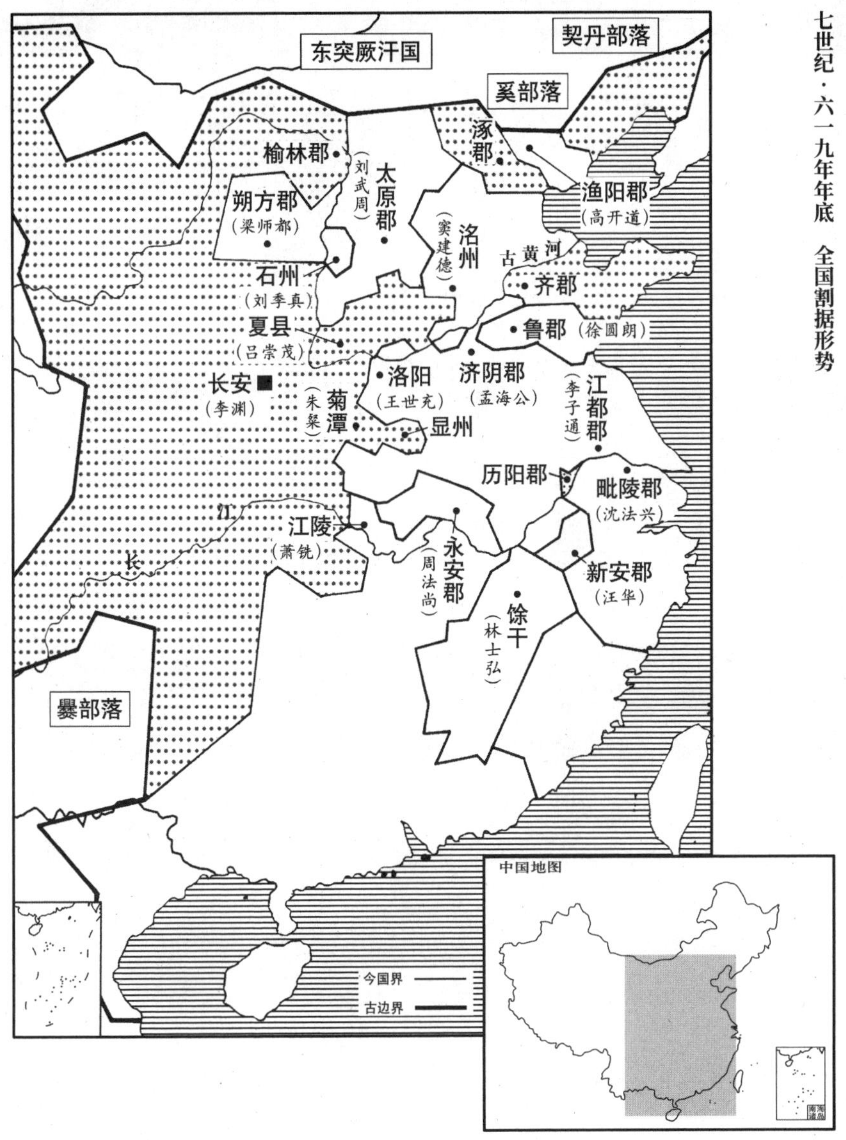

七世纪·六一九年年底 全国割据形势

唐王朝

- ◉ 短命帝王群刘武周、窦建德、王世充、萧铣、李子通等，或投降、或被杀。
- ◉ 唐帝李渊再统一中国，开始新的社会秩序。

唐　武德　三年
（楚帝朱粲昌达三年）
（楚帝林士弘太平五年）
（夏王窦建德五凤三年）
（定杨天子刘武周天兴四年）
（梁帝梁师都永隆四年）
（梁帝萧铣鸣凤四年）
（燕王高开道始兴三年）
（郑帝王世充开明二年）
（突利可汗刘季真二年）
（梁王沈法兴延康二年）
（吴帝李子通明政二年）
（魏王吕崇茂二年）

1 春季，正月，唐政府（首都长安〔陕西省西安市〕）将军秦武通，攻击隋王朝残余将领王行本据守的蒲阪（山西省永济市）。

王行本出城迎战，失败，内无粮草，外无援军，打算突围逃走，但已没有人愿意跟随。

正月十四日，王行本打开城门出降。

正月十七日，唐帝（一任高祖）李渊（本年五十五岁）前往蒲州（蒲阪。原侨设于桑泉〔山西省临猗县西临晋镇〕的州政府，当自动撤销），斩王行本。秦王李世民轻骑到蒲州晋见老爹。

定杨大将宋金刚继续前进，包围绛州（山西省新绛县）。

正月二十九日，李渊返首都长安（陕西省西安市）。

2 李世勣（徐世勣）密谋：一旦夏王窦建德（首都洺州〔河北省邯郸市永年区东南广府镇〕）抵达河南（黄河以南），就偷袭他的大营，诛杀窦建德，希望找到老爹李盖（徐盖），连同夏国国土，一起回归唐政府（首都长安）。不巧，窦建德的妻子曹皇后生产，延误很久，不能抵达。

曹旦，是曹皇后的老哥，驻军河南（黄河以南），不断侵夺骚扰，归附夏政府的变民首领，都心怀怨恨。变民首领之一的魏郡（河南省安阳市）人李文相，号称李商胡，拥有部众五千余人，据守孟津中潬（河南省洛阳市孟津区东黄河中小岛）。李商胡的娘亲霍女士，精于骑马射箭，自称霍总司令（霍总管）。李世勣（徐世勣）跟李商胡结拜成为兄弟，到后堂叩见李商胡的娘亲。霍女士泪流满面，对李世勣（徐世勣）说：“窦家横行霸道，你为什么还拥护他？”李世勣（徐世勣）说：“娘亲不要忧愁，不会超过一个月，就把他诛杀，我们一起回归唐政府！”李世勣辞去后，霍女士对李商胡说：“东海公爵（李世勣）承诺我们共同讨伐这个蟊贼（窦建德），事情拖延太久，就会发生变化，何必等他来到才再动手，不如马上解决。”

当天夜晚，李商胡摆设筵席，招待曹旦的部下军官二十三人，把他们灌醉，全部格杀。曹旦另外两个部将高雅贤、阮君明，仍留黄河北岸，还没有南渡，李商胡派大船四艘，运送北岸部队三百人，船到黄河中流，全部格杀，只有一个兽医跳水逃命，游到南岸，报告曹旦，曹旦严密戒备。李商胡已经动手，才派人通知李世勣（徐世勣）。李世勣（徐世勣）跟曹旦大营相连，郭孝恪劝李世勣（徐世勣）袭击曹旦，李世勣（徐世勣）犹豫不决，而且听说曹旦已经严密戒备，遂跟郭孝恪率数十名骑兵，投奔唐政府。李商胡再率精兵二千人，到黄河北岸袭击阮君明，把他击破。高雅贤集结残兵败将，撤退；李商胡追击，无法追到，回军。

夏政府各官员请求诛杀李盖（徐盖），窦建德说："李世勣（徐世勣）本是唐政府干部，被我们俘虏，仍不忘他的政府，乃是忠臣，他的老爹有什么罪？"下令赦免。

正月三十日，李世勣（徐世勣）、郭孝恪，抵达长安（唐首都，陕西省西安市）。曹旦遂攻克济州（山东省聊城市茌平区西南），然后返回首都洺州（河北省邯郸市永年区东南广府镇）。

3 二月六日，唐帝李渊前往华阴（陕西省华阴市）。

4 定杨天子刘武周（首都太原〔山西省太原市〕）再派军攻击潞州（山西省长治市），一连攻陷长子（山西省长子县）、壶关（山西省壶关县）。唐政府任命的潞州州长郭子武，不能抵抗。唐帝李渊派将军、河东（山西省永济市）人王行敏增援。王行敏跟郭子武感情不睦，有人检举郭子武将要叛变，王行敏遂斩郭子武示众。

二月十一日，刘武周再派军攻击潞州（山西省长治市），王行敏把他击破。

5 二月十八日，唐政府开州蛮（重庆市开州区蛮族部落）酋长冉肇则，攻陷通州（四川省达州市达川区）。

6 二月二十日，唐帝李渊派将军桑显和等，攻击据守夏县

(山西省夏县)的魏王吕崇茂。

最初，唐政府国务院工程部长(工部尚书)独孤怀恩，进攻蒲阪(山西省永济市)，很久不能攻克，士卒伤亡及逃走的很多，唐帝李渊几次下诏讥诮责备，独孤怀恩大为怨恨。李渊曾经跟独孤怀恩开玩笑，说："你姑妈的儿子，都当了皇帝(指杨广及李渊)，依照次序，下次可能会轮到我舅舅的儿子！"独孤怀恩也很以这种关系自负，有时候握住手腕，叹息说："难道我们独孤家只有女儿的命尊贵！"(北周帝国二任帝宇文毓的皇后、四任帝宇文赟的皇后、隋王朝一任帝杨坚的皇后、唐王朝一任帝李渊的娘亲，都是独孤家的女儿。)遂跟他的部属元君宝，密谋叛变。然而，这项阴谋还没有发动，而独孤怀恩、元君宝、唐俭，全被尉迟敬德俘虏(参考去年〔六一九〕十二月)，元君宝告诉唐俭说："独孤部长最近要干出一件大事，如果早一天决定，我们怎么会有今天的屈辱？"稍后，秦王李世民在美良川(山西省夏县北)击败尉迟敬德，独孤怀恩逃回，李渊再交给他军队，命他继续攻击蒲阪(山西省永济市)，元君宝又对唐俭说："独孤部长能逃出大难，再回蒲阪(山西省永济市)，真是命中注定要当帝王的人，永不会死！"唐俭深恐独孤怀恩采取行动，于是游说尉迟敬德，请他释放刘世让回去，促使定杨政府与唐政府和解，尉迟敬德同意，唐俭遂把独孤怀恩的谋反情形，透过刘世让转奏。

当时，王行本已经投降，独孤怀恩进入蒲阪(山西省永济市)，控制全城。李渊正要渡黄河前往独孤怀恩大营，已经登上渡船，刘世让恰巧赶到。李渊听了报告后，大吃一惊，说："我得以逃命，岂不是天意！"乃派使节召唤独孤怀恩，独孤怀恩还不知道事情泄漏，单独坐一叶扁舟，渡河晋见，李渊把他逮捕，交付有关单位审讯，分别搜捕党羽。

二月二十日，诛杀独孤怀恩（年三十六岁）和他的党羽。

7 夏王窦建德攻击李商胡，把他诛杀。

窦建德返首都洺州（河北省邯郸市永年区东南广府镇），勉励人民种桑耕田。国境之内，一派升平，没有盗匪，无论商人和旅客，都敢在郊野露天住宿。

8 东突厥汗国（瀚海沙漠群）处罗可汗（十二任大可汗）阿史那俟利弗，迎接杨政道，封他当隋王（杨政道是杨广的孙儿，本年二岁；参考去年〔六一九〕四月）。中国知识分子及平民，凡在汗国境内的，全部分配给杨政道，约有一万人左右。设立文武百官，全依照隋王朝政府制度，定居定襄郡（内蒙古和林格尔县）。

9 三月二日，定杨天子刘武周（首都太原〔山西省太原市〕）派部将张万岁，攻击唐政府浩州（山西省汾阳市）；唐政府真乡公爵李仲文把他击退，俘虏及斩杀数千人。

10 唐政府变更官制："纳言"改"侍中"（最高监督长），"内史令"改"中书令"（最高立法长，二官改称，参考五八一年二月），"给事郎"改"给事中"（御前监督官）。

三月十一日，唐政府擢升副立法长（内史侍郎）封德彝当最高立法长（中书令）。

11 郑帝王世充（首都洛阳）的将领和州长、县长，向唐政府投降的，每天每月相继不绝。王世充遂用严刑峻法：一个人逃亡，全家老少都被处斩；鼓励父子、兄弟、夫妇互相告密，并允许告密的一方免死。又命五家连保，有人全家逃亡，四邻还不知道，就四邻一律处斩。于是，杀人越来越多，逃亡也越来越多；最后，政府对出城砍柴的人数，都加限制。官员和平民一起愁苦，人们没有食物维持生命。王世充又把宫城当作监狱，猜忌谁就把谁连同家属，囚禁宫城。将领们出城作战，也把他们的家属送到宫城，充当人质。被软禁的囚犯一直保持一万人之数（软禁犯，仍有小规模自由，只不过不准出家门，或不准出卧室，或不准出营门〔假如囚禁军营的话〕；王世充的软禁，当是不准出宫城门），每天有数十人饿死。

王世充派国务院（台省）官员，分别担任司州（首都洛阳）、郑州（河南省荥阳市西北汜水镇）、管州（河南省郑州市）、原州（河南省原阳县西南）、伊州（河南省襄城县）、殷州（河南省获嘉县）、梁州（河南省睢县）、湊州（疑在河南省新密市境）、嵩州（河南省登封市）、谷州（洛阳东南二十公里）、怀州（河南省沁阳市）、德州（河南省温县东北武德镇）等十二州垦荒特使（营田使），国务院秘书长（丞）、司长（郎）能得到这项官职，高兴得犹如登天成仙。

12 三月二十一日，唐政府大军副作战司令（行军副总管）张纶，在浩州（山西省汾阳市）击败定杨天子刘武周，斩杀及俘虏一千余人。

唐政府西河公爵张纶（与上张纶同一人）、真乡公爵李仲文，率军逼近石州（山西省吕梁市离石区），自称突利可汗的变民军首领刘季真恐惧，诈降。

三月二十二日，唐帝李渊任命刘季真当石州军区总司令（石州总管），赐姓李，封彭山郡王。

开山蛮酋长冉肇则，攻击夔州（重庆市奉节县），唐政府赵郡公爵李孝恭迎战，失利。李靖率军队八百人增援，斩冉肇则，俘虏五千余人。

三月二十六日，收复开州（重庆市开州区）、通州（四川省达州市达川区）。李孝恭又攻击梁政府（首都江陵〔湖北省江陵县〕，皇帝萧铣）东平王萧阇提，斩首。

13 夏季，四月三日，唐帝李渊前往华山（西岳，陕西省华阴市南）祭祀。

四月九日，李渊返首都长安。

唐政府设益州道（四川省成都市）中央特遣政府（益州道行台），管辖：益州军区（总部设四川省成都市）、利州军区（四川省广元市）、会州（西会州）军区（四川省茂县）、鄜州军区（陕西省富县）、泾州军区（甘肃省泾川县）、遂州军区（四川省遂宁市）等六军区总司令（总管）。

14 定杨天子刘武周（首都太原）不断进攻浩州（山西省汾阳市），被唐政府真乡公爵李仲文击退。而定杨大将宋金刚军中粮食吃完。

四月十四日，宋金刚向北撤退，唐政府秦王李世民追击。

15 唐政府大军作战司令（行军总管）罗士信（参考去年〔六一九〕十月）包围慈涧（洛阳城西），郑帝王世充派太子王玄应增援，罗士信把王玄应刺倒马下，幸有人抢救，王玄应得以逃走。

16 四月十九日，唐帝李渊任命显州道（河南省泌阳县）中央特遣政府总监（显州道行台）杨士林（参考去年〔六一九〕正月），当特遣政府总执行长（行台尚书令）。

四月二十一日，李渊加授秦王李世民：益州道（四川省成都市）中

央特遣政府总执行长（益州道行台尚书令）。 732

17 唐军向定杨军发动总攻，秦王李世民追击定杨大将寻相，在吕州（山西省霍州市）追上，大破定杨军，乘胜再深入追击，一日一夜急行军二百余华里，交战数十回合，抵达高壁岭（山西省灵石县南），军区司令官（总管）刘弘基拉住李世民的马缰，劝阻说："大王击破盗匪（定杨军），乘胜追赶，来到此地，功劳已经够大，而仍不停的深入，难道不爱惜自己？加上士卒饥饿疲劳，应该就在这里扎营，等大军主力及粮食全部集合，然后再进，不能算晚。"李世民说："宋金刚计谋枯竭，向后撤退，军心崩离；功勋难以建立，却容易丧失，机会难以捕捉，却容易消灭，一定要趁着现在的优势，把他击溃。如果停留不前，使他们有充分的时间想出计谋，完成戒备，就不能再攻。我尽忠报国，怎么会爱惜自己！"扬鞭打马前进，将士们不敢再说饥饿疲劳，在雀鼠谷（山西省灵石县西南汾水河谷）追到宋金刚，一天之内，八次会战，都把定杨军击破，俘虏斩杀数万人。

当天夜晚，唐军扎营雀鼠谷西端平原，李世民已两天没有吃饭，三天没有脱下铠甲，营中只剩下一只羊，李世民跟将士共同烹食。

四月二十三日，陕州军区（总部设河南省三门峡市）总司令（陕州总管）于筠，从宋金刚大营逃回（于筠被俘，参考去年〔六一九〕十二月）。李世民率军向介休（山西省介休市）进发，宋金刚还有部众二万人，从西门出城，背靠城墙列阵，南北长达七华里。李世民派军区总司令（总管）李世勣（徐世勣）进击，稍稍后退，定杨军乘势前进，李世民率精锐骑兵从定杨军背后进攻，宋金刚大败，被杀三千人。宋金刚轻骑逃走，李世民追赶数十华里，追到张难堡（山西省平遥县西南）。当时，唐政府任命的浩州军区（总部设山西省汾阳市）总司令（浩州总管）樊伯通、张德政，仍坚守城池，不肯向定杨政府投降，李世民到城下脱去头盔让他们辨识，城中守军大喜过望，高声呼喊，兴奋得哭泣。李世民左右告诉守军，李世民还没有进餐，守军才呈上浑浊酒和糙米饭。

定杨大将尉迟敬德集结残兵败将，固守介休（介州州政府所在县，山西省介休市），李世民派任城王李道宗、宇文士及前往游说，尉迟敬德、寻相遂献出介休及永安（山西省孝义市东）投降。李世民得到尉迟敬德，大为高兴，任命他当右翼第一亲军指挥官（右一府统军），使他们仍率旧有部属八千人，跟各营掺杂驻扎。国务院国防部长（兵部尚书）屈突通恐怕他们叛变，立即警告李世民，李世民不信。

定杨天子刘武周听说宋金刚失败，大为惊恐，放弃并州（太原，山西省太原市），逃奔东突厥汗国（瀚海沙漠群）。宋金刚收拾残余部众，打算再发动攻击，但将士已不肯接受命令，宋金刚无可奈何，率领一百余骑兵，也逃奔东突厥汗国。

李世民抵达晋阳（并州州政府所在县，山西省太原市），定杨政府任命的国务院执行长（仆射）杨伏念，献出城池投降。唐俭（参考本年〔六二〇〕二月）封存政府仓库，等待李世民，定杨政府所属州县，全部归属唐政府。

不久，宋金刚打算逃往上谷郡（河北省易县），东突厥追赶擒获，腰斩（宋金刚最初在上谷郡〔易州〕起兵，参考去年〔六一九〕六月）。唐政府任命的岚州（东会州）军区（总部设山西省岚县）总司令（岚州总管）刘六儿，投降定杨军，随宋金刚在介休（山西省介休市），唐秦王李世民把刘六儿擒获，斩首。刘六儿的老哥李季真（刘季真），放弃石州（山西省吕梁市离石区），投奔定杨大将、马邑（山西省朔州市）人高满政，高满政把他诛杀。

刘武周当初南下攻击时（参考去年〔六一九〕六月），最高立法长（内史令）苑君璋劝阻说：“唐帝李渊仅只有一个州的军队，直接夺取大兴（隋首都，陕西省西安市），所向无敌，这是上天把江山交付给他，不是人的力量所可办到。晋阳（山西省太原市）以南，道路狭窄危险，孤军深入敌人国土，而没有大军作为后继，如果进攻不能顺利，有什么办法回来？我的建议是：不如北方联合突厥，南方跟唐政府结盟，面向南方称王，才是最好的谋略。”刘武周不采纳，而留苑君璋守卫首都朔州（马邑郡，山西省朔州市）。后来，刘武周溃败，对苑君璋流泪说：“不听你的话，以致到今天这种地步。”过了一段时间，刘武周暗中计划逃回马邑（朔州州政府所在县），事情泄漏，东突厥汗国诛杀刘武周。

东突厥命苑君璋当中央特遣全权政府总监（大行台），统率定杨残余部众；仍然派将军郁射，率军协助苑君璋。

18 四月二十七日，唐政府（首都长安）怀州军区（总部设河南省济源市西黄河北岸）总司令（怀州总管）黄君汉，在西济州（河南省济源市）攻击郑政府（首都洛阳）太子王玄应，大破郑军。熊州（河南省宜阳县西）大军作战司令（行军总管）史万宝，在九曲（宜阳县北）突击，再大破郑军。

四月二十八日，郑军攻克邓州（河南省邓州市）。

19 唐帝李渊听到收复并州（山西省太原市）消息，大为喜悦。

四月二十九日，李渊大宴文武百官，赏赐绸缎，教他们亲自到监督院御衣管理局（御府），能拿多少，就拿多少。恢复唐俭的官职爵位，仍任命他当并州道（山西省太原市）安抚特使（并州道安抚大使），把

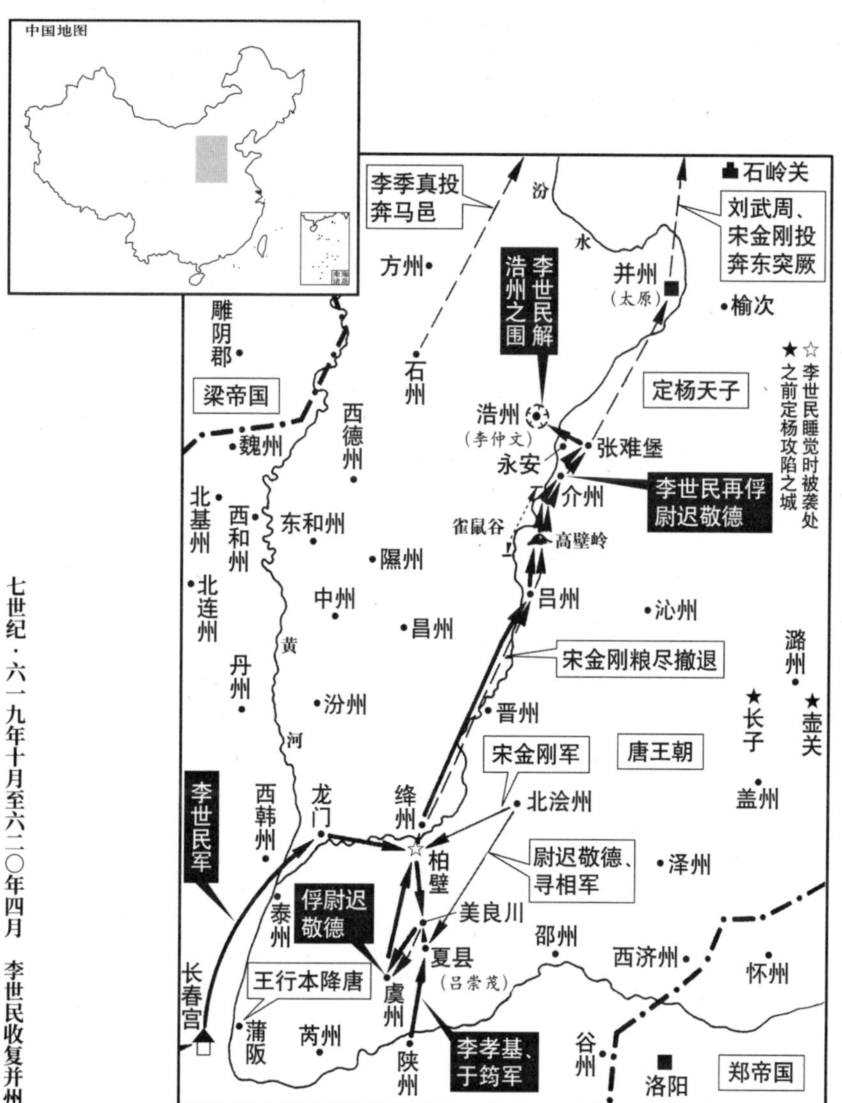

七世纪·六一九年十月至六二〇年四月　李世民收复并州

所没收独孤怀恩的田地住宅财产，全部赏赐给唐俭（酬庸他检举独孤怀恩阴谋）。

李世民留真乡公爵李仲文镇守并州（山西省太原市）。定杨天子刘武周不断派军南下攻击（此指刘武周被东突厥诛杀之前），李仲文每次都把他击败，并攻克边疆城堡一百余座。李渊任命李仲文摄理并州军区（总部设山西省太原市）总司令（检校并州总管）。

20 五月，夏王窦建德（首都洺州〔河北省邯郸市永年区东南广府镇〕）派大将高士兴，前往幽州（北京市）攻击唐政府燕郡王李艺（罗艺），不能攻克，退到笼火城（北京市南），李艺（罗艺）袭击，大破夏军，杀五千人。

夏政府大将军王伏宝，勇敢和智略，超过全军，其他将领嫉妒他的功劳，遂诬陷他阴谋叛变，窦建德把他诛杀。王伏宝临死时，悲怆说："大王！你为什么听信谗言，砍断自己的左右手！"

21 最初，尉迟敬德奉派到变民首领、魏王吕崇茂据守的夏县（山西省夏县）协防（参考去年〔六一九〕十二月），唐帝李渊暗中派人前去赦免吕崇茂的罪状，任命他当夏州（夏县改夏州）州长，教他诛杀尉迟敬德；密谋泄漏，尉迟敬德斩吕崇茂。

后来，尉迟敬德撤退，吕崇茂的余党再据守夏县抵抗。唐政府秦王李世民从晋州（山西省临汾市）回军，进攻夏县。

五月二十日，李世民攻克夏县，屠城，男女老幼，一人不留。

五月二十九日，李世民抵达首都长安。

22 本月（五月），东突厥汗国派使节阿史那揭多，向郑帝王世充（首都洛阳）呈献战马一千匹，并且求婚，王世充把王姓皇家女儿嫁给他（不知“他”是指谁，阿史那揭多？或大可汗阿史那俟利弗），开放跟东突厥汗国通商贸易。

23 六月一日，唐帝李渊下诏，重新任命和州军区（总部设安徽省和县）总司令（和州总管）、东南道中央特遣政府总执行长（东南道行台尚书令）、楚王杜伏威：“使持节”、长江淮河以南军区司令长官（总管江淮以南诸军事）、扬州（江苏省南京市）州长，东南道中央特遣政府总执行长（东南道行台尚书令）、淮南地区（淮河以南）安抚特使（淮南道安抚使），改封吴王，赐姓李。任命辅公祏当特遣政府左执行长（行台左仆射），封舒国公爵。

六月十五日，李渊封皇子李元景当赵王、李元昌当鲁王、李元亨当酆王。

24 唐政府显州（河南省泌阳县）中央特遣政府总执行长（显州行台尚书令）楚公爵杨士林，虽然接受唐政府的官职爵位，但北方结交郑帝王世充（首都洛阳），南方结交梁帝萧铣（首都江陵）。唐帝李渊下诏命庐江王李瑗，会同安抚特使（安抚使）李弘敏，联合讨伐。军队还没有出动，杨士林的秘书长（长史）田瓒，受杨士林猜忌，密谋自救。

六月二十三日，田瓒诛杀杨士林，投降郑帝王世充。王世充任命田瓒当显州军区总司令（显州总管）。

25 唐政府秦王李世民进攻定杨天子刘武周时，东突厥处罗可汗（十二任大可汗）阿史那俟利弗，派老弟阿史那步利将军，率骑兵二千人，协助唐军。刘武周溃败后，本月（六），阿史那俟利弗抵达晋阳（即太原，山西省太原市）；摄理并州军区（总部设山西省太原市）总司令（检校并州总管）李仲文，无法控制局势。阿史那俟利弗又把公爵阿史那伦，留在太原，率领突厥军数百人，声称帮助李仲文共同守卫州城。从石岭（山西省忻州市南）以北，每个险要地方，阿史那俟利弗都留下协防军队（对山西省北部作事实上的占领），然后才退出唐王朝国境。

26 唐帝李渊计划攻击郑帝王世充（首都洛阳）。王世充得到消息，在各州及各基地遴选雄兵勇将，集合洛阳（河南省洛阳市），设立四镇将军，招募武士，分别守卫洛阳四面城墙。

秋季，七月一日，李渊下诏，命秦王李世民率各路人马，向王世充进攻。陕东道中央特遣政府左执行长（陕东道行台左仆射）屈突通的两个儿子，留在洛阳，李渊问屈突通道："我打算派你东征，可是你的两个儿子怎么办？"屈突通说："我从前是一个囚犯，本来就应处死，蒙陛下释放，礼敬相待，恩德厚重（参考六一七年十二月），在那个时候，我心口如一，发出誓言，要用我残余的生命，为陛下尽我臣属的节操，唯恐怕死得不是地方，而今得以担任先锋，两个儿子又算什么！"李渊叹息说："为正义献身的人，竟然如此。"

27 七月二日，东突厥汗国（瀚海沙漠群）派使节秘密晋见郑帝王世充（首都洛阳），唐政府（首都长安）潞州军区（总部设山西省长治市）总司令（潞州总管）李袭誉突击，把突厥护送部队击败，掳获的牛羊，以一万为单位计数。

28 唐政府征兵府总司令（骠骑大将军）可朱浑定远（可朱浑，三字姓）上疏检举："摄理并州军区（总部设山西省太原市）总司令（检校并州总管）

李仲文，跟突厥人秘密结盟，打算在洛阳争夺战爆发时，引导突厥骑兵，长驱直入，侵犯长安（唐首都，陕西省西安市）。”李渊相信。

七月十三日，李渊命皇太子李建成镇守蒲阪（山西省永济市），严加戒备，又派国务院内政部长（礼部尚书）唐俭，前往并州（指山西省）安抚慰问官民，暂时撤除并州军区总司令部（总管府），征召李仲文返京（首都长安）。

29 洛阳争夺战开始。

七月二十一日，唐政府秦王李世民抵达新安（河南省新安县），郑帝王世充派魏王王弘烈镇守襄阳（湖北省襄阳市），荆王王行本镇守虎牢（河南省荥阳市西北汜水镇），宋王王泰镇守怀州（河南省沁阳市），齐王王世恽巡逻洛阳南城，楚王王世伟镇守宝城（皇城），太子王玄应镇守东城（洛阳东城），汉王王玄恕镇守含嘉城（含嘉粮仓保护城），鲁王王道徇镇守曜仪城（东城之东），王世充亲率武装部队，左辅大将军杨公卿率左翼龙骧二十八府（征兵府）骑兵，右游击大将军郭善才率京畿二十八府（征兵府）步兵，左游击大将军跋野纲（跋野，复姓）率地方二十八府（征兵府）步兵，总共三万人，严阵以待，防备唐军攻击。王弘烈、王行本，都是王世伟的儿子。王泰，是王世充的侄儿。

30 梁帝梁师都（首都朔方〔陕西省靖边县北白城则村〕）引导东突厥军及稽胡部落（山西省西部及陕西省北部匈奴人），攻击唐政府辖区，唐政府大军作战司令（行军总管）段德操，把他们击退，斩杀一千余人。

31 唐政府大将罗士信，率前锋部队，包围慈涧（洛阳城西），郑帝王世充亲率大军三万人增援。

七月二十八日，唐政府秦王李世民率轻装备骑兵前进侦察，跟郑军突然遭遇，唐军人少，不能抵抗，再加上道路险恶，遂被郑军包围，李世民前后奔驰，左右开弓射击，弦声响处，郑军纷纷倒毙，擒获郑政府左建威将军燕琪，郑军才撤退。

李世民回到大营，浑身上下全是尘土，守军不能辨识，打算迎战，李世民脱下头盔，大声告诉守军自己是谁，才得以入营。

第二天（七月二十九日）早晨，李世民率步骑兵五万人混合兵团，向慈涧（洛阳城西）进发，王世充撤出慈涧守军，退回洛阳。李世民派大军作战司令（行军总管）史万宝，自宜阳（河南省宜阳县西）进军，占领龙门（洛阳城南）；将军刘德威穿过太行山，东下包围河内（河南省沁阳市）；上谷公爵王君廓（非王世充侄儿王君廓，参考去年〔六一九〕闰二月）自洛口（河南省巩义市东）出军，切断洛阳的粮食补给线；怀州军区（总部设河南省济源市西南黄河北岸），总司令（怀州总管）黄君汉自河阴（河南省洛阳市孟津区北）出军，攻击回洛城（河南省洛阳市偃师区北）；李世民所率主力，在北邙山下（洛阳城北）列阵连营，对洛阳施加压力。

郑政府洧州（河南省扶沟县）秘书长（长史）繁水（河南省南乐县西）人张公谨及州长崔枢，献出州城，向唐军投降。

32 八月七日，南宁（云南省曲靖市）西爨族（参考五九七年二月）派使节向唐政府进贡。

最初，隋王朝末年，酋长爨翫背叛隋，被杀，儿女被强迫充当官奴（参考五九八年十二月，但语焉不详，爨翫后来仍是屈服，亲到大兴〔陕西省西安市〕朝见当时隋王朝一任帝杨坚，杨坚斩爨翫，所有儿子全没收当官奴迄今），土地也被摒弃，政府不再过问。等到唐帝李渊登极，任命爨翫的儿子爨弘达，当昆州（云南省昆明市）州长，准他把老爹灵柩带回安葬。益州（四川省成都市）州长段纶，因而派人向各部落沟通解释，大家一致请求归降。

33 八月九日，夏政府（首都洺州）共州（河南省辉县市）县长唐纲，格杀州长，献出州城，向唐政府（首都长安）归降。

34 郑政府（首都洛阳）邓州（河南省邓州市）居民首领，逮捕州长，向唐政府投降。

35 八月十三日，梁政府（首都朔方，皇帝梁师都）石堡（陕西省榆林市横山区）留守长官张举，率部众一千余人，向唐政府投降。

36 八月十四日，唐政府怀州军区（总部设河南省济源市西南黄河北岸）总司令（怀州总管）黄君汉，派指挥官（校尉）张夜叉，率黄河舰队袭击郑政府回洛城（河南省洛阳市偃师区北），攻克，擒获郑政府将领达奚善定（达奚，复姓），一连接受二十余村落堡寨归附，破坏河阳南桥（河南省孟州市黄河中小岛〔中潬〕至南岸间大桥），撤退。郑帝王世充（首都洛阳）派太子王玄应，率杨公卿等反攻回洛，不能夺回，于是在回洛城西另筑新城，派军驻扎。

王世充在青城宫（洛阳城南）列阵，李世民也在青城宫列阵对抗。王世充隔水（洛水）向李世民喊话，说：“隋王朝瓦解，唐国在关中（陕西省中部）称帝，郑国在河南（黄河以南）称帝，我并没有侵犯西方，大王却忽然指挥大军东来，这是什么缘故？”李世民派宇文士及代表回答，说：“四海之内，都服从我们天子（李渊），只有你阻挠皇家的声威和教化，这就是我们东来的原因。”王世充说：“我们和平共存，休战止兵，岂不更好！”宇文士及再回答说：“我们奉命夺取东都（洛阳），没有奉命跟你和解。”傍晚，各自收兵回营。

37 唐帝李渊派使节跟夏王窦建德和解，窦建德送同安长公主随同唐政府使节，一同返回（同安长公主是李渊的妹妹，黎阳〔河南省浚县〕破后，被夏军俘虏，参考去年〔六一九〕十月）。

38 八月二十五日，唐政府将军刘德威，袭击郑政府所属怀州（河南省沁阳市），进入外城，占领很多堡寨。

39 九月十日，梁政府（首都朔方，皇帝梁师都）将领刘旻，献出华池（甘肃省华池县东华池村），向唐政府投降。唐政府任命刘旻当林州军区（华池县改林州）总司令（林州总管）。

40 九月十三日，郑政府显州军区（总部设河南省泌阳县）总司令（显州总管）田瓒，率领所统辖的二十五州，归降唐政府（本年〔六二〇〕六月二十三日，田瓒归降郑政府），从此，襄阳（湖北省襄阳市）跟洛阳间全被隔绝（王世充派王弘烈镇守襄阳）。

唐政府大军作战司令（行军总管）史万宝，向甘泉宫进军（甘泉宫在陕西省淳化县，此处显然有误，当是显仁宫，显仁宫在甘棠县，今河南省宜阳县境）。

九月十七日，李世民派右武卫（禁军）将军（从三品）王君廓进攻轘辕（河南省登封市西北），攻克。郑帝王世充派将领魏隐等，反击王君廓，王君廓假装撤退，但设下埋伏，于是大破郑军，遂向东推进，夺取土地，直到管城（河南省郑州市）才回。之前，郑政府将领郭士衡、许罗汉侵入唐政府辖区掠夺，王君廓用计把他们击退。李渊下诏慰劳说："你率十三个人击破盗匪（郑军）一万，从古到今，以少数人击破多数人，还没有见过这种前例。"

郑政府尉州（河南省尉氏县）州长时德叡，率领所管辖的杞州（河南省杞县）、夏州（河南省太康县）、陈州（河南省周口市淮阳区）、随州（可能是河南省鄢陵县）、许州（河南省许昌市）、颍州（安徽省阜阳市）、尉州，向唐政府投降。李世民援用皇帝特别授权，命各州县官员仍保持郑政府所任命的官职，不作任何变动，仅将尉州改称南汴州（因唐政府于怀戎〔河北省怀来县〕已置蔚州），于是，黄河以南州县，前后相继向唐政府归降。

定杨降将寻相等，纷纷叛离唐政府逃走，唐军将领怀疑尉迟敬德，遂把他囚禁大营，中央特遣政府左执行长（行台左仆射）屈突通、执行官（尚书）殷开山，警告李世民说："尉迟敬德骁勇绝伦，无人可比，今天既把他囚禁，他心里一定怨恨，留下他恐怕后患无穷，不如趁这个机会，把他诛杀。"李世民说："不然，尉迟敬德如果背叛，早就背叛，岂会在寻相背叛之后！"下令释放，邀尉迟敬德到自己卧室，送给他一笔钱财，说："大丈夫情投意合，互相期许，不要把小的不愉快放到心上，我怎么都不相信挑拨离间的谗言，去杀害忠良，你应知道我心。你一定要走，这些就做你的路费，聊表我们同事之情。"

九月二十一日，李世民率骑兵五百人，巡视战场，登元恪墓（北魏八任帝元恪墓，称景陵，也称宣武陵〔参考五一五年二月〕，在洛阳城北北邙山），郑帝王世充率步骑兵一万余人突然出现，把李世民围在中央，郑军大将单雄信手拿长矛，直刺李世民，正在千钧一发，尉迟敬德飞马狂奔赶到，厉声呼喊，从侧面刺中单雄信，单雄信翻身落马，郑军士气稍挫，尉迟敬德保护李世民突出重围。李世民、尉迟敬德立即率骑兵反击，出入郑军防线，如无人之境。屈突通率大军继续投入战场，郑军崩溃，王世充仅逃出一命。唐军擒获冠军大将军陈智略，杀一千余人，俘虏盾牌长矛军六千人。李世民对尉迟敬德说："你的回报，怎么来得这样快！"赏尉迟敬德金银一盒，自此以后，尉迟敬德受到的宠信，与日俱增。

尉迟敬德精于闪避长矛，每次单人匹马冲入敌人阵地，敌人集中长矛向他猛刺，始终无法刺中；尉迟敬德更有一项绝技，能夺下敌人的长矛，回戈反击。齐王李元吉精于马术及使用长矛，十分自负，听说尉迟敬德有这项功夫，要求双方各自除去矛刃，较量胜负，尉迟敬德说："我当遵命除去矛刃，但大王不必。"比赛开始后，李元吉始终无法刺中尉迟敬德。李世民问尉迟敬德说："夺矛跟避矛，哪一种难？"尉迟敬德说："夺矛难。"李世民命尉迟敬德夺取李元吉的长矛。李元吉手执长矛，跃马而出，决心刺死尉迟敬德。可是，转眼之间，尉迟敬德已把李元吉的长矛，夺下三次。李元吉虽然表面上不得不连连称赞，但心里认为是一种羞耻。

41 背叛唐政府的胡人，攻陷岚州（东会州，山西省岚县）。

42 最初，郑帝王世充任命邴元真当滑州（河南省滑县）中央特遣政府执行长（滑州行台仆射）。濮州（山东省鄄城县）州长杜才干，是魏公爵李密的旧部，对邴元真背叛李密，深为痛恨（邴元真背叛李密事，参考前年〔六一八〕九月），于是率领部众，向邴元真诈降。邴元真仗恃自己官高权重，认为没有人敢对他怠慢，就亲自前去濮州受降慰劳。杜才干出城迎接，请他上座，然后把他逮捕，责备说："你不过是一个蠢货，魏公爵（李密）把你擢升到幕僚长的高位（邴元真任李密的秘书长

〔长史〕)，你不但没有建立丝毫功劳，反而制造出滔天大祸。今天你来送死，是你应得的报酬。”遂斩邴元真，派人把他的头颅送到黎阳(河南省浚县)，向李密墓献祭。

九月二十二日，杜才干向唐政府献出濮州(山东省鄄城县)，投降。

43 东突厥汗国(瀚海沙漠群)将军阿史那莫贺咄，攻击凉州(甘肃省武威市)，唐政府凉州军区总司令(凉州总管)杨恭仁迎战，被击败，男女数千人被东突厥军掳掠而去。

44 九月二十六日，唐政府任命田瓒当显州军区(总部设河南省泌阳县)总司令(显州总管)，封蔡国公爵。

45 冬季，十月五日，郑政府(首都洛阳)大将军张镇周，投降唐政府(首都长安。张镇周于去年〔六一九〕正月一日奉命支援隋王朝东都政府〔洛阳〕，如今又叛)。

46 十月十五日，唐政府大军作战司令(行军总管)罗士信，袭击郑政府硖石堡(河南省新安县西)，攻克。进军包围千金堡(洛阳城北)，堡中守军破口大骂。夜晚，罗士信派一百余人，怀抱数十个婴儿，到堡城墙下，使婴儿啼哭，向城上要求开门，说：“从东都(洛阳)逃出，投奔罗司令。”接着互相招呼说：“糟糕，这里是千金堡，我们走错了地方。”即行仓惶逃走。堡中守军认为罗士信已经走远，来的是洛阳逃亡叛徒，于是出军追击。

罗士信在路旁设下埋伏，等待千金堡打开城门，立刻突击攻入，屠城，不论男女老幼，全部杀光。

47 夏王窦建德（首都洺州）包围幽州（北京市）时（参考本年〔六二〇〕五月），唐政府幽州军区总司令（幽州总管）李艺（罗艺），向变民首领、燕王高开道（首都渔阳〔天津市蓟州区〕）求救，高开道率骑兵二千人增援，窦建德撤退，高开道遂透过李艺（罗艺），向唐政府归降。

十月十九日，唐政府任命高开道当蔚州军区（总部设河北省怀来县）总司令（蔚州总管），赐姓李，封北平郡王。高开道面颊中遗留一个箭头，请医生取出，医生说："箭头陷得太深，不能取出。"高开道大怒，斩医生。另请一位医生，医生说："可以取出，但恐怕非常痛苦。"高开道再大怒，再斩医生。又请一位医生，医生说："没有问题。"于是把面颊骨凿开，用楔子支撑，敲裂开一寸有余，竟把箭头取出；手术进行途中，歌舞女郎歌唱不停，高开道吃饭也不停。

夏王窦建德率军二十万人，再攻幽州（北京市），夏军已攀上城墙，守将薛万均、薛万彻，率敢死队一百人，从地道中出城，在夏军后背蹿出地面，发动突击。夏军溃败退走，被杀一千余人。李艺（罗艺）乘胜逼近夏军大营，窦建德在营中列阵，填平壕沟反攻，大破李艺（罗艺）军，窦建德追赶，直到幽州（北京市）城下，不能攻克，撤退。

48 李密战败后（参考前年〔六一八〕九月），荥阳郡（河南省郑州市）郡长郭庆，归附洛阳（皇帝杨侗），恢复杨姓（杨庆改姓事，参考六一七年十一月）。后来，王世充称帝（去年〔六一九〕四月），杨庆再改姓郭。王世充命他当管州军区（荥阳郡改管州）总司令（管州总管），把侄女嫁给他为妻。唐政府秦王李世民逼近洛阳，郭庆（杨庆）暗中派人晋见，请求归降，李世民派作战司令（总管）李世勣（徐世勣）率军接收管州（河南省郑州市）。郭庆（杨庆）打算和他的妻子王女士一同西行，王女士说："领袖（王世充）命我侍候你日常起居，主要的是要换取你的忠心。而今，你辜负领袖（王世充）托付，为了眼前一点利益，只求保命，我对你有什么办法？如果同到长安（唐首都，陕西省西安市），不过你家的一个婢女而已，你又何必要这个婢女？只求你把我送回洛阳（郑首都，河南省洛阳市），就是你的恩德。”郭庆（杨庆）不肯。郭庆（杨庆）出去，王女士对侍从说：“如果唐政府消灭郑政府，我家一定被屠。如果郑政府消灭唐政府，我丈夫一定处死。人生到这种地步，活下去还有什么意义！”遂自杀。

十月二十一日，郭庆（杨庆）抵达长安归降，再恢复杨姓，唐政府任命杨庆当上柱国（勋官一级〔旧制〕，从一品），封郇国公爵。

当时，郑政府皇太子王玄应，镇守虎牢（河南省荥阳市西北汜水镇），驻军在汴州（河南省开封市）跟荥阳（河南省荥阳市）之间，得到消息，率军向管城（河南省郑州市）前进，李世勣（徐世勣）把他击退，命郭孝恪写信游说荥州（州政府虎牢）州长魏陆，魏陆遂秘密请求归降。王玄应派大将军张志，征调魏陆增援。

十月二十七日，魏陆生擒张志等四将领，献出州城，投降唐军。阳城（河南省登封市东南告成镇）县长王雄，率各村落城堡，也归降唐政府，李世民命李世勣（徐世勣）率军接应，任命王雄当嵩州（阳城县改嵩州）州长，嵩山（中岳，河南省登封市北）以南交通线，自此恢复正常。

魏陆命张志伪造一封王玄应的手书，停止郑政府部队东进，并命部将张慈宝暂时返回汴州（河南省开封市）；然后再伪造王玄应的密令，命汴州州长王要汉（参考去年〔六一九〕十月二十七日）诛杀张慈宝；王要汉遂斩张慈宝，但却向唐政府投降。王玄应听到各州纷纷背叛消息，大为恐惧，奔回洛阳。唐帝李渊任命王要汉当汴州军区

(总部设河南省开封市)，总司令(汴州总管)，封郧国公爵(郧，音ní〔泥〕)。

郑政府魏王王弘烈镇守襄阳(湖北省襄阳市)，唐帝李渊命金州军区(总部设陕西省安康市)总司令部军政官(总管府司马)泾阳(陕西省泾阳县)人李大亮，安抚慰问樊城(湖北省襄阳市汉水北岸)、邓城(襄阳市北)一带官民，计划攻击王弘烈。

十一月一日，李大亮攻樊城镇(湖北省襄阳市汉水北岸)，攻克，斩郑政府大将国大安(国，姓)，占领十四个城寨。

49 梁帝萧铣(首都江陵)胸襟狭窄，动辄猜忌。部下各将领仗恃功劳，专断蛮横，喜好诛杀，萧铣深为忧虑；于是宣称天下太平，裁撤军队，官兵都解甲归田，目的在解除各将领军权。

最高指挥官(大司马)董景珍的老弟，任职将军，对萧铣心怀怨恨，阴谋发动政变，事情泄漏，被杀。董景珍此时镇守长沙(湖南省长沙市)，萧铣下诏对他赦免，召回江陵(梁首都，湖北省江陵县)。董景珍恐惧。

十一月五日，董景珍把长沙献出，向唐政府(首都长安)投降。唐帝李渊命峡州(湖北省宜昌市西)州长许绍出军接应。

50 唐政府云州军区(总部侨设内蒙古托克托县)总司令(云州总管)郭子和(归降唐政府事，参考前年〔六一八〕十二月)，从前曾经跟东突厥汗国(瀚海沙漠群)、梁帝梁师都(首都朔方)互相结盟。后来却袭击梁师都势力范围的宁朔城(陕西省靖边县东)，攻克。又把侦察到东突厥行将入侵唐政府辖区的消息，派使节向唐政府告警，被东突厥斥候骑兵在中途掳获。处罗可汗(十二任大可汗)阿史那俟利弗大为愤怒，囚禁郭子和的老弟郭子升。郭子和知道自己的孤立和危险，向唐政府请求率领部众南迁避难。

李渊下诏命郭子和迁到延州故城（西魏帝国时州城广武，陕西省延安市东北）。

51 梁政府（首都朔方）将领张举、刘旻，投降唐政府后（参考本年〔六二〇〕八月十三日、九月十日），梁帝梁师都大为恐惧，派他的国务院执行官（尚书）陆季览，游说东突厥处罗可汗（十二任大可汗）阿史那俟利弗，说："最近，中国大乱，分裂成很多国家，声势相差无几，但他们的兵力薄弱，所以都面向北方，事奉突厥。而今，定杨天子（刘武周）覆亡（参考本年〔六二〇〕四月），中国将要被唐政府统一。我不怕牺牲，但我怕下一个可能轮到可汗头上。我建议不如趁天下局势还没有安定，南下夺取中原，效法拓跋珪（北魏帝国一任帝道武帝）的作为，我愿充当向导（拓跋珪乘后燕帝国衰弱，进军中原，参考三九六年七月）。"

阿史那俟利弗同意，计划派莫贺咄将军阿史那咄苾攻击原州（宁夏固原市）；将军阿史那泥步，会同梁师都，攻击延州（陕西省延安市）；突利可汗（小可汗）阿史那什钵苾，会同奚部落（滦河上游）、霫部落（辽河以北）、契丹部落（辽河上游）、靺鞨部落（黑龙江下游）攻击幽州（北京市）。夏王窦建德（首都河州）大军，自滏口（太行八陉之四，河北省武安市西南）西上，在晋州（山西省临汾市）、绛州（山西省新绛县）会师。阿史那咄苾，是处罗可汗（十二任大可汗）阿史那俟利弗的老弟。阿史那什钵苾，是始毕可汗（十一任大可汗）阿史那咄吉的儿子。

处罗可汗阿史那俟利弗又打算夺取并州（山西省太原市），收容隋王杨政道（杨政道随祖母萧皇后住定襄〔内蒙古和林格尔县〕），汗国官员多数都不赞成，阿史那俟利弗说："我的老爹（启民可汗阿史那染干）失去权柄，幸而得到隋王朝政府的支持，才得以恢复（参考五九九年二月），这

七世纪·六二〇年十一月
东突厥处罗可汗四路攻唐大构想

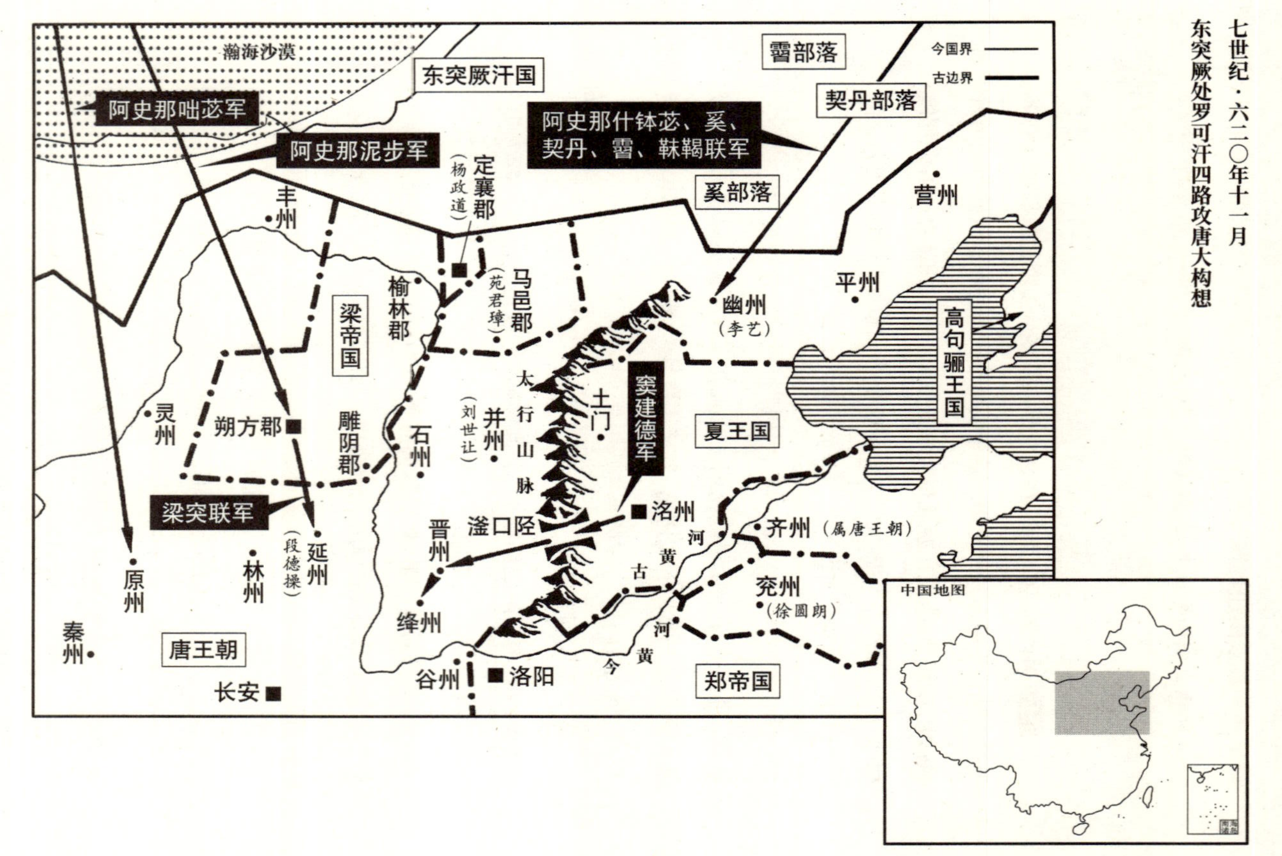

项恩德，不可忘记。”然而，将要出军时，阿史那俟利弗逝世。义成公主因阿史那俟利弗的儿子、将军阿史那奥射，相貌丑陋、才能低弱，舍弃他而命老弟莫贺咄将军阿史那咄苾继位，称颉利可汗（十三任大可汗）。

十一月二十六日，阿史那咄苾派使节前往唐政府，简报阿史那俟利弗逝世消息。唐帝李渊哀悼阿史那俟利弗的礼节，跟哀悼始毕可汗（十一任大可汗）阿史那咄吉的礼节一样（参考去年〔六一九〕六月十二日）。

52 十一月二十九日，唐政府安抚特使（安抚大使）李大亮，攻克郑政府沮州（湖北省南漳县）、华州（湖北省宜城市）。

53 本月（十一月），夏王窦建德（首都洺州）渡黄河攻击变民军首领孟海公（时在周桥〔山东省菏泽市定陶区东南〕）。

最初，郑帝王世充（首都洛阳）攻击夏政府的黎阳（河南省浚县），窦建德攻破殷州（河南省获嘉县）报复（以上发生在去年〔六一九〕冬季）。从此，两国互相攻击，信差使节全部断绝。后来，唐政府（首都长安）大军逼近洛阳，王世充派使节向窦建德请求救援。夏政府立法院副立法长（中书侍郎）刘彬，告诉窦建德说：“天下大乱，唐政府占领关西（函谷关以西），郑政府占领河南（黄河以南），夏政府占领河北（黄河以北），形成鼎足三分的形势。而今唐政府大军像泰山压顶般，压到郑国头上，自秋季到冬季，唐军每天都在增加，郑国土地每天都在缩小，唐政府强盛，郑政府衰弱，势不能支持太久。郑政府亡，夏政府不能单独存在，道理十分明显。不如两国和解，把仇恨愤怒放在一旁，出兵相救，夏军攻唐军之背，郑军攻唐军之腹，一定可以大破唐军。唐军退后，慢慢观察变化，如果郑国可以消灭，就把它消灭，合并两国的兵力，利用唐军士卒的疲惫厌战，统一全国，当不困难。”窦建德同意，派使节晋见王世充，许诺派出救兵。又派国务院内政部副部长（礼部侍郎）李大师等，前往唐军大营，请求唐政府解除洛阳包围，李世民把李大师等扣留，不作回答。

54 十二月三日，郑政府（首都洛阳）许州（河南省许昌市）、亳州（安徽省亳州市）等十一州，都向唐政府投降。

十二月四日，唐政府燕郡王李艺（罗艺）在笼火城（北京市南）再攻击夏军，把夏军击败。

十二月十三日，郑政府随州军区（总部设湖北省随州市）总司令（随州总管）徐毅，献出州城，向唐政府投降。

55 十二月十五日，唐政府（首都长安）峡州（湖北省宜昌市西）州长许绍，攻击梁政府（首都江陵，皇帝萧铣）所属荆门镇（湖北省宜都市西北长江南岸），攻克。

峡州辖区跟梁政府辖区及郑政府（首都洛阳）辖区接壤，梁郑两国掳获许绍士卒，一律诛杀。许绍掳获两国士卒，却发给他们路费释放。两国惭愧感动，遂不再入境侵扰，州境之内，得以平安。

56 梁帝萧铣（首都江陵）命齐王张绣，进攻长沙（湖南省长沙市），守将董景珍警告张绣说：“‘前些时杀韩信，过些时又杀彭越！’（薛先生对英布说的话，参考前一九六年七月。）你难道没有看见？为什么还要攻城？”张绣不说话，进军包围，董景珍打算突围逃走，被部下格杀。

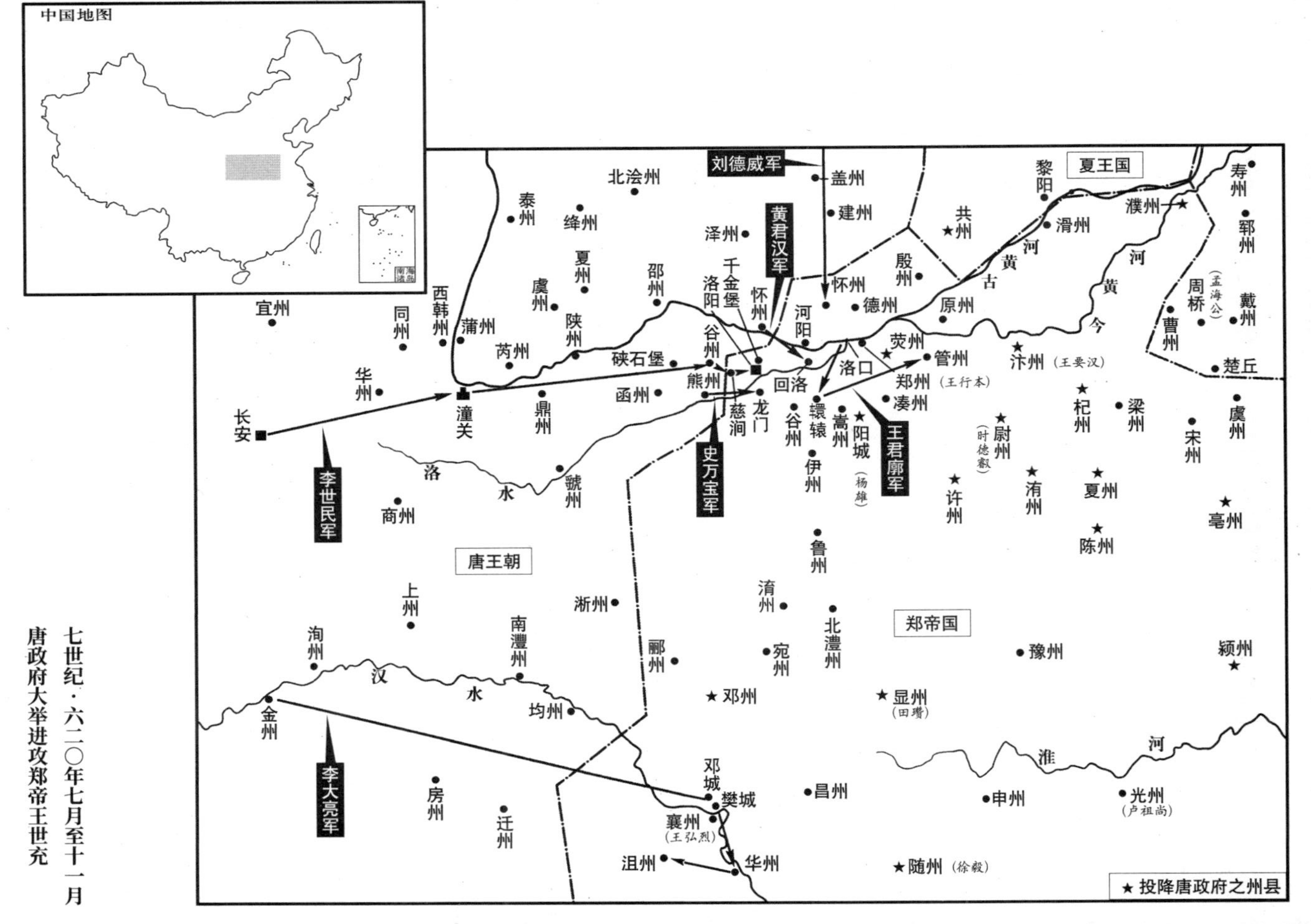

七世纪·六二〇年七月至十一月
唐政府大举进攻郑帝王世充

萧铣任命张绣当国务院总理（尚书令），张绣仗恃他的功劳，傲慢骄横，萧铣再把他诛杀（董景珍、张绣最初拥护萧铣事，参考六一七年十月）。从此，功臣勇将都有背叛之心，战斗力量更为削弱。

57 郑帝王世充（首都洛阳）派侄儿、代王王琬，跟长孙安世，前往夏政府（首都洺州）报聘，请发救兵。

58 东突厥驻太原（山西省太原市）协防司令、阿史那伦公爵，对人民凶暴蛮横（东突厥留兵协防事，参考本年〔六二〇〕六月）。唐政府并州军区（总部设山西省太原市）总司令（并州总管）刘世让，设计把他逮捕。唐帝李渊接到报告，大为高兴。

张道源跟随夏王窦建德（张道源被夏军俘虏，参考去年〔六一九〕九月二十五日），驻军河南（黄河以南），派密使前往长安（唐首都，陕西省西安市），请求出军进攻夏政府首都洺州（河北省邯郸市永年区东南广府镇），用以摇动夏国基础。李渊同意。

十二月十八日，命刘世让当大军作战司令（行军总管），派部将率军穿过土门（河北省井陉县西），向洺州进发。

59 十二月二十一日，唐政府瓜州（甘肃省敦煌市）州长贺拔行威（贺拔，复姓），逮捕征兵府司令（骠骑将军）达奚暠，起兵背叛。

60 本年（六二〇），吴帝李子通（首都江都〔江苏省扬州市〕）渡长江南下，攻击梁王沈法兴（首都毗陵〔江苏省常州市〕），占领京口（江苏省镇江市）。沈法兴派国务院执行长（仆射）蒋元超狙击，在庱亭（江苏省常州市西北）会战（庱，音chěng〔逞〕），蒋元超兵败被杀，沈法兴放弃毗陵郡（江苏省常州市），逃奔吴郡（江苏省苏州市）。于是丹阳（江苏省南京市）、毗陵（江苏省常州市）等郡，全投降李子通。

李子通任命沈法兴总部秘书（府掾）李百药，当立法院副立法长（内史侍郎）兼国立贵族大学校长（国子祭酒）。

唐政府封作吴王的李伏威（杜伏威。时在和州〔安徽省和县〕），派中央特遣政府左执行长（行台左仆射）辅公祏，率军数千人进攻李子通，而命将军阚稜、王雄诞，当辅公祏的副司令官。辅公祏渡长江攻击丹阳（江苏省南京市），攻克，进驻溧水（江苏省南京市溧水区），李子通亲率部众数万人拒抗，辅公祏遴选精兵一千人，手拿长刀，担任前锋，又命数千人随后进发，下令说："退后一步，立即斩首！"亲自率领主力，紧随数千人之后前进。

李子通用方阵进攻，辅公祏的前锋一千人，死命抵抗，辅公祏再从左右两翼包抄，李子通失利，撤退；辅公祏追击，李子通反攻，又击败辅公祏。辅公祏回营，紧闭营门，不再出战，王雄诞说："李子通营地没有筑墙，而且正沉醉在他的反败为胜上，趁他们没有戒备，出军攻击，定可以把他击破。"辅公祏不同意。于是王雄诞率领他私人侍从护卫数百人，利用夜色掩护出击，趁风纵火；李子通大败，王雄诞俘虏士卒数千人。

李子通粮食吃完，放弃江都（江苏省扬州市），据守京口（江苏省镇江市），江西（安徽省和县以西）全入李伏威（杜伏威）势力范围，李伏威（杜伏威）于是把总部迁往丹阳（江苏省南京市）。李子通又放弃京口（江苏省镇江市），向东投奔太湖，收拾残局，集结二万人，袭击退守吴郡（江苏省苏州市）的梁王沈法兴，大破梁军。沈法兴率左右数百人，放弃吴郡（江苏省苏州市）逃走，吴郡另一变民首领闻人遂安（闻人，复姓），派部将叶孝辩，迎接沈法兴；走到中途，沈法兴忽然后悔，打算诛杀叶孝辩，再向会稽郡（浙江省绍兴市）逃走。叶孝辩发觉这项阴谋，沈法兴陷于绝境，投江而死（不知道什么江）。

李子通声势不久重振，把首都迁到余杭郡（浙江省杭州市），梁王沈法兴的疆土，全部并入自己势力范围——北到太湖，南到岭（仙霞岭，浙江、福建、江西三省交界处），东到会稽郡（浙江省绍兴市），西到宣城郡（安徽省宣城市宣州区），都成吴国国土（安徽省东南部及浙江省）。

61 广州（广东省广州市）、新州（广东省新兴县）二州变民军首领高法澄、沈宝彻，诛杀隋王朝时代官员，分别占领州城，归附另一位已称楚帝的变民军首领林士弘（首都馀干〔江西省余干县〕）。前汉阳郡（甘肃省礼县南）郡长冯盎，把二人击败（冯盎投降萧铣，参考六一八年四月）。然而不久沈宝彻的侄儿沈智臣，再在新州（广东省新兴县）聚众起兵，冯盎率军攻击。变民军刚刚列阵，冯盎脱下头盔，大声呼喊，说："你们认不认识我！"变民军士卒很多放下武器，脱掉上衣，就地叩拜，遂霎时溃散，冯盎生擒沈宝彻、沈智臣等，岭外（南岭以南）社会秩序，恢复正常。

62 夏国（首都洺州，夏王窦建德）中央特遣政府总执行长（行台尚书令）恒山（河北省正定县）人胡大恩，向唐政府请求投降。

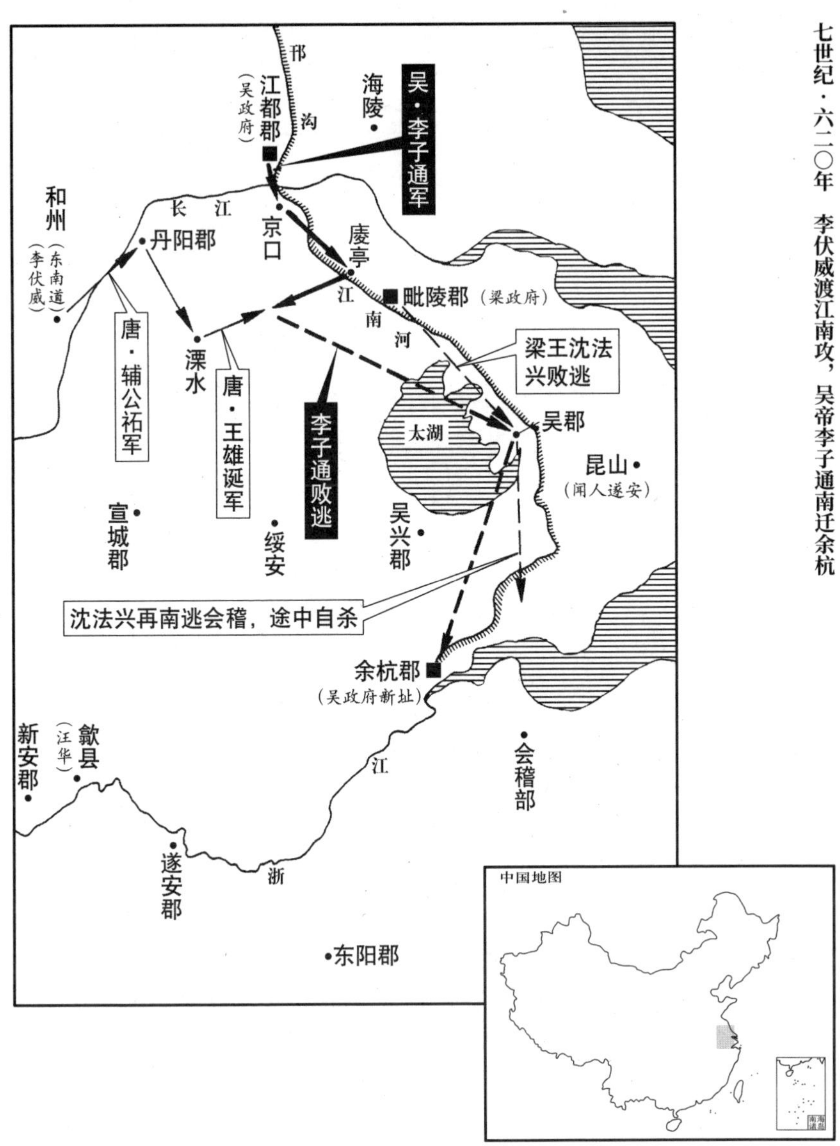

七世纪·六二〇年　李伏威渡江南攻，吴帝李子通南迁余杭

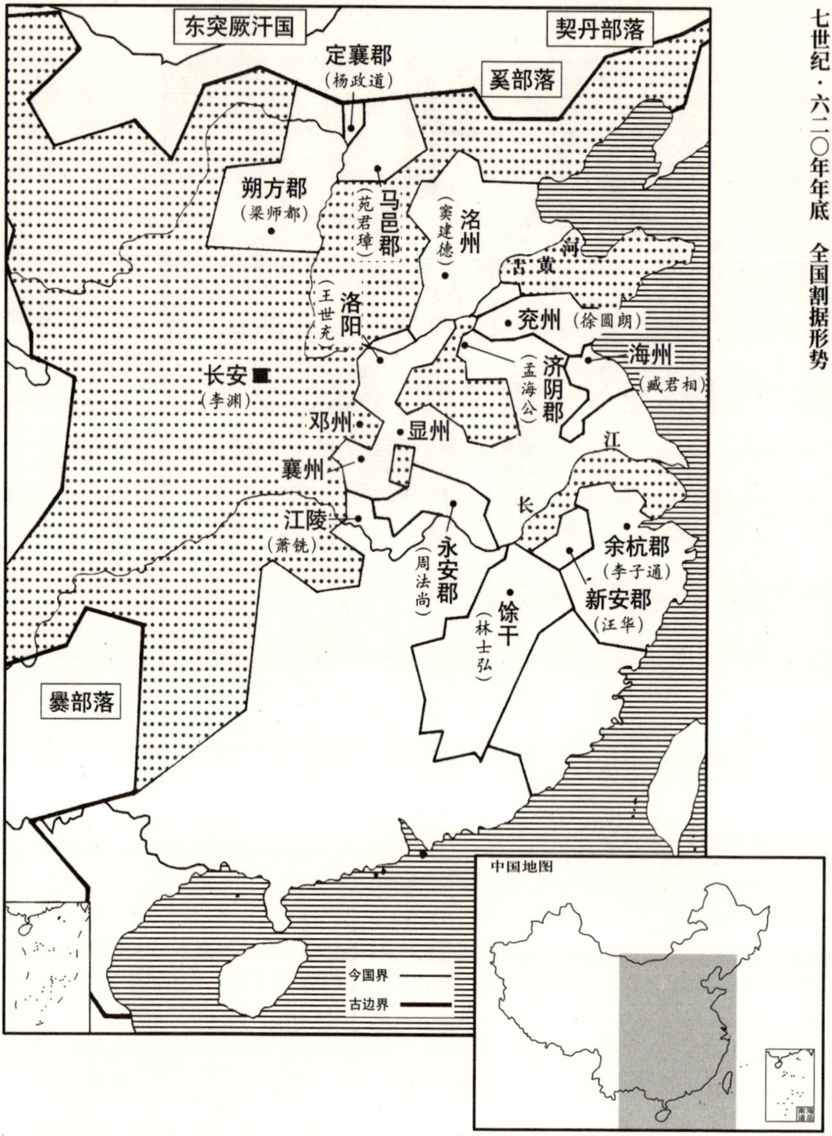

七世纪·六二〇年年底　全国割据形势

东突厥汗国
契丹部落
定襄郡
（杨政道）
奚部落
朔方郡
（梁师都）
马邑郡
（苑君璋）
洛州
（窦建德）
黄河
洛阳
（王世充）
兖州
（徐圆朗）
海州
（臧君相）
济阴郡
（孟海公）
长安
（李渊）
邓州
显州
襄州
江陵
（萧铣）
长江
永安郡
（周法尚）
余杭郡
（李子通）
新安郡
（汪华）
馀干
（林士弘）
爨部落
今国界
古边界
中国地图

六二一年 辛巳

唐　武德　四年
（楚帝林士弘太平六年）
（夏王窦建德五凤四年）
（梁帝梁师都永隆五年）
（梁帝萧铣鸣凤五年）
（吴帝李子通明政三年）
（鲁王徐圆朗元年）
（吴王汪华元年）
（燕王高开道始兴四年）
（郑帝王世充开明三年）

1 春季，正月十五日，唐政府（首都长安〔陕西省西安市〕）任命胡大恩当代州军区（总部设山西省代县）总司令（代州总管），封定襄郡王，赐姓李。代州石岭（山西省忻州市南石岭关）以北，在定杨天子刘武周控制时，遍地都是强盗土匪，李大恩（胡大恩）把总部迁到雁门（代州州政府所在县），出军扫荡，一一平定。

2 稽胡（山西省西部及陕西省北部匈奴人）首领刘仙成，率部众数万人，攻击唐政府疆土边界。

正月二十三日，唐帝（一任高祖）李渊（本年五十六岁）下诏命太子李建成率军反击。

3 郑政府（首都洛阳〔河南省洛阳市〕，皇帝王世充）梁州军区（总部设河南省睢县）总司令（梁州总管）程嘉会，率部众投降唐政府。

4 唐政府吴王李伏威（杜伏威，时在丹阳〔江苏省南京市〕），派部将陈正通、徐绍宗，率精兵二千人，跟秦王李世民会师，攻击郑帝王世充（首都洛阳）。

正月二十六日，陈正通等攻击梁城（河南省汝州市），攻克。

5 正月二十八日，唐政府黔州（重庆市彭水县）州长田世康，攻击梁政府（首都江陵〔湖北省江陵县〕，皇帝萧铣）五个州和四个镇，全都攻克。

6 唐政府秦王李世民，遴选精锐骑兵一千余人，全穿黑衣黑甲，分成左右两队，命秦叔宝、程知节、尉迟敬德、翟长孙，分别率领。每次接战，李世民也穿黑衣黑甲，亲自指挥，充当前锋，乘机攻击；再顽强的敌人，没有不被击破，无不畏惧。中央特遣政府执行长（行台仆射）屈突通、赞皇公爵窦轨，率军巡视各军营垒阵地，突然跟郑帝王世充遭遇，战况不利。李世民率黑甲军增援，王世充大败，李世民生擒郑军骑兵将领葛彦璋，斩杀及俘虏六千余人。王世充逃回。

7 唐政府开府（散官，正四品）李靖，向赵郡王李孝恭呈献消灭梁政府（皇帝萧铣）计划十条，李孝恭转呈中央政府。

二月三日，唐政府把信州（重庆市奉节县）改称夔州（之前已称夔州，参考前年〔六一九〕九月一日），命李孝恭当夔州军区总司令（夔州总管），大量制造船舰，训练水上作战部队。唐帝李渊因李孝恭不太熟习军事，命李靖当大军作战司令（行军总管）兼总部秘书长（兼长史），军事全交李靖处理。李靖建议李孝恭将巴蜀（四川省）各地酋长的子弟，全都召集到总部，酌量他们的才干，任命官职，留在身旁，外表看起来是一种优待擢升，事实上是把他们当作人质。

8 郑政府太子王玄应，率军数千人，自虎牢（河南省荥阳市西北汜水镇）运粮到首都洛阳，唐政府秦王李世民派将军李君羡狙击，大破郑军，王玄应仅逃出一命。

李世民派宇文士及返京（首都长安），请求唐帝李渊准许进围东都（洛阳，河南省洛阳市），李渊对宇文士及说："回去禀告你家大王，夺取洛阳，为的是早日结束战争，攻克的那一天，皇家车轿器具，以及图书档案，凡不是私人应有的东西，由你负责收集保管。至于城中所有的男子妇女和金银财宝，全都分赏将士。"（这就是洛阳人民渴望的王师，可悲。）

二月十三日，李世民率军进抵青城宫，营寨还没有建立，郑帝王世充率部众二万人，正巧从方诸门（洛阳西门之一）出军，沿故马坊（地名）筑墙挖壕，面对谷水，拒抗唐军，唐军各将领大为恐惧。李世民率精锐骑兵在北邙山列阵，登上元恪墓（魏宣武陵，参考五一五年二月）眺望，对左右侍从说："盗匪（郑军）已到末路，王世充出动所有军队，投入战场，只求侥幸胜利。今天把他们击破，以后就再不敢出城！"命屈突通率步兵五千人渡谷水攻击，警告说："两军只要接触，就燃起狼烟！”不久，狼烟升起，李世民率骑兵南下，跟屈突通会师，身先士卒，奋勇攻击。

李世民打算探测郑军阵势的纵深程度，在精锐骑兵数十人掩护下，直冲而前，竟横穿而出，从郑军背部反身杀人，所向无敌，杀伤众多。可是被堤岸阻拦，跟掩护他的将领们失散，只将军丘行恭独自一人，追随李世民，郑军数名骑兵杀到，李世民的坐骑被流箭射死。丘行恭回马射击追兵，每发每中，追兵不敢逼近，丘行恭下马把坐骑交给李世民，丘行恭在马前步行，手拿长刀，左冲右击，大声叱喝，斩杀数人，终于突围而出，回到大军。王世充也率军作殊死战，将士再三再四溃散，又再三再四集结，从七时到十三时，王世充才向后撤退。李世民乘胜追击，直追到洛阳城下，俘虏及斩杀七千人，遂包围洛阳。唐政府征兵府司令（骠骑将军）段志玄，跟郑军力战，深入敌阵，坐骑跌倒，被郑军俘获，两名骑兵左右挟持，抓住他的头发，押解前往洛阳，就在要北渡洛水的时候，段志玄一跳而起，左右攻击，两名骑兵从马背栽下，段志玄飞奔逃回，郑军数百名骑兵在后追赶，不敢逼近。

最初，唐政府征兵府司令（骠骑将军）王怀文担任斥候，被郑军俘虏，王世充对他安慰备至，为了使他心悦诚服，特地表示毫不猜忌，把他留在身旁。

二月十四日，王世充出洛阳右掖门（南城最西门），面对洛水列阵，王怀文忽然举起长矛，猛刺王世充，而王世充一直暗穿铠甲，长矛折断，不能刺入。王世充左右遇到这个突变，一霎时呆在那里，不知道如何反应。王怀文遂飞马奔向唐军，跑到写口（今地不详），被郑军追及，捕获诛杀。王世充回到洛阳，把暗穿的铠甲悄悄脱下，然后脱光上衣，展示给文武百官说：“王怀文用长矛刺我，却一点都不能伤我，岂不是上天意旨！”

在此之前，总监察官（御史大夫）郑颋，不情愿当王世充的部属，大多数时间都声称有病，不管政事（郑颋被逼投降隋王朝东都政府〔洛阳〕，参考六一八年九月十二日）。现在，他对王世充说：“我听说，佛家金刚有不坏之身，陛下真是金刚。我实在幸运，得以生在真佛降临之世，愿放弃官职，剃光头发，出家去当和尚，超度众生，增添陛下的神武！”王世充说：“你是政府高官，拥有尊贵的声望，一旦皈依佛门，可是骇人听闻。等战事稍稍平息，当听从你的志愿。”郑颋坚决请求，王世充坚决拒绝。郑颋退出后，对妻子说：“我从小进入官场，立志追求名誉，建立志节，不幸遭逢乱世，流落到这里。身居猜忌的政府，站在危险的地位，智慧不够，力量薄弱，无法保护自己。人都不免一死，早晚有什么分别？姑且顺从我的喜爱，死也没有遗憾。”遂不再征求王世充同意，径自剃去头发，改穿袈裟。王世充听到消息，老羞成怒，说：“你认为我一定失败，打算苟且偷生？如不诛杀，怎能制服大众！”把郑颋绑到街市，斩首。郑颋谈笑自然，跟平常一样，观看的人为他的勇气感到悲壮。

唐帝李渊下诏追赠王怀文：上柱国（勋官一级〔旧制〕，从一品）、朔州（山西省朔州市）州长。

9 唐政府并州（山西省太原市）安抚特使（安抚使）唐俭，秘密奏报：“真乡公爵李仲文，跟妖僧志觉，说过谋反的话（李仲文被检举事，参考去年〔六二〇〕七月）。而又娶陶姓女子为妻，希望应验《桃李章》民间歌谣（《桃李子》，参考六一六年十月）。对东突厥颉利可汗（十三任大可汗）阿史那咄苾，事奉周到，百般谄媚；阿史那咄苾对他非常欣赏，承诺封他‘南面可汗’。而李仲文担任并州州长时，贪赃枉法，名声扫地。”

唐帝李渊命裴寂、陈叔达、萧瑀共同审问。

二月十七日，斩李仲文。

10 二月二十二日，郑政府宋王王泰，放弃河阳（河南省孟州市），逃走（王泰镇守河阳，参考去年〔六二〇〕七月二十一日）；部将赵夐等献出城池，向唐政府投降。郑政府别动部队将领单雄信、裴孝达，跟唐政府大军作战司令（总管）王君廓，在洛口（河南省巩义市东）对峙，李世民率步骑兵五千人增援，抵达轘辕（河南省登封市西北），单雄信等暗中退走，王君廓追击，把郑军击败。

11 二月二十四日，唐政府延州军区（总部设陕西省延安市）总司令（延州总管）段德操，攻击稽胡部落（山西省西部及陕西省北部匈奴人）首领刘仙成，击破，杀一千余人。

12 二月二十七日，郑政府（首都洛阳）怀州（河南省沁阳市）州长陆善宗，献出城池，投降唐政府（首都长安）。

13 唐政府秦王李世民包围洛阳宫城，城中郑政府的守卫，十分严密，郑军拥有长射程巨炮，可以发射五十斤巨石，射程二百步；另有连发强弓——弓像车轮一样，可以连续发射八箭（类似二十世纪的机关枪），箭头好像大斧，射程五百步。在这种强大防御武器威力之下，李世民四面围攻，日夜不停，十几天不能攻克。洛阳城中打算翻墙出来投降的，前后十三批，都还没有发动，就被郑军诛杀。唐军将士筋疲力尽，都想早日班师，军区总司令（总管）刘弘基等，向李世民请求撤退，李世民说：“我们投入全国兵力，自应一劳永逸。东方各州全都望风投降，只剩下洛阳一座孤城，势不能支持长久，马上就要成功，怎么能抛弃而去！”乃下令军中：“不攻下洛阳，永不回军，胆敢提议班师的，斩首！”大家才不敢再说话。

唐帝李渊接到报告，也下密诏命李世民解围，李世民上疏，保证一定可以攻克洛阳，又派军事参谋官（参谋军事）封德彝，到中央向李渊当面陈述前方军事情况，封德彝向李渊报告说：“王世充的土地面积，虽然广大，但几乎全都是表面关系，真正接受他号令的，只不过洛阳一城。王世充智谋已枯，力量已竭，制服他就在早晚。如果现在班师，盗匪（王世充）的势力将再度振作。一旦跟其他盗匪互相勾结，以后就更难对付。”李渊同意。

李世民写信给王世充，向他分析利害祸福，王世充不作回答。

二月三十日，郑政府郑州（河南省荥阳市西北汜水镇）州政府军械官（司兵）沈悦，派使节晋见唐政府左武候（禁军）大将军（正三品）李世勣（徐世勣），请求投降（时李世勣驻军管城〔河南省郑州市〕）。唐政府左卫（禁军）将军（从三品）王君廓于夜晚率军突袭虎牢（郑州州政府所在城〔非虎牢关〕），沈悦里应外合，遂攻陷城池，擒获郑政府荆王王行本及秘书长（长史）戴胄。沈悦，是沈君理的孙儿（沈君理是陈帝国五任帝陈叔宝皇后沈婺华的老爹，参考五六九年七月）。

14 夏王窦建德（首都洺州）攻克周桥（山东省菏泽市定陶区东南），生擒变民军首领孟海公（孟海公起兵周桥，参考六一三年三月，迄今九年）。

15 三月二日，唐政府任命靺鞨部落（黑龙江下游）酋长突地稽，当燕州军区（总部设辽宁省凌海市）总司令（燕州总管）。

16 唐政府太子李建成，俘虏稽胡部落（山西省西部及陕西省北部匈奴人）一千余人；把酋长级数十人释放，加授他们官职爵位，命他们回去召集他们的党羽，于是，另一位首领刘仙成，也向唐政府投降。李建成声称要增设州县，兴筑城池，命投降的胡人，年在二十岁以上的集合，然后用军队包围，全部屠杀，胡人死亡六千余人。

刘仙成最早警觉到情形不对，逃走，投奔梁帝梁师都（首都朔方〔陕西省靖边县北白城则村〕）。

17 唐政府大军作战司令（行军总管）刘世让，攻击夏政府黄州（地望应在河北省南部），攻克。夏政府首都洺州（河北省邯郸市永年区广府镇）戒严备战，刘世让不能前进。正巧，东突厥汗国（瀚海沙漠群）将南下攻击唐政府辖区，唐帝李渊命刘世让回军。

夏政府普乐（河北省鸡泽县）县长、平恩（河北省曲周县东南）人程名振，向唐军投降。唐帝李渊任命程名振当永宁（洺州州政府所在县）县长（空头官衔），派他率军在河北（黄河以北）夺取土地。程名振于夜晚袭击邺城（河北省临漳县西南邺城镇），裹挟男女一千余人而去，走到距城八十里处，检查妇女乳房，凡是有乳水的（表示家有婴儿）九十余人，教她们全部回去。邺城人感激程名振的仁慈，特别设斋供应佛家和尚，为程名振祈福。

强盗攻破城市，掳掠男女一千余人，走到半途，教每个女子露出双乳，检查有没有乳水，有乳水的九十余人，释放她们回家。这个城市人民对这位强盗头目竟然感激涕零，认为他是一个“仁人”，因而大肆施舍，为他祈福。

这真是骇人听闻的奇事，中国人活得竟是如此的屈辱！九十余位有奶水的年轻母亲，固然返回子女身旁，可是，剩下的处女和没有乳水的少妇，以及男性丁壮，他们的遭遇将是什么？却一字不提。只因释放了十分之一女性，强盗头目便成了“仁人”。在暴政长期凌虐摧残下，“仁”“义”二字，竟被糟蹋成这个样子！如果全城人民都在感恩，那是无耻。如果只不过被放回者家人感恩，又怎么说是全城？为什么对那些未被放回者的命运和他们家人的悲哀，如此的漠不关心？更严重的是，强盗不但没有受到谴责，反而成为被害人的恩主！

在这件公案中，没有正义、没有公理、更没有尊严。城中那一小撮人，只要自己的女人回来，就心满意足，可谓标准贱货。暴君暴官对这种人，如果不下毒手，真是天理不容。

18 东突厥汗国（瀚海沙漠群）颉利可汗（十三任大可汗）阿史那咄苾，继承老爹及兄长的宝座，人强马壮，有侵略欺陵中国的企图。阿史那咄苾娶隋王朝皇族义成公主为妻，义成公主的堂弟杨善经，逃难到突厥，和郑政府（首都洛阳）使节王文素，共同游说阿史那咄苾：“从前，启民可汗（十任大可汗阿史那染干）身受弟兄们的逼迫，单人匹马逃亡，投奔隋王朝政府，全靠文皇帝（一任帝杨坚）大力支持（参考五九九年二月），才有今天的局面，子孙继续享受。而今，唐帝李渊不是文皇帝（杨坚）的子孙，可汗最好拥护杨政道当盟主，出兵南下讨伐，用以回报文皇帝（杨坚）的恩德。”阿史那咄苾同意。

唐帝李渊因国内战争正烈，还没有安定，对东突厥汗国十分优厚宽容。可是阿史那咄苾的贪婪要求，没有止境，而且言辞蛮横，态度傲慢。

三月十六日，东突厥军攻击汾阴（山西省万荣县西南荣河镇）。

19 唐军包围洛阳，挖掘壕沟，兴筑长墙堡垒，切断郑军与外界来往。城中缺少粮食，粗厚绸缎（绢）一匹只能换粟米三升，布十匹只能换盐一升，古董珍宝，价钱低贱得如同尘土野草。人民把城中所有草根和树叶都吞吃净光，最后把土放到水桶中摇晃，等澄清后，捞取浮在上面的细泥，掺和磨碎的粟米粉末，烤成烧饼；吃下去的人，全都害病，浑身发肿，双脚发软，尸体一个接一个躺在路上。隋王朝末任帝杨侗在位时，曾经把四郊人民迁入洛阳（参考六一七年四月九日），当时有三万家，而今，剩下的不到三千家（四年之间，仅这一批人，就死亡二万七千家）。郑政府中，即令尊贵到三公及部长级官员，连糠（麦米的外皮）麸（麦米连皮压碎的粉末）都难以供应。国务院司长级（尚书郎）以下官员，都得亲自肩挑头顶，往往饿死（人间惨事）！

夏王窦建德命部将范愿镇守曹州（济阴郡改，山东省菏泽市定陶区），集结孟海公、徐圆朗（总部兖州〔山东省济宁市兖州区〕）的所有部众，向西救援洛阳，抵达滑州（河南省滑县），郑政府（首都洛阳）中央特遣政府执行长（行台仆射）韩洪，开城迎接。

三月二十一日，窦建德进抵酸枣（河南省延津县）。

20 三月二十四日，东突厥汗国攻击唐政府石州（山西省吕梁市离石区），州长王集把突厥军击退。

21 夏王窦建德攻克唐政府管州（河南省郑州市），斩州长郭士安；又攻克荥阳（河南省荥阳市）、阳翟（河南省禹州市）等县，水陆两路，同时进发，用船舰运送粮食，逆黄河西上。郑帝王世充的老弟、徐州（江苏省徐州市）中央特遣政府总监（徐州行台）王世辩，派部将郭士衡，率军数千人，和夏军会师，共十余万人，对外宣称三十万。夏王窦建德进驻成皋（河南省荥阳市西北汜水镇）东原，在板渚（荥阳市北黄河南岸）兴筑宫殿；派使节通知郑帝王世充。

之前，窦建德写信给李世民，请李世民退回潼关（陕西省潼关县），交出夺取郑政府的土地，恢复昔日的友好关系。李世民召集军事会议，各将领都要求躲避窦建德的锋锐，郭孝恪反对，说："王世充穷途末路，马上就要投降，窦建德恰在这时远来帮助他，是上天要使二人同时灭亡。我们应据守武牢的险要（武牢即虎牢，因李渊的祖父名李虎，故改名），等候机会出击，一定可以把他击破。"机要秘书（记室）薛收说："王世充据守东都（洛阳），国库充实，所率领的军队，都是江淮一带（华东地区）精锐勇士；他们唯一的致命伤是粮食缺乏，所以才被我们控制，盼望决战得不到决战，长期防守又不能长期防守。窦建德亲率大军，从远处前来救援，当然集中他的精锐。如果放松一步，使窦建德到达洛阳城下，两股盗匪得以会师，把河北（黄河以北）的粮食运来供应洛阳，则大战势将重新开始，要想回军班师，将永不可能，统一全国的日期，更遥遥无期。现在最好是分出一部分兵力，加强洛阳的包围，深挖壕沟，高筑营垒，王世充攻击，万万不可应战。然后大王亲率精锐战士，先巩固成皋（河南省荥阳市西北汜水镇），磨利武器，训练士卒，严阵以待，我们安闲，敌人劳苦，一定可以把他们克制。窦建德一旦崩溃，王世充自然瓦解，不过二十天，两国首领，同被捆绑。"李世民称赞这个策略。薛收，是薛道衡的儿子（薛道衡被绞死，参考六〇九年十一月）。可是，萧瑀、屈突通、封德彝反对，一致认为："我们军队的体力及心理状态，已使用到极限。王世充仗恃洛阳城池坚固，不容易马上攻克。窦建德像卷席子一样，乘胜而来，锐不可当，我们恰恰是腹背受敌，内外夹攻，不是完美的策略，不如退保新安（河南省新安县），等待敌人疲劳。”李世民说：“王世充军队受到挫败，粮食又已吃完，上下离心离德，用不着我们再行攻击，坐在这里，就可夺取到手。窦建德新近刚攻破孟海公，将领骄傲，士卒惰怠，我们据守武牢（虎牢），正扼住他的咽喉。他如果冒险挑战，击破他十分容易。他如果狐疑持重，不跟我们在沙场上接触，十天半月之间，王世充自己就会崩溃。我们攻破坚城，兵力强大，士气自然倍增，一次战役，克制两个头目，就在我们这次行动。如果不迅速前进，盗匪（窦建德）抢先一步占领武牢（虎牢），各地州县归附我们不久，必定无法再守，两伙盗贼结合在一起，势力会更强大，哪里会疲劳？我已下定决心！”屈突通等又请求解除洛阳包围，退据险要，在旁观察变化，李世民不准。于是，把所掌握的军队，分作两部，派屈突通等当齐王李元吉的助手，继续加强东都（洛阳）包围圈；李世民则率骁勇将士三千五百人，向东前往武牢（虎牢）。正午时候出动，经过北邙山（洛阳城北），抵达河阳（河南省孟州市），直向巩县（河南省巩义市）进发。

王世充登城眺望，看到这项军事移动，不知道什么缘故，不敢出击。

三月二十五日，李世民进入武牢（虎牢·河南省荥阳市西北汜水镇）。

三月二十六日，李世民率精锐骑兵五百人，出武牢关（虎牢关），东行二十余华里，侦察夏军动向，沿路分别留下骑兵，命李世勣（徐世勣）、程知节、秦叔宝分别率领，在道路两边埋伏，只剩下四人，随从李世民前进。李世民对尉迟敬德说：“我拿弓箭，你拿长矛，就是有百万敌人，又能对我们怎么样！”又说：“盗匪看见我就撤退，才是上策。”距夏军大营三华里许，夏军游骑兵发现他们，认为是斥候部队。李世民大声呼喊说：“我是秦王李世民！”拉弓射箭，射死一个将领，夏军大营惊骇震动，五六千名骑兵排山倒海般出击，李世民随从骑兵脸色大变，李世民说："你们先走，我跟尉迟敬德担任后卫。"于是放松缰绳，慢慢行进，追兵就要赶到，李世民每发一箭，一定射死一人。追兵畏惧，稍稍停止，但停止后继续再追，如此三次，每次追到，都有人毙命，李世民前后射死数人，尉迟敬德前后杀死十余人，追兵始终不敢逼近。李世民故意徘徊后退，最后把夏军引到伏兵阵地，李世勣（徐世勣）等奋勇攻击，大破夏军，杀三百余人，掳获夏军勇将殷秋、石瓒而回。于是写信给窦建德，说："赵魏地区（河北省南部及河南省东北部），很久以来，都属唐政府版图，却被你夺取（夏军夺取唐政府的邢州，参考六一九年闰二月，夺取洺州、相州、赵州、卫州、滑州，参考六一九年八月至十月）。只因为淮安王（李神通）受到礼遇（李神通被软禁于下博，参考六一九年十月），而又送回同安公主（参考去年〔六二〇〕八月），所以一片诚心相待，解除怨仇。王世充现在跟你结盟和解，他有过背信记录，又早晚就要灭亡，却用花言巧语对你引诱（夏郑断绝关系，参考前年〔六一九〕四月）。你率领庞大的三军，看别人脸色；拥有千金资源，却浪费在外，实在不是上等谋略。而今，和你的斥候部队相遇，已把他们摧毁，你们两家的使节，不能直达，岂不惭愧！我已下令暂时停止前进，希望听到你接受我善意建议的消息！如果不能得到答复，恐怕等你后悔的时候，已来不及。"

22 唐政府封秦王李世民的儿子李泰当卫王。

23 夏季，四月二日，唐政府丰州军区（总部设内蒙古五原县）总司令（丰州总管）张长逊，到中央朝见（张长逊据五原郡，参考六一八年四月）。

当时，中央官员议论纷纷，多数认为张长逊在丰州（内蒙古五原

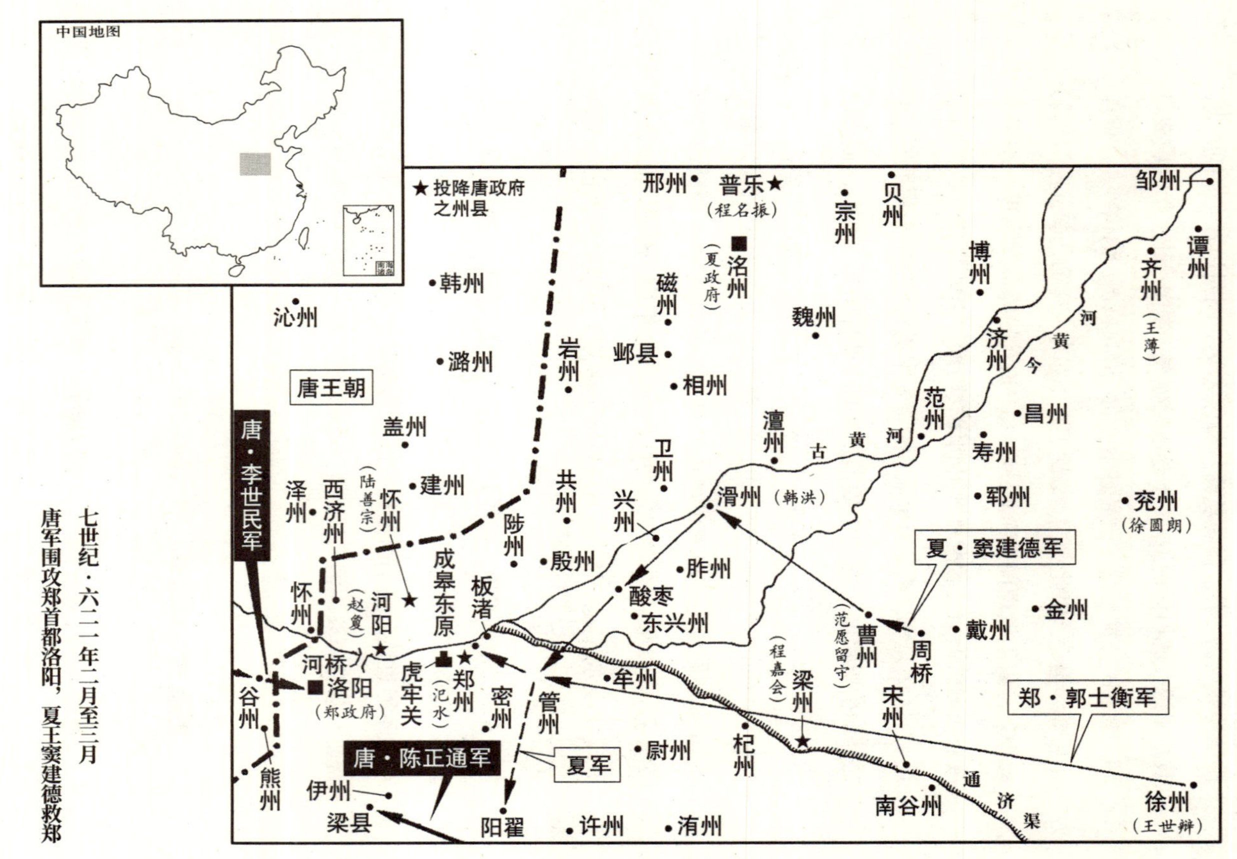

七世纪·六二一年二月至三月

唐军围攻郑首都洛阳，夏王窦建德救郑

县）的时间太久（隋王朝末年，张长逊就当五原郡副郡长〔通守〕），而且东突厥汗国（瀚海沙漠群）待他十分尊重优厚，对唐政府没有裨益。张长逊听到这项消息，自动请求到中央朝见，唐帝李渊批准。正巧，太子李建成北上讨伐稽胡部落（山西省西部及陕西省北部匈奴人），张长逊率他的部众南下会师，遂乘机前往中央，唐帝李渊命他当右武候（禁军）将军（从三品）。

益州（四川省成都市）中央特遣政府左执行长（行台左仆射）窦轨，率巴蜀（四川省）军队，增援包围洛阳的秦王李世民，攻击郑帝王世充（首都洛阳），李渊遂命张长逊益州中央特遣政府摄理右执行长（检校益州行台右仆射）。

24 四月十二日，东突厥颉利可汗（十三任大可汗）阿史那咄苾，进攻雁门（代州州政府所在县，山西省代县），被唐政府代州军区（总部设山西省代县）总司令（代州总管）李大恩（胡大恩）击退。

25 四月十五日，郑政府（首都洛阳）骑兵将领杨公卿、单雄信，率军出洛阳挑战，唐政府齐王李元吉迎击，失利，大军作战司令（行军总管）卢君谔阵亡。

26 唐政府太子李建成，返首都长安。

27 郑政府平州（河南省洛阳市孟津区北）州长周仲隐，献出州城，投降唐军。

28 四月二十一日，东突厥汗国（瀚海沙漠群）攻击唐政府所辖并州（山西省太原市）。

最初，处罗可汗（十二任大可汗）阿史那俟利弗，跟变民军首领、定杨天子刘武周（首都马邑）结盟，互相支援，进攻并州，唐帝李渊派祭祀部长（太常卿）郑元璹前往分析利害，请求和解，阿史那俟利弗拒绝。不久，阿史那俟利弗患病，逝世。汗国贵族疑心是郑元璹把他毒死，遂扣留郑元璹，不放他回国。李渊又派汉阳公爵李瓌，携带黄金绸缎，贿赂阿史那咄苾，阿史那咄苾命李瓌叩头，李瓌拒绝，阿史那咄苾也把他扣留，同时又软禁左骁卫（禁军）大将军（正三品）长孙顺德。

李渊大为忿怒，扣留东突厥汗国的使节作为报复。李瓌，是李孝恭的老弟（赵郡王李孝恭，时在夔州〔重庆市奉节县〕）。

29 四月二十七日，唐帝李渊封皇子李元方当周王、李元礼当郑王、李元嘉当宋王、李元则当荆王、李元茂当越王。

30 夏王窦建德（首都洺州）被武牢（河南省荥阳市西北汜水镇）阻挡，不能前进，逗留一个月有余，发动攻击，无法取胜，将士们都盼望班师。

四月三十日，唐政府秦王李世民派王君廓，率轻装备骑兵一千余人，抄掠夏军的补给线，又击破夏军，擒获夏政府大将军张青特（张青特原是变民首领之一，参考六一七年二月）。

夏政府国立贵族大学校长（国子祭酒）凌敬，向窦建德建议："大王应率全部兵力，渡黄河北上，夺取怀州（河南省沁阳市）、河阳（河南省孟州市），派高级将领镇守，然后擂动战鼓，竖起大旗，翻越太行山，进入上党（山西省长治市），占领汾州（山西省吉县）、晋州（山西省临汾市），向蒲津（山西省永济市西黄河渡口）进攻，这样做有三项利益：一是大军所指，如入无人之境，可以轻易取得胜利。二是开疆拓土，使形势更为强大。三是关中（唐政府所在）震动惊骇，洛阳的包围自然解除。以目前的情势，没有比这更好的战略。”（这是一个大战略，“如入无人之境”最吸引人，夏军一越太行山，李世民势必解围，他不敢冒夏军侵入关中〔陕西省中部〕之险。即令攻克洛阳，不过夺取一座孤城，夏军已占半壁山河。）窦建德打算接受，可是王世充告急的使节，相继不断。王琬、长孙安世，早晚哭泣，请窦建德急救洛阳，又暗中用金银财宝贿赂夏政府的将领，阻挠上项战略。将领们遂异口同声说：“凌敬不过一介书生，知道什么是战争？他的纸上作业，怎么可以听信？”窦建德乃向凌敬道歉说：“而今，军心正锐不可当，是上天对我帮助！现在决战，一定取得全盘胜利，不能按照你的计划行事。”凌敬坚持他的意见，窦建德大怒，命人把凌敬挟持出帐。曹皇后对窦建德说：“凌敬的战略，不可放弃，大王从滏口（太行山八陉之四，河北省武安市西南）深入，乘唐政府（首都长安）后方空虚，我们营阵相连，夺取山北（山西省），而突厥又在西方抄掠关中（陕西省中部），唐军一定回去自救，何必担心洛阳包围不解？如果逗留在这里，将士身心疲惫，军费大量消耗，到哪一天才能成功？”窦建德说：“这种事情，你们女人无法了解！我们来救洛阳，洛阳危急万状，早晚就要覆亡，我们却舍弃而去，是畏惧敌人而背弃信义，决不可以。”

唐军间谍报告秦王李世民说：“窦建德接获报告，说唐军喂马的草料已经吃完，所以到河北（黄河以北）放牧。窦建德将利用这个机会，攻击武牢（虎牢）。”

五月一日，李世民北渡黄河，南面临近广武（河南省荥阳市西北汜水镇），侦察夏军形势，并且故意留下一千余匹战马，在黄河一小岛上吃草，作为诱饵，当天傍晚，李世民返回武牢（虎牢）。

五月二日，窦建德果然率领所有武装部队前进，自板渚（河南省荥阳市北黄河南岸），逼近牛口（河南省荥阳市西北，汜水注入黄河处），开始筑营列阵，北到黄河，西到汜水（黄河支流），南到鹊山（河南省荥阳市汜水镇东南），连绵二十华里，在战鼓声中向前推进。唐政府将领开始畏惧，李世民率骑兵数名，登上高岗眺望，对各将领说："盗匪在山东（太行山以东）起兵，没有见过强敌，如今正穿越险境，却大声喧哗，显示他们没有纪律；而紧逼到城墙之下，显示心存轻视。我们按兵不动，他们士气自会衰竭，列阵备战太久，士卒饥饿，势将向后撤退，到那时候，我们发动追击，没有不胜之理。我跟各位打赌，过了中午，一定把他们击破。"

窦建德没有把唐军放到眼里，派骑兵三百名横涉汜水，在距唐军大营一华里处停下，派使节跟李世民对话，说："请选精锐武士数百人，来一场游戏。"李世民派王君廓率长矛军二百人迎击，双方交战，有时前进，有时后退，互有胜负，各自回军。王琬乘杨广（隋王朝二任帝）所乘的青毛马，铠甲武器十分鲜明华丽，从侧方进入阵前，向唐军夸耀。李世民赞叹说："他骑的真是一匹好马！"尉迟敬德请求前往夺取，李世民阻止说："怎么可以为了一匹马损失一位猛将！"尉迟敬德不同意，会同高甑生、梁建方，三位骑将飞奔冲入敌阵，生擒王琬，拉住缰绳，牵马奔回，夏军没有人敢出来阻挡。

李世民命召回调到河北（黄河以北）放牧的战马，等到战马抵达，再行出击。

夏军列阵，从早上七时到下午一时，士卒饥饿疲倦交加，纷纷坐下休息，又互相争夺饮水，徘徊不定，有撤退迹象。李世民命宇文士及率三百轻装备骑兵，经过夏军阵地西端，向南狂奔，吩咐说："盗匪(夏军)如果纹风不动，你就马上回来，如果他们有什么反应，就发动攻击。"宇文士及抵达夏军阵前时，夏军果然骚动，李世民大喜说："总攻击的时间已到！"当时，在黄河北岸放牧的战马恰巧赶来，于是开始出战。李世民率轻装备骑兵先发，主力在后续进，蹚过汜水，向东一直冲入夏军营阵。夏政府文武百官正在朝会，唐军突然出现，文武百官恐惧惊慌，一直奔向窦建德，窦建德急下令骑兵出击，可是文武官员却阻住去路，无法通过，窦建德指挥文武官员退出，而就在这一刹那，唐军大量杀到，窦建德无可奈何，只好向东坡撤退。唐军窦抗尾追攻击，稍稍失利。李世民率骑兵投入，所向无不摧毁。淮阳王李道玄冲锋陷阵，直冲到夏军阵后，再突出夏军阵前，杀入杀出，流箭射中他身上，好像刺猬的毛，而李道玄的勇气不减，弯弓射人，全被射倒。李世民把备用的马交他骑上，随从左右。于是夏唐两军鏖战，杀声震野，尘土遮天。李世民率史大奈(阿史那大奈)、程知节、秦叔宝、宇文歆等，卷起旗帜，杀入夏军阵地，从阵后突出，立即把唐军大旗竖起，夏军将士看到，霎时崩溃，唐军追击三十华里，杀三千余人。窦建德被长矛刺中，逃奔到牛口渚(河南省荥阳市西北，汜水注入黄河处)。唐政府车骑将军白士让、杨武威追逐，而窦建德突然从马背栽下，白士让举起长矛，就要刺下，窦建德说："不要杀我，我是夏王，可以使你富贵。"杨武威下马，把窦建德捆绑，教他骑上备用的马，一同晋见李世民，李世民责备他说："我只不过讨伐王世充，碍你什么事，而竟然越出国境，冒犯我的刀锋！"窦建德说："我如果自己不来，恐怕劳你远征！"夏军将士全都逃散，唐政府俘虏五万人，李世民当天就把他们释放，命他们各回家园。

窦建德的仁义使乡里敬服，用强大力量占领河朔（河北平原），训练驾驭官兵，集结贤才良士，曾跟王世充断绝关系，又曾击斩宇文化及。不杀徐盖（李盖），又放李神通生还（并没有释放李神通，只是软禁）。谨慎机敏，英明果断，开始时一派新兴气象。可是，接着宋正本、王伏宝，竟因谗言挑拨，受到诛杀，凌敬、曹皇后的大战略，又不被采纳，终于覆亡，没有好的结局。一则是天命已有所归属（唐王朝），二则是人的谋略也不周密。

隋王朝末年，各地起兵抗暴的变民首领，几乎仍免不了暴行，窦建德由平民崛起，贵至夏王，而仍保持善良，不但在隋王朝末年变民群中，放出光辉，就是在中国全部反抗暴政历史中，也受最大尊敬。

然而再伟大的英雄人物，都会被命运左右，李世民因蛇逐老鼠而逃脱一命，窦建德却在最最紧要关头，马失前蹄。使人对自己不能控制的因素，心生敬畏。

封德彝进帐道贺，李世民说：“不听你的话，才有今天。智慧的人一千项思虑都准，总有一次不准。”封德彝十分惭愧。

窦建德的妻子曹皇后，与国务院左执行长（左仆射）齐善行，率骑兵数百名，逃回首都洺州（河北省邯郸市永年区东南广府镇）。

31 五月七日，郑政府偃师（河南省洛阳市偃师区）、巩县（河南省巩义市），都归降唐政府。

32 五月八日，唐帝李渊任命太子宫政务署长（太子左庶子）郑

唐夏武牢之战·李世民生擒夏王窦建德

七世纪·六二一年三月至五月

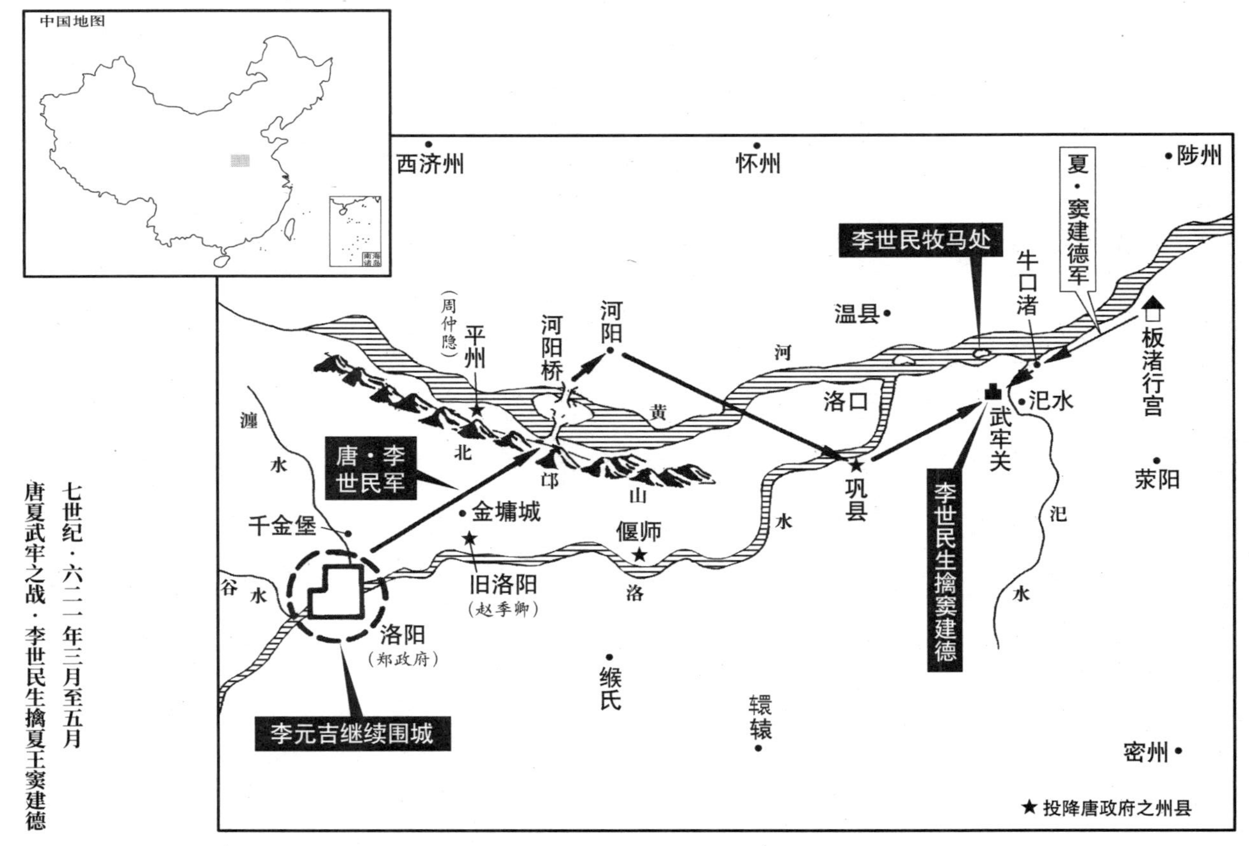

善果，当山东道（崤山以东）安抚慰劳特使（抚慰大使）。

33 郑政府将领王德仁，放弃洛阳故城（北魏帝国所筑，河南省洛阳市东白马寺东）逃走，副司令赵季卿献出城池，向唐军投降。

唐政府秦王李世民，把窦建德、王琬、长孙安世、郭士衡等装到囚车里，送到洛阳城下，展示给郑帝王世充观看。王世充跟窦建德遥遥对话，泣不成声；李世民释放长孙安世等，教他们进城简报失败战况。王世充召集军事会议，讨论杀出重围，南下逃奔襄阳（湖北省襄阳市），各将领都说："我们依靠的只有夏王（窦建德），而今夏王已成俘虏，我们即令杀出重围，也不会有什么成就。"

五月九日，王世充换穿白色衣服，率领太子王玄应，以及文武官员，约二千余人，到唐军营门投降。李世民很礼貌的接待。王世充趴在地上，浑身流汗。李世民说："你一直把我看成一个儿童，今天见了儿童，怎么这般恭敬！"王世充叩头，请求处罚。李世民于是整顿各军，先行进入洛阳，分别防守街巷市场，禁止抢劫，没有人敢违犯命令。

五月十日，李世民进入洛阳宫城，命机要秘书（记室）房玄龄先到立法院（中书）、监督院（门下）搜集隋王朝政府图书档案及皇帝训令诏书，可是已被王世充销毁，什么也找不到。又命萧瑀、窦轨等查封政府仓库，接收金银绸缎，赏赐给将士。逮捕郑政府官员中罪恶最大的：段达、王隆、崔弘丹、薛德音、杨汪、孟孝义、单雄信、杨公卿、郭什柱、郭士衡、董叡、张童儿、王德仁、朱粲、郭善才等十余人，押解洛水河畔，斩首（薛德音因撰写诏书，过分侮辱李渊。崔弘丹是位工程师，制造太多弓箭。段达则是既卖友〔参考六一八年七月十二日〕，又卖国）。

最初，李世勣（徐世勣）跟单雄信，感情最密，向天盟誓：不能同年同月同日生，但愿同年同月同日死（二人同是翟让手下大将，参考六一六年十月）。后来，洛阳陷落，李世勣（徐世勣）向李世民推荐单雄信骁勇绝伦，愿意用自己的官爵交换单雄信的性命，李世民拒绝，李世勣（徐世勣）一再请求，都没有用，流泪哭泣退出。单雄信说："我早就知道你不会办这件事。"李世勣（徐世勣）说："我并不珍惜剩下来的残余生命，愿跟你同死，但我已把此身奉献国家，无法两全其美。而且，我死之后，谁照顾你的妻子儿女？"于是把大腿的肉割下一块，煮熟让单雄信吃下，说："使我身上的肉，随同你一齐化为尘土，勉强算不负从前誓言！"知识分子及平民痛恨朱粲的残无人性，纷纷向他的尸体投掷砖瓦石块，转眼之间，堆积成一个大坟（朱粲残暴，参考前年〔六一九〕正月）。然后，把韦节、杨续、长孙安世等十余人，装入囚车，押送长安（唐首都，陕西省西安市）。无论知识分子或平民，没有犯罪而被王世充囚禁的，全都释放，王世充所诛杀的，则为死者设祭，撰写祭文哀悼。

最初，李世民总部助理官（府属）杜如晦的叔父杜淹，事奉王世充（参考前年〔六一九〕正月一日）。杜淹跟杜如晦兄弟，从来都不和睦，因之杜淹向王世充诬陷杜如晦的老哥，处死；又囚禁老弟杜楚客，几乎饿死，而杜楚客始终没有怨恨的脸色。等到洛阳陷落，杜淹被判死刑，杜楚客向杜如晦流泪哭泣，请求饶恕杜淹一命，杜如晦拒绝。杜楚客说："从前，叔父已杀老哥；现在，老哥又杀叔父，一家人自相残杀死光，岂不哀痛？"打算自刎。杜如晦乃向李世民请求，杜淹得以免死。

李世民坐在阊阖门（隋王朝时代洛阳没有阊阖门），苏威请求晋见，声称年老多病，不能叩头，李世民派人斥责他说："你是隋王朝宰相，王朝快要倾倒，你不扶持，竟然使君王被杀，帝国灭亡。见到李密、王世充，你都跪下叩头（参考六一八年七月及前年〔六一九〕三月），而今，既然又老又病，不必劳动相见。”后来，苏威到了长安（唐首都，陕西省西安市），又请求晋见，李世民又拒绝。苏威年纪确实已老，而且贫穷，没有官职爵位，在家逝世，年八十二岁。

柏杨曰

苏威是一代贤才，李世民责备他：“王朝快要倾倒，你不扶持，竟然使君王被杀，帝国灭亡！”好像杨广之死，和隋政府瓦解，责任都在苏威一人肩上，这种责备不但不公平，而且离谱太远。苏威不过说了一句变民太多，不过呈献了一部《尚书》，便被免官削爵，几乎被诬以谋反，全家抄斩，对那座快要倾倒的大厦，教他如何去扶？李世民的老爹李渊，贵为公爵，又被封唐王，他为什么不扶？甚至还要篡夺？宇文化及和裴矩之流，都是当权人物，连一句有心肝的话都不说，李世民不但没有为他们罩上这顶铁帽，反而加以重用，教他们当官。

李世民之怒，是怒苏威没有向他叩头，而向别人叩头，吃醋而已。

李世民参观隋王朝兴筑的宫殿，叹息说：“满足奢侈的心理，放纵无穷的欲望，怎么能够不亡！”命撤除端门楼，焚烧乾阳殿，摧毁则天门及门楼（又是“撤”“烧”“毁”三部曲；后来，端门重建；乾阳殿焦土上重起乾元殿〔参考六六五年三月〕；则天门废墟上，再建应天门；浪费的都是人民的钱和人民的汗）。废除所有宗教聚会所（道场），城中和尚尼姑，各留下有声望品德的三十人，其余的全部留发还俗。

34 前真定（恒山郡郡政府所在县，河北省正定县）县长周法明，是周法尚的老弟（周法尚出征高句骊，参考六一二年六月），在隋王朝末年，集结宾客，袭击并占领黄梅（湖北省黄梅县），派族侄周孝节攻击蕲春郡（湖北省蕲春县），侄儿周绍则攻击安陆郡（湖北省安陆市），儿子周绍德攻击沔阳郡（湖北省仙桃市），全都攻克。

五月十三日，周法明献出四郡县，归降唐政府。

35 五月十五日，夏政府（首都洺州）国务院右执行长（右仆射）齐善行，把洺州（河北省邯郸市永年区东南广府镇）、相州（河南省安阳市）、魏州（河北省大名县）等州呈献唐政府，投降。

当时，夏军残余部众逃回首都洺州（河北省邯郸市永年区东南广府镇），打算拥护夏王窦建德的养子继承王位，集结兵力，抵抗唐军；也有人建议向民间大肆抢掠，逃到沿海一带索性当强盗。齐善行力排众议，坚决反对，说："隋王朝末年，天下大乱，所以我们才在乱草荒野之中，集结在一起，目的不过想维持残生。以夏王（窦建德）的英明武略，平定河朔（河北平原），将士强壮，战马精良，可是一天之间，竟被擒获，轻易得如同翻一下手掌，岂不是天心已经转移到别人身上，人的力量无法改变！现在失败到这种程度，就是继续努力，也不可能成功，即令逃亡，也逃不掉。反正是要亡国，为什么再贻害人间！不如向唐政府归附，如果有人一定希望得到绸缎财物的，我们当把政府仓库里的东西，全部发放，不要再伤害平民！"于是把政府仓库中储存的绸缎数十万段，堆到万春宫东街，分给将士，历时三日夜，才发放完毕。夏政府派军驻防大街小巷，拿到绸缎的立刻出城，不准再进入民家。等到将士全部解散，齐善行和国务院执行长（仆射）裴矩、中央特遣政府总监（行台）曹旦，率领夏政府文武百官，侍奉曹皇后，携带传国玉玺八颗（参考前年

〔六一九〕闰二月），以及击破许帝宇文化及时所俘获的珍宝，向唐政府投降。唐帝李渊任命齐善行当秦王（李世民）左翼第二护卫将军（左二护军），赏赐优厚。

最初，夏王窦建德斩许帝宇文化及时，隋王朝南阳公主的儿子名宇文禅师，夏政府虎贲指挥官（虎贲郎将）于士澄，问她说："宇文化及谋杀君王，大逆不道，兄弟的儿子都应连坐，一齐诛杀。公主如果舍不得爱儿，自应留他一命。"南阳公主流泪说："你曾经是隋王朝的高官（杨广第一次在江都造龙舟时，于士澄官位已是上仪同〔勋官七级，从四品上〕），这种事情，还用多问？"夏王窦建德遂斩宇文禅师。不久，南阳公主请求出家当尼姑。夏政府瓦解，南阳公主将回长安（唐首都，陕西省西安市），跟她的丈夫宇文士及在洛阳相遇。宇文士及请求和她相见一面，南阳公主拒绝。宇文士及站在门外，希望恢复夫妻关系。南阳公主说："我跟你们宇文家，仇深似海，今天所以没有亲手杀你，只因为当初政变之日，你并没有参加逆谋！"喝令宇文士及马上离开，宇文士及一再请求，南阳公主大怒说："一定要找死，可以相见。"宇文士及知道无法使南阳公主屈服，才辞别而去。

36 五月十八日，唐政府任命周法明当黄州军区（永安郡改，总部设湖北省武汉市新洲区）总司令（黄州总管）。

37 五月二十一日，郑政府（首都洛阳，皇帝王世充）徐州（江苏省徐州市）中央特遣政府总监（徐州行台）杞王王世辩，献出徐州、宋州（河南省商丘市）等三十八州，晋见唐政府河南道（黄河以南）安抚特使（河南道安抚大使）任瓌，请求投降。郑政府疆土全部并入唐政府（首都长安，皇帝李渊）版图。

38 夏政府博州（山东省聊城市）州长冯士羡，再拥护唐政府淮安王李神通，当山东（崤山以东）慰劳安抚特使（慰抚山东使）；一连招降三十余州。夏政府疆土全部并入唐政府版图。

39 五月二十二日，唐政府代州军区（总部设山西省代县）总司令（代州总管）李大恩（胡大恩），攻击定杨天子刘武周的残存部将苑君璋（时在马邑〔山西省朔州市〕，参考去年〔六二〇〕四月），大破苑君璋军。

40 东突厥汗国（瀚海沙漠群）攻击唐政府边界，唐政府长平王（靖王）李叔良率五位将领迎击，李叔良被流箭射中，回军。

六月二日，李叔良在中途逝世。

41 六月十二日，变民首领孟海公的残余党羽蒋善合，献出郓州（山东省东平县），孟啖鬼献出曹州（山东省菏泽市定陶区），投降唐政府。孟啖鬼，是孟海公的堂兄。

42 六月十四日，唐政府营州（辽宁省朝阳市）人石世则聚众起兵，生擒军区总司令（总管）晋文衍，全州叛变，拥护靺鞨部落（黑龙江下游）酋长突地稽当盟主（突地稽刚接受唐政府任命，参考本年〔六二一〕三月二日）。

43 唐政府黄州军区（总部设湖北省武汉市新洲区）总司令（黄州总管）周法明，攻击梁政府（首都江陵，皇帝萧铣）安州（湖北省安陆市），攻克，俘获梁政府任命的军区总司令（总管）马贵迁。

44 六月十九日，唐政府任命右骁卫（禁军）将军（从三品）盛彦师，当宋州军区（总部设河南省商丘市）总司令（宋州总管），安抚河南（黄河以南）居民。

六月二十九日，海州（江苏省连云港市）变民首领臧君相（参考六一八年十月），献出所占领的五个州，投降唐政府（《旧唐书·地理志》只记载四州：海州、环州〔江苏省连云港市东沉积小岛〕、涟州〔江苏省涟水县〕、东楚州〔江苏省淮安市〕）。唐政府任命臧君相当海州军区总司令（海州总管）。

45 秋季，七月五日，郑政府中央特遣政府总监（行台）王弘烈、王泰、国务院左执行长（左仆射）豆卢行褒、右执行长（右仆射）苏世长，献出襄州（湖北省襄阳市），投降唐政府。

唐帝李渊跟豆卢行褒、苏世长，都是老友，在此之前，李渊不断写信请他们归附，豆卢行褒每次都把送信的使节处斩。现在，一群人抵达长安（唐首都，陕西省西安市），李渊诛杀豆卢行褒，而责备苏世长，苏世长说："隋王朝走失了它的鹿，天下人都起来追赶，陛下既然已经捉到，怎么可以仍怀恨一同追赶的人，认为他们想争吃一块肉是一种罪状？"李渊大笑，把苏世长释放，命他当议论国务官（谏议大夫）。有一天，苏世长随从李渊，在高陵（陕西省西安市高陵区）举行大规模打猎，捕获很多野兽，李渊对文武官员说："今天大干一场，快不快乐！"苏世长回答说："陛下出游狩猎，把国家大事放到脑后，还不满一百天，实在谈不到什么快乐！"李渊脸色大变，很久才笑说："你那骄狂的老毛病又出来了！"苏世长说："对我而言，是骄狂老毛病；对陛下而言，却是一片忠心。"苏世长曾经被邀参加披香殿的宴会，大家都有点醉意，苏世长问李渊说："这殿是不是杨广（隋王朝二任帝）盖的？"李渊说："你规劝我的话，看起来很正直，其实却在那里耍诈，你明知道这殿是我盖的，却说是杨广盖的！”苏世长说：“我实在不知道，只因看它豪华奢侈，仿佛倾宫、鹿台（商王朝末任帝子受辛所建），不像是创业君王的作为，所以发问。如果真是陛下盖的，就十分不合适。我从前在武功（陕西省武功县西）侍奉过陛下，看见所住的地方，仅能遮风蔽雨，当时岂不十分满意！而今，利用隋王朝的宫殿，已经够奢侈的了。反而再去增加，怎么能够改正隋王朝的过失？”李渊深为同意。

46 七月九日，唐政府秦王李世民，率凯旋大军，返抵首都长安。

李世民身穿黄金铠甲，走在前端，齐王李元吉、李世勣（徐世勣）等二十五位大将，紧随李世民之后；铁甲骑兵一万余人，武装步兵三万余人，由雄壮军乐作为前导。携带俘虏的帝王王世充、窦建德，以及隋王朝皇帝乘坐的车轿和御用器物，前往皇家祖庙（太庙），呈献战果，报告捷音。唐帝李渊摆设筵席，为出征将士接风洗尘，并清点所有战利品。

47 七月十日，高句骊王国（首都平壤〔朝鲜半岛平壤市〕）国王（二十七任荣留王）高建武，派人到唐政府进贡。高建武，是高元（二十六任婴阳王）的老弟。

48 唐帝李渊接见郑帝王世充，列举他的罪状，一一责备。王世充说：“我固然应该斩首，然而秦王（李世民）答应饶我一命。”

七月十一日，李渊下诏赦免王世充，贬作平民，连同兄弟子侄，全族流放巴蜀（四川省）；在街市斩窦建德（年四十九岁）。

柏杨曰

窦建德，一代豪杰，竟被诛杀，千年以来，赢得国人多少叹息悲恸。窦建德是隋王朝末年所有变民首领中，最杰出的一位。英武仁慈，远超过李世民，李世民曾残忍的屠过一城（参考六二〇年五月），而窦建德没有，如果上天真的有眼，应该赐福给窦建德。

王世充本属猪狼之辈，李世民能饶他不死，却容不下一个窦建德，原因何在，似乎只有一个解释比较合理，李世民对窦建德之深受人民爱戴，既恐惧而又嫉妒，窦建德在，李世民父子夜不安枕，而一百个王世充堆在一起，李世民连看一眼都不会。

七月十二日，唐帝李渊认为情势约略安定，于是下诏大赦，免除全国人民田赋捐税一年。陕州（河南省三门峡市）、鼎州（河南省灵宝市）、函州（河南省洛宁县北）、虢州（河南省卢氏县）、虞州（山西省运城市东北安邑街道）、芮州（山西省芮城县）等六州，转运物资粮秣，供应军需，劳民伤财；幽州军区（总部设北京市）长期被变民军隔绝，则特别免除田赋捐税二年。至于法律、命令、编制、官称，暂时使用隋王朝一任帝杨坚在位时制度。

大赦令既经颁布，而郑政府（首都洛阳）、夏政府（首都洺阳）所属官员干部，仍有人被流放到边疆，诉讼监察官（治书侍御史）孙伏伽上疏说："可以没有军队，可以没有粮食，但不可以没有信用。陛下已经下令赦免，却又把他们贬窜，是自己违法，官民将遵循什么？而且，连王世充都可以赦免，何况残余党徒？最好能够释放。"李渊批准。

因为押解王世充前往贬所的差役还没有集结完成，所以暂时把王世充软禁在京畿总卫戍司令部（雍州廨舍）；独孤机的儿子、定州

（河北省定州市）州长独孤修德，率领他的兄弟闯入，宣称奉唐帝指令，要见王世充；王世充和老哥王世恽（齐王）出迎，独孤修德等把二人诛杀（独孤机原在隋王朝五任帝杨侗下供职，密谋投奔唐军，全家被王世充屠杀；参考前年〔六一九〕正月二日）。李渊下诏免除独孤修德官爵。王世充其他兄弟子侄（包括太子王玄应、老哥王世伟）等，在贬窜途中，也因阴谋叛变，全体伏诛。

王世充是一个邪恶小人，正好遇上昏庸的领袖，对上拍马摇尾，能做出别人做不出的谄媚行径，用以换取荣华富贵。对下则强词夺理，掩饰自己的错误，压制众人的舆论。终于篡夺政权，横行霸道，残忍好杀，全靠虚情假意驾驭部属。手下所用官员，差不多都是叛逆或亡命之徒。最后投降李世民，竟没有绑赴刑场，公开斩首，可以说十分幸运。

49 隋王朝末年时，钱币泛滥，既薄又小，甚至把皮革裁成钱币模样，上面糊一层纸；民间无力承受所带来的损失（隋王朝使用五铢钱，参考五八一年九月）。

现在，唐政府开始铸造“开元通宝”钱，重二·四铢（“二铢四絫”。絫，音lěi〔垒〕。十粒黍米为一絫，十参为一铢；二·四铢，就是二百四十粒黍米），十钱重一两；轻重大小，十分适度，无论在近处使用，或携带到远方贸易，都很方便。

唐帝李渊命御前监督官（给事中）欧阳询撰写文字，并写在钱币之上，环绕中央方孔，先上下，后左右排列。

50 唐帝李渊任命屈突通当陕东道中央特遣全权政府右执

行长（陕东道大行台右仆射），镇守洛阳；任命淮阳王李道玄当洛州军区（总部设洛阳）总司令（洛州总管）。

李世勣（徐世勣）的老爹李盖（徐盖），竟保住性命回到唐军，李渊下诏恢复他的官职封号（李盖〔徐盖〕被俘，参考前年〔六一九〕十月）。

益州（四川省成都市）中央特遣政府左执行长（益州行台左仆射）窦轨，返回益州（四川省成都市）。窦轨率军出征，有时候十天半月不脱铠甲；性情严厉残酷，将领或参谋官员有冒犯他的，不管出身高贵或贫贱，立刻斩首；喜爱鞭打官员或平民，常常满庭都是鲜血，部属站在那里，动都不敢动，连呼吸都不敢用力。

51 七月十八日，唐政府在洛州（洛阳，河南省洛阳市）、并州（山西省太原市）、幽州（北京市）、益州（四川省成都市）等州，设置“铸钱官”（钱监），赏赐秦王李世民三炉、齐王李元吉三炉、国务院左执行长（左仆射）裴寂一炉，随他们的意，想铸多少钱，就铸多少钱（中央铸钱业务归宫廷供应署〔少府监〕，地方铸钱官则由地方政府首长兼任。三炉一炉也者，等于赏赐他们每人三个、一个钞票印刷厂，有用不完的钱）。但其他任何官民、胆敢私自盗铸的，斩首，全家人口没收，男当奴仆，女当婢妾。

52 唐政府既消灭夏政府（首都洺州），河北（黄河以北）完全纳入版图，唐帝李渊任命陈君宾当洺州（河北省邯郸市永年区东南广府镇）州长，派将军秦武通等率军驻防，打算使他们分别镇守东方各州；又命郑善果等当慰问安抚特使（慰抚大使），到洺州（河北省邯郸市永年区东南广府镇）遴选山东（崤山以东）各州县长。

夏政府瓦解时，将领们很多人偷盗藏匿仓库中的东西，回到家乡故里，横行霸道，成为民间一种灾难（在专制封建社会，无论是当官或当强盗太久，就无法适应平民生活），唐政府官员依法制裁，有时甚至还苦刑拷打，夏政府时代的将领，都惊慌恐惧，心情不安。高雅贤、王小胡等，家在洺州（河北省邯郸市永年区东南广府镇），打算全家逃亡，官员出军搜捕，高雅贤等遂逃亡到贝州（河北省清河县）。正巧唐帝李渊征召夏政府各将领范愿、董康买、曹湛，以及高雅贤等前往中央，于是范愿等互相警告说："王世充献出洛阳投降，他的将相段达、单雄信等，全被屠杀；我们到长安（唐首都，陕西省西安市），一定难逃一死。十年以来，经历百场战役，早就应死；而今，何必爱惜残生，不用来创立一番事业。从前，夏王（窦建德）俘虏李神通，把他当作宾客（参考前年〔六一九〕十月二十日），唐政府俘虏夏王（窦建德），却把他杀掉，我们都受夏王（窦建德）宠爱，今天如果不为他报仇，势将没有脸面再见天下正人君子！"阴谋起兵反抗唐政府，焚香占卜，神明指示说：刘姓将领如果当统帅，一定大吉大利。于是一同前往漳南（河北省故城县东），晋见夏政府时代将领刘雅，把组织反抗军秘密计划向他简报。刘雅说："天下刚刚太平，我打算终身耕田种桑，不愿再拿武器。"众人大怒，而且又怕他泄漏消息，遂斩刘雅。

夏政府时代，汉东公爵刘黑闼，当时也隐居漳南（河北省故城县东），各将领前往晋见，告诉他秘密计划，刘黑闼大为高兴，同意（刘黑闼事，参考前年〔六一九〕十一月）。刘黑闼正在种菜，当时就宰杀耕牛，摆设酒席，跟大家共定大计，聚集群众约一百人。

七月十九日，刘黑闼袭击漳南县（河北省故城县东），占领城池。

这时，唐政府所属各道（中国的"州"，在上古时代，是一个非常广大的行政区，全国共分九州，某些州更一州包括现代数省，其大可知。后来，战乱不已，军阀土匪或权大势大的人，都想当州长，中央只好不断分割，一州变数州，甚至一州变数十州。大分裂时代，一州有时仅管辖一二郡，而一郡又不过只管辖一二县。隋王朝一任帝杨坚便为此裁并地方政府，撤销“郡”级，参考五八三年十二月。行政上由原来的四级制〔中央·州·郡·县〕变成三级制〔中央·州·县〕，对管理一个庞大的国家而言，中央政府不胜负荷，于是，“道”应运而生，位在中央政府之下，州政府之上，跟州刚开始一样，辖区和主管官署，最初并不稳定，以后才逐渐成为实质单位。直到今天〔二十世纪九〇年代〕，韩国和日本，仍有“道”的设置，而中国却于十世纪宋王朝时，被“路”取代。七世纪之后，“道”扮演古代“州”的角色，在政治体系中占重要地位），有战乱发生时，则设置中央特遣政府国务院（行台尚书省），战乱平定后，即行撤销。唐政府听到刘黑闼聚众起兵消息，乃在洺州（河北省邯郸市永年区东南广府镇）设山东道（太行山以东）中央特遣政府；另设魏州（河北省大名县）、冀州（河北省衡水市冀州区）、定州（河北省定州市）、沧州（河北省盐山县西南）等军区总司令部（总管府）。

七月二十二日，任命淮安王李神通当山东道（太行山以东）中央特遣政府右执行长（山东道行台右仆射）。

53 七月二十六日，唐政府襄州道（湖北省襄阳市）安抚特使郭行方，攻击梁政府（首都江陵，皇帝萧铣）鄀州（湖北省钟祥市西北乐乡关村），攻克。

54 变民首领孟海公（参考本年〔六二一〕二月），跟夏王窦建德，同时被唐政府杀害，唐政府戴州（山东省成武县）州长孟噉鬼（孟海公的堂兄）内心恐惧，于是拥护孟海公的儿子孟义，就在曹州（山东省菏泽市定陶区）、戴州（山东省成武县），聚众起兵，反抗唐政府，把禹城（山东省禹城市）县长蒋善合，当作心腹。但蒋善合却跟左右党羽，阴谋刺杀孟啖鬼。

55 八月一日，日蚀。

56 八月二日，唐政府派太子李建成，出发安抚北方边疆。

57 八月十二日，变民首领刘黑闼攻陷鄃县（山东省夏津县）。唐政府魏州（河北省大名县）州长权威、贝州（河北省清河县）州长戴元祥迎战，全都阵亡，刘黑闼俘虏他们的全部士卒和武器。夏王窦建德从前的部属，渐渐出来归附，部众达到二千人；在漳南（河北省故城县东）兴建高台，祭悼窦建德，向窦建德在天之灵，焚香禀告发动反抗军的本意，刘黑闼自称大将军。

唐帝李渊下诏动员关中（陕西省中部）步骑兵三千人，命将军秦武通、定州军区（总部设河北省定州市）总司令（定州总管）蓝田（陕西省蓝田县）人李玄通攻击刘黑闼。李渊又下诏命幽州军区（总部设北京市）总司令（幽州总管）李艺（罗艺）跟中央军会合，共同攻击刘黑闼。

58 八月十八日，东突厥汗国（瀚海沙漠群）攻击唐政府代州（山西省代县），代州军区总司令（代州总管）李大恩（胡大恩），派大军作战司令（行军总管）王孝基拒抗，王孝基全军覆没。

八月十九日，东突厥进围崞县（山西省原平市北崞阳镇）。

八月二十日，王孝基从东突厥逃回。李大恩（胡大恩）军队太少，只有守卫州城，东突厥不敢逼近，一个月有余，才行撤退。

59 唐帝李渊因南方变民首领仍多。

八月二十一日，李渊任命左武候（禁军）将军（从三品）张镇周，当淮南道（淮河以南）大军作战司令（行军总管），大将军陈智略当岭南道（南岭以南）大军作战司令（行军总管），镇压安抚。

60 八月二十二日，变民首领刘黑闼攻克历亭（山东省武城县东），俘虏唐政府屯卫（禁军）将军（从三品）王行敏，命王行敏叩头，王行敏不肯，遂斩王行敏。

最初，郑帝王世充投降唐政府，变民首领徐圆朗也请求投降（之前已投降过一次，参考前年〔六一九〕七月）。唐政府任命徐圆朗当兖州军区（总部设山东省济宁市兖州区）总司令（兖州总管），封鲁郡公爵。刘黑闼聚众起兵，暗中跟徐圆朗联络。唐帝李渊派葛公爵盛彦师，前往河南（黄河以南）安抚军民，走到任城（山东省济宁市）。

八月二十六日，徐圆朗逮捕盛彦师，正式背叛唐政府。刘黑闼任命徐圆朗当中央特遣政府大军元帅。于是，兖州（山东省济宁市兖州区）、郓州（山东省郓城县）、陈州（河南省周口市淮阳区）、杞州（河南省杞县）、伊州（河南省汝州市）、洛州（洛阳）、曹州（山东省菏泽市定陶区）、戴州（山东省成武县）等八州英雄豪杰，纷纷响应。徐圆朗对盛彦师十分尊敬礼遇，请他写信给他的老弟、虞城（河南省虞城县）县长，命老弟献出城池投降。盛彦师写信说："我不能完成使命，以至被盗贼擒获，当臣属不能尽忠，只有发誓一死，你要好好奉养娘亲，不要对我挂念。"徐圆朗最初脸色大变，可是盛彦师态度跟平常一样，徐圆朗笑说："盛将军志节壮烈，不可诛杀！"待他跟过去一样。

唐政府河南道（黄河以南）安抚特使（安抚大使）任瓌，走到宋州（河南省商丘县），正巧遇上徐圆朗聚众起兵，副特使柳濬建议任瓌退守汴州（河南省开封市），任瓌笑说："柳先生，你的胆量为什么那样小！"

徐圆朗又攻克楚丘（山东省曹县东南），打算包围虞城（河南省虞城县）；任瓌派部将崔枢、张公谨，从鄢陵（河南省鄢陵县）率各地豪族的人质一百余人，向虞城增援。柳濬说："崔枢和张公谨都是王世充的部将，现在各州人质的老爹老哥，纷纷叛变，恐怕二人也会发生变化。"任瓌不回答。

崔枢抵达虞城（河南省虞城县），把人质配备给本城民兵，共同守城。变民军稍稍迫近，人质中有人背叛逃走，崔枢斩他们所属的部队长，于是所有部队长都大为恐慌，分别把人质斩首，崔枢并不禁止，反而把人质的人头，悬挂在城门之外，派人向任瓌报告。任瓌假装大发雷霆，说："我所以命人质随同你一起前往，为的是要招引他们的老爹老哥，人质有什么罪，把他们诛杀！"退下来对柳濬说："我早就知道崔枢能办这件事，该县民兵既诛杀人质，就跟盗匪结下血海深仇，我们还担心什么！"变民军进攻虞城（河南省虞城县），果然不能攻克，退走。

最初，夏王窦建德命鄱阳（江西省鄱阳县）人崔元逊当深州（河北省安平县）州长。等刘黑闼聚众起兵，崔元逊和他的党徒数十人，在郊野聚集，秘密会商。把武装勇士埋伏在车上，用麦秸盖到上面，一直走到深州州政府办公大厅，勇士们从麦秸堆里，大声呼喊，一跳而出，擒获唐政府任命的州长裴晞，斩首；把人头呈献刘黑闼。

61 九月一日，文登（山东省威海市文登区）变民首领淳于难，向唐政府请求投降。唐政府设登州（文登县改登州），命淳于难当州长（文登早于前年〔六一九〕三月归附唐政府，或当时只是名义上归附）。

62 东突厥汗国（瀚海沙漠群）攻击并州（山西省太原市），唐政府派左屯卫（禁军）大将军（正三品）窦琮等迎战。

九月四日，东突厥再攻击原州（宁夏固原市），唐政府派大军作战司令（行军总管）尉迟敬德等迎战。

63 九月七日，变民首领徐圆朗（时在兖州）自称鲁王。

64 隋王朝末年，歙州（新安郡，安徽省休宁县）变民首领汪华，占领黟州（安徽省黟县）、歙州等五州（歙，音shè〔摄〕；黟，音yī〔衣〕），有部众一万人，汪华自称吴王。

九月十日，汪华派使节向唐政府请求投降，唐政府任命他当歙州军区（总部设安徽省歙县）总司令（歙州总管）。

隋王朝末年，弋阳郡（河南省光山县）人卢祖尚，集结勇士，保护乡里，防卫严密，其他变民军都心怀畏惧。后来，杨广被杀，乡人拥护他当光州（弋阳郡改光州）州长，年才十九岁，上疏五任帝杨侗。等到王世充篡位自称郑帝，卢祖尚再向唐政府投降。

九月二十二日，唐政府任命卢祖尚当光州军区总司令（光州总管）。

65 九月二十五日，唐帝李渊下诏调查辖区内人民户口。

66 变民首领、鲁王徐圆朗（首都兖州），进攻济州（山东省聊城市茌平区西南），州政府总务官（治中）吴伋论，把他击退。

67 九月二十九日，唐帝李渊下诏，说："祭祀部（大常）所属歌舞演艺人员，都是隋王朝犯罪的人，强迫发配，以至子子孙孙都继承这项行业，已经有相当年代，使人哀伤，值得怜悯，从现在起，全部释放，一律恢复平民身份；如果他们当官已经入流（最低级九品以上）的，不准再追查他们的出身。”（中国传统社会，只有当官才是最高尚最尊贵的职业，歌舞演艺人员属于贱民阶级，连子孙都不能当官，二十世纪时代的歌舞演艺人员，真应庆幸自己生在二十世纪。）

68 九月三十日，唐政府灵州军区（总部设宁夏灵武市）总司令（灵州总管）杨师道，攻击东突厥汗国（瀚海沙漠群），击破东突厥军。杨师道，是杨恭仁的老弟（杨恭仁事，参考前年〔六一九〕闰二月）。

69 唐政府（首都长安）向梁政府（首都江陵，皇帝萧铣）发动灭国性大规模总攻击。

唐帝李渊动员巴蜀（四川省）军队，任命赵郡王李孝恭当荆湘道（湖北省中西部及湖南省）大军作战司令（行军总管），李靖摄理大军秘书长（摄行军长史），指挥十二个作战司令，自夔州（重庆市奉节县）顺长江东下。任命庐江王李瑗当荆郢道（湖北省中部）大军元帅（《新唐书·李瑗传》记载，此时李瑗是山南东道〔秦岭以南〕中央特遣政府右执行长〔行台右仆射〕，驻襄州〔湖北省襄阳市〕）。派黔州（重庆市彭水县）州长田世康向辰州道（湖南省沅陵县）进发，黄州军区（总部设湖北省武汉市新洲区）总司令（黄州总管）周法明，向夏口道（湖北省武汉市）前进，攻击梁政府边界。

本月（九），李孝恭自夔州（重庆市奉节县）出发。当时，长江三峡水势正涨，各将领请求等到水势稍缓时再进军，李靖说：“军事行动，就是要疾如闪电，我们刚刚集结大军，萧铣还不知道，如果趁着猛涨的水势东下，转眼之间，就到达江陵（湖北省江陵县）城下，趁他们没有戒备，发动攻击，一定可以把他擒获，不应失去这个机会。”李孝恭同意。

70 唐政府淮安王李神通率关内（陕西省中部）军队，抵达冀州（河北省衡水市冀州区），跟燕王李艺（罗艺）的军队会合；又征调邢州（河北省邢台市）、洺州（河北省邯郸市永年区东南广府镇）、相州（河南省安阳市）、魏州（河北省大名县）、恒州（河北省正定县）、赵州（河北省赵县）等州军队，共计五万余人，在饶阳（河北省饶阳县）城南，跟变民首领刘黑闼会战，唐军列阵十余华里，刘黑闼部众太少，只好背靠饶河（滹沱河支流）堤岸，排成单行抵抗；正好天气骤变，狂风暴雪交加，李神通乘着顺风，开始攻击，想不到风向突然作一百八十度反转，变成逆风，李神通军遂大败，士卒、马匹、军用物资，死伤逃亡以及损失，达三分之二。

李艺（罗艺）在战场西端攻击高雅贤，击破高雅贤军，乘胜追击数里，听说中央军失利，撤退到藁城（廉州州政府所在县，河北省石家庄市藁城区）。刘黑闼进击，李艺（罗艺）不能抵挡。薛万均、薛万彻都被刘黑闼俘虏，刘黑闼剪掉他们的头发，驱使做工；后来二人逃回，李艺（罗艺）率军返抵幽州（北京市）。刘黑闼军势震动天下。

71 唐帝李渊因秦王李世民功劳太大，现有的任何官位都不能显出他的荣耀，于是特设“天策上将”，位在亲王、公爵之上。

冬季，十月，李渊正式任命李世民当天策上将兼司徒（领司徒，三公之二）、陕东道中央特遣全权政府总执行长（陕东道大行台尚书令），采邑增加到二万户人家（亲王采邑一万户），另立“天策府”，设各级官属。

李渊任命齐王李元吉当司空（三公之三）。

李世民因全国逐渐太平，于是在宫城之西，设立“文学馆”，网罗来自四面八方的文化人，充当“学士”。李世民下令：延聘秦王府助理官（王府属）杜如晦、机要秘书（记室）房玄龄、虞世南、教育官（文学）褚亮、姚思廉，主任秘书（主簿）李玄道，参谋官（参军）蔡允恭、薛元敬、颜相时，首席收发官（咨议典签）苏勖，天策府参谋指挥官（从事中郎）于志宁，参谋主任（军咨祭酒）苏世长，机要秘书（记室）薛收，仓库官（仓曹）李守素，国立贵族大学副教授（国子助教）陆德明、孔颖达，信都（河北省衡水市冀州区）人盖文达，宋州军区（总部设河南省商丘市）总司令部民政官（宋州总管府户曹）许敬宗，仍然都保持原官兼任文学馆学士。分成三个梯次，每隔一天前往文学馆值班住宿一晚，馆方供应精美饮食，对他们的恩宠和礼遇，十分优厚。李世民除了朝见老爹和处理公务之余，就到文学馆跟各学士讨论书籍文学，有时甚至讨论到午夜，才上床就寝。李世民又命仓库主任（库直）阎立本画出各学士的肖像，由褚亮撰写评语，号称“十八学士”。知识分子能够进入文学馆的，时人羡慕，形容为“登瀛洲”（古代相传，大海上有三座仙山：蓬莱、方丈、瀛洲，普通人不能到，到则成仙，参考前二一九年）。蔡允恭，是蔡大宝的侄儿（蔡大宝辅佐南梁帝国七任帝萧詧，参考五五五年正月）。薛元敬，是薛收的侄儿。颜相时，是颜师古的老弟（颜师古事，参考六一七年九月）。阎立本，是阎毗的儿子（阎毗事，参考六〇〇年十月）。

最初，杜如晦当秦王府大营参谋官（兵曹参军），不久，擢升陕州（河南省三门峡市）秘书长（长史）。当时，李世民总部幕僚，很多外放担任地方政府官职，李世民深为忧虑。房玄龄说：“其他的人没有关系，但是杜如晦是辅佐帝王创业的人才，大王如果有志于安定四方，就非留下杜如晦不可。”李世民大惊说：“如果不是你提醒，差点失去他。”即上疏李渊，命杜如晦当秦王府助理官（府属）。杜如晦与房玄龄，常常跟随李世民出征，在帐幕中运用策略，负责参谋作业；军事上问题层出不穷，杜如晦判断裁决的速度，如同流水。李世民每次击破敌军，或攻陷敌城，各将领争着抢夺金银财宝，只房玄龄注意当地人才，一一延聘作为幕僚。将领或参谋官勇敢善战，或有谋略急智的，房玄龄一定跟他深相接纳，使他愿为李世民卖命效死。李世民每次派房玄龄晋见老爹面奏，李渊总赞叹说："房玄龄代表我儿所作简报，虽然两地悬隔千里，却好像当面对谈。"

李玄道曾在李密部下担任机要秘书（记室），李密失败，文武官员被王世充俘虏，都怕被杀，一夜难以安眠。只李玄道起居跟平常一样，说："生死自是命中注定，并不因为害怕就能免除。"大家佩服他的胆量见识。

72 十月六日，变民首领刘黑闼攻克瀛州（河北省河间市），格杀唐政府任命的州长卢士叡。观州（河北省东光县）变民生擒州长雷德备，献出州城，投降刘黑闼。

73 十月七日，梁政府（首都江陵，皇帝萧铣）鄂州（湖北省武汉市汉水南岸）州长雷长颖，献出鲁山（鄂州州政府所在城），投降唐政府。

唐政府赵郡王李孝恭率战舰二千余艘，顺长江东下，梁帝萧铣认为长江水势正涨，行舟不易，所以丝毫没有戒备。李孝恭等一连攻陷荆门（湖北省宜都市西北长江南岸）、宜都（湖北省宜都市）二处重镇，进抵夷陵（湖北省宜昌市）。梁政府将领文士弘，率精锐部队数万人，驻防清江（在宜都市注入长江）。

十月九日，李孝恭击退文士弘，俘获战舰三百余艘，梁军被杀及跌落长江淹死的，以万为单位计算，唐军追击，挺进到百里洲

（湖北省宜都市南长江中小岛）。文士弘集结残兵败将，再发动攻击；李孝恭再把文士弘击败，舰队遂进入北江（长江，江水到百里洲小岛分流，由岛北水道东流的，称北江），梁政府江州军区（总部设湖北省长阳县西）总司令（江州总管）盖彦举，率五个州投降。

74 唐政府毛州（河北省馆陶县）州长赵元恺，性情严酷急躁，部下不能忍受。

十月十九日（原文“丁卯”，据《新唐书》改），州民董灯明等聚众，格杀赵元恺，响应刘黑闼。

盛彦师（参考本年〔六二一〕八月二十二日）从变民首领、鲁王徐圆朗（首都兖州）大营逃回。唐政府齐州军区（总部设山东省济南市）总司令（齐州总管）王薄乘机游说青州（山东省青州市）、莱州（山东省莱州市）、密州（山东省诸城市），各州都向唐军投降（各地于前年〔六一九〕三月已降唐政府，当时应只是名义上归附，实质上仍然独立；如今郑政府覆亡，各地正式归唐）。

75 梁帝萧铣（首都江陵）当初裁减军队，解甲归田时，只留数千人充当禁卫（参考去年〔六二〇〕十一月一日），听到唐军来到，而文士弘又大败消息，大为恐惧。仓猝之间，下诏征召勤王，可是各地兵马都在长江、南岭以南，距离遥远，道路又不十分畅通，不能马上集结，于是只好动员城中现有的兵力，登城抵抗。

李孝恭将发动攻击，李靖劝阻说：“他们是临时凑合起来自救的乌合之众，并不是长程计划下训练出来的劲旅，不可能支持太久。我们不如停泊南岸（马头），放松一天，他们的兵力一定分散，有的留在城中抵抗，有的回到大营固守，兵力分散之后，气势就更衰弱，我们趁他们疲惫松懈时，发动攻击，没有不胜的道理。如果立即急攻，他们一定合作死战，古楚王国地区（湖北省）士卒，剽悍锋锐，不容易抵挡。”李孝恭不采纳，命李靖留守大营，亲自率精兵出战，果然失败逃回，撤退到南岸（马头）。梁军士卒抛弃自己的船舰，奋勇抢夺唐军的军用物资，每人携带的东西，都超过他所能肩挑头顶的重量，以至脚步不稳，行动困难；李靖发现梁军混乱，挥军反击，大破梁军，乘胜追到江陵（湖北省江陵县）城下，攻入外城。又攻击水军码头（水城），攻克，掳获大量船舰，李靖建议李孝恭把这些船舰全部放到江心，由它们漂荡。各将领全都反对，说："击破敌人所得到的战利品，应该加以利用，为什么再交到敌人手中，增加他们的战力！”李靖说："梁国（皇帝萧铣）版图，南到岭表（南岭以南），东到洞庭（洞庭湖）。我们孤军深入，如果攻城不能攻克，而梁军从四面八方增援首都（江陵，湖北省江陵县），我们腹背受敌，进不能进，退不能退，就是拥有这些船舰，有什么用？而今，使它们遮满江面，顺流而下，援军看到，一定认为首都（江陵，湖北省江陵县）已经陷落，不敢轻率前进；斥候来往侦察，至少也要十天半月，我们足可攻下江陵。”梁政府援军看见空舰蔽江而下，果然迟疑不敢前进。

梁政府交州（越南河内市）州长丘和、秘书长（长史）高士廉、军政官（司马）杜之松，将到江陵（湖北省江陵县）朝见萧铣，听到梁军战败消息，全到李孝恭大营投降。

李孝恭率军包围江陵（湖北省江陵县），萧铣对外的联系，全被切断，向立法院副立法长（中书侍郎）岑文本询问对策；岑文本建议投降，萧铣接受，遂告诉文武百官说："上天不保佑梁国，已再不能支持，如果一定要战到筋疲力尽，再去屈服，则受苦的将是人民，为什么因我一个人的缘故，而使人民陷于水深火热！”

十月二十一日，萧铣向皇家祖庙呈献太牢（牛猪羊各一），禀告祖先在天之灵，下令打开城门，出城投降，城中守军一片号哭。萧铣率文武百官，身穿麻衣、头裹布巾，前往唐军营门，对李孝恭说：“应该死的只我一人，人民无罪，请不要烧杀抢劫！”李孝恭进入江陵（湖北省江陵县），各将领打算大肆劫掠，岑文本提醒李孝恭说：“江南（长江以南）人民，自隋王朝末年，深受暴政蹂躏，更加上各路好汉互相厮杀，现在仍活在世上的人，都是刀下余生，踮起脚跟，伸长脖子，盼望真命天子！所以萧家君臣、江陵父老，决心归顺，希望放下重担。现在，如果放纵士卒劫掠，恐怕自此以后，人民将再没有归化之心。”李孝恭赞成他的意见，下令禁止劫掠。各将领又说：“梁政府将领因拒抗唐军而被杀的，罪恶深重，请求没收他们的家产，赏赐给将士。”李靖说：“正义的军队，应使正义的声音先传播远方。他们为他们的元首战死，乃是忠臣，怎么能跟对待叛逆一样，没收他们家产！”于是江陵城中，宁静平安，唐军秋毫无犯。南方各州县听到消息，都望风而降。

萧铣投降数日后，勤王军到达的有十余万人。听到江陵陷落，都脱下铠甲，向唐军投降。

李孝恭把萧铣押送长安（唐首都，陕西省西安市），唐帝李渊责备他，萧铣说：“隋王朝的鹿走失，天下人共同追逐。我因为受不到上天的保佑，所以到今天这种地步。如果认为这就是罪，我就难逃一死。”李渊竟把萧铣绑到街市，斩首（年三十九岁）。

萧铣虽然昏庸，并不凶暴，天下大乱之际，李渊把隋王朝皇帝赶下宝座，夺取政府，在传统政治规则下，罪不容诛。而萧铣不过从隋王朝手中恢复旧有国土而已，跟李渊风马牛不相干，萧铣告诉李渊说：“我不过是称王的田横，

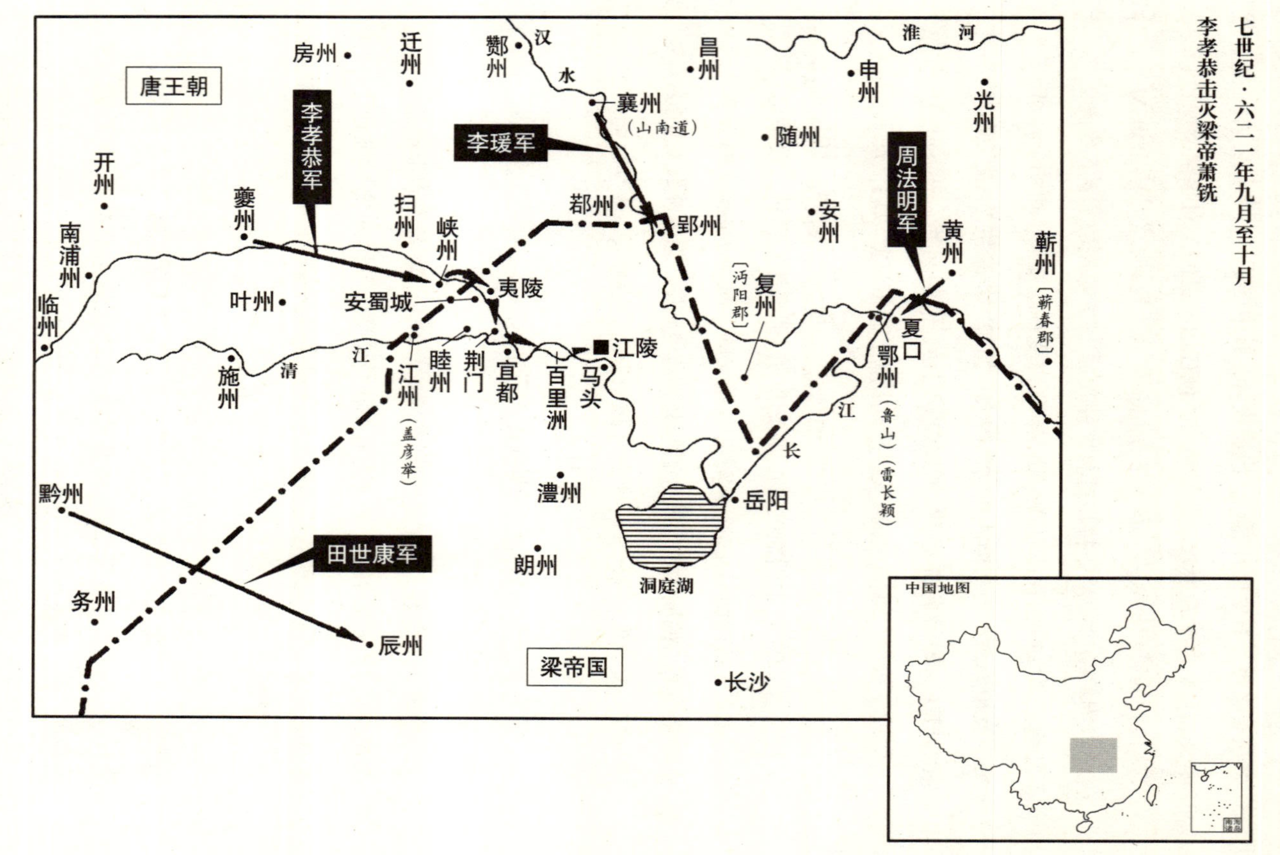

七世纪·六二一年九月至十月
李孝恭击灭梁帝萧铣

并不是背叛西汉王朝！”而且，唐军兵临城下，萧铣立即投降，并没有拒抗。亏得李渊有那么多理由对他责备，目的不过是一杀。

成则王侯败者贼，是中国历史金科玉律，“天命”“大义”永远站在胜利者的一边，“盗”“匪”“叛”“逆”永远罩到失败者的头上。

李渊命李孝恭当荆州军区（总部设湖北省江陵县）总司令（荆州总管），李靖当上柱国（勋官一级〔旧制〕，从一品），封永康县公爵，命他们安抚岭南（南岭以南），可以代表皇帝行使职权。

之前，萧铣派副监督长（黄门侍郎）江陵（湖北省江陵县）人刘洎（音）〔记〕），前往岭表（南岭以南）开拓疆土，收降五十余城池，还没有回来，而首都江陵陷落，刘洎遂把这五十余城呈献唐政府投降，唐政府命刘洎当南康州军区（总部设广东省德庆县）司令部秘书长（长史。北周帝国改“都督某州诸军事”为“总管”，参考五五九年正月。到了隋王朝二任帝杨广时，把“总管”全部撤销，参考六〇五年正月。唐王朝建立后，陆续在边疆恢复设“总管府”，参考六一八年六月十二日。稍后，在六二四年二月，全面改称“都督”）。

76 十月二十四日，鲁政府（首都兖州）昌州（山东省东平县）州政府总务官（治中）刘善行，向唐政府献出须昌（昌州州政府所在县）投降。

77 十月二十六日，唐帝李渊下诏，命陕东道中央特遣全权政府国务院（大行台尚书省），上自总执行长（令）、执行长（仆），下到司长（郎中）、事务员（主事），阶级俸禄都跟中央政府国务院相同，但编制上人数较少。山东（太行山以东）中央特遣政府（山东行台），以及所有军区总司令部（总管府）、州政府，全归管辖。至于益州（四川省成都市）特遣政府、襄州（湖北省襄阳市）特遣政府、山东（太行山以东）特遣政府、淮南（淮河以南）特遣政府、河北（黄河以北）特遣政府等，总执行长（令）、执行长（仆）以下，阶级俸禄比中央国务院降低一等，编制人数再作裁减，特遣政府总执行长（行台尚书令）可以代表皇帝行使职权、任免官员。

秦王（李世民）及齐王（李元吉）王府现有官属编制之外，各另设置左右六个护军府和左右王宫警卫府（亲事府）、左右近身侍卫府（帐内府）。

78 闰十月二日，唐帝李渊往稷州（陕西省武功县西）。

闰十月六日，李渊前往武功（稷州州政府所在县）旧宅。

闰十月九日，李渊前往好畤（陕西省乾县西北）打猎。

闰十月十二日，李渊前往九嵕（陕西省礼泉县北）打猎（嵕，音zōng〔宗〕）。

闰十月十四日，李渊前往仲山（陕西省淳化县南）打猎。

闰十月十五日，李渊前往清水谷（陕西省宜君县南）打猎，顺便前往三原（陕西省三原县）。

闰十月十八日，李渊前往周氏陂（陕西省西安市高陵区境）。

闰十月十九日，李渊返首都长安（陕西省西安市）。

十一月一日，李渊到圆形祭坛上祭祀天神。

79 唐政府吴王李伏威（杜伏威）派部将王雄诞，进攻吴帝李子通（首都余杭〔浙江省杭州市〕），李子通派精锐部队防守独松岭（浙江省安吉县南）。王雄诞命部将陈当世，率一千余人，居高临下进逼，到处竖立军旗，夜晚则把大量火炬绑到树上，布满山野荒泽。李子通恐惧，焚烧大营，退守杭州（即余杭郡，浙江省杭州市），王雄诞追击，在杭州城下，再击败李子通军。

十一月七日，李子通走投无路，请求投降。李伏威（杜伏威）生

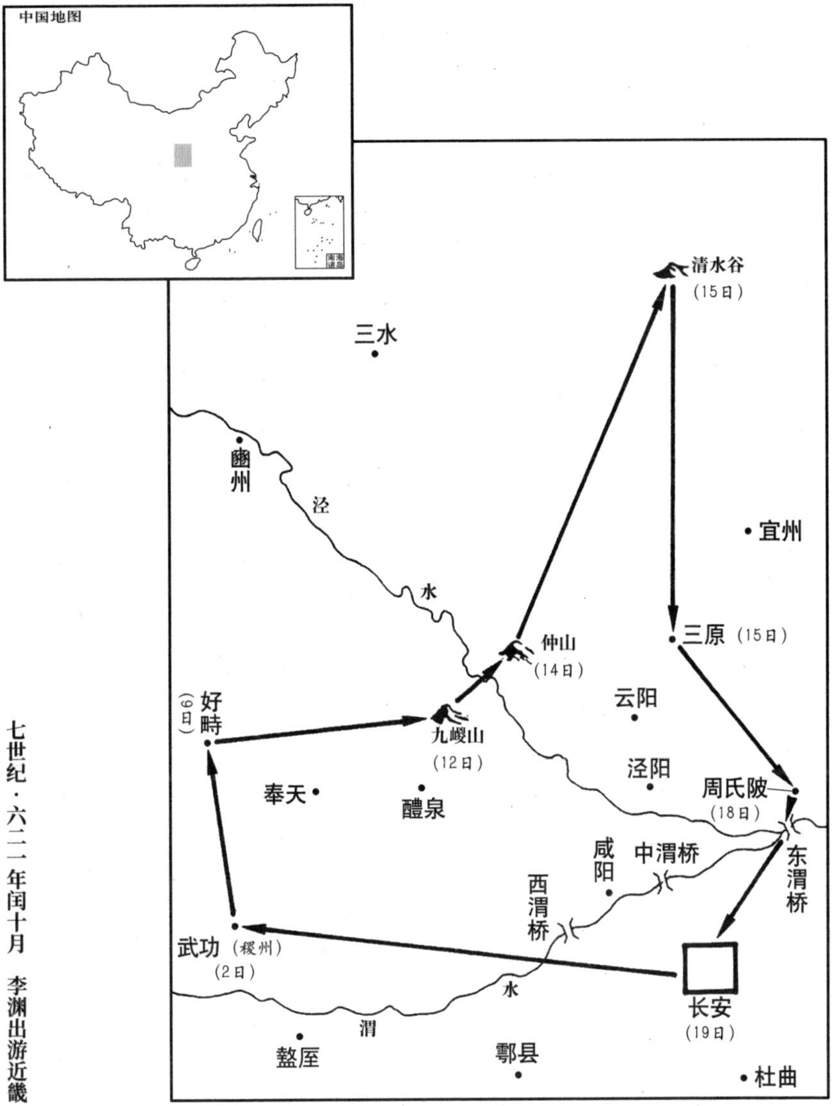

七世纪·六二二年闰十月　李渊出游近畿

中国地图

南海诸岛

清水谷 (15日)

三水

豳州

泾水

宜州

仲山 (14日)

三原 (15日)

好畤 (9日)

九嵕山 (12日)

云阳

泾阳

奉天

醴泉

周氏陂 (18日)

咸阳

中渭桥

东渭桥

西渭桥

武功 (稷州) (2日)

渭水

长安 (19日)

盩厔

鄠县

杜曲

擒李子通和吴政府国务院左执行长（左仆射）乐伯通，押送首都长安；唐帝李渊释放李子通（诛杀萧铣而释放李子通，李渊做此决定时的心理状态，值得研究）。

之前，变民首领、吴王汪华占领黟州（安徽省黟县）、歙州（安徽省歙县），称王十余年（参考本年〔六二一〕九月），王雄诞在班师途中，发动攻击。汪华在新安洞口（安徽省歙县北）迎战，士气旺盛，武器精良。王雄诞把精锐部队埋伏在山谷之中，却率老弱残兵数千人，进攻吴军阵地，双方刚刚接触，王雄诞就假装战败撤退。汪华遂即追击，但不能攻克，而天色已晚，率军回营，王雄诞的伏兵突然窜起，占领新安洞口，汪华欲归无路，窘困交迫，请求投降。

变民首领闻人遂安（闻人，复姓）据守昆山（上海市青浦区），不隶属任何称王称帝的变民集团（闻人遂安事，参考去年〔六二〇〕十二月）。李伏威（杜伏威）派王雄诞向闻人遂安攻击。王雄诞因昆山（上海市青浦区）地势险恶，道路狭窄，很难单独依赖武力，于是单身匹马，前往昆山城下，宣传唐政府（皇帝李渊）的威力和灵异，分析祸福利害，闻人遂安感动欢欣，率各将领出降。

于是，李伏威（杜伏威）所辖地区，包括全部淮南（淮河以南）、江东（太湖流域及钱塘江流域），南到南岭（仙霞岭），东到大海（东海）。王雄诞因军功被任命当歙州军区（总部设安徽省歙县）总司令（歙州总管），封宜春郡公爵。

80 十一月九日，唐政府林州军区（总部设甘肃省华池县东华池村）总司令（林州总管）刘旻，攻击稽胡部落变民首领刘仙成，大破刘仙成军，刘仙成仅逃出一命，部落全都投降（刘仙成投奔梁帝梁师都，参考本年〔六二一〕三月）。

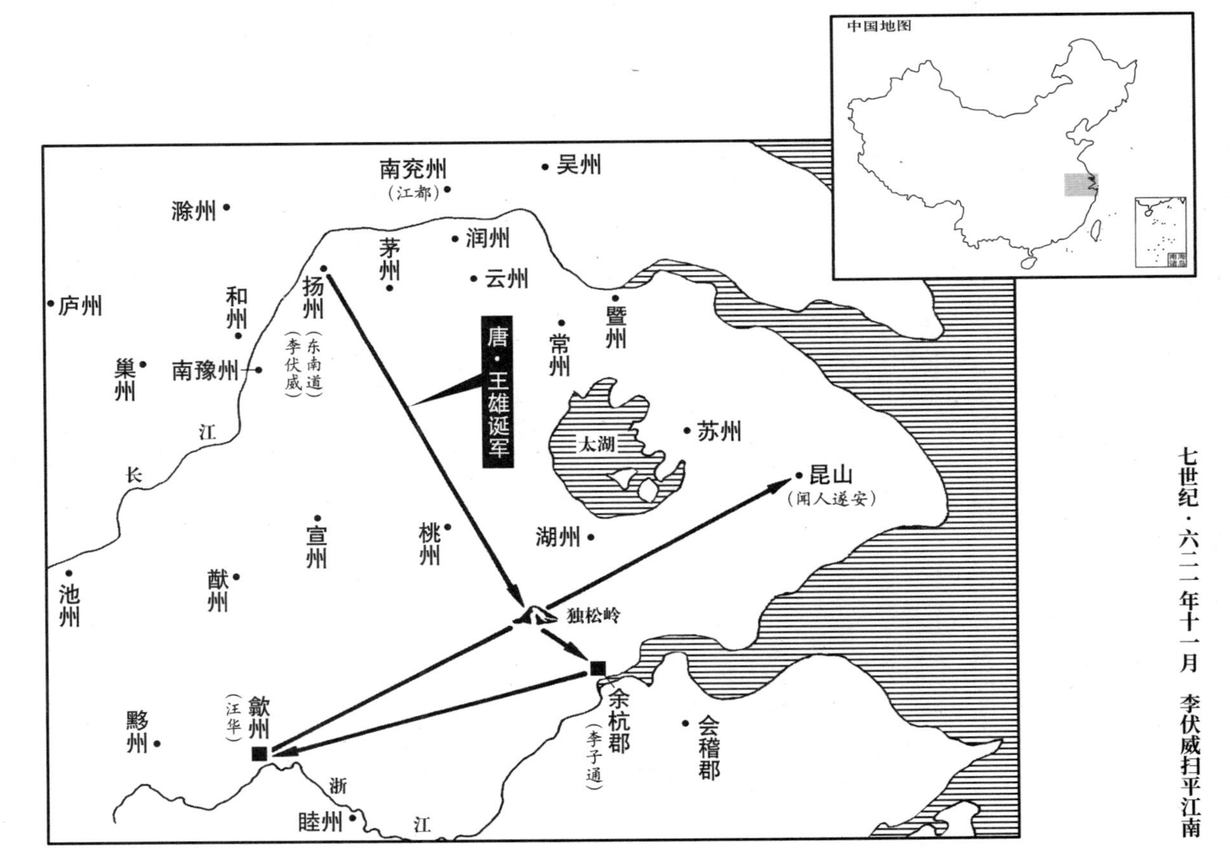

七世纪·六二二年十一月　李伏威扫平江南

81 唐政府永康县公爵李靖，越过五岭（南岭），派使节分别前往各州招降，所到之州，全都归附。

梁政府（首都江陵，皇帝萧铣）桂州军区（总部设广西桂林市）总司令（桂州总管）李袭志，率部众向唐军投降（李袭志事，参考六一八年四月）。赵郡王李孝恭即命李袭志仍任原官，明年（六二二）前往中央朝见。

唐帝李渊命李靖当岭南（南岭以南）安抚慰劳特使（抚慰大使），摄理桂州军区总司令（检校桂州总管），计率军降服九十六州，六十余万户。

82 十一月十九日，变民首领刘黑闼攻克定州（河北省定州市），生擒唐政府任命的军区总司令（总管）李玄通，刘黑闼欣赏他的才能，打算命他担任大将，李玄通拒不接受。李玄通的旧部中有人送来酒肉，李玄通说："各位怜悯我受到囚禁羞辱，特别送来酒肉安慰，我当为你们喝个酩酊大醉。"酒兴正浓，李玄通对看守的人说："我会舞剑，把刀借我一用！"看守的人把刀交给他，李玄通舞过之后，叹息说："大丈夫受国家厚恩，镇守安抚一方，却不能完成使命，有什么面目活在人间！"举刀自刺，腹部溃裂而死。

唐帝李渊听到消息，流下眼泪，擢升李玄通的儿子李伏护当大将。

83 十一月二十七日，唐政府杞州（河南省杞县）变民首领周文举，诛杀州长王文矩，献出州城，投降鲁王徐圆朗（首都兖州）。

84 唐政府幽州（北京市）大饥馑，蔚州军区（总部设河北省怀来县）总司令（蔚州总管）李开道（高开道）向幽州军区总司令李艺（罗艺），承诺运送粮食赈济（高开道投降唐政府事，参考去年〔六二〇〕十月）。李艺（罗艺）

差遣老弱人员前往蔚州（河北省怀来县）谋生，李开道（高开道）对他们十分优待，李艺（罗艺）大喜过望，于是派出健壮平民三千人、车数百辆、驴马一千余匹，前去运载粮食，李开道（高开道）却忽然翻脸，把他们全部留下，跟李艺（罗艺）断绝关系，再称燕王，北方与东突厥汗国（瀚海沙漠群）联合，南方跟变民首领刘黑闼联合，率军进攻易州（河北省易县），不能攻克，大肆抢掠而去。

高开道再派部将谢稜向李艺（罗艺）诈降，请求派军支援，李艺（罗艺）出兵接应，将要抵达怀戎（蔚州州政府所在县，河北省怀来县），谢稜发动袭击，把李艺（罗艺）军击败。

高开道跟东突厥联合出军，屡次侵入唐政府疆界，恒州（河北省正定县）、定州（河北省定州市）、幽州（北京市）、易州（河北省易县），都受到他的伤害。

85 十二月三日，变民首领刘黑闼攻陷唐政府冀州（河北省衡水市冀州区），斩州长麴稜。

刘黑闼击破李神通后，向赵魏地区（河北省中部南部及河南省北部）发布文告，故夏王窦建德的将领士卒，纷纷诛杀唐政府官员，响应刘黑闼。

十二月八日，唐政府派右屯卫（禁军）大将军（正三品）义安王李孝常，率军攻击刘黑闼。刘黑闼率军数万，进逼宗城（宗州州政府所在县，河北省威县东）；唐政府黎州军区（总部设河南省浚县）总司令（黎州总管）李世勣（徐世勣），原先驻军宗城（河北省威县东），放弃城池，集中力量固守洺州（河北省邯郸市永年区东南广府镇）。

十二月十二日，刘黑闼追击李世勣（徐世勣）等，击破李世勣（徐世勣）军，杀步兵五千人，李世勣（徐世勣）仅逃出一命。

十二月十四日，洺州（河北省邯郸市永年区东南广府镇）变民首领翻出城墙，响应刘黑闼。刘黑闼在城东南祭祀上天及夏王窦建德，然后进城。十天后，刘黑闼率军攻克相州（河南省安阳市），擒获州长房晃，唐政府右武卫（禁军）将军（从三品）张士贵，突围逃走。刘黑闼南下，一连攻克黎州（河南省浚县）、卫州（河南省卫辉市），半年之间，完全恢复夏王窦建德时代疆域（河北省中部南部及河南省北部）。刘黑闼又派使节向北联络东突厥汗国，颉利可汗（十三任大可汗）阿史那咄苾派司令官（俟斤）宋邪那，率突厥骑兵增援。

唐政府右武卫（禁军）将军秦武通、洺州（河北省邯郸市永年区东南广府镇）州长陈君宾、永宁（洺州州政府所在县）县长程名振，都从河北（黄河以北）逃回首都长安（陕西省西安市）。

十二月十五日，唐帝李渊命秦王李世民、齐王李元吉，攻击刘黑闼（李渊最初把刘黑闼当作一小撮强盗，先派李神通，继派李孝常，都被击败；李世民是最后一张王牌）。

86 昆弥部落（云南省昆明市）派使节向唐政府请求归附。昆弥，西汉王朝时称昆明（参考前一二二年）。

唐政府巂州（四川省西昌市。巂，音ㄒㄧ〔西〕）州政府总务官（治中）吉弘纬，勘察通往南宁州（云南省曲靖市）的道路，特别前往昆弥部落游说，他们遂提出这项请求（南宁州蛮夷归附唐政府，参考去年〔六二〇〕八月）。

87 十二月十七日，变民首领刘黑闼攻克邢州（河北省邢台市）、赵州（河北省赵县）。

十二月十八日，刘黑闼攻克魏州（河北省大名县），斩唐政府的军区总司令（总管）潘道毅。

十二月十九日，刘黑闼攻克莘州（山东省莘县）。

88 十二月二十日，唐帝李渊把宋王李元嘉改封徐王。

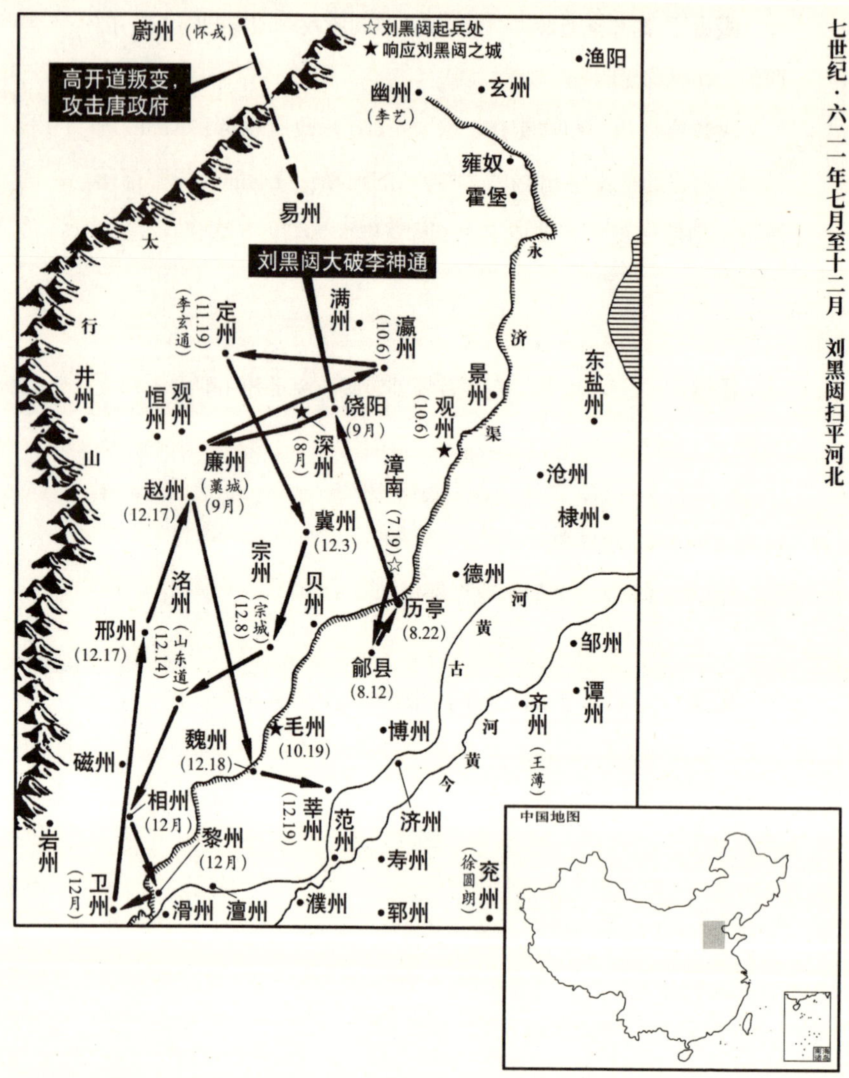

七世纪·六二二年七月至十二月　刘黑闼扫平河北

七世纪·六二二年年底 全国割据形势

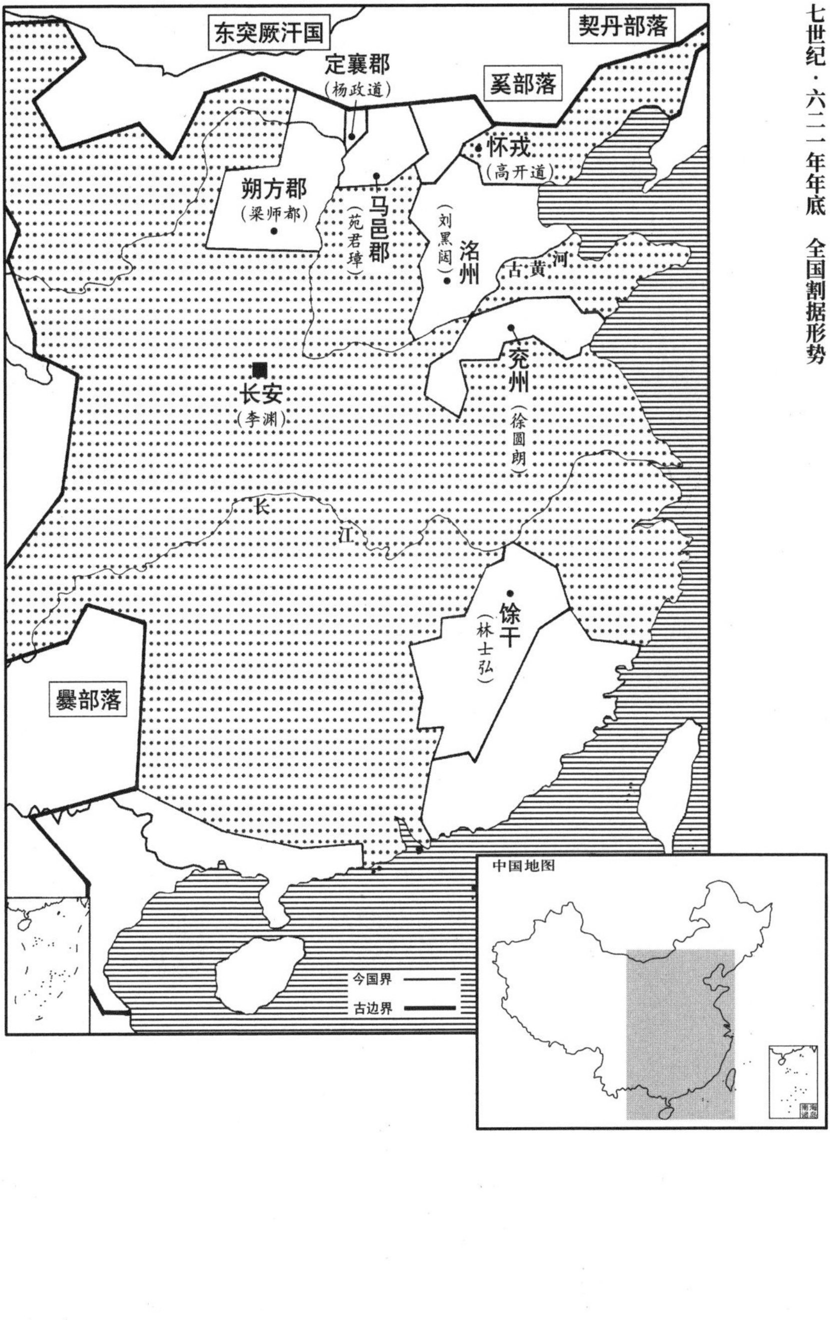

东突厥汗国
契丹部落
定襄郡（杨政道）
奚部落
怀戎（高开道）
朔方郡（梁师都）
马邑郡（苑君璋）
洺州（刘黑闼）
古黄河
长安（李渊）
兖州（徐圆朗）
长江
馀干（林士弘）
爨部落
今国界
古边界
中国地图
南海诸岛